DIE GEHEIME GESCHICHTE DER AMERIKANISCHEN KRIEGE

Veröffentlichungen
des Institutes für deutsche Nachkriegsgeschichte
BAND XXIV

In Verbindung mit zahlreichen Gelehrten des In- und Auslandes
herausgegeben von Wigbert Grabert

Inhaltsverzeichnis

Vorwort 9
Einleitung 11

Kapitel 1
Die formenden Jahre der US-Außenpolitik 17
   Die Ausrottung der Indianer und die Versklavung der Schwarzen:
   ›Manifest Destiny‹ bis zum bitteren Ende (ca. 1692–1890) 17
   Expansionsdrang und Eroberungskriege: vom richtigen Umgang
     mit den Nachbarstaaten (1775–1818) 22
   Der Befreiungskrieg 1776–1783: Krieg gegen das Mutterland 22
   Inoffizieller Kaperkrieg mit Frankreich (1798–1800) 29
   Der erste Berberkrieg gegen Tripolis (1801–1805) 31
   Die Besitzergreifung von Louisiana und Florida (1803–1819) 32
   Der Krieg von 1812 mit Großbritannien 36
   Imperialismus in Vollendung oder: die Eroberung von Texas   und
     der Krieg gegen Mexiko (1819–1848) 39
   Der amerikanisch-mexikanische Krieg (1846–1848) 44

Kapitel 2
Krieg gegen das eigene Volk:
der Amerikanische Bürgerkrieg (1861–1865) 52
   Die scheinheilige Demokratie oder die Machtergreifung auf amerikanisch 69
   Die Ermordung amerikanischer Präsidenten oder Staatsputsch
     auf amerikanisch (Lincoln und Kennedy) 74

Kapitel 3
Der Aufstieg zur Weltmacht 90
   Pax Americana: Das amerikanische Jahrhundert und seine Kanonenboot-
     Diplomatie 90
   »Liefern Sie Bildmaterial, ich liefere den Krieg« – der spanisch-amerikanische
     Krieg (1898) 91
   Erneuter Eingriff in Mexiko oder: wie der lateinamerikanische Hinterhof
     entdeckt wurde 105

Kapitel 4
Wirtschaftskriege auf amerikanisch 112
   Der ›Große Krieg‹ und das große Geld: der Erste Weltkrieg und die USA 113
   Der Erste Weltkrieg schuf die Voraussetzungen für den Zweiten Weltkrieg . 132
   Wer finanzierte Hitler? 149

Kapitel 5
Die Provokation Japans oder: wie man in einen Weltkrieg eintritt 166
Der manipulierte Angriff auf Pearl Habor 194
Und Deutschlands Schicksal 226

Kapitel 6
Vom Kalten Krieg zum Koreakrieg 237

Kapitel 7
Vietnam, das zweite Gewaltopfer, und andere Eskapaden 264
Kambodscha: Dominostein im Kreuzzug gegen Vietnam 289
Laos: ein weiteres Opfer des Kreuzzuges 295

Kapitel 8
Kleinere Kriege 298
Grenada 1983: Ein Inselstaat bedroht die USA! 298
Libyen 1980-1986: Reagan sieht rot 308
Invasion Panamas 1989 oder: Wie Bush seinen ›Krieg gegen die Drogen‹ gewann 312
Die afghanische Tragödie: eine russische Aggression? 1979–1988 319

Kapitel 9
Der erste Golfkrieg oder: wessen Stellvertreterkrieg war er? 333
Ein Plan für den Mittleren Osten? 335
Amerikanisch-israelische Geheimverbindungen im ersten Golfkrieg 345
Saddam war siegessicher 348
Die Lage in Europa 1989 und die US-Außenpolitik 350

Kapitel 10
Die Vorbereitung der Golfkrise 352
Die Beziehungen USA-Irak nach dem ersten Golfkrieg 352
Irakisch-kuwaitische Beziehungen nach dem ersten Golfkrieg 356
Vorbereitungen der USA auf die Krise am Golf 359
Die Beziehungen zwischen den USA und Kuwait vor dem Golfkrieg 362
Die Wirtschaftslage in den USA 365

Kapitel 11
Die Inszenierung der Golfkrise und die Golfkriegsverschwörung der Bush-Regierung 369
Katastrophen-Diplomatie 383
Warum griff der Irak Kuwait an? 392

Kapitel 12
Der Weg in den Krieg 396
Warum waren die USA am Golfkrieg interessiert? 399
Die Vorbereitungen der Bush-Regierung auf den Golfkrieg 403

Die Zeitabstimmung für den US-Angriff auf den Irak 410
Der Propagandafeldzug der Bush-Regierung: die Medien in den USA
    und ihr Einfluß auf den Golfkrieg 411
Der Sprachenmord des Pentagons und der Medien 415
Die Ausschaltung der Opposition in den USA 417
Die Brutkasten-Lüge 417

Kapitel 13
Die Gründe der Bush-Regierung für den Golfkrieg 420
Saddam Husseins Machtergreifung mit freundlicher
    Unterstützung des CIA 420
Die Lüge über das Atomprogramm des Iraks 425
Der Mythos des unterbrochenen Ölflusses 429
Die Bush-Regierung behauptete, der Irak werde Saudi-Arabien angreifen ... 431
Der Krieg am Golf: Völkermord im Namen der UNO 438
Washingtons verdeckter nuklearer Krieg 442

Kapitel 14
Somalia: Ein bißchen humanitäre Intervention ›The American Way‹ (1993–1994) 445

Kapitel 15
Jugoslawien: Humanitäre Intervention Teil II oder: die verheimlichte Rolle der USA bei der Zerstückelung eines Staates 452
Die USA beherrschen die Region durch Wirtschaftssanktionen 467

Kapitel 16
Irak Teil II oder: Wer besitzt Waffen der Massenvernichtung? 470

Nachwort
Ziel erreicht, globale Weltherrschaft der USA? 486

Nachtrag
Der Kosovo-Krieg als Komplott. Humanistische Hegemonie? . 498
Das Racak-Massaker – eine bewußte Eskalation zum richtigen
    Zeitpunkt 500
Das Diktat von Rambouillet 506
Ziele der Machtelite vor und nach dem Kosvovo-Krieg 508
Nachwirkungen des Kosovo-Krieges 510

Anhang I
Amerikanische militärische Interventionen und Kriege
    seit Gründung der USA 514
Amerikanische Kriege, militärische Interventionen und CIA-Operationen
    seit 1945 528

Anhang II
Attentatskomplotte der US-Regierung 539
Anhang III
US-Atomwaffenpolitik 545
Anmerkungen 548
Kommentiertes Literaturverzeichnis 582
Personenverzeichnis 611

Vorwort

Das ausschlaggebende Ereignis für dieses Buch war der Golfkrieg von 1991. Die Bilder von brennenden Ölfeldern und amerikanischen Kampfflugzeugen, die ihre Bomben auf Regierungsgebäude in Bagdad abwarfen, werden den meisten von uns von den Bildschirmen wohl noch bekannt sein. Ich wußte, was in etwa folgen würde: Die von den Amerikanern angeführte Allianz würde den Irak zerbomben, bis dieser kaum noch nennenswerten Widerstand leisten könne. Die Übermacht der Alliierten ließ eigentlich keinen anderen Ausgang als wahrscheinlich erscheinen.

Damals glaubte ich noch an die offizielle Regierungs- und Medienerklärung für den Krieg: Der Irak habe unprovoziert Kuwait überfallen und somit die Krise ausgelöst, die zum Golfkrieg führte. Der Krieg zog mich unvermeidlich in seinen Bann und ließ mir keine Zeit, seine Entstehung zu analysieren. Erst Monate nach dem Krieg, als die ersten Bücher und Berichte dazu erschienen, bemühte ich mich, soviel wie möglich darüber zu erfahren. Mir wurde nach und nach klar, daß die offizielle Version des Krieges nicht alle Fragen zufriedenstellend beantworten konnte. Es traten im Laufe der Zeit immer mehr Ungereimtheiten und Widersprüche auf, die sich nicht mit der offiziellen Version erklären ließen.

Je intensiver ich mich mit diesem Thema beschäftigte, desto mehr stellte sich heraus, daß die mediengängige Version der Wahrheit einfach nicht mehr standhalten konnte. Es traten einfach zu viele Widersprüche auf. Ich fühlte mich gezwungen, die ganze Sache noch einmal in einem neuen Licht zu ergründen. Auch ich hätte gern an die offizielle Version des Golfkriegs geglaubt, denn ohne die nötige Hintergrundinformation ergibt sie Sinn und ist leichtverständlich. Aber ich wußte, daß es für mich kein Zurück mehr geben konnte. Die offizielle Geschichte des Golfkriegs war ein Täuschungsmanöver, eine Lüge, die inszeniert wurde, um einen Vorwand für die Zerstörung des Iraks zu haben. Die Medien hatten sich mit ihren Regierungen verbündet, und da eine äußerst starke Zensur bestand, hätten die Medien, selbst wenn sie dies gewünscht hätten, nicht unabhängig von den Regierungen über den Golfkrieg berichten können.

Ursprünglich wollte ich ausschließlich ein Buch über den Golfkrieg schreiben, fand aber schnell heraus, daß dies für meine Leser nicht ganz zufriedenstellend gewesen wäre. Da ich selbst die US-Außenpolitik immer kritischer betrachtete, begann ich bald festzustellen, daß die US-Außenpolitik eine unwiderlegbare Konstante aufwies. Seit dem amerikanisch-mexikanischen Krieg (1846–1848) waren Provokationen und Intrigen in der amerikanischen

Außenpolitik ein Mittel, Kriege auszulösen. Ein roter Faden zieht sich durch die Geschichte der amerikanischen Kriege und deutet auf Provokationen und Inszenierungen von ›Vorfällen‹ hin, die die Machthaber dazu benutzen, dem eigenen Volk weiszumachen, daß ein Krieg nun gerechtfertigt sei. Man darf hierbei nicht vergessen, daß Krieg auch immer ein einträgliches Geschäft für die Geschäfts- und Rüstungswelt ist.

Im Zusammenhang mit den amerikanischen Kriegen fiel mir immer wieder auf, daß die wirkliche Politik nicht von den Politikern gemacht wurde, sondern von einer Machtelite, die die Fäden im Hintergrund in der Hand hielt. Schon einige Autoren haben darüber berichtet, daß es diese Machtelite gibt und daß sie in Wirklichkeit nicht nur die Politik, sondern damit auch die Wirtschaft kontrolliert und lenkt. Gary ALLEN hat in seinem vierbändigen Buch *Die Insider – Baumeister der Neuen Welt-Ordnung* nachgewiesen, daß diese Machtelite, die größtenteils eine superreiche Finanzelite darstellt, Amerikas Politik insgeheim manipuliert und kontrolliert. Außerdem steuert dieselbe Machtelite unsere Medien, sie entscheidet darüber, welche ›Nachrichten‹ gesendet werden und welche nicht. Die meisten US-Präsidenten waren nur Instrumente dieser Machtelite, und sie taten, was ihnen indirekt oder direkt von ihr befohlen wurde. Diese Elite ist finanziell so mächtig, daß sie durch Manipulation der Wirtschaft Rezessionen oder gar Depressionen auslösen kann, wenn sie dies beabsichtigt.

Nach dem Golfkrieg wurde von seiten der Bush-Regierung viel über eine ›neue Weltordnung‹ geredet. Diese ›neue Weltordnung‹ konnte aber nur durch den Golfkrieg eingeleitet werden, denn nachdem die Sowjetunion sich aufgelöst hatte, existierte nur noch eine Supermacht: die USA. Somit war die Bipolarität, die während des gesamten Kalten Krieges eine Art Machtbalance zwischen den Supermächten aufrechterhalten hatte, verschwunden. Nun, nach dem Niedergang der Sowjetunion, war die politische Machtkonstellation so, daß die USA nach einem erfolgreich geführten Golfkrieg über die riesigen Ölreserven im Mittleren Osten verfügen und die unangefochtene Weltmacht werden konnten. Es fehlte eben nur noch der besagte Krieg, um die Hegemonie einer ›Pax Americana‹ herzustellen. Es fehlte also nur noch eine clevere Inszenierung dieses Krieges.

Im folgenden Buch werde ich die kriminellen Machenschaften dieser Machtelite beschreiben und darlegen, wie sie die amerikanischen Kriege erst aufs genaueste plante, um sie dann hinterlistig zu inszenieren.

Einleitung

Das erste Opfer des Krieges ist die Wahrheit
Senator Hiram JOHNSON, 1917

USA: Land der unbegrenzten Möglichkeiten, Land der Freiheit, Land der Demokratie, Land der ›Traumfabrik‹ (Hollywood), größter Schmelztiegel der Völker.

Das sind einige der Vorstellungen und Stichwörter, die man von vielen normalerweise hört, wenn man sie über die USA befragt. Natürlich sind viele der Auflistungen kurze Beschreibungen von USA-Klischees, und viele wissen das auch, nichtsdestotrotz akzeptieren sie diese als Wahrheit oder zumindest als Orientierungs- und Bezugspunkt, wenn es darum geht, sich ein Bild von den USA, von ihrer Geschichte und Kultur zu machen. Dennoch kann man den Beteiligten keine Vorwürfe machen: Der ›American dream‹, das Klischee des freien Menschen, der in der neuen Welt reich und glücklich wird, wird von Medien, der Filmindustrie sowie der amerikanischen Regierung kräftig gefördert. So ist es kein Wunder, wenn die meisten Deutschen etwas von George WASHINGTON, Abraham LINCOLN und dem amerikanischen Bürgerkrieg gehört haben, etwas darüber wissen, daß die USA in den Ersten und Zweiten Weltkrieg eingriffen und aus diesen Kriegen als Sieger hervorgingen, und sie von der jüngeren US-Geschichte kennen, daß die USA am Koreakrieg, dem Vietnamkrieg und natürlich am Golfkrieg beteiligt waren. Über die wahren Hintergründe, die zu den vielen Kriegen und Konflikten führten, hat man aber nur die vagsten Vermutungen und Vorstellungen.

Es ist nun an der Zeit, die Maske herunterzureißen, Amerika zu beschreiben, wie es ist, und anhand der amerikanischen Geschichte aufzuzeigen, wie die Sache wirklich ablief. Wenn meine These stimmt, und ich glaube, daß sie stimmt, dann haben wir es mit einer der größten militärischen und machtpolitischen Täuschungen und Verschwörungen der jüngeren Geschichte zu tun.

Es ist mittlerweile außer Mode gekommen, über Imperialismus zu reden, die US-Geschichte läßt sich aber gut als imperialistisch-hegemonistische Macht beschreiben. Die ersten Gewaltopfer dieses imperialistischen Expansionsdrangs waren die Ureinwohner Amerikas, die Indianer. Nicht viel später waren es die Mexikaner, die ihre Freiheit und ungefähr die Hälfte ihres Landes an die US-Regierung im amerikanisch-mexikanischen Krieg von 1846–1848 verloren. Das imperialistische Amerika eroberte den ganzen nordamerikanischen Kontinent mit Ausnahme Kanadas – das die US-Regierung ebenfalls einzunehmen versucht hatte. Desweiteren wurden große Teile Lateinamerikas zu US-Kolonien. Als die USA Anfang dieses Jahrhunderts ihre heutigen Grenzen erschlossen hatten, waren sie zu einer Großmacht emporgestiegen. Sie setzten im zwanzigsten Jahrhundert diese Macht auch ohne Rücksicht gegen viele andere Völker, Nationen und Kulturen ein, wenn dies in ihrem machtpolitischen Interesse war. Immer wenn die US-Führung in den Krieg zog, versuchte sie ihre Beteiligung an diesen Kriegen als Verteidigung der Demokratie, Aufrechterhaltung der internationalen Gesetze oder der Wiederherstellung des Friedens zu rechtfertigen. Die amerikanische Geschichte ist aber voller Intrigen, Provokationen und Unterdrückungen, wenn es darum geht, Kriege zu führen, die die politischen, wirtschaftlichen und strategischen Interessen der USA sichern sollen. Angefangen mit der Ausrottung der Indianer bis hin zum Golfkrieg, zieht sich ein roter Faden durch die US-Außenpolitik, der dies belegt.

Dies ist kein Buch, das die ›Standardversion‹ der US-Geschichte beschreiben oder wiederholen will. Darüber gibt es, weiß Gott, genug Bücher, die man wohl eher als Hollywood-Version der Geschichte Amerikas bezeichnen könnte denn als eine kritische Geschichtsinterpretation. Diese Standardversion stellen die konventionellen Schul- und Textbücher dar, Fernsehverfilmungen und gängige Zeitungsbeiträge zur US-Geschichte sowie die meisten Vorlesungen. Diese Version ist, wie zu erwarten, ›sicher‹ und unkritisch, damit keine Zweifel an ihrer Authentizität aufkommen können. Sie ist in dem Sinne ›sicher‹, daß sie nicht beabsichtigt, echte Komplotte und Skandale aufzudecken, Kontroversen zu ergründen oder sonst irgendwelche unbequemen oder gar kompromittierenden Tatsachen zu veröffentlichen, damit die Führungsschicht nicht in Frage gestellt wird und weiterhin ihre hinterlistige Politik betreiben kann.

Diese Geschichtsversion macht glauben, daß Kriege gewissermaßen aus heiterem Himmel entstehen, daß eine konsequente wirtschaftliche Verbindung mit Kriegen fast immer von Anfang an ausgeschlossen wird und daß die Kriege nicht im voraus geplant waren, sie passierten eben einfach. Man könnte diese Auslegung der Geschichte auch die Zufallsversion der Geschichte nennen, anscheinend passieren wichtige Dinge einfach von selbst, ohne daß Menschen einen Einfluß oder gar Kontrolle darüber ausüben können. Menschen sind in dieser Geschichtsauffassung immer zum Statistendasein verurteilt. Wie auf einer Bühne kontrollieren sie nie die Umstände, sondern werden von diesen stets kontrolliert, damit unterstellt man diesen Menschen, daß sie nichts planen können.

Diese Art von Geschichtsauffassung ist letztendlich nichts weiteres als die systematische Auflistung eines Chronisten, der kurz beschreibt, was, wann und wo etwas passierte, ohne dabei auf die Hintergründe und Ursachen einzugehen, die diese Ereignisse hervorriefen. Falls Hintergründe in diesen Geschichtsbüchern überhaupt behandelt werden, dann meist nur oberflächlich und selten. Wenn man daraufhin die Frage stellt, warum nicht oder nur sporadisch auf die Hintergründe und Ursachen eingegangen worden ist, bekommt man meistens zu hören, daß es zu viele Faktoren gäbe, die man analysieren müßte, oder daß es zu viele Wege gäbe, diese Ursachen zu interpretieren.

Diese Art von Geschichtsinterpretation läuft stets im Interesse der Führungsschicht: Wenn nämlich die Ursachen der Geschichte unbegründet bleiben oder nur oberflächlich behandelt werden, kann niemandem die Schuld für Kriege und Tragödien zugewiesen werden. Es ist daher kein Wunder, wenn die Führungsschicht stets eine ihr günstige Geschichtsinterpretation fördert und unterstützt, denn eine solche Geschichtsbeschreibung ist immer eine Art Jubelgeschichte: Was ›unsere‹ Nation tat, war erhaben und angemessen, alles ist letztendlich gerechtfertigt (von dem Völkermord an den Indianern bis zu Hiroshima), und wenn Tragödien auftreten, so kann man deren Hintergründe ohnehin nicht aufdecken und muß sie deswegen fatalistisch hinnehmen.

In dieser geschönten Geschichtsbeschreibung wird zum Beispiel das Thema Indianervernichtung folgendermaßen behandelt: Es ist zwar zu bedauern, daß so viele Indianer ihr Leben verloren, aber die US-Regierung hatte damit nichts zu tun, weil dies Konflikte zwischen den Siedlern und den Indianern waren, auf die die Regierung keinen Einfluß hatte. Um die Besitzergreifung des US-Kontinents zu rechtfertigen, wird dann folgendes behauptet: So bedauernswert es auch war, die Indianerkultur mußte früher oder später ohnehin der fortgeschrittenen und überlegenen westlichen US-amerikanischen Kultur weichen, denn die US-Kultur war aus evolutionären Gründen dazu bestimmt, über die USA zu herrschen. Schnell wird vom sozialen Darwinismus geredet, der in der US-Geschichte ein unumgängliches Thema ist und der von der Indianervernichtung bis zum krassen US-Kapitalismus fast alles in der US-Geschichte zu rechtfertigen versucht. Daß der soziale Darwinismus aber nur eine umstrittene und von den meisten Sozialwissenschaftlern abgelehnte Theorie ist, wird dabei schnell vergessen. Im Grunde gründet die ganze Standardversion oder ›Hollywoodversion‹ der US-Geschichte auf den folgenden falschen Behauptungen:

- Die Wirtschaft übt keinen oder nur einen sehr geringen Einfluß auf Krieg und Geschichte aus; jeder, der das Gegenteil behauptet, ist ein Marxist oder ökonomischer Determinist (damit wird jeder schnell ausgegrenzt, der sich nicht mit der Standardversion abfinden will).
- Es gibt keine Machteliten, die hinter den Kulissen die wirkliche Politik machen und lenken, solche gibt es vielleicht nur in anderen, undemokratischen, Regierungssystemen.

- Rezessionen und Depressionen, also Wirtschaftskrisen, treten rein zufällig auf, sie können niemals manipuliert oder gar geplant sein.
- Die USA sind eine Demokratie, die sich für die Demokratie in aller Welt einsetzt.
- Die gesamten Fehler und Pannen in der (Außen-)Politik, die (mittelbar) zu Kriegen führen, werden ständig als unvorhersehbare Fehler wegerklärt, an denen oft auch die Medienberichterstattung beteiligt ist. Daß es sich möglicherweise um bewußt herbeigeführte Fehler und Pannen handelt, wird erst gar nicht in Frage gestellt.
- Krieg wird nicht als Machtinstrument benutzt, da man keine Kriege planen kann, folglich kann es auch keine Kriegsverschwörungen geben.

Die vorigen Behauptungen der Standardversion der Geschichte werden im folgenden Buch widerlegt und als Geschichtsverfälschungen entlarvt. Dieses Buch ist daher ein Versuch, die durchgängige Verlogenheit der verschwiegenen, verheimlichten und verleugneten US-Geschichte in bezug auf die amerikanischen Kriege aufzudecken. Es ist daher, wie schon aus dem Titel ersichtlich, *die geheime Geschichte der amerikanischen Kriege*. Es wird nachgewiesen, daß in der Politik, besonders in der Außenpolitik, ebenso wie in der Wirtschaft nahezu alles geplant, fast nichts dem Zufall überlassen ist. In dieser Hinsicht ist es wohl angebracht, Franklin Delano Roosevelt, den einzigen US-Präsidenten, der viermal gewählt wurde, zu zitieren: »In der Politik geschieht nichts zufällig. Wenn etwas geschieht, kann man sicher sein, daß es auf diese Weise geplant war.« (Allen, Gary, *Die Insider – Baumeister der ›Neuen Welt-Ordnung‹*, VAP, Preußisch Oldendorf [13]1995, S. 10) Er, der durch die US-Machtelite zum Präsidenten emporstieg, wird wohl gewußt haben, wovon er sprach.

»Heute sind die Vereinigten Staaten auf diesem Kontinent so gut wie souverän, und zumindest für diejenigen Staatsangehörigen, auf die sie ihre Intervention beschränken, ist ihr Machtanspruch Gesetz.«

Außenminister OLNEY 1895

Kapitel 1

Die formenden Jahre der US-Außenpolitik

Die Ausrottung der Indianer und die Versklavung der Schwarzen: ›Manifest Destiny‹ bis zum bitteren Ende (ca. 1692–1890)

Die Vereinigten Staaten sind ein einzigartiges Land, denn ihre Entstehung begann mit einer der größten Besitzergreifungen, die es in der modernen Geschichte gegeben hat: Bekanntlich gehörte das gesamte Land den Indianern. Über ihre Anzahl gibt es bis heute nur ziemlich vage Erkenntnisse: Gemäß der vorherrschenden konservativen Ansicht der Fachleute gab es Anfang des 17. Jahrhunderts ungefähr 8 Millionen Indianer in Nordamerika.[0] Nachdem die Ausbreitung der USA ihre heutigen Grenzen erschlossen hatte, lebten 1910, nach Angaben der amerikanischen Volkszählung, nur noch 220 000 Indianer in den USA.[1] Was dies bedeutet, ist wohl eindeutig; die Jahre der Bildung der USA begannen mit einem Genozid, das womöglich für diesen Zeitpunkt in der Weltgeschichte einzigartig ist. Höchstwahrscheinlich wurden an die 7 Millionen Indianer systematisch ausgerottet, und dies innerhalb von 350 Jahren. Der amerikanische Historiker David L. Hoggan schreibt diesbezüglich: »Es gibt in der ganzen Weltgeschichte keine grauenvollere Sache als den wilden amerikanischen Zermürbungsfeldzug gegen die Indianer... die echten Amerikaner, ... deren Bevölkerungszahl um mehr als 90 Prozent durch die amerikanische ›Endlösung der Indianerfrage‹ reduziert wurde.«[2]

Trotzdem blieb es nicht dabei, denn parallel zur Ausrottung der Indianer und der größten Besitzergreifung der modernen Geschichte bewilligte die Regierung der USA die gewaltsame Verschleppung von Millionen Schwarzen, die größtenteils aus Afrika kamen, damit sie als Sklaven für die wohlhabenden Weißen arbeiteten. Es herrscht keine Übereinstimmung über die genaue Anzahl der Schwarzen, die in Afrika eingefangen wurden. Toni Morrison bestätigt aber, daß 60 Millionen die niedrigste Zahl sei, die er von Historikern kenne. Daß dabei von den 60 Millionen nur ungefähr 4 Millionen die grauenvolle Reise nach Amerika überlebten, war damals nicht bedeutsam, da Schwarze als eine Art Untermensch betrachtet wurden, ebenso wie die Indianer, die man einfach ausrottete. Einer anderen Statistik zufolge wird geschätzt, daß von allen schwarzen Sklaven mindestens 10 Millionen die grauenvolle Reise nach Amerika nicht überlebten, da sie entweder starben oder Selbstmord begingen.[3]

Die frühen Jahre der Bildung der USA stehen daher unter einem äußerst düsteren Stern. Ein Staat, der seine Entstehungsgeschichte mit einem Völkermord und der Verschleppung und Versklavung von Millionen Mitgliedern einer anderen Rasse beginnt, vermittelt wahrlich nichts Gutes. Seitdem die USA 1776 als Staat bestehen, schloß die US-Regierung mit den Indianern rund 400 Verträge ab. Von diesen wurde fast jeder einzelne von den Weißen gebrochen.[4]

Über eine große Anzahl dieser Verträge sind wir gut unterrichtet und informiert. So wurden beispielsweise mit den Muskhogees oder Creeks zwölf Verträge abgeschlossen, und alle zwölf wurden gebrochen. Mit den Winnibagos wurden zwar nicht alle 28 Verträge auf einmal gebrochen, aber die meisten; die letzten sogar noch im Jahre 1846.[5] Der Hauptzweck der Verträge war die Umsiedlung der Indianer aus ihren Stammesgebieten in neues Land im Westen, welches angeblich zu ihrer ausschließlichen Benutzung reserviert war. Das Ergebnis der gebrochenen Verträge war aber, daß bis zum Jahre 1840 alle Indianer östlich des Mississippi enteignet oder vertrieben waren. Die Verträge degradierten sie zu unterworfenen Völkern, die aus ihrer eigenen Heimat vertrieben waren. Auf den langen Reisen zu den Reservaten, bei denen sie oft von Soldaten begleitet wurden, starben Tausende von ihnen, insbesondere Frauen und Kinder. Einige Indianerstämme weigerten sich, ihr Land amerikanischen Siedlern zu überlassen, indem sie darauf hinwiesen, daß frühere Verträge ihnen Aufenthaltsrecht gewährten. Infolgedessen erklärten die Amerikaner ihnen den Krieg.

Die dann folgenden sogenannten Indianerkriege, welche von 1612 bis 1890 wüteten, beinhalteten zweihundert größerer Schlachten und Hunderte von Gefechten. Diese Zermürbungsfeldzüge vernichteten viele Tausende von Indianern.[6] Rückblickend erklärte dann sogar Präsident HAYES in seiner jährlichen Ansprache 1877 (als die Indianer schon größtenteils vernichtet waren): »Viele, wenn nicht die meisten, unserer Indianerkriege haben ihren Ursprung in gebrochenen Versprechungen sowie ungerechten Handlungen, die von uns aus gingen.«[7] Es gibt keine Regierung, die in einem solch kurzen Zeitraum so viele Verträge nicht nur mißachtete, sondern absichtlich brach.[8] Aber die US-Politik verfolgte konsequent die Ziele der ›Manifest Destiny‹ (offenkundigen Bestimmung), der zufolge die Amerikaner das auserwählte Volk seien, um die Indianer zu zivilisieren, und daher über deren Territorium herrschen müßten. Dies wurde mit der Behauptung begründet, daß »Amerika von Gott ausersehen (sei), denn seine moralischen, geistigen, politischen und ökonomischen Einrichtungen wären denen aller anderen Völker überlegen. . .«[9]

Für den Fall, daß die Indianer sich weigerten, ihre ›Zivilisierung‹ anzunehmen, hatte man in Washington auch andere Pläne. Diese erläuterte 1825 Staatssekretär CLAY, indem er folgendes über die Indianer aussagte: »Ihre

Auslöschung ist unvermeidlich und kein großer Verlust.« Schießt auf sie, wenn sie in Schußnähe kommen, galt als Faustregel an der Grenze.[10] Man erklärte den Indianern den Krieg, und wo sie in der eindeutigen Überzahl waren, bediente man sich heimtückischer Mittel, wie der Schwarzen Pokken, die man den Indianern mit Decken gab, als man mit ihnen handelte. In der Ohio-Region brachen dann auch wenige Monate später die Schwarzen Pocken unter den Indianern aus. Es ist sehr wahrscheinlich, daß diese altmodische bakteriologische Kriegführung Tausende Indianer tötete, später wurde die gleiche Waffe im Vietnam-Krieg vom US-Militär noch wirksamer eingesetzt.[11]

Die Kriege gegen die Indianer waren von einer bemerkenswerten Brutalität gekennzeichnet. Geradezu typisch erwies sich eine der letzten großen Schlachten gegen die Sioux, die vor den Amerikanern geflohen waren.[12] Obwohl 1886 eine ganze Generation von Kriegen gegen die Indianer mit der Gefangennahme des Apachen-Anführers GERONIMO praktisch beendet war, verfolgte die US-Armee weiterhin den Sioux-Stamm und dessen Anführer SITTING BULL. Am 17. Dezember erteilte das Kriegsministerium den Befehl, BIG FOOT zu verhaften, er wurde als »Unruhestifter« bezeichnet. Als BIG FOOT die Nachricht erhielt, daß sein Weggefährte SITTING BULL ermordet worden sei, zog er mit seinen Leuten nach Pine Ridge, um vor den US-Soldaten Zuflucht zu finden. Als sich am 28. Dezember vier Kavallerietrupps dem Porcupine Creek näherten, befahl BIG FOOT sofort, auf seinem Wagen eine weiße Fahne zu hissen. Gegen zwei Uhr nachmittags empfing er Major Samuel WHITSIDE von der Siebten US-Cavalry. Major WHITSIDE teilte BIG FOOT mit, daß er die Anweisung habe, ihn zu einem Kavallerielager am Wounded Knee Creek zu bringen. Der Indianerführer erwiderte darauf, daß er sowieso in diese Richtung ziehen wolle und daher seine Leute zum Pine Ridge in Sicherheit gebracht habe.

Der Major sprach dann mit John SHANGREAU, einem Halbblutkundschafter, dem er den Befehl gab, BIG FOOTS Leute zu entwaffnen. »Hören Sie, Major«, erwiderte SHANGREAU, »wenn Sie das tun, wird es wahrscheinlich zu einem Kampf kommen, und dann werden Sie all diese Frauen und Kinder töten, und die Männer werden entkommen.« WHITSIDE blieb aber bei seinem Argument, daß er die Anweisung habe, BIG FOOTS Leute »zu verhaften und ihnen ihre Waffen und Pferde wegzunehmen«. »Wir sollten sie lieber zum Lager bringen und ihnen dort ihre Pferde und Gewehre wegnehmen«, erklärte SHANGREAU. »Gut«, sagte WHITESIDE. »Sagen Sie BIG FOOT, er soll zum Lager am Wounded Knee ziehen.« Der Major sah, daß der Häuptling krank war, und befahl, den Ambulanzwagen seiner Truppe zu holen, da die Fahrt darin wärmer und angenehmer sein würde.

Dann marschierten zwei Kavallerietrupps in Richtung Wounded Knee Creek. Mitten in der Nacht kamen alle Beteiligten am Wounded Knee Creek an, wo die Indianer beim Kavalleriezeltlager sorgfältig gezählt wurden. 120 Männer und 230 Frauen wurden registriert. Da es schon Nacht war, entschied sich Major Whitside, seine Gefangenen erst am nächsten Morgen zu entwaffnen. Damit keiner der gefangenen Indianer fliehen konnte, stellte der Major zwei Trupps Kavallerie um die Indianer auf, ebenfalls brachte er Hotchkisskanonen auf einem Hügel über dem Lager in Stellung. Als Colonel James W. Forsyth mit dem Rest der Soldaten anmarschiert kam, übernahm er das Kommando und teilte Whitside mit, er habe die Anweisung, Big Foots Gefährten zur Union Pacific Railroad zu bringen. Dort angekommen, sollte Big Foot in ein Militärgefängnis nach Omaha transportiert werden. Nachdem zwei weitere Hotchkisskanonen auf einem Hügel aufgestellt worden waren, feierten Forsyth und seine Offiziere Big Foots Gefangennahme mit einem Faß Whiskey.

Wasumaza, einer von Big Foots Kriegern, schilderte die Lage am nächsten Morgen: »Nachdem zum Frühstück Zwieback verteilt worden war, teilte Colonel Forsyth den Indianern mit, daß man sie jetzt entwaffnen werde. ›Sie verlangten unsere Gewehre und Waffen‹, sagte White Lance, ›und so gaben wir alle unsere Gewehre ab, und sie wurden in der Mitte aufgestapelt.‹ Die Offiziere waren mit der Zahl der abgelieferten Waffen nicht zufrieden und befahlen Soldaten, die Zelte zu durchsuchen. ›Sie gingen in die Wigwams, kamen mit Bündeln heraus und rissen sie auf‹, sagte Dog Chief. ›Sie brachten unsere Beile, Messer und Zeltstangen und legten sie neben die Gewehre.‹«

Aber die Offiziere waren damit immer noch nicht zufrieden und forderten nun von den Indianern, ihre Decken abzulegen und sich nach Waffen durchsuchen zu lassen. Nach dieser ganzen Aktion fanden die Soldaten nur zwei Gewehre, eines war ein Winchester-Gewehr und gehörte einem jungen Indianer namens Black Coyote. Dieser hob das Gewehr über seinen Kopf und behauptete, er habe viel Geld für diese Waffe zahlen müssen, und daher sei es sein Eigentum. Einige Jahre später berichtete Wasumaza, daß Black Coyote taub war. »Wenn sie ihn in Ruhe gelassen hätten, dann hätte er sein Gewehr abgeliefert. Sie packten ihn und drehten ihn herum. Selbst in diesem Moment war er noch ruhig. Er richtete sein Gewehr auf niemanden. Er hatte die Absicht, es hinzulegen. Da packten sie das Gewehr, das er hinlegen wollte. Gleich nachdem sie ihn herumgedreht hatten, fiel ein Schuß. Ich weiß nicht, ob jemand getroffen wurde, doch es folgte ein lautes Krachen.« Berichten zufolge soll Black Coyote angeblich sein Gewehr abgefeuert haben. Sofort erwiderten die Soldaten ihrerseits das Feuer und schossen blindlings um sich. Die ersten Sekunden waren dann gekennzeichnet von ohrenbetäubendem Lärm der Karabiner, während die Luft voller Pulverqualm war. Big Foot war unter den Sterbenden, die auf dem kalten Boden lagen. »Dann herrschte ein Moment Stille, und es kam zu einem Handgemenge zwischen den Indianern und Soldaten, bei dem Messer, Keulen und Pistolen benutzt wurden. Da nur wenige der Indianer Waffen besaßen, mußten sie bald fliehen, worauf die großen Hotchkisskanonen auf dem Berg sie unter Beschuß nahmen. Sie feuerten fast jede Sekunde eine Granate ab, beschossen das Indianerlager, zerfetzten mit ihren Schrapnells die Wigwams und töteten Männer, Frauen und Kinder. ›Wir versuchten fortzulaufen‹, sagte Louise Weasel BEAR, ›doch sie schossen auf uns, als wären wir Büffel. Ich weiß, daß es auch gute Weiße gibt, doch Soldaten, die auf Frauen und Kinder schießen, müssen böse sein. Indianische Soldaten würden niemals weiße Kinder erschießen.‹«

Innerhalb kürzester Zeit fand ein regelrechtes Gemetzel statt, bei dem, einigen Schätzungen zufolge, über 350 Indianer: Männer, Frauen, und Kinder wehrlos oder tot auf dem Boden liegen blieben. Hinter brennenden Zelten versuchten die übrigen verzweifelt, in eine Schlucht zu entkommen, diese wurde aber von Geschützen unter Beschuß genommen. Die Fliehenden wurden im Granatenhagel der verfolgenden Soldaten und deren Salven endgültig ermordet. »Die Verfolgung war ein reines Massaker: Fliehende Frauen mit ihren Kindern in den Armen schoß man nieder, nachdem der Widerstand längst aufgehört hatte und nachdem bereits jeder Krieger tot oder sterbend auf dem Boden lag.« (RADIN) Nachdem das Massaker beendet war, marschierte ein Trupp Soldaten zum Schlachtfeld am Wounded Knee, um die noch lebenden Indianer aufzusammeln und auf einen Wagen zu legen. Weil ein Schneesturm sich dem Tatort näherte, ließ man die toten Indianer liegen. »Als die Soldaten nach dem Schneesturm zum Wounded Knee zurückkehrten, waren die Toten nach dem Schneesturm, darunter BIG FOOT, zu grotesken Gestalten erstarrt.«[13]

Obwohl der Anlaß für diese Schandtat nie genau geklärt werden konnte, ergab eine spätere staatliche Untersuchung, daß ». . . innerhalb weniger Minuten zweihundert indianische Männer, Frauen und Kinder. . . tot oder verletzt auf dem Boden lagen; die Wigwams waren durch die Granaten zusammengeschossen worden, und einige davon lagen. . . auf den hilflosen Verwundeten. Die wenigen überlebenden Indianer flohen in wilder Panik in die schützende Schlucht, verfolgt von Hunderten von wütenden Soldaten und unter ständigem Beschuß durch die Hotchkisskanonen, die in Stellung gebracht worden waren, um die Schlucht zu räumen. Die Verfolgung war unzweifelhaft nichts weiter als ein Blutbad; fliehende Frauen mit Säuglingen im Arm wurden erschossen, nachdem der Widerstand bereits aufgehört hatte und fast alle Krieger tot oder sterbend auf dem Boden lagen.«[14]

Die ganze Sache von dem Entwaffnungsgerede war also nichts weiter als ein Vorwand, den man brauchte, um diese kriminelle Aktion moralisch rechtfertigen zu können. In den meisten US-Geschichtsbüchern wird der verhängnisvolle Schuß, der zum Massaker von Wounded Knee führte, erst gar nicht erwähnt. Man versucht bewußt, der eigenen Bevölkerung zu suggerieren, daß dies nur eine weitere Schlacht zwischen den Indianern und der US-Kavallerie gewesen sei, wenn auch eine größere. Die Indianer wurden systematisch aus ihrem Land verdrängt, besonders, weil sie oft Land bewohnten, das reich an Bodenschätzen (unter anderem Gold, Silber, Kupfer) und landwirtschaftlich nutzbar (Baumwolle) war. Die US-Regierung förderte diese Politik stark, nicht zuletzt, indem sie das Abschießen von Büffeln als eine Art Volkssport begünstigte. Büffel, welche die Lebensgrundlage der Indianer darstellten, wurden sogar aus fahrenden Zügen abgeschossen. Man schätzt die Zahl der abgeschossenen Büffel auf dreieinhalb Millionen. All dies mußte unausweichlich zur Dezimierung der Indianer führen; in Washington war man sich dessen vollkommen bewußt.[15]

Expansionsdrang und Eroberungskriege: Vom richtigen Umgang mit den Nachbarstaaten (1775–1818)

Der imperialistische Expansionsdrang beeinflußte die US-Außenpolitik entscheidend. Die USA breiteten sich mit ungeheurer Geschwindigkeit in Richtung Westen aus, und alles, was im Wege stand, Indianer oder Natur, mußte ihnen weichen. Der US-Theologe Reinhold NIEBUR nannte es das »räuberische Selbstinteresse« des Kapitalismus.[16] Es war nur eine Frage der Zeit, bis man auf den nächsten Nachbarstaat oder Konkurrenten stoßen würde. Die Kolonialstaaten England, Frankreich und Spanien sahen sich alle gezwungen, ihre Kolonien an die USA abzutreten. In dieser Hinsicht leistete England den größten Widerstand.

Der Befreiungskrieg 1776–1783: Krieg gegen das Mutterland

Die Trennung von dem englischen Mutterland erforderte einen langen Krieg, der um 1775 ausbrach und 1783 endete. Der amerikanische Kriegshistoriker Walter MILLIS schreibt in seinem Buch *Amerikanische Militärgeschichte*, daß die Militärgeschichte der Vereinigten Staaten am 19. April 1775 bei Concord begann. Er erklärt ferner: »Die Vereinigten Staaten wurden durch einen Gewaltakt geboren. Die politische Unabhängigkeitserklärung sollte erst über ein Jahr später erfolgen. Wenn man also nach diesem Datum vorgeht, begann der Krieg zwischen den 13 Koloniestaaten und England bei der Schlacht von Concord, die den Befreiungskrieg auslöste, aus der die USA entstehen sollten.«[17]

Es kam aber schon viel früher zu Anstachelungsaktionen gegen die Briten. Der US-Historiker Howard ZINN schreibt in seinem beeindruckenden Buch *A People's History of the United States*, daß es schon 1770 zu einem solchen gewalttätigen Akt kam: Am 5. März des Jahres protestierten Seilhersteller gegen britische Soldaten, wobei es zu einer Auseinandersetzung kam. Eine Menschenmenge versammelte sich vor einem Zollhaus in Boston und fing an, die dort stationierten britischen Soldaten zu provozieren.[18] Daß es sich dabei um keine harmlose Provokation der Menge handelte, wie oft in US-Geschichtsbüchern zu lesen ist, zeigt die Tatsache, daß die Menge Steine auf die Soldaten warf. Die Steine waren allerdings mit Schnee überzogen und sahen daher wie harmlose Schneebälle aus. Dazu wurde die Menge mit zunehmender Zeit immer größer, und ihre Stimmung den Soldaten gegenüber immer feindlicher, was letztendlich dazu führte, daß die britischen Soldaten in Panik gerieten und anfingen, ihre Musketen abzufeuern. Die blutige Bilanz dieser Provokation waren fünf tote Bostoner.[19]

Diese Provokation wurde schnell auf übertriebene Weise als das ›Boston Massacre‹ bekannt (Massaker von Boston). Interessanterweise waren unter den provozierenden Demonstranten anscheinend keine Angehörigen der gehobenen Kreise, sondern überwiegend solche der Minderheiten, wie Schwarze, Mischlinge (Mulattos) und Iren. Dieses sogenannte Massaker rief so große Empörung hervor, daß an dem Beerdigungsmarsch durch Boston wahrscheinlich 10 000 von 16 000 Bostonern teilnahmen.[20] Es ist anzunehmen, daß das ›Boston-Massaker‹ keine rein spontane Reaktion war, denn schon bei der nächsten großen Maßnahme gegen die Briten war es offenkundig, daß diese gründlich geplant und vorbereitet worden war.

Diese nächste Aktion sollte die ›Boston Tea Party‹ werden. Als die East India Company der Briten praktisch vor dem Ruin stand, wollte das Parlament in England diese retten. Man beschloß daher in London, die Zollsteuer auf die Einführung des Tees der East India Company nach Amerika zu erhöhen. Da die Briten den Krieg der Kolonisten (der englisch sprechenden Amerikaner) gegen die Franzosen und Indianer fast im Alleingang finanziert hatten, dachte man in London, mit dieser Politik auf keinen großen Widerstand in Amerika zu stoßen. Im Dezember 1773 ruderten aber als Indianer verkleidete Personen auf die Schiffe der Royal Navy in Boston zu und warfen den gesamten Tee, der an Bord war, ins Meer.[21] Diese Personen waren laut Professor Michael HOWARD *alle* Freimaurer der St. Andrews Loge in Boston.[22] Insgesamt wurden bei dieser Aktion 340 Kisten Tee im Wert von 90 000 Dollar, damals noch weit mehr Geld als heute, ins Meer geworfen. Auch britisches Eigentum wurde bei dieser Provokation geplündert. In Boston zelebrierte man die ganze Sache noch unnötigerweise als die ›Boston Tea Party‹, während die Beteiligten den Spottvers sangen: »Was für 'nen Hof hat Altengland mit seiner Sünd' und Narretei. Er besteuert die Fische, er besteuert die See... Amerikas Trank: Heißwasser und Tee«

Es muß allen Beteiligten klar gewesen sein, daß dieser Schritt in London mit Wut und Vergeltungsmaßnahmen begleitet werden würde. In Westminster beschloß das Parlament, den Hafen von Boston zu schließen, während die Garnison verstärkt und zur Besatzungsmacht erklärt wurde. Für die Kosten mußte das Volk aufkommen.[23] Somit hatte man die lokale Bevölkerung gegen die Briten aufgehetzt. Die Personen, die in diese Aktion verwickelt waren, hatten das ganze Unternehmen schon lange zuvor geplant. Denn das Bostoner Komitee für Korrespondenz (Boston Committee of Correspondence) war schon ein Jahr vor diesem Vorfall gegründet worden, um antibritische Unternehmungen einzuleiten. Es »kontrollierte«, so Dirk HOERDER, »Aktionen gegen den Tee von Anfang an«. Pauline MAIER, die den Widerstand gegen die Briten in dieser Zeit studierte, kommt in ihrem Buch *From Resistance to Revolution*, zu dem Schluß, daß alle sogenannten geheimen Organisationen, die in dieser Zeit gegründet worden waren, von höheren Kreisen ausgingen. Eine der wichtigsten dieser geheimen Organisationen waren die ›Sons of Liberty‹ (Söhne der Freiheit), sie wurden fast vollkommen von den hohen und besser verdienenden Schichten der Gesellschaft gegründet und geleitet. In Nordkarolina war zum Beispiel einer der wohlhabendsten Grundbesitzer der Anführer der ›Sons of Liberty‹. In den Staaten Virginia und Südkarolina war es nicht anders. Auch in New York war es die Handelselite, die dort den Kampf gegen die Briten anführte.[24]

Diese Bewegungen waren aber keinesfalls irreguläre Ausnahmeerscheinungen. Denn schon um 1760 gab es mindestens achtzehn Aufstände gegen die Kolonialherrschaft und deren Vertreter. Die lokalen Eliten und Behörden erkannten schon damals, um 1760, daß es wichtig sei, diese Rebellionen gegen die Briten zu lenken, denn auf diese Art könnten sie dann die alleinigen Herrscher in den dreizehn Staaten werden. Vor allem war zu dieser Zeit den Eliten des kolonialen Amerikas klar geworden, daß die Gründung eines neuen Staates ihnen riesige Vorteile bringen würde. Wenn es nämlich möglich wäre, eine Nation zu gründen, dann könnte diese neue Elite Land, Profite und politische Macht von dem britischen Empire übernehmen. In solch einem Fall wäre es auch möglich, etwaige Aufstände mittels einer zentralen Regierung besser zu unterdrücken.

Die Anführer der antibritischen Politik, so der US-Historiker ZINN, sahen das größte Problem darin, die Unabhängigkeitsbewegung und den Mob gegen die Briten zu benutzen, ohne daß dabei dieser außer Kontrolle geraten könnte und sich dann gegen sie selbst wenden würde. In den Jahren von 1760 bis 1770 gab es viele Aufstände gegen die amerikanischen führenden Kreise. Zu jener Zeit aber brauchten die amerikanischen gehobenen Zirkel noch die Briten, um die Franzosen und Indianer zu bekämpfen, ein Alleingang der amerikanischen Führungsschicht hätte damals zu ihrem Untergang geführt, und dessen waren sie sich bewußt.

Erst als die Franzosen (1763) und später die Indianer größtenteils von den dreizehn Kolonien verdrängt waren, konnte die amerikanische Elite die ärmere Bevölkerung gegen die Briten aufstacheln.[25] Und erst als die beiden Gefahren, die Franzosen und die Indianer, beseitigt waren, konnte die koloniale Elite gegen die Briten vorgehen. Sie tat dies, indem sie geheime Organisationen wie die ›Sons of Liberty‹ gründete, die auf ihre Anweisungen hin gegen die Briten vorgingen. Die amerikanische koloniale Elite wußte auch, wie andere Führungsgruppen es zuvor erfahren hatten, daß Krieg eine führende Schicht gegen interne Aufstände oder Revolutionen sicherer macht.

1776 kam dann der endgültige Bruch mit dem Mutterland, und der sogenannte Unabhängigkeitskrieg konnte beginnen. Dieser Krieg wird allgemein als ›Revolutionskrieg‹ bezeichnet; eine Tatsache, die jedoch der Wirklichkeit wohl kaum gerecht wird. Denn unter einem ›Revolutionskrieg‹ versteht man einen Krieg, den zumindest die Mehrheit des Volkes unterstützt. Davon kann jedoch beim amerikanischen Krieg gegen die Briten nicht die Rede sein. Von der Bevölkerung der USA (den dreizehn Gründungsstaaten) wurde angenommen, daß zur Zeit des Krieges mit den Briten ungefähr ein Drittel der Bevölkerung für den Krieg war. Diese wurden als ›Patrioten‹ gepriesen, während ein weiteres Drittel gegen ihn war und somit für Großbritannien. Diese wurden als ›Tories‹ bezeichnet, von ihnen wurden später viele gezwungen, nach Kanada auswandern, während das letzte Drittel indifferent und unentschlossen war, wen es unterstützen sollte. Daher ist es wohl eher angebracht, von einem ›gemäßigten Befreiungskrieg‹ zu sprechen. Die Zahlen für die drei verschiedenen Lager im Befreiungskrieg stammen von niemand geringerem als John ADAMS, dem zweiten Präsidenten der USA.

In dieser Hinsicht ist auch noch zu bemerken, daß zumindest nach Thomas PAINE (einem passionierten Patrioten, der zur Unterstützung des Befreiungskrieges eine Broschüre mit dem Titel *Common Sense* herausbrachte) eine große Anzahl der Amerikaner, möglicherweise eine Mehrheit, dem Konflikt mehr oder weniger gleichgültig gegenüberstand. PAINE bezeichnete diese Leute als »Sommer-Soldaten« und »Schön-Wetter-Patrioten«, die die Sache unterstützten, wenn alles gut lief, und ihre Begeisterung schnell verloren, als härtere Zeiten auf sie zukamen.[26]

Viele Geschichtsbücher haben den Befreiungskrieg in ihrer Darstellung verharmlost. Die Begeisterung unter den Amerikanern für den Krieg ließ rasch nach. Ende 1775, als der Krieg gerade anfing, wollten sich nur 4000 Mann weiterverpflichten, während die Desertionsrate stieg. Wer sich verpflichtete, bekam eine Geldprämie, aber dennoch wurde die angestrebte Truppenstärke nicht erreicht. Dienstboten, Sklaven, Deserteure und Loyalisten wurden zwangsverpflichtet. Trotzdem beschwerte sich der spätere erste Präsident der Nation, George WASHINGTON, über die Staaten, daß sie ihre Quoten nicht erfüllten. Wie so oft, konnten sich die Reichen von dem Befreiungskrieg freikaufen, indem sie einen Ersatzmann stellten oder einfach eine begrenzte Strafe zahlten. Überhaupt waren die Reichen nicht gerade ein Paradebeispiel für den amerikanischen Patriotismus. Sie gaben sich loyalistisch, sobald die Briten ihre Stadt besetzten, und patriotisch, wenn die Rebellen einrückten.

George WASHINGTON litt mit seinen Regimentern, weil die Bevölkerung kriegsmüde war und nicht bereit war, für die ›revolutionäre‹ Sache zu zahlen. Die Moral der US-Soldaten soll sogar so miserabel gewesen sein, daß George WASHINGTON sich an die Volksvertreter (Kongreß) wenden mußte, um von ihnen die Erlaubnis zu erhalten, bei der Bestrafung von Soldaten die geltende Norm von 39 Schlägen zu überschreiten. Trotzdem waren Disziplin und Kampfwille so schlecht, daß er fliehende Soldaten mit gezogenem Säbel in die Schlacht zurückjagen mußte. Militärhistoriker mußten sich sogar rückblickend wundern, daß die Amerikaner, die kaum eine Schlacht gewonnen hatten, am Ende als Sieger aus dem Krieg hervorgingen. Letztendlich, und da sind sich die meisten (US-)Historiker einig, gewannen die Amerikaner ihren Befreiungskrieg, weil sie die massive Unterstützung der Franzosen genossen. Durch Verträge mit diesen (1778) kam es zu neuer Motivation, denn die französischen Truppen erwiesen sich als wirksam. Demzufolge ließ die sehr hohe Desertionsrate schnell nach. Die Schlacht von Yorktown brachte durch einen Fehler des britischen Generals CORNWALLIS und mit der Unterstützung von beinah 8000 französischen Mann den 5700 regulären Truppen und über 3000 Milizionären den endgültigen Sieg über die Engländer.

Die Schlachten, die zwischen den Tories und der Kontinentalen Armee, den Patrioten, ausgetragen worden sind, waren von außergewöhnlicher Brutalität geprägt. Dörfer wurden niedergebrannt, Ernten vernichtet, Indianersiedlungen dem Erdboden gleichgemacht und Indianer gehäutet. Mord, Plünderung und die Tötung von Gefangenen waren an der Tagesordnung.[27] Die US-Bevölkerung war in geographische, soziale und ökonomische Gruppen gespalten. Von einer einheitlichen revolutionären Situation kann also keine Rede sein. Sehr oft bestimmten ökonomische Faktoren die Loyalität der Bürger. Patrioten versuchten oft, ihren Bruch mit England aus wirtschaftlichen Gründen zu rechtfertigen, indem sie dem Volk Wohlstand versprachen, der nach dem Sieg über England eintreten würde. Die Tories, die als Gruppe Großbritannien gegenüber loyal geblieben waren, mußten nach dem Sieg der Patrioten eine schlimme Zeit ertragen. Sie wurden von mobartigen Mengen angegriffen, oft ohne plausiblen Grund, in Kerkern interniert, und ihr Besitz wurde allgemein eingezogen.[28] Das letzte Ereignis sollte noch nach Jahrzehnten für angespannte und getrübte Beziehungen mit Großbritannien sorgen.

Die US-Historiker Allan NEVINS und Henry COMMAGER schildern den sogenannten Revolutions- oder Befreiungskrieg als einen Kampf der Patrioten, die ihre Meinung der übrigen US-Bevölkerung aufzwingen wollten.[29] Man hatte dem Volk der USA allgemein eine Wirtschaftsblüte versprochen, wenn erst einmal die Briten besiegt wären. Bezeichnend für dieses Versprechen war eine in Philadelphia gedruckte Zeitung, die am 17. Februar 1776 verkündete: »Welche Vorteile wird die Unabhängigkeit bringen? Einen freien und unbeschränkten Handel; eine große Zunahme des Wohlstands und einen entsprechenden Anstieg des Grundstückswertes.« Die Wirklichkeit sah aber, wie so oft, ganz anders aus. Schon während des Krieges mit England breitete sich eine galoppierende Inflation aus, die der Bevölkerung schwer zu schaffen machte. Das US-Papiergeld hatte 1780 nur noch einen Wert im Verhältnis von 40 zu 1 gegenüber früher. Diejenigen, die den Krieg gewonnen hatten, kamen enttäuscht aus dem Schlachtfeld zurück und warteten vergeblich auf den rückständigen Sold und die Begleichungen für Verpflegung sowie Kleidung, welche die amerikanische Regierung ihnen schuldig blieb. Schließlich mußte sogar der Kongreß, weil er sich weigerte, versprochene Offizierspensionen auf Lebenszeit in Höhe des halben Soldes zu zahlen, vor empörten Soldaten von Philadelphia nach Trenton/New Jersey fliehen.[30]

Diese Erbitterung war keineswegs unbegründet, denn ihr Ursprung war in der Art zu finden, wie die brandneue Regierung den Befreiungskrieg finanziert hatte. Die gerade bestehenden Vereinigten Staaten hatten nämlich den Krieg mit einer Schuldverschreibung an die eigenen Bürger sowie von ausländischen Mächten und Banken finanzieren lassen. Dabei bewegte sich die neue US-Regierung immer bedrohlich nahe am finanziellen Ruin. Um aber wieder als kreditwürdige Nation in der Welt auftreten zu können, mußten die Kriegsschulden so bald wie möglich bezahlt werden.

Das größte Hindernis hierbei war die Tatsache, daß die Schuldverschreibungen, die man während des Krieges Soldaten, Farmern und Handwerkern in die Hand gedrückt hatte, mittlerweile von reichen Spekulanten aufgekauft worden waren. Die Frage, die nun unbedingt rasch geklärt werden mußte, war: Sollte man die Schulden einfach für ungültig erklären, oder sollte man sie unbesehen honorieren? Der bekannte US-Politiker James MADISON schlug vor, einen Kompromißvorschlag anzunehmen: Er wollte zwischen den ursprünglichen Inhabern und den Aufkäufern (den Spekulanten) unterscheiden. Er wurde aber im Kongreß mit diesem vernünftigen Vorschlag niedergestimmt: Es stellte sich nämlich bald heraus, daß von den damaligen 64 Kongreßmitgliedern 29 im Besitz besagter Schuldverschreibungen waren. Sie wollten ebenfalls lieber wie die geldgierigen Spekulanten an der Verschuldung des allgemeinen Volks verdienen, indem sie die Verschuldung auf die ärmeren amerikanischen Bürger abwälzten, als patriotisch und solidarisch diese Schulden von wohlhabenderen Bürgern zahlen zu lassen. Das Volk sprach daher zu Recht von ›Blutsaugern‹, die die Rechte von Witwen und Waisen mit Füßen treten. »Ein ehemaliger Soldat erinnerte an die Jahre, in denen er mit seinen Kameraden ›hungrig und nackt‹ von

Schlachtfeld zu Schlachtfeld, von Lager zu Lager zog. Ein Farmer aus Pennsylvania fragte, ob nicht jedes Mitglied des Kongresses seine Hand aufs Herz legen und erklären sollte, daß er kein Spekulant sei.«[31]

Mit diesen Appellen stieß das Volk aber auf taube Ohren bei seinen frisch gewählten Volksvertretern. Daher war es auch nicht verwunderlich, wenn bei den damaligen Delegierten (zum Zweiten Kontinentalen Kongreß) John ADAMS, der später Präsident werden sollte, schrieb: »Zu Offizieren werden jeweils die Wohlhabendsten am Ort gemacht.« Auch die Bauern litten unter den schlechten wirtschaftlichen Umständen. Immer öfter kam es zu Zwangsversteigerungen ihrer Farmen. 1786 brach die ›Shays' Rebellion‹ aus, die ein Protest vieler Whiskey-Hersteller war, die sich geweigert hatten, die ungeheuren neuen Steuern auf ihre Agrarerzeugnisse zu zahlen. Um diese zu umgehen, benutzten sie ihr Getreide zur Whiskey-Herstellung. Als dann auch auf Whiskey Steuern erhoben wurden, brach die Rebellion aus.

Der wirkliche Boom kam nur für eine geringe Schicht von hochrangigen Militärs und Politikern, Großgrundbesitzern, Händlern, Spekulanten und für klerikale Kreise. Sie waren es, die am Krieg verdienten.[32] Vor allem das eingezogene Land der ehemaligen Tory-Anhänger, die zu Hunderttausenden flüchteten, wurde so verteilt, daß die wohlhabenden revolutionären Führer und ihre Freunde das meiste davon bekamen.

Auch der Mythos von George WASHINGTON, der lange Zeit hinweg als ›Vater‹ der jungen Nation und als Kriegsheld bekannt war, wurde mit zunehmender Zeit immer fragwürdiger. Der amerikanische Kriegshistoriker MILLIS berichtet, daß WASHINGTON kein hervorragender Taktiker war.[33] Von Experten wurde ihm vorgeworfen, er habe die natürliche Überlegenheit seiner amerikanischen Milizionäre im Partisanen- und Guerillakrieg nicht wirksam genug genutzt und zu lange versucht, die europäischen Söldnerheere mit ihren eigenen Strategien und Taktiken zu besiegen. Statt dessen habe er die wirkliche Überlegenheit der amerikanischen Armee, nämlich den offenen Raum, der ihr zur Verfügung stand, nie richtig genutzt.[34] Dies, so seine Kritiker, war eine Verschwendung von Menschenleben sowie Chancen.

Erwähnenswert bleibt, daß ohne Frankreichs Unterstützung die USA ihren Revolutionskrieg nicht gewonnen hätten. Trotzdem beteiligten sich die USA an Geheimverhandlungen mit England. Die Briten hatten niemals auch nur annähernd genug Truppen, um das Land zu besetzen, daher konnten sie, auf lange Sicht gesehen, den Krieg gegen die Amerikaner auch nicht gewinnen.[35] Als am 3. September 1783 in Paris der Friedensvertrag zwischen Amerika und Großbritannien unterzeichnet wurde, hatten die Amerikaner aus einer Bevölkerung von drei Millionen immerhin 70 000 Kriegsopfer zu beklagen.[36] Und die ganze Sache dürfte wohl wirkliche Demokraten kaum befriedigt haben, denn seit 1781 war der Kongreß unter die Herrschaft der ›nationalistischen‹ Politiker geraten, deren konservative Magnaten am längsten gezögert hatten, aus dem Wagnis der Unabhängigkeit eine Realität werden zu lassen. Jetzt aber, da der Befreiungskrieg gewonnen war, wünschten sie sich am innigsten, die Unabhängigkeit würde zu einer starken Zentralregierung führen, die imstande sei, die nationale Verschuldung auszuzahlen und übermäßige spaltende und demokratische Tendenzen mit Hilfe eines stehenden Nationalheers in Schach zu halten.

In den ersten Monaten des Jahres 1783 begannen die Umrisse einer Intrige Form anzunehmen, in der sich die Armee mit den Nationalisten und den Gläubigern vereinte, um im Interesse aller drei eine derartige Regierung gewaltsam zu installieren.[37] Daß der Befreiungskrieg für die Ideale der Demokratie und Freiheit geführt wurde, ist also nichts anderes, als eine Lüge zur Legende zu erklären.

Inoffizieller Kaperkrieg mit Frankreich (1798−1800)

Kurz nach dem Befreiungskrieg – die USA waren inzwischen ein souveräner Staat – bahnte sich schon der nächste Krieg an. Diesmal waren aber nicht die Briten betroffen, sondern deren Konkurrenten, die Franzosen. Schon hier zeigte sich, zu wie wenig Dankbarkeit sich die Führer der USA gegenüber den Franzosen verpflichtet fühlten. Immerhin hätten die USA ihren Unabhängigkeitskrieg wohl nicht ohne die Unterstützung und Hilfe der Franzosen gewonnen. Zu diesem Urteil kommen zumindest die meisten Historiker der Epoche.

1778 hatten die ehemaligen dreizehn Kolonien, die fünf Jahre später die USA werden sollten, mit Frankreich einen Freundschaftsvertrag abgeschlossen. Dieser beinhaltete, daß die zwei Mächte sich gegenseitig helfen würden, wenn es zu einem Krieg mit England kommen sollte. 1793 schickte dann Frankreich einige seiner Minister in die USA während einer Mission, die als ›GENET Mission‹ bekannt werden sollte. Der französische Minister GENET kam in die USA, um dort Freibeuter zu rekrutieren, mit denen er dann den britischen Seehandel angreifen wollte. Er wandte sich auch an Präsident WASHINGTON, um gemäß dem Freundschaftsvertrag von 1778 den Engländern den Krieg zu erklären. WASHINGTON lehnte jedoch diese Aufforderung aufgrund seiner Neutralitätsproklamation vom 22. April 1793 klar ab. GENET aber ließ sich in seiner Mission nicht beirren und warb trotzdem amerikanische Freibeuter an. Währenddessen begannen die Briten US-Schiffe zu kapern, die französische Waren transportierten. Die Briten fingen nun auch an, amerikanische Matrosen in die Royal Navy zwangszuverpflichten. Um diese bedrückende Situation abzuwenden, schickte WASHINGTON John JAY nach England. Im November kamen die beiden Nationen zu dem Einverständnis, sich gegenseitig gewisse Zugeständnisse einzuräumen. Diese wurden in dem Jay-Vertrag aktenkundig. Dies aber verärgerte die Franzosen zutiefst, die nicht erwartet hatten, daß die US-Regierung mit den ehemaligen Feinden der USA und Frankreichs eine Art Versöhnungsvertrag abschließen würde.

Die Beziehungen der beiden Staaten wurden nun immer angespannter. Der ausschlaggebende Grund hierfür war wohl die Tatsache, daß die Franzosen über die Nichteinhaltung der amerikanischen Bündnisverpflichtungen ihnen gegenüber schwer enttäuscht waren. Wohl ebenso aufgebracht waren sie über die Annäherung der USA an Großbritannien aufgrund des Jay-Vertrags.[38] Es ging in dieser Hinsicht um den Schiffshandel, denn die französische Wirtschaft war auf Amerikas neutralen Handel angewiesen. Dieser wurde aber mit dem Jay-Vertrag mit England formell beendet, indem die Engländer US-Handelsschiffe beschlagnahmten, die mit Frankreich handelten. Unter dem franko-amerikanischen Freundschaftsvertrag hatten sich die USA aber verpflichtet, den neutralen Handel aufrechtzuerhalten, notfalls auch mit Gewalt gegen England.[39]

Um ihrer Verärgerung Ausdruck zu verleihen, brachen die Franzosen dann einen Kaperkrieg gegen die Handelsflotte der USA vom Zaun. Einigen Autoren zufolge wurde der Kaperkrieg von Frankreich begonnen, anderen zufolge leiteten beide Nation diesen gleichzeitig ein. Fest steht jedoch, daß Frankreich am Kaperkrieg teilnahm, um gegen den Jay-Vertrag zu protestieren und um die nationalen Wahlen in den USA zu beeinflussen.[40] In diesem Kaperkrieg erbeuteten die Franzosen immerhin über 300 amerikanische Schiffe, die sie verdächtigten, britische Handelsware zu transportieren.[41] WASHINGTONS Nachfolger, Präsident John ADAMS, versuchte, den Konflikt zu beenden. Um dies mit Erfolg zu erreichen, schickte ADAMS Gesandte nach Frankreich. Das französische Direktorium ignorierte aber die Gesandten der USA mit Absicht.[42] Die ganze Sache ist in der amerikanischen Geschichte als die ›XYZ-Affäre‹ bekannt geworden.

Als die Gesandten ADAMS in Frankreich mit dem französischen Außenminister TALLEYRAND verhandelten, verlangte dieser eine große Bestechungssumme, um den Kaperkrieg gegen die US-Schiffe zu beenden. Die US-Gesandten lehnten ab, nicht so sehr, weil ihnen die Bestechung als unmoralisch erschien, sondern mehr, weil sie TALLEYRANDS Absichten mißtrauten. Die Gespräche wurden deshalb im April 1798 abrupt abgebrochen.[43]

Präsident John ADAMS' Veröffentlichung der Verhandlungsgespräche mit den drei französischen Beauftragten, die er nur als X, Y und Z erwähnte und die eine Bestechung verlangt hatten, half nicht gerade, die Krise zu entschärfen. Im Gegenteil löste diese Veröffentlichung in der jungen amerikanischen Nation eine solche Entrüstung aus, daß viele schon damals nach einem Krieg mit Frankreich riefen.[44]

Daraufhin beendete der US-Kongreß den bestehenden Allianzvertrag mit Frankreich und gründete ein Marineministerium, dem genügend finanzielle Unterstützung gewährt wurde, um 40 Kriegsschiffe zu bauen. Ebenfalls wurde die Größe der Armee verdreifacht. Sogar der alte Haudegen WASHINGTON beendete sein Rentnerdasein, um die US-Streitkräfte zu führen. Auf hoher See wurden dann französische Schiffe angegriffen.[45] Es ist eine Ironie der Geschichte, daß nun die Amerikaner eine Quasi-Allianz mit den Briten, ihren ehemaligen Kriegsgegnern, eingingen, während sie ihre ehemaligen Verbündeten, die Franzosen, mit Unterstützung der Briten bekämpften. Somit begann ein zwei Jahre langer inoffizieller Quasi-Krieg gegen Frankreich. In diesem fanden mehrere kleinere Seeschlachten statt, bei denen die Amerikaner 58 französische Schiffe erbeuteten.[46]

Obwohl zum damaligen Zeitpunkt ein Krieg der USA gegen Frankreich äußerst volkstümlich gewesen wäre, gab sich der zweite US-Präsident John ADAMS mit der Aufrüstung des US-Militärs zufrieden und ließ auf diese Weise den inoffiziellen Kaperkrieg mit Frankreich dahinschwinden.[47] Im US-Kongreß verlangten die meisten Abgeordneten einen Krieg gegen Frankreich.[48] ADAMS war deshalb wahrscheinlich erleichtert, als er von seinem eigenen Sohn John Quincy ADAMS (der später ebenfalls Präsident werden sollte) hörte, daß sich TALLEYRAND Frieden mit den USA wünsche und bereit sei, einen neuen US-Verhandlungspartner zu empfangen. Die Verhandlungen liefen erfolgreich ab, da nun NAPOLEON BONAPARTE Frankreich regiert. Man könnte sich zurückblickend zu Recht fragen, warum die US-Regierung einen inoffiziellen Krieg gegen Frankreich führte, während die Briten ungefähr genauso viele US-Schiffe beschlagnahmten und kaperten wie die Franzosen.

Der erste Berberkrieg gegen Tripolis (1801–1805)

Kaum war der inoffizielle Krieg mit den Franzosen beendet, da bahnte sich schon knapp ein Jahr später der nächste Krieg an – und dies, obwohl die US-Marine zu diesem Zeitpunkt nur sieben Fregatten zur Verfügung hatte. Aber der Gegner war auch keine hochkarätige Macht, denn es handelte sich um die Berberpiraten, die an der nordafrikanischen Küste und im Mittelmeer als Seeräuber wirkten.

Für Jahrzehnte hatten diese Berberpiraten ihren Lebensunterhalt damit verdient, daß sie die Besatzung sowie die Passagiere von ausländischen Schiffen festnahmen, um Lösegeld von den betroffenen Nationen zu fordern. Die Europäer fanden es einfacher und angebrachter, jährlich deswegen ihren Tribut an die Piraten zu zahlen. Auch die WASHINGTON- und ADAMS-Administrationen in den USA hatten die Verfahrensweise der Europäer übernommen. Als aber der Pascha von Tripolis den Tribut erhöhen wollte, rechnete er wohl nicht damit, daß der dritte Präsident der USA, Thomas JEFFERSON, dies prompt ablehnen und sich weigern würde, irgendwelche Tribute zu zahlen.

Nachdem einige Zeit verstrichen war, entschied sich Tripolis im Mai 1801, den USA den Krieg zu erklären. Höchstwahrscheinlich hatte man in Tripolis damit gerechnet, daß man genug Druck ausüben werde, um JEFFERSON umzustimmen. Jedenfalls rechnete wohl kaum jemand in Tripolis mit einem amerikanischen Angriff auf Tripolis und dessen Küstenregion. Aber JEFFERSON schickte ein Geschwader in die Mittelmeerregion. Die Berberpiraten wurden dadurch jedoch nicht überwältigt, und ein bedeutendes US-Schlachtschiff, die ›Philadelphia‹, mußte zerstört werden, nachdem es an der tripolitanischen Küste gestrandet war, damit es nicht in die Hände der Berberpiraten falle.

Dennoch gab es für die Amerikaner einen Helden namens Stephen DECATUR, der zwei Piratenschiffe erbeutete und mit zehn Mann ein weiteres überfiel. DECATUR gelang es auch, sich auf die ›Philadelphia‹ zu schleichen, um sie dann mit seinen Männern anzuzünden. Aber die ganze Mission scheiterte letztendlich, denn JEFFERSONS Ziel war es gewesen, die Tribute der Berberpiraten zu beenden. Diese blieben aber bis 1815, auch als der Pascha sich bereit erklärte, einen neuen Vertrag für die USA und deren Matrosen abzuschließen, der für diese günstiger ausfiel.[49]

In diesem Krieg zeigte sich auch, daß Washington gezielt auf subversive Kriegführung setzte. Denn der Berberkrieg beinhaltete nicht nur die Gefechte der ›Philadelphia‹ und der ›George Washington‹, er wurde auch mit der EATON-Expedition eingeleitet, in deren Verlauf einige Marineinfanteristen mit dem US-Agenten William EATON in Tripolis an Land gingen, um Streitkräfte gegen Tripolis zu sammeln. Damit sollte die Besatzung der ›Philadelphia‹ befreit werden.

Trotz der Tatsache, daß der Krieg gegen die Berberpiraten nicht viel gebracht hatte, schienen die Machthaber in Washington Gefallen an diesem Krieg gefunden zu haben. Anders läßt sich wohl kaum erklären, warum sie nicht widerstehen konnten und 1815 in den zweiten Berberkrieg zogen. In diesem zweiten Berberkrieg kam erneut der altbewährte Held und Haudegen DECATUR zur Geltung. Diesesmal mit einer wesentlich stärkeren Flotte ausgerüstet, gingen US-Marine-Einheiten bei Algier und Tripolis an Land, um eine Entschädigungs- und Wiedergutmachungsleistung für den Krieg zu erlangen.[50]

Die Besitzergreifung von Louisiana und Florida (1803–1819)

Mit ihrem unersättlichen Drang nach mehr Land im Westen stießen die Amerikaner zuerst auf die französische Kolonie Louisiana. Präsident Thomas JEFFERSON erschien der Zeitpunkt angebracht, den Franzosen diese Kolonie abzunehmen. Der erste Umstand, der die Besitzergreifung günstig erscheinen ließ, war die Tatsache, daß Spanien kurz nach der Jahrhundertwende das Gebiet von Louisiana und Florida an dessen ehemaligen Besitzer zurückerstattete. Dies war das Frankreich Napoleon Bonapartes.

Zur damaligen Zeit erhoben bereits viele Stimmen die Forderung, das gesamte Gebiet des unteren Mississippi-Flusses zu annektieren. Jefferson plante aber, erst Verhandlungen über die wichtige Hafenstadt New Orleans zu beginnen. Um dies in die Wege zu leiten, schickte er James Monroe, den späteren US-Präsidenten, nach Paris, um zu versuchen, die Stadt New Orleans und soviel wie möglich von Florida zu erwerben. Sollte dieser Plan aber fehlschlagen, war Jefferson durchaus bereit, die US-Marine mit der britischen erneut zu vereinigen, um mit deren Hilfe Frankreich im günstigsten Augenblick anzugreifen. Obwohl Frankreich überhaupt keine kriegerische Absichten gegen die USA hegte, hielt Jefferson einen Krieg mit Frankreich für ebenso unvermeidbar »wie die Gesetze der Natur«, sollte Napoleon Louisiana behalten wollen.

Im Repräsentantenhaus wurde der Kauf von New Orleans und der Floridas debattiert. Man ging davon aus, daß das Recht auf das Gebiet von der ›Tatsache‹ abgeleitet wurde, »daß die Natur es zu unseren Gunsten beabsichtigt«. Am 13. April 1803 kam Monroe in Paris an, um dort die Verhandlungen mit dem Pariser US-Gesandten Livingston und mit Talleyrand aufzunehmen. Zwei Wochen lang verhandelte man, und Monroe wäre völlig glücklich gewesen, hätte er nur New Orleans und einen Teil Floridas bekommen. Praktisch in der letzten Minute stellte sich jedoch heraus, daß Talleyrand nicht nur New Orleans, sondern das ganze Territorium von Louisiana zum Verkauf für lächerliche 15 Millionen Dollar anbot[51], ein Gebiet, das eine Million Quadratmeilen groß war.[52] Monroe schlug sofort zu, obwohl er damit ganz offensichtlich seine Kompetenz als US-Verhandlungsbeauftragter überschritt.

Ungeachtet dessen bewilligte Jefferson diesen Kauf sofort, auch wenn diese Handlung verfassungswidrig war, da der Vertrag erst die Zustimmung des Senats benötigt hätte, um gesetzmäßig zu sein. Aber dieser Verkauf wurde von der US-Führung erzwungen, denn Washington wußte, daß die Franzosen dieses Land nicht viel länger für sich behalten konnten. Auch war der Verkauf dieses riesigen Gebiets an die USA nicht gerade eine legale Handlung Frankreichs, denn Napoleon hatte das Louisiana-Territorium von Spaniens König Karl IV. unter der Bedingung erworben, daß dessen Schwiegersohn die Toskana erhalten würde. Und Napoleon hatte sein Versprechen nicht eingehalten. Noch schwerwiegender war aber die Tatsache, daß Napoleon schriftlich versichert hatte, das Louisiana-Territorium zu keiner Zeit an eine dritte Macht weiterzuverkaufen. Daher hatte Napoleon juristisch gesehen gar nicht das Recht, dieses Land an die USA zu verkaufen. Diese Tatsache war Jefferson zwar unbekannt geblieben, aber es ist anzunehmen, daß, selbst wenn er sich dessen bewußt gewesen wäre, er wohl dennoch auf dem Kauf bestanden hätte. Spanien protestierte selbstverständlich gegen diesen illegalen Verkauf, was aber natürlich nichts mehr an der Sache zu ändern vermochte.[53]

Im Herbst 1803 verdoppelten die USA ihr Territorium für die geringfügige Summe von 15 Millionen Dollar. Nach dem Kauf von Louisiana versicherte Außenminister MADISON dem französischen Gesandten, seine Regierung habe jenseits des Mississippi keine weitere territorialen Ansprüche.[54] Dennoch gaben sich die Regierenden in Washington mit dem Erreichten nicht zufrieden: Ab 1803 erhob man Anspruch auf Florida (JEFFERSON und MADISON, zwei US-Präsidenten, versuchten schon damals, Spanien Florida abzunötigen).[55] Getreu der Redensart »wenn schon, denn schon« entriß man Spanien die Stadt Pensacola.

Während Präsident MONROE damit beschäftigt war, die Indianer zu bekriegen, schickte er General Andrew JACKSON – einen späteren US-Präsidenten – in spanisches Territorium, wo JACKSON kurzum Pensacola und ebenfalls die Garnison St. Marks besetzte.[56] Zwar führte dies zu einem Streit mit Spanien, aber die US-Politiker wußten genau, daß Spanien ein schwacher Kolonialstaat war und sich keinen Krieg leisten konnte. Um der ganzen Sache noch mehr Druck zu verleihen, hatte inzwischen JEFFERSONS Nachfolger, Präsident MADISON, amerikanische Siedlergruppen in West-Florida einsickern lassen, die ›leidend unter dem spanischen Joch‹ sehr bald nach ›Freiheit‹ und ›Unabhängigkeit‹ zu rufen begannen.

Den herrschenden Schichten in Washington kam auch noch die Tatsache zugute, daß die Unabhängigkeitsbewegungen in ganz Mittel- und Südamerika, wo Simon BOLIVAR das Signal zur Abschüttelung der gesamten spanischen und portugiesischen Kolonialherrschaft gab, ihnen wohlgesinnt waren. Was man aber in Washington bei der ganzen Aktion peinlich verschwieg, war, daß die ›spanische Unterdrückung‹ ein Märchen war. Im September 1810 revoltierten, von Washington stark unterstützt, amerikanische Siedler und eroberten die Festung Baton Rouge. Darauf wandten die Siedler sich direkt an Washington. Bereits am 27. Oktober 1810 proklamierte MADISON die Oberhoheit über dieses Gebiet unter dem Vorwand, auch dieses Gebiet gehöre eigentlich zu dem Territorium Louisianas. Damit es auch den Anschein habe, daß dieses Gebiet zu Louisiana gehöre, fälschte MADISON persönlich verschiedene Dokumente. Madrid protestierte aber auf das schärfste, während London die Annexion West-Floridas als »im Gegensatz zu jedem Prinzip der öffentlichen Gerechtigkeit, des guten Glaubens und der nationalen Ehre« erklärte. Doch die Briten – das wußte man natürlich in Washington – waren zu sehr in ihren Kampf gegen NAPOLEON in Europa verstrickt, als daß sie etwas gegen diese illegale US-Annexion hätten unternehmen können.

Doch all dies störte MADISON überhaupt nicht; er war auch nicht bereit, sich mit der ergiebigen Beute abzufinden. Mit den bewährten Methoden setzte er nun alles in Gang, um auch Ost-Florida zu kassieren. Zu seiner Verfügung stand der 72 Jahre alte Analphabet George MATHEWS, der sich auf Grund seiner Skrupellosigkeit schon früher als verläßlich erwiesen hatte. MATHEWS setzte nun auch massiv auf ›Insurgenten‹ in Ost-Florida, denn diese hatten sich ja schon bei der Erstürmung von Baton Rouge als äußerst erfolgreich erwiesen. Und so berichtet der kanadische Historiker Helmut GORDON: »Mit Hilfe amerikanischer Kanonenboote eroberten 200 Insurgenten das Schmuggelparadies von Fernandina auf der Insel Amellia, das unweit der Grenze Georgias lag. Dort riefen sie ihre Unabhängigkeit aus. Im Namen der Vereinigten Staaten übernahm nun MATHEWS die Führung, und mit Hilfe regulärer amerikanischer Truppen besetzte er auch andere Gebiete. Alles war schnell gelaufen, zu schnell für MADISON, der sich jetzt in einer peinlichen Lage befand. Was also lag näher, als sich von MATHEWS zu distanzieren, besonders da zu diesem Zeitpunkt die USA in den Krieg gegen Großbritannien eingetreten waren! Sahen die Nordstaatler in diesem Krieg die Eroberung Kanadas als ihr Hauptziel, so war es für die Südstaatler ganz Florida. Nach dem Frieden von Gent [welcher das Ende des 1812er Kriegs mit Großbritannien darstellte] war es nur eine Frage der Zeit, bis Ost-Florida an die USA fallen würde – wenn möglich, auf dem Verhandlungswege... Während [John Quincy] ADAMS mit den Spaniern verhandelte, überschritt ›der Held der Schlacht von New Orleans‹, Andrew JACKSON, angeblich bei der Verfolgung von Indianern, die Grenze, brach in Ost-Florida ein und besetzte einige Städte. Zwei Briten, die den Indianern angeblich geholfen hatten, ließ er ›hinrichten‹; dann marschierte er weiter, bis er mit Ausnahme von St. Augustine ganz Ost-Florida besetzt hatte. Auch den spanischen Gouverneur setzte er gefangen; später sagte er, es habe ihm leid getan, diesen nicht gleich aufgehängt zu haben... Für die amerikanische Öffentlichkeit aber war JACKSON der Held des Tages. Gegenüber Spanien berief sich ADAMS auf das Recht der Selbstverteidigung, Spanien sei nicht in der Lage, die Indianerstämme unter Kontrolle zu halten. Entweder solle Spanien die notwendige Kontrolle ausüben oder seinen Besitz an die Vereinigten Staaten abgeben. Spanien mußte sich den gegebenen Realitäten beugen; im Februar 1819 übergab es Ost-Florida und erkannte West-Flordia als Besitz der USA an.«[57]

Deshalb überließ Spanien im Jahre 1819 den USA Ost-Florida für lausige fünf Millionen Dollar. »Ferner akzeptierte Spanien die von ADAMS festgelegte Westgrenze des Louisiana-Territoriums. Die USA ihrerseits gaben vorerst ihren Anspruch auf Texas auf und übernahmen die Schulden Floridas an den spanischen Staat. Von diesen Schulden, insgesamt 5 Millionen Dollar, sah Spanien keinen einzigen Cent.«[58] Der US-Historiker Howard ZINN berichtet diesbezüglich, daß die Aneignung Ost-Floridas kein Kauf war, sondern daß Andrew JACKSON von Präsident MONROE nach Florida entsandt wurde, um dort die Bewohner zu töten, so daß Spanien dann ›überredet‹ werden könnte, Florida an die USA zu verkaufen. Diese ›Überredung‹ beinhaltete das Verbrennen von Seminolen-Dörfern und die Eroberung von spanischen Forts so lange, bis Spanien zum Verkauf überredet werden konnte. Er berichtet auch, daß in Wirklichkeit kein Geld für Florida gezahlt wurde. Der Krieg gegen Florida wurde als der ›Seminolen-Krieg von 1818‹ bekannt, während die gesamte US-militärische Aneignung Floridas als der ›Kauf Floridas von 1819‹ bekannte wurde (Florida Purchase, 1819). Daß JACKSON bei dieser Aggression nicht gerade selbstlos handelte, ist daraus zu ersehen, daß er – als Landspekulant – zum Gouverneur von Florida ernannt wurde. Daß dies zu seinem finanziellen Aufstieg beitrug, braucht nicht unbedingt erwähnt zu werden.[59]

Der Krieg von 1812 mit Großbritannien

Parallel zu diesem Ereignis wurden die Beziehungen zu Großbritannien immer schlechter und angespannter. Der Unabhängigkeitskrieg war noch nicht vergessen, da schien ein weiterer Konflikt mit dem ehemaligen Mutterland bevorzustehen. Die USA und Großbritannien blieben auch nach dem Waffenstillstand Handelsrivalen. Für die Briten war in Europa eine schwierige Zeit angebrochen, da NAPOLEON versuchte, England, das sich ihm widersetzte, mittels einer Handelsblockade (der Kontinentalsperre) in die Knie zu zwingen. Großbritannien verhängte daraufhin eine eigene Handelsblockade gegen NAPOLEONS Frankreich. Da Großbritannien aufgrund seiner großen Marine starken Druck auf Frankreich ausüben konnte, war es eher in der Lage, Frankreich erfolgreich zu isolieren. Weil die britische Flotte Frankreichs Küsten eingekreist hatte, war es auch für die Amerikaner immer schwieriger geworden, mit Frankreich Handel zu treiben. Dies führte unweigerlich zu gespannten Verhältnissen zwischen den beiden anglo-amerikanischen Nationen. Umgekehrt profitierten die Amerikaner aber von den europäischen Kriegen. Der Export von US-Konsumgütern stieg beträchtlich an. Die Spannung ließ einen Krieg zwischen Amerikanern und Briten immer wahrscheinlicher werden.

Der Krieg von 1812 zwischen den beiden Nationen hatte vor allem vier Gründe: einen Streit um den Zugang zu den Weltmärkten, (welcher durch die Blockade der Briten gegen Frankreich verschärft wurde), den Konflikt um die kanadische Grenze und das ›impressment‹, die Zwangsverpflichtungen amerikanischer Matrosen, sowie die allgemeine territoriale Expansion Washingtons.

Da das britische Empire seine Stärke in erster Linie seiner großen Marine verdankte, sah man es in England nicht gern, daß nach dem Unabhängigkeitskrieg mit den Amerikanern immer mehr britische Matrosen zur US-Marine überliefen, weil diese den Seeleuten bessere Bedingungen bot. Die Briten sahen ihre Marine durch die zunehmende Zahl der Überläufer gefährdet und wollten dies ein für allemal beenden. Daher erfanden sie das ›impressment‹, dem zufolge ein britischer Matrose immer ein britischer Matrose sei, gleich unter welcher Flagge er zur See fuhr. Dies hatte zur Folge, daß die Royal Navy begann, Jagd auf US-Schiffe zu machen, um mögliche Überläufer wieder zur Royal Navy zu holen, notfalls mit Gewalt.[60]

Die US-Presse war darüber empört und rief mehrmals zum Krieg gegen die Briten auf. Präsident JEFFERSON war aber nicht bereit, deshalb in den Krieg gegen die Briten zu ziehen. Er beließ es bei seinen verstärkten Bemühungen, Sanktionen gegen England einzuführen. Diese Sanktionen, da sind sich Historiker einig, hatten eine kumulative Wirkung, so daß die US-Wirtschaft darunter sehr zu leiden hatte.[61] Einige US-Historiker sehen dies auch als den größten Schwachpunkt der JEFFERSONschen Administration an, die immerhin von 1800 bis 1808 andauerte, weil JEFFERSON wiedergewählt wurde.[62]

Erst als sein Nachfolger, Präsident James MADISON, im Amt war, begann man dort über einen Krieg ernsthaft nachzudenken. Es waren die sogenannten ›War Hawks‹ (Kriegsbefürworter), die nun nach Krieg schrien und eine Hetzkampagne gegen Großbritannien starteten. Aber es gab noch einen anderen Grund, weshalb ein Krieg mit Großbritannien sinnvoll erschien: Die amerikanischen Siedler drangen unaufhaltsam in das Gebiet zwischen Ohio und Mississippi vor. Die Ohio-Region war zu der damaligen Zeit ein allgemein umstrittenes Gebiet. Die Briten beanspruchten es teilweise für sich, während die Amerikaner es als ihr Land ansahen.

Nachdem es einen weiteren Zwischenfall in Sachen Zwangsverpflichtung gegeben hatte, glaubte man in Kanada, daß eine Invasion der Amerikaner unmittelbar bevorstehe. Denn schon 1807 hatte JEFFERSON gedroht: »Falls England uns nicht die verlangte Genugtuung verschafft, werden wir Kanada einnehmen, das der Union beitreten möchte.«[63] Dies war keine leere Drohung, denn MADISON sah in einem Angriff auf Kanada einen Weg, die Briten zu zwingen, neutrale Rechte zu akzeptieren. Diese Rechte bezogen sich auf die wiederholten Versuche der Briten, US-Matrosen mit Gewalt von US-Schiffen zu holen. Professor GARRATY berichtet in *The American Nation*, daß MADISON glaubte, daß, falls NAPOLEONS ›kontinentales System‹ den Briten den Handel mit Nordeuropa abschnitte, Kanada Englands einzige verbleibende Quelle von Nutzholz für die britische Marine sein werde. Zwischen 1808 und 1812 stieg der Anteil der kanadischen Nutzholz-Exporte beträchtlich.

Noch wichtiger war für MADISON der Gedanke, daß, falls die USA Kanada erobern würden, England von den kanadischen Lebensmitteln für seine englischen westlichen Karibischen Zuckerinseln abgeschnitten sei. In diesem Fall würde England seine verhaßten Angriffe auf amerikanische Schiffe beenden müssen, oder die erwähnten Inseln der Briten würden kapitulieren.[64] In Washington glaubte man, daß England am leichtesten in Kanada zu schlagen sei. Die Machthaber in Washington hatten auch schon andere Vorstellungen, falls es zum Krieg mit England kommen sollte. So plante man schon damals die aktive Besitzergreifung von Ost- und Westflorida. Im Kriegsfall hätte man diese spanischen Gebiete dann besetzen können. JEFFERSON hatte bereits eine Strategie parat und rechnete mit Freiwilligen, die Spanien dann auch angreifen würden. Aber wie wir gesehen haben, kam es nicht dazu, denn Washington nahm diese Gebiete ein paar Jahre nach dem Krieg von 1812 ein.

Als der Krieg von 1812 einer revisionistischen Korrektur unterzogen wurde, entdeckte »Henry ADAMS, ... daß Timothy PICKERING und die extrem Anti-Kriegs-Föderalisten eine entscheidende Rolle dabei spielten, die Engländer zur Fortsetzung ihrer gewaltsamen Handelspolitik zu ermutigen, die dann ihrerseits es den amerikanischen Kriegstreibern, den ›warhawks‹, ermöglichte, das Land in den Krieg zu führen. Sie verkehrten JEFFERSONS Handels- und Seefahrtspolitik in geradezu verräterischem Maße... Irving BRANT (hat) in seiner beachtenswerten Biographie MADISONs dargetan, daß dieser tatsächlich nicht gegen seine persönliche Ansicht durch CLAY, CALHOUN und die ›warhawks‹ in den Krieg getrieben wurde, sondern den Entschluß zum Krieg auf Grund eigener Überzeugung faßte«.[65]

Am 1. Juni 1812 bat MADISON den Kongreß um die Kriegserklärung gegen England. Zur Begründung gab er das ›Impressment‹ an, die Seeblockade und die von England aufgehetzten Indianer. Der Kongreß lieferte MADISON die Kriegserklärung: Ein Abgeordneter aus New Jersey warf den Kriegsfalken vor, sie würden für den Export von Tabak, Baumwolle und anderen Produktionsüberschüssen in den Krieg ziehen; dies war ironischerweise auch ein Argument, das die Kriegsbefürworter benutzt hatten. Der Krieg war alles andere als populär; Neuengländer (Oststaatenbürger) sprachen von ›Mr. MADISON's War‹, sie waren sogar so sehr gegen den Krieg, daß sie die britischen Truppen mit Proviant versorgten und ernsthaft an einen Austritt aus der Union, den USA, dachten. In New York riefen die ›Friends of Liberty, Peace and Commerce‹ zu einer Massendemonstration gegen den verhaßten Krieg auf. In dem Staat Massachusetts weigerte sich die Legislative, Kriegshelden zu ehren.

Der Krieg gegen die Engländer war nicht nur unpopulär, er war auch von Anfang an ein Fiasko. Die US-Truppen waren schlecht ausgerüstet, die Wirtschaft hatte sich nicht auf einen Krieg eingestellt, schon gar nicht auf einen längeren. Detroit wurde bald von den Briten eingenommen. Der Feldzug gegen Kanada war eher eine Eskapade als ein seriöses militärisches Unternehmen. Als der Befehl erteilt wurde, auf Kanada loszumarschieren, weigerten sich die amerikanischen Soldaten, das Territorium der USA zu verlassen, und dies, obwohl die Amerikaner in jeder Hinsicht die absolute Überzahl an Menschen gegenüber Kanada besaßen.

Erst ein Jahr später gelang es den Amerikanern, nach Toronto, damals York, vorzudringen, um die Stadt niederzubrennen. Dafür revanchierten sich die Briten, indem sie das Weiße Haus und das Capitol in Washington anzündeten.[66] Die Briten waren von der See her gekommen, was ein Nachteil für sie war, denn immerhin trennten 3000 Seemeilen Atlantischen Ozeans England von den USA. Daher hätten die Briten eine wirkliche Invasion Kanadas auch nicht stoppen können, da sie mehrere Wochen brauchten, um überhaupt ihre Truppen in nordamerikanischem Territorium an Land zu bringen. Weihnachten 1814 wurde in Gyent beschlossen, den Vorkriegszustand wiederherzustellen. Kanada blieb unabhängig, während der spanische Süden praktisch unvereinigt blieb, eine Tatsache, die sich die Regierenden in Washington zunutze machten, als sie die Region einfach eroberten.

Der Krieg von 1812 dauerte dann noch sinnloserweise bis 1816 an, obwohl alle notwendigen Dispute schon Ende 1814 beseitigt worden waren. Viele (US-) Historiker sehen den Krieg von 1812 gegen England als einen begrenzten Krieg an, der gewissermaßen als ein ›zweiter US-Befreiungskrieg‹ gedeutet wird. Gegen diese Annahme spricht aber die vor dem und im Krieg vielseitig gemachte Äußerung, der Krieg diene der Gebietserweiterung. So argumentierte ein Kongreßabgeordneter: »Wenn die Briten den Ozean beherrschen, dann müsse Kanada den Amerikanern gehören: Ich bin nicht dafür, in Quebec oder sonstwo innezuhalten, sondern ich würde ihnen den ganzen Kontinent abnehmen, ohne lange zu fragen.«[67]

Demgemäß faßt der amerikanische Kriegshistoriker MILLIS zusammen: »Im Grunde ging es bei dem Krieg [von 1812] darum, bei sich bietender Gelegenheit einigen unbewachten Landbesitz zu erbeuten, zwischendurch die Briten in ihrer Anmaßung, die Meere zu beherrschen, zu demütigen und dem britischen Seehandel genügend Verluste und Störungen zuzufügen, um eine respektvollere Behandlung seitens der Königlichen Flotte zu erzwingen.«

Was im Grunde stattgefunden hatte, war die Tatsache, daß die Expansionisten Amerikas um 1812 versucht hatten, die Revolution durch eine Eroberung Kanadas und der beiden Floridas zu vollenden, während die europäischen Mächte anderweitig beschäftigt waren.[68] In Washington aber gab man sich nicht mit bloßen Reden zufrieden, denn die Machthaber waren gierig nach mehr Land, mehr Bodenschätzen, mehr Absatzmärkten, mehr Sklaven und billigen Lohnarbeitern; eben nach mehr fremdem Territorium. So schielte man gewaltig auf Mexiko, das nächste Gewaltopfer.

Imperialismus in Vollendung oder: die Eroberung von Texas und der Krieg gegen Mexiko (1819–1848)

1819 trennte sich Texas von Mexiko, und die USA, die seit 1803 Ansprüche auf Florida stellten, beanspruchten nun auch Texas, verzichteten aber dann doch darauf – unter Rücksicht auf den Adams-Onis-Vertrag, den sie mit Spanien abgeschlossen hatten.[69] Trotzdem besiedelten die Amerikaner, ohne jede Erlaubnis, Texas. Um 1824 vereinigte sich dann Texas als Bundesstaat mit Mexiko, und im Oktober desselben Jahres wurde Mexiko eine Republik mit bundesstaatlicher Verfassung. Letztendlich verbot die mexikanische Regierung am 8. April 1830 die anhaltende Besiedelung von Texas durch Amerikaner.[70]

Aber die Amerikaner kümmerten sich nicht um Besitzverhältnisse, Verträge und Eigentumsrechte. Schon Präsident John Quincy ADAMS versuchte (1829–1837), Texas zu ›kaufen‹, damals für lächerliche 1 Million Dollar: JACKSON wollte 5 Millionen Dollar zahlen. So besann man sich nun auf eine neue Strategie und begann, Texas massiv zu besiedeln.[71] Während der zwanziger und dreißiger Jahre des 19. Jahrhunderts zogen immer mehr Amerikaner in die nördlichen Gebiete Mexikos. Im Jahre 1835 waren diese amerikanischen Siedler dann zahlenmäßig stark genug, um gegen die mexikanische Autorität der Region zu rebellieren.[72] 1835 eroberten US-Milizeinheiten die mexikanische Garnison bei Anahuac. Sie provozierten weitere Konflikte und unterstützten den Aufstand der US-Texaner. Und obwohl Mexiko einlenkte und Texas als unabhängig anerkannte, kam es zu kriegerischen Auseinandersetzungen mit US-Milizeinheiten.[73]

Die amerikanischen Siedler, die in großen Scharen Texas besiedelten, waren gleichsam eine ›Fünfte Kolonne‹, die jederzeit von Washington zur Anzettelung von Aufständen und Unruhen benutzt werden konnte. Unter ihnen befand sich eine Menge Agent-Provocateurs. Während dieser Ereignisse protestierte die mexikanische Regierung gegen die von den USA unterstützten texanischen Rebellen und warnte, daß jeder Versuch, die Region einzunehmen, mit dem Abbruch der diplomatischen Beziehungen und mit Krieg enden werde.

Da immer mehr amerikanische Einwanderer nach Texas übersiedelten und große Mengen Geld in riesigen Massenversammlungen in amerikanischen Städten für die Rebellen organisiert wurden, war die Reaktion der mexikanischen Regierung nicht unbegründet. Mit den Geldern dieser Veranstaltungen wurden Waffen und Proviant besorgt, um gegen die mexikanische Regierung in Texas vorzugehen. Mexikos Führer glaubten zu Recht, daß die USA die Rebellion in Texas unterstützten, denn es war in Mexiko allgemein bekannt, daß schon Präsident JACKSON versucht hatte, Texas einzunehmen. JACKSON berechtigte nämlich schon einige Jahre vor der Rebellion in Texas den US-Diplomaten Colonel Anthony BUTLER, Texas zu kaufen. Außerdem konnten die mexikanischen Behörden auf die vielen amerikanischen Freiwilligen hinweisen, die zahlreich nach Texas strömten, um für die Unabhängigkeit von Texas zu kämpfen.

Mehr als eine geschichtliche Quelle behauptete, daß US-Truppen sich verdeckt als Deserteure nach Texas eingeschlichen hätten, um die Rebellen dort zu unterstützen. Im Sommer 1836 besetzten US-Truppen, angeführt von General Edmund P. GAINES, für kurze Zeit das texanische Nacogdoches unter dem Vorwand, einen Indianeraufstand zu verhindern. Das krisenhafte Verhältnis zwischen Mexiko und den USA wurde auch nicht gerade entschärft, als das rebellierende Texas mehrmals versuchte, Neu-Mexiko Mexiko zu entreißen. Die Mexikaner besaßen somit genügend Beweise, daß Amerikaner für die Rebellion von Texas verantwortlich waren.[74]

Während der spanische Einfluß in Nord-Mexiko immer schwächer wurde, sahen die US-Politiker ihre Chance, den spanischen Einfluß völlig zu verdrängen und ihren eigenen zu verstärken. Die US-Regierung unterstützte die Einwanderung amerikanischer Siedler in die Provinz Texas, unter anderem, indem sie ihnen freies Land versprach. Um das Land sturmreif zu machen, begann die US-Regierung, Einwanderungsunternehmern Ländereien zur Besiedlung kostenlos zur Verfügung zu stellen. Dies wurde so bewerkstelligt, daß neben jeder Siedlerstelle ein Bezirk Land für die Regierung bereitgestellt wurde.[75] Die Amerikaner in Texas bezeichneten sich als ›Texaner‹, und nicht als ›Mexikaner‹, und waren den Mexikanern gegenüber feindlich gestimmt.

Nicht viel später kam es zu der in der US-Geschichte glorifizierten Schlacht bei dem Fort in Alamo. Die Mexikaner sahen die Amerikaner als eine unmittelbare Bedrohung an. Der mexikanische General DE COS richtete mit 1400 Mann ein Fort in San Antonio, Texas, ein. Er forderte von den amerikanischen Einwohnern in Gonzales, ihm eine alte Kanone zurückzugeben, die die Mexikaner den Amerikanern ausgeliehen hatten, damit diese die in der Gegend lebenden Indianer abschreckten. Die Amerikaner aber provozierten ihn unnötig, indem sie ein Transparent aufhingen, das die herausfordernde Inschrift »Kommt und holt sie euch« trug. Daraufhin schickte DE COS seine Truppen am 2. Oktober 1835 los, um die Kanone zu holen, aber die Amerikaner überraschten die mexikanischen Truppen und zwangen sie in die Flucht. Sodann forderten sie die Mexikaner erneut heraus, indem sie die mexikanischen Truppen in San Antonio angriffen.

Das Kommando über die Amerikaner hatte der berühmte James BOWIE (nach dem auch das bekannte Messer benannt wurde). Schon am 27. Oktober 1835 überfielen BOWIES Männer die Mexikaner zwei Meilen südlich von San Antonio, dabei töteten sie 67 und verwundeten etwa hundert Mexikaner. Aus einem Streit um eine alte lächerliche Kanone hatten sie also bewußt einen Krieg heraufbeschworen.

Mit dem Einbruch des Winters zogen sich die Mexikaner ganz nach San Antonio zurück. Neue amerikanische Freiwillige kamen zu Bowies irregulären Kämpfern nun hinzu und forderten ihn auf, den entscheidenden Schlag gegen die Mexikaner zu führen. Am 6. Dezember 1835 griffen 300 Amerikaner San Antonio an, die Schlacht dauerte vier Tage, bis de Cos sich bereit erklärte aufzugeben. Dann glaubten die Amerikaner, die Mexikaner wären völlig geschlagen und würden so schnell nichts mehr von sich hören lassen. Daher schrumpfte die Anzahl der Kämpfer unter Bowies Kommando auf nur 104 Mann.

Nun aber bereitete der mexikanische General Santa Anna eine Armee vor, um die Revolte in Texas zu bezwingen. Bowie und seine Männer entschlossen sich trotz der Gerüchte, daß eine mexikanische Armee im Anmarsch sei, in Fort Alamo zu bleiben. Neue freiwillige Kämpfer kamen nach Alamo, um gegen die Mexikaner zu kämpfen. Am 6. März 1836 stürmte Santa Anna mit über 2000 Mann die schwächere Nordseite des Forts.

Über die folgende Schlacht im Fort Alamo gibt es nur mexikanische Berichte, da alle Amerikaner bei der Schlacht starben; sie sollen heldenhaft gekämpft haben, hieß es später. Nach nur neunzig Minuten war jedoch alles vorbei. Ein paar Amerikaner entkamen über die Wände des Forts, wurden aber dann von der mexikanischen Kavallerie erschossen. Die mexikanischen Verluste sollen sehr schwer gewesen sein: 600 sollen verwundet und über 200 getötet worden sein. Die US-Scharfschützen, so ein mexikanischer Offizier, waren verheerend präzise. Aber die Schlacht von Alamo, die von den US-Führern der damaligen Zeit propagandistisch benutzt wurde, sollte den Mexikanern nur eine sehr kurze Pause gönnen. In den USA wurde der Schlachtruf ›Remember the Alamo‹ (erinnert euch an Alamo) sehr volkstümlich und half, die Bevölkerung für eine Invasion Texas zu gewinnen.

Die sogenannte Rache für das Alamo-Massaker ließ nicht auf sich warten. Nur Wochen später schlug Houston mit seinen nun viel zahlreicheren Texanern Santa Annas Armee in der Schlacht von San Jacinto. Während die Texaner den Schlachtruf ›Erinnert euch an Alamo‹ zum besten gaben, erschossen sie über 600 Mexikaner und machten 730 Gefangene. Santa Anna, der legendäre mexikanische General, war selbst unter den Gefangenen. Noch im selben Jahr kassierten die USA das Land Texas, welches nach zehn Jahren ein neuer US-Staat wurde.[76]

Mit diesem Sieg über die Mexikaner gab sich Washington aber noch lange nicht zufrieden. So war es dann nicht überraschend, daß der Gouverneur von Texas, Lamar, eine expansive Politik gegenüber Mexiko betrieb. Abgesehen von den üblichen Überfällen auf die örtlichen Indianer, kam es während seiner Amtszeit zu militärischen Einfällen in mexikanisches Gebiet sowie zur Entsendung von texanischen Kriegsschiffen, die die Revolution auf Yucatan in Mexiko unterstützten.[77]

Aber die Mexikaner hatten sozusagen Glück im Unglück, wenn auch nur für kurze Zeit, denn die USA waren selbst innenpolitisch zerstritten. Der Norden wollte die Annexion Texas verhindern, während der Süden diese wünschte, ein politisches Machtspiel hatte zwischen dem Norden und dem Süden der USA begonnen. Der Norden befürchtete, Texas könnte ein weiterer Sklavenstaat werden, was zu einem politischen Übergewicht des Südens (im Kongreß) geführt hätte.

Als die Einverleibung Texas 1845 in die USA bevorstand, erklärte sich Mexiko bereit, die Republik Texas voll und ganz anzuerkennen, unter der Bedingung, daß die USA von Texas nicht Besitz ergreifen würden.[78] Aber der imperialistische Drang der USA erwies sich als unersättlich. Letztendlich rang man sich im US-Kongreß doch noch zu einem Kompromiß durch, und 1845 wurde Texas Teil der Union als Sklavenstaat.

Zu diesem Zeitpunkt war nicht nur Mexiko stark gegen diese gesetzeswidrige Annexion aufgetreten, auch England und Frankreich protestierten, aber letztendlich erfolglos.[79] Geschichtlich gesehen hatten die Mexikaner allen Grund zur Annahme, daß die Annexion Texas nur ein Vorspiel zu einer viel umfangreicheren Besitzergreifung ihres Territoriums führen werde.

Als Texas dann Teil der USA wurde, war der Weg zum Krieg Mexikos mit den USA zumindest teilweise vorprogrammiert. Was die mexikanisch-amerikanischen Beziehungen nun ungeheuer belasten sollte, war die neue Grenze zwischen Mexiko und dem, was nun die USA darstellte. Mexiko argumentierte, daß die Grenze am Nueces-Fluß lag, während die USA darauf bestanden, daß die Grenze der Rio Grande-Fluß sei, welcher über 100 Meilen südlicher in Richtung Mexiko floß.[80] Die traditionelle frühere Grenze zwischen Texas und Mexiko war aber der Nueces-Fluß, und diese Grenze war auch von beiden Nationen, den USA und Mexiko, zuvor anerkannt worden. Nun aber bestand die US-Regierung darauf, daß die Grenze zu etwa 150 km im mexikanischen Territorium verlief, obwohl beide Nationen einer anderen Grenze (dem Nueces-Fluß) schon zuvor zugestimmt hatten.[81] In diesem Zusammenhang schreibt HERTNECK, ein Fachmann auf dem Gebiet der texanischen Geschichte, in seinem Buch *Kampf um Texas*: »Trotz dieser heiklen Lage beanspruchten die Texaner für ihren neuen Staat Grenzen, für die in der Geschichte auch nicht die geringste Rechtfertigung zu finden war. In spanischer und mexikanischer Zeit reichte die Provinz im Westen nur bis zum Nueces und Medina und im Norden nur bis zu den Quellflüssen des Red River.«[82]

Wegweisend für die expansionistische Politik der USA war eine amerikanische Zeitung aus dem Jahr 1829, die *Nashville Republican and State Gazette*: In ihr war zu lesen, daß der Rio Grande-Fluß die »natürliche Grenze« sei, denn »auf dieser Seite des Flusses liegt reiches, fruchtbares Land, das man sich für das Volk der Vereinigten Staaten nicht besser wünschen kann:

Auf der anderen Seite ist das Land unproduktiv, hier kann ohne Bewässerung nichts gepflanzt werden, kurz gesagt, es ist Land für den faulen Mexikaner...«

»Aber als die Mexikaner daran gingen, ihre Silberbergwerke weiter zu entwickeln, war plötzlich der Rio Grande als ›natürliche Grenze‹ verschwunden...«[83] Der Grund für die sich scheinbar ständig ändernde Grenze zwischen den USA und Mexiko war nach Angaben des *United States Review Journal* wirtschaftlicher Natur. Denn: »Der schmerzvolle Mangel an Silber, an dem derzeit unsere ganze Handels- und Landwirtschaft leidet, kann wie der Mangel an Gold ... nur durch den Einsatz amerikanischen Unternehmertums in den Silberbergwerken Mexikos behoben werden. Die Silbermünze wird in den Vereinigten Staaten nie in größerer Menge vorhanden sein, bis nicht die Grenzen des Südens (sic) die Mineralienfelder Zentral-Mexikos umfassen, wo gegenwärtig ein Volk wohnt, das weder das Wissen noch die richtige Einschätzung seiner Bodenschätze besitzt.«[84]

Der wirkliche Grund war also – salopp ausgedrückt – die hemmungslose und unersättliche Gier der Amerikaner nach mehr Gold und Silber. Mit dem ständigen Verlangen nach einer neuen Grenze war die Lage nun angespannt, und das lag im Interesse der expansionistischen Politiker in Washington. Alles, was jetzt benötigt wurde, war ein Zwischenfall, mit dem man eine weitere Ausbreitung in Richtung Mexiko rechtfertigen konnte.

Der amerikanisch-mexikanische Krieg (1846–1848)

Seitdem er den National Bank Act widerrufen hatte, war der seinerzeitige US-Präsident John Tyler in seiner eigenen Partei (Whigs) sehr unbeliebt. Er wußte, daß er nur als Held des Expansionismus eine Chance hatte, wieder gewählt zu werden. Infolgedessen betrieb er gegenüber Texas eine Politik der Expansion. Noch in der Nacht, als Polk zum Präsidenten gewählt wurde, vertraute er seinem Marinesekretär an, daß eines seiner Ziele die Annexion Kaliforniens sei. Kalifornien war damals ein Teil Mexikos.[85] Damit dieses Ziel auch verwirklicht werden konnte, hatte die US-Flotte bereits 1845 den geheimen Befehl erhalten, bei einem etwaigen Kriegsausbruch San Francisco und andere Gebiete Kaliforniens einzunehmen.[86]

Noch im Sommer 1845 rückte US-General Zachary Taylor auf Befehl des neuen Präsidenten James K. Polk in strittige Gebiete zwischen Mexiko und Texas ein und stellte sich zuerst am Nuces bei Corpus Christi auf.[87]

Der Befehl über die Einnahme Kaliforniens und insbesondere des dort liegenden Santa Fé war nicht ohne wirtschaftlichen Hintergrund geplant worden, denn Santa Fé war der Umschlagplatz für den Handel des westlichen Nordamerikas. Der Umsatz dieses Markts, auf dem Gold, Silber und edle Pelze gehandelt wurden, schätzte man damals auf jährlich 20 Millionen Dollar, wobei auch schon amerikanische Händler mit einbezogen waren, die mit 4 bis 5 Millionen Dollar am besagten Handel beteiligt waren. Für Texas, das von seinem Präsidenten LAMAR finanziell zugrunde gerichtet worden war, bedeutete die Eroberung von Santa Fé daher die wirtschaftliche Erlösung.[88]

Um in diesem Sinn die Mexikaner zu reizen, startete LAMAR im Juni 1841 eine Expedition, die angeblich ›friedliche‹ Absichten verfolgte. Daß diese Absichten nicht so friedlich waren, wie man dies gern darstellte, bewies die Tatsache, daß eine Kompanie von 270 Freiwilligen diese Expedition als militärischen ›Schutz‹ begleitete, damit konnten den ›friedlichen‹ Absichten der Regierungskommissare notfalls ein wenig Nachdruck verliehen werden. Die Expedition scheiterte unrühmlich mit der Gefangennahme der Teilnehmer, als die Mexikaner sie in Kerker warfen. Zusammenfassend schreibt daher der Texas-Historiker HERTNECK, »es hätte nicht viel gefehlt, dann wäre ein neuer offener Krieg das Ergebnis der unglückseligen Santa Fé-Expedition gewesen«.[89]

Um eben diesen voranzutreiben, befahl US-Präsident POLK General Zachary TAYLOR am 13. Januar 1846, dann weiter nach Süden bis zum Rio Grande vorzustoßen, um Mexiko zu provozieren. POLKS Wahlkampagne forderte nicht nur die Annexion von Texas, sondern auch die Besetzung der gesamten Oregon-Region. Die Orgeon-Region war zwar teilweise britisch, dennoch wurde die ›Wiederbesetzung‹ angestrebt, als ob sie niemandem gehört hätte. Da aber der Krieg im Norden wenig populär war, begann POLK eine Hetzkampagne, in der er – wie zuvor Präsident TYLER – Mexiko beschuldigte, jahrelang US-Bürger beleidigt und in ihrer Freiheit behindert zu haben. Außerdem behauptete er, Mexiko habe sich geweigert, dafür Schadensersatz zu leisten.[90]

Der Vorstoß zum Rio Grande war für die Mexikaner eine direkte Herausforderung. Denn es war alles andere als klar, daß der Rio Grande die südliche Grenze von Texas war. Zwar wurde der mexikanische General SANTA ANNA, als er von US-Militärs gefangengenommen wurde, gezwungen zu erklären, daß der Rio Grande die Grenze sei, aber niemand in Mexiko hätte eine solche Aussage eines gefangenen Mexikaners für verbindlich gehalten. Die traditionelle Grenze zwischen Texas und Mexiko war nämlich, wie schon erwähnt, der Nueces-Fluß, ungefähr 150 Meilen weiter in nördlicher Richtung. Sowohl die USA als auch Mexiko hatten diesen als Grenze anerkannt.

US-General TAYLOR verlegte also seine Truppen nach Corpus Christi in Texas und wartete dort auf weitere Anordnungen. Diese trafen dort im Februar 1846 ein: Er solle mit seinen Truppen bis zum Rio Grande vorstoßen. Am 28. März befanden sie sich schon endgültig auf mexikanischem Gebiet. Als sie ihre Kanonen und ein Fort aufbauten, waren die dort lebenden

Mexikaner vor den US-Truppen geflüchtet. TAYLORS Kanonen waren nun gegen den Ort Matamoros gerichtet. Dessen Bewohner starrten neugierig aus ihren weißen Häusern auf die Kanonen, die hinter einem kleinen Fluß aufgestellt waren.

Zu dieser Zeit begannen US-Zeitungen sich für eine Invasion Mexikos auszusprechen. Eine von ihnen, die Washingtoner *Union,* schrieb: »Ein Korps richtig organisierter Freiwilliger . . . würde eindringen, überrennen und Mexiko besetzen. Dies würde es uns ermöglichen, nicht nur Kalifornien zu nehmen, sondern es zu behalten«. Was man in Washington im Frühjahr 1846 benötigte, war ein militärischer Zwischenfall, damit der Krieg gegen Mexiko gerechtfertigt wäre.

Ein solcher ereignete sich im April 1846, als Colonel CROSS bei einem Ritt am Rio Grande verschwand. Man fand seine Leiche elf Tage später und nahm an, CROSS sei von Mexikanern ermordet worden, denn sein Schädel war eingeschlagen. Da dies aber natürlich noch keinen ausreichenden Grund für einen Angriff auf Mexiko bildete, wartete man in Washington gespannt auf einen neuen Zwischenfall gegen US-Truppen auf mexikanischem Gebiet.

Die Machthaber in den USA wurden nicht enttäuscht: Am 25. April 1846 wurde eine Patrouille von TAYLORS Soldaten von Mexikanern umzingelt und angegriffen, sechzehn wurden getötet, andere verwundet, der Rest gefangengenommen. TAYLOR verlangte 5000 Freiwillige von Präsident POLK, während er diesem mitteilte: »Feindseligkeiten kann man nun als stattgefunden bezeichnen.«[91]

Die Mexikaner hatten den ersten Schuß abgegeben, aber mehr zu ihrer eigenen Verteidigung, denn die US-Truppen befanden sich ja auf mexikanischem Gebiet. Trotzdem war alles so verlaufen, wie POLK und die Elite in Washington es haben wollten, denn durch das Entsenden von Truppen in fremdes Gebiet mußte es ja früher oder später unweigerlich zu Feindseligkeiten kommen.

In seinen Memoiren schrieb Ulysses S. GRANT (der später als General des Nordens gegen den Süden im US-Bürgerkrieg kämpfen sollte) über die amerikanischen Provokationen vor dem Ausbruch des Krieges mit Mexiko: »Die Präsenz von Truppen der Vereinigten Staaten am Rand des umstrittenen Territoriums, weit entfernt von den mexikanischen Siedlungsgebieten, war nicht ausreichend genug, um Feindseligkeiten zu erzeugen. Wir wurden losgeschickt, um einen Kampf zu provozieren, aber es war wesentlich, daß Mexiko ihn begann. Ob der Kongreß einen Krieg erklären würde, war nämlich sehr zweifelhaft. Würde aber Mexiko unsere Truppen angreifen, könnte die Exekutive den Krieg erklären. . . und den Streit energisch verfolgen. Erst einmal begonnen, gab es wenig Personen von öffentlicher Seite, die den Mut hatten, sich dem entgegenzustellen. Die Erfahrung beweist, daß der Mann, der einen Krieg zu verhindern sucht, in den eine Nation verstrickt ist, gleich, ob richtig oder falsch, keine beneidenswerte Stellung im Leben oder in der Geschichte einnimmt. Besser ist es für ihn, selbst Krieg, Pest und Hungersnot zu befürworten, denn als Gegner eines Krieges zu handeln, der schon begonnen hat.«[92]

Ein Colonel namens HITCHCOCK schrieb in sein Tagebuch: »Ich habe es von Anfang an gesagt, daß die Vereinigten Staaten die Aggressoren sind... Wir haben nicht die geringste Berechtigung, hier zu sein... Es sieht so aus, als ob die Regierung eine kleine Streitkraft geschickt hätte, um einen Krieg herbeizuführen, damit man einen Vorwand hat, um Kalifornien einzunehmen und nach Belieben viel von diesem Staat zu nehmen.«

Diese Absicht hegte auch Präsident POLK, denn er hatte schon vor der Auseinandersetzung am Rio Grande endgültig beschlossen, den Konflikt mit Mexiko militärisch zu lösen. WINDERS schreibt daher in seinem Buch *Mr. Polk's Army:* Am 25. April 1846, an dem Tag, an dem THORNTONS Einheit angegriffen wurde, diskutierten er und sein Kabinett, Mexiko den Krieg zu erklären. Schon am 9. Mai, noch bevor POLK irgendwelche Berichte über Schlachten erhalten hatte, riet er seinem Kabinett, eine Kriegserklärung abzugeben. Diese wurde damit begründet, daß die Mexikaner der US-Regierung keinen Schadensersatz geliefert hätten, als während der mexikanischen Revolution US-Bürger angeblich zu Schaden gekommen seien, und Mexiko es abgelehnt habe, dafür Teile seines Territoriums an die USA zu verkaufen.

POLK sandte dann eine entrüstete Botschaft an den Kongreß, in der er behauptete: »Die Geduld ist nun erschöpft, schon bevor wir die letzten Informationen von der Grenze bei Del Norte [dem Rio Grande] bekommen haben. Aber jetzt, nach wiederholten Bedrohungen, hat Mexiko die Grenze der Vereinigten Staaten überquert, unser Territorium eingenommen und amerikanisches Blut auf amerikanischem Boden vergossen... Da der Krieg trotz aller unserer Bemühungen, ihn zu vermeiden, nun entstanden ist, da Mexiko ihn selbst verursacht hat, sind wir nun auf Grund unserer Verpflichtungen gegenüber unserem Patriotismus beauftragt, unsere Ehre, Rechte und Interessen gegenüber unserem Land zu verteidigen.«

POLK sprach über die Entsendung amerikanischer Truppen zum Rio Grande als eine notwendige defensive Maßnahme. Aber der Autor John SCHROEDER schreibt in seinem Buch *Mr. Polk's War:* »In Wirklichkeit traf das Gegenteil zu: Präsident POLK hatte den Krieg angestiftet, indem er amerikanische Soldaten in ein umstrittenes Gebiet geschickt hatte, welches historisch gesehen von Mexikanern besiedelt und verwaltet war.« SCHROEDER schreibt ferner, daß »die Bündel von offiziellen Dokumenten, welche die Kriegserklärung begleiteten und angeblich Beweise für POLKS Äußerungen seien, nicht weiter untersucht, sondern *ad acta* gelegt wurden. Es blieb gerade einmal eine halbe Stunde, um über die ganze Sache zu diskutieren.«[93]

Am 13. Mai 1846 erklärte POLK dann Mexiko den Krieg. Die Beschuldigungen, die er auflistete, waren geradezu lächerlich, aber das hinderten ihn und den Kongreß natürlich nicht, einen äußerst lukrativen Krieg zu führen. Vor allem brauchte man sich über den Ausgang dieses Angriffs keine Sorgen zu machen: 32 000 schlecht ausgerüstete Mexikaner standen zeitweise bis zu 104 000 Nordamerikanern gegenüber.[94]

Dieser Krieg, den die USA zum ersten Male in ihrer Geschichte gegen einen souveränen Nachbarstaat führten, wird in den meisten US-Geschichtsbüchern nur sehr kurz beschrieben. Dabei wird auch nicht erwähnt, daß der Krieg gegen Mexiko sehr unpopulär war. Viele Amerikaner protestierten damals gegen ihn, wie sie später gegen den Vietnam-Krieg protestieren sollten. Daniel WEBSTER, damals ein bekannter amerikanischer Staatsmann, deckte die betrügerischen Mittel auf, mit denen die Vereinigten Staaten den Krieg herbeiführten. WEBSTER nannte ihn folgerichtig »einen Krieg der Vorwände, in dem der wahre Beweggrund nicht offen eingestanden wird, sondern, in dem Scheingründe, nachträgliche Erklärungen, Ausflüchte und andere Methoden verwendet werden, um der Allgemeinheit einen Streitfall vorzutäuschen, der in Wirklichkeit gar keiner ist«.

WEBSTER gebührt Dank, nachgewiesen zu haben, daß die USA sogar so weit gingen, subversive Methoden anzuwenden. In diesem subversiven Krieg setzten die USA ›ihren‹ mexikanischen General SANTA ANNA, den sie bei der Schlacht von San Jacinto gefangengenommen hatten, ein. In der Hoffnung, in Mexiko eine Marionettenregierung einzurichten, befahlen sie ihren Marinestreitkräften, eine Blockade um Mexiko zu errichten, um den mexikanischen Militärführer SANTA ANNA an dem Tag durch die Linien nach Mexiko schlüpfen zu lassen, an dem Präsident POLK dem Kongreß seine Kriegserklärung bestätigte. Aber »wie konnte Mr. POLK darauf kommen, daß Mr. SANTA ANNA gerade diesen Weg gehen würde?« fragt WEBSTER und enthüllt anschließend, daß die illegale Grenzüberschreitung durch Geheimagenten der USA arrangiert worden war.

Um den unpopulären Krieg aber in einem günstigeren Licht erscheinen zu lassen, behauptete die US-Regierung, daß die Feindseligkeiten, die zum Krieg mit Mexiko führten, auf amerikanischem Boden stattgefunden hätten. Abraham LINCOLN war damals ein gerade frisch gewählter Kongreßabgeordneter, als er den Vorschlag machte, man sollte untersuchen, an welcher Stelle es tatsächlich zum ersten Zusammenstoß zwischen US- und mexikanischen Truppen gekommen sei. Seiner Überzeugung nach, und es zeigte sich bald, daß er recht hatte, fand dieser Zusammenstoß auf mexikanischem Gebiet statt. Aber der Plan mit dem mexikanischen Marionettenregime schlug fehl: Da SANTA ANNA anscheinend das Spiel der US-Machtelite nicht mitspielen wollte, kam es nicht zu der ersehnten Marionettenregierung in Mexiko.

Der Krieg gegen Mexiko war nicht nur unpopulär, er förderte sogar antiamerikanische Kriegsbewegungen in den USA. So kam es, daß viele US-Soldaten dem Beispiel des Feldwebels John RILEY vom 5. US-Infanterieregiment folgten, indem sie sich der mexikanischen Armee anschlossen. Sie bildeten ein Bataillon, das ›Los Patricios‹ genannt wurde. Nachdem sie mehrere heldenhafte Gefechte gegen die US-Armee gekämpft hatten, wurden die meisten Mitglieder des Bataillons in der Schlacht bei Churubusco getötet oder gefangengenommen, nachdem ihnen die Munition ausgegangen war. Fast alle Gefangenen wurden von ihren ehemaligen Waffenkameraden aufgehängt. Zum Angedenken an diese heldenhaften Freiheitskämpfer Mexikos brachten die Bewohner in der San Jacinto-Kirche in Mexiko City eine Gedenktafel an mit der Inschrift: »Zum Gedenken an das heldenhafte San Patricio Bataillon – Märtyrer, die während der ungerechtfertigten amerikanischen Invasion im Jahre 1847 ihr Leben für Mexiko gaben.«[95]

Natürlich ist in den heutigen US-Geschichtsbüchern auch nichts über jene Freiheitskämpfer zu lesen, die sich entschieden, gegen ihr eigenes Land die Waffen zu ergreifen, weil sie seinen Einmarsch in einen Nachbarstaat für ungerecht hielten. Eine solche Erwähnung würde natürlich auch den Raubzug, der immerhin den Mexikanern fast halb Mexiko raubte, in der US-Geschichte alles andere als heldenhaft erscheinen lassen. Vor allem aber würden dann auch die Verbrechen der US-Truppen gegen Mexiko Erwähnung finden. Mexikanische Dörfer wurden geplündert, als General TAYLOR in den Süden Mexikos vordrang. Die Bombardierung von Vera Cruz wurde ein einziges Niedermetzeln von Zivilisten. Eine Granate der US-Marine traf ein Postgebäude, auch ein Krankenhaus wurde getroffen, andere Granaten explodierten über der ganzen Stadt. In nur zwei Tagen wurden 1300 Granaten auf die Stadt abgefeuert, bis diese sich ergab. Ein Reporter von dem New Orleaner *Delat* schrieb: »Die Mexikaner schätzen ihre Verluste auf 500 bis 1000 Tote, aber alle stimmen überein, daß die Verluste der Soldaten, verglichen mit denen der Zivilisten, klein sind, während die Zahl der getöteten Frauen und Kinder sehr groß ist.«

Als die US-Truppen dann Mexiko-Stadt bombardierten, schrieb ein mexikanischer Händler einem Freund: »In manchen Fällen wurden ganze Stadtteile zerstört, und eine große Anzahl von Männern, Frauen und Kindern wurde getötet oder verletzt.« Der zuvor erwähnte Colonel HITCHCOCK schrieb: »Ich werde nie das schreckliche Feuer unserer Mörser vergessen..., als dieses mit schlimmer Gewißheit auf private Wohngebiete einschlug – es war furchtbar.«[96] Letztendlich gelang es der US-Regierung mit ihrem massiven militärischen Einsatz, das Abkommen von Guadalupe Hidalgo zu ermöglichen (2. Februar 1848), mit dem die USA sich halb Mexiko einverleibten. Und so bezahlte man Mexiko die bekannten 15 Millionen Dollar, worüber eine Zeitung (*Whig Intelligencer*) abschließend bemerkte: »Wir nehmen nichts durch Eroberung... Gott sei Dank.«[97] Das dürften die Mexikaner anders gesehen haben!

Es war ein glorreicher Raubzug für den Präsidenten und seine Generale, aber nicht für die Soldaten und die Deserteure. Viele Regimenter kamen nur mit der Hälfte oder einem Drittel der Soldaten zurück, mit denen sie losgezogen waren. Aber der größte Feind waren nicht die Mexikaner gewesen, sondern oft waren es Krankheiten. Der Südstaaten-Politiker John CALHOUN aus Südkarolina sagte vor dem Kongreß, daß 20 Prozent der Truppen in Schlachten oder an Krankheiten gestorben seien. Als die Soldaten nach Hause kamen, erschienen viele Landspekulanten, die ihnen ihr von der Regierung versprochenes Land abkaufen wollten. Viele Soldaten benötigten dringend Geld und verkauften daher ihre 160 Morgen Land für ein Trinkgeld von 50 Dollar. Daraufhin schrieb der New Yorker *Commercial Advertiser* im Juni 1847: »Es ist bekannt, daß viele ihren Reichtum machten, indem sie arme Soldaten ausnahmen, die für den Unabhängigkeitskrieg verbluteten, Landspekulanten machten aus der Verzweiflung der Soldaten ein Vermögen. Ein ähnliches System der Ausbeutung wurde gegenüber den Soldaten des letzten Kriegs angewandt.«[98]

Daß die ganze Aggression gegen Mexiko schon längst eine geplante Sache der US-Machtelite gewesen war, bewies nicht zuletzt eine von Sam HOUSTON (Vorkämpfer für Texas und zweimaliger Führer der Texaner) entworfene Landkarte. Diese zeigte eine texanische Republik, die im Osten alle jene Unionsstaaten einbezog, die sich während des Bürgerkrieges auf die Seite der Konföderation stellten, und im Westen jene mexikanischen Provinzen beinhaltete, die 1848 an die USA fielen, einschließlich Chihuahua und Sonaora. »Diese Karte, im Jahre 1844 entworfen, nimmt mit prophetischer Sicherheit die Annexionen des Friedens von Guadalupe Hidalgo und die Konstellation des Sezessionskrieges vorweg...«[99] Man kann sie als eine planerische Karte ansehen, nicht nur für den Ausgang des Krieges 1846–48 mit Mexiko, sondern als eine ebenso genaue Plankarte für den kommenden Bürgerkrieg. Die Machtelite überließ eben nichts dem Zufall, schon gar nicht, wenn es um groß angelegte Raubzüge ging, ob gegen einen anderen Nationalstaat oder gegen das eigene Volk, schien da keinen Unterschied zu machen.

So hatte Washington mit einem gewaltigen Schlag die heutigen Staaten Texas, Arizona, Kalifornien, Nevada, Utah sowie Teile von New Mexico, Kansas, Colorado und Wyoming, insgesamt 1 193 061 Quadratmeilen, kassiert – ein Gebiet, das knapp fünfundeinhalbmal so groß ist wie die heutige Bundesrepublik.[100] Es war also ein beträchtlicher Raubzug, ohne dessen Erfolg die Industrialisierung der USA nie in demselben Maße hätte stattfinden können, wie sie dann verwirklicht werden konnte. Denn die Bodenschätze, die Baumwolle und Erzvorkommen, die man sich mit Gewalt angeeignet hatte, waren riesengroß, und nebenbei wurde das erbeutete Land zur Brotkammer der gesamten Neuen Welt.[101]

Die Demokratische Partei der USA forderte die Einverleibung Mexikos in der Erkenntnis, daß man dann durch ein Wirtschaftsembargo Englands Militärmacht lahmlegen und Europa einschüchtern könnte. Nachdem man bereits ein Drittel Mexikos erobert hatte, brachte es Präsident TYLER auf den Punkt, als er verkündete: »Indem wir uns praktisch das Monopol in Sachen Baumwollpflanze gesichert haben, besitzen wir einen größeren Einfluß auf die Weltpolitik, als ihn noch so starke Armeen oder noch so umfangreiche Kriegsflotten gewähren können.« Ergänzend schrieb er hierzu: »Dieses nunmehr gesicherte Monopol legt das Schicksal aller anderen Nationen in unsere Hände. Ein einziges Embargo von einem Jahr Dauer würde Europa stärker leiden lassen als ein fünfzig Jahre währender Krieg. Ich zweifele daran, daß Großbritannien Erschütterungen vermeiden könnte.«

Dieses Machtmonopol brachte die britischen Befürchtungen bezüglich der US-Eroberung des Oregon-Gebiets zum Schweigen. Es sollte noch hinzugefügt werden, daß das letzte Zitat dramatisch übertrieben ist. Dies hatte jedoch drei Gründe. Erstens wollte Präsident TYLER seine Politik gut verkaufen, zweitens wollte er seine zerstrittene Partei durch die Invasion vereinigen, und drittens wollte man bessere Konditionen für die USA mit wirtschaftlichen Druckmitteln erzwingen.[102] Mit diesem Raubzug hatte die US-Regierung ihr Territorium um 40 Prozent vergrößert, während Mexiko die Hälfte seines Staatsgebiets an die Amerikaner verlor.[103] Aber selbst mit diesem riesigen Territorium gaben sich die führenden Schichten in den USA noch nicht zufrieden.

Kapitel 2

Krieg gegen das eigene Volk: der Amerikanische Bürgerkrieg (1861–1865)

Nach diesem Vorstoß konnte die ›Neue Welt‹ erst einmal aufatmen, denn die USA befanden sich zu dieser Zeit in einer schweren innenpolitischen Krise. Der Konflikt endete schließlich im Amerikanischen Bürgerkrieg, der von 1861 bis 1865 wütete. Er wird von Historikern als der erste moderne Krieg angesehen. Dieser Krieg ist in unzähligen Geschichtsbüchern beschrieben worden. Die meisten schreiben ihm aber gleichsam fatalistische Züge zu, als ob er unumgänglich ausbrechen mußte. Doch diese Annahme gründet auf der Fehleinschätzung, daß Präsident LINCOLN keine anderen realistischen Alternativen oder Möglichkeiten als die des Krieges gehabt hätte.

Noch vor der Wahl Abraham LINCOLNS zum Präsidenten am 6. November 1860 entschieden sich einige wichtige Südstaaten-Politiker mit der überwiegenden Mehrheit ihrer Bürger, die Union (USA) friedlich zu verlassen. Nach der Wahl LINCOLNS brachte Senator John CRITTENDEN einen letzten Kompromißvorschlag ein. Der Kongreß sollte sich zur Sklaverei bereit erklären, wenn die Südstaaten in der Union bleiben. Aber der Norden war zu diesem Kompromiß nicht bereit, und auch LINCOLN unterstützte diesen Vorschlag nicht. Statt dessen gab es von links und von rechts im Norden reichlich Kriegsbefürworter. LINCOLNS langjähriger Weggefährte William HERNDON fauchte: »Kompromiß – Kompromiß! Also mir wird schon schlecht bei der Vorstellung. Laßt diesen natürlichen Krieg, laßt diesen unvermeidlichen Kampf seinen Lauf nehmen!« »Laßt uns den Streit jetzt austragen«, forderte James Russell LOWELL im *Atlantic Monthly*. Der Frieden sei nicht das vorrangige Interesse des Volkes, so ein Abgeordneter aus Ohio.[104]

Die Sklaverei war jedoch nicht der wirkliche Grund, weshalb es schließlich zum Krieg zwischen dem Norden und dem Süden kam. Interessanterweise gab es eine schwere Wirtschaftskrise, die sich 1857 ausbreitete. Ein Boom in der Eisenbahn- und Güterproduktion sowie erhöhte Spekulation mit Aktien und Regierungsobligationen führten zu einem Zusammenbruch. Im Oktober des Jahres waren 200 000 Menschen arbeitslos, und Tausende von Einwanderern bewegten sich in Richtung östliche Häfen, um nach Europa zurückzukehren. In Newark, New Jersey, riefen Tausende von Demonstranten nach Arbeit, während in New York 15 000 auf die Wallstreet zumarschierten und dabei »Wir wollen Arbeit!« schrien.

Noch im selben Sommer kam es zu Ausschreitungen in den Slums von New York. Ein Mob von 500 Menschen überfiel die Polizei mit Pistolen und

Steinen. Es kam zu Plünderungen, im November mußten die US-Marines ein öffentliches Gebäude von Demonstranten befreien. Es war eigentlich nur der Bürgerkrieg, der eine wirkliche Revolution der Arbeitslosen, Armen und der immer mehr unter Druck geratenen Mittelklasse verhinderte, denn die Bewegung der Unterdrückten und Unterprivilegierten wurde immer militanter. Der US-Historiker Alan DAWLEY, der die damaligen Zustände untersuchte, kommt zu dem Schluß, daß, wenn der Bürgerkrieg nicht eine ganze Generation abgelenkt hätte, der Sieg der militanten Arbeiterbewegung wohl nicht mehr zu verhindern gewesen wäre.

Aber der Bürgerkrieg änderte alles. Arbeiter im Norden verbündeten sich mit ihren Arbeitgebern, während mit Ausbruch des Kriegs nationale Themen urplötzlich die Klassenkonflikte verdrängten. Die zuvor streikenden Massen waren nun mit Krieg und Aufrüstung beschäftigt. Das vorige Klassenbewußtsein wurde von dem militärischen und politischen Bund des Krieges verdrängt. Diese solidarische Vereinigung wurde durch Rhetorik und Waffen aufrechterhalten. Sie wurde durch einen Krieg für die Freiheit proklamiert, aber die Arbeiter wurden von Soldaten angegriffen, wenn sie zu streiken wagten, und diejenigen, die sich trauten, Kritik an der Regierung zu üben, wurden ohne gerichtliche Verhandlung eingesperrt (es gab damals ungefähr 30 000 politische Gefangene). Unionstruppen wurden dazu benutzt, Streiks zu beenden. Die weißen Arbeiter im Norden waren nicht von einem Krieg begeistert, der anscheinend dazu benutzt wurde, um für Schwarze zu kämpfen, oder für die Kapitalisten, aber nicht für sie. Die Arbeiter mußten unter fast sklavenhaften Bedingungen Produkte herstellen. Sie glaubten zu Recht, daß der Krieg für eine neue Klasse von Millionären sehr einträglich sein werde. Sie sahen, wie defekte Schußwaffen an Armee-Lieferanten, Sand als Zucker, Roggen als Kaffee verkauft wurden, wie aus Textilabfall Kleider und Decken, aus Papier Schuhsohlen für Soldaten, aus verfaultem Holz Marineschiffe angefertigt wurden und wie Soldatenuniformen hergestellt wurden, die beim ersten Regenguß ruiniert waren.

Im Süden war das Ganze auch nicht besser. Die 1850 erfolgte amtliche Volkszählung zeigte, daß eintausend Familien, die zur Elite gehörten, ungefähr 50 Millionen Dollar jährliches Einkommen besaßen, während das jährliche Einkommen aller anderen Familien, rund 600 000, etwa 60 Millionen Dollar betrug. Im Süden konnten die Reichen sich ebenfalls von dem Militärdienst freikaufen, was natürlich nicht gerade die Begeisterung der Wehrpflichtigen förderte. Auch im Norden, wo man sich völlig legal für 300 Dollar vom Militärdienst freikaufen konnte, waren Desertierungen an der Tagesordnung. Im ganzen desertierten im Norden 200 000 Mann, die nicht für einige reiche Millionäre sterben wollten.[105]

Was aber ebenfalls ›todsicher‹ zur Krise zwischen dem Norden und dem Süden führen mußte, war die rücksichtslose Politik des Nordens, die den

Süden dazu bewegte, aus der Union auszutreten. Dabei spielte vor allem die unfaire Schutzzolldebatte eine wichtige Rolle. Während der schlechten Wirtschaftslage und zwischen den drei Kongreß-Debatten und der Wahl von 1860 wollte eine Koalition der nördlichen Republikaner-Partei und der protektionistischen Demokraten 1857 den Schutzzoll erhöhen. Dies wurde jedoch jedesmal vom Süden solidarisch im Kongreß zunichte gemacht. Da der Süden eine Wirtschaft besaß, die sich auf den Export von Naturgütern und den Import von industriellen Produkten beschränkte, wäre ein solcher erhöhter Schutzzoll ein klarer Nachteil für die Agrarwirtschaft des Südens gewesen, denn dies hätte bedeutet, daß der Süden höhere Preise für die Produkte des Nordens bezahlt hätte, um die Profite des Nordens und dessen Löhne zu unterstützen.[106]

Auch der Versuch Bostons, noch vor 1861 den Handel zwischen Europa und dem amerikanischen Süden abzuschneiden, war eine gezielte Provokation des Nordens und kann als erster ernsthafter Versuch gedeutet werden, die wirtschaftliche Kontrolle über den Süden zu erlangen.[107] Diese Politik des Nordens und der Aufstieg LINCOLNs – des Republikaners, der eindeutig den Norden, dessen Industrie und Bankwesen vertrat – bedeuteten für den Süden, daß es zwischen beiden Teilen keinen wirklichen Frieden mehr geben konnte. Zu oft waren in der Vergangenheit heftige Auseinandersetzungen zwischen den Republikanern, die vorwiegend den Norden vertraten, und Demokraten, die den Süden mit Sklaverei repräsentierten, aufgetreten. Schon am 20. Dezember 1860 brachte Südkarolina in Columbia den Stein der Separation ins Rollen, der von nun an immer mehr Südstaaten an sich zog, bis elf ehemalige Unionsstaaten sich als (Süd-)Konföderationsstaaten bezeichneten.

Der größte Zwist zwischen den beiden Lagern war die Sklavenfrage; diese gründete aber letztendlich auf den verschiedenen Wirtschaftssystemen der beiden Landesteile. Der Süden betrieb eine reine Agrarwirtschaft, die für Sklaverei bestens geeignet war, während der Norden eine moderne Volkswirtschaft mit Industrie und Bankwesen besaß.

Aber die Sklavenfrage war in Wirklichkeit nur ein vorgeschobener Grund, weshalb die beiden Wirtschaftssysteme nicht mehr im Einklang miteinander leben konnten. Die Sklaverei stand also nur vordergründig zur Debatte, dahinter stand aber die sehr reale Angst des agrarischen Südens, den Gesetzen des Freihandels ausgeliefert zu sein. Der Norden entwickelte sich mit seiner raschen Industrialisierung, welche ab 1820 durch Höchstzölle abgesichert wurde, immer mehr zu einem bedrohenden Konkurrenten für den Süden und dessen rückständige Wirtschaft. Durch die Höchstzölle des Nordens festigte sich eine Industrie, die im Binnenmarkt ohne ernsthafte Konkurrenz Höchstpreise verlangen konnte. Daß die Sklaverei nicht der wirkliche Kriegsanlaß war, bewies auch die statistische Wirtschaftslage des Südens, denn mehr als

76 Prozent der Südstaatler hatten überhaupt keine Sklaven, während der Rest, weniger als 10 Prozent, Plantageneigentümer waren.[108]

Am 8. Februar 1861 wurde im Süden die ›Confederate States of America‹ (CSA) begründet. Sie besaß eine eigene Verfassung, vorläufige Regierung und Militär. Die CSA übernahm damit alle ehemaligen öffentlichen Einrichtungen der Union, auch die Arsenale und deren Forts. Dies ging relativ reibungslos über die Bühne, nur Fort Sumter im Hafen von Charleston in Südkarolina und Ford Pickens in Pensecola, Florida, blieben von Unionssoldaten besetzt. Die Situation in Pensecola, Florida, beruhigte sich aber schnell im Gegensatz zu der im Fort Sumter. Da aber den Unionssoldaten in Fort Sumter bald der Proviant ausgegangen wäre, hätten sich die Soldaten der Union entweder zurückziehen oder aber aufgeben müssen.[109] Ein Aufgeben erschien aber eher unwahrscheinlich, da Präsident LINCOLN mit seiner Amtseinführungsrede vom 4. März 1861 (inaugural address) ein klares Versprechen gegeben hatte, das Eigentum der Union (Bundesregierungseinrichtungen usw.) zu »behalten, okkupieren und besetzen«, mit der Absicht, von diesem Eigentum »Zoll und Abgabesteuern einzutreiben«. Verglichen mit ihren ersten Entwürfen, war diese Amtseinführungsrede auf Empfehlung von LINCOLNS Vertrauten und Beratern, William SEWARD und Orville BROWING, noch mild artikuliert worden.[110]

Zwischen dem Norden und dem Süden wurde nun das Fort Sumter zum wunden Punkt. Der noch vor LINCOLN amtierende Präsident James BUCHANAN hatte sich stets bemüht, einen Bürgerkrieg zu vermeiden, er versprach den Kongreßabgeordneten von Südkarolina am 10. Dezember 1860, keine Truppenverstärkung nach Fort Sumter zu schicken, wenn Südkarolina ebenfalls versprechen würde, Fort Sumter nicht anzugreifen. Während also Präsident BUCHANAN noch damit beschäftigt war, eine friedlich Lösung des Konflikt zu finden, hinterging man ihn einfach, indem ein gewisser Major Robert ANDERSON seine zweideutigen Befehle vom Kriegsministerium so auslegte, daß sie ihm es erlaubten, sein Kommando von dem schwachen Fort Moultrie zum starken Fort Sumter zu verlegen, um mit dieser Aktion, wenn nötig, einen Angriff auf Fort Sumter zu verhindern. Insgeheim begann ANDERSON nach Anbruch der Dunkelheit am 26. Dezember mit der Übernahme von Fort Sumter. Schon am nächsten Morgen war ANDERSON für eine Mehrheit der Nordstaaten-Zeitungen mit dieser geheimen Infiltration zum Helden geworden.

Mit dieser Aktion waren aber wohl bewußt BUCHANANS Versuch sowie dessen Versprechen, Fort Sumter nicht zu verstärken, zum Scheitern verurteilt, und, was wahrscheinlich noch schlimmer war, BUCHANANS Versprechen erwies sich als Freveltat für die wichtigen Kongreßabgeordneten von Südkarolina. Möglicherweise handelte es sich bei diesem Hintergehen des damaligen Präsidenten um ein Komplott, um ein Bündnis verschiedener

Kriegstreiber, die eine versöhnliche Politik gegenüber den Südstaaten unbedingt zum Scheitern bringen wollten. Der bedrängte BUCHANAN war nun fast bereit, auf das Bestehen der Südstaatler einzugehen, die Besatzung von Sumter nach Moultie zurückzukommandieren. Die Atmosphäre war derart angespannt, daß BUCHANANS Kabinett umbesetzt wurde, mit dem Ergebnis, daß die Südstaatler und ein unentschlossener ›Yankee‹ zurücktraten. An ihre Plätze traten hartgesottene Unionisten, wie Kriegssekretär Joseph HOLT, Justizminister General Edwin M. STANTON und Staatssekretär Jeremiah BLACK.

STANTON und BLACK verfaßten auch unverzüglich einen Entwurf, der den Anspruch der Südstaaten auf Fort Sumter ablehnte. Nach diesem politischen Umschwung fühlte sich wohl auch BUCHANAN gedrängt, dem Süden entschlossener entgegenzutreten. Er gab letztendlich nach und billigte einen Antrag von Chefgeneral SCOTT, Major ANDERSON in Fort Sumter Verstärkung zukommen zu lassen.[111] Nun geschah aber wieder etwas Merkwürdiges, um nicht zu sagen Verdächtiges: Man hatte beschlossen, die bevorstehende Verstärkung von Fort Sumter geheimzuhalten, um eine Provokation zu vermeiden und die öffentliche Meinung nicht zu beunruhigen. Also wurden zweihundert Soldaten mit dem nötigen Kriegsgerät auf einem unbewaffneten Handelsschiff namens ›Star of the West‹ losgeschickt. Aus nicht geklärten Gründen war die Presse mit dieser Information bestens versorgt worden (die veröffentlichte Meinung der Zeitungsmacher im Norden war zu diesem kritischen Zeitpunkt im allgemeinen kriegstreiberisch). Fast genauso schwerwiegend war aber die Tatsache, daß das Kriegsministerium ANDERSON über die bevorstehende Verstärkung einfach nicht informierte.[112]

Obwohl ANDERSON ein Soldat der Union war, war er für seine Sympathien dem Süden gegenüber bekannt. Er wurde dauernd von einer tragischen Vision eines möglichen Bürgerkriegs geplagt und wollte um jeden Preis einen Krieg vermeiden, von dem er wußte, daß er ohnehin von der Seite ausbrechen würde, auf der er stand.

Es ist daher wohl auszuschließen, daß er einem solchen riskanten, um nicht zu sagen provokativen, Bewaffnungs- und Verstärkungsmanöver zugestimmt hätte, vor allem, weil nun der Süden den Norden fast einstimmig aufforderte, Fort Sumter zu verlassen. Fort Sumter war schon vor dieser Krise zu einem Symbol der nationalen Souveränität geworden und konnte somit von der Südstaaten-Konföderation kaum mehr ohne schweren Prestigeverlust bedingungslos aufgegeben werden. Es ist in dieser Hinsicht schon mehr als merkwürdig, daß nur der Kommandeur Major ANDERSON von Fort Sumter von dem Verstärkungsmanöver nach Sumter nicht Bescheid wußte, denn mittlerweile wußten es dank der Nordstaaten-Zeitungen praktisch alle Beteiligten, außer der Person, für die die Verstärkung am wichtigsten war. Es muß daher angenommen werden, daß die verdächtigen Umstände nicht rein zufällig zustande kamen, da Major ANDERSON dieser Aktion möglicherweise ablehnend gegenübergestanden hätte.

Ebenso muß ermittelt werden, wie die Zeitungen von dieser Aktion so schnell Bescheid wissen konnten, zumal sie ja geheim bleiben sollte, um den Süden nicht zu provozieren. Wünschte sich eine Machtelite im Hintergrund, daß es zu einem Krieg zwischen dem Norden und Süden kam, hätte sie kaum besser handeln können. Erst wurde die sogenannte geheime Operation zur Verstärkung Fort Sumters verraten, somit konnte sich der Süden auf eine militärische Gegenmaßnahme bestens vorbereiten, was wiederum eine militärische Reaktion des Nordens immer wahrscheinlicher erscheinen und den Konflikt in Richtung Bürgerkrieg eskalieren ließ. Zweitens setzte man hiermit Major ANDERSON als Kommandeur vor vollendete Tatsachen: Würde nämlich das Handelsschiff mit den 200 Soldaten und Kriegsgerät von konföderierten Soldaten in Südkarolina angegriffen, so könnte Kommandeur ANDERSON zur Annahme gelangen, daß der Bürgerkrieg ausgebrochen sei, um dann einen Gegenangriff ausführen zu lassen. Dies wird höchstwahrscheinlich der Plan der kriegstreibenden Machtelite im Norden gewesen sein.

Am 9. Januar steuerte das Handelsschiff ›Star of the West‹ auf den Hafen von Südkarolina zu, und alles schien nach dem Plan der Kriegstreiber zu laufen, als die konföderierte Artillerie Südkarolinas auf das Schiff feuerte. Das Schiff erhielt einen direkten Treffer, und sein ziviler Kapitän änderte sofort den Kurs, um wieder auf die See zuzusteuern.

Nun stand Amerika am Rande eines Bürgerkriegs, wenn Major ANDERSON seinen Soldaten befohlen hätte, die konföderierte Artillerie anzugreifen. Der Major behielt aber einen kühlen Kopf und entschied sich, nicht ohne höheren Befehl zu handeln, da er keinen Krieg verantworten wollte. Die Stimmung war inzwischen streitsüchtig, dennoch wollten beide Seiten keinen Krieg. So wurde eine stillschweigende Übereinkunft getroffen, der zufolge die Bewohner Südkarolinas die Besatzung in Fort Sumter zufrieden lassen würden, solange die (Unions-) Regierung keinen neuen Versuch unternehmen würde, das Fort wieder zu bewaffnen.[113] Nun trat eine Art Entspannungsphase ein, Jefferson DAVIS wurde Präsident der Konföderierten, er schickte ein Trio nach Washington, um über die Übergabe der Forts Sumter und Pikken zu verhandeln, während er Fort Sumter militärisch umzingeln ließ.

Dies war die Lage, als Präsident LINCOLN kurz nach seiner wichtigen Amtsantrittsrede am 5. März 1861 über den Stand der Dinge unterrichtet wurde. Nicht viel später erreichte LINCOLN die Nachricht, daß der Besatzung in Fort Sumter der Proviant in ungefähr sechs Wochen ausgehen werde. LINCOLN hatte also sechs Wochen Zeit, um eine Lösung für das Problem zu finden. Nun besann sich ein großer Teil der LINCOLN-Administration auf eine Strategie, die einen Krieg vermeiden würde. Der Oberkommandeur der Truppen, General SCOTT, teilte dem Präsidenten mit, daß Verstärkung ohne eine große Flotte mit 25 000 Soldaten nun unmöglich wäre. Die Regierung hatte, so der General, weder die nötigen Schiffe noch die Soldaten; aus diesem Grund riet er zum vollständigen Abzug aus Fort Sumter. Mit diesem Argument überzeugte er auch den Kriegs- und Marinesekretär sowie Außenminister SEWARD.[114]

Da die Stimmung inzwischen etwas abgekühlt war, schien eine friedliche Lösung des Konflikts möglich. Außenminister SEWARD begann, ohne LINCOLNS Wissen Verbindung mit konföderierten Bevollmächtigten aufzunehmen, er teilte ihnen mit, daß Fort Sumter aufgegeben werden sollte. Er leitete diese Information auch an die Presse weiter. Eine Woche nach LINCOLNS Präsidentschaftsantritt teilten nun ›authentische‹ Berichte mit, daß Fort Sumter bald geräumt werden würde. Diese Zeitungsartikel wirkten sich eher günstig auf eine friedliche Lösung der Krise aus. Auch LINCOLNS Kabinett, das der Präsident einberufen hatte, um eine Entscheidung zu fällen, teilte diese Ansicht. Fünf der sieben Minister rieten zum Abzug der Truppen in Fort Sumter, einer riet nur zur Verstärkung, wenn »dies, ohne einen Krieg zu riskieren, möglich wäre«, und nur einer, Montgomery BLAIR wollte das Fort halten, gleich welches Risiko dabei auf sie zukam. LINCOLN war aber trotz der überwiegenden Mehrheit, die für einen Abzug eintrat, für BLAIRS Lösung, das Fort ungeachtet aller Risiken zu halten.[115]

Zu dieser Zeit bat William SEWARD Präsident LINCOLN, dringend von gewaltsamen Zwangsmaßnahmen gegen den Süden abzusehen, mit der vernünftigen Begründung, daß die Auslösung eines Bürgerkrieges die schlimmste aller Todessünden sei und daß die beiden getrennten Teile in Frieden und gegenseitigem Verständnis mit der Zeit zu einer Einigung auf der Grundlage echter Freundschaft gelangen könnten.[116] Nun begannen viele Zeitungen in einer Art Hetzkampagne, sich für eine Kriegspolitik Washingtons stark zu machen. Am 28. März kam es zum Eklat, als LINCOLN erfuhr, daß Oberbefehlshaber General SCOTT die Truppen von beiden Forts, Sumter und Pickens, abziehen wollte. Seine Gründe seien politischer Natur, hieß es: Der Abzug, so der General, werde die freundliche Beziehung zu den abtrünnigen ehemaligen Unionsstaaten wiederherstellen. Nun aber zeigte LINCOLN sein wahres Gesicht, indem er eine weitere Krisensitzung verlangte. Bei dieser Sitzung gelang es ihm, ›blankes Entsetzen‹ bei seinen Beratern hervorzurufen, indem er verärgert Generals SCOTTS Auffassungen mißbilligte. Vier der sechs Mitglieder (einer war nicht anwesend) stimmten nun LINCOLNS Plan zu, Sumter wieder zu bewaffnen. Doch nicht nur Sumter sollte auf geheime Anordnungen LINCOLNS bewaffnet werden, sondern auch Fort Pickens ereilte das gleiche Schicksal.

Wiederum war es SEWARD, der LINCOLN mit offenbar allen Mitteln davon zu überzeugen versuchte, Sumter nicht wieder zu bewaffnen. Er machte den verblüffenden Vorschlag, LINCOLN solle statt dessen von Spanien und Frankreich eine Erklärung für deren Einmischung in die Affären von Mexiko und Santo Domingo einfordern und ihnen den Krieg erklären, falls ihre Erklärungen nicht zufriedenstellend sein würden. Mit dieser Methode, so SEWARD, würde »wahrscheinlich das Land gegen einen ausländischen Feind wiedervereinigt werden«. LINCOLN überging diesen Vorschlag. Aber SEWARD ließ sich nicht beirren und unternahm einen letzten Versuch, die Lage zu retten, indem er LINCOLN dazu drängte, an der ›Virginia Convention‹ teilzunehmen. Seine Begründung für diese Konvention war eindeutig: Die Konvention würde unweigerlich für den Austritt aus der Union, sprich USA, sein, wenn es zu einem Gefecht in Fort Sumter käme. LINCOLN nahm zwar an dieser Konvention teil, war aber bitter gegenüber dem, was er als ›Virginia Unionism‹ bezeichnete, so daß auch diese letzte friedliche Maßnahme scheiterte. Noch am selben Tag gab er seine Genehmigung für die geheime Wiederbewaffnung der Forts Sumter und Pickens. Es hatte nicht nur den Anschein, als habe er aus den Fehlern der Vergangenheit in bezug auf Fort Sumter nichts gelernt, nein, er war nun sogar bereit, die Sache eskalieren zu lassen, ganz im Sinne der Kriegstreiber und der Machtelite, die sich enorme Profite von einem Bürgerkrieg zu erhoffen schien und ebenfalls damit hoffte, der Rezession zu entkommen.

So spielte er nun zum zweiten Mal das ganze provokative Drama durch. Dieses Mal hatte er aber einen besseren Plan: Da er wußte, daß Fort Sumter von Konföderierten umzingelt war, war die Wahrscheinlichkeit eines konföderierten Angriffes auf die Unionstruppen von vornherein größer, besonders, nachdem Presse und Außenminister SEWARD den Konföderierten zum zweitenmal mitgeteilt hatten, daß Fort Sumter von der Union (USA) aufgegeben würde. Mit diesem gewitzten provokativen Manöver mußten die Gegner der Union, welche in Südkarolina um Fort Sumter aufgestellt waren, endlich den viel herbeigesehnten ›ersten Schuß‹ abgeben. LINCOLNS Plan war im Norden unter den Beteiligten allgemein bekannt: Kriegsschiffe und Soldaten würden bei der Wiederbewaffnung, bei der auch der nötige Proviant den Unionssoldaten bei Fort Sumter zugute gekommen würde, die Aktion mit verfolgen. Schießen die Konföderierten nicht, würde man das Feuer auch nicht eröffnen. Sollte der Süden aber auf die Unionstruppen schießen, wäre der Süden für seinen aggressiven Akt der Schuldige und als Kriegsanfänger überführt. Der Süden müßte dann, dieser Logik nach, die Schuld für den Bürgerkrieg tragen, diese würde auch den Norden stärker vereinigen und vielleicht den Süden spalten. Selbst wenn der Süden nicht den berüchtigten ›ersten Schuß‹ abfeuern würde, hätte der Norden einen bedeutenden symbolischen Sieg errungen, indem er allen Beteiligten zeigen könnte, daß die Unabhängigkeit des Südens eher eine Illusion sei, da der Süden in Fort Sumter nicht einmal die Hoheit über sein eigenes Gebiet durchsetzen könne.[117]

Bei letzterem Gedankengang war vor allem die Überlegung wichtig, daß die ausländischen Mächte, besonders Großbritannien, nicht in das Geschehen auf seiten der Südstaaten eingreifen, da diese nicht einmal stark genug wären, ihre eigene Unabhängigkeit zu bewahren, wenn der Norden ernsthaft militärisch eingreifen würde. Mit diesem hinterhältigen Manöver hatte LINCOLN den Ball ins gegnerische Lager geschossen, dessen Anführer Südstaaten-Präsident Jefferson DAVIS war: Dieser »stand nun unter großem Druck, etwas ›zu tun‹«. LINCOLN hatte offensichtlich viel geplant, aber eine Lösung, obwohl sie die einfachste und logischste war, schien er links liegen zu lassen – um einen Bürgerkrieg zu vermeiden, hätte er einfach abwarten können, bis Fort Sumter der Proviant ausging, danach hätte man mehr als genug Zeit gehabt, um die Krise nicht nur zu entschärfen, sondern auf diplomatische Weise zu lösen: Sollte dies selbst dann nicht möglich gewesen sein, hätte Washington immer noch auf die Wiederbewaffnung, sprich militärische Lösung, setzen können.

Am 9. April 1861 war die Lage äußerst kritisch, Südstaaten-Präsident Jefferson DAVIS gab seinem General BEAUREGARD den Befehl, das Fort, wenn möglich, zum Einlenken zu bewegen, bevor die Flotte Beistand leisten könne. Der Kommandeur von Fort Sumter, Major ANDERSON, lehnte die Aufforderung, sich zu ergeben, ab und erwähnte nebenbei, daß er in ein paar Tagen ausgehungert sein werde, wenn nicht bald Hilfe komme. Die Konföderierten wußten, daß Hilfe bald kommen würde, also entschlossen sich die Küstenbatterien der Konföderation am 12. April um 16 Uhr 30 – als Reaktion –, auf das Fort zu feuern, bevor die Proviantschiffe Sumter erreichten.[118] Schon am nächsten Tag kapitulierte Fort Sumter, und die Unionssoldaten zogen ab, nachdem sie einem 33stündigen Belagerungszustand ausgesetzt gewesen waren.[119]

Nun hätte schon wieder alles beendet sein, der Friede wiederhergestellt werden können. LINCOLN hätte diesen Zwischenfall so übergehen können, wie seine Vorgänger über ähnliche Bagatellen hinweggegangen waren. Denn in Fort Sumter fand nur ein einziger Mensch den Tod, und dies nicht bei dem Artilleriefeuer, sondern – die Ironie grenzt an das Unglaubwürdige – einen kleinen Augenblick später, als die Geschütze beim militärischen Zeremoniell zu einer ehrenvollen Übergabe von Fort Sumter Salut schossen. Es starb also nur eine einzige Person, und diese erlitt den Tod nicht bei der vorherigen militärischen Aktion, sondern als Opfer einer Abzugsparade.[120] Daraus einen Bürgerkrieg zu machen, der immerhin 600 000 Menschen das Leben kosten sollte, scheint daher schon abartig, um nicht zu sagen: pervers. Begründbare Theorien besagen aber, daß LINCOLN den Krieg wollte und ihn im Stil eines Diktators herbeiführte. Zwei Hauptvertreter dieses Standpunktes sind die Historiker Charles W. RAMSDELL und J. S. TILLEY. Sie vertreten die These, daß LINCOLN wußte, er könnte seine Partei und seine Administration nur durch den Krieg retten, weshalb er die Konföderation so gezielt gedrängt habe, daß sie den ersten Schuß abfeuerte.[121]

Auch wenn die These eines Komplotts weiterhin umstritten ist, so sprechen die Handlungen LINCOLNs eine eher eindeutige Sprache – LINCOLN benahm sich gleich nach dem ›ersten abgefeuerten‹ Schuß eher wie ein Kriegstreiber, der im Auftrag einer Machtelite handelte, als ein demokratischer Politiker. Ohne die notwendige Zustimmung des Kongresses befahl er die Blockade der Südstaaten-Häfen (an sich schon ein kriegerischer Akt), die Anwerbung von 75 000 Freiwilligen sowie die Mobilisierung der Bundesarmee.[122] Ferner war es aber LINCOLNs Aufruf der Miliz, der die Grenzstaaten zwang, sich für eine Partei zu entscheiden.[123] In Wirklichkeit war damit der erste kriegerische Akt begangen, der die Lunte zum Pulverfaß entzündete. LINCOLN war nun »aufs äußerste entsetzt über die Beschießung« bei Sumter. Und so erklärte er: »Die Loslösung ist ungesetzlich«, »die Union ist unvergänglich«. Er wollte, und dies sagte er selbst, den Krieg zur Erhaltung der Union führen, aber nicht zur Befreiung der Sklaven.[124] LINCOLN hatte sich über den Rat einiger seiner Minister, das Fort kampflos preiszugeben, hinweggesetzt. Aus seiner Perspektive war diese Entscheidung richtig, denn damit vereinigte er den Norden hinter sich.[125] Ob dies aber für das restliche Amerika die richtige Entscheidung war, läßt sich wohl mit einem klaren ›Nein‹ beantworten, denn in dem aus diesem Grund ausgelösten Bürgerkrieg starben immerhin 600 000 Menschen, während ungefähr genauso viele verwundet wurden.

Nun begann LINCOLN sich wie ein Diktator aufzuführen. Er erklärte, daß eine Rebellion entstanden sei, die niedergeworfen werden müsse. Anders lautende Meinungen wurden unterdrückt. Journalisten, die gegen den Krieg sprachen, wurden eingesperrt. Redaktionen, die mit dem Süden sympathisierten, wurden zwangsgeschlossen.[126] Wie schon erwähnt, befahl LINCOLN ohne die Zustimmung des Kongresses eine Blockade der Konföderation und rief 75 000 Milizsoldaten zur Vernichtung dieser ›Insurrektion‹ auf. Später, als der Krieg sich entfacht hatte und schnell ausbreitete, wurden alle Männer zwischen 20 und 35 Jahren eingezogen, Unverheiratete sogar bis 45.

Wie bei fast allen Kriegen konnten sich die Reichen freikaufen, wenn sie 300 Dollar für einen Ersatzmann hinterlegten. Dies führte zu einer solchen Empörung (besonders in New York City), daß im Norden Einberufene anfingen, Häuser niederzubrennen, zu plündern und zu morden. Dieser Aufruhr forderte über tausend Tote oder Verletzte.

Äußerst despotisch griff LINCOLN auch in Sklaven-Grenzstaaten wie Maryland und Missouri durch. In Missouri wurde das Kriegsrecht verhängt, dadurch kam es zu einem wahrhaftigen Guerillakrieg. Die von LINCOLN angewandten politischen Taktiken verursachten Gefühle der Bedrohung für die ganzen Südstaaten. Aus diesem Grund verließen weitere Staaten die

Union: zunächst Washington und Virginia, dann Arkansas, Tennessee und Nordkarolina. Die Südstaaten glaubten nicht, daß es wirklich zu einem Krieg mit dem Norden kommen werde, im schlimmsten Fall würden Großbritannien und Frankreich dem Süden beistehen, denn sie brauchten ja dessen Baumwolle. LINCOLN erklärte nun feierlich, daß die Union die Sklavengebiete im Krieg befreien würde. Dies war ein überlegter Schachzug, denn nun konnten Großbritannien und Frankreich aus moralischen Gründen, selbst wenn sie wollten, kaum auf die Seite der Konföderation im Bürgerkrieg eingreifen.

Aber hiermit widersprach sich der Präsident selbst, denn LINCOLN hatte vor seiner Sklavenbefreiungsrede und dessen Gesetzeserlaß erklärt, daß der Kongreß nicht das Recht habe, in irgendeinem Staat Sklaven zu befreien. LINCOLN konnte jedoch nun mit gutem Gewissen den Krieg führen, vor allem aber auch, weil er genau wußte, daß alle Vorteile auf der Seite des Nordens zu finden waren. Die dreiundzwanzig Nordstaaten, denen nur elf Südstaaten gegenüberstanden, hatten 22 Millionen Bürger, die regelmäßig durch Einwanderer – auch während des Krieges – aufgestockt wurden: Dagegen hatte der Süden nur 5,5 Millionen weiße Bürger und 3 bis 4 Millionen schwarze Sklaven, die eher bereit waren, für den Norden zu kämpfen, und die daher mehr oder weniger eine Bedrohung für den Süden darstellten.[127] Der Norden erzeugte neunmal so viel Güter wie der Süden (97% aller Schußwaffen), er hatte das bessere Eisenbahnnetz und die viel stärkere Marine, die den Süden einkesseln und damit entscheidend zu dessen Niederlage beitragen sollte.[128]

Dieser Krieg, in dem Bürger desselben Landes gegeneinander kämpften, zeichnete sich durch ein hohes Maß an Brutalität aus. Als die Konföderation des Südens 1864–1865 schon so gut wie besiegt war, begann der Unions-General William T. SHERMAN mit der systematischen Vernichtung des Südens. Er betrieb eine Politik der verbrannten Erde, die bis zu diesem Zeitpunkt völlig unbekannt und vor allem unnötig war. SHERMAN machte die Stadt Atlanta im Staat Georgia dem Erdboden gleich! Alle Bewohner, selbst die Alten und die Schwachen, ließ er vertreiben und die Stadt niederbrennen. Dann marschierte SHERMAN weiter nach Nord- und Südkarolina, um auch hier alles, was dem Süden nützen könnte, zu zerstören.

Der Bürgerkrieg entpuppte sich nicht nur als der erste moderne Krieg, sondern er wurde auch ein totaler Krieg, ein Vernichtungskrieg gegen die eigene Bevölkerung. Die Verluste der Armeen allein betrugen 33 und 40 Prozent.[129] Als der Krieg beendet war, gab es 600 000 Tote zu beklagen; es war der menschenverschlingendste Krieg der Amerikaner überhaupt, denn er kostete mehr amerikanische Leben als alle anderen US-Kriege zusammen. 2400 Schlachten und kleinere Gefechte wurden zwischen 1861 und 1865 ausgetragen. Die ersten Fotografien, die damals schon erhältlich waren, zeigten die Verwüstungen, die der Krieg angerichtet hatte, sie erinnern an deutsche Städte am Ende des Zweiten Weltkriegs.[130]

Trotzdem oder vielleicht gerade deswegen war der Krieg ein wahrer Segen für die Rüstungsindustrie. Da der Süden im Gegenteil zum Norden industriell sehr unterentwickelt war, mußte er seine Waffen größtenteils aus Europa beziehen. Im Bürgerkrieg kamen hauptsächlich große Mengen kleiner Waffen zum Einsatz, im ganzen waren es 600 000 solcher Kleinkaliberwaffen. Selbst der industriell fortgeschrittene Norden brauchte bald Nachschub für sein Waffenarsenal, auch dieser kam oft aus Europa. Der Norden mußte für die damaligen Verhältnisse die fast unvorstellbare Summe von 2,2 Milliarden Dollar aufbringen, hinzu kamen 667 Millionen Dollar an Steuern, welche aber letztendlich auch nicht ausreichten, um die ungeheuren Kriegskosten zu zahlen. Deshalb wurde der fehlende Geldbetrag (etwa 431 Millionen Dollar) einfach nachgedruckt, was natürlich die Inflation anschwellen ließ. Dieses Geld war nicht münzkonvertibel und daher erheblich wertloser als das bewährte Münzgeld der Zeit. Der Süden praktizierte die gleiche Finanzpolitik, lieh 712 Millionen Dollar und druckte Papiergeld im Wert von 1,5 Milliarden Dollar. Das Geld für den Bürgerkrieg wurde zum größten Teil von Europa geliehen sowie von den US-Bürgern beider getrennter Staaten.

Keine Schlacht wurde auf Grund von Waffenknappheit verloren, denn es gab ausreichend Waffen, aber die Konföderierten hatten oft nicht genug Schuhe oder Uniformen.[131] Einige europäische Bankhäuser, die mit dem Bürgerkrieg ihre lukrativen Geschäfte tätigten, gehörten zum ROTHSCHILD-Finanzimperium. Die ROTHSCHILDS hatten schon gut am amerikanisch-mexikanischen Krieg von 1846–1848 verdient, bei dem sie einen großen Teil der Unionsanleihe für die Truppen bereitstellten.[132] Im amerikanischen Bürgerkrieg, der beinahe auf den Tag fünf Jahre lang (12. April 1861–9. April 1865)[133] fast ununterbrochen wüten sollte, machten sie ihre ergiebigsten Geschäfte in den USA.[134] Durch ihren Agenten August BELMONT wurde der Norden finanziell versorgt, während der Süden durch die ERLANGERS, Verwandte der ROTHSCHILDS, finanziell am Leben gehalten wurde.[135] Mit dieser Strategie der finanziellen Versorgung beider Teile blieb der schwächere Süden für lange Zeit dem Norden gegenüber kampffähig – was natürlich zur Verlängerung des blutigen Krieges beitrug, aber die ROTHSCHILDS finanziell bereicherte.

Da außergewöhnlich viele Zivilisten an diesem Krieg beteiligt und unmittelbar betroffen waren, kann man den US-Bürgerkrieg als einen der ersten Kriege bezeichnen, der darauf ausgelegt war, sowohl die feindlichen Soldaten als auch die Zivilbevölkerung zu vernichten.[136] Er war insofern der erste moderne Krieg, als erstmalig in der westlichen Kriegsgeschichte Schützengräben, Landminen, Torpedos, Panzerschiffe, Maschinengewehre und sogar das allererste U-Boot zum Einsatz kamen.[137]

Als der Krieg endlich beendet war, waren die Südstaatler demoralisiert und größtenteils verarmt, die südstaatliche Aristokratie büßte für eine Generation ihre politische Macht ein. Noch bevor der Krieg zu Ende war, wurde ein Gesetz, das die Sklaverei als ungesetzlich verbot, als Zusatz in die Verfassung aufgenommen. Um dies zu bewerkstelligen, mußten Stimmen manipuliert werden – mit LINCOLNS Wissen.[138]

Im Grunde war der ganze Bürgerkrieg wahrscheinlich der größte Betrug am amerikanischen Volk, der jemals in der US-Geschichte stattgefunden hat. Während die Bevölkerung größtenteils mit dem Krieg beschäftigt und abgelenkt war, wurden im Kongreß Gesetze erlassen, die dem ›big business‹ alles gaben, was dieses eben wollte. 1861 fand der Morrill-Tarif die Zustimmung des Kongresses, er machte alle ausländischen Güter teurer und ermöglichte damit, daß amerikanische Hersteller die Preise ihrer Produkte erhöhen konnten. Das hatte zur Folge, daß die amerikanischen Konsumenten mehr zahlen mußten. Ein Jahr danach wurde der ›Homestead Act‹ eingebracht: Mit ihm konnte jeder, der 200 Dollar besaß, 160 Morgen Land kaufen, an sich ein Spottpreis, aber nur wohlhabende Bürger hatten während des Bürgerkriegs so viel Geld, und daher kauften nur Wohlhabende riesige Mengen Land zu Spottpreisen auf. Während des Bürgerkriegs wurden über 100 Millionen Morgen Land an verschiedene Bahngesellschaften verteilt. Diese Verteilung kostete keinen Cent, sie war ein Geschenk des Kongresses und des US-Präsidenten. Während also Hunderttausende auf den Schlachtfeldern starben und weitere unzählige Tausende verhungerten, beschenkten sich die Reichen ausgiebig.

Der Kongreß gründete erneut eine Nationale Bank, die Präsident Andrew JACKSON zuvor abgeschafft hatte, da er sie für den größten Räuber der Freiheit hielt. Mit der Nationalen Bank stellte die US-Regierung wieder eine Partnerschaft zwischen dem Bankinteresse und der Regierung her, mit der vor allem die Profite der Bankiers über Steuern garantiert wurden. Es war also erneut das Volk, das für alle Spekulationsverluste und jegliche sonstige Bankiersverluste aufkommen mußte, während die Profite für die Bankiers fast immer garantiert waren. Um sich auch die lästigen streikenden Arbeiter ein für allemal vom Hals zu halten, brachte nun der Geldadel das ›Contract Labor Law‹ von 1864 ein. Dieses Gesetz machte es den Firmen möglich, Vereinbarungen mit ausländischen Arbeitern zu treffen, sofern diese zwölf Monatslöhne dafür ausgeben würden, um ihre Einwanderung zu bezahlen. Dies gab den Arbeitgebern sehr billige Arbeiter sowie Personen, die bereit waren, gegen streikende Arbeiter mit Gewalt vorzugehen. Die Gerichte der Union waren während des Bürgerkriegs damit beschäftigt, den Industriellen und Händlern alle erdenklichen Vorteile auf Kosten der Farmer, Arbeiter, Konsumenten und schwächeren Gruppen der Gesellschaft zu gewähren.[139]

Zu S. 18 ff.: Dakota-Indianer unter Sitting Bull wurden durch Schnellfeuerkanonen der US-Armee niedergemetzelt. Offiziell wird das Massaker (bei dem 400 Indianer, vor allem Frauen und Kinder, auf grausame Weise ermordet wurden) als »Schlacht am Wounded Knee« dargestellt. – *Bild im Bild:* Joseph, ab 1871 Häuptling der Nez Percés, weigerte sich, das Tal seiner Väter zu räumen, mußte sich aber nach einigen blutigen Gefechten der übermächtigen Armee unter General Howard ergeben; er starb im September 1904 als Kriegsgefangener, offizielle Todesursache: »gebrochenes Herz«.

Zu S. 23: Die sogenannte ›Boston Tea Party‹. Als Indianer verkleidete Kolonisten warfen 1773 als Protest gegen die Teesteuer die Ladung eines Teeklippers ins Meer.

Zu S. 70 ff.: Unterzeichnung der von Thomas Jefferson entworfenen Unabhängigkeitserklärung am 4. Juli 1776 in Philadelphia.

Vier US-Präsidenten, die der ›Gründerzeit‹ ihren Stempel aufdrückten, von oben: George Washington (1789–1797), John Adams (1797–1801), James Madison (1809–1817) und James K. Polk (1845–1849).

Zu S. 28: Die sogenannte ›Shay-Rebellion‹ aus dem Jahre 1786. Organisiert unter der Führung des ehemaligen Hauptmanns Daniel Shay, griffen Hunderte von Farmern aus Massachusetts zu den Waffen, um gegen hohe Steuern und aggressive Gläubiger aus dem Osten zu protestieren.

Zu S. 41 f.: Die Schlacht von Alamo am 6. 3. 1836, bei der die Mexikaner unter General Santa Anna den Amerikanern eine empfindliche Niederlage erteilten.

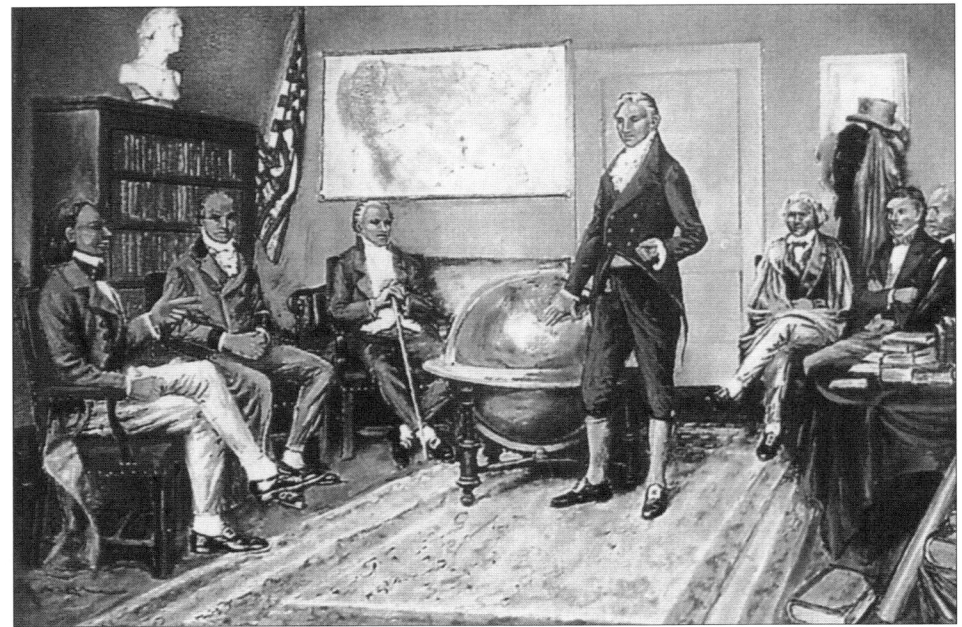

Präsident James Monroe (1817–1825) – Mitte – erläutert seinen Beratern die Leitlinien seiner Außenpolitik. Die sogenannte ›Monroe Doktrin‹ untersagte die Einmischung europäischer Staaten in Amerika und beinhaltet umgekehrt die Einmischung der USA in europäische Angelegenheiten... (Gemälde v. Clyde O. De Land, 1812)

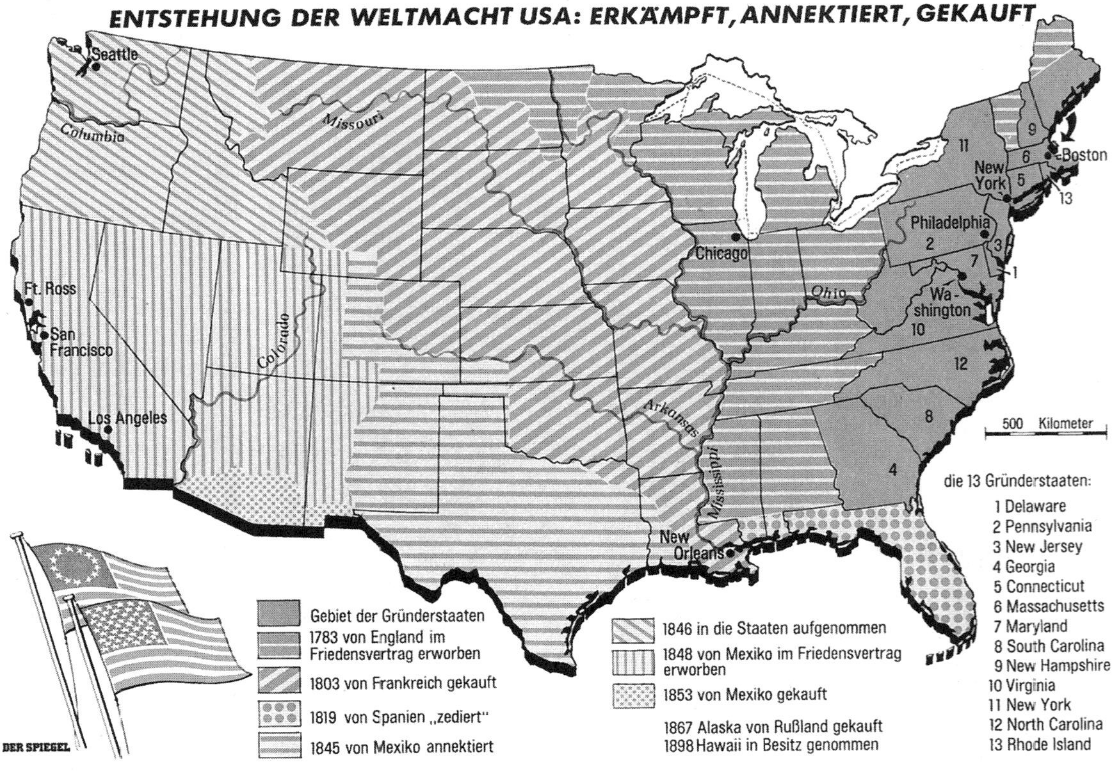
ENTSTEHUNG DER WELTMACHT USA: ERKÄMPFT, ANNEKTIERT, GEKAUFT
Seattle
Columbia
Missouri
Ft. Ross
San Francisco
Los Angeles
Colorado
Arkansas
Mississippi
New Orleans
Chicago
Ohio
Philadelphia
Washington
New York
Boston
500 Kilometer
Gebiet der Gründerstaaten
1783 von England im Friedensvertrag erworben
1803 von Frankreich gekauft
1819 von Spanien „zediert"
1845 von Mexiko annektiert
1846 in die Staaten aufgenommen
1848 von Mexiko im Friedensvertrag erworben
1853 von Mexiko gekauft
1867 Alaska von Rußland gekauft
1898 Hawaii in Besitz genommen
die 13 Gründerstaaten:
1 Delaware
2 Pennsylvania
3 New Jersey
4 Georgia
5 Connecticut
6 Massachusetts
7 Maryland
8 South Carolina
9 New Hampshire
10 Virginia
11 New York
12 North Carolina
13 Rhode Island
DER SPIEGEL

Mit dem Sieg des Nordens über den Süden hatte nun das industrialisierte, von Bankiers gelenkte Amerika die vollkommene Herrschaft über die Agrargesellschaft des Südens an sich gerissen. Von nun an sollte das industrialisierte Amerika die weitere Entwicklung der USA bestimmen. Die Streiks und Aufstände waren aber keinesfalls vorbei, 1877 kam es zu großen Bahnstreiks, bei denen 100 000 Arbeiter streikten. Auf dem Höhepunkt des Streiks war mehr als die Hälfte der Eisenbahnstrecke lahmgelegt. Die reichen Firmen sahen sich gezwungen, Konzessionen zu machen, aber sie verstärkten ebenfalls ihre Privatpolizei, die schon oft zuvor auf Streikende geschossen hatte.[140]

Die scheinheilige Demokratie oder die Machtergreifung auf amerikanisch

Nach dem blutigen Bürgerkrieg benahmen sich die USA außenpolitisch erstmal ruhig, denn der Süden, den der Norden so erfolgreich besiegt hatte, mußte erst einmal wieder aufgebaut werden. Dieser Prozeß wird in der Geschichte der USA als ›Reconstruction‹ (Wiederaufbau) bezeichnet.[141] Nachdem die Industrie am Krieg schon Millionen verdient hatte, konnte sich die Plutokratie nun gleich noch einmal die Hände reiben und am Wiederaufbau umfangreich mit verdienen. Man muß wohl kaum hinzufügen, daß all dies auf Kosten der überwiegenden Mehrheit des amerikanischen Volkes stattfand. Die ganz großen Absahner in diesem schrecklichen Krieg waren die Banken und die Rüstungshersteller, unter den Bankiers waren es allen voran J. und W. Seligman und Company, die LINCOLN im Krieg unterstützt hatten.[142] Immerhin waren über 600 000 Menschen als direkte Opfer des Krieges zu beklagen. Eine weit größere Zahl starb jedoch an Krankheiten als Folge des Krieges[143] – das alles, damit eine kleine Minderheit der Führungsschicht noch reicher werden konnte. Die soziale Gerechtigkeit (wenn man überhaupt davon reden kann) war 1890 derart unausgewogen, daß ein Prozent des Volkes mehr Kapital hatte als die übrigen 99% zusammen. Die Lage hat sich bis heute kaum geändert. Auch heute besitzen die reichsten Amerikaner (10 Prozent der Gesamtbevölkerung) zweieinhalbmal mehr Geld als die restlichen 90 Prozent (241 Millionen Amerikaner).[144] Daß in diesem Staat nur die Reichen die Macht besitzen, liegt auf der Hand.

Ebenso sind die USA nicht der demokratische Staat in der Geschichte, als der sie sich gern verkörpert sehen. Als George WASHINGTON – er war bei seiner Amtsübernahme als erster Präsident der reichste Mann der ganzen USA[145] – Präsident der jungen Republik geworden war, herrschte er über knapp vier Millionen Menschen, von diesen waren 750 000 dunkelhäutig und versklavt, von der Gesamtbevölkerung besaßen nur 4 bis 10 Prozent das Wahlrecht.[146] Wählen durfte nur, wer Grundbesitz hatte. Damit erreichte man, daß der ›Mob‹ (der oft für das ganze Volk stand) die Politik nicht beeinflussen konnte. Dies hatte zur Folge, daß George WASHINGTON, der es mit den Wahlen nicht immer sehr genau nahm, von nur 11 Prozent der amerikanischen Bevölkerung gewählt wurde.[147]

Der Historiker Theodore WHITE, der sich auf die Beobachtung der Präsidentschaftswahlen spezialisiert hatte, schrieb, daß es noch keine Präsidentenwahl ohne Betrug gegeben habe. »Wahlstimmen wurden stets en gros« gekauft. Drew PEARSON und Jack ANDERSON schreiben in ihrem Buch *The Case Against Congress*, daß »seit den ersten Tagen der Republik Stimmen von Abgeordneten gekauft, von Frauen beeinflußt und gegen große und kleine Gunstbeweise gehandelt worden« sind. Dazu stellt Richard LAMM, ehemaliger Gouverneur des Staates Colorado und dann Professor an der University of Colorado in Denver, fest: »In der amerikanischen Politik ist alles zu kaufen«. Diesbezüglich, um die Mitte des vergangenen Jahrhunderts, bemerkte Hugh Gregory GALLAGHER vom ›Kennedy Institute‹ der Georgetown University, »redeten Lobbyisten ganz offen über die Senatoren, die ihnen gehörten«. Daß dies eine nachhaltige Wirkung auf die Politik haben würde, war ohne Zweifel. »Ich konnte noch nicht einmal mein eigenes Kabinett benennen«, klagte schon der neunte US-Präsident William H. HARRISON nach Antritt seines Amtes, denn: »Meine Parteimanager hatten jeden Sitz verkauft, um die Wahlausgaben wieder hereinzubekommen.«

Den institutionalisierten Verkauf von politischem Einfluß führte der siebte Präsident Andrew JACKSON 1829 ein. Es wurde als das ›spoils-system‹ bekannt: Wer einem Präsidentem mit großzügigen Geldspenden ins Amt verhalf, hatte nach dem Wahlsieg einen Anspruch auf einen Ministerposten, einen Botschafterjob oder einen anderen Rang, mit dem sich die Möglichkeiten vervollständigten, in der amtlichen Politik eigene Interessen wahrzunehmen. Präsident BUSH benutzte ebenfalls das ›spoils-system‹ und berief – bei insgesamt 60 zu vergebenen Stellen im Außenministerium – 47 Personen in politische Ämter, die sich nur dadurch qualifizierten, daß sie BUSHS Präsidentenwahl finanziert hatten. Irgendwelche außenpolitische Erfahrungen waren nicht erforderlich. Zu seiner Botschafterin in Neuseeland machte BUSH die Grundstücksmaklerin Della NEWMAN, weil sie ihm die Wahl im Staat Washington kaufte. Sie erklärte auch prompt, als sie ihr Amt antrat, daß sie an Außenpolitik eigentlich nicht interessiert sei und den Namen des neuseeländischen Ministerpräsidenten nicht kenne.[148]

Es ist eine erwiesene Tatsache, daß Wahlbetrug auch weiterhin in den USA betrieben wird, und zwar allgemein auf allen Ebenen des US-Wahlsystems; lokale sowie nationale, also Präsidentschaftswahlen, sind davon betroffen. Dies haben eindrucksvoll die beiden Brüder und Wahlforscher James und Kenneth COLLIER nachgewiesen. In ihrem enthüllenden Buch *Votescam – The Stealing of America* sind reihenweise Wahlmanipulationen, größtenteils durch Computerisierung der Wahlprozedur, protokolliert worden. Die ungeheuren Auswirkungen, die diese Wahlmanipulationen hinterlassen haben, werden an späterer Stelle im einzelnen beschrieben.

Von ›Gleichheit und Freiheit‹, die man so beredsam der ganzen Welt in der Unabhängigkeitserklärung und später in der Verfassung verkündet hatte, sollte man besser erst gar nicht reden. Denn der Amerikaforscher Rolf WINTER berichtet, daß zur Zeit von George WASHINGTONS Amtsantritt von nicht einmal insgesamt vier Millionen US-Bürgern 750 000 dunkelhäutige Menschen in den USA versklavt waren, dazu gesellten sich noch eine Menge weißer sogenannter vertraglich verpflichteter Arbeiter, die man besser als ›Diener‹ bezeichnen sollte, die sich verpflichtet hatten, für einige Jahre als Diener den Reichen in der ›Demokratie‹ zu dienen – wahrlich keine Eigenschaften einer Demokratie.

Überhaupt wäre es viel angebrachter, von einer Plutokratie zu reden, denn das Kapital hat die USA schon seit ihrer Entstehungsgeschichte regiert. Amerika wurde nur deshalb entdeckt und besiedelt, weil englische Aktionäre in die Amerikareise investierten. Schon die Ratifizierung der Verfassung war eine Sache der Reichen, der Elite der Kolonialzeit. Nicht ein einziger Arbeiter oder kleiner Gewerbetreibender oder kleiner Farmer war während der Ratifizierung anwesend. Schon während der Gründung der Nation waren genau jene 3 Prozent der Amerikaner unter sich, die JEFFERSONS ›natürliche Aristokratie‹ ausmachten. Diese Aristokratie bestand, laut Charles Austin BEARD, dem berühmten Politologen, aus Landbesitzern, die darauf aus waren, ihre wirtschaftlichen Interessen festschreiben zu lassen. Zu dieser Festschreibung gehörte auch die subtile Duldung der Fortbestehung der Sklaverei. Nach mehr als 200 Jahren hat sich wohl kaum etwas an diesem bedauerlichen Zustand geändert. Der Senat in Washington, der gern als der ›exklusivste Club der Welt‹ bezeichnet wird, hat stets mehr Millionäre als Vertreter der mittleren Schichten gehabt, und Angehörige der unteren Bevölkerungsklassen haben ihm sowieso nie angehört. Und somit waren die ersten Wahlen, im Jahre 1788, keine Demonstration der Demokratie, sondern eine Veranstaltung für bessere Kreise: Nur Besitzbürger durften wählen, von ›one man, one vote‹ (ein Mann, eine Stimme) konnte gar keine Rede sein. Dies führte dazu, daß nur jeder vierzigste Bürger entweder privilegiert-wahlberechtigt oder interessiert genug an diesem eindrucksvollen politischen Vorgang war.

Statt einer demokratischen Entscheidung über die Lage der zukünftigen Nation den Vorrang zu geben, entschieden drei Prozent des Volkes, die ›natürliche Aristokratie‹, über das Schicksal der amerikanischen Nation. Diese 55 ›founding fathers‹ (Gründungsväter) waren zu 56% Juristen, 22% Geschäftsleute, 14% Großlandbesitzer, zu 5% Mediziner und 2 % Besitzer öffentlicher Ämter. 31% waren Sklavenbesitzer, und 31 von den 55 gingen zum College, was ein Privileg darstellte. Der bekannte Politologe Charles Austin BEARD von der ›Columbia University‹ beschreibt die Ratifizierung der Verfassung als die Festschreibung wirtschaftlicher Interessen der Reichen. Er konkretisiert weiter in seinem Buch *An Economic Interpretation of the Constitution*: »Die große besitzlose Masse« war nicht nur von der Diskussion um die Inhalte der Verfassung, sondern auch von deren Ratifizierung ausgeschlossen.[149] Der Historiker und Politologe J. Allen SMITH steht BEARD in nichts nach mit seiner Behauptung, daß die ganze Verfassung nichts weiter sei als ein »coup d'état«. SMITH weist darauf hin, daß die 55 ›Väter‹ der Verfassung weder vom Volk beauftragt waren, eine Verfassung zu konstituieren, noch wurde die Verfassung durch das Volk ratifiziert. Es waren, so SMITH, letztendlich nur die 55 Delegierten, die fortan als ›Väter‹ der Verfassung bekannt wurden, die den neuen Staat entstehen ließen. Aber eben diese 55 Delegierten waren eine kleine, das Volk nicht repräsentierende Clique von landbesitzenden und wohlhabenden Eliten, bestehend aus Juristen, Anwälten, Großagrariern, Bankiers, Reedern, Maklern und Profitspekulanten.[150] Diese sogenannten Väter der USA, die sich in Philadelphia trafen, waren in der Tat Gegner der Demokratie, ihre Antipathie sowie Verachtung für die Demokratie wurden aktenkundig.[151]

Was als mindestens ebenso verdächtig gelten muß, ist die Tatsache, daß die überwiegende Mehrheit der Entwerfer und Ratifizierer der US-Verfassung Mitglieder von freimaurerischen Geheimbünden waren. Nach den profreimaurerischen Autoren HOLTORF und LOCK hatten die Freimaurer ihren wohl auffälligsten Beitrag bei der Entstehung der Verfassung: »Von den 56 Unterzeichnern waren 53 Freimaurer, von den 55 Mitgliedern der konstituierenden Nationalversammlung 50; sämtliche Gouverneure der 13 Gründerstaaten waren Freimaurer, ebensowie 20 von den 22 Generälen des Logenbruders George WASHINGTON. . . ebenso 104 von 106 Stabsoffizieren . . und WASHINGTONS gesamtes erstes Kabinett.«[152] Es ist daher keineswegs abwegig, von einer Verschwörung zu sprechen, wenn es um die entscheidenden und bestimmenden Strukturen der USA in bezug auf ihre politischen und wirtschaftlichen Institutionen geht.

Daß die Ratifizierung der amerikanischen Verfassung für diejenigen, die sie erschufen, äußerst gewinnbringend war, kann nicht mehr bezweifelt werden: Allein George WASHINGTONS Vermächtnis wird auf 500 000 Dollar geschätzt, für die damalige Zeit war dies für einen einzigen Mann eine unbeschreiblich hohe Summe, während der Spekulationsgewinn der Väter der Verfassung von 1787 sich auf nahezu 2000 Prozent belief, eine also beträchtliche Anreicherung für deren finanziellen Lage.

Von noch entscheidenderer Tragweite war jedoch, daß das neue Regime, das von der plutokratischen Finanzoligarchie gestellt wurde, der gleichen plutokratischen Machtelite fast alle wirtschaftlichen und finanziellen Befugnisse der Gesetzgebung der Einzelstaaten übertrug.[153] Um noch einmal BEARD anzuführen: Dieser wies nach, daß von den 55 Männern, die sich 1787 in Philadelphia trafen, um die Verfassung für zukünftige Generationen festzulegen, die meisten Rechtsanwälte und Männer des Wohlstands in Sachen Landbesitz, Sklaven, industrieller Produkte und der Schiffsindustrie waren, daß die Hälfte von ihnen verzinstes Geld verliehen hatte und vierzig von ihnen Regierungsschuldscheine besaßen. Deswegen, so BEARD, hatten die meisten der Verfassungsväter einige direkte Interessen an der Entstehung einer starken zentralen Regierung: Die Unternehmer brauchten schützende Tarife, die Geldleiher wollten den Gebrauch von Papiergeld zur Schuldbezahlung einstellen (da Papiergeld sich relativ schnell entwertet), die Landspekulanten wollten (Regierungs-)Schutz, als sie sich das Land der Indianer aneigneten, die Sklavenhalter wollten Regierungssicherheit gegen Sklavenrevolten und flüchtige Sklaven, und die Besitzer der Regierungsschuldscheine wollten eine Regierung, die durch nationale Besteuerung Geld anschaffen könnte, um die Schuldscheine in Zahlung zu nehmen.[154]

Wie sehr die USA eine Plutokratie geblieben sind, zeigen die Kosten der Präsidentschaftswahlen des Landes, die anscheinend mit jeder Wahl zunehmen. Als Ronald REAGAN 1988 wiedergewählt wurde, kostete dies 700 Millionen Dollar; das bedeutet: Ohne die Unterstützung des ›Big Business‹ (der Großindustrie) und dessen umfangreichen Kapitals war kein Wahlkampf mehr zu gewinnen. Wer kein großes Kapital zu Verfügung hat, braucht in Washington für ein Mandat erst gar nicht anzutreten. Mandatsträger, deren Abstimmungsverhalten beim Wählen wichtig ist, erhalten Unterstützung von ›politischen Aktionskomitees‹. Die Hälfte aller Wahlkosten kommt von Einflußkäufen, die den Mandatsträgern das finanzielle Polster verschaffen, das die Wiederwahl vorbereitet und etwaige Gegner entmutigt.[155]

Die Schwarzen wurden über 300 Jahre lang versklavt und waren Bürger zweiter Klasse im juristischen Sinn, waren das bis in die sechziger Jahre des zwanzigsten Jahrhunderts. Als sie mit Gewalt auf sich aufmerksam machten, beschloß man, die Rassentrennungsgesetze abzuschaffen, aber nicht, weil man großzügiger, einsichtiger oder demokratischer geworden war, sondern, weil ein zweiter Bürgerkrieg das letzte war, was man in den Jahren des Kalten Krieges brauchen konnte.

Bis in die sechziger Jahre waren die Wahlen in den USA so angelegt, daß schwarze US-Bürger Eignungstests ablegen mußten, die so mancher Harvard-Absolvent nicht bestanden hätte. In der ›Großen Demokratie‹ der USA war es laut Gesetz verboten, Mitglied einer kommunistischen Organisation oder Partei zu werden; ob dies undemokratisch war oder nicht, schien bedeutungslos zu sein. Während der Amtszeit des zweiten Präsidenten John ADAMS wurden die Fremden- und Aufruhrgesetze eingeführt, die es dem Präsidenten ermöglichten, gewisse Personen während eines Ausnahmezustandes festzunehmen und gegebenenfalls ins Gefängnis zu schicken, falls diese eine Gefahr für die nationale Sicherheit darstellen würden. Ferner war es auch verboten, gegen die Regierung und den Präsident Negatives zu sagen oder zu schreiben. Man begründete die beiden Gesetze damit, daß das amerikanische Volk in Ausnahmezuständen und Krieg nicht von feindlichen Agitatoren gegen die US-Regierung aufgehetzt werden sollte.[156] (Später rechtfertigte die US-Regierung während des Zweiten Weltkriegs auch die Internierung von Amerikanern japanischer Abstammung mit der Begründung, daß diese Personen dem Feind – den Japanern – als Spione dienen könnten.)

Daß dabei die gesamte Presse- und Meinungsfreiheit und das Recht der Bürger, an ihrer Regierung Kritik zu äußern, mit einem Schlag zunichte gemacht wurde, schien man nicht weiter zu berücksichtigen: auch wenn man dem amerikanischen Volk diese Rechte, als Beweggrund für die Ratifizierung der Verfassung, als unantastbare Freiheiten für alle Zeit in der amerikanischen Verfassung zugesagt hatte.

In der Verfassung wurde den Bürgern sogar das Recht gewährt, ihre Regierung zu stürzen, wenn sie sich als Unterdrücker erweisen sollte. Dieser Grundsatz hat einen historischen Hintergrund: Denn zur Zeit des Befreiungskrieges mit England, von dem man sich 1776 offiziell trennen wollte, brauchte man eine Begründung: Man behauptete, daß die damalige Regierung des Mutterlandes England ihre Bürger unterdrücke und ausbeute.[157] Dies bestätigt, daß die US-Regierung sich nicht einmal an ihre eigene Verfassung und an ihre Gesetze hält. Warum sollte sie sich dann an die Gesetze halten, die sie mit anderen Staaten abgeschlossen hat, wenn es darum geht, Macht und Reichtum für eine winzige Minderheit zu erlangen, welche die US-Regierung kontrolliert und manipuliert? Deswegen sind alle Beteuerungen der USA, es sei ihr Ziel, sich für Demokratie und Menschenrechte in der Welt einzusetzen, bedenklich und verdächtig.

Die Ermordung amerikanischer Präsidenten oder Staatsputsch auf amerikanisch (Lincoln und Kennedy)

In keinem zivilisierten Staat sind mehr Attentate auf Präsidenten versucht oder begangen worden als in den USA. Im Laufe von 160 Jahren (das erste erfolgte 1835) waren es nicht weniger als elf, von denen vier erfolgreich waren (die auf LINCOLN, GARFIELD, MCKINLEY und KENNEDY) und sieben mißlangen (die auf JACKSON, Theodore ROOSEVELT, Franklin Delano ROOSEVELT, Harry S. TRUMAN, Gerald FORD, Ronald Wilson REAGAN und William CLINTON). Von den 43 Präsidenten, die seit Bestehen der Nation amtierten, ist fast jeder zehnte ein Mordopfer geworden, und alle waren von Attentätern lebensgefährlich bedroht. Diesbezüglich faßt der Amerikaforscher Rolf

WINTER zusammen: »Wahrscheinlich gibt es auf der Erde keine Position, die so lebensgefährlich wie die des Präsidenten der Vereinigten Staaten von Amerika ist.«[158] Von historischer Bedeutung sind dabei eindeutig die Fälle: Abraham LINCOLN und John Fitzgerald KENNEDY. Beide Morde fanden unter äußerst mysteriösen Umständen statt, um es einmal gelinde auszudrücken. Und beide sind bis zu dem heutigen Tag geradezu überhäuft von Verschwörungstheorien.

Die Beseitigung Lincolns
Warum wurde LINCOLN, der große Sieger und Wiedervereiniger der USA, ermordet? Der Bürgerkrieg war kurze Zeit vorher unter LINCOLNS Führung zugunsten des Nordens beendet worden. Der 56jährige Präsident und seine Frau saßen am 14. April 1865 abends im Ford-Theater in Washington in ihrer Loge und sahen sich ein Theaterstück an. Während der Aufführung des Stücks trat der Schauspieler John Wilkes BOOTH unbemerkt hinter den Schaukelstuhl des Präsidenten und schoß ihm plötzlich in den Hinterkopf. LINCOLN sackte zusammen und starb am nächsten Morgen um sieben Uhr 22 Minuten.[159] (Dieses Attentat erinnert an das von KENNEDY, das fast 100 Jahre später geschehen sollte.)

Da BOOTH, obwohl er aus Maryland stammte, ein fanatischer Anhänger der Südstaaten war, vermutete man bald, daß dies ein Racheakt des Südens gegen den Präsidenten und den Norden sei. Doch vieles spricht dafür, daß der eigentliche Mörder ein Mitglied der Regierung war; und zwar Kriegsminister Edwin M. STANTON, der ganz im Gegensatz zum Präsidenten für eine militärische Besetzung des Südens und für eine eindeutige Politik der Vergeltungspolitik eintrat. Statt dessen wollte Präsident LINCOLN nun eine Versöhnungspolitik einführen. Noch am Tag seiner Ermordung wünschte LINCOLN in einer Kabinettssitzung »keine Verfolgung, keine Blutarbeit« mehr – diese hatte man ja schon reichlich ausgeübt. Er war bereits schon einigen Attentaten lediglich durch Änderung seines Arbeitsplans entkommen. Zwei davon waren von BOOTH geplant; und auch nach dem erfolgreichen Attentat konnte BOOTH entkommen. Zeitgleich wurde ein zweites mißlungenes Attentat auf LINCOLNS Außenminister SEWARD verübt. Ein weiteres, drittes Attentat, auf Vizepräsident Andrew JOHNSON, fand nicht statt, weil der auserwählte Attentäter Angst bekam und sich Mut antrinken wollte, was aber jedoch dazu führte, daß er zu betrunken war, um das Attentat auszuführen.

Ähnlich wie bei dem Attentat auf KENNEDY hatte LINCOLN für den Theaterbesuch am selben Nachmittag einen seiner Adjutanten von Kriegsminister STANTON als Leibwächter angefordert, einen zuverlässigen, starken Offizier namens Major ECKART. Aber STANTON hatte LINCOLNS Wunsch abgelehnt mit der Begründung, Major ECKART sei unabkömmlich, was jedoch nicht zutraf. Statt dessen erhielt der Präsident einen gewissen PARKER, einen Trinker und zwielichtigen Burschen, der seinen Posten vor der Präsidentenloge auch prompt verließ und eine Bar aufsuchte.

Weitere Ähnlichkeiten zum ›Fall Kennedy‹ bestehen darin, daß STANTON, nach dem Attentat sofort zur Stelle, vorübergehend die Regierung übernahm und Vizepräsident JOHNSON nach Hause schickte.[160] Daraufhin begann STANTON selbst mit der Suchaktion nach dem Präsidentenmörder BOOTH, genauso wie Lyndon Baines JOHNSON (Vizepräsident von KENNEDY) mit der WARREN- Kommission dasselbe tat nach der Ermordung KENNEDYS. Kriegsminister STANTON, der nun zehn Stunden lang nicht nur Kriegsminister, sondern auch Polizeichef, oberster Richter und Diktator war, erließ alle möglichen Telegramme, Marschbefehle und Haftbefehle, um BOOTH zu fassen. Nur einen Weg nach Maryland hatte STANTON seltsamerweise nicht in seine Aktion mit einbezogen: eine lange, nach Maryland führende Holzbrücke, die stets von einem Posten bewacht und nach neun Uhr abends sogar gesperrt wurde – die Marinewerftbrücke über Anacostia. Gerade diese Marinewerftbrücke, die ins untere Maryland führte, war aber bekannt dafür, daß es dort von konföderierten Partisanen nur so wimmelte. Und ausgerechnet auf diese Brücke, die normalerweise ab 21 Uhr gesperrt wurde, ritt um kurz vor 23 Uhr der Präsidentenmörder zu, nannte, von einer Wache befragt, seinen richtigen Namen und durfte passieren. Nicht viel später kam auch der Komplize BOOTHS, David HEROLD, und durfte ebenfalls die Brücke passieren. Als nur wenige Minuten später ein dritter Reiter eintraf, der den Attentäter verfolgte, erklärte der Brückenbewacher: »Die Brücke ist geschlossen«, worauf der Verfolger umkehrte.

Das Kriegsministerium hat dieses dreifach falsche Verhalten des Brückenbewachers jedoch nicht weiterhin untersucht, sondern als einen »unseligen, aber verzeihlichen Irrtum« entschuldigt. Der mysteriösen Umstände sind jedoch noch mehr. Als die Polizei in jener Nacht zur Verfolgung der flüchtigen Verschwörer vom Heereshauptquartier Pferde anforderte, erklärte man dort, über keine Pferde zu verfügen, und man kümmere sich selbst um die Sache, womit man sich aber bis zum nächsten Tag Zeit ließ. Aber das war noch nicht alles, denn noch viel länger zögerte man gegenüber einem der mutmaßlichen Hauptverschwörer, John H. SURRATT, dessen Mutter Mary eine Pension betrieb, in der BOOTH ein- und ausging. Während man aber die Mutter ohne irgendwelche Beweise mit drei anderen Angeklagten aufhängte, entkam der Sohn als Hauptverdächtiger nach Kanada und offenbar nur deshalb, weil ihn Kriegsminister STANTON entkommen ließ. Als SURRATT später in England auftauchte, war es das amerikanische Kriegsministerium, das seine Festnahme verhinderte. Das Gleiche geschah, als man SURRATT in Italien erkannte. Als es dann endlich aufgrund der vereinigten Bemühungen des Außenministers und des Marineministers gelang, SURRATT in Ägypten festzunehmen, kam man in einem ersten Gerichtsverfahren zu keiner Entscheidung, und ein zweites wurde wegen Verjährung *ad acta* gelegt. BOOTH war aber längst schon von einem Soldaten auf der Flucht erschossen worden, und dies trotz eines ausdrücklichen Befehls, ihn lebend festzunehmen.[161]

Das erinnert unweigerlich an den angeklagten Kennedy-Mörder Lee Harvey OSWALD, der in Polizeihaft von einem zwielichtigen Jack RUBY erschossen wurde, als er vor Gericht aussagen sollte. Beide, BOOTH und OSWALD, hätten wohl sehr belastende Aussagen über die wahren Gründe der Morde an den Präsidenten machen können. Deswegen brachte man sie um.[162]

Nachdem BOOTH auf der Flucht erschossen worden war, übergab der damalige Chef der Geheimpolizei, Brigadegeneral Lafayette C. BAKER, seinem Vorgesetzten, Kriegsminister STANTON, das Tagebuch von BOOTH. Brigadegeneral BAKER sagte während eines Untersuchungsausschusses des Kongresses aus, er habe das Tagebuch seinem Vorgesetzten, Kriegsminister STANTON, übergeben. Als er es aber zurückbekam, fehlten einige Seiten. Gemäß dem Datumseintrag waren es insgesamt achtzehn Seiten, die herausgeschnitten waren, in denen BOOTH die Ereignisse an den Tagen vor LINCOLNS Ermordung darstellte. STANTON behauptete, daß die Seiten schon gefehlt hätten, als BAKER ihm das Tagebuch überreichte. BAKER blieb aber skeptisch und schrieb eine Anmerkung in ein Buch aus seinem Besitz, das man erst 1961 in einem Antiquariat in Philadelphia entdeckte. Auf dem Einbanddeckel befand sich ein handschriftlicher und von BAKER unterzeichneter Eintrag, datiert auf den 2. Mai 1868. Er begann mit den Zeilen: »Ich werde ständig verfolgt. Es sind Professionelle. Ich kann ihnen nicht entkommen.« Nicht viel später war BAKER tot. Schon damals wurde angenommen, daß er Opfer eines Giftmordes geworden sei.[163] Robert LINCOLN, der Sohn des Präsidenten, vernichtete lange nach dessen Tod Papiere aus dem Nachlaß, angeblich im Interesse der Öffentlichkeit. Sie bewiesen nämlich, daß ein Minister seines Vaters Hochverrat verübt hatte. Doch welches Interesse könnte die Öffentlichkeit an der Vertuschung fataler, politischer Tatbestände haben? Und welches Interesse sollte die Öffentlichkeit daran haben, daß ein hochverräterischer Minister, vermutlich der Präsidentenmörder, unbekannt blieb? Die Öffentlichkeit kann daran wohl kaum interessiert sein, viel eher aber die amerikanische Führung.[164]

Der Grund, warum LINCOLN ermordet wurde, wird in den meisten US-Geschichtsbüchern leichtfertig mit der Behauptung abgetan, daß ihn der fanatische Südstaaten-Patriot John Wilkes BOOTH erschossen habe. Wenn das der Fall gewesen wäre, dann wäre es die Tat eines rachsüchtigen und verrückten Einzeltäters gewesen, genau wie man fast hundert Jahre später den Mord KENNEDYS von offizieller Stelle her versucht hat zu erklären. Es gibt aber viel schlüssigere und vor allem einleuchtende Hinweise, die eine ganz andere Erklärung logischer erscheinen lassen.

Präsident LINCOLN hatte während des äußerst kostspieligen Bürgerkriegs von 1861–1865 sich nämlich geweigert, den von den Banken geforderten hohen Zinssatz für die Finanzierung des Bürgerkriegs zu zahlen, und ließ, um den Bürgerkrieg zu finanzieren, 450 Millionen Dollar in legalen Geldnoten drucken, dies waren die sogenannten ›Lincoln Greenbacks‹. Mit diesem Akt zog er die ewige Feindschaft der Finanzelite auf sich. Denn die Bankiers erhielten nicht einen einzigen Cent Zinsen. Aber sie sahen sich noch lange nicht geschlagen und nahmen eifrig den Kampf zur Erlangung der Kontrolle über das Währungssystem der Vereinigten Staaten auf.

Nach seiner Wiederwahl wollte LINCOLN ein Gesetz im Kongreß durchbringen, um die neue Macht der Bankiers zu begrenzen. Aber noch bevor er das Gesetz durchbringen konnte, wurde er von John Wilkes BOOTH erschossen, der, wie sich später herausstellte, Beziehungen zu den internationalen Bankiers hatte. Es scheint so, als ob die Bankiers Angst bekommen hätten, daß ihnen LINCOLN zuvorkommen könnte, um ihre Macht möglichst einzuschränken, und so ihren einzigen Ausweg darin gesehen hätten, ihn ein für allemal zu beseitigen.

Später, als Beamte BOOTHs Sachen durchsuchten, fanden sie eine verschlüsselte Nachricht in seinem Koffer. Viele Jahre danach stellte sich heraus, daß Judah P. BENJAMIN, während des Bürgerkrieges ROTHSCHILD-Agent in den Südstaaten, den Schlüssel zu dieser geheimen Nachricht besaß.[165] Izola FORRESTER, die Enkelin John BOOTHs, behauptet in ihrem Buch *One Mad Act*, ihr Großvater sei vor dem Attentat auf LINCOLN in Kontakt mit unbekannten Europäern gewesen und habe mindestens eine Reise nach Europa auf sich genommen.[166] Somit ist erwiesen, daß BOOTH zur Ermordung LINCOLNs eine Verschwörung mit den internationalen Bankiers eingegangen ist. Dies wollte man aber wohl bewußt vertuschen, denn es einzugestehen hätte bedeutet, daß eine nahezu unkontrollierbare Finanzelite einen sehr großen Einfluß auf die US-Politik hat. Dies wiederum würde aber das Märchen von der amerikanischen Demokratie nicht nur völlig unglaubwürdig erscheinen lassen, sondern für immer widerlegen. Von den internationalen Bankiers und ihrem Einfluß auf die Außenpolitik der USA wird noch an anderer Stelle ausführlicher die Rede sein.

Die Ermordung John F. Kennedys

Im Fall KENNEDY sind die Umstände nicht weniger rätselhaft. Auch John F. KENNEDY hatte gebeten, daß man ihm und seiner Frau die gewöhnlichen Schutzmaßnahmen bereitstelle, wenn er am 22./23. November 1963 durch Dallas/Texas fahren würde. Denn er wußte genau, daß er in Texas und im Süden der USA sehr unbeliebt war, viele Südstaatler nannten ihn einen ›Kommunisten‹. Statt KENNEDY daher den Schutz zu geben, den er beantragt hatte, fuhr er in einem völlig offenen Wagen mit einer lächerlichen Bewachung, wenn man überhaupt von einer Bewachung reden kann. Die Schutzkuppel des Wagens, die sonst verwendet wurde, war entfernt worden, und die Fenster an den unmittelbaren Gebäuden in der Umgebung waren in Mißachtung der Sicherheitsvorschriften geöffnet.[167] Der französische Geheimdienst hatte schon zuvor die US-Führung darauf aufmerksam gemacht, daß die Bewachung für ihren Präsidenten unzulänglich sei.

Wie schon erwähnt, wurde der angebliche Präsidentenmörder Lee Harvey OSWALD von Jack RUBY (einem Nachtklubbesitzer) erschossen, obwohl sich OSWALD auf einer Polizeistation befand. Auch diese Aktion war ebenso mysteriös wie verdächtig. Denn die Frage, wie Jack RUBY es schaffte, in das Polizeirevier zu kommen, wurde ebenso wenig vernünftig beantwortet, wie die, weshalb man die Überstellung OSWALDs eine Stunde lang verzögerte. RUBY besaß nicht einmal den sonst unbedingt notwendigen Presseausweis, um in das Polizeirevier hineinzugelangen. Nachdem man RUBY trotzdem in den Keller des Polizeireviers hineingelassen hatte, hörten einige Zeugen ein vierfaches Hupen auf der Straße, das ihnen wie ein Signal erschien. Praktisch im selben Augenblick wurde OSWALD von den Beamten aufgefordert, das Gebäude zu verlassen.[168]

Den Umständen zufolge mußte OSWALD nun an RUBY vorbeilaufen, all dies wurde auch noch ›live‹ im amerikanischen Fernsehen gesendet, so daß das amerikanische Fernsehpublikum seinen ersten echten Mord miterleben durfte. Wieder hatte man durch nicht vorhandene Sicherheitsvorkehrungen zugelassen, daß der Hauptangeklagte und zugleich Hauptzeuge erschossen wurde, bevor man ihn vernehmen konnte. Man beauftragte die WARREN-Kommission mit der Aufklärung des Mords an KENNEDY, doch diese Kommission bestand immer darauf, daß OSWALD ein Einzeltäter gewesen sei, obwohl ihre Schlußfolgerungen völlig unlogisch waren.

Schon allein die ballistischen Fakten sprachen völlig gegen diese Annahme. KENNEDY wurde von mindestens drei verschiedenen Kugeln getroffen, und keineswegs von einer einzigen.[169] Wenn dies aber zutrifft, müßte dies höchstwahrscheinlich das Werk von zwei oder mehr Attentätern gewesen sein. Die Autopsie wurde jedoch der Öffentlichkeit vorenthalten. Denn das Gewehr, das OSWALD angeblich benutzte, hätte selbst von einem Meisterschützen nicht innerhalb der 2,25 bis 2,3 Sekunden, in denen auf den Präsidenten geschossen wurde, drei Treffer erzielen können und schon gar nicht auf ein bewegliches Ziel vom sechsten Stockwerk eines Gebäudes. Schon allein das Nachladen des Gewehrs hätte unter den bestmöglichen Umständen 3 bis 4 Sekunden erfordert.[170] Das Gewehr, das OSWALD angeblich benutzt hatte, um auf Präsident KENNEDY zu schießen, war ein Kleinkalibergewehr der Marke Mannlicher-Carcano, das im Erzeugungsland als ›humane‹ Waffe gilt, ›weil man damit nichts trifft‹. Auch gab es keine Fingerabdrücke von Oswald auf dem besagten Gewehr. Desweiteren wurde Oswald am Tag seiner Verhaftung einem Nitrattest unterzogen, der bewies, daß er in den letzten 24 Stunden keine Waffe abgefeuert hatte. Diese Sachlage wurde 10 Monate lang geheim gehalten.[171] Weiterhin verdächtig ist nicht nur, daß dem Bezirksstaatsanwalt von Dallas, Henry Wade, seine Akten über den Fall gestohlen wurden, sondern auch, daß wichtige Zeugen angeblich Selbstmord begingen, in tödliche (Auto)Unfälle verwickelt oder Opfer von tödlichen Gewaltverbrechen wurden.[172]

Nach 27jährigem Schweigen äußerte sich Charles Crenshaw zu der Kennedy-Ermordung. Crenshaw war der Chirurg, der mit allem Einsatz versucht hatte, Kennedys Leben zu retten, als dieser am 22. November 1963, in das Parkland Hospital eingeliefert worden war. Crenshaw arbeitete mit Gary Shaw, einem der mit dem Fall Kennedy betrauten Experten, zusammen. Als Gary Shaw Dr. Crenshaw Fotos der Autopsie, die im Bethesda-Hospital, Maryland, aufgenommen worden waren, vorwies und fragte, ob diese Fotos Kennedy zeigten, an dem Crenshaw operiert hatte, stellte Dr. Crenshaw ohne jeglichen Zweifel fest, daß die gezeigte Schußwunde an Kennedys Kopf nicht mit der übereinstimmte, die er selbst untersucht hatte. Die Wunde auf den Fotos war von einer solchen Natur, daß sie die Theorie des Einzeltäters bestätigen würde. Für Dr. Crenshaw stand fest: Jemand hatte den Körper oder die Fotos manipuliert.

Die Sicherheitsvorkehrungen für Kennedys Stadtrundfahrt in Dallas waren katastrophal: Obwohl es strikt gegen die Regelungen verstieß, vorher Alkohol zu genießen, tranken vier der Sicherheitskräfte, die Kennedy am nächsten Morgen begleiteten, bis 3 Uhr 30 morgens Alkohol in einer Bar. Als dann die Schüsse auf Kennedy abgeschossen wurden, machte nur ein einziger Sicherheitsbewacher den Versuch, den Präsidenten zu beschützen. Als jener aber seinen Wagen, der hinter dem des Präsidenten fuhr, verlassen wollte, um dem schwerverwundeten Präsidenten zu helfen, befahl ihm ein FBI-Agent, wieder zu seinem Wagen zurückzukehren – in Anbetracht der Lage ein schon fast komplizenhafter Befehl, denn alle professionellen Sicherheitsbewacher des Präsidenten haben in einem solchen Fall den ausdrücklichen Befehl, das Leben des Präsidenten mit allen Mitteln zu schützen.

Man erinnert sich nur zu gut an das Attentat auf Reagan, dessen Leben gerettet wurde, als ein Sicherheitsbewacher sich zwischen die Kugeln des Attentäters und Reagan warf. Und um schon fast zu beweisen, daß es auch anders geht, benahmen sich die Sicherheitsbewacher von Vizepräsident Johnson makellos. Sofort nach dem ersten Schuß auf Kennedy schrie Lyndon Baines Johnsons persönlicher Bewacher: »Auf den Boden!« (»get down!«) und sprang beispielhaft über den Rücksitz der Limousine, was den Vizepräsidenten nach unten drückte und ihn aus der Schußlinie riß. Natürlich hatte das vorbildliche Sicherheitspersonal Johnsons keinen Alkohol getrunken. Und obwohl, laut Anweisungen, alle Sicherheitsbewacher, die am Morgen zuvor Alkohol getrunken hatten, hätten entlassen werden müssen, verlor keiner von ihnen seinen Job.[173]

Die ganze Art der Sicherheitsvorkehrungen war völlig verantwortungslos, denn die ›Protective Research Section‹, eine Geheimdienststelle des Secret Service, die für die Sicherheit des Präsidenten zuständig war, hatte Informationen über mehr als 400 potentielle Drohungen gegen das Leben Präsident KENNEDYS erhalten. Ungefähr zwanzig von diesen Drohungen entsprangen politischen Motiven, den Präsidenten umzubringen. Schon am 5. November 1960 gab es in Chicago einen gescheiterten Attentatsversuch auf John F. KENNEDY. Eine der ernst zu nehmenden Drohungen wurde am 9. November 1963 von einem Informanten der Polizei in Miami aufgenommen. Es handelte sich um einen Rechtsradikalen namens Joseph A. MILTEER. In einem abgehörten Telefongespräch erörterte MILTEER den Plan, KENNEDY zu ermorden. Seinen Angaben nach würde der Präsident mit einem starken Gewehr von einem hohem Gebäude erschossen werden. Dem Secret Service wurde die Mitteilung dieses Komplotts am 12. November übergeben. Trotzdem wurde nichts an KENNEDYS Sicherheitsvorkehrungen verändert, und die Fahrt durch Dallas fand dessenungeachtet statt.

Wenn man dazu die schnelle Verhaftung OSWALDS, der nur ein Sündenbock war, betrachtet, wird MILTEERS telefonische Aussage: »Die werden jemanden festnehmen ... innerhalb Stunden danach ... um die Öffentlichkeit zu täuschen«, äußerst verdächtig. Nur fünf Tage nach MILTEERS Drohung und fünf Tage vor KENNEDYS Ermordung wurde dem Secret Service eine weitere Bedrohung KENNEDYS mitgeteilt. Das FBI lieferte diese Nachricht an KENNEDYS Bewachergruppe weiter. Ein William WALTER hatte die Drohung erhalten, sie warnte ausdrücklich vor einer Verschwörung, »um Präsident KENNEDY auf seiner vorgeschlagenen Tour durch Dallas, Texas, am 22.–23. November 1963 zu ermorden«, und daß die Verschwörer »eine militante revolutionäre Gruppe« wären.

Sofort nach der Ermordung KENNEDYS gab eine Zeugin namens Julia Ann MERCER, nachdem sie sich die TV-Verfilmung des Mordes an OSWALD angeschaut hatte, an, daß RUBY der LKW-Fahrer und OSWALD der Mann mit dem Gewehr gewesen seien, die sie auf FBI-Fotos wiedererkannt hatte, die unmittelbar nach dem Mord an KENNEDY entstanden sind. Um 12 Uhr 29, am Tag von KENNEDYS Ermordung, fiel merkwürdigerweise das Radiosystem der Polizei von Dallas aus. Es wurde von der Polizei in Dallas benutzt, um den Präsidenten zu schützen. Die Gründe für den plötzlichen Ausfall des Funksystems konnten nie geklärt werden. Fest steht aber ohne jeden Zweifel, daß, wenn jemand die Ermordung KENNEDYS geplant hätte, das Polizeifunksystem von Dallas nicht zu einem besseren Zeitpunkt hätte ausfallen können. Das macht das Ganze noch viel verdächtiger!

Ein Zeuge der Ermordung, Abraham ZAPRUDER, war in der glücklichen Lage, eine Amateur-Videokamera während der Ermordung bei sich gehabt zu haben, er nahm die ganze Tragödie auf: Auf seinem Film ist deutlich zu erkennen, daß die tödlichen Schüsse auf KENNEDY nicht nur aus der Richtung kamen, wie es die WARREN-Kommission immer wieder erklärt hat. Der Film zeigt, daß Präsident KENNEDY deutlich von mehr als einer einzigen Kugel getroffen wurde und daß die Schüsse aus verschiedenen Richtungen kamen; womit die Behauptung der Warren-Kommission, es handele sich um einen (verrückten) Einzeltäter, widerlegt wird.

Die Nachtklub-Sängerin Beverly OLIVER filmte ebenfalls die Tragödie mit ihrer 8-Millimeter-Kamera. Diese wichtige Filmaufnahme wurde von Männern beschlagnahmt, die sich als Regierungsagenten auswiesen. Der Film ist nie wieder aufgetaucht. Von all den Zeugen, mehr als 700, wurden 277 identifiziert: Bezüglich der Schußrichtungen sagten 107 wichtige Dinge aus. Jeder vierte berichtete, daß mindestens ein Schuß von der rechten Front des Präsidenten kam, damit widerlegten sie die Äußerung der WARREN-Kommission, welche streng behauptete, alle Schüsse seien von dem Gebäude abgeschossen, in dem sich OSWALD befand. Viele Zeugen haben später immer wieder behauptet, daß einige der Schüsse von einem Holzzaun abgefeuert worden seien: Einige der Zeugen gingen dann sofort auf die Stelle zu, von der sie die Schüsse gesehen und gehört hatten. Dort angekommen, sahen sie entweder Männer, die schnell mit waffenähnlichen Gegenständen wegrannten, oder sie trafen sogar auf diese Männer, die Waffen besaßen, die Männer hätten aber immer gesagt, sie gehörten zum Sicherheitspersonal, und hätten sich auch dementsprechend ausgewiesen.

Der Polizist Joe SMITH war gerade dabei, den Verkehr zu regeln, als er die tödlichen Schüsse hörte. Er glaubte, die Schüsse seien entweder von dem beschriebenen Holzzaun oder von einer kleinen Brücke gekommen, und rannte in diese Richtung. Er traf auch auf einen Mann, der sich als ein Secret Service-Agent auswies. Momente später beobachtete der Polizei Sergeant D. V. HARKNESS, während er die Gegend abriegelte, einige »gut bewaffnete« Männer, in Anzügen gekleidet, sie sagten ihm, sie würden dem Secret Service angehören. Obwohl es nicht unlogisch wäre zu vermuten, daß Secret Service-Agenten damit beauftragt gewesen waren, die Gegend zu bewachen, stellte sich später an Hand von Akten heraus, daß sich keiner der 28 Agenten während der Schüsse oder kurz danach im Dealey Plaza (wo KENNEDY erschossen wurde) aufgehalten hatte.[174]

Um 12 Uhr 33, genau nachdem die tödlichen Schüsse abgefeuert worden waren, kam es zu einem völligen Zusammenbruch des Telefonsystems in Washington D.C. Eine Verschwörung hätte wohl nicht unter besseren Umständen stattfinden können, denn ohne das Telefonsystem in Washington D.C. konnte die Führung der USA in den überaus wichtigen Stunden nach der Ermordung KENNEDYS keine richtige Suchaktion einleiten. Kurze Zeit danach flog eine Militärmaschine mit sechs Mitgliedern des präsidentialen Kabinetts nach Japan. Sie erhielten die Nachricht von der Ermordung KENNEDYS. Für solche Umstände hatten sie den direkten Befehl, Washington anzurufen, konnten dies aber nicht tun, weil das dafür notwendige Codebuch verschwunden war. Ein Polizeifunkspruch aus Dallas wurde aufgefangen, welcher besagte: »Er ist in der Bücherei, Jefferson, Ost 500 Block, Matsalis und Jefferson.« Minuten später folgte der Funkspruch: »Wir sind alle in der Bücherei.« Und Minuten später: »Es war der falsche Mann.« Wer war dieser Kurzverdächtige und warum ließ man ihn so schnell wieder los? Und noch viel wichtiger: Woher wußten die Polizisten schon so früh, daß er der falsche Mann war? Das hätten sie so früh nur wissen können, wenn sie wußten, wer der richtige Mann war.[175] Die Ärzte von Parkland wurden von Sicherheitsbeamten daran gehindert, die Autopsie vorzunehmen, obwohl sie gesetzlich dazu verpflichtet waren. Dr. CRENSHAW berichtet, daß die Sicherheitskräfte die Ärzte mit Erschießen bedroht hätten, falls sie die Leiche KENNEDYS nicht frei gegeben hätten.

Wie die Zeugen mehrmals darauf hinwiesen, wurde KENNDEY keinesfalls von einem Einzeltäter erschossen. Handelte es sich aber um mehrere Täter, dann war es höchstwahrscheinlich eine Verschwörung gegen den Präsidenten. Jack RUBY, der Lee OSWALD erschoß und später unter mysteriösen Umständen starb, hat Earl WARREN von der WARREN-Kommission bei seinem Verhör im Gefängnis von Dallas erklärt, er sei bereit, das Komplott aufzudecken, wenn man ihn nach Washington bringe. In Texas könne er nämlich nicht sprechen, ohne sein eigenes Leben und das seiner Familie zu gefährden. Earl WARREN lehnte diesen Vorschlag aber ab, anscheinend war er selbst nicht an einer solchen Aufklärung interessiert. Was mindestens genauso verdächtig war, ist die Tatsache, daß es kein Protokoll des zwölfstündigen Verhörs OSWALDS gab, noch nicht einmal ein Tonband lief bei diesem äußerst wichtigen Verhör. Es war auch kein Anwalt anwesend. Das Fehlen jeglicher Unterlagen über das Verhör war eine deutliche Mißachtung grundlegender verfassungsmäßiger Rechte.[176]

Warum ermordete man den Präsidenten?

Über das KENNEDY-Attentat sind über 600 Bücher geschrieben worden, die meisten dieser Bücher liefern jedoch eher oberflächliche Informationen über die näheren Umstände, unter denen KENNEDY ermordet wurde, selten gehen sie auf die Hintergründe der Ermordung ein.[177] Es gibt, wie schon angedeutet, viele Verschwörungstheorien, die die Gründe für das Komplott gegen KENNEDY aufzudecken versuchen.

Die als seriös einzustufenden Verschwörungstheorien beinhalten zwei wichtige Themen, die sich auf den Vietnamkrieg und finanzpolitische Ereignisse der Kennedy-Administration beziehen. Nach Leroy Fletcher PROUTY, einem ehemaligen CIA-Agenten, sei der Mord an KENNEDY nur im Zusammenhang mit dem Vietnamkrieg zu verstehen. PROUTY weiß, wovon er spricht, denn er war einer der ranghöchsten Verbindungsoffiziere zwischen CIA und Pentagon, der an geheimen sogenannten verdeckten Operationen teilnahm. In seinem erstaunlichen Buch *JFK, der CIA, der Vietnamkrieg und der Mord an John F. Kennedy* vertritt PROUTY die auf Insiderinformationen gestützte These, daß KENNEDY von einer Machtelite (die er als Secret Team schildert) beseitigt wurde.

Da PROUTY beruflich jahrelang als Top-Agent des CIA in verdeckten Operationen verwickelt war, schrieb er sein Buch sozusagen quellenmäßig aus erster Hand. Überzeugend stellt er dar, daß KENNEDY deshalb ermordet wurde, weil er den Vietnamkrieg so schnell wie möglich beenden wollte! Dies ist keine rein hypothetische Annahme, denn Präsident KENNEDYs Versuch, die US-Truppen aus Vietnam abzuziehen, wurde nach seiner Ermordung aktenkundig. Es handelt sich nämlich um ein sehr wichtiges Dokument, mit dem KENNEDY den Rückzug der damaligen US-Soldaten aus Vietnam einleiten wollte. Das Dokument war als NSAM 263 (National Security Action Memorandum) unter hohen US-Politikern und Militärs bekannt. Dieses Dokument, datiert auf den 11. Oktober 1963, kannte der CIA-Pentagon-Verbindungsoffizier PROUTY wie kaum ein anderer, er behauptet wohl zu Recht: »Ich bin mit diesem Memorandum vertraut und kenne auch die Ereignisse, die zu seiner Niederschrift führten«, denn »große Teile davon wurden nach Maßgabe der Politik des Weißen Hauses von meinem Vorgesetzten im Pentagon, General KRULAK, von mir selbst und anderen Leuten aus seinem Stab verfaßt«.

Auf Grund dieses hochbrisanten Dokumentes kommt PROUTY in seinem Buch zu dem Schluß: »Ich bin überzeugt, daß die von KENNEDY so nachdrücklich in dem früheren NSAM 55 und dann im NSAM 263 angekündigte Politik der Hauptgrund für den Beschluß gewisser Elemente der Machtelite war, ihn vor seiner Wiederwahl zu beseitigen und die Regierung der Vereinigten Staaten unter ihre Kontrolle zu bringen.« Denn: »KENNEDYs in NSAM 263 niedergelegte Politik hätte dafür gesorgt, daß Amerikaner nicht zu Hunderttausenden in den Krieg nach Vietnam geschickt worden wären. Für die Vertreter des militärisch-industriellen Komplexes, ihre Bankiers und ihre Verbündeten in der Regierung waren diese Pläne ein Greuel, und da an der Wiederwahl KENNEDYs im Jahre 1964 kaum zu zweifeln war, bereitete man seine Ermordung vor.«[178] An der im NSAM festgelegten Politik konnte es keine Zweifel geben, denn NSAM 263 forderte den Rückzug von 1000 Angehörigen der US-Streitkräfte bis Ende 1963. Bis 1965 sollte das Hauptkontingent der US-Soldaten folgen. Nach fast einem Jahrzehnt des US-Engagements in Vietnam war dies ein klares Signal von Präsident KENNEDY gewesen, mit dem er das Ende der Stationierung von US-Soldaten in Vietnam ankündigte. Dies hätte natürlich auch unweigerlich das Ende eines amerikanischen Vietnamkrieges bedeutet.

Diese Nachricht wurden in den Medien sofort zur Kenntnis genommen. So brachte die Armeezeitung *Pacific Stars and Stripes* in ihrer Ausgabe vom 4. Oktober 1963 auch gleich auf ihrer Titelseite die Schlagzeile »US-Truppen verlassen Vietnam Ende '65«.[179] Ralph MARTIN zitiert KENNEDY in seinem Buch *A Hero For our Time – An intimate Story of the Kennedy Years* mit dem Satz: »Das erste, was ich tun werde wenn ich wiedergewählt werde, ist, die Amerikaner aus Vietnam herauszuholen. Wie ich es tun werde, weiß ich noch nicht ganz genau.« Ferner wird KENNEDY in MARTINS Buch zitiert: »Wenn ich versuchen würde, jetzt die Truppen vollständig aus Vietnam abzuziehen, würde eine weitere McCARTHY-Hysterie auf uns zukommen, aber ich kann es nach meiner Wiederwahl tun... 1965 werde ich einer der unpopulärsten Präsidenten der Geschichte sein. Ich werde überall verdammt werden, aber mir ist es egal.« Ende Dezember 1963 waren die zuvor in NSAM 263 beschriebenen 1000 Mann aus Vietnam abgezogen worden,[180] für die Machtelite war nun also unausweichlich klar, daß KENNEDY es ernst gemeint hatte und die restlichen US-Truppen so bald wie möglich nach seiner Wiederwahl ebenfalls abziehen wollte.

Wie aber schon erwähnt, war diese Nachricht für die US-Machtelite ein Greuel, denn, wie später noch ausführlicher erläutert wird, hatte diese eine Erweiterung und Eskalierung des Vietnamkriegs schon längst vorbereitet. Dieser größtenteils durch den CIA vorbereitete Krieg in Vietnam war bis dahin ein privater Geheimkrieg des CIA unter der Obhut der Machtelite gewesen. Der Machtelite schwebte aber die Intensivierung, sprich Eskalation, eines Krieges in Vietnam vor, in dem große Mengen von Militärmaterial und US-Soldaten zum Einsatz kommen sollten. Der Grund hierfür war ganz einfach, daß ein solcher Krieg für die US-Machtelite ein riesiges Profitgeschäft sein würde. Diesbezüglich schreibt PROUTY zutreffend: »Der Krieg in Vietnam würde in einer großen militärischen Katastrophe enden – aber zu einem guten Preis, der dem militärisch-industriellen Komplex mehr als 500 Milliarden Dollar einbrachte.«[181]

Mit dem NSAM 263 hatte KENNEDY aber seine offizielle Ankündigung verlauten lassen, daß die US-Truppen bis Ende 1965 komplett aus Vietnam abgezogen werden sollten. KENNEDY hatte es zu einem Grundstein seiner Wiederwahl gemacht, die ersten tausend Amerikaner bis Weihnachten 1963 heimzuholen, und alle anderen bis Ende 1965 aus Vietnam abzuziehen.[182] Das machte der US-Machtelite aber einen gewaltigen Strich durch ihre Rechnung, denn sie hoffte noch über Jahre hinweg, an einem gesteigerten amerikanischen Vietnamkrieg intensiv verdienen zu können. 500 Milliarden Dollar waren natürlich ein Riesengeschäft, das sie keineswegs aufgrund eines

US-Truppenabzugs aus Vietnam aufgeben wollte. Deswegen plante man, das Attentat auf Präsident KENNEDY noch vor seiner Wiederwahl 1964 durchzuführen.

Eine weitere Sache, welche die Machtelite nur beunruhigen konnte, war das NSAM 55, welches am 28. Juni 1963 von Präsident KENNEDY persönlich herausgegeben worden war. Es war laut PROUTY eine revolutionäre Doktrin, vor allem für die USA, und wenn diese Direktiven des Präsidenten (der NSAM 55 folgten noch die NSAM 56 und 57) wirksam geworden wären, hätten sie den Verlauf des Vietnamkriegs drastisch verändert. Auch der CIA hätte sich schließlich aus Operationen des Kalten Krieges zurückziehen und sich wieder auf seine einzige gesetzmäßige Aufgabe, die Koordination des Nachrichtenwesens, beschränken müssen. Mit diesen Dokumenten war die Absicht KENNEDYS klar zu erkennen, denn er zog die Verantwortung an sich und setzte auf die Unterstützung der Vereinigten Stabschefs.[183] So kommt PROUTY zu dem fachgemäßen Schluß: »KENNEDYS nüchterne politische Direktiven waren die ersten Schritte seines ehrgeizigen Plans, die Kursrichtung des Kalten Krieges zu ändern. Seit Gründung des CIA Ende 1947 hatte der Kalte Krieg in seinem Verantwortungsbereich gelegen... Tatsächlich hatte die KENNEDY-Regierung verschiedene Ansätze gemacht, die deutlich auf eine Eindämmung des Kalten Krieges hinausliefen.... KENNEDYS Ankündigung, die Amerikaner aus Vietnam abzuziehen, war ein deutliches Zeichen dafür, daß er den Weg des Kalten Krieges zugunsten einer Entspannung zu verlassen gedachte. Er bat den Kongreß, den Verteidigungsetat zu kürzen. Größere Programme wurden stufenweise zurückgefahren.«[184]

All dies konnte die Machtelite nur noch mehr beunruhigen. Denn der Kalte Krieg war für sie das Geschäft des Jahrhunderts. Dies wird zweifellos klar, da die beiden politischen Lager (Kapitalismus und Kommunismus) in den letzten dreiunddreißig Jahren gemeinsam 6,5 Billionen Dollar aufgewendet haben, um damit Waffen zu kaufen, die ausreichen, um die ganze Menschheit in einer Stunde zu töten. Aber die KENNEDY-Administration wollte Amerika auf den Frieden vorbereiten. Laut PROUTY bedeutete dies: »Nichts, aber auch gar nichts, konnte einen größeren Einfluß auf die riesige Militärmaschinerie dieses Landes ausüben als das Gespenst des Friedens. Der KENNEDY-Plan würde sie nicht um hunderte Millionen, nicht einmal Milliarden, sondern um Billionen von Dollars bringen.«[185] Dies alles wäre auf Kosten des CIA und der Machtelite geschehen.

PROUTYS These von der Vietnamkriegs-Verschwörung gegen KENNEDY wird im Hinblick auf die unmittelbaren Ereignissen nach dem Tod KENNEDYS keinesfalls durch diese geschwächt, sondern sie erhärtet sich noch. Denn vier Tage nach KENNEDYS Tod, am 26. November, trafen sich der neue US-Präsident Lyndon Baines JOHNSON und seine Mitarbeiter. Der 26. November 1963 markierte das Ende der KENNEDY-Politik, denn er ebnete den Weg für die gewaltsame Eskalation des Vietnamkriegs. Mit Präsident JOHNSONS neuer NSAM 288-Direktive wurde KENNEDYS Vietnam-Politik um 180 Grad umgewandelt.[186] Dies war also das Motiv, das die Verschwörer von Dallas zu ihrer Schandtat trieb. Aber es war wohlgemerkt nicht das einzige für die brutale Beseitigung KENNEDYS.

Ein anderes, wenn auch nicht so wichtiges Motiv, das ebenfalls zur Ermordung KENNEDYS führte, war dessen Finanzpolitik. In dieser Hinsicht erinnert das KENNEDY-Attentat auf bezeichnende Art an die Ermordung LINCOLNS. In seinem ersten Bericht zur Lage der Nation warnte KENNEDY im Januar 1961: »Seit 1958 hat sich die Schere zwischen der Dollarmenge, die wir im Ausland ausgeben oder dort investieren, und der Dollarmenge, die wir von dort zurückbekommen, wesentlich erweitert. Das Defizit unserer Zahlungsbilanz hat sich in den letzten drei Jahren um fast 11 Milliarden Dollar erhöht. Dollarinhaber im Ausland sind dazu übergegangen, ihre Dollars in Gold einzulösen. Das ist in einem solchen Umfang geschehen, daß wir einen Goldabfluß aus unseren Reserven von fast fünf Milliarden Dollar verzeichnen.«

KENNEDY wollte dieses Problem lösen. Deshalb schlug er am 18. Juli 1963 dem Kongreß eine Reihe von Maßnahmen vor, die die ruinöse Entwicklung der Zahlungsbilanz umkehren sollten. Diese Maßnahmen beinhalteten Exportförderungen für amerikanische Industrieprodukte und eine Zinsausgleichssteuer auf Auslandsguthaben amerikanischer Bürger. Damit hätten Investitionen im eigenen Land gegenüber solchen im Ausland wieder an Anziehungskraft gewonnen. Das Problem der US-Wirtschaft war nämlich damals die Tatsache, daß Investitionen im Ausland weitaus gewinnbringender waren als in den USA. Denn die Zinsen im Ausland betrugen von 1962 bis 1965 zwischen 12 und 14 Prozent, während sie in den USA nur die Hälfte einbrachten. Dementsprechend legten viele amerikanische Investoren ihr Geld in Europa wegen der besseren Zinsrate an, obwohl es, wie KENNEDY schon mahnend erwähnt hatte, in Wirklichkeit in den USA an Investitionen mangelte, um die heimische Infrastruktur und die technische Erneuerung der US-Produktionsstätten voranzutreiben.

KENNEDYS ökonomischer Plan wäre daher für die US-Wirtschaft eine positive Erneuerung gewesen. Aber er hätte zugleich den profitablen Euro-Zinsmarkt für damalige US-Investoren zunichte gemacht. KENNEDY erlebte die Verabschiedung dieses Gesetztes nicht mehr. Und als es nach seiner Ermordung 1964 die Kammern des Kongresses passierte, war es um einen kleinen, aber dennoch keineswegs bedeutungslosen Zusatz erweitert worden, welcher Kanada aus dem Geltungsbereich des Gesetzes ausklammerte. Wie vorauszusehen, flossen deswegen auch weiterhin riesige Geldmengen ungehindert über diese ›kanadische Geldschleuse‹ ins Ausland. Eine Reihe von Fachleuten in der Finanzbranche ist davon überzeugt, daß es diese

Hintertür nicht gegeben hätte, wenn KENNEDY nicht Opfer eines Attentats geworden wäre.[187]

KENNEDY mußte also beseitigt werden, da er versucht hatte, das Großkapital und dessen Einfluß einzuschränken (wie einst Abraham LINCOLN). Er betrieb eine Politik der Entspannung mit den Russen, setzte sich für die Rechte der Schwarzen ein, nahm dem Militär das Oberkommando über politische Entscheidungen ab, hielt die Situation in Vietnam für aussichtslos und wollte deswegen die amerikanischen Truppen aus Vietnam zurückziehen, hatte die Macht des CIAs begrenzt und dessen Kuba-Politik nicht vorangetrieben. Als die Neuigkeit über KENNEDYS Ermordung bekannt wurde, beschrieb ein CIA-Mitarbeiter, standen alle Personen in seiner Abteilung auf und applaudierten. KENNEDY hatte zugleich Feinde im Militär, im FBI und im CIA. Im FBI herrschte J. Edgar HOOVER und im CIA John A. McCONE, beide entschiedene Gegner der Entspannungspolitik, die KENNEDY betrieb. Im Militär war es General Lucius D. CLAY, der KENNEDY und dessen Politik haßte.[188]

Folgerung

Die mysteriösen Umstände, welche die Attentate auf LINCOLN und KENNEDY begleiteten, lassen nur eine Schlußfolgerung zu: Eine Konspiration wurde auf höchster Ebene der US-Regierung durchgeführt, um sich zweier unfügsamer Präsidenten zu entledigen. Im Fall KENNEDY hätte auch außer der Regierung niemand die Macht und den Aufwand einsetzen können, um den Fall zu verfälschen und überhaupt durchführen zu können. Es wurde zwar behauptet, die Mafia habe den Mord an KENNEDY geplant und ausgeführt. Warum hat man dann nicht den Kopf dieser Organisation verurteilt? Für eine so mächtige Regierung wie die der USA wäre das bestimmt kein allzu großes Problem gewesen. Statt dessen nahm man OSWALD fest, der immer wieder beteuerte, er sei nur ein Sündenbock gewesen (»I'm a patsy«). Außerdem war OSWALD ein US-Agent, der im Auftrag der USA nach Rußland geschickt wurde.[189] Weil die Öffentlichkeit sich aber nicht von der Schlußfolgerung der WARREN-Kommission überzeugen ließ, rief man 1976 das ›House Assassinations Committee‹ ins Leben, um den Fall KENNEDY noch einmal zu untersuchen.

Diese Kommission fand nach zweijähriger Untersuchung heraus, daß es wahrscheinlich eine Verschwörung in dem Fall KENNEDY gegeben habe. Ihre Schlußfolgerung beruhte aber auf der Annahme, daß diese Verschwörung von nur zwei Personen ausgeführt worden sei.[190] Wie wir aber gesehen haben, ist diese Schlußfolgerung in Wirklichkeit eher eine Vertuschung der tatsächlichen Begebenheiten beim KENNEDY-Attentat. Denn selbst die Mitarbeiter des WARREN-Berichts haben sich kritisch zu der Formulierung des Berichts geäußert. Einer von ihnen antwortete auf die Frage, ob es vorgegebene Richtlinien gegeben habe: »Man wollte, wenn irgend möglich, die Spaltung des Landes in zwei Lager verhindern. . . Man verhehlte uns deshalb nicht, daß man froh wäre, wenn unser Bericht die offizielle Version bestätigte.« Auf die Frage, ob während der ganzen Untersuchung nie eine andere Möglichkeit als Oswalds alleinige Täterschaft ins Auge gefaßt worden sei, sagte er: »Wenn wir den über 500 anderen Spuren nachgegangen wären, hätten unsere Ermittlungen eine Dimension angenommen, die weder zeitlich noch finanziell auf dem Programm stand. . . Präsident Johnson aber wollte die ganze Affäre vor den Novemberwahlen 1964 geregelt wissen. Da Oswald nicht mehr widersprechen konnte, war er der ideale Sündenbock.«[191]

Als Kennedys Bruder, Robert F. Kennedy, am 5. Juni 1968 kurz davor stand, die Präsidentschaftswahlen zu gewinnen, wurde er ebenfalls Opfer eines Attentats. Daß letzteres nach demselben Strickmuster ablief, dürfte nicht allzu überraschend sein. Wiederum gab es nur einen angeblichen Einzeltäter namens Sirhan Sirhan. Dieser stand unter einer Droge, welche der CIA speziell für solche Zwecke entwickelt hatte. Daß der CIA schon seit seiner Gründung im Jahr 1947 Millionen Dollar für Gedankenkontrolle, unter anderem durch esoterische Drogen, ausgegeben hatte (und dies noch immer betreibt), ist längst eine unumstrittene Tatsache.[192] Um sicher zu gehen, daß Sirhan Sirhan sein Ziel nicht verfehlen würde, hatte der Leibwächter Robert Kennedys die ›Extra-Kugel‹ abgefeuert, die man später in Kennedys Kopf fand. Nach Aussage des Untersuchungsrichters wurde über die ballistischen Berichte ermittelt, daß die Mündung der Waffe 5 bis 8 cm von Kennedys Kopf entfernt gewesen sein muß, Sirhans Waffe war jedoch niemals weniger als 30 cm von Robert Kennedy entfernt gewesen. Diese enthüllende Information blieb natürlich der Öffentlichkeit vorenthalten.[193]

Wenn zwei sehr wichtige US-Präsidenten das Opfer eines Komplotts, einer Verschwörung, gewesen sind, dann existiert innerhalb der offiziellen US-Regierung eine andere, geheime Regierung, die sogar so mächtig ist, daß sie ihre eigenen Präsidenten beseitigen kann, wenn diese nicht das tun, was von ihnen verlangt wird. Dies würde bedeuten, daß weder die Exekutive noch die Legislative und schon gar nicht die Rechtsprechung der USA den wirklich entscheidenden Einfluß auf die US-Innen- und -Außenpolitik haben.

Kapitel 3

Der Aufstieg zur Weltmacht

Pax Americana: Das amerikanische Jahrhundert und seine Kanonenboot-Diplomatie

Nachdem man den Bürgerkrieg hinter sich gelassen hatte, mußte man in Washington enttäuscht feststellen, daß man nur noch an Nummer zwölf in der Weltrangliste der mächtigsten Nationen stand. Dies sollte kein Dauerzustand bleiben, in dieser Hinsicht genehmigte der Kongreß 1883 den Ausbau der Marine. Zu Beginn des 20. Jahrhunderts stand man bereits wieder auf Platz drei, hinter England und Deutschland. 1867 wurden die Midway-Inseln im Pazifik von den USA besetzt. Amerikanische Farmer drangen allmählich nach Hawaii vor.[194]

Schon 1854 hatte man der Welt gezeigt, was wirklich unter dem Begriff ›Kanonenboot-Diplomatie‹ zu verstehen war. Denn in jenem Jahr ließ Washington Kommodore Matthew C. PERRY mit sieben Kriegsschiffen in der Bucht von Tokio vor Anker gehen. PERRY machte den Japanern unweigerlich klar, daß sie ihr Land dem US-Handel zu öffnen hatten, ansonsten, darüber konnte es keine Zweifel geben, hatte Washington auch andere Vorstellungen, wie man die Japaner zwingen konnte, mit den USA zu handeln. Flottenbasen wurden vor allem auf Okinawa errichtet.

Ferner setzte man in Washington auch auf die altbewährte Methode, mittels amerikanischer Siedler Hawaii ›sturmreif‹ zu machen. Nach dem bekannten Strickmuster brach 1893 durch den Aufstand von amerikanischen Siedlern eine ›Revolution‹ gegen die vorherrschende ›Tyrannei‹ auf der Insel aus, was die USA sofort dazu veranlaßte, Truppen auf die Insel zu schicken, um dann Hawaii zum ›Protektorat‹ zu erklären. Aber Hawaii war nicht das eigentliche Ziel der imperialistischen US-Politik. Washington hatte Hawaii nämlich nur als Vorposten und Stützpunkt zur Besetzung von Kuba betrachtet. Der Marinestützpunkt Pearl Harbor fiel Washington 1887 in die Hände. 1894 erkannten die USA Hawaii als Republik an, um die Insel vier Jahre später zu annektieren.

Washington begnügte sich jedoch nicht damit. Den US-Politikern schwebte ein Krieg vor, um klarzustellen, daß sie eine ernst zu nehmende Macht seien. Ein »herrlicher kleiner Krieg«, um die Worte Außenminister John HAYS zu zitieren, war ihr erster Schritt zur Weltmacht. Da Kuba schon seit längerem von den USA beansprucht wurde und damals eine Kolonie Spaniens war, betrieben die USA die Annexion Kubas.[195]

»Liefern Sie Bildmaterial, ich liefere den Krieg« – der amerikanisch-spanische Krieg (1898)

Die spanische Kolonie Kuba wurde im 19. Jahrhundert zur wichtigsten Plantagenkolonie für das Mutterland in Amerika. Das entging auch nicht der US-Regierung, die immer mehr Kapital in Kuba investierte. Nach 1878 war der amerikanische Handel mit Kuba sogar größer als der spanisch-kubanische, US-Investitionen beliefen sich auf 50 Millionen Dollar.[196] Schon ab 1845 (als man sich noch im Krieg mit Mexiko befand) betrieben US-Kreise den Kauf oder die Annexion Kubas. Doch den US-Präsidenten TAYLOR und FILLMORE war dieser Schritt noch zu riskant, befürchteten sie doch ein mögliches europäisches Eingreifen. Insgeheim förderten und führten sie die Generale QUITMAN (Offizier im Raubkrieg gegen Mexiko) und LOPEZ (der schon seit 1849 in Kuba rebellierte).[197] Daraufhin führte die US-Regierung den WILSON-GORMAN Tarif von 1894 ein, der den Verfall des lebenswichtigen kubanischen Zuckermarkts einleitete und die Krise auf Kuba bewußt verschärfte.[198] Desweiteren wurden Tausende von Freischärlern, die man im Jahr 1850 nach Kuba schickte, unterstützt; diese scheiterten aber und erreichten somit nicht den ersehnten Umsturz.

Was aber nicht auf militärische Weise erzwungen werden kann, wird eben diplomatisch besiegelt. 1854 unterzeichnete der spätere US-Präsident James BUCHANAN mit Spanien und Frankreich das Ostend-Manifest, in dem es hieß, daß Kuba den inneren Frieden und die Existenz der USA gefährde. Als auf Kuba 1895 ein Aufstand gegen Spanien ausbrach, schürten US-Kreise ihn nicht nur, sondern finanzierten ihn auch noch.[199] Die Spanier hatten von Anfang an gewußt, daß die USA nicht nur hinter dem kubanischen Aufstand standen, sondern daß sie auch die Rebellen mit Waffen belieferten, und im November 1873 brachten sie die ›Virginius‹ auf, ein amerikanisches Privatschiff, das mit Waffen für die Rebellen beladen war. Schon allein deswegen wäre es beinahe zu einem Krieg zwischen Spanien und den USA gekommen, als die US-Presse dann wild nach Krieg rief. Die Spanier wollten den USA aber keinen Vorwand für eine Invasion Kubas geben, lieferten die beschlagnahmte ›Virginius‹ wieder an die USA aus und zahlten einen Schadensersatz von 80 000 Dollar in bar.[200] Die US-Führung zeigte sich darüber aber kaum erkenntlich und unterstützte den Aufstand der Rebellen in Kuba weiter. Und so zerstörte die amerikanische Finanzierung besonders Plantagen und Fabriken mit nordamerikanischen Teilhabern, um eine Einmischung der USA zu provozieren.

Anfang 1893 wurde eine Wirtschaftskrise in den USA durch den Zusammenbruch der ›Philadelphia and Reading Railroad‹ und der ›National Cordage Company‹ eingeleitet. Die Panik, die dadurch entstand, entwickelte sich schnell zu einer doppelzyklischen Depression, die bis 1898 andauern sollte. »Nie zuvor«, argumentierte der *Commercial and Financial Chronicle* im August 1893, »gab es eine so plötzliche und überraschende Unterbrechung der industriellen Aktivität. . ., und Hunderttausende verloren ihren Arbeitsplatz.« Gegen Ende des ersten Jahres waren schon etwa 500 Banken und 15 000 Firmen zusammengebrochen. Im Hochsommer 1894 erreichte die Zahl der Arbeitslosen die damals unvorstellbare Anzahl von 4 000 000, es kam zu heftigen und vor allem gewalttätigen Streiks. Die Wirtschaftskrise erzeugte im ganzen Land, vor allem aber bei dem Establishment, das Gespenst von Chaos und Revolution.

In dieser fast aufruhrhaften Atmosphäre stimmten sowohl Konservative als auch Reformer in ihrer Ansicht miteinander überein, daß man drastische Maßnahmen ergreifen müsse, bevor die Situation auszuufern drohe: Solche Maßnahmen, da waren sich beide Lager in den USA einig, wären am besten mit einer expansionistischen Außenpolitik zu erreichen. Eine solche Außenpolitik, erläuterten beide Lager deutlich, sei die Lösung für die unmittelbaren Probleme und werde verhindern, daß eine ähnliche Krise wiederkehre. Es begann sich eine Übereinstimmung zu bilden: Immer mehr Leute in der Wirtschaft glaubten, die Depression und die damit verbundenen sozialen Unruhen seien darauf zurückzuführen, daß es nicht genügend Märkte für die jeweiligen Produkte gebe.

Als ob es darum ginge, dieser Tatsache noch mehr Nachdruck zu verleihen, telegraphierten wichtige Leiter des Wirtschaftsestablishments an Präsident MCKINLEY am 25. März 1898, kurz vor dem Krieg mit Spanien: »Große Firmen glauben hier, daß es Krieg geben wird. Bin der Meinung, daß alle ihn als eine Entspannung begrüßen würden. . . Halte es nicht für nötig, ein Blatt vor den Mund zu nehmen.«[201] Und auch die Vertreter des Volks schlugen mächtig auf die Kriegstrommeln: Der Demokrat Thomas PASCAL aus Texas war überzeugt, daß das Land einen Krieg schwer nötig habe, um »den anarchistischen, sozialistischen und populistischen Abszeß radikal auszumerzen«.

Es war dennoch der Imperialist Theodore ROOSEVELT, der sich als größter Kriegsbefürworter herausstellte. Er schreibt Senator Henry Cabot LODGE: »Persönlich hoffe ich, daß der Streit bald zum Ausbruch kommt. Das Geschrei des pazifistischen Clans hat mich davon überzeugt, daß das Land einen Krieg braucht.« Und selbst der damalige Präsident MCKINLEY äußerte schon, bevor er Präsident wurde: »Wir wollen einen ausländischen Markt für unsere Überproduktion (*surplus products*).« Währenddessen erklärte Senator Albert BEVERIDGE aus Indiana im Jahre 1897: »Amerikanische Fabriken produzieren mehr als die amerikanische Bevölkerung benutzen kann; amerikanischer Boden produziert mehr, als sie konsumieren können. Das Schicksal hat unsere Politik vorbestimmt; der Handel der Welt muß und wird unserer sein.«

Um 1893 war der US-Handel bedeutender als der aller anderen Länder, mit der Ausnahme von Großbritannien. Der Gewinn aus landwirtschaftlichen Erzeugnissen, besonders Tabak, Baumwolle und Weizen, hing schon lange von den internationalen Märkten ab. Vor allem war auch die Öl- und Eisenindustrie in den USA nicht mehr ausbaufähig, und eine Erhöhung der Profite in diesen Industrien hing von dem Export ab. Die Ölindustrie war praktisch völlig in der Hand von John D. ROCKEFELLER, der schon im amerikanisch-mexikanischen Krieg eine expansive Politik unterstützt hatte. Und so überraschte es nicht, als Russell SAGE, ein Bankier, die Ansicht vertrat, daß man im Fall eines Krieges ohne Frage wüßte, »wo die reichen Männer stünden«.

Eine Umfrage unter Geschäftsleuten ergab, daß John Jacob ASTOR, William ROCKEFELLER und Thomas Fortune RYAN sich ›militant fühlten‹. Es war schon im Vorfeld klar, daß gewisse Interessengruppen von einem Krieg Vorteile haben würden. In Pittsburgh, dem Zentrum der Eisenindustrie, bevorzugte die Handelskammer die Anwendung von Gewalt, während das Finanzblatt *Chattanooga Tradesman* behauptete, die Möglichkeit eines Krieges »hat die Eisenindustrie entschieden stimuliert«, und »ein stattfindender Krieg würde die Transportindustrie entscheidend ausbauen«. Derweil teilte Washington mit, daß die Marine von einem kämpferischen Geist befallen sei, dies angeregt durch die Hoffnung »auf Verträge über Geschosse, Geschütze, Munition und andere Nachschubprodukte«. Am 21. März 1898 erwähnte der einflußreiche Senator Henry Cabot LODGE in einem langen Brief an Präsident MCKINLEY, er habe mit »Bankiers, Maklern, Geschäftsleuten, Chefredakteuren, Geistlichen und anderen gesprochen« in Boston, Lynn und Nahant, und »alle, sogar die konservativsten Klassen, wollten die kubanische Frage gelöst sehen«. LODGE berichtete: »Sie sagten, für die Wirtschaft sei ein Schock und dann ein Ende besser, als aufeinander folgende Krämpfe, die wir jetzt haben. . .«[202]

Das größte Hindernis für einen Krieg war aber, wie so oft, die amerikanische Öffentlichkeit. Aus diesem Grund mußte die öffentliche Meinung erst durch die Presse aufgehetzt werden, eine Sache, die die beiden Journalisten Joseph PULITZER und William Randolph HEARST in Angriff nahmen. Den Grund für ihre Hetzkampagne lieferte ihnen die Revolution auf Kuba. Als HEARST von Frederic REMINGTON, dem nach Havanna entsandten Zeichner, telegraphiert bekam: »Nichts zu berichten. Alles ist ruhig. Es wird keinen Krieg geben. Würde gern heimkehren«, telegraphierte HEARST zurück: »Bitte bleiben Sie. Liefern Sie Bildmaterial, ich liefere den Krieg.«[203] Und genau den lieferte er oder zumindest die Propaganda dafür, die ihn einleiten sollte. HEARSTs literarisches Meisterstück klang dann so, als er von spanischen Greueltaten an der kubanischen Bevölkerung schrieb: »Blut auf den Straßen, Blut in den Feldern, Blut vor den Haustüren, Blut, Blut, Blut! . . . Gibt es kein Volk, das so weise, so tapfer ist, diesem von Blutrausch befallenen Land zu helfen?« schrieb er in der *New York World*.[204] Natürlich gab es dieses Volk, aber es mußte genauso wie die Weltöffentlichkeit erst einmal davon überzeugt werden, daß ein Eingriff auf Kuba auch gerechtfertigt sei. Wie so oft benötigte die US-Machtelite einen Zwischenfall, der als Vorwand für einen Krieg mit Kuba dienen sollte. Aber HEARST und PULITZER waren beileibe nicht die einzigen Zeitungsschreiber, die enthusiastisch einem Krieg mit Spanien entgegenfieberten. Etwa 90 Prozent der US-Presse folgten ihren kriegshetzerischen Zielen.[205]

Ein prompt gelieferter Zwischenfall

Am 15. Februar 1898 kam es dann zu einem ›herrlichen‹ Ereignis für die Militaristen der US-Machtelite. Das Schlachtschiff ›Maine‹ explodierte im Hafen von Havanna. Dabei starben 238 Seeleute und 28 Marines. Ein Marineausschuß behauptete im März, daß eine externe Mine die Ursache der Explosion gewesen sei.[206]

Dieses Ereignis spielte den Machthabern in Washington geradezu in die Hände: Weil jene schon einen Kriegsgrund suchten, war etwas später auch von Sabotage und einer Außenbordexplosion die Rede gewesen. Von einer Außenbordexplosion kann aber nicht die Rede sein, vielmehr deutet viel auf Sabotage hin. Eustace MULLINS schreibt, daß diese Sabotage von US-Amerikanern herbeigeführt worden war. Denn es lagen mehr als einleuchtende Beweise für den Verdacht vor, daß die National City Bank das Schlachtschiff in die Luft gesprengt hatte, um den amerikanisch-spanischen Krieg auszulösen, damit sie dann in den Besitz der kubanischen Zuckerindustrie gelangen konnte.

Nach dem Krieg mit Spanien war es dann auch tatsächlich die National City Bank, die die Zuckerindustrie von Kuba einkassierte.[207] Der New Yorker Geldmarkt war es nämlich, der den amerikanisch-spanischen Krieg von 1898 finanzierte.[208] Diese Vermutung ist gar nicht so abwegig, wie sie auf den ersten Blick erscheinen mag, denn auch zumindest der US-Präsident war zur damaligen Zeit fest entschlossen, einen Krieg mit Spanien um Kuba zu führen, wie wir noch sehen werden. Ebenso war die National City Bank eine der einflußreichsten Banken in ganz Amerika, und sie war schon seit jeher in korrupte Machenschaften der US-Politik verstrickt gewesen.

Die Spanier taten nun alles, um einen Krieg mit den USA zu vermeiden, indem sie eine sofortige unparteiische Untersuchung durch einen Gerichtshof und ein Schiedsgerichtsverfahren beantragten. Die Vereinigten Staaten lehnten beides ab, obwohl dies wohl der fairste Weg gewesen wäre, um wirklich herauszufinden, wer die ›Maine‹ versenkt hatte. Wie schon erwähnt, erklärte am 28. März 1898 ein amerikanischer Untersuchungsausschuß, daß das Schiff von außen zur Explosion gebracht worden sei. Ein spanisches Untersuchungskomitee, dem nicht erlaubt worden war, das

Schiff an Bord zu inspizieren, erklärte, daß die ›Maine‹ von innen her explodiert sei. Nun aber tat die US-Regierung etwas, was nicht nur äußerst verdächtig war, sondern auch noch beweist, wie wenig sie an einer wirklichen Aufklärung des Zwischenfalls interessiert war: Sie ließ die beschädigte ›Maine‹ weit in die See hinausschleppen, um sie dort so tief zu versenken, daß wohl keine Kommission jemals den wirklichen Gründen der Explosion auf die Spur kommen könnte.[209]

Im Jahre 1911, dreizehn Jahre nach dem Krieg mit Spanien, wurde die ›Maine‹ endlich gehoben und monatelange sorgfältig untersucht. Ein angesehener Industrieller, Edward ATKINSON, formulierte dann das allgemein anerkannte Urteil, daß die ›Maine‹ durch ein Zusammenwirken von Gas und Elektrizität von innen heraus zerstört worden sei.[210]

Fast 90 Jahre nach dem ›Maine‹-Zwischenfall veröffentlichte der äußerst geschätzte Admiral und Marineideologe Hyman G. RICKOVER ein Untersuchungsergebnis über den Zwischenfall. Bis dahin geheimgehaltene Akten, Marineberichte, Expertengutachten, Zeugenaussagen und ein erster Geheimbericht ließen den Zwischenfall nun in einem ganz anderen Licht erscheinen: Die ›Maine‹ wurde nicht durch eine Außenbordexplosion zerstört, wie dies die amerikanische Regierung nahelegte, sondern durch eine interne Überhitzung, wahrscheinlich im Kohlenbunker.[211] Es sollte jedoch darauf hingewiesen werden, daß man nach all den Jahren, in denen die ›Maine‹ versenkt blieb, kein wirklich schlüssiges Urteil mehr über die Ursache der Explosion bilden konnte. Das war wohl auch der Grund für die Versenkung, denn die US-Regierung schien gerade zu befürchten, daß die tatsächliche Ursache der Explosion geklärt werden könnte, was die These der Sabotage durch die National City Bank bestätigt hätte. Wäre dies der Fall gewesen, dann hätte die US-Machtelite keinen triftigen Grund mehr für einen Krieg mit Spanien um Kuba gehabt; diesen wollte man aber in Washington unbedingt haben.

Gleich, welcher der drei Versionen man Glauben schenkt, eins steht unweigerlich fest: Die ›Maine‹ wurde nicht durch eine Außenbordexplosion versenkt, wie dies die US-Regierung verkünden ließ. Zur damaligen Zeit wollte der einflußreichste Teil der US-Zeitungspresse aber diesbezüglich nichts wissen. Die zuvor erwähnten äußerst einflußreichen Zeitungsleute und Meinungsbilder Josef PULITZER und William HEARST beschuldigten sofort Spanien der Versenkung des US-Schlachtschiffs. Neunzig Prozent der amerikanischen Medien folgen unkritisch ihrem Urteil.[212] Und so entwickelten PULITZER und HEARST den cleveren Schlachtruf »Remember the Maine – to hell with Spain« (›Erinnert euch an die Maine – zur Hölle mit Spanien‹, auf englisch ausgesprochen, klingt dieser Schlachtruf besonders gut, weil er sich so schön reimt).

Es hieß, die ›Maine‹ sei entsandt worden, um amerikanische Bürger zu schützen. Es ist dennoch nicht abwegig zu spekulieren, daß es sich vielleicht um eine inszenierte und manipulierte Provokation gehandelt haben könnte, um einen Krieg herbeizuführen und einen Vorwand für einen Krieg, den man dringend haben wollte, zu erzeugen. Es ist auch völlig unbekannt, daß Schiffe sich einfach von selbst versenken, zumindest kann man sich kaum an einen ähnlichen Vorfall in der moderneren Schiffahrtsgeschichte erinnern. Solch ein Vorfall hätte aber die nötige Atmosphäre für einen Krieg mit Spanien erzeugt, denn: »Im Herbst des Jahres 1897 hoffte Mr. ROOSEVELT, ›sowohl aus Gründen der Menschlichkeit als auch im eigenen Interesse‹, auf einen Krieg in Cuba.«[213] Der Verlust eines Linienschiffs und der Tod von ungefähr 260 Seeleuten wären wohl ein angemessenes Opfer für den Krieg gewesen, der den ersten Schritt der USA auf ihrem Weg zur Weltmacht darstellen sollte. Der fingierte Überfall der Japaner auf Pearl Harbor war später ein noch viel größeres Opfer, um den Eintritt der USA in den Zweiten Weltkrieg zu rechtfertigen.[214]

Aber noch bevor die US-kubanische Krise zu eskalieren drohte, geschah etwas Bemerkenswertes. Während Theodore ROOSEVELT (er war übrigens George BUSHs Lieblingspräsident) als ›Assistant Secretary of the Navy‹ insgeheim einen Krieg gegen Kuba plante und der Kongreß im März 1898 50 Millionen Dollar für Aufrüstung bewilligte, ließen die USA durch ihr Verhandlungsmitglied in Madrid ihren Friedenswillen bekunden und beteuern, keine territorialen Ziele auf Kuba anzustreben.[215] Der Kriegshistoriker Walter MILLIS erklärt diesbezüglich, daß Theodore ROOSEVELT durchaus gewillt war, es auf einen Krieg ankommen zu lassen.[216] Die ganze Aktion erinnert unweigerlich an die diplomatische Täuschung, die die US-Botschafterin April GLASPIE am 25. Juli 1991 in Bagdad inszenierte, um Saddam HUSSEIN in dem Glauben zu lassen, daß er von den USA nichts zu befürchten habe.

Nur einen Tag nach der amerikanischen Untersuchung der ›Maine‹ schickte die US-Regierung ein Ultimatum an Spanien. Die Madrider Regierung kapitulierte gegenüber den offiziellen amerikanischen Forderungen am 9. April 1898, telegrafierte am 10. April ihr Einverständnis mit den amerikanischen Bedingungen und erklärte sich bereit, alle militärischen Operationen gegen die kubanischen Rebellen einzustellen.[217]

Nun hätte eine Entspannungsphase eintreten können, und eine friedliche Lösung des Konflikts wäre durchaus möglich gewesen. Denn schon am 31. März hatte der amerikanische General WOODFORD aus Spanien gekabelt, die Spanier seien sich bewußt, daß Kuba für sie verloren sei, und seien bereit, es gehen zu lassen (*to let her go*). Ferner teilte er mit, daß Spanien alles in die Wege leiten werde, um die USA so schnell wie möglich zu versöhnen, ohne daß in Spanien selbst eine Revolution ausbreche. Kurz danach kabelte der General erneut, er könne noch vor dem 1. August von Spanien eine Einwilligung für die Unabhängigkeit oder sogar die Einnahme Kubas durch die USA sicherstellen, und bekräftigte, daß Spanien nach wie vor bereit sei, den USA alle Zugeständnisse zu machen. Doch als ob Präsident MCKINLEY nichts mehr zu fürchten scheine, als die Möglichkeit einer friedlichen Einnahme Kubas, rief er schon einen Tag nach Erhalt dieses Telegrammes im Kongreß nach einer Kriegserklärung.[218]

Diese Erklärung bezeichnete Präsident MCKINLEY hinterlistig vor dem Kongreß als eine »machtvolle Intervention« zur Wiederherstellung des Friedens auf Kuba. Ein paar Tage später wurde der Präsident ermächtigt, die Armee einzusetzen, und die Blockade von Kuba wurde eingeleitet. Des weiteren wurde eine 223 000 Mann starke Armee bereitgestellt, und so begann am 11. April durch MCKINLEYS Kriegserklärung der sogenannte amerikanisch-spanische Krieg, auf den Spanien nur allzu gern verzichtet hätte.[219]

Ein Jahr nach dem Krieg verlautete Präsident MCKINLEY: Hätte man ihn in Ruhe gelassen, dann wäre es für ihn möglich gewesen, den Abzug der Spanier aus Kuba ohne Krieg zu sichern.[220] Den Grund, weshalb er die spanische Kapitulation nicht entgegennahm, war, beschreibt Philip FONER in seinem zweibändigen Werk *The Spanish-Cuban-American War:* »Hätten die Vereinigten Staaten zu lange gewartet, dann wären die kubanischen revolutionären Kräfte siegreich gewesen und hätten das zerfallende spanische Regime ersetzt.« In diesem Fall hätten die USA natürlich nicht mehr die Bodenschätze und Finanzen Kubas an sich reißen können.

Irgendwann im Frühjahr 1898 wurde MCKINLEY und der Geschäftswelt klar, daß ihr militärischer und wirtschaftlicher Einfluß in bezug auf Kuba nur mit einem Krieg sichergestellt werden könne. Kuba durfte daher nicht den kubanischen Rebellen überlassen werden, wenn man amerikanische Interessen in Kuba verwirklichen wollte.[221] Theodore ROOSEVELT war über den Kriegskurs seiner Regierung begeistert und unterbreitete der Welt seine Maxime von dem »großen Knüppel«. Er wurde unter anderem durch seine Maxime bekannt: »Sprecht sanft und tragt immer einen großen Knüppel bei euch.« Damit aber auch nicht die geringsten Zweifel darüber aufkamen, wie Teddy es mit seinem »großen Knüppel« gemeint haben könnte, zeigte er allen seinen Widersachern, daß Politiker nicht zu langweiligen Rednern und Bürohengsten degradiert sein müssen. Vor allem zeigte er jedem Politiker, daß es wichtig ist, das zu praktizieren, was man predigt. Um ›bei dem Spaß dabei zu sein‹, legte er sein Amt als Marinesekretär nieder, sammelte jede Menge Desperados um sich und gründete auf die Schnelle die ›The First United States Volunteer Cavalry‹, die im Volksmund als die ›Rough Riders‹, zu Deutsch etwa die ›Rauhen Reiter‹, in die US-Geschichte eingingen.

Bei Tampa, Florida, hatten sie Glück, noch ein Schiff zu erwischen, das sie mit nach Kuba nahm. Obwohl schon bei der Ankunft in Kuba so ziemlich alles für Teddys ›Rauhe Reiter‹ schief ging, was schief gehen konnte – ihre Pferde rannten ihnen als erstes davon –, ließ sich Teddy nicht beirren und als zweiter Oberkommandeur seiner Truppe entschloß er sich, sich von den regulären US-Truppen zu trennen, um im Alleingang mit seinen ›Boys‹ einen wichtigen Hügel zu erstürmen. Nun konnte Teddy endlich seinen viel beschriebenen ›großen Knüppel‹ aus dem Sack holen und so richtig nach Herzenslust draufhauen.

Der Angriff fand am 1. Juli statt, und auf heroische Art und Weise brachten es Teddys ›Rauhe Reiter‹ fertig, den Hügel einzunehmen. Die Schlacht war schnell gewonnen. ROOSEVELT, der später noch ein Buch über sein Abenteuer auf Kuba schrieb, sollte aus der ganzen Sache noch viel politisches Kapital schlagen, da er nicht viel später immerhin Präsident der USA wurde.[222] In seinen Berichten erwähnte Teddy natürlich nicht, daß die ›heldenhafte‹ Einnahme des Hügels von Juan-Hill ein Kinderspiel war. Gewitzt, wie er nun einmal war, servierte er seinen Lesern blutrünstige Reportagen von unbändiger Ruhmsucht, vollem Mut und Aufopferungswillen. Daß die gesamte ›Rough Riders‹-Truppe keinen einzigen Gefallenen hatte, bedeutete selbstverständlich nicht, daß sie nicht bereit war, jedes auch noch so waghalsige Risiko in der Schlacht auf sich zu nehmen. Nebenbei sah Teddy auch günstigerweise darüber hinweg, daß seine ›Rough Riders‹ ein verwegener Haufen aus Söhnen der Harvard-Elite, Polospielern, Indianern, Polizisten aus der Bronx und Indianerjägern waren. Denn bei der Rückkehr in das ›gelobte Land‹ – sprich in die USA – mußte alles stimmen. Und Teddy wurde nicht enttäuscht, nach drei Monaten wurden die ›Rough Riders‹ bei ihrer Heimkehr triumphal gefeiert.

Kein schlechter Start für jemanden, der US-Präsident werden will, muß sich Teddy gedacht haben, und da er nichts überstürzen wollte, bewarb er sich erst einmal um das anstehende Amt des Gouverneurs von New York. Und Teddy schien zu wissen, wie man auch die ›richtige Wähleratmosphäre‹ erzeugt, denn er bekam einen schöpferischen Einfall – warum nicht den glorreichen Sieg in Kuba mit der Wahlkampagne verbinden? Ohne lange zu fackeln, reiste er mit der Eisenbahn von Städtchen zu Städtchen und ließ an jeder Station den Trompeter ein Schlachtsignal blasen, und im Nu erschien sein ihm aus dem Kuba-Feldzug ergebener Reiterhaufen – die ›Rough Riders‹ –, der ihm zu Füßen lag und ihm wie einem Helden huldigte.[223] Auch diesmal blieb Teddy natürlich der Sieger, sogar ohne den unwiderstehlichen ›großen Knüppel‹. Aber seien wir nicht unfair: Teddy hatte es sich bei soviel Eigeninitiative regelrecht selbst verdient, Präsident der USA zu werden. 1906 bekam er den Friedensnobelpreis; gewiß nicht für die Erstürmung, aber immerhin!

Die USA beriefen sich auf die edelsten Gründe, warum dieser Krieg notwendig sei: Kuba wollten sie vom Kolonialismus und von der spanischen Despotie befreien. Was sie aber nicht erwähnten, war, daß sie eben auch die sozialen Konflikte im eigenen Land lindern, neue Absatzmärkte schaffen, Rohstoffquellen sichern, neue Plantagen entwenden und mehr Einfluß in der Karibik, im Pazifik und überhaupt etwas mehr Macht in der Weltpolitik wollten. All das erreichten sie auf dem leichtesten Weg.[224]

Ein kurzer Krieg

Mit mehr als 274 000 Mann zogen sie in einen der leichtesten und kürzesten Kriege. Ihre Marine war der spanischen haushoch überlegen.[225] Der Statistik von Charles CAMPBELL zufolge waren die USA im Jahr 1900: 1. die stärkste Militärmacht der Erde, gemessen an strategischen Reserven, 2. die einzige Weltmacht, die gegenüber einer totalen Blockade immun war, 3. die einzige Weltmacht ohne starke Nachbarn innerhalb Tausender von Meilen, 4. die einzige Weltmacht, die bis 1949 in Sachen nationaler Sicherheit unbedroht geblieben war.[226] Sie siegten nicht nur in der Karibik, sondern auch vor den spanischen Philippinen im Pazifik. In sieben Stunden zerstörten sie in der Bucht von Manila zehn feindliche Kreuzer und Kanonenboote, 381 Spanier wurden dabei getötet, während die Amerikaner nur 7 Verwundete gehabt haben sollen. Dies erinnert an den Golfkrieg: Man führt geplante Kriege, die für den Feind vernichtend, aber für die eigenen Truppen ein Kinderspiel sind, wobei die Verluste der amerikanischen Soldaten sehr gering sind. Da man immer getreu dem Motto ›wenn schon, denn schon‹ handelt und dabei nie zimperlich ist, wurde vor Santiago in einer vierstündigen Seeschlacht die spanische Atlantikflotte zerstört, wobei die Spanier 474 Tote und Verwundete zu beklagen hatten, während die Amerikaner angeblich nur einen Gefallenen und einen Verwundeten hatten.[227]

Als Spanien nach zehn Wochen kapitulierte, erschien HEARSTs Zeitung mit der grandiosen Schlagzeile: »How do you like the Journal's War?« (›Wie finden Sie unseren (des Journals) Krieg?‹).[228] Man war wieder ein Stück weiter gekommen, auf dem langen Weg zur Weltmacht. Schon am 20. Juni 1898 wurde Guam kassiert und am 7. Juli Hawaii eingenommen. Hawaii, hieß es nicht viel später, habe ›freiwillig‹ seine Unabhängigkeit im amerikanisch-spanischen Krieg aufgegeben. Dies klingt natürlich gut, vor allem, wenn dabei darüber hinweggesehen wird, wie amerikanische Agenten vorher auf den hawaiianischen Inseln eine Revolution angezettelt hatten, welche die Könige LILLUOKANANI vom Thron vertrieb und somit die Inseln nach bewährter Manier für die USA sturmreif machte.[229]

Ein paar Wochen später besetzte Washington Puerto Rico und Manila auf den Philippinen, die Spanien im Pariser Frieden vom 10. Dezember 1898 für 20 Millionen Dollar an die USA abtreten mußte. Außerdem bekamen die USA eine Art Aufsichtsrecht über Kuba, Spanien dagegen verlor sämtliche Ansprüche auf Kuba und mußte zusätzlich noch 400 Millionen Dollar Schulden an Kuba zahlen.[230] Bald besaßen die reichen US-Bürger auf Kuba nicht nur Ölraffinerien und Zuckerplantagen, sondern auch die gesamte Energieproduktion mit dem Telefon- und Telegrafendienst, nahezu alle Bergwerke sowie 80 Prozent der Straßenbahnen.[231]

Auf den Philippinen tobte dann ein Guerillakrieg, der heute schon längst vergessen ist, und dies nicht ohne Grund, denn im Verlaufe dieses Krieges wurden mindestens eine halbe Million Filipinos von den US-Besetzern umgebracht.[232] Dieser Guerillakrieg war auch der eigentliche Grund, weshalb die USA 1902 die Philippinen aufgaben, denn der Krieg war selbst für die aufstrebende Weltmacht USA zu heftig und der Kriegsschauplatz von ihrer hegemonialen Sphäre zu weit entfernt.

Daß der Krieg völlig unnötig gewesen war, gestand der amerikanische Gesandte in Madrid später ein, die USA hätten nämlich, so dieser, alle Kriegsziele außer der Annexion der Philippinen auch friedlich erreichen können. Doch Präsident MCKINLEY hatte dies bewußt dem Kongreß verschwiegen, um statt dessen einen Krieg führen zu können.[233] Die erste Nachricht vom Krieg, die die US-Bevölkerung erreichte, war die Mitteilung, man habe unter Admiral George DEWEYS Kommando die spanischen Seestreitkräfte bei Manila besiegt – diese waren 8000 Meilen von dem vermeintlichen Kriegsgebiet Kuba entfernt. Die amerikanische Öffentlichkeit war nur noch erstaunt: Wenige hatten auch nur etwas von Manila gehört, geschweige denn, daß es dort spanische Kolonien gab. Teddy ROOSEVELT, der nicht dafür bekannt war, halbe Sachen zu machen, hatte Admiral DEWEY für diese Operation einen Geheimbefehl bereits am 25. Februar 1898 in Nagasaki/Japan erteilt, dies war – man bemerke das wohl – zwei Monate vor der amerikanischen Kriegserklärung.

Es war der amerikanischen Öffentlichkeit natürlich auch nicht bekannt, daß US-Agenten schon seit 1876 von der US-Regierung dafür eingesetzt worden waren, Spanien die Philippinen abzunehmen.[234] Ebenfalls vermied es ROOSEVELT sorgfältig, darüber Auskunft zu geben, wie er damals als Hilfsstaatssekretär im Marineamt diesen geheimen Befehl mit Senator Henry Cabot LODGE besprochen hatte, während er aber seinem Vorgesetzten, dem Marinesekretär LONG, die ganze Angelegenheit verschwieg.[235] Der Krieg war also eine beschlossene Sache, denn nach ihm dürsteten die National City Bank und besonders die Zuckerrohrplantagenbesitzer. Diese hatten zuvor nämlich 50 Millionen Dollar in Kuba investiert. Ihr Sprachrohr war Pressemagnat HEARST, der sich in Mittelamerika Erdölvorkommen und andere Bodenschätze angeeignet hatte. Die Militärs forderten den Krieg, weil sie die strategischen Positionen Kubas, Puerto Ricos und der Philippinen unbedingt haben wollten. Kuba und Puerto Rico konnten eine Schlüsselposition für den Zugang zum geplanten Panamakanal einnehmen und außerdem die Rolle einer ›Drehscheibe‹ nach Mittel- und Südamerika spielen.[236] Kriegshistoriker MILLIS schreibt ergänzend: »Je weiter dieser ›glänzende

Kleinkrieg‹ zurückliegt, um so mehr erweist er sich als ein entscheidender Wendepunkt in der amerikanischen Geschichte. . . . Hierdurch wurde Amerika zur Kolonialmacht, gleichzeitig aber auch zu einer fernöstlichen Macht, und somit in die Konkurrenzkämpfe der europäischen Staaten in China hineingezogen. Das wiederum verwickelte die USA, ohne daß sie sich dessen recht bewußt wurden, in das europäische Kräftespiel. Damit war die Entscheidung gefallen, die alle späteren Diskussionen über den ›Isolationismus‹ im Gegensatz zum ›Internationalismus‹ nicht mehr rückgängig machen konnten.«[237]

Einige Jahre nach dem Krieg mit Kuba äußerte sich der Chef des Büros des Außenhandels und der Handelskammer zu den wahren Gründen der amerikanischen Intervention im kubanischen Krieg. »Trotz der populären Stimmung der Zeit. . . waren die wirklichen Gründe, warum wir zu den Waffen griffen, unsere Wirtschaftsbeziehungen zu den Westindischen Inseln und den südamerikanischen Republiken . . . Der amerikanisch-spanische Krieg war nichts weiter als eine Erscheinung einer allgemeinen Expansion, die ihre Wurzeln in einer Veränderung der industriellen Kapazität hatte, welche unseren heimischen Konsum bei weitem überstieg. Es wurde beschlossen, daß es nicht nur notwendig sei, für unsere Produkte ausländische Abnehmer zu finden, sondern daß wir uns selbst den Anschluß an ausländische Märkte auf leichte, effiziente und sichere Weise gewähren sollten.«[238]

Obwohl sich die meisten Zeitungen damals für einen Krieg gegen Kuba aussprachen, gab es auch Gegner einer solchen Politik. *The People,* eine sozialistische Zeitung der Arbeiterbewegung, nannte das Thema ›Freiheit für Kuba‹, einen »Vorwand«, mit dem die Regierung versuche, Krieg als »Ablenkungsmanöver zu benutzen, damit die Arbeiter von ihren wirklichen Interessen abgelenkt werden«. Eine andere sozialistisch ausgerichtete Zeitung, *Appeal to Reason,* argumentierte, »daß die Bewegung für Krieg eine beliebte Methode der Herrscher sei, um die Leute davon abzuhalten, für ihre einheimischen Ungerechtigkeiten eine Lösung zu fordern«. Philip FONER meinte, daß der Krieg zwar mehr Beschäftigung, aber auch eine Preissteigerung hervorgerufen habe. Es kam nicht nur zu einer bemerkenswerten Steigerung der Lebenshaltungskosten. Da es keine Einkommensteuer gab, waren es die Armen, die die ungeheuren Kriegskosten fast ausschließlich durch erhöhte Preise auf Zucker, Tabak, Melasse und durch andere Steuern zahlen mußten. Am prägnantesten äußerte sich die *Labor World* aus Chicago, indem sie zu dem Schluß kam: »Dies war ein Krieg des armen Mannes, bezahlt durch den armen Mann. Die Reichen haben davon profitiert, wie sie dies immer tun. . .« Im Mai des Kriegsjahres 1898 schickte die große Fleischverpackungsfirma Armour and Company 500 000 Pfund Rindfleisch an die US-Truppen. Das Fleisch war schon über ein Jahr alt. Als ein Armeeinspekteur es testete, fand er 751 Behälter, die verfaultes Fleisch enthielten, obwohl das Fleisch von der US-Behörde für Tierindustrie für gut befunden worden war. Tausende von amerikanischen Soldaten erlitten Lebensmittelvergiftungen. Das war der Dank des Vaterlandes für diejenigen, die ihr Leben für ihre Regierung aufs Spiel setzten!

Die US-Regierung tat, als würden die kubanischen Rebellen gar nicht existieren. Als die Spanier geschlagen waren, ordnete US-General William SHAFTER an, daß keine bewaffneten Rebellen in die Hauptstadt Santiago einwandern durften. Dem kubanischen Rebellenführer, General Calixto GARCIA, wurde gesagt, daß nicht Kubaner, sondern die alten spanischen Zivilbehörden auch weiterhin die städtische Gemeinde von Santiago beherrschen würden.

FONER schreibt, daß mit der amerikanischen Armee auch amerikanisches Kapital in die Hauptstadt einzog. »Noch bevor die spanische Fahne in Kuba heruntergeholt wurde, machte sich das US-Geschäftsinteresse bemerkbar. Händler, Makler, Aktienspekulanten, rücksichtslose Abenteurer und Förderer aller möglichen Tricks strömten zu Tausenden nach Kuba. Wallstreet sicherte sich das lukrative Straßenbahn-Unternehmen von Havanna.« Die *Lumbermen's Review,* eine Zeitung, die die Interessen der Holzindustrie vertrat, äußerte mitten im Krieg: »Sobald Spanien die Regierung in Kuba aufgibt, kommt der Moment für die amerikanischen Holzinteressen, die Insel wegen der kubanischen Wälder einzunehmen. Kuba besitzt immer noch 10 000 000 Morgen äußerst wertvolle unberührte Nutzwälder, von denen praktisch jeder Meter in den USA zu hohen Preisen verkaufbar ist.«

Als der Krieg beendet war, übernahmen Amerikaner die Eisenbahn, Minen und Zuckergesellschaften. Es wurden 1 900 000 Morgen Land für lächerliche 20 Cent je Morgen aufgekauft, während 1901 mindestens 80 Prozent der Exporte von kubanischen Mineralien in amerikanischen Händen waren. Das meiste davon besaß der US-Stahlgigant Bethlehem Steel. Mit dem ›Platt-Zusatzartikel‹ legitimierte der US-Kongreß die Benutzung von Marinestützpunkten auf Kuba für die US-Marine.[239]

Nun kann natürlich behauptet werden, daß die US-Machtelite aus Kuba keine Kolonie der USA machte. Der Grund hierfür war aber nicht, daß die Machtelite Ehrfurcht vor Souveränität und fremdem Territorium hatte. Der eigentlich Grund, warum man in Washington sich nicht gleich ganz Kuba aneignete, war wohl eher, wie es schon die Vorgänger-Administration von Präsident CLEVELAND zum Ausdruck brachte, daß »ein kubanischer Sieg zu einer ›Einrichtung einer Weißen und einer Schwarzen Republik führen könnte‹, da Kuba eine Mischung von den beiden Rassen besaß. Und eine Schwarze Republik könnte sich als dominante bilden«.

Auch war die US-Machtelite schon zuvor indirekt gewarnt worden, denn schon 1803 gab es auf der farbigen Insel Haiti eine gewalttätige Revolution gegen die französische Kolonialherrschaft. »In dieser Revolution spielten die Neger die wichtigste Rolle, nicht nur die Führer der Revolution waren schwarz, sondern auch acht Zehntel ihrer Unterstützer waren Farbige.« Da die US-Machtelite ständig ihre eigene schwarze Bevölkerung unterdrücken mußte, weil diese nach mehr Freiheit und besserer Bezahlung rief, wollte man verständlicherweise in Washington nicht noch mehr Schwarze und Farbige in die USA aufnehmen. Als ob man dies ausgleichen wollte, wurde neben Kuba aber eine Menge anderer Staaten und Territorien unterworfen: Der amerikanisch-spanische Krieg führte unmittelbar zur Übernahme von Puerto Rico, einem Nachbarn Kubas, das ebenfalls den Spaniern gehörte. Puerto Rico wurde von US-Streitkräften eingenommen. Die Hawaii-Inseln, die schon zuvor von Amerikanern besiedelt worden waren, nahm man mit einer Kongreß-Resolution im Juli 1989.

Ungefähr zur selben Zeit wurden die Wake-Inseln besetzt, auch Guam, eine ehemalige spanische Kolonie im Pazifik wurde eingenommen. Da die USA von den Spaniern auch noch die Philippinen bekamen, entstand nun eine heftige Debatte im US-Kongreß, ob man die Philippinen nicht auch noch einnehmen sollte. Laut US-Geschichtsbüchern quälte diese Frage Präsident McKinley so sehr, daß er sich an den Herrgott höchst persönlich wandte und angeblich von diesem den Befehl erhielt, er solle nun doch auch noch die ›braunen Brüder‹ mit in das gelobte Land einholen. McKinley äußerte sich diesbezüglich: »Ich lief eine Nacht lang im Weißen Haus auf und ab; und ich schäme mich nicht, Ihnen, meine Gentlemen, mitzuteilen, daß ich auf die Knie ging und den allmächtigen Gott anbetete, mich zu geleiten. . . Ich weiß nicht wie, aber dann kam es. . ., daß uns nichts übrig blieb, als die Filipinos zu belehren, ihnen zu ihrem Aufstieg zu verhelfen, sie zu zivilisieren und sie zum christlichen Glauben zu bekehren. Und dann ging ich zu Bett und schlief tief und gut.«

Ob die Filipinos danach so gut schliefen, wurde zwar nicht ermittelt, aber im Hinblick auf den folgenden Krieg gegen sie dürfte dies zumindest äußerst zweifelhaft gewesen sein. Im Februar 1899 rebellierten sie gegen die amerikanische Herrschaft. Emilio Aguinaldo, ihr Anführer, der schon zuvor gegen die Spanier rebelliert hatte, kämpfte nun gegen die neue Kolonialherrschaft der USA. »Der Krieg gegen die Rebellen begann, laut Präsident McKinley, als Agitatoren (Insurgents) amerikanische Streitkräfte angriffen. Aber später bezeugten amerikanische Soldaten, daß die Vereinigten Staaten die ersten Schüsse abgefeuert hatten. Nach dem Krieg sprach ein Armeeoffizier in der Bostoner Faneuil Hall und sagte aus, daß sein Colonel ihm den Befehl gegeben habe, einen Konflikt mit den Rebellen zu provozieren.«

Die USA brauchten drei Jahre, bis sie den Krieg gegen die tapferen Rebellen gewinnen konnten, sie benötigten dazu 70 000 Soldaten, das waren viermal so viele, wie zuvor auf Kuba gelandet waren, um die Spanier dort zu bezwingen.[240] Die USA mußten Tausende von Toten hinnehmen, das Ausmaß der getöteten Filipinos wird auf die beträchtliche Zahl von einer halben Million geschätzt.[241] Daß die US-Streitkräfte mit unmenschlicher Brutalität vorgingen, geht aus einem Brief eines Soldaten hervor, den die ›Anti-Imperialistische Liga‹ veröffentlichte. In diesem Brief schrieb ein Kapitän aus Kansas: »Caloocan hat angeblich 17 000 Einwohner. Das 20. Kansas-Regiment marschiert durch den Ort, und jetzt besitzt Caloocan nicht einen einzigen lebenden Einwohner.« Ein Soldat desselben Regiments berichtete: »Mit eigener Hand setzte ich nach unserem Sieg in Caloocan 50 Häuser in Brand. Frauen und Kinder wurden durch unser Feuer verletzt.« Ein Freiwilliger aus dem US-Staat Washington berichtete: »Unser Blut kochte, und wir wollten ›Nigger‹ umbringen... Dieses Abknallen menschlicher Wesen übertrifft das Jagen von Hasen bei weitem.«

Bald brachten auch Zeitungen Meldungen über die Greueltaten der US-Soldaten auf den Philippinen. Im November 1901 berichtete ein Korrespondent aus Manila für den *Philadelphia Ledger*: »Der gegenwärtige Krieg ist keine blutlose Operninszenierung; unsere Männer sind unbarmherzig, sie haben Männer, Frauen, Kinder, Gefangene, aktive Aufwiegler und verdächtigte Leute, ab zehn Jahre aufwärts, getötet, der Hintergrund war der Gedanke, daß Filipinos kaum besser waren als Hunde... Unsere Soldaten haben Salzwasser in Männer gepumpt, um sie zum Reden zu bringen, sie haben Leute gefangen, die sich mit den Händen über den Köpfen friedlich ergeben haben, um sie dann eine Stunde später, ohne auch nur den geringsten Beweis zu haben, daß sie Aufwiegler wären, auf Brücken zu erschießen und sie sodann in das Wasser zu werfen, um diejenigen, die sie finden, abzuschrecken.«

All dies erinnert unweigerlich an die Greueltaten der US-Soldaten in Vietnam, als das US-Militär ebenfalls gegen Asiaten auf sehr rassistische Weise vorging. »In der Provinz von Batangas, schätzte der Sekretär der Provinz, daß von einer Bevölkerung von 300 000 Menschen ein Drittel entweder durch Krieg, Hunger oder Krankheit getötet worden war... Die amerikanische Feuerkraft war der der Filipinos weit überlegen. In der ersten Schlacht fuhr Admiral DEWEY den Pasig-Fluß entlang und feuerte 500 Pfund-Granaten auf die Filipinos in ihren Schützengräben. Tote Filipinos stapelten sich so hoch, daß die Amerikaner ihre Körper als Brustwehr benutzten. Ein britischer Zeuge bestätigte: ›Dies ist kein Krieg; es ist einfach ein Massaker und mörderisches Abschlachten‹. Dies sah US-Kriegssekretär Elihu ROOT anscheinend nicht so, denn äußerst zynisch behauptete er: ›Der Krieg auf den Philippinen wurde von der US-Armee mit skrupelhafter Rücksicht auf die Regeln der zivilisierten Kriegführung geführt. . . . mit Selbstbeherrschung und mit Menschlichkeit, die nie zuvor erreicht wurden.‹ Dies dürften die Filipinos anders empfunden haben. Diese hochgelobte skrupelhafte Rücksicht und Selbstbeherrschung, die nie zuvor erreicht worden ist, war wahrscheinlich auch dafür verantwortlich, daß ein Marineoffizier namens Litteltown WALLER vor Gericht aussagte, sein Vorgesetzter General SMITH habe ihn beauftragt, ›zu töten und verbrennen, und je mehr er tötete und verbrannte, um so fröhlicher würde er sein, daß es keine Zeit gäbe, Gefangene zu machen und daß er aus Samar eine heulende Wildnis machen sollte. Daraufhin habe Major WALLER den General gefragt, welches Alter für das Töten in Frage käme, und er habe beantwortet: ›ab zehn‹.« Daß es aber nicht nur ums Töten ging, bewies Senator Albert BEVERIDGE am 9. Januar 1900 im Senat, als er seinen Kollegen unterbreitete: »Mr. Präsident, die Zeiten rufen nach Ehrlichkeit. Die Philippinen gehören uns für immer... Und nicht weit hinter den Philippinen sind Chinas grenzenlose Märkte. Wir werden uns von keinem der beiden zurückziehen... Der Pazifik ist unser Ozean... Wohin sollen wir uns wenden in bezug auf Konsumenten unserer Überproduktion? Geographie beantwortet diese Frage. China ist unser natürlicher Kunde... Die Philippinen geben uns diesen Stützpunkt zur Tür des gesamten Ostens... Kein Stück Land in Amerika übertrifft die Fruchtbarkeit der Täler und Ebenen von Luzon. Reis und Kaffee, Zucker und Kokosnüsse, Hanf und Tabak... Die Wälder der Philippinen können die Möbel für die Welt für ein kommendes Jahrhundert liefern. Bei Cebu sagte mir der bestinformierte Mann, daß 40 Meilen von Cebus Bergketten praktisch aus Kohle sind... Es wurde beklagt, daß unsere Kriegführung grausam gewesen war. Senatoren, das Gegenteil trifft zu... Senatoren, Ihr müßt euch erinnern, daß wir es nicht mit Amerikanern oder Europäern zu tun haben. Wir haben es mit Orientalen zu tun.«[242]

Rückblickend war der amerikanisch-spanische Krieg von 1898 eine der wichtigsten Etappen der sich nun ausbildenden US-Außenpolitik. Dieser Krieg war der militärische Anfang der USA als Kolonialmacht, ein wegweisender Krieg, nur mit dem Koreakrieg vergleichbar, der auf ähnliche Weise die USA in die Angelegenheiten der übrigen Welt verstrickte.

Erneuter Eingriff in Mexiko
oder: wie der lateinamerikanische Hinterhof entdeckt wurde

In den Jahren 1910 bis 1911 fand in Mexiko die erste wirkliche soziale Revolution der Moderne statt, die eine radikale Veränderung der Gesellschaft anstrebte. Man wollte die konsequente Abschaffung des Privateigentums von Grund, Boden und Produktionsmitteln.[243] Aber genau das paßte der Elite in den USA nicht, hätte es doch bedeutet, daß amerikanisches Kapital verstaatlicht würde. Das USA-Kapital drang zur Zeit der Diktatur Generals DIAZ' (1877 bis 1911) massiv in Mexiko ein und kontrollierte schließlich 75 Prozent des Bergbaus und die Hälfte der Erdölproduktion.[244] Ein Erfolg der Revolution hätte selbstverständlich einen folgenschweren Präzedenzfall für die anderen unterjochten Völker und Staaten in Lateinamerika dargestellt. Der damalige Diktator Porfirio DIAZ, der von den Amerikanern unterstützt wurde, sollte um jeden Preis an der Macht bleiben. Ein Brief von US-Präsident TAFT spricht in dieser Hinsicht Bände: »Wir haben über 1 Milliarde Dollar in Mexiko investiert, die gefährdet wären, wenn Porfirio DIAZ sterben würde oder eine andere, vielleicht nicht US-freundliche Regierung an die Macht käme.« Mexiko war schon immer ein reiches Land, wenn es um Bodenschätze ging. Das wußten auch die Amerikaner, sie waren auf das Öl, Eisen, Kupfer und Silber erpicht, zumal sie an dem Eisenbahnnetz intensiv bauten. In Mexiko, und nicht in den USA, begannen für die Standard Oil Company von Ölbaron John ROCKEFELLER, für die North American Railway Corporation, die United Fruit Company und für Kennecott (Kupfer-, Zinn-, Silberabbau und -verhüttung) die fetten Profitjahre.[245]

Die mexikanische Revolution, von Emiliano ZAPATA, einem Indio, und Pancho VILLA eingeleitet, wurde der bis dahin größte Angriff auf die US-Wirtschaftsinteressen in Lateinamerika. Deshalb verbündete sich die kleine reiche Klasse Mexikos mit den Amerikanern und deren Militär. Unter Theodore ROOSEVELT begann die Ära des US-Imperialismus. Es war Theodore ROOSEVELT, der 1903 als Präsident der USA riet, man solle sich zur Ausbeutung der lateinamerikanischen Völker mit den dortigen Führungsschichten anfreunden und mit ihnen dann den großen Kuchen aufteilen. Sollte man aber auf Widerstand stoßen, weil ein Volksaufstand zu mächtig würde, müsse man zuschlagen. »Sprecht sanft und tragt immer einen großen Knüppel bei euch, und ihr werdet es weit bringen«, sagte er zu US-Investoren am 2. April 1903.[246] Dieser Spruch sollte wie kein anderer für die US-Außenpolitik maßgebend und geltend werden, insbesondere in bezug auf Dritte Welt-Länder. Theodore ROOSEVELT wurde mit Hilfe der Finanzgiganten John Pierpont MORGAN und John D. ROCKEFELLER zum Präsidenten der USA gewählt.[247] Später gab er nach einer Unterhaltung mit MORGAN nach der Panik von 1907 sogar zu, daß seine eigene Macht gegen die MORGANS nichts sei.[248]

In Mexiko wurde nun der demokratisch gewählte Präsident MADERO ermordet und 1913 ein neuer Diktator, General HUERTA, mit amerikanischer Hilfe zum Oberhaupt von Mexiko erklärt. Aber der neue Mann der USA in Mexiko konnte sich nicht durchsetzen, geriet er doch immer mehr unter den Druck des Volkes, das die Revolution von VILLA befürwortete. Aus diesem Grund sah sich HUERTA gezwungen, das Erdöl zu verstaatlichen und die Rückgabe des Großgrundbesitzes an die Indios durchzuführen. Mit einem derartigen Verhalten in Mexiko hatte die Führung in Washington aber nicht gerechnet, und deshalb beschloß man den ›großen Knüppel‹, die ›Marines‹, einzusetzen.[249] Diese Maßnahme kam nicht von ungefähr, denn Mexiko war 1913 der drittgrößte Erdölproduzent der Welt.

Aber man schien für solche Möglichkeiten schon vorgesorgt zu haben, berichtet der US-Militärhistoriker MILLIS, denn schon seit langem standen die gesamten Kampftruppen der kleinen aktiven Armee entlang der mexikanischen Grenze in Bereitschaft.[250] Im September 1913 landeten US-Marineinfanteristen in Ciaris Estero und drangen mit dem Vorwand, Angehörige der Richardson Construction Company zu evakuieren, bis zum Yaqui-Tal vor.[251] Um aber wirklich in Mexiko einmarschieren zu können, brauchte man, wie so oft, einen Vorwand. Dieser wurde dann auch prompt geliefert: Im April 1914, als eine kleine Gruppe von amerikanischen Matrosen mit ihrem Schiff ›Delphin‹ im Hafen von Tampico andockte und dann in unbefugtem Gebiet in Mexiko herumlief, vergewaltigten einige betrunkene Matrosen Mexikanerinnen aus dem von ihnen verachteten ›Greaser‹-Stamm und wurden verhaftet. Als im Zusammenhang mit einem solchen Vorfall ein paar US-Matrosen im Hafen von Tampico von den dortigen Behörden kurzzeitig festgenommen wurden, ließ der dortige Kommandeur sie sofort wieder frei und schickte eine Entschuldigung an den amerikanischen Marinekommandeur. Damit hätte alles wieder bereinigt sein können, aber der amerikanische Kommandeur provozierte seinen mexikanischen Kollegen bewußt, indem er die geradezu lächerliche Forderung stellte, die Mexikaner müßten die US-Fahne mit einem Einundzwanzig-Schuß-Salut grüßen und ungerechtfertigten Schadensersatz zahlen. Er wußte genau, daß der mexikanische Kommandeur dies nicht tun konnte, denn Mexiko befand sich in einer sozialen Revolution, und es herrschten bürgerkriegsähnliche Zustände, während die Beziehungen zu den Amerikanern auf ihrem Tiefpunkt angelangt waren.

Auf eine solche Forderung von seiten der Amerikaner einzugehen, hätte die mexikanische Bevölkerung als reine Demütigung aufgefaßt, und sie hätte wahrscheinlich mit aufruhrähnlichen Protesten reagiert. Damit aber die ganze Sache nun richtig ausuferte und man einen Vorwand hatte, Truppen nach Mexiko zu schicken, unterstützte auch Präsident WILSON den US-Kommandeur in seiner Forderung.[252] WILSON ging aber bewußt noch weiter und forderte von dem Kongreß eine Ermächtigung, um HUERTA mit Gewalt unter Druck zu setzen. Noch bevor der Tampico-Zwischenfall bereinigt werden konnte, autorisierte WILSON eine Marinestreitmacht, in Veracruz einzulaufen, und amerikanische Matrosen landeten am 21. April 1914. Sie besetzten ein Dorf, was sie 19 getötete und 47 verwundete Soldaten kostete. Die mexikanischen Verluste beliefen sich auf mindestens 200 Personen, während 300 Mexikaner verwundet wurden.[253]

Präsident WILSON, den die Welt später als einen der größten Demokraten der Geschichte feiern sollte, schickte also die ›Marines‹ nach Mexiko um ›Ordnung zu schaffen‹. Im US-Senat versuchten zwei sehr einflußreiche Mitglieder ihre Kollegen zu überzeugen, daß eine 500 000 Mann starke US-Truppe ausreichen würde, um gleich ganz Mexiko zu erobern.[254]

In Mexiko herrschte Anarchie, VILLA kontrollierte den Norden, ZAPATA den Süden und CARRANZA die Hauptstadt. Als letzterer seine sozialen Reformen einleitete, verstärkten die Amerikaner ihre Truppenstärke in Vera Cruz, sie kontrollierten den wichtigsten Hafen in Mexiko und das Hinterland bis 1917. In dieser Zeit wurden die Zweige der mexikanischen Wirtschaft, die nicht in amerikanischer Hand lagen, ruiniert und die Hauptstadt ausgehungert. So gelang es den Amerikanern, CARRANZAs Reformen zu verhindern. Als noch viel wichtiger galt es jedoch, die Revolutionäre VILLA und ZAPATA auszuschalten, denn sie waren imstande, das Volk immer wieder gegen die USA zu mobilisieren. Es gelang den Amerikanern dann auch mit enormem Druck, CARRANZA dazu zu bewegen, seine ›Regierungstruppen‹ gegen VILLA und ZAPATA einzusetzen. Es brach ein entsetzlicher Bürgerkrieg aus, der im ganzen Land tobte. Zwar gelang es VILLA und ZAPATA, dreimal die Hauptstadt zu besetzen, aber wegen Waffenmangels und des über die Hauptstadt verhängten US-Embargos mußten sie sich jedesmal wieder zurückziehen.

So wurde die Hauptstadt immer wieder abwechselnd von CARRANZA und den Amerikanern zurückerobert. Anfang 1919 wurde ZAPATA von CARRANZA in eine Falle gelockt und ermordet.[255] Nun blieb nur noch VILLA übrig, gegen den die USA die Armee einzusetzen hatte. Ein gewisser John PERSHING wurde damit beauftragt, Pancho VILLA, der in den USA als Bandit galt und unschädlich gemacht werden müsse, zu beseitigen.

Um einen Gewaltakt in Mexiko als berechtigt erscheinen zu lassen, zu dem immerhin die US-Armee eingesetzt werden sollte, mußten die ›richtigen Umstände‹ geschaffen werden. Daher inszenierte man am 9. März 1916 im amerikanischen Bundesstaat New Mexico, in einem Ort namens Columbus, nahe der mexikanischen Grenze, mit Hilfe von CARRANZAs Truppen einen Überfall, bei dem neunzehn Amerikaner ums Leben kamen. Sofort nach dem Zwischenfall beschuldigte Washington Pancho VILLA, diesen hinterlistigen Überfall begangen zu haben, obwohl VILLA und seine Truppen sich zu diesem Zeitpunkt gar nicht an der amerikanischen Grenze aufhielten.[256]

Die Umstände, unter denen dieser Zwischenfall stattfand, ließen aber einige Ungereimtheiten ungeklärt. Denn weder wurde die Frage geklärt, wie Pancho VILLA, der sich zu diesem Zeitpunkt überhaupt nicht im Grenzgebiet aufhielt, diesen Überfall begangen haben konnte, noch wurde die Frage beantwortet, wie er schwerbewaffnet überhaupt einen beträchtlichen Abschnitt amerikanischen Gebiets überqueren konnte, ohne dabei irgendwie aufzufallen. Und selbst wenn man diese Tatsachen außer acht ließ, blieb eine weitere noch viel schwerwiegendere Ungereimtheit völlig ungeklärt: Als nämlich VILLA angeblich das Dorf beschoß, kam nach langer Verzögerung endlich eine Kavallerieabteilung, die gegen die Banditen vorging. Als die Kavallerie aber auf die Angreifer schießen wollte, hatten ihre Maschinengewehre in der Dunkelheit Ladehemmung, was dazu führte, daß, bevor die Banditen abzogen, Teile von Columbus in Trümmern lagen. Es ist eigentlich sehr merkwürdig, um nicht zu sagen, verdächtig, daß gerade, als die US-Kavallerie die Banditen erledigen wollte, alle ihre Maschinengewehre unter Ladehemmung litten, daß dann diese Ladehemmung es den Banditen ermöglichte, 19 Amerikaner zu töten und somit einen Vorwand für ein amerikanisches Eingreifen in Mexiko zu schaffen.[257]

Der Vorfall hatte eine interessante Vorgeschichte. Anfang 1916 tauchten im US-Grenzort Columbus einige dunkelgekleidete Herren auf, deren Akzent sie als Bewohner der industriellen Ostküste auswies. Sie hatten geheimnisvolle Treffen mit Männern, die allem Anschein nach Mexikaner waren. Als die Herren abzogen, schloß sich ihnen seltsamerweise die Mehrzahl der im Ort stationierten US-Soldaten an. Genau eine Woche nach diesen Ereignissen stürmten rund vierhundert bewaffnete Mexikaner den Ort, schossen auf alles, was sich bewegte, und ritten wieder davon.

Im Unterschied zu HEARSTs Auf-nach-Mexiko-Hetzkampagne betonten einige liberale Zeitungen, daß dieser Überfall mit »Wallstreet-Geld bezahlt« worden sei.[258] William Randolph HEARST (er hatte in seiner Presse schon viel Kriegshetzerei im amerikanisch-spanischen Krieg betrieben) rief nun in seiner Zeitung ständig nach einer »echten Intervention« auf. Er unterhielt seine Leser mit vielversprechenden Visionen: »Kalifornien und Texas waren einst ein Teil von Mexiko. . . Was die Vereinigten Staaten mit Kalifornien und Texas taten, kann auch mit dem Landstrich bis zum Südrand des Panama-Kanals und noch weiter südlich getan werden. Und wenn dieses Land wirklich im besten Interesse der Zivilisation handeln würde, . . . sollte man den befriedenden, Prosperität gebenden Einfluß der Vereinigten Staaten auf beide Seiten des Großen Kanals ausdehnen.«

Selbst der einflußreiche Colonel HOUSE, ein Mitglied der US-Machtelite, hatte schon von einer solchen Machterweiterung geträumt. Und auch PERSHINGs Befehle stimmten mit diesem Ziel überein, da sie nicht einmal dazu aufforderten, VILLA zu fangen, statt dessen sollte er nur verfolgt und seine Banditen auseinandergetrieben werden. Trotzdem machte Innenminister LANE Präsident WILSON darauf aufmerksam, daß das Scheitern des Versuchs, VILLA gefangenzunehmen, »uns in den Augen aller Lateinamerikaner ruinieren« würde, während die Zeitungen und die Administration schon fast so besessen von der Idee waren, man müsse VILLA »tot oder lebendig« gefangen nehmen, so daß die Öffentlichkeit sich von diesem Gedanken nicht mehr befreien konnte.

Daher verließ schon am 15. März 1916 ein Truppenkontingent Columbus. In Washington wurde noch am selben Abend verkündet, daß zum zweiten Mal in zwei Jahren amerikanische Truppen in das Gebiet Mexikos einmarschiert seien. Bald war schon die ganze reguläre US-Armee im Südwesten konzentriert, um, wie es hieß, die Grenze nach Mexiko zu schützen. Am 24.

März 1916 war General PERSHING schon tief in Nordmexiko eingedrungen, ohne jedoch irgendwelche Erfolge vorweisen zu können. Dennoch verlangte die *New York Times*, daß noch mehr Truppen ihm nach Mexiko folgten.[259]

Noch heute ist in amerikanischen Schul- und Geschichtsbüchern über diesen scheinheiligen Überfall auf das Dorf Columbus in New Mexico zu lesen. Er diente jedoch nur dazu, der eigenen Bevölkerung weiszumachen, daß sich die USA verteidigen mußten, da man angeblich einem Angriff ausgesetzt worden sei. Bei diesem einen Täuschungsmanöver sollte es nicht bleiben. Wie ein roter Faden ziehen sich diese manipulierten Vorfälle durch die US-Außenpolitik: So war es auch im Kuba-Krieg mit Spanien, mit Pearl Harbor (das den Eintritt der USA in den Zweiten Weltkrieg ermöglichte), mit Korea, Vietnam und dem Golfkrieg der Fall. Aber in Mexiko konnte man nicht locker lassen, hatte man doch noch 1910 ein Viertel aller US-Auslandsinvestitionen in Mexiko getätigt.[260] Schließlich wurde die Revolution in Mexiko durch die USA beendet.

Weshalb die USA nicht gleich ganz Mexiko bis zum Panama-Kanal einnahmen, liegt wohl daran, daß zur selben Zeit der Erste Weltkrieg in Europa wütete und die Alliierten der USA – England und Frankreich – so schwer in Bedrängnis geraten waren, daß sie bald nicht nur nach mehr Munition und Waffen aus den USA, sondern auch nach US-Truppen riefen.

Nicaragua war bis 1925 finanziell und militärisch durch Nordamerika beherrscht. Unter dem ›großen‹ Demokraten WILSON wurde Haiti 1915 von mehreren Kriegsschiffen mit deren Marineinfanterie für zwei Jahrzehnte eingenommen. Erst 1934 endete die US-Besetzung, bis dahin verwalteten US-Offiziere das Zoll- und Schulwesen und natürlich auch die Finanzen, für die sich US-Bankiers schon lange interessiert hatten; die US-Zollhoheit und Finanzkontrolle bestand bis 1947.[261]

Schon unter US-Präsident James POLK (1845–1849), der sich halb Mexiko aneignete, hatte die US-Regierung ein außerordentlich starkes Interesse an der Entstehung einer Kanalverbindung zwischen dem Atlantischen und dem Pazifischen Ozean. Diesbezüglich dachte sie an einen Panamakanal. Das Problem war, daß Großbritannien das Gebiet für sich beanspruchte. Deshalb setzte man in Washington erst einmal auf Diplomatie. Im April 1850 schlossen die USA mit Großbritannien einen Vertrag ab (›Clayton-Bulwer Act‹), der beide Seiten verpflichtete, keine einseitige Kontrolle über den geplanten Kanal auszuüben. Unter anderem besagte der Vertrag, daß weder England noch die USA die Kanalzone »besetzen, befestigen oder kolonialisieren dürfen«.

Diese Vereinbarungen genügten den USA dann aber nicht mehr. Angesichts der großen strategischen Bedeutung des Vorhabens erstrebten sie die alleinige Kontrolle über den Kanal. Als die USA England damit drohten, daß sie die einzigen Herrscher über den amerikanischen Kontinent seien, gaben die Engländer nach und machten ein paar Zugeständnisse an die USA im ›Hay-Pauncefote-Vertrag‹. Dieser Vertrag ermöglichte den USA den Bau und die Verwaltung eines Kanals in der Panama-Zone.

Nun aber meldeten sich die Kolumbianer zu Wort, da Panama eine Provinz Kolumbiens war. Der kolumbianische Kongreß lehnte die Ratifizierung des Vertrages ab, woraufhin Präsident Theodore ROOSEVELT am 2. November 1903 seinen berüchtigten ›großen Knüppel‹ aus dem Sack holte, um, wie er sagte, das Recht »der freien und ungehinderten Durchfahrt« durch den Isthmus zu sichern. Ein Aufstand wurde am 3. November 1903 in Panama City mit ROOSEVELTS stillschweigendem Einverständnis und der Hilfe der ›Panama Canal Company‹ inszeniert, während die US-Flotte kolumbianische Truppen daran hinderte, nach Panama City vorzudringen. Des weiteren wurde der Feuerwehrverein von Panama zu einer Armee umgestaltet. Am 4. November 1903 erklärte sich die Provinz von Panama von Kolumbien als unabhängig, und schon am 6. November 1903 erkannten die USA die Republik von Panama an. Dabei sollte es natürlich nicht bleiben, in den letzten hundert Jahren griffen die USA mehr als vierzigmal militärisch in Panama ein, das letztemal im Dezember 1989.[262]

Kapitel 4

Wirtschaftskriege auf amerikanisch

Die amerikanische Geschichte weist eine interessante Erscheinung auf: Fast immer, wenn sich wirtschaftliche Depressionen oder Rezessionen bemerkbar machten, führten diese zu Kriegen, die die Wirtschaft wieder belebten und sanierten, gleich, ob in den USA republikanische oder demokratische Administrationen und Präsidenten an der Macht waren. Seit dem Krieg von 1812 zogen sie nach einer Rezession immer in den Krieg.[263]

Unmittelbar vor dem Krieg von 1812 gab es eine Agrardepression im Westen der USA.[264] Auch wenn es keine bekannte wirtschaftliche Krise vor dem amerikanisch-mexikanischen Krieg gab, so war aber das Verhältnis zwischen den Nord- und Südstaaten schon damals äußerst angespannt, und einige Südstaaten hegten bereits den Gedanken, aus der Union auszutreten.[265] Die Präsidenten POLK und TYLER waren aber für die Eroberung von halb Mexiko, in der Hoffnung, der Süden würde sich dann damit zufrieden geben, da die Südstaaten als Sklavenstaaten in die Union aufgenommen worden waren. Als der amerikanisch-spanische Krieg ausbrach, herrschte eine schwere Depression, die von 1893 bis 1898 anhielt. Nach diesem Krieg boomte die Wirtschaft wieder.[266] 1907 trat eine schwere Rezession ein, 1913 und 1914 waren ebenfalls Rezessionsjahre, wenn auch nicht ganz so schlimme, da die Rezession kurz danach durch die US-Lieferungen an die Alliierten im Ersten Weltkrieg überwunden wurde,[267] ehe die USA im Frühjahr 1917 selbst in den Ersten Weltkrieg massiv eingriffen.

Die große Depression machte einen Kriegseintritt der USA in den Zweiten Weltkrieg notwendig, um die Wirtschaft wieder in den Griff zu bekommen und wiederzubeleben. Der Angriff auf Pearl Harbor war hierfür maßgebend, um die USA aus ihrer großen Depression zu befreien. Der Rezession von 1949 folgte die massive Aufrüstung unter TRUMAN und schließlich der Krieg in Korea (1950–53), der Rezession von 1953/54 die Intervention in Guatemala und verstärkte Rüstungsanstrengungen, der Rezession von 1958 das Eingreifen im Libanon, der Rezession von 1967 die Zuspitzung und Intervention in Vietnam, der Rezession von 1969/70 und der von 1973 bis 1975 die Verschärfung des Vietnamkrieges. Die Rezession von 1979 führte zur Beendigung der Entspannungspolitik und zum zweiten Kalten Krieg, dem NATO-Doppelbeschluß, zur jährlichen Steigerung der Militärausgaben um 3 Prozent, begonnen von Präsident CARTER vor der sowjetischen Afghanistan-Invasion. Die Rezession von 1981/82 führte zu REAGANS Eingreifen in Nicaragua, zur Invasion Grenadas (zwei Tage, nachdem 248 ›Marines‹ in

Beirut bei einem Bombenanschlag auf eine US-Militäreinrichtung getötet worden waren), zum militärischen Keynesianismus und dem SDI-Programm, das dazu dienen sollte, die Sowjetunion bankrott zu rüsten. Und die letzte große Rezession von 1989/90 führte zunächst zur ›Just Cause‹-Invasion von Panama und dann zum Golfkrieg.[268] Sogar Außenminister BAKER ließ einmal alle diplomatische Scheinheiligkeit fallen und meinte, der Einsatz in der Golfregion diene zur Erhaltung von Arbeitsplätzen im eigenen Land. Und den Vorsitzenden des präsidialen ›Council of Economic Advisers‹, Michael BOSKIN, führte die *International Herald Tribune* (3. Januar 1991) mit der Bemerkung an, daß es um die amerikanische Wirtschaft noch schlechter bestellt wäre, wenn die militärische Operation am Golf nicht zur Stabilisierung beigetragen hätte.

Der ›Große Krieg‹ und das große Geld: der Erste Weltkrieg und die USA

Die USA, die 1894 England als größte Industriemacht der Welt ablösten, produzierten bereits 1914 rund ein Drittel aller Industrieerzeugnisse. Trotzdem blieben sie bis zum Ersten Weltkrieg eine Schuldnernation, die ohne europäisches Geld kaum leben konnte.[269]

Am 13. März 1907 kam es in den USA zur Panik, als der Aktienmarkt zusammenbrach und viele Firmen zahlungsunfähig wurden. Diese Panik war, wie später noch ausführlicher beschrieben wird, eine geplante Intrige der Machtelite, um den USA ein diktatorisches Zentralbanksystem aufzuzwingen und sie in den Ersten Weltkrieg zu führen. Noch vor Kriegsbeginn steckten die USA in einer wirtschaftlichen Rezession, die zu einer größeren Krise zu werden drohte. In New York City streikten 150 000 Textilarbeiter im Januar 1913, der Streit griff nach Boston über; in New Jersey streikten Seidenarbeiter fünf Monate lang; in Colorado begann ein Arbeitskampf, der sechzehn Monate anhalten sollte, so daß die Nationalgarde gewaltsam eingreifen mußte, um eine weitere und größere Ausuferung zu verhindern.[270]

Der Sozialismus breitete sich in den USA fast unaufhaltsam aus. Klassenkonflikte waren heftig. Im Sommer 1916 explodierte eine Bombe während einer Parade in San Francisco und tötete neun Menschen. Streiks waren an der Tagesordnung, und es kam zu immer heftigeren Auseinandersetzungen zwischen der Polizei und den Demonstranten. Ein Senator namens James WADSWORTH sprach wohl für die Elite der Reichen, als er sagte: »Die Wehrpflicht sollte für alle Männer eingeführt werden, um der Gefahr entgegenzuwirken, daß diese Leute unser Volk in Klassen spalten würden.« Der US-Historiker HOFSTADTER schrieb von »ökonomischen Notwendigkeiten«, die hinter WILSONS Kriegspolitik standen.

1914 begann eine ernste Rezession sich in den USA auszubreiten. Der ultrareiche John Pierpont MORGAN sagte später vor einem Gericht aus: »Der Krieg kam in einer schweren Zeit... Das Geschäftsleben war überall im Land zusammengebrochen, die Preise für landwirtschaftliche Erzeugnisse waren stark gesunken, die Arbeitslosigkeit war bedrohlich hoch, die Schwerindustrie arbeitete weit unter ihren Kapazitäten, und die Banken gaben kaum noch Kredite.« Aber um 1915 hatten Kriegsbestellungen der Alliierten (größtenteils aus England) die Wirtschaft wieder belebt. HOFSTADTER bescheinigte, daß »Amerikas Schicksal von dem der Alliierten abhing, von einer Kriegsunion und deren Prosperität«. Schon 1917 sagte selbst der idealistisch eingestellte Woodrow WILSON während einer Vorlesung an der Columbia-Universität: »Konzessionen, die von Finanziers erlangt worden sind, müssen sichergestellt sein durch Staatsminister, selbst wenn die Souveränität von widerstrebenden Nationen hierunter leiden wird.... die Türen von den Nationen, welche geschlossen sind, müssen eingetreten werden.« Schon in seiner Kampagne von 1912 für die Präsidentschaftswahl hatte WILSON die Auffassung vertreten: »Unsere heimischen Märkte sind nicht mehr ausreichend, wir brauchen ausländische Märkte.« In einer Notiz an Senator BRYAN beschrieb er sein Ziel als »eine offene Tür zur Welt«, und 1914 sagte er, er unterstütze »die gerechte Eroberung fremder Märkte«.[271]

Doch all diese bedrohlichen wiederkehrenden Schwierigkeiten wurden durch den großen europäischen Krieg gelöst. Zuerst befürchteten die US-Exporteure zwar einen möglichen Verlust ihrer Überseemärkte. Doch bald brachten die großen Einkäufe der Europäer sie in Rausch. Nun gab es Arbeit für alle im Überfluß, sogar die Gewerkschaften, die zuvor dauernd zu Streiks aufgerufen hatten, verstummten völlig. Vor allem die Metall- und dann die chemische Industrie profitierten statt der deutschen wie kaum zuvor. In den beiden letzten Kriegsjahren erhöhte sich die Außenhandelstonnage von 2 185 000 auf 8 694 000 Tonnen und nach dem Krieg gar auf über 11 000 000 Tonnen. Durch den Krieg verfünffachte sich also das Exportvolumen. Die US-Reedereien erzielten 90 Prozent mehr Gewinn. Auch Lebensmittel wurden massenhaft nach Europa ausgeführt. Das Geschäft blühte, der Getreidepreis stieg in den ersten fünf Jahren um das Dreifache, der Baumwollpreis um das Vierfache. Der Exportüberschuß verdoppelte sich von Kriegsjahr zu Kriegsjahr. Die Bilanz konnte sich sehen lassen: Die Gesamtproduktion der USA wuchs während des Ersten Weltkriegs um 15%, der Export stieg um das Dreifache, der Exportüberschuß um das Achtfache.[272]

Machten die gesamten amerikanischen Auslandsinvestitionen im Jahre 1914 nur 50% der europäischen Investitionen in den USA aus, so änderte sich dies grundlegend zugunsten der USA, denn nach 1918 wurden sie zum Hauptgeldverleiher der Welt. Schon 1927 betrugen die amerikanischen Gesamtinvestitionen im Ausland 350% der ausländischen Gesamtinvestitionen in den USA. Hinzu kamen die europäischen Kriegsschulden in Höhe von 10,3 Milliarden Dollar, die an die USA zu zahlen waren.[273] Im Zeitraum zwischen 1900 und 1920 stieg der Haushalt der US-Regierung um das beinahe Zehnfache.[274]

Trotzdem war der Krieg in Amerika sehr unbeliebt. Umfragen aus dem Jahr 1917, unmittelbar bevor die USA in den Krieg eintraten, lassen erkennen, daß 90 Prozent der Befragten sich gegen den Krieg in Europa aussprachen und sich nichts anderes wünschten, als in diesem mörderischen Gemetzel neutral zu bleiben.[275] Trotz ständigen Beteuerungen, dieser Krieg sei ein Krieg, »um alle Kriege zu beenden« (als ob dies jemals die Absicht von Kriegsführern gewesen wäre), und ein Krieg, »um die Welt sicher für die Demokratie zu machen«, waren in den USA kaum Menschen bereit, sich zu verpflichten. Es hieß, man benötige rund eine Million Mann, es fanden sich in den ersten sechs Wochen jedoch nur 73 000 Freiwillige. Daraufhin sah sich der Kongreß gezwungen, die Wehrpflicht einzuführen.

Weil der Krieg aber trotzdem sehr unpopulär war, half die Regierung gewaltig nach, um die ›richtige Kriegsstimmung‹ zu erzeugen. George CREEL, ein langjähriger Zeitungsmann, wurde zum offiziellen Regierungspropagandavertreter ernannt. Er rief die ›CREEL-Kommission‹ ins Leben, mit dem Ziel, die Amerikaner davon zu überzeugen, daß der Krieg gerechtfertigt sei. Diese Kommission beschäftigte 75 000 Sprecher, die 750 000 Vierminuten-Reden in 5000 amerikanischen Städten und Dörfern hielten.

Einen Tag, nachdem der Kongreß den Krieg erklärt hatte, kam die Sozialistische Partei in St. Louis zu einer Krisensitzung zusammen. Die Parteiführer nannten die Kriegserklärung »ein Verbrechen gegen die Menschen der Vereinigten Staaten«. Im Sommer 1917 prostestierten bei Veranstaltungen der sozialistischen Antikriegsbewegung größere Menschenmassen gegen den Krieg. Eine lokale Zeitung aus Wisconsin, *The Plymouth Review,* schrieb, »daß wahrscheinlich keine Partei jemals schneller erstarkt sei als die Sozialistische Partei in jener Zeit«. Das *Akron Beacon-Journal,* eine konservative Zeitung in Ohio, befand, »daß, wenn jetzt gewählt werden würde, eine mächtige Welle den gesamten mittleren Westen überfluten würde«. Sie bestätigte ferner, daß die Nation »noch nie einen unpopuläreren Krieg« geführt habe.

Die meisten prominenten Kriegsgegner wurden von der Regierung inhaftiert. Einer von ihnen, der Sozialist Charles SCHENCK, wurde in Philadelphia festgenommen, weil er Flugblätter drucken ließ, auf denen stand, daß das 13. Zusatzgesetz der amerikanischen Verfassung die allgemeine Wehrpflicht verbiete. Ferner behaupteten dieselben Flugblätter, die »Wehrpflicht... sei eine monströse Schandtat gegen die Menschlichkeit und im Interesse der Finanziers der Wall Street«. Professor Howard ZINN stellt fest: Als die USA in den Krieg eintraten, waren es die Reichen, die ihre unmittelbare Kontrolle über die US-Wirtschaft ausbauten. Der schwarze amerikanische Freiheitsadvokat W. E. B. Du Bois sah mit prophetischer Klarheit, daß der »amerikanische Kapitalismus internationale Rivalität – und periodische Kriege – benötige, um eine künstliche Interessengemeinschaft zwischen den Reichen und Armen zu schaffen, um damit die wirkliche Interessengemeinschaft zwischen den Armen zu ersetzen, die in sporadischen Bewegungen auftrat«.[276]

Der unnötige Krieg

Auf englischer Seite war es der Führer der konservativen Opposition, Lord Balfour, der ständig versuchte, Wähler zu gewinnen, indem er dem englischen Volk erzählte, England sei in Gefahr, da Deutschland immer mächtiger werde. Winston Churchill, damals noch als liberaler Politiker bekannt, beschrieb Balfours Dramatisierung der Umstände folgendermaßen: Das Ziel sei, »eine Panik ohne Grund zu verursachen, eine Politik mit dem Versuch, ohne Ursache bösen Willen zwischen zwei Nationen zu erregen«. Wir stellen nicht ohne Ironie fest, daß Churchill nicht viel später vor dem und im Zweiten Weltkrieg auf dieselbe Taktik zurückgriff, die er bei Balfour scharf kritisiert hatte, als er selbst Panikmacherei betrieb. Daß Balfour aber nicht nur billigen Populismus und Selbstprofilierung betrieb, wurde kurz darauf von dem damaligen US-Botschafter Henry White bestätigt, den das State Department zu Verhandlungen von Italien nach London geschickt hatte. Er kam in London an, als der deutsch-britische Handelskrieg auf dem Höhepunkt stand. Der amerikanische Historiker Allan Nevins hat in seinem Buch *30 Years of American Diplomacy* die Unterredung der beiden Politiker dokumentiert. Der brisanteste Teil der Unterhaltung lief folgendermaßen ab:

Balfour (ziemlich leichthin): Wir sind wahrscheinlich töricht, daß wir keinen Grund finden, um Deutschland den Krieg zu erklären, ehe es zu viele Schiffe baut und uns unseren Handel nimmt.

White: Sie sind im privaten Leben ein hochherziger Mann. Wie ist es möglich, daß Sie etwas politisch so Unmoralisches erwägen können, wie einen Krieg gegen eine harmlose Nation zu provozieren, die ein ebenso gutes Recht auf eine Flotte hat wie Sie? Wenn Sie mit dem deutschen Handel konkurrieren wollen, so arbeiten Sie härter.

Balfour: Das würde bedeuten, daß wir unseren Lebensstandard senken müßten. Vielleicht wäre ein Krieg einfacher für uns.

White: Ich bin erschrocken, daß gerade Sie solche Prinzipien aufstellen können.

Balfour (wieder leichthin): Ist das eine Frage von Recht und Unrecht? Vielleicht ist das nur eine Frage der Erhaltung unserer Vorherrschaft.[277]

Auch wenn sich diese Unterredung so anhört, als sei der US-Botschafter über die Äußerungen seines englischen Kollegen entsetzt gewesen, so stand die US-Außenpolitik dennoch mit Balfours Ziel im Einklang. Erstaunlich war vor allem auch eine Landkarte, die erstmals in der englischen Wochenschrift *Truth* im Dezember 1880 veröffentlicht wurde. Diese berüchtigte Karte enthielt bereits schon jene Grenzen, die schließlich 1919 und 1945 Wirklichkeit wurden, und sah bereits eine Art Ostblock vor. Sie wurde von dem Freimaurer und Politiker Henry Labouchère herausgegeben.[278] Vor allem freimaurerische Geheimkreise spielten bei der Verwirklichung dieser Geheimkarte eine große Rolle, wie der Autor Karl Heise in seinem sorgfältig recherchierten Werk *Entente – Freimaurerei und Weltkrieg* belegt. Über die erwähnte Geheimkarte schreibt er: »Diese geographische Karte, deren Vorhandensein mindestens bis ins Jahr 1888 nachgewiesen ist, deren Existenz also noch in die Regierungszeit Kaiser Wilhelms I. fällt (aber wahrscheinlich reicht ihr Dasein noch um manch weiteres Jahr zurück), enthüllt mit rauher Brutalität den ganzen umfassenden und seit mehr als einem Menschenalter sorgsam erwogenen Plan, Deutschland zur Hälfte, Österreich-Ungarn aber ganz und gar aus der Weltgeschichte auszulöschen... Die Erdkarte soll nach Englands Plan (d.h. nach dem Plan der Obersten Schotten- oder Weltloge) aufgezeichnet werden.« Heise weist auf den starken Einfluß der Freimaurerei auf das Kriegsgeschehen im Ersten Weltkrieg hin. Es ist daher nicht verwunderlich zu erfahren, »daß die Ermordung des Erzherzogs Franz Ferdinand bei den Freimaurern schon 1912 beschlossene Sache war«.[279] Dieses Attentat war bekannterweise die Initialzündung für den Ausbruch des Ersten Weltkriegs. Nach dem Verhör des angeklagten Bombenattentäters von Sarajevo, Gavrilo Princip, stellte sich heraus, daß die Drahtzieher des Mordes an dem Erzherzog alle Freimaurer waren.[280]

Aber zurück nach Amerika. Dort war man in gewissen Kreisen auch bestens im Bilde, wie der kommende Weltkrieg stattfinden sollte. Denn was der Staat damals aufgrund der schlechten finanziellen Lage noch nicht wagen konnte, besorgte der ultrareiche John Pierpont Morgan einfach nebenbei, indem er schon einmal einen 50 Millionen Dollar-Kredit zur Finanzierung der Aufrüstung an England vergab. Der Plan war einfach: England und Frankreich sollten sich auf die USA verlassen können, falls es zu einem Krieg mit dem kaiserlichen Deutschland kommen würde. Also lief eine Flut von Rüstungsaufträgen in diese Länder. »Jahre vor den Schüssen von Sarajevo hatte sich die amerikanische Schwerindustrie schon ganz auf Waffen eingestellt. Und ein Jahr vor den Schüssen von Sarajevo gingen bereits siebzig Prozent des gesamten Exports nach Frankreich und England. Die 50 Millionen Dollar, die Morgan privat verliehen hatte, waren aber nur der besagte Tropfen auf den heißen Stein, denn kaum war das Federal Reserve System eingerichtet, zwang das System die Amerikaner, 35 Milliarden Dollar an die Alliierten zu verleihen. Dies war natürlich für die US-Bankiers ein Riesengeschäft, da sie ebenfalls eine allgemeine Einkommensteuer in den USA zum Gesetz machten. Auf diese Weise zahlte der amerikanische Steuerzahler die gigantische Summe, die den Alliierten geliehen wurde, und die Bankiers hatten überhaupt kein finanzielles Risiko.«[281]

Vor dem Ausbruch des Ersten Weltkriegs hatte WILSON Edward Mandell Colonel HOUSE nach Europa entsandt, um festzustellen, in welche Richtung sich die europäische Politik bewege. HOUSE verbrachte fast die gesamte Zeit in England, was nicht überraschte, da er englischer Abstammung war. Als er im Juli 1914 abreiste, wußte er, daß die englische Politik den Krieg nahezu mit Sicherheit herbeiführen würde. Schon Wochen vor der Sarajevo-Krise berichtete HOUSE Präsident WILSON, daß das Einkreisungsbündnis gegen Deutschland auf ein Signal aus London hin marschieren werde.[282]

Ein mittelbarer Beweis, daß auch der Erste Weltkrieg geplant war, kam nicht überraschend von den internationalen Bankiers. So schreibt der angesehene amerikanische Historiker Charles TANSILL in seinem äußerst sorgfältig recherchierten Buch *Amerika geht in den Krieg* (*America goes to War*): »Schon ehe es zu Feindseligkeiten kam, kabelte am 3. August 1914 das französische Bankhaus Gebrüder Rothschild an Morgan & Co. in Neuyork [New York] und regte die Auflegung einer Anleihe von 100 000 000 Dollar an; ein beträchtlicher Anteil davon sollte in Amerika bleiben, um die französischen Ankäufe amerikanischer Waren zu decken.«[283] Wie aber konnte das internationale Bankhaus Rothschild schon wissen, daß die französische Regierung eine so gewaltige Summe von immerhin 100 Millionen Dollar benötigen würde, noch bevor die Feindseligkeiten auf dem europäischen Kontinent begonnen hatten? Eine für damalige Verhältnisse derartig große Summe konnte nur einen Zweck erfüllen, nämlich einen äußerst langen und zerstörerischen Krieg zu fördern, an dem die internationalen Bankiers ein riesiges Geschäft witterten. Es muß davon ausgegangen werden, daß die internationalen Bankiers nicht nur in Frankreich und den USA über Insiderwissen verfügten, das wahrscheinlich nicht einmal die damaligen Regierungen besaßen.

Als dann der Krieg in Europa ausbrach, ließ die US-Regierung keine Anzeichen des Eingreifens erkennen, um im europäischen Krieg Demokratie und Freiheit in Europa zu verteidigen, solange das Geschäft so gewinnbringend war. Nichtsdestotrotz hatte Woodrow WILSON Deutschland schon 1912 als den gefährlichsten Rivalen im Welthandel ausgemacht.[284] Der Krieg war gerade nur ein paar Tage alt, als der deutsche Botschafter Johann VON BERNSTORFF am 5. September 1914 in New York mit einigen deutsch-jüdischen Bankiers zu Abend aß. Einer dieser Bankiers, Oscar STRAUS, war überrascht, von BERNSTORFF zu erfahren, daß Deutschland nicht den Krieg gewollt habe und die nächste Gelegenheit ergreifen werde, den Frieden wiederherzustellen.

Diese Mitteilung war für STRAUS so sensationell, daß er sein Dinner beendete und den nächsten Zug nach Washington nahm. Am darauffolgenden

Morgen war er im Außenministerium, wo er diese Neuigkeit Staatssekretär Bryan mitteilte, dieser informierte dann wiederum den deutschen Botschafter. Das Ergebnis war ein Vermittlungsversuch über Bernstorff, um den Krieg diplomatisch zu beenden. Sofort herrschte unter den Alliierten Panik. »Nichts«, so der britische Diplomat Sir Spring Rice, »würde die Öffentlichkeit hier schneller auf die Seite der Deutschen bringen, als der Glaube, daß wir ehrliche und faire Friedensvorschläge abgelehnt hätten«. Aber Edward Grey hatte schon selbst bemerkt, daß das, was fair wäre, davon abhing, wie die Dinge laufen würden. Wegen einer möglichen friedlichen Beendigung des gerade ausgebrochenen Kriegs besorgt, zog Spring in den USA einige seiner Freunde zu Rate und erhielt sofort den Rat, »daß wir sofort erklären sollten, daß sich die Alliierten einen Dauerfrieden ersehnen«. Daraufhin empfahlen die USA den Briten, jeden noch so fairen Friedensvorschlag seitens Deutschland nicht anzunehmen, da die Alliierten ja einen ›echten‹ ›Dauerfrieden‹ anstrebten. Mit ihrem Verlangen nach einem ›echten‹ Frieden wurde den Völkern in den alliierten Ländern klar gemacht, daß man den Deutschen nicht trauen könne und sie daher gnadenlos bekriegen müsse, bis sie »völlig zerschlagen« und die Alliierten vollkommen siegreich seien.[285]

Aber Oberst House war schon im Dezember 1915 davon überzeugt, daß die Mittelmächte (Deutschland, Österreich usw.) bereit waren, einen Frieden anzunehmen, der zumindest für die Briten günstig genug war, daß diese ihn ebenfalls annehmen könnten. Seine Überzeugung brachte Edward Mandell House in einem Brief von Januar 1916 an Sir Edward, seinen britischen Kollegen, zum Ausdruck.[286] Und obwohl die US-Regierung sich offiziell darum bemühte, neutral zu erscheinen, schrieb Oberst House am 9. Februar 1916 aus Paris an Wilson, daß die Amerikaner nicht eingreifen würden, wenn die Alliierten im Frühjahr und Sommer nennenswerte Erfolge vorzuweisen hätten. Sollte sich jedoch der Kriegsausgang gegen die Alliierten entwickeln, dann würden die Amerikaner einspringen.

Im Jahre 1916 aber mußte US-Präsident Woodrow Wilson äußerst vorsichtig taktieren, denn die Präsidentschaftswahlen standen bevor. Dies war auch der einzige wirkliche Grund für die weit verbreitete Friedensinitiative des amerikanischen Präsidenten. Daß man aber in Washington diese Friedensinitiative nie ernst genommen hatte, zeigte schließlich Walter Hines Page in London, als er seinem britischem Kollegen Grey zusicherte, daß sie zu nichts führen werde. Den Beweis hierfür gab man dem französischen Botschafter Jusserand in Washington, als man ihm versicherte, er solle sich keine Sorgen machen, da die Friedensinitiative nichts weiter als eine kosmetische Public Relations-Sache für Präsident Wilsons Wahlkampf sei.[287]

Das war wirklich eine Tragödie, denn die Möglichkeit für einen Frieden war nie günstiger gewesen als gerade im Herbst 1916, und sie würde es später auch nie wieder sein. Durch geheime Kanäle hatte man in Deutschland am 25. September 1916 durch Botschafter GERARD dem US-Außenministerium mitgeteilt, daß »Deutschland bestrebt sei, Frieden zu machen«. Die Sache wurde später als ›BETHMANN-HOLLWEG-Friedensinitiative‹ bekannt, in der dem deutschen Botschafter BERNSTORFF am 26. September 1916 mitgeteilt wurde: »Die ganze Lage würde sich verändern, wenn Präsident WILSON... einen Vorschlag der Vermittlung an die Mächte richten würde... Ein solcher Schritt müßte aber schnell gemacht werden, da ansonsten wir nicht weiterhin ruhig beiseite stehen und zuschauen können, wie England... seine militärische und ökonomische Position auf unsere Kosten verbessert.«

Im September 1916 war die Lage also sehr günstig für einen Frieden für alle Mächte ohne einen blutigen Sieg. Nur eine Macht hätte einen solchen Frieden sichern und den Krieg beenden können, und zwar die wirklich neutralen USA, schreibt der Kriegshistoriker Walter MILLIS in seinem Buch *Road to War – America 1914–1917*.[288] Statt dessen begannen Verhandlungen mit Frankreich, das bis zur Jahreswende 1916/17 so weit gebracht wurde, daß es jede Friedensverhandlung mit Deutschland ablehnen würde.[289]

Oberst House als Kriegstreiber

HOUSE verließ Frankreich am 9. Februar 1916 mit dem Einverständnis, »daß, sollten die Alliierten schwer bedrängt werden, diese einer Friedenskonferenz des Präsidenten zustimmen würden«. Der Oberst berichtete enthusiastisch: »Die Alliierten werden der Konferenz zustimmen, und wenn Deutschland dies nicht tut, verspreche ich ihnen, daß wir unser ganzes Gewicht in die Waagschale werfen werden, um ihm unsere Bedingungen aufzuzwingen.«[290] Der besagte Oberst HOUSE, der die Verhandlungen leitete, trug den Titel ›Oberst‹ nur ehrenamtlich, denn er hatte nie beim Militär gedient, er war der wirkliche Drahtzieher hinter den Kulissen und wird daher von vielen Historikern zu Recht als der wahre Präsident der Vereinigten Staaten in WILSONS Amtszeit angesehen.[291] HOUSE hatte WILSON schon seit dessen Gouverneursjahren in New Jersey beobachtet und teilte seinen ›Insidern‹ in der Machtelite früh mit, daß WILSON ihr Mann sei, wenn man ihn nur ›richtig‹ fördern würde. HOUSE kannte WILSON daher schon jahrelang, bevor dieser mit Hilfe der Machtelite Präsident der USA wurde, und er wußte, wie man WILSON durch Erpressungen leicht verletzen konnte. Vor allem aber erkannte HOUSE, daß WILSON leicht in die ›richtige‹ politische Richtung zu lenken sei, wenn die Hintermänner ihn ›nach oben schieben‹ würden.

Es war auch HOUSE, der Wilson bei der Ernennung seiner Kabinettsmitglieder ›half‹. Ebenso war er es, der hinter den Kulissen dafür sorgte, daß der Kongreß seine Zustimmung für das kostspielige, im Privatbesitz befindliche Federal Reserve Bank System gab. Mit dieser gesetzlichen Genehmigung wurde gewissermaßen ein Staat in einem souveränen Staat geschaffen. Die Machtelite hatte sich schon lange eine Art Zentralbank der USA gewünscht, diese wurde aber entschieden und zu Recht vom amerikanischen Volk und dem Kongreß abgelehnt. So machte sich die Machtelite der damaligen Zeit daran, einen Plan zu entwickeln, mit dem das Volk und der Kongreß von der Wichtigkeit eines derartigen Systems überzeugt werden könnten. Allen voran war es Paul WARBURG (ein führender Bankier deutscher Abstammung), der mit Agenten des ROCKEFELLER-Clans den Plan aushecke, eine Zentralbank in den USA zu errichten. Mit diesem Machtinstrument, das wußten sie, konnten sie das gesamte Finanzsystem der USA jederzeit manipulieren. Von diesem infamen Federal Reserve System wird noch später die Rede sein.

Ferner war es auch HOUSE, der WILSON davon überzeugte, die USA in den Ersten Weltkrieg zu führen, falls die Machtelite es wünsche. Dazu ging HOUSE im Jahre 1916 zusammen mit einigen politischen Pro-Zionistenführern sowie dem Richter am Obersten Gerichtshof, BRANDEIS, einen Geheimhandel mit England ein. Es ging darum, Amerika an Englands Seite in den Ersten Weltkrieg zu führen, wofür England sich verpflichtete, den Amerikaner zu gegebener Zeit die englische Kolonie »Palästina zu überlassen«, eine Sache, die sich die US-Zionisten schon lange gewünscht hatten. So kann ohne Übertreibung behauptet werden, daß in Wirklichkeit HOUSE die WILSONsche Politik bestimmte, seit er 1912 in New Jersey WILSON für die Machtelite auserkoren hatte: er lenkte WILSON immer in die befohlene Richtung der Machtelite.[292] Präsident WILSON nannte Oberst HOUSE daher wohl nicht ohne Grund sein »zweites Ich«.

HOUSE traf hinter den Kulissen geheime Abmachungen mit England, die Amerika verpflichteten, in den Ersten Weltkrieg einzutreten. Er blieb 1915 mehr als fünf Monate in Übersee und vermochte WILSON triumphierend zu versichern, daß Außenminister GREY und die britische Regierung alle deutschen Angebote bezüglich eines Kompromißfriedens übergehen oder zurückweisen würden, und dies, obwohl WILSON in seinen Wahlreden immer wieder beteuerte, er werde es nicht zulassen, daß die USA in den europäischen Krieg hineingezogen würden: Sein Wahlspruch, mit dem er wieder gewählt wurde, lautete ironischerweise: »He kept us out of the war« (›Er hielt uns von dem Krieg fern‹).[293]

Daß für HOUSE schon im Jahre 1915 die Würfel gefallen waren, wurde aktenkundig, denn er trug am 30. Mai folgenden schicksalsschweren Satz in sein Tagebuch ein: »Ich habe entschieden, daß der Krieg mit Deutschland unumgänglich ist.« Er hatte sich ebenfalls entschlossen, Präsident WILSON davon zu überzeugen, daß der Krieg gegen Deutschland mit aller Entschlossenheit und der gesamten Stärke der Nation geführt werden müsse.[294] Daß er seine Meinung keinesfalls änderte, sondern noch festigte, wurde ersichtlich, als er im Juni 1916 im privaten Kreis verkündete, Amerika müsse wahrscheinlich in den Krieg mit Deutschland hineingezogen werden.[295] Ferner hatte HOUSE Anfang 1917 Präsident WILSON geraten, die Landkarte Europas neu aufzuteilen: Die Mittelmächte sollten unter den Alliierten aufgeteilt werden und die Türkei aufhören zu existieren.[296] Diese Unterredung zwischen HOUSE und Präsident WILSON zeigt, daß sie in Wirklichkeit ganz andere Ziele in Europa verfolgten, als sie öffentlich verkündeten, nämlich die der US- Machtelite. Da WILSON aber immer die Rolle des Gerechten in Europa gespielt hatte, konnte er nicht ohne weiteres auf den Rat von HOUSE eingehen. Beide brauchten also ein sensationelles Ereignis, um die amerikanische Bevölkerung für einen US-Krieg in Europa umzustimmen.

Der britische Geheimdienst hielt dieses sensationelle Ereignis so lange zurück, bis der Zeitpunkt gekommen war, daß es in den USA gleich einer Bombe einschlagen würde. Es kam in der Form des Zimmermann-Telegramms, das am 19. Januar 1917 in der deutschen Botschaft in Washington eintraf. WILSON hielt es nicht für notwendig, dieses Telegramm auf seine Authentizität hin zu prüfen. Das Zimmermann-Telegramm war eine politische Bombe, die die Emotionen der Amerikaner reizen würde. Dies wußte auch HOUSE, der WILSON drängte, es gleich »morgen zu veröffentlichen«. WILSON tat, was HOUSE ihm »geraten hatte«. Die Zeitungen boten der amerikanischen Öffentlichkeit Schlagzeilen, denen zufolge Deutschland eine Allianz mit Mexiko gegen die USA eingegangen sei. Dies entsprach aber nicht der Wahrheit, denn Deutschland hatte noch kein Bündnis mit Mexiko gesucht: Der Text des Telegramms forderte den Botschafter in Mexiko ausdrücklich dazu auf, dies nur dann zu veranlassen, wenn die USA Deutschland den Krieg erklären würden. Die Politik Deutschlands lief weiterhin darauf hinaus, eine Kriegserklärung der USA gegen Deutschland zu verhindern. Das Telegramm war daher keine Aggression gegen die USA, sondern eine Art Vorbeugung gegen einen amerikanischen Angriff auf Deutschland.[297]

Diese Information wurde aber bewußt den amerikanischen Lesern vorenthalten, damit keine Zweifel aufkamen, daß die USA von Deutschland nun bedroht waren. Am 26. März 1917 hatte HOUSE eine Besprechung mit Howard COFFIN, einem der Industriellen, die für das Aufrüstungsprogramm zuständig waren. COFFIN hatte Bedenken, daß es keine größere Aufrüstung geben würde und daß WILSONS Botschaft an den Kongreß ein Problem werden könnte. Deswegen fuhr HOUSE schon gleich am nächsten Tag nach Washington, um mit WILSON über das Aufrüstungsprogramm und seine Botschaft an den Kongreß zu sprechen. WILSON fragte HOUSE, ob seine Botschaft an den Kongreß eine Kriegserklärung sein solle oder ob er sagen solle, daß der Krieg schon bestehe und er nur noch nach den Mitteln, um ihn zu führen, fragen solle. »HOUSE antworte sofort, WILSON solle sich für die letzte Option entscheiden (›Ich hatte nämlich Angst, es würde zu einer heftigen Diskussion kommen, wenn er es dem Kongreß überließe, den Krieg zu erklären.‹), da die Verfassung dies anscheinend verlangt.« Als der Präsident Zweifel äußerte, Amerikas Beteiligung an dem Krieg in Europa werde der amerikanischen Öffentlichkeit mißfallen, versicherte ihm HOUSE, daß die Führung eines Weltkriegs sogar leichter als das Durchbringen des Federal Reserve Act sei. Auch die Kriegstreiber wurden nicht enttäuscht, denn das Kriegsministerium plante eine übrigens bereits vor der US-Kriegserklärung beschlossene Entsendung von zwei Millionen Mann nach Europa. Wenige Tage später wurde eine Resolution verabschiedet, der zufolge »alle militärischen Verträge auf der Basis eines drei Jahre-Programms abgeschlossen werden sollten«.[298]

›Oberst‹ Edward Mandell HOUSE war der Sohn eines englischen Finanzmagnaten, der sich im Süden der USA niedergelassen hatte. Schon wegen seiner englischer Abstammung war HOUSE daran interessiert, auf seiten der Engländer und Franzosen gegen Deutschland einzugreifen. Die mächtigsten Finanzkräfte in den USA, die HOUSES Biograph George VIERECK als die SCHIFFS, die WARBURGS, die KAHNS, die ROCKEFELLERS und die MORGANS, also die ›Crème de la crème‹ des amerikanischen Finanzwesens, beschreibt, setzten ihr Vertrauen in den ›Obersten‹.[299] Die Finanzelite setzte auf HOUSE, weil sie wußte, daß er die US-Außenpolitik in Wirklichkeit steuerte und beherrschte. Sie wußten, daß sie den Engländern und Franzosen viel Kapital geliehen hatten und es noch günstiger zurückbekommen würden, wenn Deutschland diese Länder nicht besiegen würde. Anderenfalls würden England und Frankreich beträchtliche Reparationen an Deutschland zahlen, und die Finanzelite in den USA würde leer ausgehen.

Ein Kriegsgrund muß her

Die Gründe, die für den Ersten Weltkrieg oft genannt werden, treffen sicherlich auch zu, aber es gab auch noch andere ausschlaggebendere. Hierzu zählt zweifellos, daß gewisse Finanzeliten in Europa und den USA den Krieg bereits mehr als zwei Jahrzehnte zuvor geplant hatten. In dieser Hinsicht ist das Buch *Woodrow Wilson and Colonel House* äußerst aufschlußreich, außerdem offenbart es das merkwürdige Verhältnis zwischen WILSON und Oberst HOUSE. Präsident WILSON hatte einer internationalen Friedensinitiative zugestimmt. Nach seiner Wiederwahl im November 1916 unterstützte er diese Friedensinitiative jedoch nicht mehr, obwohl er dies Deutschland versprochen hatte. Deshalb ergriff die deutsche Regierung am 12. Dezember 1916 selber die Initiative. Sie machte das Angebot eines Versöhnungsfriedens zwischen Gleichberechtigten ohne irgendwelche Annexionsabsichten. Dieses Angebot wurde in einer Reichstagsrede von Reichskanzler BETHMANN-HOLLWEG verkündet.

Wäre WILSON und die US-Führung wirklich an einem Frieden und daher an einem Ende des schrecklichen Kriegs in Europa interessiert gewesen, dann hätten sie diese Initiative ergriffen und einem Kompromißfrieden, der für alle Beteiligten fair gewesen wäre, zugestimmt. Aber WILSON und die US-Machtelite, die ihn vorantrieb, waren am Frieden einfach nicht interessiert, so daß WILSON nicht nur die deutsche Friedensinitiative überging, nein, er ging noch weiter und förderte geradezu den Krieg. Er verweigerte dem anständigen Angebot nicht nur jede Unterstützung, sondern ließ eine knappe Woche später – bevor die Alliierten irgendwie Kenntnis von dem deutschen Friedensplan genommen hatten – durch den anglophilen Außenminister Robert LANSING London mitteilen, daß, wenn die Alliierten nur die Stärke besitzen würden, das faire deutsche Angebot abzulehnen, er – WILSON – zum Dank die USA rasch auf alliierter Seite in dem Krieg kämpfen lassen würde. Damit hatte WILSON ganz eklatant sein gegenüber KAISER WILHELM gegebenes ›Sussex-Versprechen‹ gebrochen, mit dem er sich verpflichtet hatte, im europäischen Krieg neutral zu bleiben, so lange die USA nicht angegriffen würden.

Auf diese Weise führte WILSON die amerikanische Öffentlichkeit rasch in den Krieg – elf Wochen vor dem offiziellen Kriegseintritt durch das Votum des Kongresses, und er tat es rund zwölf Tage, bevor Deutschland als Reaktion auf den Bruch des ›Sussex-Versprechens‹ den unbeschränkten U-Boot-Krieg wiederaufnahm, den es fast ein Jahr zuvor für einen hohen Preis als Teil der Sussex-Verpflichtung eingestellt hatte. Und WILSON wußte, daß er nun den Krieg bekommen würde: Als die Alliierten auf WILSONS Druck hin das faire deutsche Friedensangebot vom 12. Dezember 1916 abgelehnt hatten, waren der Krieg und die militärische US-Intervention nämlich nicht mehr zu stoppen, bis eine der Kriegsparteien vernichtend geschlagen sein würde. Mit der gigantischen amerikanischen Militärhilfe (bis zu WILSONS Kriegseintritt im Jahr 1917 hatten die USA an England und Frankreich 2 300 000 000 Dollar ausgeliehen), die ausschließlich an die Alliierten ging[300], war es klar, daß es früher oder später zu einer Niederlage des von der englischen Seeblockade ausgehungerten Deutschlands kommen mußte.

Hätten die USA nicht in Europa eingegriffen, wäre der nach über drei Jahren in eine Sackgasse geratene Krieg abgeflaut und mit einer Schlichtung beendet worden, was für alle Beteiligten wohl besser gewesen wäre, denn die meisten Toten fielen im letzten Kriegsjahr (ungefähr zwei Drittel von 13 000 000). Daß der US-Eintritt in den Ersten Weltkrieg aufgrund des wieder aufgenommenen deutschen U-Boot-Einsatzes erfolgte, ist eine Propagandalüge. Denn nur drei Amerikaner waren erst durch den deutschen uneingeschränkten U-Boot-Einsatz umgekommen, als WILSON am 20. März 1917 bekanntgab, daß am 2. April 1917 eine Sondersitzung des US-Kongresses stattfinden werde, um Deutschland den Krieg zu erklären.[301] Außerdem hatte WILSON selbst dafür gesorgt, daß Amerikaner ihr Leben unnötig bei Schiffsreisen riskierten, denn er ließ die amerikanische Öffentlichkeit in Unkenntnis darüber, daß er amerikanischen Handelsschiffen verboten hatte, die Ostsee zu befahren, sie aber gleichzeitig ermutigte, riskante englische Gewässer zu benützen, während sie Amerikaner in möglichst großer Zahl an Bord hatten.[302]

Dieses hinterlistige Manöver, darüber konnte es keine Zweifel geben, mußte, nachdem Deutschland den U-Boot-Krieg wieder aufgenommen hatte, früher oder später zu einem Zwischenfall führen, über den WILSON dann Deutschland den Krieg erklären konnte. WILSON wußte genau, was er tat, denn er erhielt seine Instruktionen direkt von der US-Machtelite, und diese konnte es keinesfalls zulassen, daß Deutschland den Krieg gewinne. Träfe dies nämlich zu, dann wären die gesamten Kredite an die Alliierten eine riesige Fehlinvestition von schwerwiegendem Ausmaß gewesen. Deswegen suchte man in den höchsten Etagen der Machtelite krampfhaft nach einem U-Boot-Zwischenfall auf hoher See, mit dem eine Kriegsbeteiligung Amerikas gerechtfertigt erscheinen würde. Dieser Zwischenfall, da war man sich einig, mußte spektakulär sein, da die überwiegende Mehrheit des amerikanischen Volks – 90 Prozent, wie wir gesehen haben – gegen jeglichen Kriegsbeitritt der USA im europäischen Krieg war.[303]

Daß es den verschwörerischen anglo-amerikanischen Plan gab, wurde schließlich durch einige Tatsachen belegt. Die ›Lusitania‹, über die die USA in den Ersten Weltkrieg ihren Eintritt erzielten, war kein reines Zivilschiff, wie dies danach so oft beteuert wurde, denn selbst in den Ausgaben der britischen Marine-Jahrbücher *Jane's Fighting Ships* und *The Naval Annual* wurde die ›Lusitania‹ im ersten Buch als »Hilfskreuzer« aufgeführt, während sie im zweiten sogar als »bewaffnetes Handelsschiff« vertreten ist. Darüber hinaus war es zur damaligen Zeit allgemein bekannt, daß seit Februar 1915 sogenannte ›Mystery-Schiffe‹ unterwegs waren. Diese waren dem Anschein nach normale Handelsschiffe, in Wirklichkeit waren sie mit getarnter Bewaffnung gewappnet und hatten Marinepersonal an Bord, das in Zivilkleidung auftrat.

George S. VIERECK, der Herausgeber der Zeitung *The Fatherland* in New York, stand in Verbindung mit der in dieser Stadt lebenden deutschen Kolonie und wollte in deren Einvernehmen unbedingt einen Konflikt zwischen den USA und dem kaiserlichen Deutschland verhindern. Zu diesem Zweck hatte er ein Treffen organisiert, auf dem er seinen Standpunkt folgendermaßen erläuterte: »Früher oder später wird irgendein großes Passagierschiff mit Amerikanern an Bord von einem Unterseeboot versenkt, und dann ist der Teufel los.« Bei der darauffolgenden Debatte stellte sich heraus, daß das nächste größere britische Passagierschiff, das nach England reisen sollte, die ›Lusitania‹ war. Deshalb faßte VIERECK im Einvernehmen mit seinen Partnern den Entschluß: »Dann veröffentlichen wir eine

Warnung, ehe die ›Lusitania‹ ausläuft.« Mit Einverständnis der Deutschen Botschaft in den USA wurde dann geplant, diese Warnung für mögliche Passagiere in fünfzig US-Zeitungen zu verbreiten. Aber die Warnung wurde nicht, wie geplant, am 23. April 1915 (die ›Lusitania‹ sollte am 1. Mai auslaufen) in den 50 Zeitungen veröffentlicht. Nur eine einzige Zeitung, die dazu auch noch ziemlich unbedeutend war, *Des Monies Register*, druckte die Warnung. Der Grund für dieses Malheur war laut einer Meldung der Nachrichtenagentur United Press das State Department, das verlauten ließ, daß ohne seine Erlaubnis keine Anzeigen der Botschaft einer kriegführenden Nation veröffentlicht werden dürften. Eine Warnung war also nicht erwünscht. VIERECK ließ aber nicht nach, und am 26. April gelang es ihm, im State Department bis zu US-Außenminister William J. BRYAN heranzukommen. Ihm sagte VIERECK: »Die ›Lusitania‹ habe bei allen ihren Fahrten mit lediglich einer einzigen Ausnahme Munition an Bord gehabt. Er zeigte Ladepapiere, erklärte, daß am kommenden Freitag nicht weniger als sechs Millionen Schuß Munition auf die ›Lusitania‹ verladen werden sollten, und wies darauf hin, daß man jetzt, in diesem Augenblick, beobachten könne, wie die Ladung am Pier 54 gestapelt wurde.«

Daraufhin versicherte der gewissenhafte Außenminister, er werde den Präsidenten benachrichtigen, was er dann auch tat, »doch Präsident WILSON sprach die Warnung niemals aus, zu der ihn BRYAN bewegen wollte«. Es war sowieso allgemein bekannt, daß Munition auf schnelle Passagierschiffe in den USA verladen wurde, die dann nach England und Frankreich geschifft wurde, auch wenn dies ein klarer Verstoß gegen Präsident WILSONS verabschiedete Neutralitätsgesetze war. Ebenso duldeten die USA, daß England seine Schiffe eigenmächtig unter der US-Fahne fahren ließ. Somit hatte die Kriegsclique um WILSON den Weg für einen U-Boot-Zwischenfall bestens geebnet. Als die ›Lusitania‹ dann wirklich von einem deutschen U-Boot torpediert wurde, gingen etwa 3000 Tonnen Munition, die sich an Bord des Schiffs befanden, in die Luft. Der Luxusliner war von New York aus, mit 5468 Kisten Munition, 4200 Kisten Metallpatronen, 18 Kisten Zündern sowie 1250 Kisten Schwarzpulver beladen, in See gegangen.

Es gab außerdem eine Sache, auf die VIERECK ebenfalls ziemlich vergeblich hingewiesen hatte: Noch vier Tage, bevor es zu dem Fiasko kam, hatte Außenminister BRYAN Präsident WILSON mitgeteilt, daß die ›Lusitania‹ ein getarnter Munitionstransporter sei. Ebenso deutlich ließ er WILSON wissen, Amerikaner auf das Schiff zu lassen verstoße gegen ein US-Gesetz, das jedem US-Bürger ausdrücklich untersagte, mit Zügen oder Schiffen zu reisen, die gefährliche Explosivstoffe geladen hatten. Deswegen drängte er WILSON, alles zu veranlassen, damit es nicht zum Unglück komme. Auf ironische Weise suchte etwas später der Counselor im State Department, Robert M. LANSING, nach Rechtfertigungsgründen, um die US-Haltung zur

Versenkung der ›Lusitania‹ zu verteidigen. Als er ein Memorandum mit seinen Argumenten der Rechtsabteilung der US-Regierung zukommen ließ, bekam er unter anderem die Mitteilung: »Großbritannien hatte die Unterscheidung zwischen Handelsschiffen und Kriegsschiffen abgeschafft.« Daraus folgerte sie: »Deshalb hatte Deutschland durchaus das Recht, die ›Lusitania‹ zu versenken.« Später schrieb der englische Flottenadmiral und Seelord Sir John FISHER in einem ehrlichen Brief an seinen deutschen Kriegsgegner Admiral TIRPITZ: »Ich mache Ihnen keinen Vorwurf wegen der U-Boot-Sache, an Ihrer Stelle hätte ich genauso gehandelt... Die ›Lusitania‹ hätte verwendet werden können, um mit einer einzigen Reise 10 000 amerikanische Soldaten zur Bekämpfung Deutschlands herüberzubringen.«

Dennoch war die offizielle Stellungnahme zum Zwischenfall alles andere als ehrlich: Britische und amerikanische Behörden leugneten noch jahrelang, daß die ›Lusitania‹ Kriegsmaterial geladen hatte, obwohl schon die eigentliche Versenkung des Schiffs den Beweis erbracht hatte, daß es sich um eine schwimmende Bombe handelte. Anders läßt es sich auch nicht erklären, wie ein einziger Torpedo eine solche Explosion hervorrufen konnte, daß der ganze Bug sich völlig vom Rest des Schiffsrumpfs wegriß. Die Überlebenden erklärten alle einstimmig, daß nach der ersten Torpedoexplosion eine viel intensivere eintrat. Auch im Logbuch vom U-Boot U 20 ist das Erstaunen von Kapitänleutnant SCHWIEGER über das vernichtende Ausmaß der Explosion protokolliert.

Weitere Ungereimtheiten traten nach der Bergung der toten Opfer auf. »Kurz nach der Torpedierung ergingen von der britischen Admiralität die Instruktionen, dafür zu sorgen, daß für die Leichenschauverhandlung in Kinsale nur jene innerhalb des Bezirks an die Küste gespülten Opfer ausgesucht würden, die ›nicht durch... Einwirkungen, die wir nicht publik zu machen wünschen, den Tod gefunden haben oder verstümmelt wurden‹. Dies ging sogar so weit, daß die Royal Navy die Fischer in der Gegend daran hinderte, Überlebende bei Kinsale an Land zu bringen. 1982 entdeckten Taucher des britischen Spezialschiffs ›Archimedes‹ auf der Backbordseite der gesunkenen ›Lusitania‹ ein 14 Meter großes gezacktes Loch, dessen Stahlwände nach außen gebogen waren.« Aber soweit muß eigentlich gar nicht in die Gegenwart vorgedrungen werden, um Beweise für das Opfer namens ›Lusitania‹ zu finden. »Commander Joseph KENWORTHY von der politischen Abteilung des Marinenachrichtendienstes war 1915 im Kartenraum der Admiralität anwesend, als der Begleitkreuzer Juno umdirigiert wurde, worauf die ›Lusitania‹ – die Besatzung wußte nichts davon – ungeschützt ihrem Schicksal entgegendampfte. 1927 schrieb er darüber in seinem Buch *The Freedom of the Seas:* »Die ›Lusitania‹ wurde bei beträchtlich verminderter Geschwindigkeit und ohne die zurückbeorderten Geleitschiffe in die Zone geschickt, in der bekanntermaßen ein U-Boot lauerte... Im

Originalmanuskript hieß es sogar ›bewußt ... geschickt‹, doch wurde das Wort ›bewußt‹ herausgestrichen, nachdem die Admiralität beim Verlag Hutchinson deswegen interveniert hatte.«[304]

Damit auch wirklich alles planmäßig nach dem Drehbuch der Machtelite ablief und um den Zufall auszuschließen, ging man folgendermaßen vor: »Als das Passagierschiff auf hoher See war, verriet man diskret dem deutschen Geheimdienst den Waffentransport (das mag keine Schwierigkeiten bereitet haben, wenn man bedenkt, daß ein Bruder des mit einem deutschen kaiserlichen Orden geschmückten Federal Reserve Bank-Begründers Paul Warburg nicht nur im deutschen Geheimdienst das Sagen hatte, sondern auch die Finanzgeschäfte des Kaiserreiches führte.)«[305] Somit hatte ebenso wie die US-Machtelite auch Großbritannien den ersehnten Eintritt der USA in den Ersten Weltkrieg mit allen notwendigen Intrigen inszeniert.

Papiergeld statt Gold

Der Erste Weltkrieg hatte in den betroffenen Staaten eine astronomische Staatsverschuldung ausgelöst, diese Schulden waren bei den internationalen Bankiers gemacht worden. Krieg war für diese Finanzelite schon immer äußerst einträglich. Der Erste Weltkrieg war eine Katastrophe solchen Ausmaßes, wie man sie sich heute kaum vorstellen kann. An den Fronten waren rund 13 Millionen Männer gestorben. Es wird geschätzt, daß im Krieg Gebäude im Wert von 400 000 000 000 Dollar zerstört worden sind, wobei alle Gebäude in Frankreich und Belgien zu der Zeit nicht mehr als 75 000 000 000 Dollar betragen haben. Die Militärs auf beiden Seiten gingen von der falschen Annahme aus, daß der Krieg unmöglich länger als höchstens sechs bis acht Wochen dauern könne und daß der Sieg für die Seite gesichert sei, die den massivsten Angriff mit einem Minimum an Mobilmachungsfrist vornehmen könne. Ein Vorsprung am Anfang wurde als entscheidend angesehen, da dies den Truppen eine psychologische Selbstbestätigung geben würde – dachte man damals.

Um die Finanzierungsprobleme zu bewältigen und den Weg für einen äußerst langen und zerstörerischen Krieg vorzubereiten, so daß daraus der größte mögliche finanzielle Gewinn geschlagen werden konnte, entwarfen die Bankiers ein neues Finanzsystem. Dieses System beruhte auf geschuldeten Verpflichtungen mit ungedecktem Papiergeld – sogenannten Schatzanweisungen. Damit dieses System auch überall richtig funktionieren konnte, hob jedes Land den bewährten Goldstandard bei Kriegsbeginn auf. Mit diesem hinterlistigen Schritt wurde auf einen Schlag das ganze Finanzsystem auf den Kopf gestellt: Denn man hatte nun die automatische Begrenzung durch die Versorgung mit Papiergeld beseitigt. Sodann hatte jedes Land den Krieg durch Aufnahme von Krediten bei den Bankiers bezahlt.

Die Banken machten das Geld, das sie anschließend ausliehen, indem sie der Regierung einfach ein Konto in beliebiger Höhe zuwiesen, auf welches dann die Regierung Schecks ziehen konnte. Dies war ein reiner Segen für die internationalen Bankiers, denn nun waren die Banken nicht mehr in der Höhe der Kredite begrenzt, die sie bereitstellen konnten, weil sie nun kein Gold mehr auf Verlangen gegen Schecks eintauschen mußten.

Damit war die Höhe der Verschuldung der Kriegsnationen nur noch von der Nachfrage ihrer Schuldner begrenzt, und diese erschien schier grenzenlos. Und weil die Regierungen für ihren Bedarf Geld liehen, liehen natürlich auch die Privatunternehmen, um die Regierungsaufträge ausführen zu können.[306] Damit war schon vor dem Kriegsbeginn klar, daß der Krieg sich jahrelang hinziehen würde, ja ein regelrechter Zermürbungskrieg werden würde, solange alle Verhandlungen von nur einer Kriegspartei abgelehnt würden. Selbst Winston CHURCHILL, den man wohl kaum als antiamerikanisch bezeichnen kann, sagte einmal über den Ersten Weltkrieg: Hätten sich die USA um ihre eigenen Angelegenheiten gekümmert, »wäre Frieden mit Deutschland geschlossen worden, und es hätte keinen Zusammenbruch in Rußland gegeben«.[307] In seinem Artikel in dem *Illustrated Sunday Herald* vom 8. Februar 1920 schrieb Winston CHURCHILL, daß die »weltweite und stetig wachsende ›Illuminaten‹-Verschwörung eine klar erkennbare Rolle in der Tragödie der Französischen Revolution gespielt hat. Sie ist die Antriebsfeder einer jeden subversiven Bewegung des 19. Jahrhunderts gewesen; und nun, zuletzt, hat diese Bande außergewöhnlicher Persönlichkeiten aus der Unterwelt der Großstädte Europas und Amerikas das russische Volk bei den Haaren gepackt, und sie sind praktisch die unangefochtenen Herren dieses riesigen Reiches«.[308] (Mit den ›Illuminaten‹ meinte Churchill die internationalen Bankiers und verschiedene Geheimgesellschaften, die schon aus jedem großen Krieg beträchtliche Vorteile gezogen hatten.)

›Big Business‹ als Kriegsgrund

Entgegen so mancher Erwartung lief der Krieg aber gegen die Alliierten. Im Frühjahr 1917 fingen von 112 französischen Divisionen 68 an zu meutern, 50 Meuterer wurden dafür von Exekutionskommandos erschossen. In England war die Situation nicht viel besser, ganze Divisionen weigerten sich, den Feind anzugreifen, für ein paar gewonnene Kilometer an der Front wurden oft Hunderttausende geopfert.[309] Und so sahen sich die USA gezwungen einzugreifen, mochten WILSON und die US-Führung noch soviel behaupten, der wiederaufgenommene U-Boot-Krieg sei der Grund gewesen, weshalb sie in den europäischen Krieg eingreifen mußten. Erst das energische Eingreifen der USA riß das Kriegsglück noch einmal herum, ohne die USA hätten die Alliierten den Krieg wohl verloren. Nach dem

Ersten Weltkrieg war das Produktionsvolumen des kontinentalen Europas um etwa ein Drittel gesunken, während das der USA einen unbeschreiblichen Aufschwung erlebte.[310] WILSON war zumindest ehrlich oder, wenn man so will, dreist genug, um vor dem Ersten Weltkrieg zu behaupten: »Sie werden erleben, wie sich, wenn der Krieg ausbrechen sollte, ›Big Business‹ in den Sattel schwingt.«

Der Erste Weltkrieg änderte die Wirtschaftsbeziehungen zwischen Amerika und Europa grundlegend: 1914 schuldete Amerika dem Rest der Welt 3,8 Milliarden Dollar, 1919 schuldeten die Europäer den Amerikanern 12,5 Milliarden Dollar. Dies bedeutete nichts anderes, als daß innerhalb von nicht einmal fünf Jahren die ehemalige Schuldnernation USA zu einer Gläubigernation emporstieg, der die Europäer mehr als dreimal soviel schuldeten wie vor dem Ersten Weltkrieg die USA den Europäern.[311]

Die USA zogen in den Krieg wahrlich nicht, um »die Welt für die Demokratie sicher zu machen«, wie es WILSON so beredt beteuerte. Vielmehr wäre, wie WILSON zuvor zu Recht betonte, ein siegreiches Deutschland für die US-Wirtschaft auf dem Weltmarkt ein zu starker Konkurrent gewesen, und die von Deutschland besiegten westlichen Alliierten wären niemals in der Lage gewesen, ihre Kriegsschulden in Höhe von über 2500 Millionen Dollar an die USA zurückzuzahlen, weil sie ja erhebliche Reparationen an die Deutschen hätten zahlen müssen.

Aber darüber hinaus wäre der gesamte atlantische Handel, der von den USA und England beherrscht wurde, mit einem deutschen Sieg völlig umgelenkt und von Deutschland für amerikanische Verhältnisse zu stark beherrscht worden. Ein deutscher Sieg hätte ein Deutschland mit enormem Kolonialbesitz in Afrika und mit neuen Besitzungen in Osteuropa (Ukraine) geschaffen. Dieses Deutschland hätte den Amerikanern ihren Absatzmarkt für Fertigprodukte in Europa streitig gemacht. Aber im krassen Gegensatz zu einem solchen Szenario waren die erheblich geschwächten Sieger England und Frankreich und ihre Wirtschaften für die USA leichter zu kontrollieren und zu lenken. Kurzum: Nur durch eine Niederwerfung Deutschlands und die geschwächte Wirtschaftskraft Englands und Frankreichs würde Amerika wirtschaftlich die Nummer eins in der Welt sein. Und ihre Ziele wurden natürlich auch erfüllt.[312]

In dieser Hinsicht ist wohl auch der Kommentar eines amerikanischen Generalkonsuls zu verstehen. Nach dem Krieg sagte dieser nämlich auf die Frage, ob der U-Boot-Krieg und die Versenkung der ›Lusitania‹ den Kriegseintritt der USA vorbereitet hätten: »Nein, das war nur das Streichholz, welches das Stroh entzündete. Wir hätten sonst andere einleuchtende Gründe finden müssen, um in dieses Geschäft einsteigen zu können. Hätten wir uns nicht mit den Alliierten verbündet, dann wären wir nach dem Krieg irgendwer gewesen – jetzt werden wir die Nummer eins sein.« Der Krieg machte Amerika reicher, als es jemals war. Er machte die USA zum Bankier der Welt, die amerikanischen Investitionen breiteten sich nun über die ganze Erde aus. Diese wahren Gründe für den Kriegseintritt der USA sollten sich erst Jahre später offiziell bestätigen.

Während eines Kongreßkomitees im Jahre 1934 unter der Leitung von Senator Gerald P. NYE, das eine Untersuchung der Munitions- und Rüstungsindustrie durchführte, rückte die Wahrheit näher an das Tageslicht. Denn das Ergebnis dieser als ›Munitions and Armament Investigation‹ bekannt gewordenen Untersuchung läßt sich in einem vielsagenden Satz zusammenfassen: »Hauptverantwortlich für den Entschluß der USA, 1917 den Krieg zu erklären, waren die Rüstungsindustrie und die Hochfinanz, weil ihre unmittelbaren Interessen und Profite sich in einem entscheidenden Ausmaß mit der britischen und französischen Hochfinanz verflochten.«[313]

Ein weiterer wichtiger Grund für den Eintritt der USA in den Ersten Weltkrieg war die Tatsache, daß das überaus einflußreiche Bankhaus ROTHSCHILD über das Ausmaß der militärischen Erfolge Deutschlands beunruhigt war und fürchtete, die Deutschen könnten schließlich doch noch den Krieg gewinnen. Somit sah es das ROTHSCHILD-Imperium als absolut notwendig an, den drastischen Schritt zu vollziehen, Amerika in den Krieg zu manövrieren. Dies war notwendig geworden, um die übersteigerten Anleihen der ROTHSCHILDS zu retten und die Gefahr von ihren privaten Banken in Frankreich und England abzuwenden. Um diesen Schritt auch wirksam vollziehen zu können, hatte das internationale Bankhaus schon vorgesorgt. Denn die von ROTHSCHILD beherrschte Bank of England konnte jetzt direkt mit ihrem Hauptvertreter in den USA, Paul WARBURG, in dem von den ROTHSCHILDS finanzierten Hause Kuhn, Loeb & Co. verhandeln. Dazu sollte noch erwähnt werden, daß kein geringerer als der besagte Colonel HOUSE die herzlichsten Beziehungen zwischen den beiden Bankiers Felix und Paul WARBURG vom Bankhaus Kuhn, Loeb & Co. in New York und dem Rest der Familie in Amsterdam und Hamburg aufrechterhielt.[314] Selbst WILSON vertrat am Schluß den Standpunkt, ein deutscher Sieg hätte die internationale Machtbalance gestört.[315] Nach dem Ersten Weltkrieg machte WILSON gewissermaßen ein Geständnis in bezug auf die amerikanische Kriegspolitik, als er während einer Sitzung des Ausschusses für Auswärtige Angelegenheiten (66. Kongreß) deutlich auf eine Frage von Senator MCCUMBER antwortete:

Senator McCumber: »Präsident WILSON, glauben Sie, daß, wenn Deutschland keine Kriegshandlungen oder kein Unrecht gegen unsere Bürger begangen hätte, wir dann trotzdem in diesen Krieg hineingezogen wären?«

Präsident Wilson: »Ich glaube es.«

Senator McCumber: »Sie sind also der Meinung, daß wir auf jeden Fall in den Krieg gegangen wären?«

Präsident Wilson: »Jawohl.«[316]

Dies beweist auf höchst eindrucksvolle Weise, daß der angebliche U-Boot-Krieg nichts als ein Vorwand für die USA war, einen Krieg gegen Deutschland zu führen. Denn WILSON selbst bestätigte, daß, auch wenn Deutschland keine Kriegshandlungen gegen die USA unternommen hätte, diese gegen Deutschland Krieg geführt hätten. Dies konnte aber nur der Fall sein, wenn es schon längst einen geheimen Plan gegen Deutschland gab, den die US-Machtelite unbedingt verwirklichen wollte, gleichgültig, ob das amerikanische Volk zu 90 Prozent gegen einen solchen Weltkrieg war oder nicht!

Noch ein paar Worte zu Präsident WILSON. Sein größter Befürworter in seinen beiden Wahlkämpfen war ein gewisser Cleveland H. DODGE, der aus der von Kuhn, Loeb & Co. kontrollierten National City Bank von New York hervorging. Das ist aber nur die halbe Wahrheit, denn Cleveland DODGE war zugleich auch Chef der Rüstungsfirmen Winchester Arms Company und der Remington Arms Company. Es muß wohl kaum hinzugefügt werden, daß WILSON und DODGE dicke Freunde waren. Daß diese Freundschaft nicht aus leeren Worten bestand, wurde unter Beweis gestellt, als WILSON am 12. Februar 1914 das Waffenembargo gegen Mexiko aufhob, so daß DODGE für eine Million Dollar Waffen und Munition für CARRANZA verschiffen und so die mexikanische Revolution fördern konnte. Hintergrund dieser Aktion war die Tatsache, daß Kuhn, Loeb & Co. das Eisenbahnnetz von Mexiko besaßen und mit der damaligen HUERTA-Regierung in Mexiko unzufrieden waren. Das versenkte britische Marinehilfsschiff ›Lusitania‹ war übrigens auch mit Munition aus DODGES Fabriken beladen.[317]

Der Erste Weltkrieg schuf die Voraussetzungen für den Zweiten Weltkrieg

Als die Führer der im Ersten Weltkrieg siegreichen Nationen 1919 in Versailles zusammentrafen, waren sie angeblich damit beschäftigt, einen gerechten Frieden für alle am Krieg beteiligten Nationen auszuhandeln. In Wirklichkeit war die ganze Verhandlung eine Farce: Deutschland war von vornherein von allen Beratungen ausgeschlossen worden, und die sogenannten Verhandlungen waren eher ein Verrat und eine Verschwörung gegen den Frieden für die Welt. Während der Beratungen in Versailles waren die Vertreter des wohl mächtigsten Bankhauses der Welt, die ROTHSCHILDS und ihre Agenten, mit von der Partie, um sicherzustellen, daß die Dinge auch in die ›richtigen‹ Wege geleitet würden, um ihre Interessen zu fördern. Die Delegation der USA wurde von Woodrow WILSON angeführt, aber natürlich war er nur eine Marionette in den Händen von HOUSE, der wiederum von der US-Machtelite seine Befehle erhielt. Das dritte äußerst wichtige Mitglied der US-Delegation war Bernard BARUCH, der Leiter des

Zu S. 52 ff.: Der Sezessionskrieg (1861–1865) oder: der Krieg gegen das eigene Volk. Der amerikanische Bürgerkrieg war der erste ›moderne Krieg‹, das heißt ein grausamer Krieg auch gegen die Zivilbevölkerung, ein Krieg mit dem Prinzip der verbrannten Erde, ein Krieg mit bedingungsloser Kapitulation und nachfolgender, jahrzehntelanger Ächtung des Verlierer. Er wurde zum Präzedenzfall des Zweiten Weltkriegs.

Tote Soldaten auf dem Schlachtfeld bei Gettysburg, der Entscheidungsschlacht im amerikanischen Bürgerkrieg, 3. Juli 1863.

Die Ruinen von Charlston nach dem Sieg der Nordstaatler.

Der Demokrat James Buchanan (1857–1861). *Unten:* Abraham Lincoln (1861–1865), hier am 3. Juni 1860 porträtiert.

Zu S. 97 ff.: Theodore Roosevelt als Kommandeur eines für den Krieg gegen Spanien rekrutierten Freiwilligen-Regiments (›Rough Riders‹) 1898 auf Kuba.

Der Cowboy im Weißen Haus: ›Teddy‹ Roosevelt (1901–1909)

Zu Seite 97: Karikatur auf Theodore Roosevelts Diplomatie mit dem dicken Knüppel.

Zu S. 94 f.: Die Karikatur zeigt die Versenkung der ›Maine‹. Der Zwischenfall löste ein derartiges Aufsehen aus, daß Präsident McKinley ihn als Kriegsgrund benutzte.

Zu S. 105 f.: US-Einmarsch in Los Cocos 1914 (»um den Mexikanern zu helfen«).

Amtes für Kriegsindustrie im Ersten Weltkrieg, der die Rolle des ›Beraters‹ spielte. BARUCH hatte schon früh in WILSONS Wahlkampagne 1912 investiert, womit er das Geschäft seines Lebens gemacht hatte, denn während er das Amt für Kriegsindustrie innehatte, erwarb er hierdurch rund 200 Millionen Dollar mit den lukrativen Regierungsaufträgen, die er an die ›richtigen‹ Stellen vergab. 200 Millionen Dollar waren für die damalige Zeit eine schier überwältigende Summe für eine einzelne Person.

England wurde durch Premier David LLOYD GEORGE vertreten. An seiner Seite befand sich Sir Philip SASSOON, ein direkter Nachfahre von Amschel ROTHSCHILD, während auf der französischen Seite Premierminister CLEMENCEAU von einem gewissen Georg MANDEL ›beraten‹ wurde. MANDELS Geburtsname war aber Jeroboam ROTHSCHILD. Es kann also ohne jegliche Übertreibung behauptet werden, daß in Versailles alle Spitzenbankiers des Hauses ROTHSCHILD vertreten waren und danach sahen, daß ihre Interessen nicht nur berücksichtigt, sondern auch bedingungslos befolgt wurden. Die kleinen Nationen, über deren Schicksal bestimmt wurde, waren genauso wenig wie Deutschland in Versailles vertreten. Der endgültige Vertrag wurde von vielen Beobachtern später scharf kritisiert. Philip SNOWDEN, der später Mitglied des englischen Parlaments werden sollte, bewertete das Ganze so: »Der Vertrag dürfte Briganten, Imperialisten und Militaristen zufriedenstellen. Er ist ein Todesstoß für alle diejenigen, die gehofft hatten, das Ende des Krieges werde den Frieden bringen. Es ist kein Friedensvertrag, sondern eine Erklärung für einen weiteren Krieg. Es ist der Verrat an der Demokratie und an den Gefallenen des Krieges. Der Vertrag bringt die wahren Ziele der Verbündeten an den Tag.« Lord CURZON urteilte, der in Versailles ausgebrütete Vertrag sei »kein Friedensvertrag, er ist einfach eine Unterbrechung der Feindhandlungen«. Später hat LLOYD GEORGE mit geradezu prophetischer Voraussicht bestätigt: »Wir haben ein schriftliches Dokument, das uns Krieg in zwanzig Jahren garantiert. Wenn Sie einem Volk (Deutschland) Bedingungen auferlegen, die es unmöglich erfüllen kann, dann zwingen Sie es dazu, entweder den Vertrag zu brechen oder Krieg zu führen. Entweder wir modifizieren diesen Vertrag und machen ihn für das deutsche Volk erträglich, oder es wird, wenn die neue Generation herangewachsen ist, es wieder versuchen.«

Die Schuldenlast, die dem deutschen Volk auferlegt wurde, war eindeutig ein Unterdrückungssystem, mit dem das deutsche Volk zum Armenhaus herabgewürdigt werden sollte. Aber eben diese Schuldenlast war für die internationalen Bankiers ein großes gewinnbringendes Geschäft. So berichtet Professor QUIGLEY: »Es ist zu beachten, daß dieses System von den internationalen Bankiers eingerichtet wurde und daß das Verleihen des Geldes anderer an Deutschland für diese Bankiers höchst gewinnbringend war.« Er fügt hinzu: »Mit Hilfe dieser amerikanischen Kredite wurde die deutsche Industrie weitgehend mit den neuesten technischen Einrichtungen ausgerüstet. ... Damit konnte Wohlstand ... trotz Reparationen beibehalten werden, und die Reparationen konnten bezahlt werden ohne die Übel eines defizitären Haushaltes und einer negativen Handelsbilanz. Devisen, die in Form von Krediten an Deutschland gingen, flossen an Italien, Belgien, Frankreich und England in Form von Reparationen zurück sowie schließlich an die Vereinigten Staaten in Form von Rückzahlungen der Kriegsschulden. Was allein an diesem System schlecht war, war die Tatsache, daß es zusammenbrechen würde, sobald die Vereinigten Staaten kein Geld mehr leihen würden, und zweitens, daß in der Zwischenzeit die Schulden lediglich von einem Konto auf ein anderes verschoben wurden und niemand der Zahlungsfähigkeit auch nur einen Schritt näher kam. In der Zeit von 1924 bis 1931 bezahlte Deutschland 10,5 Milliarden Mark an Reparationen, borgte sich aber insgesamt 18,6 Milliarden Mark. Somit war rein gar nichts gelöst, doch die internationalen Bankiers saßen im Himmel, wo es von Gebühren und Provisionen nur so regnete.«

Dieses System war von der Versailler Verschwörungsclique aber so ausgearbeitet worden, daß Deutschland mit einem Schlag in eine völlig niederschmetternde Wirtschaftsdepression getrieben werden konnte. Im Herbst 1929 war es dann so weit, als die internationalen Bankiers auf den Knopf drückten, der die Große Depression auslöste. Die Große Depression war bekanntlich der Todesstoß für die junge demokratische deutsche Weimarer Republik.[318]

Daß die Große Depression kein zufälliges Ereignis war, das nichtwissende Bankiers aus Versehen ausgelöst hätten, bewies der verstorbene Konspirationstheoretiker Gary ALLEN eindrucksvoll in seinem Werk *Die Insider – Baumeister der ›Neuen Welt-Ordnung‹*. Auch die Autoren MULLINS und BOHLINGER weisen in ihrem Buch *Die Bankiersverschwörung* nach, daß die Große Depression eine gut geplante Intrige der US-Machtelite war. ALLEN beschreibt auf brisante Weise, wie das Federal Reserve System der US-Machtelite den Schlüssel zur Auslösung der Großen Depression lieferte. Er weist auf folgendes hin: »Die Federal Reserve kontrolliert unsere Geldversorgung und die Zinssätze, wobei sie die gesamte Wirtschaft manipuliert. Sie erzeugt Inflation oder Deflation, Rezession oder Boom, sie treibt die Börse nach eigenem Ermessen hinauf oder hinab.«[319] Auch MULLINS weist darauf hin, daß »die durch das Gesetz (mit dem das Federal Reserve System die Finanzverwaltung der USA übernahm) ermöglichten Manipulationen des Diskontsatzes, wodurch die Menge des umlaufenden Geldes und jene Börsenspekulationen zu beeinflussen waren, bei denen große Mengen von Regierungsaktien an der New Yorker Börse gehandelt oder zurückgehalten wurden, um eine Ausweitung oder Verknappung des Krediteszu erzielen, direkt verantwortlich waren für das größte Unglück, das Amerika je getroffen hat, die große Wirtschaftskrise von 1929–1931. MULLINS' Ansicht nach führte dies unmittelbar zu jenem Desaster, das als ›Große Depression‹ in die Geschichte einging.[320] Die Federal Reserve war so machtvoll, daß das Kongreßmitglied Wright PATMAN, Vorsitzender des House Banking Committee, behauptete: »In den Vereinigten Staaten gibt es heute in Wirklichkeit zwei Regierungen: Wir haben die ordnungsgemäß konstitutionierte Regierung. . . Dann haben wir eine unabhängige, unkontrollierte, nicht koordinierte Regierung im Federal Reserve System.«

Ferner unterstreicht ALLEN folgende Tatsache: »Nachdem die internationalen Bankiers die Federal Reserve als Instrument zur Konsolidierung und Kontrolle des Reichtums erschaffen hatten, waren sie nun bereit, zu einem vernichtenden Schlag auszuholen. Zwischen 1923 und 1929 expandierte – oder inflationierte – die Federal Reserve die Geldversorgung um 62 Prozent. Das meiste dieses neuen Geldes wurde dazu gebraucht, die Börsenkurse zu schwindelerregenden Höhen hinaufzureizen. Zur selben Zeit, als diese enormen Mengen von Kreditgeldern erhältlich gemacht wurden, begannen die Massenmedien damit, marktschreierische Geschichten vom schnellen Reichtum an der Börse zu verbreiten. Die Abgeordneten-Hearings über die Stabilisierung der Kaufkraft des Dollars enthüllten 1928 Beweismaterial, daß der Federal Reserve-Ausschuß eng mit den führenden Männern der europäischen Zentralbanken zusammenarbeitete. Das Komitee wies warnend darauf hin, daß im Jahre 1927 ein großer Zusammenbruch geplant war. Bei einem geheimen Essen des Federal Reserve-Ausschusses mit den Führern der europäischen Zentralbanken – so das Komitee – beschlossen die internationalen Bankiers, die Schlinge enger zu ziehen.«

Am 6. Februar 1929 kam es zu einem hochbrisanten Treffen zwischen Montagu NORMAN, dem Gouverneur der Bank von England, und US-Finanzsekretär Andrew MELLON. Das *Wall-Street-Journal*, Finanzblatt der USA, beschrieb am 11. November 1927 NORMAN als »den gegenwärtigen Diktator von Europa«. Sofort nach diesem esoterischen Treffen drehte der Federal Reserve-Ausschuß seine Politik des ›leichten Geldes‹ um und begann, den Diskontsatz zu erhöhen (hiermit wurde das Geld nun schlagartig viel teurer). Der Ballon, der seit fast sieben Jahren ständig aufgeblasen wurde, war nun nahe daran zu platzen.

Am 24. Oktober 1929 passierte dann, was passieren mußte: Der Große Crash machte Millionen von Menschen zu verzweifelten Bettlern. Hierzu bezieht William BRYAN in seinem Buch *The United States Unresolved Monetary and Political Problems* (›Die ungelösten politischen und finanziellen Probleme der Vereinigten Staaten‹) Stellung: »Als alles fertig war, begannen die New Yorker Finanziers, von den Maklern die 24 Stunden-Abrufdarlehen zurückzufordern. Das bedeutete, daß die Börsenmakler und deren Kunden ihre Aktien in die Börse werfen mußten, um so ihre Darlehen einlösen zu können. Das führte natürlich zu einem Börsensturz und brachte den Zusammenbruch der Banken im ganzen Land. ... Damit waren die Zahlungsmittel der Banken sehr schnell erschöpft, so daß sie schließen mußten. Das Federal Reserve System kam ihnen bewußt nicht zur Hilfe, obwohl es, angewiesen durch das Gesetz, verpflichtet war, eine elastische Währung aufrechtzuerhalten. Der Teil der Bevölkerung, der investiert hatte, erhielt ... den entscheidenden Schlag. Nicht so die Insider. Sie waren .. frei von Börseninvestitionen oder verkauften [die Aktien]. .. kurzfristig [mit] ... enormem Profit .. als die Aktienkurse senkrecht abstürzten.«[321]

Die schlauen Insider sahen die Warnungssignale von Oberfinanzguru WARBURG im *Financial Chronical* vom 9. März 1929, wo er sie warnte, so bald wie möglich aus dem Börsengeschäft auszusteigen – zumindest für eine gewisse Zeit. Später, das wußten sie, konnten sie ihre Aktien wieder zu Spottpreisen zurückkaufen, mit dem Insider-Wissen, daß sie bald wieder steigen würden. Überhaupt war jede Rezession und Depression ein gefundenes Fressen für die Insider, denn eine Depression bedeutet nichts anderes, als daß die Preise kraß nach unten absacken, während gleichzeitig die Nachfrage so gut wie auf dem Nullpunkt steht. Die normale Bevölkerung tut unter solchen Umständen fast alles, um eine solche Katastrophe zu überleben, das bedeutet, daß sie als Verkäufer alles billig verkaufen, weil die Preise und die Nachfrage enorm nach unten gedrängt worden sind. Das ist genau das, was die Insider sich ersehnen, denn nun können sie alles zu absoluten Billigpreisen aufkaufen: Konzerne, Banken, Grundstücke, Immobilien, Aktien, Luxusartikel usw. So schalten sie die potentielle Konkurrenz aus und bereichern sich zugleich an der Armut des eigenen Volkes. Daß die Große Depression keineswegs ein Zufall war, bestätigte auch Kongreßmitglied Louis MCFADDEN, Vorsitzender des House Banking und des Währungskomitees, als er erklärte: »Sie [die Krise] war nicht zufällig. Sie war ein sorgfältig ausgeklügeltes Ereignis. .. Die internationalen Bankiers trachteten danach, einen Zustand der Verzweiflung herbeizuführen, damit sie sich als Gebieter über uns alle emporheben könnten.«[322]

Dieser Vorgang wiederholte sich zwar in dieser Größenordnung nicht, aber sehr wohl in ähnlichen Zyklen, deren Kurven nach einigen Finanzexperten dadurch gekennzeichnet waren, daß die Federal Reserve zuerst aufs Gaspedal trat, also die Geldversorgung ansteigen ließ, um dann aber auf die Bremse zu treten, also die Zinssätze ansteigen zu lassen. Über diese Vorgänge gibt es reichlich veröffentlichtes Material.[323] ALLEN berichtet, daß J. P. MORGAN, den er als amerikanischen ROTHSCHILD-Agenten ansieht, schon 1907 eine künstliche Panik erzeugte, um sie als Vorwand zur Durchbringung des Federal Reserve Act zu benutzen. Im Jahre 1907, als der Finanzgigant MORGAN seine Panik inszenierte, widmete sein Komplize Paul WARBURG fast seine ganze Zeit dem Zweck, über die Notwendigkeit einer ›Bankreform‹ zu schreiben oder Vorträge zu halten. Das überaus einflußreiche US-Bankhaus Kuhn, Loeb & Co. zahlte WARBURG für seine Dienste 500 000 Dollar, da alles ohnehin nur im Interesse der Hochfinanz war. Durch die Manipulationen des superreichen MORGAN gelang es ihm, seine Panik von 1907 zu beschleunigen und deren Fortschreiten so geschickt zu lenken, daß rivalisierende Banken vernichtet wurden und die Banken, die ihm treu waren, aus der Wirtschaftskrise gestärkt hervorgingen.[324]

Robert LAFOLLETTE wies in den Seiten des *Congressional Record* nach, daß diese schreckliche Finanzpanik mit Absicht künstlich von ROCKEFELLER und MORGAN angestiftet worden war, um sich persönlich zu bereichern. Die sich darauf ergebende Welle von Bankrotten und Selbstmorden bereitete den beiden dann große Schadenfreude. LAFOLLETTE deckte auf, wie MORGAN dank der Panik sein Stahlmonopol ausweitete und wie ROCKEFELLER das gleiche mit seinem Ölmonopol tat.[325] »Die Lehre aus der Panik von 1907«, so Frederick ALLAN, »lag auf der Hand: Die Vereinigten Staaten brauchten ernsthaft ein zentrales Banksystem.«[326]

Es gab aber noch einen anderen Grund, weshalb die Finanzelite unbedingt ein Federal Reserve System haben wollte. Dieser hatte mit dem damaligen Goldstandard zu tun, der als Welt-Währungsmittel benutzt wurde. Ein geachteter Ökonom der Wall Street teilte mit, daß »die Zentralbank (Federal Reserve) selbstverständlich deshalb geschaffen wurde, um uns aus der Umklammerung des Goldstandards zu befreien«. Denn seit langem hatte sich der Goldstandard als ungeeignet für den modernen Handel erwiesen. Die Ausgabe von Gold und Kredit in genauer Anlehnung an den Goldstandard war ungeeignet, die industrielle Entwicklung zu finanzieren. Die internationale Finanzelite, die den Goldstandard kontrollierte, erkannte, daß sie ihn abschaffen müsse, um ihre ungeheure politische und wirtschaftliche Macht nicht zu verlieren. So erfand sie das Zentralbanksystem. Denn die heutige Finanzelite verdiente unglaubliche Mengen an Geld, indem sie ihren Regierungen Geld verlieh – selbstverständlich stark verzinstes Geld. Unter dem Goldstandard war eine solche starke Ausdehnung der Kredite aber nicht möglich, da alle Kredite in Gold gedeckt sein mußten. Dies bedeutete: Es konnten nur so viele Kredite vergeben werden, wie es Gold auf der Erde gab, damit war jeder Kredit letztendlich begrenzt.

Die Bankiers wollten aber ein ganz anderes System, das unbegrenzte Kredite an jede Regierung vergeben konnte; daher mußte das Goldstandardsystem unbedingt abgeschafft werden. Da die Bankiers der Zentralbanken die nationalen Schulden weit über den Punkt hinausgetrieben haben, daß diese möglicherweise jemals zurückgezahlt werden könnten, sind sie eigentlich die Guthabenverwalter der jährlich anfallenden Zinsen. Diese Bankiers sind daher eifrig bemüht, den künftigen wirtschaftlichen Zustand aufrechtzuerhalten und sicherzustellen, daß sie auch weiterhin Zinsen von den Regierungen einkassieren können.[327] Die Zinsen, die die Finanzelite in den USA durch das berüchtigte Federal Reserve System einkassiert, sind astronomisch und beliefen sich Ende 1992 auf rund 300 Milliarden Dollar. Um sich diese Summe vorzustellen, sei gesagt, daß diese Summe sämtliche US-Regierungsausgaben für Bildung, Justiz, Wohnungsbau und Umweltschutz übertrafen.[328] Man kann sicher sein, daß im Sommer 2001 diese Summe noch um einiges gewaltiger sein wird.

Laut MULLINS war der Börsenzusammenbruch und die Deflation der US-Wirtschaft für den März 1929 geplant. Eine wirklich bemerkenswerte Tatsache des gesamten Börsenkrachs von 1929 war, daß nicht einer der großen Bankiers von dem Zusammenbruch in irgendeiner Weise betroffen wurde. Als das Federal Reserve System am 9. August 1929 den Diskontsatz auf 6 Prozent erhöhte, löste es damit den Großen Crash aus, mit dem die Verkaufspanik an der Börse in New York einsetzte. Vom 24. Oktober bis in den November waren auf einen Schlag 160 Milliarden Dollar an Wertpapieren vernichtet worden. Von einem Monat auf den anderen hatte also das amerikanische Volk rund 160 Milliarden verloren. Diese Summe kann man sich am besten vorstellen, wenn man weiß, daß der gesamte Zweite Weltkrieg, der zerstörerischste Krieg aller Zeiten, 200 Milliarden Dollar gekostet hatte. Es sollte noch darauf hingewiesen werden, daß 1929 die US-Wirtschaft äußerst gesund war, es gab weder eine Kreditausschöpfung wie 1893 (Rezessionsjahr), noch gab es einen Geldmangel wie in der Krise von 1907, noch einen Sturz der Warenpreise wie 1920. Auch gab es keine Bankzusammenbrüche. Der Börsenzusammenbruch an der Wall Street von 1929 war der trostlose Anfang einer weltweiten Kreditverknappung, die bis 1932 anhalten sollte und von der sich die westlichen Nationen erst wieder erholten, als sie sich für den Zweiten Weltkrieg aufrüsteten.

Die riesigen Konzerne erlangten während der Depression noch größere Macht. Die große Depression hätte aber von jedem Wirtschaftslaien abgewendet werden können, wenn man in den USA nach dem Crash endlich die absolut sinnlose restriktive Geldpolitik aufgegeben und statt dessen wieder die bewährte lockere Geldpolitik eingeführt hätte. Die Geldkrisen von 1873, 1893, 1907, 1920/21 und 1929–31 waren alle davon gekennzeichnet, daß das zirkulierende Geld abgezogen wurde. Die Finanzelite versuchte, sich bei solchen Argumenten herauszureden, indem sie scheinheilig behauptete, dies würde zu einer schweren Inflation führen. Die Preise waren aber so tief wie noch nie, von einer Gefährdung durch Inflation konnte also nicht die Rede sein. Das eigentliche Problem war, wieder Geld in den Umlauf zu bringen. Geld, das benötigt wurde, um Mieten und Nahrungsmittel zu bezahlen, war von der Wall Street und ihren Spekulanten aufgebraucht worden.

Das Federal Reserve System hatte die Macht und Aufgabe in dieser Situation, ›leichtes‹ Geld in den Umlauf zu bringen. Warum geschah das aber nicht in den Jahren 1931 und 1932? Der Grund hierfür war, daß die Machtelite mit dem derzeitigen US-Präsident Herbert HOOVER (ihm wurde unfairerweise die Depression in die Schuhe geschoben) unzufrieden war, weil er nicht ihre Befehle in ihrer Gesamtheit und bedingungslos ausführen wollte. Man wollte, daß HOOVER auf keinen Fall wieder gewählt werde, eine anhaltende schlechte Wirtschaftslage würde dies schon fast von selbst garantieren.

Mittlerweile hatte der ehrenwerte Colonel HOUSE schon den nächsten Lakaien für seine Auftraggeber, Franklin D. ROOSEVELT, auserkoren. Kaum war dieser in seinem Amt, begann auch schon das Federal Reserve System, Staatsanleihen im Wert von zehn Millionen Dollar wöchentlich, zehn Wochen lang, zu kaufen. Mit dieser elementar einfachen Aktion wurden hundert Millionen Dollar, die bitter nötig waren, als neues Geld in das zugrunde gerichtete Wirtschaftssystem hineingepumpt, mit dem Ergebnis, daß die Wirtschaft wieder aufatmen konnte und die Arbeitslosigkeit verringert wurde.[329]

Mit der Schaffung des Federal Reserve Systems war aber nicht nur die Bereicherung der Finanzelite garantiert, es bildete auch das notwendige System zur Finanzierung des Ersten Weltkriegs in Europa. Wie wir schon gesehen haben, konnte der zerstörerische, kostspielige Krieg nur finanziert werden, wenn die europäischen alliierten Nationen von dem Goldstandard Abschied nahmen und die USA ebenfalls nicht mehr an den Goldstandard gebunden waren. Als 1913 das Federal Reserve-Gesetz dank des manipulierbaren Präsidenten WILSON im Kongreß durchgebracht war, konnte die Machtelite nicht nur den Ersten Weltkrieg finanzieren, sie konnte auch nach dessen Ende Deutschland finanziell von dem US-Finanzsystem abhängig machen.

Mit der Einrichtung des Federal Reserve-Systems war der US-Machtelite der Coup schlechthin gelungen, denn sie hatte auf einen Schlag gleich drei Ziele verwirklicht:

1. die Schaffung einer unabhängigen, unkontrollierbaren, privaten Gelddruckmaschine, mit der sie der US-Regierung Geld zur Verfügung stellte, das diese dann mit teueren Zinsen an die Finanzelite zurückzahlen mußte. Somit hatte die US-Regierung ihre eigentliche Souveränität an eine Finanzclique abgegeben;

2. die Errichtung eines Systems, das die gesamte US-Wirtschaft so kontrollierte, daß es die Insider manipulieren konnten, um den größtmöglichen Profit einzustecken. Sie konnten einen Boom ebenso leicht wie eine Rezession einleiten und dann davon profitieren. In Zeiten der Rezession (Rezessionen drücken die Preise nach unten) kauften sie alles billig auf, um es wieder während der Zeit des Booms (wenn die Preise steigen) zu günstigen Preisen zu verkaufen. Diejenigen, die das System kannten, wußten, wann man Aktien billig aufkauft, um sie dann wieder teuer zu verkaufen – eine Sache, die man als ›Insiderinformation‹ bezeichnet;

3. die Loslösung von dem Goldstandard, der schon immer alle Kredite der Finanzelite in bezug auf das vorhandene Gold begrenzte. Nach dieser Loslösung konnte nun das Federal Reserve System Kredite in unbegrenzter Höhe ausstellen. Dies war von größter Bedeutung, als der Erste Weltkrieg ausbrach, denn nun konnte man den Alliierten Kredite in unbegrenzter Höhe gewähren, um danach zinsmäßig abzukassieren. Nach dem Krieg konnte man Deutschland von den US-Krediten abhängig machen, um es einen künstlichen Boom erleben zu lassen, der aber von kurzer Dauer sein sollte, denn die Machtelite hatte schon für den nächsten Krieg vorausgeplant. Da sie Deutschland gewissermaßen an der finanziellen Leine führte, konnte die US-Machtelite den Zusammenbruch der Weimarer Republik auf das genaueste planen, sie brauchte nur die Kredite an Deutschland einzustellen und konnte sicher sein, daß der ganze Boom wie ein Kartenhaus in sich zusammenfallen würde.

Als die Machtelite mit Hilfe ihres Lakaien Präsident WILSON ihre Federal Reserve Bank bekam, konnte sie mit diesem Instrument nicht nur die Wirtschaft ihres eigenen Landes manipulieren, nein, es war ihr nun auch noch möglich, die gesamte industrialisierte Welt in eine Wirtschaftskrise ungeahnten Ausmaßes zu stürzen. Im Oktober 1929 war es dann soweit, und die Machtelite wußte, daß eine schwere Weltwirtschaftsdepression der Todesstoß für die von Reparationsschulden geplagte Weimarer Republik sein würde.

Nachdem die Wirtschaft sozusagen auf einem künstlich aufgeblasenen Aktienboom lief, riß die Machtelite dem ganzen System den Boden unter den Füßen weg und stürzte die industrielle Welt in die größte Wirtschaftsdepression aller Zeiten. Die Auswirkungen waren katastrophal, die Wirtschaften der Industrienationen verlangsamten sich, da praktisch nichts mehr lief, die Arbeitslosigkeit erreichte in den Nationen des Westens bisher ungekannte Millionenhöhen. Doch für die Machtelite lief alles nach Plan, denn sie hatte schon einen weiteren Krieg in Europa geplant, einen Krieg, an dem sie sich weiter ungehemmt bereichern würde. Der Börsenkrach von 1929 beendete wie geplant Amerikas Kreditvergabe an Deutschland. Hiermit wurde eine ›Flucht aus der Reichsmark‹ ausgelöst, da die Leute nun alle versuchten, die Reichsmark gegen günstigere Währungen einzutauschen: Damit wurde die Reichsmark rapide entwertet, und die Goldreserven Deutschlands schwanden dahin. Die Weimarer Republik versuchte vergeblich, durch erhöhte Zinsen der Entwertung der Reichsmark entgegenzutreten.[330] Aber es nützte nichts, und die deutsche Wirtschaft bekam einen schweren Schlag, ähnlich dem, der bei der Hyperinflation 1923 ausgelöst wurde, die in der modernen Geschichte einzigartig ist.

Um aber absolut sicher zu sein, daß die Weimar Republik so gut wie am Ende war und daß die neue deutsche Führung zum Verhängnis führen würde, hatte die US-Machtelite schon vorgesorgt, indem sie in dem damaligen Deutschland ihre Agenten in den höchsten politischen und wirtschaftlichen Stellen hatte. So war es dann auch nicht überraschend, daß die Geschäftsleute auf der deutschen Seite der Reparationsverhandlungen etwas mit dem Erstarken des Nationalsozialismus in Deutschland zu tun hatten. Im November 1918 finanzierte eine Gruppe der prominenten Firmen wie STINNES, Albert VOEGLER, Carl Friedrich von SIEMENS, Felix DEUTSCHE (›Deutsche General Electric‹), Direktor MANKIEWITZ von der ›Deutschen Bank‹ und Direktor SALOMONSOHN von der ›Diskontogesellschaft‹ einen Vorläufer der HITLER-Bewegung, Dr. Eduard STADLER, der die Errichtung eines deutschen nationalsozialistischen Staates forderte.

Auch die politischen Aktionen, die zur ruinösen deutschen Hyperinflation führten, begannen unter Reichskanzler Wilhelm CUNO, der unmittelbar vor seiner Kanzlerschaft Präsident der ›Hamburg-Amerika-Line‹ (HAPAG) gewesen war. Zu CUNOS Direktorenkollegen gehörten Max WARBURG, ein Hamburger Bankier und Bruder des berüchtigten Paul WARBURG, der im Aufsichtsrat der ›Federal Reserve Bank‹ der USA saß, und John von BERENBERG GOSSLER, ein Mitglied des deutschen Aufsichtsrates von Franklin D. ROOSEVELTS ›United European Investors Ltd‹.

Der entscheidende Schlag gegen die Weimarer Republik kam während CUNOS Kanzlerschaft 1922-23, als die Reichsmark praktisch vollkommen entwertet wurde. Die Hyperinflation von 1923 ruinierte den deutschen Mittelstand und begünstigte nur drei Gruppen: einige wenige deutsche Großunternehmer, einige ausländische Geschäftsleute, die in der Lage waren, aus der Hyperinflation Vorteile zu ziehen, und die aufstrebende HITLER-Bewegung. Als Präsident der ›United European Investors Ltd.‹ gehörte FDR (Franklin Delano ROOSEVELT) zu den Ausländern, die zu ihrem persönlichen Gewinn aus Deutschlands Not Nutzen zogen. Dem Vorstand der ›United European Investors‹-Firma gehörte auch Wilhelm CUNO an, der als deutscher Reichskanzler für die deutsche Wirtschaftspolitik mit verantwortlich war. CUNOS Politik war maßgebend an der deutschen Hyperinflation verantwortlich, während sein Direktorenkollege GOSSLER mit ROOSEVELT zusammenarbeitete und aus dieser Hyperinflationspolitik Profit zog. Schon allein diese Tatsache ist verdächtig.

Es ist ferner bewiesen, daß eine bemerkenswerte Parallelität zur besagten Zeit bestand, nämlich, daß Präsidenten großer Aktiengesellschaften in der zeitgenössischen Politik tätig waren: RATHENAU (er war nach dem 10. Mai 1921 Reichskanzler) kam von der AEG, CUNO von der HAPAG, der Schöpfer des ›Young-Plans‹ (auch für die deutsche Hyperinflation verantwortlich), Owen D. YOUNG, kam von der amerikanischen ›General Electric‹, als der AEG-Präsident 1922 Reparationsminister war. Die obengenannten vermischten die Politik und ihre Geschäfte zu ihrem eigenen finanziellen Vorteil. Es war auch kein reiner Zufall, daß an dem Reparationsprogramm immer die gleichen sogenannten Experten beteiligt waren und dabei angeblich zufällig das Währungs- und soziale Chaos förderten, von dem sie dann profitierten. Die Mitglieder des Reparations-Komitees von 1923 waren Brigadegeneral Charles G. DAWES und Owen D. YOUNG von der ›General Electric Company‹. Das Expertenkomitee von 1928 für den ›Young Plan‹ bestand aus J. P. MORGAN auf der US-Seite und seinem Komplizen Hjalmar Horace Greenley SCHACHT.

Zusammengefaßt läßt sich also sagen, daß die General Electric-Morgan-Kräfte, die auch später am ›New Deal‹ maßgeblich beteiligt waren, mit Franklin D. ROOSEVELT einen Plan ausarbeiten, der den Zweiten Weltkrieg erheblich voranbrachte, und an diesem Krieg bereicherten sich dieselben Finanziers – wiederum angeblich rein zufällig.[331]

Auch alle Versuche Deutschlands, sich aus der wirtschaftlichen Misere zu befreien, wurden von der Machtelite derart hintertrieben, daß man von einer Verschwörung sprechen kann. Am 16. April 1922 zum Beispiel vereinbarten die Sowjetunion und Deutschland ein bilaterales Abkommen (Rapallo-Vertrag), das wesentlich dazu beigetragen hätte, Deutschlands Wirtschaftslage zu verbessern. Es handelte sich um eine Vereinbarung, bei der Deutschland den Sowjets geholfen hätte, mit deutscher Technologie die Ölfelder von Baku wieder in Betrieb zu nehmen, um das Öl dann in Deutschland zu vermarkten. Als Gegenleistung wollte die Sowjetunion auf deutsche Reparationszahlungen verzichten und Deutschland mit billigem Öl versorgen. Dieser Rapallo-Vertrag war der Machtelite aber ein Dorn im Auge, denn sie hatte selbst mit ihren Spitzenbankiers um Konzessionen in den Ölgebieten der Sowjetunion gekämpft. Noch viel schlimmer war aber für sie die Tatsache, daß die Sowjetunion mit deutscher Technologie die Ölfelder von Baku nun selbst und unabhängig in Betrieb nehmen könnte. Sie wäre daher nicht mehr auf die Unterstützung der US-Machtelite angewiesen gewesen und hätte dieser daher keine großen Konzessionen zu machen brauchen, die nur zum Vorteil der Machtelite und zum Nachteil Rußlands gewesen wären.

Es war der Machtelite klar, daß diese mißliche Lage nach dem Rapallo-Vertrag unbedingt geändert werden müsse. Der deutsch-russische Rapallo-Vertrag war vom damaligen deutschen Außenminister Walther RATHENAU begrüßt worden, da dieser sich dem Druck der Opposition und dem deutschen Volk beugen mußte. Schon zwei Tage, nachdem das Abkommen beschlossen worden war, überreichten die Siegermächte Deutschland eine Protestnote, in der darauf hingewiesen wurde, daß es die Alliierten hintergangen und mit den Russen geheim verhandelt habe. Zwei Monate nach dem Abschluß des Vertrags mit den Russen, am 24. Juni 1922, wurde Walther RATHENAU vor seinem Haus im Berliner Grunewald ermordet. Als Täter wurden zwei Rechtsextremisten ausgemacht. Der eine wurde bei der

Festnahme im Schußwechsel mit der Polizei getötet, der andere beging unmittelbar nach der Festnahme angeblich Selbstmord. Der Fall wurde schnell als das Werk des um sich greifenden Rechtsextremismus hingestellt. Es gab aber auch Gerüchte, daß ›ausländische Interessen‹ die Schützen zu ihrer Tat gebracht hätten. Tatsache blieb jedoch, daß RATHENAU, der Architekt des Rapallo-Abkommens und einer der bedeutendsten Politiker im Nachkriegsdeutschland, beseitigt wurde.

Eine ähnliche Situation ereignete sich, als die Machtelite im März 1930 begann, Deutschland Kredite zu verweigern, und damit die große Depression auslöste, die die Weimarer Republik plangemäß vernichtete. In dieser kritischen Lage kam der schwedische Industriemillionär Ivar KREUGER Deutschland zur Hilfe, als er der Regierung 500 Millionen Reichsmark als Überbrückungskredit bereitstellen wollte. KREUGER hatte dies, zusammen mit anderen Kreditinstituten, schon öfter in für Deutschland kritischen Situationen bewerkstelligt, als die Wallstreet und London Kredite verweigert hatten. Hjalmar SCHACHT, damaliger Reichsbankpräsident und Mitglied der Machtelite, war über diesen Notkredit anscheinend so verärgert, daß er überraschend der Reichsregierung sein Rücktrittsgesuch einreichte. Dieser Notkredit hätte jedoch schwerwiegende Folgen für die Pläne der Machtelite gehabt, hätte zumindest zeitweilig ihre kriminelle und hinterlistige Vorbereitung der Weltwirtschaftskrise durchkreuzt.[332]

Die Machtelite aus der Finanzwelt unternahm an den Börsen so ziemlich alles, damit KREUGERS Deutschlandkredit scheiterte. Aber KREUGER erkannte ihr hinterlistiges Bemühen, ihn in den finanziellen Ruin zu treiben, und begann eine finanzielle Gegenoffensive, die allem Anschein nach Anfang März 1932 ihn als klaren Sieger gezeigt hätte. Ferner war es KREUGER gelungen, von der Schwedischen Reichsbank einen hohen Dollarkredit zu bekommen, mit dem er seine Schulden bezahlen konnte. Als KREUGER daher im März 1932 eine Europareise antrat, war nicht nur die Finanzkrise überwunden, sondern große Gewinne standen ihm zu, darunter zu erwartende gewaltige Schadenersatzzahlungen seiner Gegner. Somit war der Sieg KREUGERS praktisch eine vollendete Tatsache, und, was noch wichtiger war, mit ihm verbunden war sogar eine Erholung der Weltbörsen aufgrund der schnellen Stärkung der Konjunktur.

Die Machtelite sah sich aber noch lange nicht geschlagen und ergriff nun etwas drastischere Maßnahmen. Nur wenig später, am 12. März 1932, fand man KREUGER erschossen in seiner Pariser Wohnung. Das polizeiliche Protokoll stellte »Selbstmord wegen geschäftlichen Ruins« fest. Aber Ivar KREUGERS Bruder Torsten ließ sich keinen Augenblick von dieser Version des ›Selbstmordes‹ überzeugen. Für ihn war es klar, daß sein Bruder niemals Selbstmord begangen hätte, auch nicht bei den größten Problemen. Außerdem waren diese Probleme ohnehin bereits gelöst, als der angebliche Selbstmord stattfand, denn KREUGER hatte noch einen Tag vor seinem Tod in einem Telefongespräch mit seinem Bruder sich bei diesem für dessen angebotene Kredite bedankt, diese jedoch abgelehnt, weil er sie nicht mehr brauche. Die damalige finanzielle Lage des Konzerns Kreuger & Toll war nach einem späteren Untersuchungsbericht ausgezeichnet.

Erst drei Jahrzehnte später stellte sich heraus, daß Ivar KREUGER sich nicht das Leben genommen hatte. Unter anderem führte der Schriftsteller Jules BERMAN jahrelange Untersuchungen über KREUGERS Tod durch und übergab diese Ergebnisse seiner Ermittlungen dem Leiter der Stockholmer Kriminalpolizei. Am 15. Mai 1950 wurden sie in der Zeitschrift *Allt* teilweise veröffentlicht. In der Einleitung zu diesem Bericht schrieb Polizeiberichterstatter Georges ARQUÉ, einer der besten Frankreichs, am 20. Oktober 1949: »Ivar KREUGER hat keinen Selbstmord begangen, sondern ist von seinen Gegnern ermordet worden.« Auf die Frage, warum alle Kreuger-Akten lange Zeit im Polizeiarchiv unauffindbar waren, antwortete ein höherer Polizeioffizier, daß KREUGER nie Selbstmord begangen habe. Der Arzt Dr. Marcel GRILLE hatte es merkwürdig gefunden, daß die Kugel den Körper von KREUGER nicht durchschlagen hatte, woraufhin er eine Obduktion empfahl. Ihm wurde jedoch mitgeteilt, daß die Hinterbliebenen dies nicht wünschten. Dies traf aber keinesfalls zu. Auch als der Sarg endlich in Stockholm eintraf, fand keine Obduktion statt. Ein Beamter der Provinzialregierung, Carl MALM, äußerte sich dazu in einer Bescheinigung, daß diese vielleicht nicht stattfand, weil »einflußreiche Leute Regierungspräsident EDEN ihre Aufwartung gemacht und darauf bestanden hatten, daß keine Obduktion vorgenommen würde«. Experten waren später der Meinung, die Kugel sei deshalb nicht durch den Körper des angeblichen Selbstmörders gedrungen, weil ein Schalldämpfer benutzt worden war, der bekanntlich die Durchschlagskraft einer Kugel verringert. Schließlich war noch die Tatsache verdächtig, daß der Rechtshänder Ivar KREUGER die ›Selbstmordwaffe‹ fest in seiner leblosen linken Hand hielt. Dazu erklärte Kriminalkommissar Otto WEDEL vor der Presse: »Wenn ein Mann Selbstmord begeht, erschlafft sein Griff, und die Pistole entgleitet seiner Hand.«[333] Jahrzehnte später ergaben detaillierte Untersuchungen schwedischer Detektive schließlich, daß KREUGER ermordet worden war. Mit KREUGERS Tod endete plötzlich jede Hoffnung, Deutschland vor dem wirtschaftlichen Zusammenbruch zu retten.[334]

Somit hatte die Machtelite eine Situation in Deutschland hervorgerufen, von der sie wußte, daß sie zum Umsturz des Weimarer Regierungssystems führen mußte. Der Boden war sozusagen bereitet für einen starken Mann, nach dem sich das deutsche Volk sehnen würde, da es sich nichts mehr als Stabilität wünschte. Ein starker Mann würde dann logischerweise ein Diktator sein. Somit war ein HITLER vorherbestimmt, der neue starke Mann des deutschen Volks zu werden.

Wer finanzierte Hitler?

Die überwiegende Anzahl der Bücher, die über die Machtergreifung der Nationalsozialisten geschrieben wurden, beschreiben HITLERS Machtergreifung als eine Erscheinung, die in erster Linie durch die Große Depression und den Versailler Vertrag zustande gekommen sei. Die Kräfte, die es HITLER ermöglichten, seinen totalitären faschistischen Staat aufzubauen, so diese Geschichtsbücher, waren alle deutscher Natur. Das bedeutet auch, daß das deutsche Großkapital Hitler unterstützt habe. Dies wird zumindest meistens gemeint. Natürlich stimmt es, wenn behauptet wird, daß das deutsche Großkapital, Firmen wie I.G. Farben, Krupp und Thyssen, um nur einige zu nennen, maßgeblich daran beteiligt waren, HITLERS Partei zu unterstützen. Verschwiegen wird aber dabei die Tatsache, daß viele ausländische, vor allem US-amerikanische und britische multinationale Großkonzerne, ebenfalls entscheidend dazu beigetragen haben, daß nicht nur NS-Deutschland aufgebaut, sondern daß auch sein Militär aufgerüstet werden konnte.

Es ist eine erwiesene, wenn auch nicht bekannte Tatsache, daß amerikanische Großkonzerne und Banken maßgeblich an der Machtergreifung Adolf HITLERS beteiligt waren. In diesem Zusammenhang ist das sehr materialreiche, wenn auch sehr umstrittene Buch von Sidney WARBURG, einem angeblichen Verwandten jenes berüchtigten Paul WARBURG, zu nennen: *So wurde Hitler finanziert – Das verschollene Dokument von Sidney Warburg über die internationalen Geldgeber des Dritten Reichs.* Es erschien erstmals im November 1933 im Amsterdamer Verlag Van Holkema & Warendorf, Kaisergracht, und beinhaltet 99 enthüllende Seiten über die verschwörerische komplizenhafte Verbindung zwischen US-Finanzkreisen und der Führung der damals aufstrebenden Nationalsozialisten. Der Originaltitel lautete: *De Geldbronnen van het Nationaal-Socialisme. Drie gesprekken met Hilter door Sidney Warburg.* Die deutsche Fassung wurde unter dem Titel *Die Geldquellen des Nationalsozialismus; drei Gespräche mit Hitler* verlegt.

Nur kurze Zeit, nachdem das Werk erschienen war, wurde der Verlag durch einen Amsterdamer Rechtsanwalt, im Auftrag der WARBURGfamilie, gezwungen, das Buch aus dem Verkehr zu ziehen und zum Rückkauf bereitzustellen. Es war nur allzu verständlich, daß auch die Nationalsozialisten alles taten, um das Buch verschwinden zu lassen.[335] Der Grund für die vielseitige Unterstützung der US-Machtelite läßt sich nur im Zusammenhang mit den damaligen finanzpolitischen Ereignissen verstehen. Wie wir schon gesehen haben, wurden die USA dank des Ersten Weltkrieges zu der Finanzweltmacht Nummer eins. Trotzdem lief nicht alles nach dem Drehbuch der US-Machtelite ab, denn man hatte den Alliierten ja ungefähr 25 Milliarden Dollar in Sachen Kriegsunterstützung zukommen lassen. Dieses Geld sollte nun im Alleingang von Deutschland anhand der Reparationen zurückgezahlt werden. Das bedeutete, daß die Vereinigten Staaten 1929 (im Ausbruchsjahr der Großen Depression) ausländische Forderungen, von Regierungen wie Privatleuten, im Wert von 85 Milliarden Dollar hatten.

Um dieses Geld wieder zu bekommen, war aber der Versailler Vertrag ungeeignet. Präsident WILSON, der alles tat, um den Vertrag rechtskräftig zu machen, wurde deswegen keinesfalls von der Wall Street geliebt, denn dieser Vertrag begünstigte Frankreich in höchstem Maße. Selbst die Änderungen, die von der US-Regierung in den DAWES- und YOUNG-Plänen vorgesehen und erreicht worden waren, vermochten nichts an der Tatsache zu ändern, daß Frankreich auch weiterhin durch seinen Anspruch, Reparationszahlungen in Gold und nicht in Handelsgütern zu empfangen, nach Meinung der US-Bankwelt den Schlüssel für die wirtschaftliche Wiederherstellung Deutschlands besaß.

Im Rückblick auf die damaligen Ereignisse wissen wir, daß diese wirtschaftliche Wiederherstellung Deutschlands Einfluß auf den Wohlstand Amerikas und Großbritannien sowie auf die ganze Welt hatte. Die US-Machtelite sah voraus, daß es nötig war, die Große Depression in Grenzen zu halten, und dies war nur möglich, wenn man durch Kredite an Deutschland und Mitteleuropa diese fördern würde. Hier aber erwies sich Frankreich als Bremsklotz, weil das gesamte Geld, das Amerika unmittelbar oder durch Londons Vermittlung an Deutschland zahlte und alles, was London direkt zur Finanzierung des Wiederaufbaus leistete, früher oder später in der Form von Reparationszahlungen seinen Weg nach Frankreich nahm. Deutschland konnte damals nie genug exportieren, um seine Handelsbilanz mit einem ausreichenden Überschuß zu begleichen, um damit seine Reparationsschulden an Frankreich abzahlen zu können. Es mußte daher die Schulden von seinem eigenen Kapital bezahlen, aber dieses Kapital kam in der Form von großen Krediten von Amerika und England.

Dieser Zustand ließ sich natürlich nicht auf lange Zeit aufrechterhalten. Deutschland konnte nicht unbegrenzt große Summen leihen, während Amerika und England sie nicht unbegrenzt ausleihen konnten, ohne Rückzahlungen aus Deutschland zu erhalten. 85 Milliarden Dollar waren selbst für ein Land wie die USA keine Lappalie. Schätzungsweise waren davon 50 bis 55 Milliarden eingefroren, und der Rest war nicht mehr sicher. Man begann nun in den USA am guten Willen der vormaligen Alliierten, was die Rückzahlung betraf, zu zweifeln, mit der Ausnahme Englands.

Aus diesem Grund unternahm die US-Regierung Anstrengungen, die französische Regierung zu der Einsicht zu bringen, daß man von Deutschland nicht mehr fordern sollte, als dieses Land aufbringen konnte. Als die französische Regierung nicht auf diese Vorschläge einging, war es nicht verwunderlich, daß die Finanz- und Machtelite in den USA nach anderen Methoden Ausschau hielt, Frankreich dazu zu zwingen, die übertriebenen Reparationsforderungen einzustellen. In diesem Sinne kam es im Juni 1929 zu einem geheimen Zusammentreffen der Federal Reserve-Banken mit den höchsten Privatbankiers in den USA, bei dem auch Sidney WARBURG mit von der Partie war.[336]

Bei dem Treffen waren die Aufsichtsratsvorsitzenden der anderen Federal Reserve-Banken, fünf Privatbankiers und der junge ROCKEFELLER und GLEAN für die Standard Oil Company sowie die Royal Dutch-Ölfirmen anwesend. Über die geheime Sitzung schrieb Sidney WARBURG: »Auch ich wußte... genau, daß man in der New Yorker Bankenwelt nach Mitteln Ausschau hielt, um jetzt endlich dem Mißbrauch ein Ende zu setzen, den Frankreich mit seinen überzogenen Reparationsforderungen gegenüber Deutschland betrieb ... CARTER und ROCKEFELLER führten das große Wort, die anderen hörten zu und pflichteten ihnen bei. Die Sache, um die es ging, war – nach CARTERS Worten – sehr einfach. Alle waren sich einig, daß es nur ein Mittel gab, um Deutschland aus dem finanziellen Würgegriff Frankreichs zu lösen, und das war eine Revolution...« [Es] »blieb nur eine Revolution, durchgeführt von einer Gruppe deutscher Nationalisten... nur eine Bewegung war radikal genug, um eine wirkliche Umwälzung der Staatsordnung in Deutschland zustande bringen zu können, notfalls mit Gewalt. CARTER hatte von einem Bankdirektor aus Berlin über einen gewissen HITLER gehört... Bei dem vorangegangenen Treffen war beschlossen worden, mit ›diesem Mann HITLER‹ Verbindung aufzunehmen, um herauszufinden, ob er für eine finanzielle Unterstützung aus Amerika zugänglich war... In den Verhandlungen mit HITLER sollte vor allem darauf Nachdruck gelegt werden, daß von ihm eine aggressive Auslandspolitik, die Entwicklung einer Revanche-Idee gegen Frankreich erwartet wurde. Hiervon versprach man sich zunehmende Angst auf französischer Seite und als Folge davon eine größere Nachgiebigkeit der französischen Regierung in internationalen Fragen. Im Tausch dafür sollte dann Frankreich für den Fall eines deutschen Angriffs amerikanische und englische Unterstützung zugesagt werden. HITLER durfte natürlich von dieser Absicht nichts erfahren. Es wurde abgesprochen, daß ich [Sidney Warburg] HITLER über die Höhe des Betrages, den er für einen totalen Umsturz der deutschen Staatsordnung als nötig erachtete, auf den Zahn fühlen sollte. Sobald ich Genaueres wüßte, sollte ich im Geheimcode des Guarantee Trust an CARTER kabeln, worauf der Betrag nach Bewilligung bei einer europäischen Bank auf meinen Namen zur Verfügung gestellt werden würde. Ich konnte dann zur Weitergabe an HITLER darüber verfügen. Drei Tage später war ich an Bord der ›Ile de France‹ mit Bestimmungshafen Cherbourg. Zwölf Tage danach kam ich in München an. Ich besaß diplomatische Pässe, Empfehlungsschreiben von CARTER, von Tommy WALKER (damals noch nicht kompromittiert), von ROKKEFELLER, von GLEAN und von HOOVER. Die diplomatische Welt stand mir damit ebenso offen wie die Geschäftswelt, die Bankwelt und nicht zuletzt die Regierungskreise.«

In seinem vielfach angezweifelten Buch berichtet Sidney WARBURG dann, wie er HITLER dreimal persönlich traf. Das erste Treffen fand im Jahre 1929 in einem Bierkeller statt. Nachdem die beiden sich bekannt gemacht und die einführenden Worte hinter sich gelassen hatten, ließ HITLER WARBURG wissen, worum es ihm ging. »Ich will Amerika außer Betracht lassen. Aber was die anderen Länder angeht, dachten Sie, daß Deutschland je ohne Gewalt seine Kolonien wiederbekommt, oder Elsaß-Lothringen, oder die großen Teile Polens oder Danzig? Geld? Gerade darum geht es. Darum muß das deutsche Volk frei werden, um sich wirtschaftliche Geltung verschaffen zu können, nur dann kann das Geld verdient werden, um, sobald die Gelegenheit dazu günstig ist, mit dem Recht der Waffen unsere Rechte zu erreichen. Frankreich ist unser Feind, die anderen früheren Alliierten sind unsere Konkurrenten, das macht einen großen Unterschied. Der Schwindel der jüdischen Banken ist zu beenden.«

HITLER sprach noch etwas länger über die ungerechten Verhältnisse in Deutschland, die seiner Meinung nach von Juden und Spekulanten verursacht worden waren. WARBURG schien sich der Gedanke aufzudrängen, daß HITLER sich gern selber sprechen hörte, denn immer, wenn er etwas über seinen Auftrag erwähnen wollte, unterbrach ihn HITLER, der von einem Thema zum anderen sprang. Endlich aber gelang es ihm, doch noch seinen fest umschriebenen Auftrag darstellen zu können, wobei er auch die Gelegenheit nutzte, um HITLERs Meinung über die Höhe des Betrags zu erkunden. Daraufhin spielte HITLER nun nervös mit seinem Notizbuch und schien in Gedanken versunken zu sein. Anstatt eine konkrete Summe zu nennen, fragte HITLER den überraschten WARBURG: »Wann könnte ich das Geld bekommen?« WARBURG antwortete, daß nach seiner Vermutung sofort nach seinem telegrafischen Bericht in New York das Geld wohl schleunigst nach Deutschland überwiesen werden würde. Ohne daß er sich wirklich hätte aussprechen können, fiel ihm wieder HITLER ins Wort: »Nein, nicht nach Deutschland, das ist viel zu gefährlich. Ich traue keiner einzigen deutschen Bank. Das Geld muß bei einer Bank im Ausland eingezahlt werden, wo ich dann darüber verfügen kann.« HITLER sah sich dann seine eigenen Berechnungen auf einem Blatt an und rief dann WARBURG in einer strengen Befehlsart entgegen: »Hundert Millionen Mark!«

WARBURG versuchte, sich nicht anmerken zu lassen, daß er diesen Betrag für hoffnungslos übertrieben hielt, und versprach HITLER, gleich nach New York zu kabeln. »Sobald Sie Bericht aus Amerika haben, schreiben Sie nur an VON HEYDT. Seine Anschrift ist Lützow-Ufer 18, Berlin. Der setzt sich dann mit Ihnen in Verbindung wegen der weiteren Regelung«, erwiderte HITLER abschließend. Schon am dritten Tag kam eine Antwort von CARTER, es war eine kurze Antwort in einem Geheimcode. Sie bestätigte die Bereitstellung von 10 Millionen Dollar. HITLER hatte 100 Millionen deutsche Mark angefordert, das waren zur damaligen Zeit ungefähr 24 Millionen US-Dollar. Sidney WARBURG schrieb sofort an den von HITLER erwähnten HEYDT, und am folgenden Tag rief dieser ihn aus Berlin an. Nicht viel später trafen sich die beiden Herren, um das Geld zu überbringen. Folgende Regelung wurde von WARBURG vorgeschlagen. Die zehn Millionen Dollar sollten bei den Bankiers Mendelssohn & Co. in Amsterdam für HITLER bereit stehen. Dann würde WARBURG nach Amsterdam reisen und sich zehn Schecks zu je einer Million Dollar ausstellen, umgerechnet in den Mark-Gegenwert und verteilt auf zehn Städte in Deutschland. Letztendlich würde WARBURG die Schecks dann auf zehn verschiedene Namen überschreiben und an VON HEYDT, der mit WARBURG nach Amsterdam fahren wollte, aushändigen.[337]

Als das englische Pfund eine Abschwächung erlitt, wußte die amerikanische Finanzwelt, daß Frankreich der Urheber dieser Abschwächungstaktik war, um London finanziell zu schwächen, damit Hilfe für Deutschland unmöglich würde. Nicht viel später trafen sich die Franzosen mit ihren amerikanischen Finanz- und Regierungskollegen mit dem Ziel, eine Abmachung zu erreichen. Der Grund für die Bemühungen der Franzosen dürfte die Tatsache gewesen sein, daß auch der US-Dollar zunehmende Schwächeanzeichen signalisierte. Da die französische Wirtschaft an einem verhältnismäßig starken Dollar interessiert war, wollte sie aber keine ständige Abschwächung dieser Währung.

Als sich herausstellte, daß die französische Delegation in New York und Washington viele Bedingungen stellte und daß US-Präsident HOOVER den Franzosen das Versprechen gab, in Sachen Reparationsfragen nichts zu unternehmen, ohne vorher die französische Regierung zu Rate zu ziehen, verlor HOOVER mit einem Schlag sein ganzes Ansehen in den elitären Wall Street-Kreisen. Die Wall Street soll über dieses Nachgeben HOOVERS sogar so verärgert gewesen sein, daß von gut informierten Kreisen schon damals behauptet worden sei, HOOVER würde deshalb nicht wiedergewählt.

Im Oktober 1931 war die Stimmung an der Wall Street bedrückend. Ende des Monats bekam Sidney WARBURG einen Brief von HITLER aus Berlin, in dem stand: »Unsere Bewegung wächst über ganz Deutschland mit einer Geschwindigkeit, die hohe Forderungen an die finanzielle Organisation stellt. Ich habe den Betrag, der mir durch Sie vermittelt wurde (sic!), zum Ausbau der Partei verbraucht und sehe jetzt, daß ich in absehbarer Zeit festsitzen werde, wenn keine neuen Einkünfte gefunden werden. . . Im kommenden Monat muß ich die letzte große Aktion beginnen, die uns in Deutschland an die Macht bringen kann. Dafür ist viel Geld nötig. Ich bitte Sie, mir umgehend mitzuteilen, mit wieviel ich von Ihrer Seite rechnen kann.«

Laut Sidney WARBURG war CARTER ein jähzorniger Mann: Als er HITLERS

Brief las, begann er zu lachen. Dann fluchte er und nannte sich selbst einen großen Dilettanten. Zu WARBURG sagte er: »Was für Esel sind wir doch schließlich, seit 1929 haben wir nicht an diesen Mann HITLER gedacht. Die ganze Zeit hatten wir das Mittel in der Hand, um Frankreich kleinzukriegen, und wir haben es nicht gesehen.« CARTER sagte daraufhin, man müsse nun ein weiteres Treffen mit Montagu NORMAN von der Bank von England einberufen. Auf diesem Treffen kamen die Hauptakteure der anglo-amerikanischen Finanzwelt zur Übereinstimmung, daß HITLER grundsätzlich weitere finanzielle Hilfe gewährt werden solle, aber daß es vor der Festlegung des Betrages nötig sei, daß sich jemand über den Zustand in Deutschland vor Ort informiere. Dieser Jemand sollte wiederum Sidney WARBURG sein.

WARBURG traf also erneut HITLER in Deutschland, wo dieser ihm seine Sicht der Dinge erklärte: »Das Ausland teilen wir in zwei Lager, unsere Feinde und unsere Konkurrenten. Unsere Feinde sind Frankreich, Polen und Rußland, unsere Konkurrenten sind England, Amerika, Spanien, die skandinavischen Länder und Holland. Mit dem Rest der Welt haben wir keine Abrechnung zu machen. Die Bevölkerung von Elsaß-Lothringen muß zum Aufstand kommen, dasselbe gilt für Schlesien. Das ist unsere erste Aufgabe, sobald wir an der Macht sind. Will Frankreich es auf einen Krieg ankommen lassen, dann nur Krieg. Die Verträge von Versailles und andere erkennen wir nicht an. Ich will Deutschland und das deutsche Volk frei sehen. . . In zwei Jahren bilde ich ein deutsches Heer, das stark genug ist, um Frankreich zu überfallen. Ich werde die chemische Industrie für Kriegszwecke ausbauen. . . Die Sowjets können unsere Industrieerzeugnisse noch nicht missen. Wir geben Kredit, und wenn ich Frankreich nicht kleinkriege, dann werden mir die Sowjets dabei helfen. . . Wenn Sie 1929 freigebiger gewesen wären, würde jetzt alles schon lange in Ordnung sein. Aber mit den zehn Millionen Dollar haben wir noch nicht die Hälfte unseres Programms durchführen können. . . Alles hängt vom Geld ab. . . Die Revolution kostet eine halbe Milliarde Mark. Die Umstellung kostet zweihundert Millionen Mark. . . Was werden Ihre Auftraggeber darauf beschließen?«

Als WARBURG dies nicht eindeutig beantworten konnte, fuhr HITLER fort: »Ihre Leute in Amerika haben doch sicher ein Interesse daran, daß unsere Partei die Macht in Deutschland in die Hände bekommt. Sonst wären Sie nicht hier und mir wären 1929 nicht die zehn Millionen Dollar überwiesen worden.« Und abschließend sagte er noch einmal: »Sagen Sie Ihren Auftraggebern, daß sie in ihrem eigenen Interesse so schnell wie möglich die 500 Millionen Mark senden müssen, dann sind wir in höchstens sechs Monaten klar.« Diesen letzten Satz hatte HITLER, laut WARBURG hinausgeschrien, als ob er vor einer Volksversammlung stünde, und er schrie ihn an, als ob WARBURG sein ärgster Gegner wäre.[338]

Sidney WARBURG kabelte wiederum treu nach New York und erhielt drei

Tage später die Nachricht: »Sind bereit, zehn, höchstens fünfzehn Millionen Dollar zu liefern. ›Weise den Mann auf die Notwendigkeit der Aggressionsdrohungen gegen das Ausland hin‹«. Als WARBURG wieder auf HITLER traf, sagte dieser, während er schreiend in seinem Zimmer umherging: »Fünfzehn Millionen Dollar! Das sind ungefähr 60 Millionen Mark. Wie lange dauert es, bis dieser Betrag hier ist? Es ist viel und viel zuwenig, um die Dinge richtig anzupacken. Die Amerikaner kennen unsere Pläne nicht.« WARBURG benutzte dann die Gelegenheit, HITLER auf das Telegramm aufmerksam zu machen, in dem stand, daß es für HITLER notwendig sei, dem Ausland aggressiv gegenüber aufzutreten. Darauf hin erwiderte HITLER: »Denken die, daß ich mit den Menschen hier Wunder tun kann?« Aber letztendlich versicherte er WARBURG: »Wartet nur, bis wir mit unserer Arbeit am deutschen Volk erfolgreich sind, dann kommt das Ausland an die Reihe. Lest doch unser Programm, wir werden keine Daumenbreite davon abweichen.«

Als Sidney WARBURG anschließend einen eher pessimistischen Bericht über HITLERS Bewegung in Deutschland an seine Auftraggeber kabelte, glaubte er, daß damit die Sache gestorben sei. Zu seinem Erstaunen bekam er aber drei Tage später von CARTER eine Antwort, er wolle fünfzehn Millionen Dollar auf eine europäische Bank seiner Wahl einzahlen. WARBURG schrieb umgehend HITLER, indes forderte HEYDT, sofort fünf Millionen auf WARBURGS Namen bei Mendelssohn & Co. Amsterdam zu überweisen, weitere fünf Millionen bei der Rotterdamschen Bankvereinigung, Rotterdam, sowie fünf Millionen bei der Banca Italiana in Rom. Diesbezüglich schrieb WARBURG: »Mit VON HEYDT, Gregor STRASSER und GÖRING reiste ich in die drei Städte, um die Beträge abzuheben.«

HITLER meldete sich nicht viel später erneut mit neuen Forderungen an WARBURGS Auftraggeber. Diesesmal wollte er 100 Millionen Mark für, wie er es nannte, den »endgültigen Sieg«. Also reiste Sidney 1933 ein drittes Mal nach Deutschland, um sich mit dem Führer zu treffen. Inzwischen war HITLER an der Macht. Nicht viel später bekam WARBURG die Mitteilung, daß höchstens sieben Millionen Dollar überwiesen würden. Das bedeutete, fünf Millionen Dollar würden aus New York nach Europa auf die zu bestimmenden Banken überwiesen, während zwei Millionen Dollar in Deutschland durch die Rhenania Aktiengesellschaft an WARBURG selbst gerichtet werden würden. Die Rhenania war die deutsche Filiale der Royal Dutch in Deutschland. WARBURG bekam, nachdem er das Geld an HITLER überwiesen hatte, den Eindruck, daß dieser und GÖRING über die Regelung, wie das Geld überwiesen wurde, nicht zufrieden waren. HITLER bat WARBURG, die fünf Millionen Dollar wieder auf die Banca Italiana in Rom zu überweisen, wiederum sollte GÖRING Sidney WARBURG auf der Reise zu dieser Bank in Italien begleiten. Die restlichen zwei Millionen mußten in deutschem Geld in fünfzehn gleichwertige Schecks, alle auf GOEBBELS' Namen, ausgeschrieben werden. Damit war die Sache für WARBURG mit der Finanzierung der Nationalsozialisten beendet.[339]

Es sollte auch noch darauf hingewiesen werden, daß die NS-Führung alles tat, damit nichts über ihre geheime Finanzierung durch die US-Wall Street-Kreise an die Öffentlichkeit dringe. Aus diesem Grund mußte nach ihrer Machtübernahme Gregor STRASSER, ein ehemaliger Parteigenosse, beim RÖHMputsch 1934 sterben, weil er in Rotterdam bei der Geldübergabe an die Nationalsozialisten anwesend war.[340]

Der preußische Innenminister Carl SEVERING (1928–1930) traute Adolf HITLER nicht und ließ ihn deswegen schon sehr früh beschatten. Seine Agenten hatten seit 1929 unter anderem bis 1933 Verhandlungen HITLERS mit US-Bankiers im Berliner Hotel Adlon beobachtet. SEVERING entsandte Ende 1931 als Reichsinnenminister seinen Staatssekretär Dr. ABEGG, um Nachforschungen über HITLERS Vorleben und seine ausländischen Finanzquellen zu ergründen. ABEGGS Nachforschungen ergaben, daß die aufwendige NS-Propagandafinanzierung »nur aus dem Ausland, insbesondere aus den USA stammte«. Als sich ABEGG im Frühjahr 1933 in die Schweiz absetzte, beschlagnahmte die SS bei der Durchsuchung seiner Wohnung das HITLER-Dossier.

Ein weiterer Eingeweihter in ABEGGS Nachforschungen war General VON SCHLEICHER, ein intimer Kenner von HITLERS Auslandsfinanzierung. Auch sein Haus wurde durchsucht, wobei ein Duplikat des HITLER-Dossiers gefunden wurde. Daraufhin wurden er und seine Frau im Zusammenhang mit dem RÖHMputsch 1934 ermordet. Es durfte eben anscheinend niemand etwas über die geheime Finanzierung der Nationalsozialisten wissen, da dies die ganze Bewegung zu sehr diskreditiert hätte. Deswegen ließen die Nationalsozialisten sämtliche Verdächtigen einfach verschwinden. Denn das geheime Geld aus dem Ausland war für HITLERS Machtergreifung unentbehrlich. Es war die »Summe, die ihm zwischen 1929 und 1933 den Weg zur Macht ebnete, zwar sehr stattlich, doch nicht überdimensional, [sie] spielte aber die Rolle des ›Zünngleins an der Waage‹. Die Wallstreet-Bankiers hatten gut kalkuliert, nicht mehr gegeben als nötig, doch genau so viel«.[341]

E. R. CARMIN, ein Experte in Sachen Drittes Reich und seiner Entstehung, schreibt über Sidney WARBURGS Buch, daß es »maßlos untertrieben« sei. »Denn betrachtet man den Gesamtkomplex der Aufrüstung des Dritten Reiches für den Krieg, erscheinen die von ›WARBURG‹ aufgezeigten ›Geldquellen‹ bestenfalls als kleines Rinnsal.« Pionierarbeit wurde in diesem Zusammenhang vor allem von Anthony SUTTON und James MARTIN geleistet, den Verfassern der Bücher *Wallstreet and the rise of Hitler* und *All honorable Men*, die sich mit HITLERS Machtergreifung kritisch auseinandersetzen.

Beide Autoren weisen darauf hin, daß »die I.G. Farben gemeinsam mit den Vereinigten Stahlwerken, dem amerikanischen Kapital und teilweise der amerikanischen Technologie am Vorabend des Zweiten Weltkrieges 95

Prozent der deutschen Explosivstoffe herstellten und aus deren Giftküche während des Krieges auch das berüchtigte Blausäuregas Zyklon B für HIMMLERS Gaskammern kam, kein deutsches Unternehmen, sondern ein multinationaler Konzern, der intern wesentlich von ausländischen Interessen mitbestimmt wurde. Die personellen Verflechtungen im Vorstand der hundertprozentigen Farben-Tochter ›American I.G. Chemical Company‹ (später aus kosmetischen Gründen in ›General Anilin‹ umbenannt) sind überaus aufschlußreich: Carl BOSCH von der deutschen Ford Motor AG.; Edsel B. FORD von der Ford Motor Company in Detroit; Max ILGNER von I.G. Farben; F. TERMEER, ebenfalls vom I.G. Farben-Vorstand; H.A. METZ, Direktor von I.G. Farben und der Bank of Manhatten; C.E. MITCHEL von der Federal Reserve Bank of New York und der National City Bank; Hermann SCHMITZ, Präsident von American I.G., im Vorstand von I.G. Farben, der Deutschen Bank, der Bank of International Settlement, Basel; Walter TEAGLE von der Federal Reserve Bank of New York und Standard Oil of New Jersey; W. H. von RATH, Vorstand bei AEG, Paul WARBURG, Gründungsmitglied der Federal Reserve Bank und Bank of Manhattan, W. E. WEISS von Sterling Products. Paul WARBURGS Bruder, der Hamburg Bankier Max WARBURG, saß bekanntlich im Vorstand von I.G. Farben in Deutschland.«[342]

In diesem Sinne ist wohl auch der Ausspruch des amerikanischen Senators Homer T. BONE vor dem Committee on Military Affairs zu verstehen: »Farben war HITLER, und HITLER war Farben!« »Farben war ein integraler Bestandteil des Systems und der Vorbereitung zum Krieg, und das ist in Hinblick auf Farbens intimes Verhältnis zur Wallstreet wohl von Bedeutung.« »Während der dreißiger Jahre hat I.G. Farben mehr als nur den Interessen des Nazi-Regimes gedient. Farben war Initiator und Ausführender der Welteroberungspläne der Nationalsozialisten. Farben agierte als Forschungs- und Spionageorganisation der Wehrmacht und initiierte freiwillig diverse Projekte der Wehrmacht.« Als ob dies noch nicht genug wäre, »begann I.G. (bereits 1934) . . . mit der Mobilisierung und hielt in den verschiedenen Farben-Anlagen Übungen unter kriegsähnlichen Bedingungen ab, die folgerichtig auch als ›Kriegsspiele‹ bezeichnet wurden«. Ebenso resümiert CARMIN: »Wenn es wohl kaum übertrieben ist zu sagen, ohne I.G. Farben hätte es kein Drittes Reich gegeben, dann trifft dies sicherlich auch für General Electric zu. Bereits 1929 verfügte General Electric über einen fünfundzwanzigprozentigen Anteil an der AEG, ein Abkommen sicherte AEG den Zugang zu amerikanischen Patenten und amerikanischer Technologie. . . Zu dieser Zeit saßen nun im AEG-Aufsichtsrat vier Wallstreet-Agenten, nämlich YOUNG, SWOPE, MINOR und BALDWIN, neben dem bekannten HITLER-Finanzier PFERDMENGES von Oppenheim & Co und QUANDT, dem 75 Prozent der Akkumulatoren-Fabrik gehörten.«[343]

Die Durchdringung, Infiltration und Unterwanderung NS-Deutschlands durch amerikanische Wallstreet-Agenten war anscheinend so umfassend, daß es den Rahmen dieses Buches sprengen würde, sie vollständig aufzulisten. Für weitere Einzelheiten sei der interessierte Leser an die oben genannten Bücher verwiesen. Über die Finanzierung HITLERS, die ich nur teilweise anführen konnte, sei noch vermerkt, daß die oben erwähnten und keineswegs unbedeutenden ›Privatspenden‹ an HITLER anscheinend nur einen geringfügigen Teil der eigentlichen, indirekten Hilfen amerikanischer Konzerne ausmachten, denn die vermeintlich deutschen Kartelle wie I.G. Farben, AEG usw. waren größtenteils in amerikanischem Besitz und daher keine rein deutschen HITLER-Unterstützer.

Es dürfte viele verwundern, daß die Aufrüstung NS-Deutschlands durch die US-Wall Street-Kreise sogar aktenkundig geworden ist. So geht zum Beispiel aus den detaillierten Aussagen vor dem Kilgore Committee des US-Senats im Jahre 1945 im Hearing zum Thema »Elimination of German Resources for War« (›Beseitigung von Kriegsführungsquellen in Deutschland‹) hervor, daß, »als die Nazis 1933 an die Macht kamen, sie feststellen konnten, daß man seit 1918 enorme Fortschritte in der Vorbereitung Deutschlands für den Krieg in wirtschaftlicher und industrieller Hinsicht gemacht hatte«. So waren es auch die gewaltigen Beträge amerikanischen Kapitals, die unter dem DAWES-Plan ab 1924 nach Deutschland geflossen waren, welche teilweise die Grundlage bildeten, auf der Hitler seine Kriegsmaschine aufbauen konnte.

In dieser Hinsicht ist das Buch von Anthony C. SUTTON *Wall Street and the Rise of Hitler* wegweisend. Hier wird der vom amerikanischen Kapitalismus an Deutschland geleistete Beitrag zur Vorbereitung des Krieges vor 1940 als außerordentlich beschrieben. »Er war zweifellos entscheidend für die militärische Vorbereitung in Deutschland. Beweise legen es nahe, daß nicht nur ein einflußreicher Sektor der amerikanischen Wirtschaft sich über die Natur des Nazitums bewußt war, sondern ihm auch, wo immer möglich und lukrativ, aus Egoismus Vorschub leistete – in dem vollen Wissen, daß am Ende Krieg stehen würde, in den Europa und die USA hineingezogen werden würden. Auf Unkenntnis zu plädieren ist mit den Fakten unvereinbar.«

Die sorgfältig dokumentierten Beweise darüber, daß amerikanische Banken- und Industriekreise (größtenteils Erdölkonzerne) an dem Aufstieg von HITLERS Drittem Reich höchst maßgeblich beteiligt waren, sind öffentlich zugänglich. Sie sind in Protokollen und Berichten über Anhörungen der US-Regierung zu finden, welche von verschiedenen Senats- und Kongreßausschüssen in den Jahren 1928 bis 1946 veröffentlicht wurden. Die wichtigsten sind die des ›House Subcommittee to Investigate Nazi Propaganda‹ vom Jahr 1934, der ›Bericht über Kartelle‹, herausgegeben vom House Temporary National Economic Committee im Jahre 1941, sowie die des ›Senate Subcommittee on War Mobilization‹ im Jahre 1946.

Der wichtigste US-Vertreter im HITLER-Deutschland war nach 1933 der amerikanische Botschafter DODD. Mehr als dreieinhalb Jahre nach HITLERS Machtübernahme berichtete DODD am 15. August 1936 an den US-Präsidenten Franklin Delano ROOSEVELT: »Zur Zeit haben hier über hundert amerikanische Unternehmen Tochtergesellschaften oder Kooperationsabkommen. Du Pont hat drei Verbündete in Deutschland, die das Rüstungsgeschäft unterstützen... Selbst unsere Flugzeugleute haben ein Geheimabkommen mit Krupp. General Motors Company und Ford erzielen hier mit ihren Tochtergesellschaften Riesenumsätze, aber entnehmen keine Gewinne. Ich erwähne diese Fakten, weil sie die Dinge komplizieren und die Kriegsgefahr vergrößern.«[344]

Desweiteren vermerkte DODD in seinem Tagebuch, daß die von John Foster DULLES vertretenen Banken schon Ende 1933 Deutschland Kredite im Werte von einer Milliarde Dollar bereitgestellt hatten. Dies stimmt auch mit der Behauptung von US-Senator Claude PEPPER aus Florida überein, die dieser im Oktober 1944 äußerte. Claude PEPPER zufolge war es John Foster DULLES' Firma und die Schroeder-Bank, die HITLERS Aufstieg ermöglichten. Auch die *New York Times* berichtete im Januar 1933 über den DULLES-Besuch in Köln und erinnerte ihre Leser wiederholt an diesen Besuch in einem weiteren, am 11. November 1944 erschienenen Artikel. Merkwürdigerweise sollen beide Artikel aus den amerikanischen Bibliotheken verschwunden sein. Als ein bekannter deutscher Autor daraufhin der Sache mit den beiden Zeitungsartikeln auf die Spur kam, fand er Erstaunliches heraus. An der Universität von Kalifornien in Los Angeles entdeckte er die besagte Kopie auf Mikrofilm gespeichert, die auf den Artikel der *New York Times* vom 11. November 1944 zurückging. Aber die Mikrofilmkopie war ganze 14 Seiten kürzer, von den ursprünglichen 40 Seiten war die Kopie auf nur 26 Seiten zusammengeschrumpft. Noch wichtiger: Die Ausgaben von Januar 1933 enthielten keinerlei Angaben über den DULLES-Besuch bei SCHROEDER. Als der Autor daraufhin bei den Bibliothekaren über diesen seltsamen Vorgang nachfragte, wurde ihm gesagt, »daß die Mikrofilmkopien in Michigan durch Ann Arbor hergestellt werden, eine der wenigen Zentralstellen, wo möglich direkter Einfluß und Zensur von Washington ausgeübt werden«.[345] Der Grund für das Verschwinden der beiden wichtigen Zeitungsbeiträge kam also nicht von ungefähr, denn die US-Wall Street-Finanzelite und ROCKEFELLER-Insider, die der US-Machtelite angehören, gingen bewußt bei der Aufrüstung Deutschlands über alle erdenklichen Grenzen hinaus.

Bei den Recherchen zu seinem Buch *Wall Street and the Rise of Hitler* stieß Anthony SUTTON auf die Tatsache, daß »die beiden größten Panzerhersteller im HITLER-Deutschland Opel, eine hundertprozentige Tochter der General Motors – ihrerseits von J. P. MORGAN kontrolliert –, und die Ford AG, Tochter der Ford Motor Company in Detroit, waren. 1936 wurde Opel von den Nationalsozialisten Steuerfreiheit eingeräumt, damit General Motors ihre Produktionsanlagen erweitern konnte. Gefällig reinvestierte General Motors die anschließenden Gewinne in die deutsche Industrie«.[346] So war es zum Beispiel General Motors in den USA, die für das US-Militär in Detroit Panzer, Armeelastwagen und Flugzeugmotore herstellten, während in NS-Deutschland die Tochtergesellschaft von General Motors, Opel (wurde nach dem Ersten Weltkrieg von General Motors aufgekauft), eine ähnliche Produktionszusammenstellung für HITLERS Kriegsmaschinerie bot. Diese beinhaltete Kettenfahrzeuge, Opel-Blitz-Lkws und die Hälfte aller Motoren für GÖRINGS Bomberflotte, für die Ju-88.

Über den ganzen Zweiten Weltkrieg hinweg blieben der Aufsichtsratsvorsitzende von General Motors, Alfred P. SLOAN, und drei seiner Vizepräsidenten auch im Vorstand des Tochterunternehmens in Rüsselsheim. Die angesehenen Herren im Opel-Vorstand sorgten pedantisch dafür, daß Opel während der Kriegsjahre mit genügend Rohstoffen und Material beliefert wurde, die Deutschland fehlten. Damit diese Aktion aber nicht zu offensichtlich wurde, bedienten sich die angesehenen Herren einiger Vertuschungsmethoden. So gingen die Materiallieferungen über Tochterfirmen von General Motors in Japan, Belgien, China, Hongkong, Uruguay und Brasilien.[347] Auch die Ford-Werke bewiesen, daß sie durchaus mit General Motors mithalten konnten, was NS-Deutschland betraf. Und damit keiner glauben sollte, daß Ford nicht mit ganzem Herzen energisch mithalf, die deutsche Rüstungsindustrie aufzubauen, sei eine nicht zu verachtende Produktionsziffer der Ford-Werke genannt: Im Kriegsjahr 1943 bauten die Kölner Fordwerke rund 60 Prozent aller Drei-Tonnen-Kettenfahrzeuge (das sind Mannschaftstransporter) für die NS-Führung. Von so viel Zuneigung scheinbar fast überwältigt, erhielten die Direktoren von General Motors und Ford vom Führer persönlich den Adler-Orden Erster Klasse. Da soll einer noch behaupten, die Nationalsozialisten seien undankbar gewesen!

Noch etwas Merkwürdiges am Rande: Die angesehenen Wirtschaftsführer berieten auch die US-Luftwaffe während des Krieges, wenn es darum ging, Bombenziele auszuwählen. So wurden im ›United States Strategic Bombing Survey‹ (USSBS) besondere Gebiete verschont, die im Herrschaftsbereich der Nationalsozialisten lagen. Diese ›nette‹ Sonderbehandlung kam in der Regel allen Industrieanlagen zugute, die US-Konzernen gehörten. Als aber trotzdem die Werke von Ford und General Motors in Deutschland bombardiert wurden, verlangten diese nach Kriegsende Entschädigung. Und da sich die Nationalsozialisten für die Leistungen der beiden US-Konzerne schon immer erkenntlich zeigten, bekamen diese auch ihre Entschädigungen!

Wer aber nun glaubte, daß damit das Kapitel US-Großkonzerne und NS-Aufrüstung beendet sei, der soll gleich eines Besseren belehrt werden. Denn auch Standard Oil von New Jersey und dessen Rockefeller-Clan, der schon bei der Raubaktion gegen Mexiko eine berüchtigte Hauptrolle spielte, mischten ebenso kräftig beim Aufrüsten der Nationalsozialisten mit. Standard Oil, heute Exxon (in Deutschland Esso), hatte es schon lange auf ihren Hauptkonkurrenten I.G. Farben abgesehen, denn I.G. Farben hatte eine neue Art von Treibstoff entwickelt: synthetisches Benzin. Dieser Treibstoff wurde aus Kohle gewonnen und eignete sich als wirksamer Antrieb für Hitlers Kriegsmaschinerie, vor allem für seine Luftwaffe. Der US-Energiemulti Standard Oil hatte schwere Bedenken, daß dieses neue synthetische Benzin ihn vom Markt drängen könnte. Deswegen kaufte sich der Finanzgigant tüchtig in die I.G. Farben-Gesellschaft ein. Mitte der dreißiger Jahre arbeiteten beide Unternehmen zusammen, und Standard Oil baute in Deutschland Fabrikationsanlagen zur Herstellung von synthetischem Benzin. Zeitgleich belieferte Standard Oil Hitlers Luftwaffe mit 500 Tonnen des Benzinzusatzes ›Bleitetraäthyl‹ – ein unentbehrliches Zusatzmittel, das Flugzeugmotoren klopffest machte, ohne welches Hitler nicht schon 1939 seine Inbesitznahme der Tschechoslowakei hätte durchführen können.

Rockefeller konnte sich auch nicht mehr herausreden, er hätte ja nicht wissen können, daß die NS-Führung damit Luftangriffe starten würde. Denn die Standard Oil betrieb die Zusammenarbeit mit der I.G. Farben in Kenntnis der Kriegsvorbereitungen Hitlers. Dies geht aus einem Brief der Geschäftsleitung des Multikonzerns Du Pont hervor. Dieser Brief, datiert auf den 15. Dezember 1934, warnt ausdrücklich: »Es wird behauptet, daß Deutschland insgeheim aufrüstet. Bleitetraäthyl würde zweifelsohne von großem Nutzen für Militärflugzeuge sein. Ich schreibe Ihnen dies, um Ihnen mitzuteilen, daß meiner Meinung... keine technischen Informationen an Deutschland weitergegeben werden sollten, die der Herstellung von Bleitetraäthyl dienen könnten.«

Wie zutreffend diese Warnung sein sollte, ging nach dem Krieg aus bekanntgewordenen deutschen Dokumenten hervor: Ohne das Abkommen mit der Standard Oil »wäre die derzeitige Art der Kriegführung nicht möglich gewesen«, bezeugt eines der Dokumente. Selbst nachdem Hitlers Absichten klar geworden waren, das heißt nach seinem Angriff auf Polen, blieb Rockefeller auf Kriegskurs. Nur drei Wochen nach dem Polenfeldzug kam es zu einem Geheimtreffen zwischen Vertretern der Standard Oil und der I.G. Farben in Den Haag. Dabei wurden rund 2000 Patente ausgetauscht. Außerdem wurde eine Aufteilung des Weltmarktes unter den neuen Bedingungen des Krieges vorgenommen: Standard Oil erhielt die USA und deren alliierte Nationen als Handelsgebiet, während die I.G. Farben den Rest der Welt als ihre souveräne Handelszone ansehen konnten.

Es muß wohl kaum hinzugefügt werden, daß es sich hier um ein Geschäft von gewaltigem Ausmaß handelte. Eine von Präsident Roosevelt eingeleitete Untersuchungskommission erbrachte eine Aktennotiz von Standard Oil-Vertreter Frank HOWARD, in der es heißt: »Vertreter der I.G. Farben haben mir heute Überlassungsurkunden für etwa 2000 ausländische Patente übergeben, und wir haben unser Möglichstes getan, um einen Durchführungsmodus zu erarbeiten, der während des gesamten Krieges wirksam bleiben kann, ob die Vereinigten Staaten in den Krieg eintreten oder nicht.«[348]

Auch der amerikanische Multikonzern ITT blieb nicht untätig, wenn es ums Geschäft mit den Nationalsozialisten ging. ITT-Gründer Sosthenes BEHN erreichte in einem persönlichen Gespräch mit HITLER 1938 nach dem Anschluß Österreichs, daß seine Tochterfirma in Wien vor der Beschlagnahme bewahrt blieb. Anerkennend lobte er dann auch gleich HITLER als »Gentleman«, der nebenbei auch immer sehr gut gekleidet sei. Wie bei ROCKEFELLERS Standard Oil hatte auch ITT gute Beziehungen zur Hermann GÖRINGS Luftwaffe. 1938, also schon ein Jahr vor dem Krieg, erwarb ein deutsches Tochterunternehmen von ITT, die Elektrofirma Lorenz, eine 28prozentige Beteiligung an der Firma Focke-Wulf. Diese produzierte später Jagdflugzeuge, die die alliierten Bomber angriffen. Nach Kriegsende sagte der Bankier Kurt von SCHROEDER, Aufsichtsratsmitglied einer der deutschen ITT-Firmen, vor dem Nürnberger Militärgerichtshof: Er sei sich sicher, daß BEHN die Beteiligung an Focke-Wulf betrieben habe. Im Vernehmungsprotokoll geht es weiter: »Von 1933 bis zum Ausbruch des Krieges hätte der größte Teil der Gewinne der deutschen ITT-Gesellschaften an Colonel BEHNS Firmen in die USA transferiert werden können – aber darum hat er mich nie gebeten. Anscheinend hatte er nichts dagegen, daß die Unternehmen in Deutschland, an denen er und seine Firmen beteiligt waren, ihre sämtlichen Gewinne in neuen Betriebsanlagen und in andere Rüstungsbetriebe investierten. Auf die Frage ›Wußten Sie oder haben Sie jemals davon gehört, daß sich Colonel BEHN oder seine Stellvertreter bei diesen Firmen, die sich an den Kriegsvorbereitungen Deutschlands beteiligten, darüber beschwert hätten?‹, lautete SCHRÖDERS Antwort: ›Nein‹.«[349]

Während gewisse Elemente der Finanz- und US-Machtelite Deutschland halfen, wieder auf die Beine zu kommen, gab es bereits einen anderen hinterhältigen Plan der Machtelite. Dieser Plan beinhaltete einen Wirtschaftskrieg gegen Deutschland. Auch wenn beide Pläne zunächst widersprüchlich erscheinen, ergeben sie doch beide zusammen einen allgemeinen Plan zur Vernichtung Deutschlands als mitteleuropäischer Macht. Es ist, wie schon zuvor angedeutet worden, viel über HITLER und seine angeblichen Weltbeherrschungsziele geschrieben worden. Diese Bücher haben jedoch mit seriöser Geschichtsanalyse nichts zu tun, sondern eher mit propagandistischer Geschichtsschreibung, die man besser ins Reich der Märchen verweisen sollte. Unzählige Historiker haben die Gesamtschuld am Zweiten Weltkrieg HITLER zugeschrieben. Dies ist aber eher eine reine Erfindung als die Wahrheit über die wirklichen Ziele, die HITLER als Reichskanzler verfolgte.

HITLERS Zielsetzungen lassen sich in drei Gruppen einteilen:
1. die Abschaffung des ungerechten Versailler Vertrags, der Deutschland die gesamte Schuld am Ersten Weltkrieg zuschrieb und daher für unbegrenzte Zeit hohe Reparationszahlungen von Deutschland forderte,
2. die Eingliederung deutscher Bevölkerungsgruppen, die außerhalb Deutschlands lebten und zum Teil durch den Versailler Vertrag vom Deutschen Reich getrennt worden waren,
3. eine neue Ordnung des Weltwirtschaftssystems, die den Goldstandard aufheben würde, da dieser nur die Nationen begünstigte, die erhebliche Goldmengen besaßen.

Letzterer Grund ist der wohl wichtigste, doch wurde er von der überwiegenden Mehrheit der Nachkriegszeit-Historiker aus absolut unverständlichen Gründen so gut wie gar nicht berücksichtigt. Statt dessen füllten sich die Bücher über den Zweiten Weltkrieg mit schier unablässigen Unterstellungen und Behauptungen, HITLER habe den Zweiten Weltkrieg schon jahrelang vorher geplant. Interessanterweise konnte bis zum heutigen Tage kein einziger direkter Beweis für diese Unterstellung vorgelegt werden, selbst die übereifrigen Nürnberger Protokolle konnten nie den Beweis erbringen, HITLER habe den Zweiten Weltkrieg schon Jahre vor dessen eigentlichem Ausbruch geplant.

Der amerikanische Senator Hamilton FISH bemerkt zu dem Nürnberger Prozeß: »Im Nürnberger Prozeß wurde versucht, eine ›deutsche Verschwörung‹ zum Angriffskrieg zu konstruieren. Man arbeitete mit frisierten Abschriften von Abschriften deutscher Dokumente, mit der Bedrohung von Zeugen, sie an STALIN auszuliefern, mit der Weigerung, entlastende Aussagen und Dokumente zuzulassen und ähnlichen Behinderungen. Die klare Sprache des Autors, frei von jedem professoralen ›Wenn und aber‹, läßt den Vorwand der ›Conspiracy‹, der Verschwörung, auf die Ankläger zurückfallen.«« Denn, so FISH: »Eine exklusive, aber mächtige Minderheit um ROOSEVELT trieb seit 1933 zielbewußt zum Krieg gegen das Reich.«[350] Eine wirklich seriöse Untersuchung der Kriegsursachen des Zweiten Weltkriegs kommt aber ohne eine Analyse der damaligen Weltwirtschaftslage kaum aus.

HITLER war nämlich der festen Überzeugung, daß, solange das internationale Währungssystem auf den Wert des Goldes gestützt war, die Nation, die das meiste Gold besaß, jeder Nation, der es an Gold mangelte, ihren Willen aufzwingen konnte. Dies war leicht zu bewerkstelligen, indem man die Devisenquellen austrocknete und andere dadurch zwang, Anleihen zu übertriebenen Zinsen aufzunehmen, um ihren Reichtum zu zersplittern.

HITLER argumentierte vernünftigerweise gegen ein solches Wirtschaftssystem der Vorherrschaft, indem er sagte, daß die Volksgemeinschaft nicht durch den fiktiven Goldwert lebe, sondern durch ihre echte Produktionskraft, die wiederum in ihrer Währung die eigentliche Deckung und den realen Wert bekomme. Aus diesem Grund verbot HITLER Anleihen, zu welchen Zinsen auch immer, im Ausland aufzunehmen. Um trotzdem lebenswichtige Ressourcen zu erhalten, benutzte er bilaterale Handelsverträge. Um die ›Freiheit des Geldaustausches‹ wesentlich zu beschränken und somit das Spiel der Börsenmakler und Spekulanten zu beenden wie auch dem Verschieben von privatem Reichtum, je nach der internationalen Lage, ins Ausland ein Ende zu bereiten, benutzte er Elemente der BRÜNINGschen Finanzpolitik. Das bedeutete, daß neues Geld nur geschaffen wurde, wenn Arbeitskräfte und Material vorhanden waren und wenn es keine Schulden mehr gab. Dies stand jedoch in völligem Gegensatz zur Finanzpolitik, die in den USA betrieben wurde. Denn das internationale Finanzleben hing von zinsträchtigen Anleihen an Nationen in wirtschaftlichen Schwierigkeiten ab. HITLERS Wirtschaftspolitik bedeutete daher langfristig den Ruin des alten Status quo eines US-beherrschten Wirtschaftssystems. Würde Deutschlands Wirtschaft einen Wiederaufschwung und die damit verbundene Konjunktur erleben, wo würden dann andere Nationen seinem Beispiel folgen? Daß dies keinesfalls eine leere Drohung darstellte, bewiesen unter anderem Nationen in Südosteuropa und auf dem Balkan, denn diese benutzten sehr zum Verdruß der USA das gleiche Wirtschaftssystem wie Deutschland.

Auch die Tatsache, daß es dem Dritten Reich gelungen war, eine Anzahl südamerikanischer Staaten in sein Wirtschaftssystem mit einzubeziehen, mißfiel den USA aufs heftigste. Es bestand deshalb durchaus die Möglichkeit oder aus der Sicht der USA die Gefahr, daß sich die goldarmen Staaten zusammentaten, um Ware gegen Ware zu tauschen. Das Ergebnis einer solchen Wirtschaftspolitik wäre letztendlich gewesen, daß Anleihen austrockneten, das Gold seinen Wert verlieren würde und, um ROOSEVELTS eigene Worte zu benutzen, »die Geldverleiher im Tempel« ihre Läden schließen müßten.

Nach Helmut GORDON richtete sich diese finanzielle Waffe »hauptsächlich gegen die Vereinigten Staaten, weil sie den Großteil des in der Welt produzierten Goldes besaßen, weil ihr System der Massenproduktion den Export von etwa 10 Prozent des Produktionsausstoßes verlangte, um weitere Arbeitslosigkeit zu vermeiden. Dazu kam die wachsende Furcht vor deutschem wirtschaftlichen Einfluß in Lateinamerika. Einen Monat vor ROOSEVELTS Quarantäne-Ansprache ließ sich die erneute Depression in den USA nicht mehr übersehen, zwei Wochen nach der Ansprache, am 19. Oktober 1937, brach die Wall Street zum zweiten Mal zusammen, zwölf Millionen waren arbeitslos, fast sechs Millionen nur mit Kurzarbeit beschäftigt. Das Motto ›Stop HITLER!‹ geht nicht auf die Zeit nach dem Abschluß des Münchner Abkommens zurück, es hat seine Ursache in der Wirtschaftspolitik des Dritten Reichs. . . BARUCH bemerkte gegenüber General George C. MARSHALL: ›Wir werden diesem Kerl HITLER eins aufs Dach hauen. Er kommt uns nicht davon.‹ Sein besonderes Ziel war die Wirtschaftspolitik des Dritten

Reichs: ›Wenn wir unsere Preise so niedrig wie möglich halten, gibt es keinen Grund dafür, daß wir den kriegführenden Mächten keine Kunden abwerben könnten, die diese wegen eines Krieges aufgeben mußten. In diesem Falle wird das gesamte Handelssystem Deutschlands zerstört werden.‹ Und Harold Hopkins, zu dieser Zeit engster, wenn auch skandalumwitterter Vertrauter Roosevelts, bemerkte noch im April 1939: ›Die gegenwärtige Situation, wenn man sie von dem Standpunkt eines aktiven Krieges aus betrachtet, den Deutschland führt, liegt klar auf der Hand. Es ist ein Wirtschaftskrieg, in dem Deutschland um seine Existenz kämpft. Deutschland braucht Märkte für seine Waren, oder es muß sterben. Und Deutschland wird nicht sterben.‹«[351]

Die US-Machtelite hatte also wieder vorgesorgt, man hatte Deutschland zugleich finanziell unterstützt, seine Kriegsmaschinerie maßgeblich mit aufgebaut, aber zur gleichen Zeit ebenfalls einen aktiven Wirtschaftskrieg gegen Deutschland geführt. Es konnte daher nur ein wirkliches Ziel der US-Machtelite geben, und dies war logischerweise, einen Krieg gegen Deutschland zu führen, das die Machtelite als ernsthaften Wirtschaftskonkurrenten ansah, wie dies schon zuvor der Fall im Ersten Weltkrieg gewesen war, als Präsident Wilson Deutschland als größten Wirtschaftsgegner ausgemacht hatte. Auch damals war es nur mit einem Weltkrieg gelungen, den Aufstieg Deutschlands zu stoppen, um somit den eigenen Aufstieg der Weltmacht USA voranzutreiben. Auch der US-Alliierte Winston Churchill ließ keinen Zweifel aufkommen, wie man in Zusammenarbeit mit den Amerikanern mit Deutschland umzugehen pflegte, als er schon »1936 erklärte: ›Wir werden Hitler den Krieg aufzwingen, ob er will oder nicht!‹«[352] In dieser Hinsicht sei erneut auf jene Landkarte verwiesen, die, in den achtziger Jahren des 19. Jahrhunderts entstanden, erstmals in der englischen Wochenschrift *Truth* veröffentlicht wurde. Sie enthielt bereits jene Grenzen, die schließlich 1919 und 1945 Wirklichkeit wurden. Auch eine Art Ostblock war in dieser Landkarte schon vorgesehen.[353]

Kapitel 5
Die Provokation Japans oder: Wie man in einen Weltkrieg eintritt

Die Große Depression machte den Amerikanern schwer zu schaffen. Zwar sank die Arbeitslosenziffer in den USA etwas Mitte der dreißiger Jahre, aber schon 1937 traten neue wirtschaftliche Probleme auf, und es kam plötzlich zu einer harschen Rezession. Die Preise fielen drastisch, die Kurse sackten ins Bodenlose ab, die Umsätze stürzten bis zum Jahresende gar um 27%, die Arbeitslosenquote erhöhte sich dramatisch um 2 Millionen und stieg damit auf die offizielle Gesamtzahl von 13 Millionen Arbeitslosen. Sie blieb sogar bis zu Beginn des Zweiten Weltkriegs konstant bei erschreckenden 8 bis 10 Millionen Arbeitslosen.[354] Amerikas Produktion war auf 56 Prozent des Niveaus von 1929 gesunken, mit dem Ergebnis, daß die Verwalter der Not, die ihrem Volk eine Hunger- und Sparkur verordnet hatten, offenkundig scheiterten.[355]

Die Große Depression hatte sich unweigerlich stark zurückgemeldet, und alle Anzeichen einer allgemeinen Panik machten sich bemerkbar. Ein Krieg, ein möglichst langer, würde wahrscheinlich wie zuvor in der US-Geschichte die Wirtschaft wieder ankurbeln. Dies wurde auch von einem wichtigen Senatsausschuß bestätigt. Denn: »Vom 5. April bis zum 10. Mai 1939 tagte der Senatsausschuß für Auswärtige Angelegenheiten der USA. Auf der Tagesordnung stand nur eine Frage, die Haltung der USA gegenüber einem neuen Weltkrieg. Die meisten Teilnehmer der Beratung neigten zu der Ansicht, ein neuer Weltkrieg werde den USA großen Gewinn bringen und in jeder Hinsicht sehr vorteilhaft sein. In einigen Diskussionsbeiträgen wurde besonders die Ansicht unterstrichen, daß der Krieg das Staatsgebiet der USA nicht berühren werde. Der amerikanische Sachverständige für internationale Fragen, Professor STILWELL, erklärte: ›Welcher Art die Zufälligkeiten des Krieges in Europa oder in Asien auch sein mögen, den USA wird keinerlei Gefahr drohen.‹«

Die ganze Senatsausschußsitzung wurde aktenkundig, als sie in der *The New York Herald Tribune* vom 3. November 1939 öffentlich besprochen wurde.[356] Aber das Volk wollte davon gar nichts wissen. Nach Meinungsumfragen war die Mehrheit noch 1939 um keinen Preis bereit, in einen Krieg einzutreten. Noch im Oktober erklärten sich 96,5 % der Amerikaner gegen den Kriegseintritt.[357] Franklin Delano ROOSEVELT, inzwischen Präsident der USA, erschien am 16. Mai 1940 vor dem Kongreß und forderte die unglaubliche

Menge von 50 000 Militärflugzeugen und neue Verteidigungsbewilligungen in Höhe von etwa 900 Millionen Dollar. Dies war ganz offenkundig eine bewußte Aufrüstung für einen Krieg, denn in einem neutralen Amerika wären solche riesigen Aufrüstungsmaßnahmen nicht notwendig gewesen.[358]

Präsident ROOSEVELT wußte, daß das amerikanische Volk nur für einen Krieg zu gewinnen sei, wenn ein Angriff auf die USA oder deren Truppen stattfinden würde. Er wußte auch, daß der Kongreß ihm keine Kriegserklärung geben würde, um in Europa einzugreifen, es sei denn, Amerika würde angegriffen. Aus diesem Grund begann er, Deutschland zu provozieren, indem er am 9. April 1941 Grönland und am 7. Juli 1941 Island völkerrechtswidrig besetzte. Aber HITLER ging nicht darauf ein. Nun mußte ROOSEVELT härter durchgreifen, und so erteilte er am 11. September 1941 seiner Marine den Befehl, auf in Sicht kommende deutsche U-Boote in Seegebieten, die »zur Verteidigung wichtig sind«, zu schießen.

Hinzu kamen weitere wichtige Neutralitätsverletzungen durch ROOSEVELT:

1. die Verschiffung erheblicher Mengen von Kriegsmaterial an England, kurz nach dem alliierten Abzug von Dünkirchen;

2. der Erwerb von Überseestützpunkten, teils im Gebiet des britischen Commonwealth, teils in Grönland und auf Island;

3. die Auslieferung von 50 Zerstörern an England, obwohl Krieg zwischen England und Deutschland-Italien herrschte;

4. ROOSEVELTS Drohung in einer Radiosendung vom 29. Dezember 1940, daß kein Diktator die Entschlossenheit Amerikas einschüchtern könne, England zu unterstützen;

5. die Einführung der Lend-Lease-Hilfe vom 11. März 1941, die später auf alle Anti-Achsenmächte ausgedehnt wurde: England, Rußland, China, Holland, Tschechoslowakei usw.;

6. die Schließung aller deutschen und italienischen Konsulate und die Einfrierung aller Guthaben der Achsenmächte;

7. ROOSEVELTS Erklärung vom 7. Juli 1941, daß die Besetzung Islands seitens Amerikas durch die Notwendigkeit hervorgerufen sei, einer deutschen Besetzung Islands zuvorzukommen;

8. die Ankündigung Amerikas ebenfalls im Juli 1941, daß die US-Flotte beauftragt sei, alle Schiffslinien nach Island und anderen Außenposten mit Gewalt offenzuhalten, was eine Kriegshandlung gegen die im mittleren und westlichen Atlantik operierenden deutschen U-Boote darstellte;

9. die öffentliche Erklärung ROOSEVELTS vom 11. September 1941, daß amerikanische Kriegsschiffe und Flugzeuge auf jedes Schiff der Achsenmächte schießen würden, das in Gewässern angetroffen werde, die Amerika als wichtig für seine Interessen betrachte.[359]

Daß es sich bei der Besetzung Islands keineswegs um eine harmlose Aktion ROOSEVELTS handelte, wie dieser es vor dem amerikanischen Kongreß auslegte, wurde bewiesen. Überhaupt wurde Roosevelt nur durch die wiederholten Aufforderungen des isolationistisch eingestellten Senators Burton WHEELER dazu gezwungen, endlich eine Erklärung zur besagten Stationierung von 15 000 US-Soldaten abzugeben, die die britischen Soldaten auf der Insel ablösen sollten. ROOSEVELT war voll in seinem schauspielerischen, um nicht zu sagen demagogischen Element, als er die Stationierung als »eine Maßnahme zum Schutz der westlichen Hemisphäre« darstellte. Natürlich verschwieg er dabei peinlich die Wahrheit mit STIMSONS Zustimmung, der »der Meinung war, ›dies sei für das Volk ein schmackhafteres Argument‹«. Etwas kritisch äußerte sich hierzu Admiral STARK, Chef der US-Seekriegsleitung, als er am 31. Juli 1941 in einem Brief an Capitan (später Admiral) Charles M. COOKE jr., schrieb: »Die Lage auf Island wird vielleicht zu einem Zwischenfall führen. . ., ob wir einen ›Zwischenfall‹ bekommen werden oder nicht, weiß ich nicht. Das kann nur HITLER beantworten.«

Somit hatte ROOSEVELT ursprünglich gehofft, den Kongreß heimtückisch vor vollendete Tatsachen zu stellen, in der Hoffnung, daß HITLER einen Angriff auf US-Truppen befehlen würde, sah sich aber aufgrund des Drucks seitens des isolationistischen Senators WHEELER gezwungen, seine Stationierung dem Kongreß zu offenbaren.[360] Am 27. März 1941 kamen die geheimen amerikanisch-britischen Generalstabsbesprechungen, von denen der Kongreß und die Öffentlichkeit nichts wußten, mit dem als ›ABC-I Staff Agreement‹ bezeichneten Abkommen zum Abschluß. Die ABC-Vereinbarung zielte auf einen U-Boot-Zwischenfall ab, eine sogenannte ›Aggression der Achse‹, die die USA zum Krieg zwingen würde.[361] Die amerikanisch-britischen Stabsgespräche ergaben einen allgemeinen Bericht (»ABC-1«) und ein Sonderpapier über die künftige Zusammenarbeit der beiden Luftwaffen (»ABC-2«) . »Sie verpflichteten die USA für den Fall, daß diese zuerst in einen Krieg gegen Japan eintraten, auch den Krieg gegen Deutschland und Italien aufzunehmen, und umgekehrt, sofern sich Japan dann bereits in einem Krieg mit Großbritannien befand.«[362]

Damit ROOSEVELT und seine Auftraggeber ihren Krieg auch bald bekamen, sorgten sie für Unruhe. Am 17. April 1941 berichtete der bekannte Journalist John O´DONNELL in den *New York Daily News*, daß US-Marinestreitkräfte »den mit Kriegsmaterial beladenen britischen Handelsschiffen bewaffnetes Geleit« gäben. Am nächsten Tag ließ ROOSEVELT durch seinen Sekretär, Mr. EARLY, die Tatsache als eine »bewußte Lüge« dementieren. Weil aber der ersehnte Angriff eines deutschen U-Boots ausblieb, mußte ROOSEVELT drastischere Maßnahmen ergreifen. Infolgedessen erteilte er am 25. August 1941 der US-Atlantikflotte den Geheimbefehl, »feindliche Seestreitkräfte« anzugreifen und zu vernichten.

Bis zu diesem Zeitpunkt hatte man sich auf das Melden feindlicher Seestreitkräfte an die Briten beschränkt, nun war aber auch bei den Amerikanern das Versenken mit auf dem Programm. Damit sich die Lage auf jede erdenkliche Weise zuspitze, erklärte ROOSEVELT am 1. September 1941 in einer Ansprache zum Tag der Arbeit: »Wir werden alles in unserer Macht tun, HITLER und seine Wehrmacht zu vernichten.« Um seinen Worten auch Taten folgen zu lassen, fand ein Zwischenfall am 11. September 1941 statt, bei dem ein US-Zerstörer einen Angriff auf ein deutsches U-Boot durchführte (wozu ja alle US-Kriegsschiffe aufgefordert waren). ROOSEVELT verkündete über den Rundfunk eine entstellte Schilderung des Zwischenfalls: »Wir haben nicht den offenen Krieg mit HITLER gesucht. Wir tun das auch heute nicht... Aber wenn man eine Klapperschlange zum Angriff hochgehen sieht, dann wartet man nicht mit dem Zuschlagen, bis sie einen gebissen hat.« Damit machte er die öffentliche Meinung in den USA für weitere ›Zwischenfälle‹ bereit und ebnete den Weg für einen unerklärten Krieg mit Deutschland – drei Monate vor Pearl Harbor, vor dem eigentlichen Eintritt der USA in den Weltkrieg.[363]

ROOSEVELTS Darstellung der Sachlage war aber alles andere als korrekt. Denn der Marineausschuß des Senats hatte den Fall untersucht und bekam von Admiral STARK einen ganz anderen Bericht über den Zwischenfall. Diesem zufolge lief er so ab: »Um 8.45 Uhr teilte ein englisches Flugzeug der ›Greer‹ mit, daß ein U-Boot 10 Meilen weiter westlich auf dem Kurs des Zerstörers unter Wasser geortet sei. Die ›Greer‹ (der besagte US-Zerstörer) beschleunigte ihre Fahrt und steuerte im Zickzackkurs den angegebenen Punkt an. Sobald das Horchgerät das Schraubengeräusch des U-Boots aufgefangen hatte, verfolgte der Zerstörer das U-Boot und funkte die Ortung zum Nutzen jedes britischen Flugzeugs oder Zerstörers, die in der Nähe sein mochten.« Dies, so sagte Admiral STARK, »geschah in Übereinstimmung mit den erteilten Befehlen, Informationen weiterzugeben, aber nicht anzugreifen.« Um 10 Uhr 23 warf ein englisches Kampfflugzeug vier Anti-U-Boot-Bomben ab, die jedoch ihr Ziel verfehlten, um 20 Minuten später die Jagd aufzugeben. Die ›Greer‹ aber blieb dem U-Boot auf der Spur. Um 10 Uhr 32 änderte das deutsche U-Boot seinen Kurs, näherte sich der ›Greer‹ und feuerte einen Torpedo ab, der die ›Greer‹ verfehlte. Daraufhin führte die ›Greer‹ einen Gegenangriff aus, der aber ebenfalls erfolglos war.[364]

Was diesen Fall verdächtig macht, ist in einem *Newsweek*-Artikel vom 10. 11. 1941 ausgesprochen: daß die ›Greer‹ höchstwahrscheinlich von dem U-Boot getroffen worden ist. Dies erinnert stark an den ›Maine‹-Zwischenfall, mit dem die US-Machtelite den amerikanisch-spanischen Krieg von 1898 einleitete. Weil selbst in den USA keine Übereinstimmung darüber herrschte, wer der eindeutige Angreifer in diesem Zwischenfall gewesen sei, konnte ROOSEVELT diesen Fall nicht als Kriegsgrund im Kongreß vorlegen, da er Gefahr lief, die Opposition könnte angesichts der ganzen nebulösen Affäre seine Anliegen ablehnen. Nicht weniger verdächtig ist die Tatsache, daß das Marineministerium es ablehnte, dem Senat Einsicht in das Logbuch der ›Greer‹ zu gewähren.[365] Es ist nämlich stark anzunehmen, daß, hätte es eine wirkliche Torpedierung durch das deutsche U-Boot gegeben, ROOSEVELT diese sofort als Kriegsgrund propagandistisch ausgeschlachtet hätte. Doch auch jetzt ließ sich die deutsche Führung nicht provozieren.

Daß ROOSEVELT beabsichtigte, einen Zwischenfall zwischen der US-Navy und der deutschen Marine als Vorwand für den Eintritt der USA in den Zweiten Weltkrieg zu benutzen, zeigt vor allem die Tatsache, daß sich 1941 insgesamt ein Dutzend solcher Zwischenfälle im Atlantik ereigneten. Am 11. April 1941 feuerte der US-Zerstörer ›Niblack‹, der die Gewässer rund um Island erkundete, eine Salve von Wasserbomben ab, da er nach Sonargeräuschen, die er aufgefangen hatte, angeblich einen U-Boot-Angriff befürchtete. Am 21. Mai 1941 ereignete sich der zuvor geschilderte ›Greer‹-Zwischenfall. Am 16. Oktober eilte eine Abteilung amerikanischer Zerstörer von Island aus einem Konvoi zur Hilfe, den ein deutsches U-Boot-Rudel angegriffen hatte. Daraus wurde ein Gefecht, in dessen Verlauf U-568 den US-Zerstörer ›Kearney‹ am 17. Oktober torpedierte. Das Schiff wurde zwar nicht versenkt, aber elf amerikanische Seeleute verloren durch die Torpedierung ihr Leben. Das deutsche U-Boot U-552 versenkte am 31. Oktober 1941 den amerikanischen Zerstörer ›Reuben James‹, der mit vier anderen Zerstörern einen ostwärts laufenden Militär-Geleitzug begleitete und sich gerade fertig zum Angriff zu machen schien, 600 Seemeilen vor Irland. Bei diesem Zwischenfall konnten sich nur 45 Mann der US-Besatzung retten. Das Gefecht hatte sich innerhalb jenes Gebiets ereignet, auf das ROOSEVELT die Sicherheitszone im Juli 1941 erweitern ließ.

»Zu ROOSEVELTs maßloser Enttäuschung erneuerten HITLER und DÖNITZ nach jedem dieser Vorkommnisse ihre Befehle an die U-Boot-Kommandanten, die amerikanischen Seestreitkräfte auf keinen Fall anzugreifen. Nach jedem dieser Zwischenfälle wiederholte aber auch ROOSEVELT seine öffentlichen Anklagen gegen das aggressive, völkerrechtswidrige und verbrecherische HITLERregime, das angeblich durch Akte der ›Piraterie‹ nach der Weltherrschaft strebte, um die Ausweitung und Intensivierung der amerikanischen Seekriegführung im Atlantik immer aufs neue zu legitimieren. Ihren Höhepunkt erreichte diese erbitterte Kampagne nach dem ›Greer‹-Zwischenfall, den der Präsident vor der Weltöffentlichkeit in manipulativer Absicht unvollständig bzw. falsch als unprovozierten Angriff HITLERS darstellte, um sein Land in den Krieg zu ziehen. ROOSEVELT nutzte dieses Ereignis, um 1. persönlich die Verfolgung und Versenkung von U-652 zu befehlen, 2. den amerikanischen Geleitschutz auch für Konvois, die nicht unter amerikanischer oder isländischer Flagge liefen, bis Island offiziell einzuführen bzw. den britischen Geleitschutz für amerikanische Handelsschiffe zuzulassen und 3. seinen Seestreitkräften den Befehl ›Feuer frei bei Sichtung‹ zu geben. Danach durften amerikanische Zerstörerkommandanten endlich jedes deutsche und italienische Kriegsschiff, aber auch jedes deutsche und italienische Kampfflugzeug angreifen, dessen sie in bzw. über Gewässern ansichtig wurden, ›die für die Sicherheit Amerikas notwendig‹ waren.«[366]

Daher schreibt Dirk BAVENDAMM in seinem Buch *Roosevelts Krieg 1937–45*: »Wenn es irgendein einzelnes Datum gibt, an dem man den offenen Eintritt der Vereinigten Staaten von Amerika in den europäischen Krieg festmachen könnte, dann sind es die ersten Septembertage des Jahres 1941 gewesen – drei Jahre nach dem deutschen Angriff auf Polen. Hatte es im Ersten Weltkrieg nicht eine ganz ähnliche Zeitspanne zwischen Kriegsausbruch und amerikanischer Intervention gegeben? ROOSEVELT hat am 4. bzw. 12. September aber nicht nur den Schießkrieg gegen Deutschland eröffnet. Vielmehr verließen am 5. September auch die ersten neun B-17 Fernbomber Hickam Airfield auf Hawaii, um heimlich nach den Philippinen zu fliegen, wo sie am 12. September auf Clark Airfield eintrafen. Mit dem Aufbau einer Bomberstreitmacht von insgesamt 165 Maschinen, die die Philippinen verteidigen, die Luftherrschaft über dem südchinesischen Meer erringen und Japans Städte in Schutt und Asche legen sollten, ließ ROOSEVELT also auch den unerklärten Krieg gegen Japan in den ersten Septembertagen des Jahres 1941 in seine entscheidende offensive und aggressive Phase treten.«[367] »Zwei Jahre lang versuchte er vergeblich, HITLER durch eine militärische Eskalation zum Angriff auf die USA zu provozieren. . . Das war Sinn und Ziel jener Aktivitäten, mit denen ROOSEVELT den Stoßkeil seiner Flotte seit 1939 über den Atlantik immer weiter nach Osten trieb. Er rechnete damit, die Ausdehnung der amerikanischen Seemacht werde irgendwann mit einer gewissen Zwangsläufigkeit zu bewaffneten Zusammenstößen mit den deutschen Seestreitkräften führen, und tatsächlich hat ROOSEVELT, wie wir aus dem Gespräch mit seinem Freund WILLERT im April 1939 wissen, von Anfang an auf diese ›casus-belli-Zwischenfälle‹ im Atlantik gebaut.«[368]

Admiral THEOBALD war Befehlshaber der amerikanischen Torpedobootflotte in Pearl Harbor, als der tragische Angriff der Japaner stattfand. In seinem Buch *Das letzte Geheimnis von Pearl Harbor* enthüllt er ROOSEVELTs verräterische Politik mit schonungsloser Offenheit und weist nach, daß ROOSEVELT die Tragödie von Pearl Harbor beabsichtigt, planmäßig eingeleitet, zielbewußt verschleiert und als raffinierte Initialzündung für den Kriegseintritt Amerikas gegen Deutschland ausgenutzt hat! Diesbezüglich ist es interessant festzuhalten, daß am 23. Juni 1939, also gut zwei Monate vor Ausbruch des Zweiten Weltkriegs (1. September 1939), ein Geheimabkommen von seiten Amerikas mit England angeregt worden war. In diesem Abkommen bekam England eine ›gute Menge Geldes‹, das zum Kauf von Kriegsmaterialien ausgegeben wurde. Am 19. März 1940 genehmigte ROOSEVELT den Verkauf der besten US-Flugzeuge an England und Frankreich, obwohl damit die Streitkraft der USA auf viele Monate hinaus beträchtlich geschwächt wurde. Ein weiterer Coup gelang ROOSEVELT am 20. Juni 1940, als er den ihm widerstrebenden Kriegsminister WOODRING durch Henry STIMSON, einen notorischen Kriegstreiber, ersetzte.[369]

Schon in den ersten Augusttagen des Jahres 1938 überreichte der polnische Generalstab dem Ministerium des Auswärtigen einen Report über die internationale Lage. Nach diesem Bericht habe sich ein Mitglied der britischen Militärmission in Polen geäußert: »Obwohl Premierminister CHAMBERLAIN die Wehrpflicht nicht einzuführen beabsichtigte, schloß er die Teilnahme Großbritanniens gegen Deutschland nicht aus, hoffte... aber ausschließlich mit der Luft- und Panzerwaffe,... sowie... der Seemacht (Krieg) zu führen... Augenblicklich studiert man in Amerika die Möglichkeit für eine schnelle Hilfeleistung für England und Frankreich; man ist zur Überzeugung gekommen, daß die Hilfe nicht wie im Weltkrieg erst nach einem Jahr einsetzen soll, sondern im Laufe von 7 bis 10 Tagen nach Beginn des Krieges sollen 1000 Flugzeuge geschickt werden.« Trotzdem hatten britische Militärexperten dem US-Botschafter in Paris erzählt, daß »ein Krieg mindestens sechs Jahre dauern werde und nach ihrer Ansicht mit einer völligen Zerschlagung Europas und mit dem Kommunismus in allen Staaten enden werde«.[370] Dies war eine äußerst genaue Vorhersage der bevorstehenden Katastrophe.

In dieser Hinsicht war auch ROOSEVELTS Politik gegenüber NS-Deutschland interessant, sie ist nämlich zweideutig: Auf der einen Seite ließ ROOSEVELT Großbritannien und Frankreich durch Joseph P. KENNEDY mitteilen, daß die USA an Großbritanniens und Frankreichs Seite stehen würden, wenn diese »wegen des deutschen Eingreifens in der Tschechoslowakei zum Angriff schritten«. Fast zur selben Zeit ließ ROOSEVELT durch die Presse verkünden, daß er jede Unterstützung der Demokratien »gegen den totalitären Block« für den Fall eines Krieges ablehne. Aber als ob dies nicht schon bedenklich genug angesichts der krisenhaften Lage in Europa wäre, schickte ROOSEVELT ein persönliches Telegramm an HITLER, in dem er erwähnte, daß die USA in Europa »keine politischen Pflichten« wahrzunehmen hätten oder auch nur auf »die gegenwärtigen Verhandlungen einwirken« wollten.[371]

Damit hören die Ungereimtheiten aber noch nicht auf. Denn es wurde zum Beispiel ein interessantes polnisches Dokument entdeckt, das eine Weisung ROOSEVELTS an BULLITT vom Sommer 1939 beinhaltet. Dieses Dokument wurde von deutschen Soldaten gefunden, als sie nach dem 1. September 1939 in Polen einmarschierten. »Aus den erbeuteten polnischen und französischen Archiven stellten die Deutschen nicht weniger als fünf Bände zusammen, die fast ausschließlich ROOSEVELTS zum Kriege treibende Ermunterungen an die europäischen Länder, vor allem an Polen und Frankreich, enthalten. Die Alliierten beschlagnahmten sie später. Nur ein kleiner Teil davon ist bereits veröffentlicht, und zwar das, was die Deutschen in Polen erbeuteten und im *Deutschen Weißbuch* publizierten. Höchstwahrscheinlich würde das Material über ROOSEVELTS Drängen Englands mehr als fünf Bände füllen.«³⁷² Das Dokument wurde von einem Amerikaner untersucht und als authentisch erklärt, auf Umwegen kam es in die Hände des US-Historikers Charles Callen TANSILL, der es in seinem Buch *Die Hintertür zum Kriege* heranzog. Das Dokument bestätigt, daß Präsident ROOSEVELT der britischen und französischen Regierung erklärt hat (durch die Verbindungsleute Joseph P. KENNEDY und BIDDLE), daß sie nur dann mit amerikanischer Unterstützung rechnen dürften, wenn sie bei einem deutschen Angriff auf Polen HITLER sofort den Krieg erklären würden.³⁷³

Im *Deutschen Weißbuch* wird dem polnischen Botschafter in Paris, LUKASIEWICZ, ein Bericht zugeschrieben, der eine interessante Unterredung mit Botschafter William C. BULLITT am 24. März schildert. LUKASIEWICZ brachte seine Unzufriedenheit darüber zum Ausdruck, daß die englische Politik darauf abziele, Polen einem Kriegsrisiko auszusetzen, ohne entsprechende Verpflichtungen zu übernehmen oder die notwendigen Vorbereitungen zu treffen: »Es wäre ebenso kindisch wie verbrecherisch, Polen als den für Krieg oder Frieden Verantwortlichen anzusehen. . . Ein großer Teil der Schuld fällt auf England und Frankreich, deren unsinnige oder lächerlich schwächliche Politik die jetzige Situation und die jetzigen Ereignisse hervorgerufen hat.« BULLITT war nach demselben Bericht von diesen Darlegungen so beeindruckt, daß er den amerikanischen Botschafter in London, Joseph KENNEDY, veranlaßte, sie sofort CHAMBERLAIN vorzutragen. BULLITT genoß damals die besondere Gunst ROOSEVELTS und das Vorrecht, sich direkt telefonisch mit ihm in Verbindung zu setzen.

Wie er diesen Einfluß gebrauchte, ergibt sich unter anderem aus der Art, wie er den polnischen Botschafter in Washington, Jerzy POTOCKI, in einer Unterredung vom 16. Januar 1939 in der US-Hauptstadt informierte: »Es ist die entschiedene Meinung des Präsidenten, daß Frankreich und England jeder Art von Kompromiß mit den totalitären Ländern ein Ende machen müssen. Sie dürfen sich nicht auf irgendeine Diskussion über irgendwelche territoriale Veränderungen einlassen. Sie haben die moralische Zusicherung, daß die Vereinigten Staaten die isolationistische Politik aufgeben und bereit sein werden, im Kriegsfalle aktiv an der Seite Englands und Frankreichs einzugreifen. Amerika ist bereit, ihnen seinen gesamten Reichtum an Geld und Rohstoffen zur Verfügung zu stellen.« In einer späteren Unterredung fügte BULLITT hinzu: »Man kann voraussehen, daß die Vereinigten Staaten unmittelbar von Anfang an im Kriege an der Seite Englands und Frankreich teilnehmen werden, natürlich, nachdem einige Zeit seit dem Ausbruch der Feindseligkeiten vergangen ist.« Das *Deutsche Weißbuch* könnte als eine unzuverlässige Quelle gelten, aber Botschafter POTOCKI hat einem verläßlichen Mittelsmann gegenüber die Richtigkeit dieser Dokumente bestätigt.³⁷⁴ Auch wenn trotzdem Zweifel an diesem Dokument aufkommen sollten, so war die US-Politik mit diesem Ziel im Einklang, denn die US-Regierung übte während dieser Zeit Druck auf Großbritannien und Frankreich aus, angeblich zum Zweck einer Friedensfront, in Wirklichkeit aber, um Polen durch die beiden Nationen eine Garantie für den kommenden Krieg mit Deutschland zu gewährleisten. Dies wird unter anderem durch die Tagebücher des Marineministers James FORRESTAL aus der ROOSEVELT-Administration bestätigt.

Überhaupt war Polen der Schlüssel, mit dem ROOSEVELT den Zweiten Weltkrieg auslösen wollte. Denn Polen war dafür gewissermaßen prädestiniert: »Schon 1933 war Polen jener Staat, der als erster die Keime einer deutschen Wiedergesundung durch Krieg niederwalzen wollte. Der tschechoslowakische Gesandte in Warschau, GIRSA, berichtete am 10. Mai 1933, in polnischen Offizierskreisen herrsche die Ansicht vor, daß der Krieg zwischen Polen und Deutschland unvermeidlich sei. Der Gedanke eines Präventivkrieges habe Anhänger, nicht nur in Marschall PILSUDSKI, sondern auch im Generalstab, der schon gewisse Maßnahmen an den Grenzen getroffen hat‹.« Daß PILSUDSKIS Pläne für einen Präventivkrieg gegen Deutschland von 1933 ab eine Realität waren, wurde erst 1958, durch VANSITTART, den britischen Politiker, bestätigt, als dieser mit Genehmigung der englischen Regierung die Authentizität dieser Kriegspläne enthüllte. Ferner war es die polnische Regierung, welche gegen den Nichtangriffspakt vom 24. Februar 1934 verstieß, indem sie der französischen Regierung sofortige militärische Hilfe anbot, wenn Frankreich Deutschland den Krieg erklären würde.³⁷⁵ »Der polnische Außenminister BECK... ›glaubte, daß die nicht sehr beliebte polnische Regierung durch einen militärischen Sieg über Deutschland ungeheures Ansehen und zahlreiche Vorteile gewinnen würde‹.« Als Frankreich aber dieses Angebot ablehnte, unterbreitete BECK Belgien ein ähnliches Angebot.³⁷⁶

Am 21. Januar 1939 vertraute William BULLITT dem polnischen US-Botschafter Graf Jerzy POTOCKI einen ganzen ›Koffer‹ voller Instruktionen, Unterredungen und Direktiven von Präsident ROOSEVELT an, die sich auf die Kommission für Auswärtige Angelegenheiten beriefen. Der Inhalt dieser Direktiven war »1. die Belebung der Außenpolitik unter Führung von Präsident ROOSEVELT, welche sich gegen die totalitären Staaten richtete, 2. Einzelheiten über die Kriegsvorbereitungen der USA ›zur See, zu Lande und in der Luft‹, 3. ›die entschiedene Ansicht des Präsidenten, daß Frankreich und England jeder Kompromißpolitik ein Ende machen müssen...‹, 4. ›eine moralische Versicherung, daß die Vereinigten Staaten die Isolierungspolitik verlassen und bereit sind, im Falle eines Krieges aktiv auf seiten Frankreichs und Englands einzugreifen...‹«

BULLITT lobte daraufhin die feste Haltung der Polen gegenüber dem Dritten Reich. Nach seiner Ankunft in Paris teilte BULLITT dem polnischen Botschafter in Paris, Jules LUKASIEWICZ, mit: »Die maßgebenden Faktoren sind der Ansicht..., [man] könne die Teilnahme der Vereinigten Staaten am Kriege auf seiten Frankreichs und Englands von vornherein voraussehen, natürlich erst eine gewisse Zeit nach Ausbruch des Konfliktes... Sollte ein Krieg ausbrechen, so werden wir sicherlich nicht von Anfang an an ihm teilnehmen, aber wir werden ihn beenden. Aber ROOSEVELT werde auf jeden Fall den Widerstand Frankreichs stärken ›und die Kompromißtendenzen Englands schwächen‹. Später behauptete BULLITT noch, daß die USA ›im Besitz von Mitteln [seien], mit denen sie einen wirklichen Zwang auf England ausüben könnten‹.«[377]

In diese Richtung geht auch ein wichtiger Brief, den Präsident ROOSEVELT im Sommer 1939 an BULLITT, seinen damaligen Botschafter in Frankreich, schrieb. BULLITT solle die französische Regierung davon in Kenntnis setzen, daß, »wenn im Falle eines Naziangriffes auf Polen Frankreich und England Polen nicht zu Hilfe kämen, diese Länder von Amerika keine Hilfe erwarten könnten, wenn sich ein allgemeiner Krieg entwickle. Andererseits könnten Frankreich und England, wenn sie Deutschland sofort den Krieg erklärten (im Falle eines ›Naziangriffes‹ auf Polen) mit ›jeder Hilfe‹ der Vereinigten Staaten rechnen... F.D.R. wünschte, daß DALADIER, CHAMBERLAIN und Josef BECK von dieser Anweisung an BULLITT wüßten.«

Auch aus den bedeutenden FORRESTAL-Tagebüchern geht hervor, daß BULLITT Präsident ROOSEVELT nachhaltig dazu drängte, auf Premierminister CHAMBERLAIN Druck auszuüben, und daß diese Absicht die Unterstützung des Weißen Hauses hatte. In dem Tagebuch eines hohen Militärs der US-Regierung wird unter anderem Joseph KENNEDY mit den Sätzen zitiert: Er (KENNEDY) sagte, »CHAMBERLAINS Standpunkt sei 1938 gewesen, daß England nichts hätte, um da mitzukämpfen, und einen Krieg mit HITLER nicht riskieren könne. KENNEDYS Ansicht: HITLER würde gegen Rußland ohne spätere Konflikte mit England gekämpft haben, wenn BULLITT nicht im Sommer 1939 ROOSEVELT derart beeinflußt hätte, daß die Deutschen Polens wegen niedergeworfen werden müßten; weder die Franzosen noch die Engländer würden Polen zu einem Kriegsgrund gemacht haben, wenn nicht die ständigen Sticheleien aus Washington gewesen wären. BULLITT, sagte er, fuhr fort, ROOSEVELT zu erzählen, daß die Deutschen nicht kämpfen würden; KENNEDY hingegen, daß sie doch kämpfen und Europa überrennen würden. CHAMBERLAIN, sagte er, stellte fest, daß Amerika und das Weltjudentum England in den Krieg gezwungen hätten.«

In dieser Hinsicht ist wohl auch BULLITTS Gespräch im Februar 1939 mit dem polnischen Gesandten in Paris, Jules LUKASIEWICZ, zu verstehen, wobei BULLITT ihm versicherte, daß »die Vereinigten Staaten bald auf seiten Frankreichs und Englands eingreifen würden, wenn es zu einem zweiten Weltkrieg käme«. Die Auszüge aus den FORRESTAL-Tagebüchern sowie die Depeschen des polnischen Botschafters in Washington bestätigen, daß »Präsident ROOSEVELT über BULLITT einen ständigen Druck auf England und Frankreich ausgeübt hat, es mutig mit dem nationalsozialistischen Deutschland aufzunehmen«.[378] »Am 18. März 1939 erklärte Cordell HULL dem belgischen Sonderbeauftragten in Washington, Prinz DE LIGNE: ›Wenn an Ihren Grenzen ein Krieg ausbricht, können Sie gewiß sein, daß wir dann eingreifen werden! Ich kann Ihnen jetzt noch nicht sagen, ob das nach drei Tagen, drei Wochen oder drei Monaten sein wird, aber wir werden marschieren!‹«[379]

Dies betreffend schreibt Dirk KUNERT in seinem Buch *Ein Weltkrieg wird programmiert*: »ROOSEVELT plante, in den kommenden Krieg durch die Hintertür einzutreten. Sir ARTHUR hatte den deutlichen Eindruck gewonnen, daß der Präsident es ›nicht bedauern würde, die USA im Kriege zu sehen‹. ROOSEVELT spekulierte auf einen ›glorreichen kleinen Krieg‹ im Stile des ›splendid little war‹ zwischen Spanien und den Vereinigten Staaten von 1898. Er hatte nicht die geringsten Zweifel, daß die Demokratien aus den Auseinandersetzungen siegreich hervorgehen würden, ›zumal der Krieg kürzer als der letzte sein würde‹. Großbritannien und Frankreich befanden sich in einer viel stärkeren Position, als allgemein angenommen wurde. Außerdem ›war die deutsche Heimatfront ohnehin recht schwach‹. Wenn London Gerüchte über alliierte (*sic!*) ›Vorbereitungen für die Bombardierung Deutschlands‹ ausstreute, dann mußten solche gezielten Nachrichten, obgleich sie nicht unbedingt die tatsächlichen anglo-französischen Absichten widerzuspiegeln brauchten, die deutsche Heimatfront ›noch weiter schwächen‹. Für ROOSEVELT war eine Tatsache unumstößlich: ›Das deutsche Volk hält einer Belastung nicht gut stand‹. Es werde ›leicht ein Opfer seiner eigenen Einschüchterungstaktik‹.«

Professor KUNERT berichtet ferner: »Anfang 1939 hatte ROOSEVELT sich in eine Position hineinmanövriert, von der er eine Politik betrieb, die die Gefahr in sich barg, einen Krieg heraufzubeschwören, für den er öffentlich jede Verantwortung von sich wies. Wie Englands CHAMBERLAIN, Frankreichs DALADIER und Polens BECK rechnete auch der Präsident der Vereinigten Staaten nur mit einem ›splendid little war‹. Sobald HITLER auf den Knopf drückte und seine Streitkräfte in Marsch setzte, würden – und das hatten die deutschen Verschwörer einstimmig und nachhaltig versprochen – sich die Räder in Bewegung setzen, um das NS-Regime zu stürzen. Und falls die Versprechen der deutschen Widerständler sich nicht bewahrheiten sollten, dann würden, so kalkulierte jedenfalls ROOSEVELT, die finanziellen und wirtschaftlichen Belastungen, gepaart mit einer Demoralisierung der Massen, das Reich zu Fall bringen.« Polen sollte in diesem hinterlistigen Plan ROOSEVELTS also die Schlüsselrolle spielen: »Polen mußte sich dieser Phalanx anschließen. Der polnische Außenminister BECK war bereit, Vabanque zu spielen. Sobald die Vereinigten Staaten ihren Einfluß auf Paris und London merkbar verstärkt hatten und sich der Eindruck allgemein festgesetzt hatte, daß ROOSEVELT seinen Führungsanspruch wirkungsvoll demonstrierte, entschloß sich Polen, dem von Amerika bestimmte Marschtempo zu folgen. Um die Jahreswende 1938/39 waren in Warschau die Würfel gefallen. BECKS Gespräche mit HITLER und RIBBENTROP waren lediglich Verschleierungsmanöver, die Auseinandersetzung mit dem Reich auf einen Zeitpunkt hinauszuschieben, der es den Gegenmächten erlaubte, aus der Position relativer Stärke zu handeln. CHAMBERLAINS Garantie für Polen war nur ein Echo auf die Stimme ROOSEVELTS, die sich längst in Warschau Gehör verschafft hatte. Die polnische Intransigenz, die sich von Oktober 1938 bis März 1939 immer mehr verhärtete, ging nicht so sehr auf das Konto des britischen Premierministers, der selbst im Windschatten ROOSEVELTS segelte, als viel mehr auf das des amerikanischen Präsidenten.«[380]

Also mußte Polen geopfert werden, damit die US-Machtelite ihren Weltkrieg bekomme. Es war allgemein bekannt, daß die polnische Führung aus korrupten Politikern bestand. Somit war es nicht weiter schwer gewesen, die polnische Führung davon zu überzeugen, daß die USA voll und ganz auf der Seite Polens ständen, wenn dieses gegenüber Deutschland eine kompromißlose Haltung einnähme, was soviel bedeutete wie, daß man in Warschau jedes deutsche Angebot, die Danzig-Krise auf friedliche Art zu regeln, ablehnte. Es ist daher keineswegs verwunderlich, daß die polnische Führung schon nach den ersten militärischen Mißerfolgen die Flucht ergriff. Die Regierungsmitglieder und auch Präsident MOSCICKI hatten sich selbst beizeiten Schweizer Pässe zukommen lassen und große Konten bei ausländischen Banken eingerichtet. Das polnische Volk und die polnische Armee überließen die Verräter Polens aber ihrem grausamen Schicksal. Denn es starben im Zweiten Weltkrieg in Polen nach Schätzungen Millionen Menschen – ein beträchtlicher Teil der damaligen Bevölkerung.[381]

Dies alles störte die Machtelite in den USA aber keineswegs. »Als Franklin D. ROOSEVELT im September 1938 gefragt wurde, ob ein europäischer Krieg für die Vereinigten Staaten nützlich sei, erklärte er seinem Kabinett (wie das private Tagebuch von Innenminister Harold F. ICKES ausweist): ›Ein Krieg in Europa kann für uns nur gut sein. Sie müssen ihre Waffen und Munition von uns kaufen. Das Geld von Europa fließt schon so schnell zu uns, daß wir nicht genug Kriegsschiffe haben, um es über den Atlantik zu bringen!‹«[382] Auch Robert E. SHERWOOD, ein Vertrauter ROOSEVELTS, behauptete, »daß der Präsident überzeugt war, die Grenze der Vereinigten Staaten befinde sich am Rhein, und ihm gegenüber aussagte: ›Was ich am meisten befürchte, das sind Friedensverhandlungen, ein neues München!‹«[383] »So träumte der amerikanische Präsident schon am 18. September 1938 davon, HITLER durch einen strategischen Luftkrieg – verbunden mit einer Seeblockade der angelsächsischen Mächte – in die Knie zu zwingen. England, Frankreich und Rußland, so der Plan, den er auf dem Höhepunkt der Tschechoslowakei-Krise entwickelte, sollten den Willen der deutschen Führung brechen, indem sie ›aus der Luft auf Deutschland einhämmern‹.«[384]

Der Krieg, den ROOSEVELT plante, mußte aber für die USA zu einem günstigeren Zeitpunkt kommen. Dies erklärt auch, warum ROOSEVELT im Jahre 1938, als sich die Krise zwischen Deutschland und den Tschechen zuspitzte, noch nicht bereit war einzugreifen. Denn seine Hauptverbündeten in England waren noch nicht für den Krieg bereit. »Die Engländer wüßten, ›daß es zum Kriege kommen wird‹. Sie bemühten sich mit allen Mitteln, ihn hinauszuzögern. Im ›Interesse des Zeitgewinns‹ werde Lord RUNCIMAN etwas vorschlagen, was der Tschechoslowakei außerordentlich schädlich sein könnte. Der tschechische Gesandte Stefan OSUSKY enthüllte dann, warum England auf Zeitgewinn hinauszielte: ›Sir Arthur STREET sagte, daß er in sechs Monaten die englische Luftfahrt in Ordnung haben wird. Daher legt man in England dem Zeitgewinn eine solche Wichtigkeit bei.‹«[385]

Statt der von England und Frankreich erwarteten Unterstützung durch ROOSEVELT trafen aus den USA Absagen und sogar Warnungen ein. Der amerikanische Präsident riet überraschend noch vor der Münchener Konferenz, weiter Zugeständnisse an HITLER zu machen. US-Botschafter BULLITT hatte bereits am 4. September 1938 auf einer französisch-amerikanischen Kundgebung den Kriegseintritt Amerikas in Aussicht gestellt, ehe er von ROOSEVELT am 9. September berichtet bekam: Die USA unterstützen keine Front hitlerfeindlich gesinnter Demokratien. Der französische Außenminister nannte die Erklärung ROOSEVELTS eine Sensation.[386] Am 12. Januar 1939 berichtete der polnische Botschafter in Washington, Graf POTOCKI: »Der Münchener Pakt ist dem Präsidenten ROOSEVELT sehr gelegen gekommen. Er stellte ihn als eine Kapitulation Frankreichs und Englands vor dem kampflustigen deutschen Militarismus hin... Frankreich und England hatten also gar keine Wahl und mußten einen schändlichen Frieden schließen.« Daß es bei der Münchener Konferenz ebenfalls nur um Zeitgewinn ging, bewies CHAMBERLAIN, der die Friedensvereinbarung mit HITLER bereits am 3. Oktober 1938 durch die Verkündung seines enorm verstärkten Rüstungsprogramms brach.[387] So schreibt Harry Elmer BARNES in dem revisionistischen Werk *Entlarvte Heuchelei*, »eine logische Erklärung für ROOSEVELTS Friedensbestrebungen während der Münchener Zeit [war], daß er keinen Krieg in Europa beginnen lassen wollte, der so schnell zu Ende sein könnte, daß die Vereinigten Staaten keine Gelegenheit mehr hätten, einzugreifen... Ende August 1939 – angesichts einer abgerüsteten tschechischen Armee und eines mit Deutschland verbündeten Rußlands – sah es nach einem langen Krieg aus, der gut in ROOSEVELTS Intervention-Programm hineinpaßte... 1939 konnte sich ein Krieg unbestimmte Zeit hinziehen und damit ROOSEVELT reichlich Zeit geben, die Vereinigten Staaten hineinzuziehen.«[388]

Schon am 24. September 1938 kam es zu einer Besprechung, bei der ROOSEVELT betonte, daß man mit Kampfflugzeugen HITLER besiegen würde. Er plante damals die jährliche Herstellung von 20 000 Militärflugzeugen. Dies war, wohl gemerkt, die geschätzte Menge der gesamten damaligen deutschen und italienischen Kriegsflugzeuge. Aber schon 14 Tage zuvor, also am 14. September 1938, hatte ROOSEVELT seinem Vertrauten HOPKINS gebeichtet, daß er »damals sicher war, daß wir in einen Krieg eintreten würden, und weil er glaubte, daß die Luftwaffe ihn gewinnen würde«.[389]

Dennoch hatte ROOSEVELT die Tschechen keineswegs vergessen. Als hinterhältiger Taktiker und Opportunist war er bereit, sich jede Option offen zu lassen, um gegen Deutschland einen Krieg heraufzubeschwören. Eduard BENESCH, der frühere tschechische Staatspräsident, hat in seinen Memoiren berichtet, »daß sich seine Ziele nur durch einen europäischen Krieg verwirklichen ließen und daß dieser zum Zweiten Weltkrieg ausgeweitet werden müßte«, denn »im Oktober 1938 erwartete ich, daß der Krieg bis spätestens Mai oder Juni 1939, also innerhalb von acht Monaten nach München, ausbrechen wird«. Die Münchener Konferenz hatte ihn schwer enttäuscht, da sie den Weltkrieg, wenn auch nur für kurze Zeit, verhindert hatte. Als der gescheiterte Politiker nach London reiste, fühlte er sich verständlicherweise nur bei CHURCHILL und seinen den Krieg befürwortenden Kollegen wohl. Im Februar 1939 reiste er nach New York, wo er gleich einem regierenden Fürsten empfangen wurde. Präsident ROOSEVELT ließ es sich nicht nehmen und bat ihn um ein Gespräch, das zugleich der Höhepunkt von BENESCHS Mission in den USA war.

Am 28. Mai 1939 traf BENESCH den US-Präsidenten zu einer dreieinhalbstündigen Unterredung. »ROOSEVELT versicherte, es gäbe für ihn ›kein München‹ und BENESCH gelte in seinen Augen immer noch als Präsident der Tschechoslowakei. Er kritisierte scharf die Kompromißpolitik Frankreichs unter DALADIER und Großbritanniens unter CHAMBERLAIN. ROOSEVELT versuchte, BENESCH zu trösten, daß es nicht schon 1938 zum Krieg kommen konnte. Westeuropa hätte damals nicht helfen wollen und Amerika noch nicht helfen können. Hätte die Sowjetunion allein eingegriffen, wäre bei den damaligen Verhältnissen das Ende ungewiß gewesen: HITLER würde vielleicht sein Endziel leichter und schneller erreicht haben.« Dann fragte ROOSEVELT, was als nächstes in Europa passieren würde. BENESCH antwortete: »Der Krieg in Europa ist bereits in diesem Jahr zu erwarten. Nach meiner Berechnung wird er an irgendeinem Tag nach dem 15. Juli ausbrechen . . . HITLER wird ihn höchstwahrscheinlich provozieren.« ROOSEVELT: »Meine militärischen Experten erwarten den Krieg später. Nicht bevor die Ernte beendet ist. Doch wie denken Sie, daß HITLER den Krieg starten wird?

Benesch: »Zweifellos durch einen Angriff auf Polen.«

Roosevelt: »Wie wird der Verlauf sein?«

Benesch: »Der Krieg mit Polen wird sich sehr schnell entwickeln. Es wird ein wirklicher ›Blitzkrieg‹ sein. Innerhalb von zwei Wochen werden die Deutschen in Warschau sein, und der ganze polnische Krieg wird nicht länger dauern als sechs Wochen.«

ROOSEVELT soll über diese pessimistische Einschätzung des polnischen Widerstands überrascht gewesen sein. Er fragte nach dem weiteren Verlauf des Krieges.

Benesch: »England und Frankreich werden sich am Krieg beteiligen. Doch dies wird die Niederlage Polens nicht verhindern, weil sie zu ungenügend vorbereitet sind.«

Es wurde also als selbstverständlich hingenommen, daß Polen sinnlos geopfert würde. Danach waren Frankreich und England an der Reihe. Schließlich sollte aber die Sowjetunion aushelfen!

Roosevelt: »Was, glauben Sie, wird die Sowjetunion tun?«

Benesch: »Am Ende wird sie auch in den Krieg eintreten.«

Roosevelt: »Auf welcher Seite?«

Benesch: »Selbstverständlich auf unserer Seite. Der Krieg zwischen der Sowjetunion und Deutschland ist früher oder später unvermeidbar.« BENESCH stellte dann zufrieden fest: »ROOSEVELT stimmte mir zu. Am Schluß brachte ich meine Überzeugung zum Ausdruck, daß es ein langer und totaler, allgemeiner und wirklich schrecklicher Krieg werden wird.« Nachdem ROOSEVELT diese Insider-Information bekommen hatte, fragte er, was BENESCH von den USA erwarte. »Ich glaube, die Vereinigten Staaten werden auf jeden Fall auch in den Krieg eintreten müssen. Europa allein kann den Krieg gegen HITLER nicht gewinnen... Die europäischen Demokratien seien bereits so dekadent, daß ohne die amerikanische Hilfe das gegenwärtige Deutschland nicht besiegt werden könne.«

Zu guter Letzt wollte BENESCH wissen, wie die Hilfe für die Tschechoslowakei aussehe. »ROOSEVELT versprach: ›Seien Sie versichert, daß wir in diesem Krieg für Sie nicht weniger tun werden als im letzten Krieg.‹ Damit konnte BENESCH zufrieden sein. Er verließ ROOSEVELT mit der Überzeugung: ›daß ROOSEVELT das ganze Problem des beginnenden Krieges in Europa restlos versteht‹. BENESCH verstand darunter die Teilnahme Amerikas und der Sowjetunion am erhofften Weltkrieg. Cordell HULL und Sumner WELLES bestätigten BENESCH diese Zusicherung ausdrücklich.«

Es ist in diesem Zusammenhang auch interessant zu wissen, daß BENESCHS Memoiren nach dem Krieg in seinem eigenen Land verboten wurden, nach sechs Monaten waren sie in keiner Buchhandlung mehr erhältlich.[390] Ebenfalls teilte CHAMBERLAIN dem Britischen Unterhaus schon am 31. März 1939, also fast ein halbes Jahr vor dem Ausbruch des Weltkriegs, mit, daß »Großbritannien und Frankreich kämpfen würden, falls Deutschland in Polen einrückte.«[391] Dies war für CHAMBERLAIN keine wirklich gewagte Behauptung, denn CHURCHILL hatte seinem Freund Bernard BARUCH, der ROOSEVELTS sowie WILSONS Berater war und in den USA als heimlicher Kaiser Amerikas galt, gebeichtet: »›Es wird bald Krieg geben. Wir werden mitmachen, und die USA werden auch dabei sein‹. BARUCH und CHURCHILL stimmten leidenschaftlich darüber ein, daß ›BARUCH... drüben den Laden schmeißen (wird), ich aber werde hier an Ihrer Seite sein!‹ Dies ereignete sich im März 1939«.[392]

Als Deutschland nach vielen Versuchen, die Krise mit Polen auf diplomatische Weise zu lösen, enttäuscht aufgab und danach Polen mit einem Blitzkrieg angriff, waren kurz nach dem schnellen Blitzkrieg-Erfolg ausländische Diplomaten der Meinung, daß »ein Frieden durchaus möglich sei, aber ROOSEVELT sträubte sich heftig gegen Friedensverhandlungen«.[393] Diese Bemühungen, den Frieden wiederherzustellen, hielten fast ein Jahr an, denn am 19. Juli 1940 appellierte HITLER an England zwecks Friedensschluß. Sein Angebot war seriös, und fachkundige Beobachter glaubten, daß es in London angenommen worden wäre, wenn nicht ROOSEVELTS Abneigung bestanden hätte. Dieser war schon gegen die im Frühjahr angebahnten Friedensverhandlungen und ließ den auf Erkundigungstour in Europa befindlichen Mr. Sumner WELLES nicht daran teilnehmen. Auch das Tagebuch des US-Verteidigungssekretärs FORRESTAL bestätigt ROOSEVELTS kriegerische Absichten mit der Bemerkung, daß »weder die Franzosen noch die Briten Polen zum Kriegsanlaß genommen hätten, wenn nicht das ständige Ansticheln von Washington gewesen wäre«. Henry L. MENCKEN schrieb am 5. August 1946 in der Zeitschrift *Life*: »Die Engländer hätten nie den Weltkrieg heraufbeschworen, wenn sie sich nicht ROOSEVELTS Hilfe sicher gewesen wären...«[394]

In *Roosevelt und der Krieg* beschreibt Hellmuth DAHMS, wie die USA ihren Druck auf England, sehr zum Verdruß des US-Botschafters in England, Joseph P. KENNEDY, ausübten: »Der Minister [Marineminister James FORRESTAL] berichtete über seine Gespräche mit Joseph P. KENNEDY und Clarence DILLON. Unabhängig voneinander erzählten beide, wie ROOSEVELT die Beschwichtigungspolitik des britischen Premiers durchkreuzte. DILLON will vom Weißen Haus veranlaßt worden sein, bei englischen Regierungsvertretern privat auf eine antideutsche Haltung CHAMBERLAINS hinzuwirken. KENNEDY erinnerte sich wiederholter Telefonanrufe des Präsidenten, der mehrmals verlangt habe, er, der Botschafter, sollte dem britischen Regierungschef ›ein heißes Eisen auf den Hintern drücken‹. KENNEDY fand, daß ROOSEVELT da zu weit gegangen sei. Nach seiner Überzeugung wäre HITLERS Angriff auf Polen für England und Frankreich kein Kriegsgrund gewesen, hätte nicht Washington dauernd gebohrt... CHAMBERLAIN, der von ROOSEVELTS Hilfe im Fall der Not fest überzeugt war, äußerte später voll tiefer Enttäuschung und Bitterkeit, der Präsident [ROOSEVELT] habe Großbritannien in den Krieg getrieben...«[395]

»Doch während der Präsident die Westmächte stärkte, ließ er die vielleicht bestehende Möglichkeit zur Wiederherstellung des Friedens ungenützt vorüberziehen. Sie schien sich . . . aus dem sonderbaren Umstand zu ergeben, daß Hitler durch die Kriegserklärungen Englands und Frankreichs überrascht wurde. Daß London und Paris nun gleichwohl zu ihren Verpflichtungen standen, enthüllte den Irrtum der Hitlerschen Politik mit furchtbarer Deutlichkeit und machte die Reichsregierung wenigstens zeitweilig einem Kompromiß geneigt. So bemühte sich seit den ersten Septembertagen Hermann Göring um die Vermittlerdienste Roosevelts. Am 3. Oktober sagte der Reichsminister zu dem amerikanischen Unterhändler: ›Sie können Mr. Roosevelt versichern, daß Deutschland, wenn er vermitteln will, einer Regelung zustimmen wird, durch die ein neuer polnischer Staat und eine unabhängige tschechische Regierung ins Leben träten.‹ Göring . . . schlug Washington als Konferenzort vor. Wieder folgte den Gesprächen . . . eine Hitlerrede, diesmal in gemäßigtem Ton und mit ziemlich weitgehenden Vorschlägen, wie sie zum Teil auch schon durch Roosevelt vertreten worden waren. Der Reichskanzler befürwortete eine Neuordnung der Märkte und Währungsverhältnisse, die Beseitigung der Handelsschranken, Liquidierung des Versailler Vertrags und Abrüstung. Er drängte, ebenso wie Göring, auf eine ›baldige Konferenz‹ und fügte hinzu, man müsse an die Lösung der vorhandenen Fragen herangehen, ›ehe erst noch Millionen von Menschen zwecklos verbluten.‹ . . . Doch Roosevelt wollte nun einmal nicht den Frieden vermitteln. Ja, er fürchtete geradezu, die europäischen Westmächte könnten von der Fühlungnahme zwischen Berlin und Washington erfahren. Auf sein Geheiß hin wurde Bullitt, dem Mooney die letzten Vorschläge Görings übermittelt hatte, durch das State Department angewiesen, diese Ideen keinesfalls der französischen Regierung aufzudrängen. Gleichzeitig ignorierte Roosevelt die wiederholten Annäherungsversuche des Reichsbankpräsidenten Hjalmar Schacht.«[396]

Jedesmal, wenn sich ein möglicher Friede oder ein Kompromiß mit friedlichem Ausgang anzubieten schien, brachte Roosevelt diese Alternativen zum Krieg schon im Ansatz zum Scheitern. So war es auch im Frühjahr 1940, als sein Unterstaatssekretär Sumner Welles sich in Europa mit Chamberlain und Halifax bereit erklärt hatte, Hitlers Friedensvorschläge vom 4. Oktober 1939 als Verhandlungsgrundlage anzunehmen. Sobald Roosevelt von dieser möglichen Friedenslösung erfuhr, entzog er Sumner Welles jegliche Kompetenzen, sich an solch einer Friedensverhandlung zu beteiligen. Um sein Vorgehen zu begründen, erklärte Roosevelt, Sumner Wells befinde sich nur auf einer »fact finding mission« (Erkundungstour) und besitze keinerlei Verhandlungsvollmacht.[397] Über diese sogenannte ›Erkundungstour‹ äußerte sich Roosevelt gegenüber seinem Botschafter Joseph Kennedy mit »einem seltenen Anfall von Offenheit . . ., die inzwischen von den Medien zur ›Friedensmission‹ hochstilisierte ›fact finding mission‹ seines Unterstaatssekretärs sei nichts weiter als ›Augenwischerei‹«.[398] Der Historiker Dirk BAVENDAMM faßt daher zusammen: »Nach der Zurückweisung von HITLERs Friedensangebot im Herbst 1939 war in Berlin für jedes ernsthafte Gespräch bereits Hopfen und Malz verloren – HITLER, inzwischen über die deutschlandfeindlichen Umtriebe amerikanischer Diplomaten durch polnische Beute-Dokumente informiert, hatte kein Interesse mehr an Friedensgesprächen mit dem Gast aus Amerika, die ihm seiner Meinung nach nur noch als Zeichen der Schwäche ausgelegt werden konnten.«[399]

ROOSEVELT war sich im Jahre 1939 wohl bewußt gewesen, daß ein möglicher Krieg in Europa am einfachsten über Polen zu entfachen wäre. Nachdem man von US-Seite den Polen auch über England und Frankreich jedes erdenkliche Zugeständnis im Falle eines Krieges mit Deutschland gemacht hatte, mußte jetzt nach den Plänen der US-Machtelite HITLER dazu bewegt werden, Polen anzugreifen. England hatte sich dem Druck ROOSEVELTs gebeugt und seit dem 31. März Warschau die Zusicherung gegeben, »daß England Polen ›mit all seiner Macht‹ Hilfe leisten werde, wenn dieses seine Unabhängigkeit bedroht fühlte und es für lebenswichtig hielt, bewaffneten Widerstand zu leisten«. Wobei die Entscheidung darüber, was sie als Bedrohung ihrer Unabhängigkeit betrachteten, den polnischen Generalen überlassen blieb. Selbst der englische Minister Duff COOPER bestätigte daraufhin: »In keinem Augenblick der Geschichte haben wir je einer anderen Macht die Entscheidung überlassen, ob Großbritannien in einen Krieg eingreifen solle oder nicht. Jetzt liegt die Entscheidung bei einer Handvoll Männern... Diese Unbekannten können also morgen den Ausbruch des europäischen Krieges befehlen.«[400]

Hierbei spielte auch das polnische Militär eine entscheidende Rolle, denn es gab sich der Illusion hin, daß die polnischen Truppen bei Kriegsbeginn mit Deutschland Berlin wie in einem Spaziergang einnehmen würden. Die polnische Führung war sich sicher, daß, falls es zu einem Krieg zwischen Polen und Deutschland kommen sollte, eine Revolution in Deutschland ausbrechen würde. Mit der Rückenstärkung der Amerikaner, Briten und Franzosen fühlte sich die polnische Führung so siegessicher, daß sie sogar HITLER direkt provozierte. Oberst Josef BECK, Polens Außenminister, ging nicht nur nicht auf die Verhandlungsangebote ein, die ihm HITLER seit dem 5. Januar 1939 unterbreitet hatte, er provozierte ihn sogar, indem er ein Ultimatum wegen Danzigs verhängen ließ und deutsche Flugzeuge an der Ostsee unter Flakbeschuß nahm.

Kurz vor dem deutschen Blitzkrieg, am 29. August 1939, häuften sich im Laufe der Nacht alarmierende Berichte über Übergriffe der polnischen Flak gegen deutsche Flugzeuge und Grenzvorfälle auf HITLERs Schreibtisch, was die deutschen Generale sehr beunruhigte, denn sie argumentierten dem

Führer gegenüber, man müsse sofort handeln oder sonst die ganze Sache auf das nächste Frühjahr verschieben. Sie waren eher für eine sofortige Aktion, denn Polen würde nicht nachgeben. Es werde bald Winter werden, was jede militärische Operation stoppen könnte, noch bevor sie erfolgreich beendet werden könne. HITLER, der sonst nicht auf seine Generale hörte, stimmte dieses Mal mit ihnen in ihrer Sicht der Dinge überein. Falls die Verhandlungen nicht innerhalb von 48 Stunden zu einem Abschluß kämen, werde er mit Polen abrechnen.[401] Interessanterweise hatte Polen sich in der Vergangenheit unter BECK bereit erklärt, Danzig an das Reich zurückzugeben, wenn es dort wirtschaftliche Vorrechte behielte. Auch hatte Polen zuvor sich mit einer exterritorialen Autobahn und Eisenbahnlinie in das Reich abgefunden.[402] Dies waren die einzigen Forderungen, die HITLER gegenüber Polen vertreten hatte, und sie waren gemäßigte Forderungen, wenn man bedenkt, daß die Bevölkerung Danzigs zu 95 Prozent deutsch war.[403] Die dem ehemaligen Standpunkt völlig entgegengesetzte neue Einstellung Warschaus, die sich Anfang 1939 abzeichnete, läßt sich nur durch die zahlreichen Sicherheitszugeständnisse der Amerikaner, Briten und Franzosen erklären, da diese auf Befehl Washingtons immer wieder beteuerten, sie würden Polen gegen jeglichen deutschen Angriff sofort verteidigen – eine Annahme, die sich als leere Versprechung entpuppen sollte.

Aus den Gesprächen, die Beamte des britischen Außenministeriums nach der Abreise von WELLES am 1. Februar 1940 mit der amerikanischen Botschaft in London führten, wird deutlich, welche Ziele ROOSEVELT in der gegebenen Situation von Februar/März 1940 in Europa verfolgte. Entsetzt notierten sich nämlich die Briten, unter den gegenwärtigen Situation glaube ROOSEVELT nicht an einen westlichen Sieg, und er werde mit HITLER seinen Frieden machen, falls CHAMBERLAIN nicht bald militärische Siege vorweisen könne. Dies konnten die Briten nur als »massive Drohung« auslegen. »Mit der Drohung, anderenfalls Frieden mit HITLER zu schließen, versuchte ROOSEVELT in der Tat, die westeuropäischen Demokratien zur Intensivierung und Ausweitung des ›Scheinkrieges‹ zu pressen... Nach CHAMBERLAINS Meinung konnten die westeuropäischen Demokratien... in eine schwierige Lage geraten, weil HITLER die amerikanische Initiative als Zeichen westlicher Schwäche auslegen (würde)... CHAMBERLAIN wies warnend darauf hin, HITLER werde auf die Forcierung der westlichen Kriegführung mit einer Intensivierung seiner eigenen Kriegführung auch an der empfindlichen, weil noch nicht ausreichend gedeckten Rhein-Front reagieren, das heißt, er wies die Weltfriedenspläne des Präsidenten (sic!) 1940 ebenso wie 1938 zurück.«

»Am 5. April... verpflichteten sich Großbritannien und Frankreich außerdem durch ein Regierungsabkommen, mit Deutschland bis zur siegreichen Beendigung des Krieges nicht mehr über einen Waffenstillstand oder Separatfrieden zu verhandeln. ROOSEVELT hatte damit das von ihm favorisierte Ziel erreicht: Der Krieg weitete sich aus – der Frieden mit Deutschland wurde unmöglich.«[404] Daß ROOSEVELT keinen Frieden mit Deutschland wollte, wurde von niemand geringerem als ihm selbst bestätigt, als er in einer Radioansprache im März 1940 sagte, er wolle »keinen ›Appeasementfrieden‹, sondern nur einen ›Frieden‹, der die totale Niederlage der Achsenmächte voraussetze.[405] Als HITLER daher am 19. Juli 1940 noch einmal ein offizielles Friedensangebot unterbreitete, war klar, daß es sein unwiderruflich letztes sein würde. Es war daher kein Zufall, daß es an dem Tag unterbreitet wurde, als ROOSEVELT die Wahl zum Präsidenten der USA erneut gewann. »Nur 19 Stunden, bevor HITLER seine bereits angekündigte Rede im Berliner Reichstag mit dem von Washington befürchteten Friedensangebot hielt, griff ROOSEVELT den deutschen Diktator in einer Rundfunkrede direkt an, indem er ihn vor aller Welt als ›Antichristen‹ ächtete.«

Schon am nächsten Tag unterzeichnete ROOSEVELT demonstrativ den ›Two Ocean Navy Expansion Act‹, ein Gesetz, das die amerikanische Kriegsmarine zur gleichzeitigen Kriegführung auf beiden Ozeanen befähigen sollte. »Die Zeitwahl dieser beiden Schritte war so berechnet, daß sie jede positive Wirkung von HITLERS Friedensrede auf das nach der französischen Niederlage in scheinbar aussichtsloser Isolierung ausharrende England vernichtete. Niemand sollte in London oder anderswo noch einmal auf den Gedanken kommen, man könne oder müsse sogar mit diesem unchristlichen Monster in Berlin einen wie auch immer gearteten Frieden schließen.«[406]

Aber schon viel früher, nämlich am 3. September 1939, nur zwei Tage nach dem Angriff auf Polen, hätte ein günstiger Kompromißfrieden für alle beteiligten Parteien gefunden werden können, »denn im Herbst 1939 und im Sommer und Herbst 1940 war faktisch Friede auf dem Festlande«. Vor allem aber auch, weil im Herbst 1939 weder England noch Frankreich von Deutschland bedroht oder angegriffen waren. Dennoch sabotierte man diese Friedensmöglichkeit, indem London, das ja nun mit Washington gleichbedeutend war, die maßlose Forderung stellte: »Die deutschen Truppen sollten die ersten Erfolge sofort wieder preisgeben und sich auf die Versailler Grenzen zurückziehen, eine in der gesamten Kriegsgeschichte noch nie versuchte Zumutung.« In London hielt man sich stur an diese übertriebene Forderung, die gegen ein Deutschland gerichtet war, »das England mehr Freundschaft und Hilfe angeboten hat als irgendeinem Land in irgendeiner Epoche der europäischen Geschichte!«[407]

Kurz nach dem Angriff auf Polen hat Deutschland dreimal den Frieden angeboten, am 19. September hat HITLER als Sieger erneut Frieden angeboten. Am 6. Oktober richtete der Reichskanzler erneut einen Appell an Frankreich und vor allem an England, um den lokalisierten Krieg zu beenden und damit einen Weltkrieg zu verhindern. Weder an Frankreich noch an England habe Deutschland irgendwelche Forderungen (trotz ihrer Kriegserklärungen). Da Frankreich als Nachbarstaat einen solchen Frieden auch ablehnte und Deutschland schon lange den Krieg erklärt hatte, mußten deutsche Soldaten am 20. Mai 1940 zum Angriff übergehen. Überraschenderweise mußte Frankreich schon am 17. Juni um einen ehrenvollen Frieden bitten. Trotzdem wiederholte HITLER noch am 19. Juli, wohlgemerkt als Sieger über Polen und Frankreich, sein Friedensangebot. England brauchte nichts zu verlieren und konnte sein Weltreich trotz allem retten.[408]

Später, lange nach dem Krieg, gestand sogar CHURCHILL ein: »Wir dachten nicht an den Abschluß eines Separatfriedens sogar in jenem Jahr, als wir ganz allein waren und leicht einen solchen Frieden hätten abschließen können ohne ernste Einbuße für das britische Empire.« Ferner gestand Churchill ein: »HITLER hatte ohne Zweifel alles Interesse, den Krieg im Westen zu beenden.«[409] Es gibt auch Hinweise, daß HITLER am 5. Juni 1940 in Dünkirchen absichtlich 350 000 schlecht gestellte und nur schwach geschützte britische und französische Soldaten verschonte, indem er, für seine Generale völlig unverständlich, den bevorstehenden Angriff der Luftwaffe abblies. Dies wurde damals von vielen auf seine anglophilen Neigungen zurückgeführt, er habe damit den britischen Befehlshabern seinen guten Willen zeigen wollen, mit ihnen einen Frieden auszuhandeln.[410]

Daß ein solcher Frieden aber keinesfalls von ROOSEVELT erwünscht war, bestätigte der britische Botschafter in Washington, Sir Ronald LINDSAY, der ROOSEVELT am 3. September 1939 besuchte. »LINDSAY meldete darüber an HALIFAX: ROOSEVELT sei ›angesichts der Aussicht auf einen neuen Weltkrieg in Ekstase geraten‹. Er habe ihm versprochen, sich keineswegs an die Neutralitätsgesetze zu halten. Sogar LINDSAY war betroffen, wie beschwingt der Präsident über die drohende Welttragödie plaudern konnte: ›ROOSEVELT sprach im Ton fast teuflischer Freude.‹«[411]

Diese Freude ROOSEVELTS dürfte nicht unbegründet gewesen sein, da er schon seit November 1938, also drei Monate vor der Tschechoslowakei-Krise, damit beschäftigt gewesen war, gegen Deutschland einen Krieg zu erzwingen. Die beschlagnahmten Akten des polnischen Außenministeriums beweisen dies auf eindrucksvolle und eindeutige Weise. Ebenfalls arbeiteten Botschafter BULLITT in Paris und BIDDLE in Warschau getreu den Direktiven ROOSEVELTS eifrig daran, die Außenpolitik der USA auf einen Konfrontationskurs mit dem Dritten Reich zu bringen, während HITLER alles tat, um ihn zu vermeiden. Als Joseph KENNEDY, in seinem Amt als US-Botschafter in London, anfing, sich dieser Kriegstreiberei zu widersetzen, wurde er abgelöst. Der Historiker Heinrich HÄRTLE, der schon einige Bücher über *Amerikas Krieg gegen Deutschland* (so einer der Buchtitel) geschrieben hat, kommt daher zu dem fachgerechten Urteil: »Ohne ROOSEVELT wäre der Krieg 1939 nicht ausgebrochen, 1940 der Friede gerettet worden, 1941 kein Zweiter Weltkrieg entstanden; . . . ROOSEVELT aber hat seit 1938 gegen

Deutschland den Krieg vorbereitet.« Daher lautet sein abschließendes Urteil: »Auf ROOSEVELT fällt die Hauptschuld an der Ausweitung des europäischen Krieges zum Zweiten Weltkrieg, der erst im Dezember 1941 begonnen hat.«[412] Ein weiterer Experte der Kriegspolitik ROOSEVELTS, Dirk BAVENDAMM, der mit seinen Büchern *Roosevelts Weg zum Krieg – Amerikanische Politik 1914–1939* und *Roosevelts Krieg 1937–45* für Aufruhr in der kriegshistorischen Szene sorgte, kommt zu einer sehr ähnlichen Auffassung: »Alles in allem kommt dem Konzept von Politik und Kriegführung, das dieser amerikanische Präsident vertreten hat, eine so überragende Bedeutung für fast alle Teilkriege in der Zeit von 1937 bis 1945 zu, daß man in bezug auf die fließende, komplexe und übergreifende Charakteristik des Gesamtkrieges meines Erachtens von ›ROOSEVELTS Krieg‹ sprechen muß.«[413]

Für BAVENDAMM steht ferner fest, »daß der Präsident ›sehr pessimistisch‹ über die Friedensaussichten dachte, ja, Krieg bereits im Frühjahr 1937 für ›unausweichlich‹ hielt. Damals sprach ROOSEVELT .. schon von einer ›allgemeinen europäischen Kriegslage‹, als wäre der Krieg in Europa bereits eine feststehende Tatsache. Im September 1937 wurde DAVIS von ROOSEVELT auf eine Rundreise durch das Baltikum und Skandinavien geschickt, um mögliche ›Kampfzonen‹ zu inspizieren. Gleichzeitig beschäftigte sich der amerikanische Präsident mit einer neuen Methode, wie er Krieg haben könne, ohne ihn selbst entfesseln zu müssen, eine Methode, die er ›Quarantäne‹ nannte.« Zwar erwähnte ROOSEVELT zur selben Zeit seinen Weltfriedensplan, aber in Wirklichkeit war »der Weltfriedensplan .. der Versuch ROOSEVELTS, die Achsenmächte vor die Alternative ›Kapitulation oder Krieg‹ zu stellen«.[414] Damit waren die Würfel der Entscheidung gefallen, die nun in Europa unvorstellbare Verwüstungen verursachen würden.

Daß HITLER keinen Krieg mit den Westmächten wollte, wird mittlerweile in der historischen Forschung nicht mehr ernsthaft bestritten. Selbst beim Nürnberger Militärtribunal, das sehr voreingenommen gegen Deutschland gerichtet hat, wurde dokumentiert, daß HITLER auf einer Konferenz über Polen am 23. Mai 1939 gegenüber Generaloberst VON BRAUCHITSCH erklärt hatte: »Ich müßte ein Idiot sein, wenn ich wegen Polen in einen Krieg schlittern würde wie die Unfähigen vom Jahre 1914.«[415]

HITLERS Reaktion auf die englische Kriegserklärung an Deutschland bestätigt das. Nachdem Polen jegliche Kompromißverhandlungen abgelehnt und Deutschland es mit seinem Blitzkrieg angegriffen hatte, erlebte HITLER nämlich eine böse Überraschung: Am 3. September 1939, kurz nach 9 Uhr, hatte Chefdolmetscher Dr. Paul SCHMIDT HITLER das auf 11 Uhr befristete englische Ultimatum übersetzt. Paul SCHMIDT schilderte als damaliger Augenzeuge und Übermittler der erdrückenden Nachricht an HITLER die Szene in seinem Buch: »Wie versteinert saß HITLER da, völlig still und regungslos... Nach einer Weile, die mir wie eine Ewigkeit vorkam, wandte er sich RIB-

BENTROP zu, der wie erstarrt am Fenster stehengeblieben war. Was nun? fragte HITLER seinen Außenminister. RIBBENTROP erwiderte mit leiser Stimme: Ich nehme an, daß die Franzosen uns in der nächsten Stunde ein gleichlautendes Ultimatum überreichen werden.« In dem Vorraum zu HITLERS Zimmer, in dem die meisten Kabinettsmitglieder und prominente Parteileute versammelt waren, trat Totenstille ein, als SCHMIDT von dem englischen Ultimatum berichtete. GÖRING soll sich zu SCHMIDT umgedreht und gesagt haben: »Wenn wir diesen Krieg verlieren, dann möge uns der Himmel gnädig sein!« GOEBBELS habe in einer Ecke gestanden, »niedergeschlagen und in sich gekehrt«. HITLERS Verhalten und seine Frage an RIBBENTROP zeigen, wie überraschend das Ultimatum Englands, das einer Kriegserklärung gleichkam, für HITLER und seine Berater gewesen war. Die Ratlosigkeit war allgegenwärtig! Denn man hatte lediglich versucht, mit Polen eine Übereinstimmung über die Hafenstadt Danzig zu finden, auf einen europäischen Krieg mit den Westmächten war man keinesfalls vorbereitet gewesen.

Es muß auch berücksichtigt werden, daß HITLER-Deutschland im September 1939 auf einen Krieg mit den Westmächten unvorbereitet war. So war das Heer nicht als vollkommen einsatzbereit eingestuft, es sollte erst 1943 seine Aufbauplanung abgeschlossen haben. Der Aufbau der Flotte stand unter noch weitaus ungünstigeren Verhältnissen. In der ursprünglichen Planung sollte die Flotte ihren Aufbau erst 1946 abgeschlossen haben. Obwohl die Luftwaffe schon verhältnismäßig weit in Sachen Aufrüstung vorangekommen war, waren die vorgesehenen Neuaufstellungen für 1944 bis 1946 noch gar nicht befohlen worden. So gesehen, war das deutsche Militär also noch gar nicht richtig einsatzbereit, es eignete sich zwar, einen verhältnismäßig harmlosen und schwachen Gegner wie Polen schnell in einem Blitzkrieg zu bezwingen, aber auf einen langen Krieg mit den Westmächten war es keinesfalls richtig vorbereitet. Dies erklärt auch HITLERS Bestürzung, nachdem ihm das englische Ultimatum vorgelesen worden war.[416] Auch der anerkannte britische Kriegshistoriker Edwin P. HOYT kommt zu diesem Schluß über die unvorbereitete deutsche Aufrüstung unmittelbar vor dem Zweiten Weltkrieg. Er zitiert diesbezüglich aus Admiral RAEDERS Tagebuch: »Heute brach der Krieg gegen England und Frankreich aus, ein Krieg, der nach vorigen Vermutungen des Führers nicht vor 1944 zu erwarten war.«[417] In seinem Buch *Hitler's War* vertritt HOYT außerdem den Standpunkt, daß die deutsche Wirtschaft es HITLER nicht erlaubte, vor 1942 gegen England einen Krieg zu führen mit Aussicht auf einen Sieg. Dementsprechend paßte HITLER seine Aufrüstungspläne der Wirtschaft an.[418]

Um Deutschland endgültig in einen langen und verheerenden Krieg hineinzutreiben, erfand ROOSEVELT die Forderung der »bedingungslosen Kapitulation«. Berichten seines Sohnes Elliot ROOSEVELT zufolge war er es, der auf der Casablanca-Konferenz im Januar 1943 diesen verhängnisvollen Begriff aussprach, der wahrscheinlich Millionen Menschen das Leben kostete. Mit seiner Forderung lieferte er nämlich den Nationalsozialisten völlig bewußt den Hauptgrund, weiter zu kämpfen. Damit aber keine Zweifel aufkamen, die deutsche Führung könne mit den Amerikanern verhandeln, wurde außerdem der berüchtigte MORGENTHAU-Plan geschmiedet, der die Verwandlung Nachkriegsdeutschlands in ein Agrarland vorsah und höchstwahrscheinlich zu einer akuten Armut geführt hätte. Dieser Plan lieferte den Deutschen neben der ›bedingungslosen Kapitulation‹ einen weiteren wichtigen Grund, den Krieg fortzuführen.[419] Diese unsinnigen Ankündigungen verlängerten den Krieg völlig unnötig um ein bis zwei Jahre, und das letzte Kriegsjahr forderte bekanntlich am meisten Menschenleben.

Roosevelt provoziert Japan

ROOSEVELT wußte, »daß er nicht offiziell in den Krieg eintreten könne, bevor nicht die Nation davon zu überzeugen sei, daß ein ›Angriff‹ von Deutschland stattgefunden habe. Bis dahin wollte er nur im geheimen und unerklärt Krieg führen in der Hoffnung, den Deutschen den ersten Schuß zuzuschieben.«[420] Als ROOSEVELT aber erkannte, daß HITLER nicht auf seine Provokationen eingehen wollte, änderte er seine Taktik und provozierte nun Japan, das die USA aufgrund der wirtschaftlichen Abhängigkeit der Japaner ihnen gegenüber ohnehin mehr unter Kontrolle hatten. Getreu der neuen Taktik verhängte ROOSEVELT am 26. September 1940 ein Embargo über die Ausfuhr von hochwertigem Stahl und Schrott, das Japan empfindlich traf.

Am 5. November 1940 wurde ROOSEVELT als einziger US-Präsident zum dritten Mal zum Präsidenten gewählt. Um die richtige Atmosphäre für seinen Wahlkampf zu gestalten, trat ROOSEVELT als Friedenstifter auf. Er setzte auf diese Taktik und gab einen Friedensschwur im US-Kongreß ab. Verlogen und heuchlerisch beteuerte er: »Ich habe dies zu Euch Vätern und Müttern schon früher gesagt, aber ich werde es wieder und wieder und immer wieder sagen: Eure Jungens werden in keine fremden Kriege geschickt werden.« Mit diesem cleveren, wenn auch schamlosen Schachzug – er stehe nur für den Frieden – sprach ROOSEVELT aus, was das amerikanische Volk hören wollte.[421] Aber bereits in seiner ersten neuen Amtswoche wurde im Kabinett über die Möglichkeit eines Krieges mit Japan gesprochen.

Und so nahm die Geschichte ihren Lauf. ROOSEVELT schickte den Japanern im November 1941 ein ›Ultimatum‹ (es wurde später als ›HULL-Ultimatum‹ bekannt), dessen Annahme, wie ein hochrangiger japanischer Diplomat behauptete, einem Selbstmord gleichkam. Dieser Diplomat war kein anderer als der seinerzeitige Außenminister Japans, Shigenori TOGO. Später sagte dieser, daß die Vereinigten Staaten kein Zeichen von Kompromißbereitschaft mehr gegeben hätten, als die Japaner mit den Amerikanern verhandeln wollten. Statt dessen habe Washington nach der zweiten Junihälfte (1941) nur noch auf seinem Standpunkt beharrt. So waren die USA, besonders nach der Sperrung der japanischen Guthaben Ende Juli, unnachgiebig geworden und offenbar nur noch darauf aus, die Verhandlungen und Gespräche in die Länge zu ziehen, statt ein Abkommen zu suchen. Aus diesem Grund folgerte Togo: »Ich bekam den Eindruck, daß die amerikanische Haltung nichts anderes anzeigen sollte als die Entschlossenheit, einen diplomatischen Fehlschlag und folglich den Krieg zu riskieren«.

Dazu sollte noch gesagt werden, daß Togo zu jener Zeit für seine äußerst proamerikanische Haltung unter den japanischen Politikern bekannt war. Togo, der später von den Amerikanern als Kriegsverbrecher inhaftiert wurde, erklärte im Gefängnis, daß die USA schon zur Zeit der Atlantikkonferenz im August 1941 zum Krieg entschlossen gewesen seien. Seine Vermutung über Amerikas Kriegsentschlossenheit wurde durch die Enthüllungen Forrest Davis' und Ernest Lindleys in ihrem Buch *How War Came* bestätigt. Später befand der Pearl Harbor-Untersuchungsausschuß des US-Kongresses, daß Präsident Roosevelt schon zur Zeit seiner ›Quarantäne-Rede‹ in Chicago 1937 zu dem Schluß gekommen war, die USA würden höchstwahrscheinlich früher oder später gegen Japan in den Krieg ziehen.[422] Darüber hinaus wurde nach dem Krieg mit Japan, in den verschiedenen US-Untersuchungsausschüssen, die unter dem Namen ›Pearl Harbor Attack‹ wirkten, gerichtlich nachgewiesen, daß »geheime Kriegspläne bereits in allen Einzelheiten vor (lagen). Englische und amerikanische Heeres- und Marinefachleute – in Zivil, um dem Volk zu verheimlichen, daß die Vereinigten Staaten insgeheim ein Militärbündnis eingingen – hatten sie schon vor einigen Monaten in Washington und Singapore entworfen. All dies kam freilich erst fünf Jahre danach bei den Verhandlungen des Gemeinsamen Kongreßausschusses zur Untersuchung des Angriffes auf Pearl Harbor ans Licht«.[423]

Zu dieser Zeit (Sommer 1941) scheute sich Roosevelt nicht, den Krieg hinterhältig zu inszenieren, da ihm der direkte Weg versagt blieb. Trotzdem war sein Kriegsminister Henry L. Stimson davon überzeugt, daß in einer Demokratie das Volk ein Recht auf Offenheit von seiten seiner eigenen Staatsbeamten habe. Daher hatte er wiederholt gedrängt, die Absicht zum Eingreifen in den Krieg in Europa klar und deutlich auszusprechen. Im Juli gelangte er aber zu der Überzeugung, daß »politische Rücksichten auf das, was für das Volk ›schmackhaft‹ war, den Präsidenten so fest ›an seinen eigenen, mehr allmählichen Kurs banden, daß ihn nichts davon abbringen konnte‹«.[424]

Um den lange ersehnten Krieg nun endlich zu entfachen, setzte Roosevelt das Hull-Ultimatum ein. Das Hull-Ultimatum war eigentlich kein normales Ultimatum, wenn man die Hintergründe kennt: Seit mindestens 1933 unterstützte die US-Regierung nämlich China, das sich im Kriegszustand mit Japan befand, finanziell und mit Waffen.[425] Die US-Außenpolitik verfolgte aktiv das Ziel, den Krieg zwischen Japan und China möglichst lange in Gang zu halten.[426]

Offiziell brach der Krieg zwischen China und Japan 1937 mit einem Zwischenfall in der Mandschurei aus, der als Mukden-Zwischenfall bekannt wurde. Einige Historiker sehen in ihm den eigentlichen Beginn des Zweiten Weltkriegs. Darüber kann man sich streiten. Weniger umstritten dagegen ist, wer für den Ausbruch des Krieges verantwortlich ist. Hierüber schreiben zum Beispiel einige amerikanische Revisionisten: »Im Juli 1937 brach im Fernen Osten nach einem Zwischenfall zwischen chinesischen und japanischen Truppen Krieg aus. Dieser Konflikt war von den nationalchinesischen Streitkräften buchstäblich heraufbeschworen worden, nachdem sie zu einer Verständigung mit Rußland gekommen waren. STALIN war sehr erfreut darüber, daß TSCHIANG KAI-SCHEK und die chinesischen Kommunisten eine gemeinsame Offensive gegen die Japaner unternehmen konnten, die Abwehrstellungen gegen die rote Flut aufzubauen suchten.«[427]

Diesem Ziel verschrieben, ließ die US-Regierung den Chinesen große Unterstützungen zukommen. Nachdem TSCHIANG KAI-SCHEK im Juni 1933 »die erste amerikanische Weizen-Hilfsanleihe erhalten hatte«, erhielt er darauf die zweite US-Baumwoll- und Weizenanleihe, die man mit der großen Reorganisationsanleihe vergleichen kann. Vertreter der amerikanischen staatlichen Gesellschaft für Wiederaufbau-Finanzierung schlossen mit TSCHIANG KAI-SCHEK einen Vertrag über 50 Millionen Dollar ab (später wurde die Summe der Anleihe auf 20 Millionen Dollar herabgesetzt, da die Bedingungen für den Absatz des Weizens und der Baumwolle ungünstig waren). »Das Abkommen über die Anleihe wurde Anfang Juni unterzeichnet, und am 23. August beschloß der ›Zentrale Politische Rat‹ TSCHIANG KAI-SCHEKS, für militärische Ausgaben... in den vier Provinzen Hupeh, Honan, Anhuee und Kiangsi 1 800 000 Jüan aus der Gesamtsumme von 15 Millionen Jüan ... bereitzustellen.«

Die Unterstützung der USA für China hörte hiermit aber keinesfalls auf. »Im Juni und August [1933] unterzeichneten der amerikanische Staatssekretär Cordell HULL und TSCHIANG KAI-SCHEKS Botschafter in den Vereinigten Staaten, SCH' DSHOÄDJI, ein den Aufbau der Luftwaffe betreffendes Geheimabkommen zwischen den USA und TSCHIANG KAI-SCHEK, das aus sieben Artikeln und vier Anlagen bestand. In diesem Vertrag hieß es, daß ›die Vereinigten Staaten alle Rechte und die gesamte Verantwortung für die Schaffung einer Luftwaffe in China übernehmen. Die Vereinigten Staaten weisen China die Hälfte der Vertragssumme in Höhe von 40 Millionen Dollar an, die für den Bau von insgesamt 853 Aufklärungs- und Jagdflugzeugen bestimmt ist‹. Ferner wurde ausführlich angegeben, daß die Amerikaner für TSCHIANG KAI-SCHEK Flugplätze in Swatou, Tjüändshou, Dshönhai und Haidshou erbauen und daß die amerikanischen Instrukteure die Flugzeugbesatzungen der TSCHIANG KAI-SCHEK-Truppen ausbilden werden.« Unter anderem wurde auch auf einer von »TSCHIANG KAI-SCHEK in Luschan einberufenen Beratung... ein Plan zur erweiterten Ausbildung von Truppen bestätigt... In diesem Plan wurde [darüber beraten], daß die Vereinigten Staaten innerhalb von drei Jahren eine chinesische Flotte aufbauen, die bis zum Jahre 1936 die japanische Flotte übertreffen sollte.«[428] Zu diesem Zweck wurde in New York eine Privatgesellschaft gegründet, die wohl nicht rein zufällig im ROCKEFELLER-Center ihren Sitz hatte und von diesem wichtigen Teil der US-Machtelite aus als Waffenlieferant handelte. Besagte Privatgesellschaft wirkte als Universal Trading Corporation, sie bekam einen US-Regierungskredit in Höhe von 45 Millionen Dollar, während sie ausschließlich aus chinesischen Aktionären bestand. Schon im Dezember 1938 gewährte man der chinesischen Regierung eine weitere Anleihe von 25 Millionen Dollar, dieses Geld ging über die Ex- und Importbank in Washington. Auch Präsident ROOSEVELT setzte sich beziehungsweise sein Sohn James ROOSEVELT voll für das angestrebte Aufrüsten Chinas ein. Im Jahre 1941, nachdem er den chinesischen Widerstand gegen Japan nie hatte erlahmen lassen, traf sein Sohn höchst persönlich in Tschunkin ein, um dort mit Marschall TSCHIANG KAI-SCHEK die Sachlage zu erörtern und ihm erneut zu versichern, daß die Unterstützung der USA auch weiterhin bestehen werde.[429]

Auf diesem Hintergrund war das US-Ultimatum an Japan eine zielbewußte Provokation, denn es forderte den damals militärisch aggressiven und expandierenden Staat, der auf Rohstoffsicherung im Fernen Osten angewiesen war, zur bedingungslosen Kapitulation seiner Politik auf: Das ROOSEVELT-Ultimatum verlangte nämlich von den Japanern, nicht nur ihre Besitzungen in China und der Mandschurei aufzugeben, sondern auch ihre wirtschaftliche und militärische Expansion in Indochina, Singapur, Burma und Indonesien einzustellen. Das Ultimatum endete mit der Drohung, daß die USA mit wirtschaftlichen Sanktionen antworten würden – bis zu diesem Zeitpunkt waren die USA der wichtigste Öllieferant Japans. Die Sanktionen bedeuteten also nichts anderes, als daß die USA Japan nicht mehr mit Öl beliefern würden.

Wenn man bedenkt, daß die ROOSEVELT-Regierung zur selben Zeit die Chinesen bewaffnete, damit die Japaner einen Zermürbungskrieg in China führen mußten, kann man getrost zu der Überzeugung gelangen, daß dies eine zielbewußte Verschlechterung der Beziehungen zu Japan zur Folge haben sollte. Trotzdem versuchten die Japaner, mit den USA einen Kompromiß zu finden: Sie teilten den USA mit, daß sie wegen ihrer Übervölkerung und Rohstoffarmut gezwungen seien, in anderen Ländern Asiens, die noch nicht industriell entwickelt waren, ihre Rohstoffbelieferung zu sichern. Japan war bereit, die Ausbeutung der Rohstoffe mit den USA und England zu teilen, Singapur den Engländern zu überlassen und eine chinesische Regierung anzuerkennen. Mit anderen Worten: Die Japaner taten alles, um einen Konflikt mit den USA zu verhindern, denn sie wußten, daß sie auf lange Sicht für einen Krieg mit den USA zu schwach waren. Aber die US-Regierung ließ Japan keinen Ausweg, sie drohte jetzt mit dem Einzug aller japanischen Bankkonten (was sie mit den irakischen Guthaben im Golfkrieg auch tat) in den USA und setzten das angedrohte Ölembargo mit aller Härte durch, das Japan besonders schwer traf.

Der Historiker John TOLAND und der spätere US-Botschafter in Japan, Edwin REISCHAUER, die einige der noch aus dem Zweiten Weltkrieg überlebenden japanischen Politiker und Militärs nach dem Grund für den japanischen Angriff auf Pearl Harbor befragten, erhielten als Antwort, daß Japan sich wegen des amerikanischen Ölembargos zu diesem Schritt gezwungen gesehen habe. Denn ohne Öl (Japan hatte kurz zuvor seine gesamte Flotte auf Ölfeuer umgestellt) hätte man weder die Handels- noch die Kriegsflotte länger einsatzbereit halten können. Dadurch hätte Tokio seine Besitztümer und Rohstoffquellen auf dem asiatischen Festland und in Südostasien an die Engländer und Amerikaner verloren.

George CROCKER faßt ROOSEVELTS Kriegstreiberei wie folgt zusammen: »Die Absicht war jedoch im großen und ganzen klar: Japan sollte für immer auf die Stufe einer Macht dritten Ranges verwiesen werden; für die Lebensmittelversorgung seiner achtzig Millionen Menschen sollte es auf die Bereitschaft bestimmter Länder, mit ihm Handel zu treiben, angewiesen sein und auf dem Umweg über das vom Bürgerkrieg und durch kommunistische Durchdringung in ein Chaos gestürzte China den wohlbekannten und gefürchteten Bestrebungen der Sowjetunion ausgeliefert werden. Alles, was an diese Forderung nicht herankam, lehnte der Präsident rundweg ab.«[430]

Auch die Auffassung etlicher Historiker, die Entscheidungsträger in den USA in Sachen Außenpolitik hätten nicht wissen können, daß ihre Politik unweigerlich zu einem Krieg mit Japan führen würde, kann widerlegt werden. Die Wahrheit wurde während der ›Pearl Harbor Attack‹-Untersuchungen im Kongreß enthüllt, als klar wurde, daß die Vorhaben der ROOSEVELT-Regierung, die man zuvor von offizieller Stelle als Maßnahmen auslegte, die Japan angeblich von seinen Angriffsabsichten abschrecken würden, sich als Lüge entpuppten:

Die amtliche Schlußfolgerung der Marine, daß sie das Gegenteil bewirken würden, wurde geheimgehalten. Die Wahrheit kam erst nach fünf Jahren bei den Verhandlungen des ›Gemeinsamen Kongreßausschusses zur Untersuchung des Angriffs auf Pearl Harbor‹ an den Tag, als Admiral STARK, der zur Zeit der Anordnung der Handelssperre der höchste Marineoffizier in Washington war, offen zugab, daß bei allen Spitzenbehörden des Landes Klarheit darüber bestanden habe, daß dies letztlich Krieg bedeute. STARK erhob gegen die Japaner nicht einmal einen Vorwurf. Er habe, sagte er, als ROOSEVELT Japan die Ölzufuhr abschnitt, gedacht: »Wär' ich ein Japs', dann wüßt' ich, was ich täte. Ich hole mir das Öl, wo ich es finden könnte.« Bei den Verhandlungen im Kongreß im Jahre 1946 stellte ihm Senator FERUSON die Frage: »Haben Sie nicht bezüglich der Ölfrage und Ihrer Ansicht über Japans Reaktion darauf vor dem Marinekriegsgericht ausgesagt, Sie hätten nach Erlaß der wirtschaftlichen Sanktionen gegen Japan im Sommer 1941 erklärt, daß Japan einfach hingehen und sich das Öl holen würde?« »Ja«, erwiderte Admiral STARK, »das habe ich erklärt, und ich habe auch im Außenministerium, wenn ich mich recht erinnere, erklärt, wenn man die Wirtschaft Japans vollkommen stillege, seinen Handel und sein normales Friedensleben abdrossele, indem man ihm die Ölzufuhr abschneidet, so sei es für einen Japsen das Natürlichste auf der Welt, wenn er sagte: ›Na, dann geh ich eben hin und hol's mir‹.«[431]

Nach Äußerungen von Experten des Ölhandels wurde Japan vom Ölembargo der USA »schwer geschädigt«. Als ob dies noch nicht bedeutsam genug wäre, bestätigte die Marine ROOSEVELT auch gleich nach dieser Nachricht mit ihrer eigenen Warnung, daß »Japan sich gezwungen sehen werde, durch offenen Krieg zu Öl zu kommen . . .«[432]

So war Japan gezwungen worden, die Amerikaner anzugreifen, um sich Luft zu verschaffen, um weiterhin durch wirtschaftliche Expansion und, wenn nötig, durch Kriegführung im Fernen Osten und in Südostasien seine Rohstoffe zu sichern. Vor allem mußte Japan jetzt erst einmal nach anderen Ölquellen Ausschau halten. Danach könnte man mit Unterstützung der Deutschen die Amerikaner in Europa festhalten und immer noch einen Kompromißfrieden mit Amerika schließen. Zumindest dachte man so in Tokio.[433]

Der manipulierte Angriff auf Pearl Harbor

Die Japaner wußten allerdings nicht, daß dadurch der Plan der führenden Schichten in Amerika in Erfüllung ging. Der US-Nachrichtendienst (Signals Intelligence Section der US Army) hatte unter der Führung von William FRIEDMAN schon am 25. September 1940 den japanischen Geheimcode entschlüsselt. Dazu schrieb Ladislas FARAGO in seinem sorgfältig recherchierten Buch *Codebrecher am Werk*: »Die Bezwingung der ›unüberwindlichen‹ Maschine vom Typ 97 ist somit das bedeutendste Ereignis in der Geschichte der amerikanischen Kryptologie. . . Es grenzte an ein Wunder, daß es ihnen gelang, eine Maschine nachzubauen, deren Modell sie nie gesehen hatten. . .«[434]

FARAGO, der sich in seinem Buch hauptsächlich mit der Geschichte der Entzifferung der verschiedenen japanischen Codes befaßt, berichtet: »Dann [nach dem 25. September] begannen innerhalb weniger Tage die entschlüsselten Telegramme aus den Maschinen zu strömen. Dieses bemerkenswerte Präzisionsinstrument [die fertiggestellte Entschlüsselungsmaschine] war in amerikanischen Händen so vervollkommnet worden, daß die japanischen Telegramme im Fernmeldenachrichtendienst und bei Op-20-G schon vorlagen, bevor sie die japanische Botschaft in der Massachusetts Avenue erreichten. Es dauerte nicht lange, bis die amerikanischen Kryptologen sich sogar den japanischen Chiffreuren als überlegen erwiesen, die den gleichen Nachrichtenverkehr mit ihren B-Geräten in der Botschaft bearbeiteten. Die Amerikaner konnten z. B. alle Fehler, die die Maschine in Tokio machte, richtigstellen und unverstümmelte Texte aufnehmen, während die Chiffreure der Botschaft jedesmal in Tokio rückfragen mußten.« Damit war Washington bestens informiert und in der Lage, die geheimsten Nachrichten zwischen Tokio und seinen Diplomaten zu lesen.[435]

Die US-Regierung war nun im Besitz des japanischen Codes und Funkschlüssels. Alles, was von militärischer sowie diplomatischer Bedeutung war, wurde abgehört.[436] Was die Japaner aber auch nicht wußten, war, daß der amerikanische Geheimdienst ihre ›Windbotschaft‹ (Ost-Wind-Regen-Nachricht) am 4. Dezember abgefangen und entschlüsselt hatte. Diese überaus wichtige Nachricht befahl, einen Angriff gegen die USA einzuleiten. Zwar wurde sie nach dem Angriff auf Pearl Harbor aus den Akten entfernt, aber sie ist bekannt geworden, als das Geheimdokument SRH-051 der ›National Archives‹ am 11. März 1980 für die Forschung freigegeben wurde.[437]

Die Freigabe dieses äußerst wichtigen Dokuments erfolgte über die National Security Agency (NSA). Sie bewies, daß ROOSEVELT durch Entzifferung japanischer Geheimtelegramme über Tag und Stunde des Angriffs auf Pearl Harbor rechtzeitig Bescheid wußte.[438] Somit wurde bestätigt, daß die Machtelite der US-Regierung bestens auf den geplanten Überraschungsangriff auf Pearl Harbor vorbereitet war. Am 5. November, also bereits fünf Wochen vor dem Angriff, wurde die Meldung abgefangen, daß der 25. November der Stichtag der Entscheidung – also der Tag des Auslaufens der japanischen Flotte zum Angriff auf Pearl Harbor – sein würde. Dieser Tag wurde noch einmal auf Ersuchen der japanischen Unterhändler in Washington auf den 29. November verschoben. Diese Tatsache wurde schon am 22. November von den US-Geheimdiensten abgehört. Die abgehörten japanischen Meldungen wurden dann immer dringender.[439]

Wie schon erwähnt, fingen die Amerikaner am 4. Dezember den grundlegenden ›Wind-Code‹ ab, der den Befehl zum Angriff auf Pearl Harbor frei gab. Dieser streng geheime Befehl wurde in Form einer falschen Wettermeldung von den Japanern an ihre Streitkräfte mitgeteilt. Die falsche Wettermeldung hieß »Ost-Wind-Regen«, die so viel wie Krieg oder Abbruch der diplomatischen Beziehungen mit den USA bedeutete[440]. Ein Abbruch der diplomatischen Beziehungen würde einem Krieg gleichkommen, das wußte man auch in den höchsten Etagen der Machtelite in Washington.

Der schon zuvor erwähnte Admiral THEOBALD war in der glücklichen Lage, jede einzelne Phase der Geheimplanung der US-Machtelite, die zur Provokation Japans und daher zum Angriff auf Pearl Harbor führte, aktenmäßig zu beweisen. Er tat dies eindrucksvoll in seinem Buch *Das Letzte Geheimnis von Pearl Harbor*. Unter anderem deckte er auf, daß die Amerikaner seit langem in dem Besitz des japanischen Geheimcodes gewesen waren und daß sie jede Meldung zwischen Tokio und Berlin, vor allem aber zwischen Tokio und Washington sowie zwischen Tokio und den japanischen Botschaften, Gesandtschaften, Konsulaten usw. abgehört, mitgeschrieben und entziffert hatten. Sie hatten, wie schon erwähnt, eine Entzifferungsmaschine für den japanischen Geheimcode entwickelt und an die wichtigsten politischen und militärischen Kommandostellen Amerikas abgegeben, um keine Zeit mit der Übermittlung der abgefangenen japanischen Geheimbefehle zu verlieren.

Aber Pearl Harbor wurde bewußt umgangen, es wurden nur belanglose entschlüsselte Nachrichten dorthin geleitet. Viele Tausende dieser Codetelegramme lagen Admiral THEOBALD vor, davon hat er in seinem Buch Hunderte verarbeitet und Dutzende im Wortlaut angeführt. Präsident ROOSEVELT und seine Assistenten waren in der Lage gewesen, sowohl die politischen als auch die militärischen Aktionen der Japaner nicht nur zu erkennen, sondern auch noch zu lenken. Daher war es für die ROOSEVELT-Administration leicht gewesen, den Japanern die Daumenschrauben zielbewußt anzuziehen, bis zu jener Note vom 26. November 1941, die nichts anderes als ein Ultimatum an Japan darstellte, von dem die US-Führung wußte, daß die Japaner sie nicht annehmen würden. Über diese Note schreibt Admiral THEOBALD: »Durch die Note am 26. November hat Präsident ROOSEVELT endgültig und zielbewußt den Krieg über die Vereinigten Staaten heraufbeschworen... Japan mußte sich nun unterwerfen oder kämpfen, und es konnte kein Zweifel darüber bestehen, welchen Weg es gehen würde.«[441] Dieses Ultimatum war eine strenggeheime Sache, von der nur ROOSEVELT, HULL und ein paar wenige Eingeweihte wußten. Der amerikanische Senator Hamilton FISH, zum damaligen Zeitpunkt ein Widersacher der ROOSEVELT-Politik, bezeichnet es als »ein geheimgehaltenes Kriegsultimatum«, das »10 Tage vor Pearl Harbor« Japan »provozierte« und das »er [ROOSEVELT] dem Kongreß und dem amerikanischen Volk unter Verletzung der amerikanischen Verfassung verheimlicht(e)«. Ferner schreibt er zu Recht in seinem Buch *Der zerbrochene Mythos*, daß »ROOSEVELT... mit seinem kriegsprovozierenden Ultimatum, das bis auf den heutigen Tag der amerikanischen Öffentlichkeit noch fast unbekannt geblieben ist,... sein Ziel... erreicht(e)«.[442]

Vorwarnungen über den kommenden Angriff der Japaner gab es genug: Viele Hunderte von Telegrammen wurden von Washington abgefangen und auf Befehl hin verschwiegen. Aber schon, bevor die US-Regierung in der Lage war, Meldungen der Japaner abzufangen und zu entschlüsseln, gab es Warnungen von anderen. Eine sehr gravierende sowie offenbarende Vorwarnung kam vom Kongreßmitglied DIES: »DIES hatte Präsident ROOSEVELT im August 1941 nicht nur das Angriffsziel Pearl Harbor, sondern auch noch den strategischen Angriffsplan mit Karte überreicht. Er wurde zum Schweigen gezwungen.«[443] Desweiteren existierten eine Warnung vor einem japanischen Überraschungsangriff aus der Luft und Hinweise auf die unzureichende Verteidigungsfähigkeit Hawaiis, die der Kommandant von Hickam Airfield, Oberst William FARTHING, Monate vor dem Angriff dem Kriegsministerium in Washington übermittelt hatte, diese waren – was für eine Überraschung! – ohne Kommentare und Reaktion im Panzerschrank des Pentagons verschwunden.[444]

Ferner schreibt BAVENDAMM in *Roosevelts Krieg 1937-45:* »Dabei war ein Oberbefehlshaber noch nie in der Geschichte so vollkommen über die Absichten seines nächsten Kriegsgegners unterrichtet wie Präsident ROOSEVELT, der, von Tokio unbemerkt, seit 1940 nicht nur die Korrespondenz zwischen der japanischen Führung und ihren diplomatischen Vertretungen in aller Welt mitlesen konnte, sondern möglicherweise sogar die Befehle der japanischen Seekriegsleitung an den Trägerverband, der den Angriff auf Pearl Harbor ausführte.«[445] Damit aber noch nicht genug, Dirk BAVENDAMM setzt dem noch die Krone auf, indem er bestätigt: »Bei drei Gelegenheiten vor dem japanischen Angriff hat es eindeutige Kriegswarnungen der Washingtoner Dienststellen an die Marine- bzw. Armeebefehlshaber auf Hawaii gegeben – am 17. Juni 1940 nach dem Zusammenbruch Frankreichs, am 25. Juli 1941 nach Einfrierung der japanischen Guthaben in den USA und am 16. Oktober 1941, als das japanische Kabinett unter Fürst KONOE zurücktrat. Zumindest die Warnung vom 17. Juni 1940 hatte die amerikanische Pazifik-Flotte ausdrücklich vor einem ›Überraschungsangriff über See‹ gewarnt. Am 26. Juli wurde die Pazifik-Flotte nach der Kriegswarnung sogar in volle Alarmbereitschaft versetzt.«[446] Doch im Dezember 1941 kam keine solche Warnung.

Es gibt starke Hinweise, daß Mitglieder der Operations Section des Marine-Generalstabs schon im Januar 1941 über den Angriff auf Pearl Harbor Bescheid wußten. Selbst wenn dies bestritten werden kann, so ist eine Sache eindeutig aktenkundig geworden: Ende Januar 1941 hörte Ricardo RIVERA-SCHREIBER, Perus Minister in Tokio, ein Gerücht, das ihm verdächtig vorkam. Er ging deswegen gleich zur amerikanischen Botschaft in Tokio, um es dort seinem Freund Edward S. CROCKER, dem ersten Sekretär der US-Botschaft, mitzuteilen. CROCKER leitete das Gerücht gleich an seinen Chef, Botschafter GREW, weiter. GREW schickte daraufhin ein Telegramm an das US-Außenministerium, datiert auf den 27. Januar 1941. Es beinhaltete folgende brisante Botschaft: »Mein peruanischer Kollege hat einem Mitglied meines Stabs mitgeteilt, daß er von vielen Quellen, inklusive einer japanischen Quelle, gehört hat, daß die japanischen militärischen Streitkräfte, wenn es Ärger mit den Vereinigten Staaten geben sollte, einen massiven Überraschungsangriff auf Pearl Harbor mit allen ihren militärischen Kapazitäten planen. Er teilte ferner mit, daß, obwohl dieses Projekt sich phantastisch anhört, die Tatsache, daß er es von vielen Quellen hörte, ihn dazu führte, die Information weiterzuleiten.« GREW sagte später aus, daß er den Überbringer der Mitteilung, RIVERA-SCHREIBER, sehr gut kenne und ihm in dieser Sache voll vertraue. Aber die höchsten Stellen der US-Regierung untersuchten nicht einmal, ob mehr hinter diesem Gerücht steckte.[447] Es blieb aber nicht bei dieser einzigen Warnung: Anfang Oktober 1941 informierte der deutsche Spion Richard SORGE, ein Doppelagent der Russen, den Kreml, daß die Japaner innerhalb von 60 Tagen Pearl Harbor angreifen würden. Moskau habe ihm daraufhin dankend geantwortet, daß »ROOSEVELT, MARSHALL, Admiral STARK und andere« darüber informiert worden seien! Das war somit STALINS Dank für die amerikanischen Hinweise vor dem 22. Juni 1941 (als HITLER die Sowjetunion angriff).[448]

Diese brisante Information wurde in der *New York Daily News* von dem Washingtoner Korrespondenten John O'DONNELL am 17. Mai 1951 veröffentlicht. O'DONNELL behauptete, er habe diese Information dem Geständnis SORGES und den Akten der japanischen Geheimpolizei entnommen, die MACARTHUR 1945 in Tokio sicherstellte. Später wurde jedoch SORGES Geständnis verkürzt, indem die Passagen, die ROOSEVELT belasteten, entfernt wurden.[449] In der *Chicago Daily Tribune* vom 29. August 1949 wurde auf der Titelseite behauptet, der chinesische Marschall TSCHIANG KAI-SCHEK habe im November 1941 in einem Telegramm an ROOSEVELT diesen vor einem japanischen Angriff auf Pearl Harbor gewarnt.

Der Autor des Buches *Pearl Harbor in neuer Sicht*, Karl Otto BRAUN, hat daraufhin an den jüngeren Sohn des Marschalls, General TSCHIANG WEGO W.K. geschrieben und am 2. Mai 1986 folgende Nachricht erhalten: »Ich kann Ihnen jedoch versichern, daß mein verstorbener Vater die US-Regierung und General Douglas MACARTHUR fast ein halbes Jahr vor der Operation vor der Möglichkeit eines japanischen Angriffs auf Hawaii (Pearl Harbor, M.K.) und die Philippinen gewarnt hat.« Ergänzend teilte der General am 11. Juli 1986 dazu mit, »ROOSEVELT habe absichtlich Schritte unterlassen, um das Unglück abzuwenden, denn offensichtlich wollte er einen Angriff als Alibi für einen Eintritt der Vereinigten Staaten in den Pazifischen Krieg benutzen.«[450]

Auch von holländischer Seite kam eine Warnung über den Angriff der Japaner auf Pearl Harbor. In seinem Buch *Infamy* beschreibt John TOLAND, US-General Albert C. WEDEMEYER habe ihm 1980 offenbart, daß der damalige holländische Vizeadmiral E. L. HELFRICH darüber erstaunt war, daß er, WEDEMEYER, von einer holländischen Warnung an die US-Regierung nichts wußte.

Die Holländer hatten nämlich den japanischen Code ebenfalls entschlüsselt, und HELFRICH sei sich sicher, daß seine Regierung die amerikanische vor einem Überfall auf Pearl Harbor gewarnt habe.

In diesem Zusammenhang warnte ebenfalls das holländische Militär das US-Militär vor einem unmittelbar bevorstehenden Angriff auf Hawaii und andere Inseln im Pazifik. Denn in Bandung, Java, war es Oberst J. A. VERKUHL mit Unterstützung von seiner Frau und Studenten am 2. Dezember 1941 gelungen, eine japanische Mitteilung aus Tokio abzufangen, die an den japanischen Botschafter in Bangkok gefunkt wurde. Die Mitteilung war praktisch der genaue Angriffsplan der Japaner gegen Hawaii, die Philippinen, Malaisien und Thailand. Es war also die sogenannte ›Windbotschaft‹ – eine falsche Wettermeldung –, die einen Angriff der Japaner auf die USA freigab. Diese abgefangene und entschlüsselte Botschaft wurde in Marinecode an das amerikanische Kriegsministerium (War Department) geschickt.[451]

Ein unter dem Codenamen ›Tricycle‹ bekannter Agent namens Dusko POPOV, ein gebürtiger Jugoslawe, wurde von dem deutschen Geheimdienst angeheuert, ohne daß dieser wußte, daß jener in Wirklichkeit ein britischer Doppelagent war. Seine Anweisungen sollte er sich in Lissabon beschaffen. Dort angekommen, überreichte man ihm sein Arbeitsmaterial: Er sollte auf die Insel Oahu in der Nähe von Pearl Harbor reisen und dort auskundschaften, wo die verschiedenen Luftstützpunkte und Munitionslager auf der Insel waren, und dasselbe dann auch in Pearl Harbor tun. POPOV wurde schnell klar, daß Pearl Harbor das Ziel eines japanischen Luftangriffs werden würde. Deswegen teilte er dem britischen Geheimdienst in Lissabon seine Informationen über den bevorstehenden Angriff auf Pearl Harbor mit, wo man ihm wiederum mitteilte, er sollte seine Informationen persönlich in die USA bringen. Da POPOV von dem deutschen Geheimdienst ohnehin angewiesen worden war, ein Spionagenetz in der USA aufzubauen, wußte er, daß seine Reise in die USA dem deutschen Geheimdienst keineswegs verdächtig erscheinen würde.

Am 10. August 1941 kam er in den USA an, wo er einem britischen Kollegen sein strenggeheimes Arbeitsmaterial zeigte. Dieser sagte, er würde Kopien davon an das FBI schicken. Am nächsten Morgen nach seiner Landung wurde POPOV in New York in das FBI-Gebäude eskortiert. Dort wurde er kühl empfangen, der regionale FBI-Chef sagte, er hätte das Material bekommen und würde es nach Washington weiterleiten. POPOV wunderte sich, warum das Material noch nicht abgeschickt wurde, da jeder Tag zähle, wenn die Amerikaner einen Angriff abwehren wollten. Als POPOV fragte, ob das FBI mehr Einzelheiten über Pearl Harbor haben wollte, wurde ihm überraschenderweise mitgeteilt: »Nun, es sieht alles zu präzise aus, zu komplett, um glaubwürdig zu sein. . . Es klingt im Grunde wie eine Falle.« POPOV beteuerte daraufhin, daß seine beiden Quellen sehr zuverlässig seien.

»Wenn seine Informationen exakt sind, gibt es keinen Grund, seine Schlußfolgerung anzuzweifeln«, sagte er über eine seiner Quellen. »Sie können mit einem Angriff auf Pearl Harbor vor Ende dieses Jahres rechnen, es sei denn, Ihre Verhandlungen mit den Japanern führen zu einem Ergebnis«, sagte er prophetisch. Aber das FBI wollte Popov nicht ernst nehmen, auch FBI-Chef John E. Hoover machte Popov auf unfreundliche Art klar, daß er nichts von seinen Warnungen halte. Frustriert wandte sich Popov an William Stephenson, Churchills Geheimboten in den USA, aber auch er konnte Washington nicht vom Ernst der Popovschen Warnung überzeugen. Auch weitere Versuche von britischen Doppelagenten, die offenbar für den deutschen Geheimdienst arbeiteten, konnten nichts daran ändern, daß Washington sämtliche Warnungen im Falle Pearl Harbor ignorierte.

Im Frühherbst 1941 kam eine weitere direkte Warnung vor einem Überfall der Japaner auf Pearl Harbor. Kilsoo Haan, ein Agent der Sino-Koreanischen Volksliga, kam in das CBS-Büro von Eric Sevareid, um aufgeregt zu verkünden, daß die Japaner noch vor Weihnachten Pearl Harbor angreifen würden. Freunde im koreanischen Untergrund in Japan und Hawaii (Korea war zur Zeit von den Japanern besetzt), so Haan, berichteten, daß sie absolut sicher seien. »Ein Beweisstück des Puzzles«, erinnerte sich Sevareid, war »ein Koreaner, der im japanischen Konsulat arbeitete, er habe Entwürfe unserer Überwasser- und Unterwasser-Marineinstallationen gesehen, die auf dem Schreibtisch des Konsuls gelegen haben«. Haan erzählte daraufhin Sevareid von seinem Frust, nur rangniedrige Beamte zu Gesicht zu bekommen, die seine Warnungen als gering einschätzten. Anscheinend hatte das gesamte politische Establishment in den USA taube Ohren, wenn es um Pearl Harbor-Warnungen ging.

Auch dem Kriegsministerium wurde von Major Warren J. Clear im Frühjahr 1941 eine Warnung über Pearl Harbor geschickt, er sprach sich vehement dafür aus, eine Garnison um die ganzen Inseln von Oahu nach Guam zu verlegen.[452] Am 9. April 1941 schickten die Befehlshaber der US-Flotten und Luftstreitkräfte auf Oahu einen Sonderbericht nach Washington, der folgende Ermahnung enthielt: »Japan hat in der Vergangenheit vor Beginn der militärischen Aktionen niemals eine Kriegserklärung ausgesprochen. Ein unerwarteter und erfolgreicher Überfall auf unsere Schiffe und Marineanlagen auf der Insel Oahu kann auf lange Zeit hinaus wirkungsvolle Aktionen unserer Streitkräfte im westlichen Teil des Pazifik unterbinden. Es ist durchaus möglich, daß japanische Unterseeboote und schnelle Einheiten unserer Aufklärung entgehen und in die Gewässer von Hawaii (Pearl Harbor, M.K.) eindringen; auch ein vollkommen überraschender Angriff aus der Luft ist trotz unserer Patrouillen möglich.«[453]

Auch in Japan selbst gab es genügend Anzeichen dafür, daß die militärische Option gegen die USA nicht zu unterschätzen sei. Die Zeitschrift *Kaizo*

Zu S. 129 ff.: Die ersten amerikanischen Truppen treffen im Herbst 1917 in Paris ein. Der Kriegseintritt der USA wirkte entscheidend auf das weitere Kriegsgeschehen.

Amerikanisches Plakat zugunsten einer groß angelegten Kriegsanleihe 1917, dem Jahr des US-Kriegseintritts.

Zu S. 20 f.: Kriegstreiber Edward M. House, der Schlüsselberater W. Wilsons und der Mentor F. D. Roosevelts.; *unten:* Woodrow Wilson

Zu S. 133 u. 164: Bernard Baruch, unter anderem Berater aller US-Präsidenten von Wilson bis Eisenhower, hier im vertraulichen Gespräch mit Frau Elenor Roosevelt. Baruch wurde der ›heimliche Kaiser Amerikas‹ genannt und hatte großen Einfluß auf die amerikanische Politik des 20. Jahrhunderts.

Zu S. 206 f.: US-Präsident Roosevelt und der britische Premierminister W. Churchill an Bord des US-Kreuzers ›Augusta‹ am 14. 9. 1941. Dabei vereinbarten sie die Grundsätze ihrer Kriegspolitik. Am Ende des Treffens wurde die sogenannte ›Atlantik-Charta‹ veröffentlicht.

Zu S. 194 f.: Nach dem Scheitern der japanischen Bemühungen und Verhandlungen unternahmen die Japaner am 7. 12. 1941 einen ›Überraschungsangriff‹ auf die U.S. Pacific Fleet in Pearl Harbor.

Franklin D. Roosevelt unterzeichnet am 11. 12. 1941 im Weißen Haus die US-Kriegserklärung an Japan nach dem Angriff auf Pearl Harbor. Drei Tage später erfolgte die Kriegserklärung Deutschlands an die USA.

Zu S. 225 f.: Der überflüssige Schlußpunkt des Zweiten Weltkriegs: Hiroshima nach dem Abwurf der US-Atombombe.

Präsident Harry S. Truman: »Ich danke Gott, daß er uns die Atombombe geschickt hat, und nicht dem Feind.«

Zu S. 224: US-General Douglas MacArthur nimmt an Bord des Schlachtschiffes ›Missouri‹ die japanische Kapitulation entgegen.

brachte in ihrer Ausgabe vom 1. Februar 1941 einen Artikel mit der Überschrift »An den amerikanischen Präsidenten«. Der Artikel unterstrich, daß der japanisch-amerikanische »Streit mit den Waffen ausgetragen werden muß«, und endete mit einem Aufruf zum Krieg gegen die USA. In vielen anderen Zeitschriften Japans erschienen Beiträge, die zu ähnlichen Schlußfolgerungen über die japanisch-amerikanischen Beziehungen kamen.[454]

Sogar die eigenen Mitarbeiter ROOSEVELTS, unter anderen Admiral TURNER, teilten dem Präsidenten mit, sein Wirtschaftsembargo sei gegen Japan gefährlich, da es wahrscheinlich einen japanischen Angriff auf Malaisien provozieren und möglicherweise auch die USA in einen Krieg mit Japan ziehen werde, weil die Japaner bald vor einem Ölversorgungsproblem stünden, da die USA nun kein Öl mehr nach Japan liefern würden. Auch STARK stimmte dem zu.[455]

Ende November 1941 hatten sich die Hinweise darauf, daß die Japaner nach einem Scheitern der Scheinverhandlungen die USA direkt angreifen würden, nahezu bis zur Gewißheit verdichtet. ROOSEVELT mußte fest mit dieser Möglichkeit rechnen, da Tokio am 14. November Hongkong davon in Kenntnis gesetzt hatte, daß ein Scheitern bei den Gesprächen in Washington Krieg gegen die USA und Großbritannien bedeuten würde. ROOSEVELT wurde von dieser Prophezeiung durch MAGIC informiert.[456]

Es war denn auch kein Zufall, sondern verriet die innersten Gedanken des Präsidenten, als MARSHALL am 15. November 1941 vor einem Kreis von Journalisten unter dem Siegel der Verschwiegenheit erklärte: »›Wir bereiten einen Offensivkrieg gegen Japan vor, während die Japaner glauben, wir bereiteten uns nur auf die Verteidigung der Philippinen vor‹. Die Authentizität dieser Äußerungen wurde zwar später bestritten, dies aber wohl nur, weil sie ROOSEVELTS Intentionen ungewöhnlich offen und zutreffend widergegeben haben.«[457]

Am 5. November 1941, also fünf Wochen vor dem Schlußakt der Tragödie, wurde die Meldung abgefangen, daß der 25. November der Stichtag der Entscheidung – also der Tag des Auslaufens der japanischen Flotte zum Angriff auf Pearl Harbor – sei, der dann auf die dringendsten Ersuchungen der beiden japanischen Unterhändler in Washington auf den 29. November verlegt wurden, was die amerikanischen Nachrichtenstellen natürlich prompt aus Tokio am 22. November abhörten! Wiederum gab es am 25. November 1941 eine Geheimbesprechung über Japan, an der ROOSEVELT, sein Außenminister HULL, STIMSON, Kriegsminister KNOX, Generalstabschef MARSHALL und der Operationschef der Marine, Admiral STARK, teilnahmen. In STIMSONS verräterischem Tagebuch lesen wir diesbezüglich: »Der Präsident sagte (es war Dienstag), die Japaner seien dafür bekannt, Angriffe ohne Warnung zu machen. So kann es durchaus sein, daß wir z.B. nächsten Montag angegriffen werden.«

Der japanische Angriff ereignete sich tatsächlich – nach japanischer Zeit – an einem Montag, nur eine Woche später! STIMSON notierte in sein enthüllendes Tagebuch: »Die Frage war, wie wir die Japaner dazu bringen, den ersten feindseligen Schuß abzufeuern, ohne uns selbst zu sehr zu gefährden. Es war eine schwierige Sache.« ROOSEVELT beorderte nun HULL, den von Japan vorgeschlagenen Waffenstillstand fallen zu lassen und Japan zur sofortigen Räumung Chinas und Indochinas aufzufordern. Die Note war ein Ultimatum, nach STIMSON benutzte ROOSEVELT selbst diese Bezeichnung, Senator Hamilton FISH nannte sie, wie schon erwähnt, schlicht ein »Kriegsultimatum«. Zwei Tage darauf fragte ROOSEVELT STIMSON unter vier Augen, da die Japaner noch nicht reagiert hatten: »Sollen wir noch einmal so etwas wie ein Ultimatum schicken oder gleich losschlagen?« Haudegen STIMSON war für »gleich losschlagen«. ROOSEVELT wartete aber noch die japanischen Telegramme ab, die er ja dank des geknackten Codes mitlesen konnte, was einen unschätzbaren Vorteil darstellte.[458]

ROOSEVELTS kriegerische Absichten wurden jedoch schon viel früher bekannt. Während der Atlantik-Konferenz am 12. 8. 1941 hatte er in Begleitung von HOPKINS und CHURCHILL nämlich eine folgenschwere Abmachung mit Großbritannien getroffen. Diese Konferenz war zunächst so geheim, daß selbst ROOSEVELTS Kriegsminister STIMSON vorher nichts von ihr wußte. Es war CHURCHILL, der in seiner Unterhausrede vom 27. Januar 1942 als erster preisgab, ROOSEVELT habe ihm damals auf der Atlantik-Konferenz zugesagt, die Vereinigten Staaten würden in Fernost in den Krieg ziehen, selbst wenn sie nicht angegriffen würden (»even if not herself attacked«). Inzwischen hatte ROOSEVELT seinen Kriegs- und den Marineminister angewiesen, auf einen umfassenden Krieg und zur Mobilisierung aller amerikanischen Hilfsquellen für eine Unterwerfung Deutschlands und Japans insgeheim vorbereitet zu sein.[459]

CHURCHILLS Worte lassen keinen Zweifel an den Absichten ROOSEVELTS aufkommen, denn in seiner Unterhausrede vom 27. Januar 1942 verkündete er: »Seit der Atlantik-Konferenz, wo wir dieses Problem besprachen, hat die Gewißheit, daß die Vereinigten Staaten auch dann in den Krieg im Fernen Osten eingreifen würden, wenn sie nicht selber angegriffen werden würden, wesentlich zu unserer Beruhigung beigetragen.« Damit in dieser Hinsicht auch nicht die geringsten Zweifel aufkommen würden, war Harry HOPKINS Anfang Januar 1941 nach London geflogen. Am 10. Januar 1941 war Harry HOPKINS, der, wie CHURCHILL unterrichtet worden war, »der engste Vertraute und persönliche Bevollmächtigte des Präsidenten«, also in London, wo er mit leuchtenden Augen und verhaltener Leidenschaft eine Botschaft von Präsident ROOSEVELT an CHURCHILL überbrachte: »Der Präsident ist entschlossen, daß wir den Krieg gemeinsam gewinnen. Zweifeln Sie nicht daran. Er hat mich hierher gesandt, um Ihnen zu sagen, daß er Sie um jeden Preis und mit allen Mitteln durchbringen wird, gleichgültig, was ihm geschieht – es gibt nichts, was er nicht tun wird, soweit es in seiner Macht steht.« »Harry HOPKINS saß da«, schreibt CHURCHILL in *Die große Allianz*, »ganz durchdrungen und durchglüht von der Sache.« Diese ›Sache‹ war, wie HOPKINS CHURCHILL in ROOSEVELTS Namen sagte, »die Niederlage, Zerstörung und Vernichtung HITLERS vor allen andern Absichten, Verpflichtungen und Zielen«. Dies war aber nichts Neues für CHURCHILL, denn schon am 12. Dezember 1940 hatte es strenggeheime britisch-amerikanische Generalstabsbesprechungen in London, Manila und Washington gegeben, die bis Ende März 1941 dauerten und zwei Kriegspläne aufwiesen: einen gegen Deutschland, einen gegen Japan. Beide wurden von ROOSEVELT gebilligt – »wenn auch nicht offiziell«, wie sich Admiral STARK ausdrückte, der danach an seinen Flottenkommandeur schrieb: »Die Frage unseres Kriegseintrittes scheint jetzt eine Frage des Wann, und nicht des Ob, zu sein.« Am 10. Januar 1941 forderte ROOSEVELT dann den Kongreß auf, das Leih- und Pachtgesetz zu erlassen, mit dem der Kongreß dann dem Präsidenten in letzter Instanz das konstitutionelle Recht auslieferte, Krieg zu erklären.[460]

Am 2. Dezember 1941, einem Dienstag, wurde ROOSEVELT von Donald NELSON, Chef der Abteilung ›Versorgungsprioritäten‹ und des Zuteilungskomitees, während einer Sitzung unterbrochen. ROOSEVELT sagte ihm, HULL würde gerade mit den Japanern verhandeln. »Wie sieht es aus?«, fragte daraufhin Donald NELSON. Der Präsident schüttelte seinen Kopf ernst und antwortete: »Don, ich wäre gar nicht überrascht, wenn wir uns am Donnerstag mit den Japanern im Krieg befinden.«[461]

Die Telegramme Tokios an den japanischen Generalkonsul in Hawaii wurden nun immer dringender: Am 3., 4. und 5. Dezember wurde er noch aufgefordert, die Meldungen über die amerikanischen Schiffe im Hafen von Pearl Harbor und ihre eventuelle Bewegungen nunmehr in kürzeren Zeiträumen zu wiederholen – all das hörte man in Washington zur selben Zeit mit. (Solche Meldungen über die US-Kriegsschiffspositionen können nur dem Zweck eines Angriffs dienen; eine andere Bedeutung für diese Meldungen muß ausgeschlossen werden.) Später sagten die beiden Hauptzeugen (ROOSEVELT war schon verstorben) General George C. MARSHALL und Admiral STARK vor einem Kongreß-Untersuchungsausschuß unter Eid aus, sie wüßten überhaupt nicht mehr, wo sie in der schicksalhaften Nacht zum 7. Dezember 1941 gewesen seien. Das war jene Nacht, in der Stabsoffiziere sie aufgesucht hatten, um ihnen die Entzifferung der geheimen japanischen Kriegserklärung auszuhändigen. Die Tatsache, daß die beiden führenden US-Stabsoffiziere zu diesem Zeitpunkt überhaupt nicht auffindbar waren, ist an sich schon verdächtig. Vor Gericht sagten beide allerdings, wo sie am darauffolgenden Tag, dem Sonntag, waren: MARSHALL ritt am Vormittag allein im Gelände und erschien erst um 11 Uhr 45 in seinem Büro (der Ritt MARSHALLS wird von einigen Autoren u.a. Curtis DALL als reine Phantasie bezeichnet), während STARK zwar rechtzeitig in sein Büro kam, sich aber trotz des Flehens seiner Stabsoffiziere strikt weigerte, Pearl Harbor zu verständigen.[462]

Die Schuld für den japanischen Angriff auf Pearl Harbor mußten die beiden Kommandeure General SHORT und KIMMEL tragen, obwohl man beide bewußt im dunkeln gelassen hatte. Admiral Husband KIMMEL, Oberbefehlshaber auf Pearl Harbor, offenbarte später in seinem Buch *Admiral Kimmels Story* die Vertuschung und Scheinheiligkeit Washingtons. So schreibt KIMMEL, daß bereits drei Monate vor dem Angriff auf Pearl Harbor Washington eine Fülle an Informationen besessen habe, welche den Kommandeuren von Pearl Harbor absichtlich vorenthalten worden seien. Die Informationen, die Washington schon zehn Tage vor dem eigentlichen Angriff besaß, deuteten eindeutig darauf hin, daß ein Angriff geplant und das Ziel die US-Flotte von Pearl Harbor sei. KIMMEL beschwert sich zu Recht, wenn er behauptet, daß seine eigene Regierung ihm wichtigste Informationen überhaupt nicht übermittelt habe, während viele Personen in Washington, der Marine-Geheimdienst und andere Einrichtungen mit diesen Informationen bestens versorgt waren, sie laut Befehl aber nicht weiterleiten durften. Etwa Ende November 1941, so KIMMEL, waren die gesammelten Daten der Japaner und ihrer Kriegsplanung so zuverlässig, wie solche Informationen nur sein können.[463] Auch die Entzifferungsmaschine, die eigens für das kryptographische Büro in Pearl Harbor hergestellt worden war, wurde auf Befehl von Washington, völlig unverständlich, an die Briten geschickt. Mit dieser Entzifferungsmaschine wäre es möglich gewesen, die lebenswichtigen Warnungen auszuwerten, aber dies wollte Washington nicht.[464]

KIMMEL bestätigte noch, daß schon sein Vorgänger in Hawaii, Admiral RICHARDSON, Washington darum gebeten hatte, die Basis der Flotte von Hawaii an die Westküste zu verlegen, vor allem wegen der Spannungen, die sich im Fernen Osten mit Japan abzeichneten. RICHARDSON glaubte, davon überzeugt zu sein, daß Pearl Harbor mit den vorhandenen Kräften nur schwer zu verteidigen sei. Diese Annahme traf laut KIMMEL zu: Da aber RICHARDSON bei Admiral STARK auf kein Verständnis traf, wandte er sich an Präsident ROOSEVELT. Auch bei ihm setzte er sich dafür ein, daß die Flotte im Pazifik eine sichere und strategisch günstigere Position beziehen sollte, aber ROOSEVELT wollte ebenso nichts davon hören und stellte sich taub. Nicht viel später wurde RICHARDSON seines Kommandos enthoben, und KIMMEL wurde sein Nachfolger.

KIMMEL war noch gar nicht lange in seiner neuen Position, als ein Befehl aus Washington eintraf, der mehrere Kriegsschiffe, einige Hilfsschiffe und Tanker in andere Gebiete beorderte. Dies, so KIMMEL, »reduzierte meine Kräfte um zwanzig Prozent«. Einige Monate später, im Juni 1941, wurden dann weitere Kriegsschiffe abkommandiert und verlegt. Diese Verlegung bereitete KIMMEL solch große Sorgen, daß er ROOSEVELT aufzusuchen versuchte, um ihm über die bedrohliche Lage seiner Flotte zu berichten. Aber ROOSEVELT lehnte es ab, den Admiral zu empfangen. Um die ganze Sache noch abzurunden, befahl Washington im Spätherbst 1941, kurz vor dem Angriff der Japaner, den Abzug von drei Flugzeugträgern von Pearl Harbor. Am 7. Dezember war KIMMELS Flotte auf diese Weise ihrer Flugzeugträger beraubt. Somit hatte er nur noch sechs einsatzfähige Aufklärungsflugzeuge und praktisch kaum wirkungsvolle Verteidigungsmaßnahmen gegen einen großen japanischen Überraschungsangriff.[465] Es gab daher zu wenig Flugzeuge für Um-die-Uhr-Aufklärungsflüge, die für eine frühe Warnung vor den ankommenden japanischen Flugzeugträgern in Richtung Pearl Harbor notwendig gewesen wären.[466] Auch die wichtigen Anti-Kampfflugzeug-Geschütze und die Bomber mit langer Reichweite, die General MARTIN von Pearl Harbor aus zweimal von Washington angefordert hatte, wurden nicht nach Pearl Harbor geschickt, sondern auf die Philippinen verlegt.[467] Dies alles hatte zur Folge, daß die Kommandeure auf Pearl Harbor sich weder richtig verteidigen noch den ankommenden Feind ausmachen konnten. Sie waren deshalb ebenso blind wie wehrlos gegenüber einem gut organisierten Überraschungsangriff.

Aber Washington war bestens über die Lage und sogar über die Position der japanischen Flotte zur See informiert. Dies wurde eindeutig bewiesen, als am 2. Dezember 1941, also fünf Tage vor dem Angriff auf Pearl Harbor, Kapitän Johan E. M. RANNEFT, der seit 1938 Marine-Attaché der Holländer in Washington war, das Geheimdienstbüro der US-Marine (Office of Naval Intelligence) besuchte. Dort wurde RANNEFT kameradschaftlich empfangen, denn man arbeitete nicht nur eng miteinander zusammen, sondern RANNEFT hatte seinen amerikanischen Kollegen schon einen großen Gefallen getan, als er ihnen eine der besten Anti-Kampfflugzeugkanonen (sie wurde in Holland und Schweden hergestellt) besorgt hatte. Kurz nach seinem Eintreffen wurde erneut über die angespannte krisenhafte Lage zwischen den USA und Japan über dem Pazifik diskutiert. RANNEFT war erstaunt, als einer der Amerikaner auf eine Karte an der Wand zeigte und sagte: »Hier ist die japanische Flotte auf ihrem Weg in östliche Richtung.« Ihre Position war halbwegs zwischen Japan und Hawaii. RANNEFT sagte nun nichts mehr, wunderte sich aber nur, wie die Amerikaner es geschafft hatten, die vermißten Flugzeugträger zu orten.

Zur selben Zeit fragte auf Pearl Harbor Admiral KIMMEL seinen Geheimdienstoffizier nach den vermißten Flugzeugträgern, eine Sache, die ihm schon seit längerem keine Ruhe mehr ließ, nur um wieder die Antwort zu erhalten, daß man diese immer noch nicht gefunden hätte. Am 6. Dezember war der holländische Kapitän RANNEFT wieder in dem Büro des US-Marine-Geheimdienstes, wiederum fragte er nach den vermißten Flugzeugträgern der Japaner. Auf seine Frage zeigte jemand mit einem Finger auf die Wandkarte, um damit deutlich zu machen, daß sich die Flugzeugträger ungefähr 400 Meilen nördlich von Honolulu (Hawaii) befanden. Darauf fragte RANNEFT verblüfft: »Was zum Teufel machen sie dort?« Jemand antwortete vage, daß die Japaner wahrscheinlich »eventuell amerikanische Absichten« hätten. Dies erschien RANNEFT ziemlich unwahrscheinlich. Und da keiner der Angehörigen einen Angriff auf Pearl Harbor erwähnte, schrieb RANNEFT in sein offizielles Tagebuch: »Ich dachte selbst nicht daran, weil ich glaubte, daß jeder in Honolulu hundertprozentig alarmiert ist, genau wie es hier bei ONI der Fall ist.«

Zu etwa derselben Zeit ortete Leutnant HOSNER im zwölften Marine-Distrikt in San Francisco mit einem Kollegen die beiden japanischen Flugzeugträger ungefähr 400 Meilen nordwestlich von Oahu. Es konnte nun keine Zweifel mehr geben, Pearl Harbor würde am nächsten Morgen angegriffen werden. Nachdem sie ihre Berechnungen an Kapitän McCOLLOUGH weitergeleitet hatten, feierten die beiden das Ereignis im Privaten. Am nächsten Tag, dessen waren sie sich sicher, würden die Japaner die Überraschung ihres Lebens bekommen.[468]

Eine sehr merkwürdige und vor allem verdächtige Tatsache ereignete sich nur wenige Minuten vor dem Angriff auf Pearl Harbor, als die in Pearl Harbor stationierten Radargeräte, die das Näherkommen feindlicher Flugzeuge signalisierten, am 7. Dezember um 7 Uhr morgens ausgeschaltet waren, der Angriff fand um 7 Uhr 50 statt, später sollen sie wieder normal funktioniert haben.[469] Eine Nachkriegsuntersuchungskommission bestätigte außerdem, daß das Kommunikationssystem zwischen Pearl Harbor und Washington zusammengebrochen war – kurz vor dem japanischen Angriff auf Pearl Harbor.[470] Wollte man hiermit auf Nummer sicher gehen, damit es absolut unmöglich war, die Kommandeure KIMMEL und SHORT auf Pearl Harbor per Funk zu warnen? Kann dieses mysteriöse Ausschalten des Radarsystems und das Versagen des Kommunikationssystems zu so einem wichtigen Zeitpunkt überhaupt ein Zufall gewesen sein? Hiergegen spricht einfach schon viel zu viel im Vorfeld. Was fast genauso unverständlich wie verdächtig war, war die Tatsache, daß Washington den Kommandeuren KIMMEL und SHORT auf Hawaii nur Alarmstufe 1 anordnete, die sich gegen interne Sabotage wendete, nicht aber den Vollalarm Stufe 3. Somit stand »Pearl Harbor... am Sonntag, dem 7. Dezember, nur unter der niedrigsten Alarmstufe«.[471] Damit war alles von der Machtelite genau inszeniert, damit der japanische Angriff auf Pearl Harbor auch wirklich erfolgreich ablaufen konnte.

Sogar der Zufall hätte die Katastrophe noch einmal verhindern können. Auf Oahu, einer Insel, die zu Pearl Harbor gehörte, gab es große, moderne Radarstationen. Ein Soldat sah, wie japanische Kriegsflugzeuge über die Station flogen, und er warnte seine Vorgesetzten. Diese lachten aber nur über den Soldaten. Hierzu schreibt Hellmuth DAHMS, die rechtzeitige Warnung der Stützpunkte sei unterblieben, weil man in Washington wußte, daß die Japaner ihren Angriff abbrechen würden, wenn er entdeckt würde, da er dann nicht mehr ein Überraschungsangriff sei.[472]

Nach dem Krieg gab es zahlreiche Untersuchungsausschüsse und Komitees, die sich mit Pearl Harbor befaßten. Wie schon erwähnt, waren es General George C. MARSHALL und Admiral Henry STARK, die unter Eid behaupteten, daß sie nicht wußten, wo sie in der verhängnisvollen Nacht vom 6. auf den 7. Dezember 1941 waren, als aufgeregte Stabsoffiziere sie vergeblich suchten, um ihnen die von der Entzifferungsabteilung Seite um Seite übergebene Kriegserklärung Japans aushändigen zu können, die an die japanischen Unterhändler gerichtet war. Admiral STARK kam zwar am berüchtigten Morgen rechtzeitig ins Büro, weigerte sich aber, wie bereits erklärt, strikt trotz des Flehens seiner Stabsoffiziere, Pearl Harbor von der bevorstehenden Katastrophe in Kenntnis zu setzen.[473]

Die ›Windbotschaft‹

Eine weitere Pearl Harbor-Untersuchung wurde unter Admiral H. K. HEWITT vorangetrieben. Bei ihr ging es um die so wichtige ›Windbotschaft‹. Besagte Botschaft bezog sich darauf, daß, falls der Krieg mit den Vereinigten Staaten beschlossen sei, in den täglichen Nachrichtensendungen des Tokioter Rundfunks in japanischer Sprache das Wort ›Ostwindregen‹ eingefügt würde. Es bedeutete, daß dann unverzüglich ein Angriff auf die Vereinigten Staaten auszuführen sei. Während der Untersuchung trat der damalige Kapitän zur See L. F. SAFFORD als wichtiger Zeuge auf: Er war während des Pearl Harbor-Überfalls Chef des Radiodienstes im Büro des Marinenachrichtenwesens im Marineministerium und bestätigte, daß am 4. Dezember 1941 dieses entscheidende Wort (›Ostwindregen‹) in einer für London bestimmten japanischen Sendung enthalten war und ebenfalls in Washington am Morgen des 4. Dezember aufgefangen wurde.

L. F. SAFFORD war unmittelbar für Pearl Harbor verantwortlich, da er für die Abteilung ›Geheime Nachrichten des Marinefernmeldewesens‹ in Washington gearbeitet hatte. Er bezeugte vor dem Admiral Hart-Ausschuß, daß »wir am 4. Dezember 1941 definitive Nachrichten aus zwei voneinander unabhängigen Quellen hatten, daß Japan die Vereinigten Staaten und Großbritannien angreifen, aber den Frieden mit Rußland aufrechterhalten würde«.[474] SAFFORDS Aussage wurde zunächst von Kapitän Alvin D. KRAMER bestätigt, dem höchsten Sprachenoffizier des Marinegeheimdiensts, von der Abteilung Nachrichtenwesen. Vor einem Marineausschuß am 6. September 1944 bejahte KRAMER die Frage, ob er jemals eine ›Windbotschaft‹ gesehen habe, und bezeugte, wie er die ›Windbotschaft‹ am 3. oder 4. Dezember 1941 sah. Er sagte, er habe daraufhin diese Information an seinen Vorgesetzten weitergegeben. Die Botschaft sei ein Fernschreiberausdruck gewesen, was bestätigt, daß sie von einer US-Abfangstation kam. Desweiteren versicherte er, daß die ›Windbotschaft‹ an die Hauptabteilung für Marine-Operationen (Office of the Chief of Naval Operations) weitergeleitet wurde.[475] Vor dem HEWITT-Kongreß-Untersuchungsausschuß änderte er aber insofern seine frühere Aussage über die ›Windbotschaft‹, als er nun sagte, er habe zwar die ›Windbotschaft‹ gesehen, sich aber nicht an ihren Wortlaut mehr erinnert. Er erklärte, er habe seine ursprüngliche Aussage geändert, nach dem er sie überdacht habe.[476] Es gab aber Anzeichen dafür, daß von hoher Stelle auf ihn starker Druck ausgeübt wurde, die ›Windbotschaft‹ unglaubwürdig erscheinen zu lassen.

Eine ähnliche Rolle spielte Kapitänleutnant John SONNETT. Dieser Offizier versuchte, Kapitän L. F. SAFFORDS Aussage bezüglich der ›Ostwindregen‹-Mitteilung rückgängig zu machen. Vor dem Untersuchungskomitee teilte SAFFORD als wichtiger Zeuge mit, daß John SONNETT »versuchte, mich zum Widerruf meiner Aussage über die ›Windbotschaft‹ zu veranlassen und mir einzureden, ich sei offenbar einer Halluzination zum Opfer gefallen«. SAFFORD erklärte, ihm sei bewußt worden, daß eine Verschwörung am Werk sei, als er in den Marineakten die Meldung über die ›Windbotschaft‹ nicht wiederfinden konnte. Auf die Frage des Rechtsberaters des Komitees, warum er glaube, daß irgend jemand die Botschaft habe vernichten wollen, antwortete er: »Weil es die unbeachtet gebliebene Kriegswarnung war.«[477]

Auch Ralph T. BRIGGS sagte in einem Interview, daß er seinerzeit diese schicksalsschwere Meldung selbst aufgefangen habe. Er arbeitete zur besagten Zeit an führender Stelle in der Marine-Nachrichtenabteilung in Cheltenham (Maryland) und hatte laut Aussage diese Nachricht sofort an das Oberkommando weitergegeben. Er erwähnte ebenfalls, er sei durch seinen Vorgesetzten 1946 angewiesen worden, diese Tatsache nicht dem Vereinigten Untersuchungsausschuß des Kongresses mitzuteilen. Außerdem wurde ihm befohlen, jegliche Verbindung zu Kapitän Laurence SAFFORD abzubrechen, der ja immer wieder unter Eid aussagte, daß er ebenfalls die ›Windbotschaft‹ gesehen habe, und vermutete, man habe sie absichtlich verschwinden lassen, da sie eine Kriegswarnung war.

Als ob dies noch nicht genug Zeugen waren, die allesamt bestätigten, daß sie definitiv die besprochene ›Windbotschaft‹ gesehen oder empfangen hätten, sagte Oberst STADTLER von der Armee am 5. Dezember 1941, er »wollte den japanischen ›Windcode‹ weitergeben, der inzwischen in japanischer Schlüsselsprache im Radio Krieg mit den Angelsachsen ankündigte. Das wurde ihm von General GEROW im Stab MARSHALL verwehrt. Begründung: Die Kriegswarnung vom 27. November gegen interne Sabotage genüge für Hawaii«.[478]

Es ist ebenso verdächtig, daß alle ›Windbotschaften‹ vernichtet wurden oder verlorengegangen sind. Der einzige triftige Grund, weshalb man sie vernichten würde, war, daß sie eine zu eindeutige Warnung über Pearl Harbor waren und daher den Verrat der ROOSEVELT-Regierung offenbaren würden. Die Vernichtung soll sogar so gründlich gewesen sein, daß man beim US-Marinegeheimdienst keine Seekarte der Jahre 1940–1941 mehr fand, geschweige denn irgendwelche Akten.[479]

Am 6. Dezember 10 Uhr 40 morgens (Washingtoner Zeit) traf beim US-Außenministerium (State Department) ein außerordentlich wichtiges Telegramm vom US-Botschafter aus London ein: »Eilt sehr. Geheim. An den Präsidenten und den Staatssekretär persönlich.« Der Telegrammtext war kurz und prägnant: »Die japanische Flotte nimmt Kurs auf den Isthmus von Kra.« Der Inhalt dieses Telegramms des amerikanischen Botschafters in London war, wie wir gesehen haben, jedoch keine überraschende Mitteilung für Washington. Tatsächlich war dort schon einige Tage vorher bekannt geworden, daß ein großer japanischer Flottenverband in südlicher Richtung, an Schanghai und Formosa (Taiwan) vorbei, auf dem Marsch war. Zweifellos wurden die weiteren Bewegungen der japanischen Flotte unablässig vom amerikanischen und englischen Geheimdienst beobachtet, die ihre Wahrnehmungen nach Washington und London weitermeldeten.[480]

Der schon erwähnte Kapitänleutnant KRAMER vom Marinegeheimdienst brachte Präsident ROOSEVELT am 6. Dezember (einen Tag vor dem Angriff) eine entschlüsselte japanische Mitteilung, die 14 Punkte beinhaltete und eine ablehnende Antwort auf das HULL-Ultimatum war. Anscheinend hatten die Japaner die Absicht, diese Mitteilung, die einer Kriegserklärung gleichkam, dem State Department gleichzeitig mit dem Angriff auf Pearl Harbor zu übergeben. Um 15 Uhr waren 13 der 14 Punkte empfangen und entschlüsselt worden. Um Mitternacht wurden diese 13 entschlüsselten Punkte an die wichtigsten Beamten der Regierung weitergeleitet. Als ROOSEVELT sie um 21 Uhr (15 Uhr 30 Samstagnachmittag in Hawaii) las, während HOPKINS im Zimmer auf und ab ging, reichte er sie HOPKINS und meinte: »Das bedeutet Krieg.«

Nun geschah etwas Bemerkenswertes: nämlich gar nichts! Hätten nicht unverzüglich alle wichtigen Marinestützpunkte der USA, vor allem Pearl Harbor, vor einem japanischen Angriff gewarnt werden müssen? HOPKINS bemerkte noch, daß es zu schade sei, daß die Amerikaner nicht den ersten Schlag austeilen und einen japanischen Überraschungsangriff abwehren könnten. Daraufhin erwiderte ROOSEVELT: »Nein, das können wir nicht, wir sind eine Demokratie. Wir sind ein friedfertiges Volk mit einer guten Conduite...«[481] (Wasserleitung, d. h. Verbindung zwischen Regierung und Volk) Diese Unterredung zwischen ROOSEVELT und HOPKINS wurde endgültig aktenkundig, denn sie bildete einen Teil der nach dem Krieg eingeleiteten

Pearl Harbor-Untersuchungen, die 1946 nach ROOSEVELTS Tod von dem US-Kongreß durchgeführt wurden.

Admiral KIMMEL erzählt in Curtis DALLS Buch *Amerikas Kriegspolitik* weiter: »Früh am nächsten Tag – es war der 7. Dezember, ein Sonntag – trafen sich General MARSHALL und Admiral STARK in dessen Büro im Marineministerium.« Damit wird MARSHALLS spätere Aussage über seinen Sonntagsmorgenritt als Lüge widerlegt. »Um 9 Uhr morgens war der 14. Punkt der japanischen Botschaft abgehört, entschlüsselt und übersetzt. In Pearl Harbor war es 3 Uhr 30 morgens, also noch viel Zeit für eine Warnung. General MARSHALL bummelte in STARKS Büro herum, wobei er vorgab, er hätte noch nicht die am Sonnabendnachmittag erhaltenen 13 Punkte verarbeitet. Sein Spazierritt in Virginien am Sonntagmorgen, der so großartig veröffentlicht war, ist reine Phantasie. STARK sagte zu MARSHALL: ›Laß uns an KIMMEL funken und ihn warnen.‹ MARSHALL erwiderte: ›Laß uns das nicht tun, es könnte von den Japs aufgefangen werden und die Dinge verschlimmern.‹ STARK: ›Ich kann ihn mit Marinefunk in 15 Minuten erreichen.‹ MARSHALL: ›Ich werde ihm später telegrafieren.‹ Und schließlich tat er dies dann auch, erklärte ... Admiral [KIMMEL]. MARSHALLS Telegramm über die Western Union erhielt ich schätzungsweise zwei Stunden, nachdem die Bomben gefallen waren.«[482]

Diese äußerst wichtige Unterredung wird auch in THEOBALDS Buch *Pearl Harbors letztes Geheimnis* wiedergegeben. Am 7. Dezember hätte George MARSHALL, ROOSEVELTS Generalstabschef, immer noch den japanischen Angriff verhindern können, denn er bekam ja die dringende, überaus wichtige Nachricht, daß die Japaner am besagten Tag Hawaii angreifen würden. Als diese Nachricht eintraf, wäre, wie schon geschildert, noch genug Zeit gewesen, die US-Flotte vor der Katastrophe zu bewahren. Aber was MARSHALL jetzt tat, kann nur als weiteres Indiz gelten, daß er nicht wirklich daran interessiert war, die US-Flotte vor Pearl Harbor zu retten, denn MARSHALL kehrte von seinem angeblichen Sonntagsritt zurück und beschloß endlich (nachdem er STARK davon abgeraten hatte, KIMMEL schnell über den Marinefunk zu erreichen), die US-Stützpunkte im Pazifik zu warnen. Drei leistungsfähige und vor allem schnelle Nachrichtenmittel standen ihm zur Verfügung: das Scrambler-Telefon des Dienstzimmers, eine der großen Marinestationen und der FBI-Sender. Doch MARSHALL benutzte keines dieser Geräte. Statt dessen mißachtete er völlig seine Dienstvorschriften für eine solche Durchgabe und gab den Warntext ohne Dringlichkeitsvermerk mit der Post weiter.[483]

Damit hatte er den längsten und daher zeitaufwendigsten Weg überhaupt gewählt[484] und konnte sicher sein, daß die Warnung in Pearl Harbor zu spät ankommen würde, aber dies schien ihn nicht im geringsten zu stören. Hätte MARSHALL einfach das transpazifische Telefon benutzt, hätten SHORT und KIM-

MEL auf Pearl Harbor innerhalb von 30 bis 40 Minuten die lebenswichtige Warnung bekommen, und die Schiffsbesatzungen hätten noch genug Zeit gehabt, ihre Gefechtsstationen einzunehmen.[485] Die Nachricht kam dann auch in Pearl Harbor an, als die Bomben schon zwei Stunden zuvor auf den Marinestützpunkt gefallen waren, erwiderte Admiral KIMMEL verärgert, nachdem man in Washington versucht hatte, ihm die ganze Tragödie in die Schuhe zu schieben, eine Tatsache, die seine Karriere ruinieren sollte.

Doch MARSHALL handelte sozusagen keineswegs auf eigene Faust, nein, er führte eigentlich nur aus, was ihm seine Vorgesetzten befohlen hatten. »In Wahrheit aber«, so sagte STARK nach dem Krieg aus, »handelten sie am 6. und 7. Dezember 1941 nicht aus eigenem Entschluß, sondern auf höheren Befehl.« Über dem Chef des Admiralstabes und dem Generalstabschef gab es jedoch nur eine einzige Instanz, die ihnen befehlen konnte, und das war niemand anders als Präsident ROOSEVELT.[486] Letztendlich wurde bewiesen, daß die höchsten Anweisungen von niemand geringerem als dem Präsidenten selbst kamen. Denn »ROOSEVELT. . . unternahm Schritte, um die Kommandanten von Pearl Harbor, General SHORT und Admiral KIMMEL, daran zu hindern, mit Hilfe eigener Entschlüsselungsmöglichkeiten einen japanischen Angriff zu entdecken. Auch enthielt er SHORT und KIMMEL die in Washington aufgefangenen und entschlüsselten japanischen Funksprüche vor, denen zufolge der Krieg jeden Augenblick da sein konnte, und befahl sogar General MARSHALL und Admiral STARK, SHORT und KIMMEL vor dem 7. Dezember mittags keinerlei Warnung zukommen zu lassen, da er wußte, daß zu diesem Zeitpunkt jede Warnung zu spät kommen würde, den japanischen Angriff um 1 Uhr nachmittags Washingtoner Zeit noch abzuwenden.«[487]

Dies stimmt auch mit der Tatsache überein, daß, wie bereits gesehen, ROOSEVELT »am 25. November, . . . bei einer Sitzung mit HULL, KNOX, STIMSON, General MARSHALL und Admiral STARK bereits prophezeit – ganz geheim, versteht sich! –, daß ›vielleicht schon am nächsten Montag‹ (1. Dezember) ein Angriff auf die Vereinigten Staaten erfolgen werde. Spätere Nachrichten besagten, daß der Schlag nicht vor dem Wochenende am siebenten kommen werde.«[488] Auch ROOSEVELTS ›Versuch‹, die Katastrophe noch einmal abzuwenden, kann gelassen als ›Public Relations Farce‹ abgetan werden, die er nur inszenierte, damit man die Japaner für die künftigen Generationen als kriegsschuldige Aggressoren diffamieren könne. Anders läßt sich sein letzter Versuch – einen direkten Appell an Kaiser HIROHITO zu richten – wohl nicht erklären. Denn anstatt sein Telegramm sofort, also am 25. November, abzuschicken, als allen Beteiligten, vor allem aber ROOSEVELT selber, klar war, daß die Japaner die USA angreifen würden, wartete er mit dem lebenswichtigen Versenden dieses Telegramms zielbewußt bis zum 6. Dezember 21 Uhr, so daß er sicher sein konnte, daß sein Telegramm in Tokio keine Chance mehr haben würde, den verhängnisvollen Lauf der

Dinge abzuwenden. Somit bewies ROOSEVELT, daß er mit seinem kriegstreiberischen Kollegen MARSHALL durchaus mithalten konnte, was das bewußte Versäumen von Warnungen und Mitteilungen betrifft, die einen Krieg hätten verhindern können.

Um seinem Kollegen MARSHALL in nichts nachzustehen, bewies ROOSEVELT wiederum Fingerspitzengefühl, als es darum ging, den ›richtigen‹ Zeitpunkt zu finden, wann sein wichtiges Telegramm den japanischen Kaiser erreichen solle. Dieses fand dann auch prompt zwanzig Minuten, bevor die ersten Bomben auf Pearl Harbor fielen, seinen Weg zum Kaiser, doch viel zu spät, um noch irgendeine Wirkung haben zu können – eben *perfect timing*. Letztendlich wurde dies von Haudegen HULL bestätigt, als er selber später enthüllte: »Das Telegramm wurde nur abgesandt, ›um den Appell aktenkundig zu machen‹.«[489] Diese unverantwortlichen Maßnahmen konnten eigentlich nur einen logischen Grund gehabt haben, nämlich jede mögliche Verhinderung des japanischen Angriffs auf Pearl Harbor zum Scheitern zu bringen, damit dieser Angriff es der US-Regierung ermöglichte, in den Zweiten Weltkrieg einzutreten, eine Sache, die, wie wir bereits gesehen haben, mit den Geheimzielen der ROOSEVELT-Machtelite völlig im Einklang stand.

Die letzten wichtigen Enthüllungen über die Pearl Harbor-Verschwörung brachte der US-Historiker John TOLAND an das Tageslicht. Er schreibt in seinem Buch *Infamy*: »Als einer der Entzifferer japanischer Code-Nachrichten, Lawrence STAFFORD, beim Frühstück im Morgenrock erfuhr, daß die Japaner Pearl Harbor bombardierten, wollte er in seiner Wut seinen 38-Revolver nehmen und Admiral STARK erschießen.«[490] Sein kryptologischer Kollege William FRIEDMANN ging ständig auf und ab und murmelte: »Aber sie wußten es, sie wußten, sie wußten es.« Kurz nach dem Angriff auf Pearl Harbor vertraute Kriegsminister STIMSON seinem Adjutanten Major HARRISON an, daß sie »ohne Pearl Harbor niemals die Nation in den Krieg hineinbringen hätten können«.[491] Das gleiche tat ROOSEVELT persönlich, als er STALIN auf der Konferenz von Teheran anvertraute, ohne Pearl Harbor wäre es ihm unmöglich gewesen, in diesem Krieg amerikanische Truppen nach Europa zu schicken.[492] Dies stimmt auch mit ROOSEVELTs vertraulicher Äußerung gegenüber CHURCHILL im Spätsommer 1940 überein: »Ich kann vielleicht niemals Krieg erklären. Aber ich kann vielleicht trotzdem Krieg führen. Wenn ich den Kongreß um Erlaubnis für die Kriegserklärung fragen müßte, könnte er vielleicht drei Monate lang darüber diskutieren.«[493] Es sei außerdem darauf hingewiesen, »daß es sehr konkrete Hinweise als wahrscheinliches Ziel eines japanischen Überraschungsangriffes gab, mit dem die Orange-Kriegsplanung schon seit den dreißiger Jahren gerechnet hatte«.[494]

Wie wir gesehen haben, wollte ROOSEVELT ursprünglich HITLER provozieren, um in den Zweiten Weltkrieg gegen ihn eintreten zu können. Als dies nicht möglich war, provozierte ROOSEVELT Japan. Daß er mit diesem Schachzug intuitiv richtig lag, erfuhr er am 29. November in Washington, als er von dort die vom US-Nachrichtengeheimdienst abgefangene Botschaft erhielt, in der HITLER HIROHITO versichern ließ, »daß Deutschland, wenn Japan in einen Krieg mit den Vereinigten Staaten verwickelt würde, sich ihm selbstverständlich sofort anschließen werde«. Damit war für ROOSEVELT alles klar, denn der bevorstehende japanische Angriff auf Pearl Harbor würde zwangsläufig auch einen Krieg mit Deutschland mit sich bringen[495], den der Präsident schon seit mindestens 1938 herbeigesehnt hatte.

Am 7. Dezember 1941 griffen die Japaner an und versenkten 19 Schiffe, darunter 8 Schlachtschiffe, ungefähr 150 Flugzeuge und töten 2403 Soldaten sowie 68 Zivilisten. Weitere Schläge folgten noch am selben Tag gegen die Philippinen sowie andere Stützpunkte der USA und Großbritanniens im Pazifik und in Ostasien.[496] Aber den amerikanischen Flotten- und Armeekommandeuren in Pearl Harbor, Admiral KIMMEL und General SHORT, hatte man nichts über diesen Angriff gesagt. Washington ließ sie bewußt im dunkeln, damit der japanische Angriff auch wirklich erfolgreich ablaufen konnte.

Verhinderung aller Vorwarnungen

Am 16. Oktober 1941 hatte US-Verteidigungsminister Henry L. STIMSON nach einer Unterredung mit Präsident ROOSEVELT in sein Tagebuch notiert: »Wir stehen vor dem delikaten Problem, unsere diplomatische Spiegelfechterei so elegant zu vollführen, daß Japan ins Unrecht gesetzt wird und die erste feindselige Handlung unternimmt.«[497] »STIMSON wie General MARSHALL, der auch anwesend war, bestätigten nach dem Krieg die Eintragung. MARSHALL war sich nach eigener Aussage über die ungefähre Angriffsrichtung der Japaner klar. Und trotzdem wurde für Pearl Harbor nicht die höchste Alarmstufe gegeben.«[498]

Überhaupt sind STIMSONS Aussagen, oder besser gesagt, seine Fauxpas in seinem Tagebuch sehr aufschlußreich. Eine Tagebucheintragung besagte: »Wenn der Krieg kommen sollte, wäre es wichtig in bezug auf die solidarische Unterstützung unserer eigenen Leute sowie für die geschichtliche Darstellung, daß wir nicht in die Lage versetzt würden, in der wir den ersten Schuß abfeuern, wenn dies zu bewerkstelligen ist, ohne unsere Sicherheit zu opfern, sondern Japan sollte in der Rolle des wirklichen Aggressors erscheinen.« Und wiederum aus STIMSONS Tagebuch: »Trotz der Risiken, die es mit sich brächte, wenn die Japaner den ersten Schuß abfeuerten, haben wir verstanden, daß um die ganze Unterstützung des amerikanischen Volks zu haben, es vorzuziehen sei, daß sichergestellt wird, daß die Japaner dies tun, damit es überhaupt keine Zweifel gibt, wer der Aggressor ist.« Und nochmals von STIMSON: »Als die Nachricht kam, daß die Japaner uns angegriffen hatten, war meine erste Reaktion Erleichterung, daß die Unentschlossenheit nun vorüber war und die Krise auf eine Art und Weise kam, die alle unsere Leute vereinigen würde.«

Als nach dem Krieg STIMSON aufgrund seiner aufschlußreichen Eintragungen vor einem Untersuchungsausschuß aussagen sollte, entging er dieser peinlichen und womöglich blamierenden Sache, indem er Krankheit vorschob.[499] Er hatte sich zuvor persönlich dafür eingesetzt, daß dem Untersuchungsausschuß kein codiertes Material übergeben werden solle, indem er diesbezüglich einen Antrag stellte. Als später STIMSON doch vor einem Ausschuß aussagen sollte, erlitt er einen Herzanfall.[500] Anscheinend wurde er nur dann krank, wenn es darum ging, heikle Fragen über Pearl Harbor zu beantworten. Aber STIMSON sollte nicht der einzige aus der ROOSEVELT-Clique sein, der mit Tagesbucheintragungen der notorischen Art für Schlagzeilen in der Presse sorgte. Auch das Tagebuch von ROOSEVELTS Innenminister Harold ICKES enthielt den skandalträchtigen Satz: »Schon lange war ich der Ansicht, daß wir am besten über Japan in den Krieg eintreten sollten.«[501]

Den Chefarchitekten des ganzen Desasters konnte man nicht mehr vernehmen, da sämtliche Pearl Harbor-Untersuchungen erst nach dem Krieg durchgeführt wurden (eine Sache, die man schon zuvor in Washington beschlossen hatte) und ROOSEVELT 1945 verstorben war. Damit hätte er seinen Personenkult fast noch unbescholten retten können. Dies wäre aber nicht gerecht gewesen, und so siegte im nachhinein doch noch ein bißchen Gerechtigkeit. Zu guter Letzt fand man dann doch noch eine sehr aufschlußreiche höchstpersönliche Eintragung des Präsidenten. »In seinem Nachlaß befindet sich eine Notiz in seiner Handschrift, jedoch undatiert«. Die Tatsache, daß die Eintragung undatiert war, ist jedoch belanglos, weil sie seine kriegstreiberische Politik eindeutig zur Geltung bringt. Die verräterische Eintragung lautet: »Bringe die ›Japs‹ dazu, den ersten Schuß abzufeuern? Alles schön und gut, aber was ist mit den Deutschen?«[502]

Ja, was war mit den Deutschen? Wie oben dargelegt, wollte ROOSEVELT zuerst durch die Provokation NS-Deutschlands in den Krieg eintreten. Man erinnere sich, wie er sich einen Krieg im Stil des amerikanisch-spanischen Krieges mit Deutschland gewünscht hatte. Wie wir gleich sehen werden, hatte der konspirative Meister aber auch in dieser Hinsicht schon vorgesorgt. Zuerst einmal galt es aber, die Japaner wegen ihres hinterhältigen Angriffs zu verteufeln. Präsident ROOSEVELT sprach sofort nach dem ›Überfall‹ von einer »nationalen Schande«, Japan wurde bezichtigt, durch »lügnerische Verhandlungen« die Vereinigten Staaten »hinters Licht geführt« zu haben, um heimtückisch den »unprovozierten und feigen Überfall auf Pearl Harbor« zu ermöglichen. In beredter und melancholischer Dramatik nannte ROOSEVELT den Pearl Harbor-Überfall vom 7. Dezember »einen Tag, der in Schande fortleben wird.«[503]

Die Provokation Japans oder: wie man in einen Krieg eintritt   219

In Anbetracht der Lage war dies jedoch nicht nur eine maßlose Übertreibung, sondern schlicht und einfach eine Lüge. Denn der »Tag der Schande« war ganz eindeutig von ihm beabsichtigt worden. Dies geht nicht zuletzt aus der zuvor erwähnten und später gefundenen Notiz ROOSEVELTS hervor. Ebenso stellvertretend ist eine vertrauliche Aussage, die ROOSEVELT, laut Hamilton FISH, dem damaligen Admiral J.O. RICHARDSON anvertraute. Diese vertrauliche Aussage erfolgte am 8. Oktober 1940, also ein Jahr und zwei Monate vor dem Angriff auf Pearl Harbor. Wörtlich sagte ROOSEVELT: »Früher oder später würden die Japaner einen Fehler machen und in den Krieg eintreten.« Dies zeigt, daß ROOSEVELT schon damals an einen Krieg gegen Japan dachte.[504] Man sollte auch nicht ROOSEVELTS Versprechen an CHURCHILL vergessen, in dem er schon Anfang 1940 den Briten zugesichert hatte, die USA würden an ihrer Seite in den Krieg ziehen, selbst wenn die USA nicht angegriffen würden.

Das ganze polemische Gerede von der Schande der Japaner war also nur eine Verschleierungstaktik, mit der ROOSEVELT geschickt und gezielt dem Kongreß und dem amerikanischen Volk vortäuschte, daß nun der Krieg absolut gerechtfertigt sei. Die Schandtat war in Wirklichkeit ROOSEVELTS Verschwörung gegen den Frieden und die Wahrheit. Da überrascht es nicht, wenn seine Frau Elenor in ihrem Buch *This I Remember* berichtet, daß der Präsident, den sie kurz nach der Bombardierung von Pearl Harbor sah, so »heiter« gewesen sei wie schon lange nicht.[505] Diese Heiterkeit dürfte nicht von ungefähr gekommen sein, denn die ganze Sache war ohnehin schon längst geplant.

Auch von alliierter, genauer gesagt, britischer Seite wurde das abgekartete Pearl Harbor-›Spiel‹ bestätigt. Ein ehemaliger britischer Spion, der gezwungenermaßen unter dem Pseudonym Cristopher CREIGHTON tätig war, brachte es geständnisartig auf den Punkt. In seinem Buch *Operation James Bond* enthüllt er, wie er selbst an einer strenggeheimen Mission teilnahm, die eine holländische U-Boot-Mannschaft daran hindern sollte, über den Auslauf der japanischen Flotte mit Kurs auf Pearl Harbor zu berichten. Er schrieb diesbezüglich: »Die gesamte Besatzung hatte ich im Dezember 1941 umgebracht, indem ich zwei Röhrchen Cyanid und eine Packung hochexplosiven Sprengstoffs, als Whisky getarnt, in ihre Sauerstoffzufuhr einführte und zu einer Zeit hochgehen ließ, als ich mich wieder in Sicherheit befand. Die einzige Sünde dieser niederländischen U-Boot-Leute hatte darin bestanden, daß sie die japanische Flotte auf ihrem Weg nach Pearl Harbor gesichtet und darüber berichtet hatten. Die Meldung wurde unterdrückt, um sicherzustellen, daß der Angriff gelang und die Amerikaner in den Krieg eintraten. Man hatte es für sicherer gehalten, die Niederländer ihr Geheimnis mit ins Grab nehmen zu lassen. . . Fünf Minuten nach Mitternacht, am 28. November 1941, nähert sich das niederländische U-Boot K-

XVII unter Befehl von Korvettenkapitän BESANÇON einer Position im Pazifik, 43° 30' nördlicher Breite und 155° 20' östlicher Länge, rund 280 Meilen nordöstlich der Tankanbucht in Japan. Dort sichtet es eine Flotte japanischer Kriegsschiffe, die einen dreischenkligen Zickzackkurs fahren. Kapitän BESANÇON berechnet daraus einen Echtkurs von 88°. Damit treffen sie nach 800 Seemeilen auf Hawaii und Pearl Harbor... Ich schilderte..., wie auf meine Weisung hin mit Cyanid und hochexplosivem Sprengstoff gefüllte Behältnisse an Bord genommen worden waren – getarnt als Weihnachtsgeschenke von Königin WILHELMINA und unserem Admiral der U-Boot-Flotte, Sir Max HORTON. Vom sicheren Beobachtungsposten eines Berwick-Flugbootes aus hatte ich dann zugesehen – das Flugboot erschauerte plötzlich –, wie in einer gewaltigen Explosion riesige Wasserfontänen, vermischt mit Trümmern von Vorratskisten, menschlichen Gliedmaßen, Öl und allerlei Ausrüstungsgegenständen hochschossen.« Ein Geheimdienstkollege tröstete daraufhin den von Reue geplagten CREIGHTON mit der Offenbarung: »(Er) habe Königin WILHELMINA in ihrem Exil bei Reading anrufen und ihr den Vorfall erläutern, außerdem die Akten beim Navy-Oberbefehlshaber Fernost frisieren müssen.«

Im Anhang von CREIGHTONS Buch finden sich dazu hochbrisante Informationen. Nachdem »Fregattenkapitän BESANÇON am 28. November die japanische Flotte [gesichtet hatte], die offenbar Pearl Harbor ansteuerte, meldete er es sofort verschlüsselt dem Oberbefehlshaber Fernost der Royal Navy, dessen Einsatzbefehl die Niederländer unterstanden. Sein Funkspruch wurde vom Ver- und Entschlüsselungsdienst der Sektion M in Singapur abgefangen. Binnen weniger Stunden hatten ausschließlich General DONOVAN in Washington beziehungsweise Major Desmond MORTON in London den Funkspruch auf dem Tisch. Beide informierten ihre jeweiligen Chefs ROOSEVELT und CHURCHILL. Alle vier wußten bereits, daß ein Angriff auf Pearl Harbor geplant war, und beteten für sein Zustandekommen. 80 Prozent der amerikanischen Bevölkerung waren damals noch strikt isolationistisch gestimmt und lehnten einen Kriegseintritt gegen Japan oder Deutschland ab. Hätte ROOSEVELT ohne vorherigen Angriff auf amerikanisches Hab und Gut Japan den Krieg erklärt, dann wäre er möglicherweise seines Amtes enthoben worden... Doch warum wurden die amerikanischen Streitkräfte in Pearl Harbor nicht in volle Alarmbereitschaft versetzt, wenn doch die britischen und amerikanischen Höchstverantwortlichen von dem bevorstehenden Angriff wußten? Und warum erhielten die US-Kriegsschiffe nicht den Befehl zum Auslaufen? Auf See wären sie viel sicherer gewesen und hätten zurückschlagen können. Zudem ließ sich nach damaliger Meinung der Fachleute der Stützpunkt durchaus erfolgreich verteidigen. Warum also wurde nichts unternommen? Die Antwort ist einfach: In Hawaii gab es Tausende japanischer Auswanderer. Die meisten standen zwar treu zu ihrer neuen Heimat, aber für eine beträchtliche Minderheit galt dies nicht; einige spionierten sogar für ihre alte Heimat. Auch das japanische Generalkonsulat war überaus aktiv. Wäre der Stützpunkt in volle Alarmbereitschaft versetzt worden, dann hätte das japanische Oberkommando binnen weniger Stunden davon erfahren. Kaiser HIROHITO, der strikte Weisung gegeben hatte, den Angriff absolut überraschend auszuführen, hätte den Angriffsbefehl zurückgezogen. ROOSEVELT hätte damit den Vorwand für den Kriegseintritt Amerikas verloren... Die Besatzung von K-XVII wußte, daß sie die japanische Flotte gesichtet hatte, und hatte es der höchsten Befehlsstelle gemeldet. Mochten diese Zeugen auch besten Willens sein – sie konnten gefährlich werden. Darum beschlossen die alliierten Geheimdienstchefs, keinerlei Risiko einzugehen, und deshalb wurden die niederländischen U-Boot-Leute zum Schweigen gebracht.«[506]

Zu guter Letzt brachte Kapitän Oliver LYTTLETON, der Minister für Nachschub in Großbritannien, das ROOSEVELT-Denkmal noch einmal ganz schön zum Wackeln, als er am 20. Juni 1944 in seinem Amt verkündete: »Amerika provozierte Japan so sehr, daß die Japaner gezwungen waren, Pearl Harbor anzugreifen. Es ist eine Travestie der Geschichte, wenn man sagt, Amerika wurde zum Krieg gezwungen.«[507] Als Kapitän LYTTLETON diese Enthüllung im britischen Parlament machte, entging ihm wohl, daß sie in den USA bei seinen amerikanischen Politiker-Kollegen als Peinlichkeit empfunden wurde, so daß er sich dafür entschuldigte.[508] Eine so deutliche Anschuldigung von einem alliierten Politiker dürfte wohl für sich selbst sprechen. Für den Fall, daß dies, aus welchen Gründen auch immer, noch nicht genügt, macht uns Curtis DALL, kein geringerer als der ehemalige Schwiegersohn Franklin ROOSEVELTS, in seinem Buch *Amerikas Kriegspolitik* einen verlockenden, wenn auch leicht ketzerischen Vorschlag: Um für ROOSEVELTS Außenpolitik ein öffentliches Denkmal zu setzen, solle man das Schlachtschiff ›Arizona‹, das bei dem Pearl Harbor-Angriff versenkt wurde, wieder bergen. »Ganz offiziell in Pearl Harbor und nicht in Washington . . . sollte man dieses Denkmal errichten.« Ja, das wäre wohl ein zutreffendes und vor allem ein einprägsames Denkmal für ROOSEVELTS außenpolitische ›Leistungen‹.

Karl-Otto BRAUN erwähnt in seinem Buch *Pearl Harbor in neuer Sicht*, daß ROOSEVELT dem verschwörerischen Illuminaten-Geheimbund angehörte. »Höchstwahrscheinlich folgte ROOSEVELT den konspirativen Weisungen dieses geheimen Bruderbundes, war er doch selbst mit den hohen Weihen des zweithöchsten Grades der Freimaurerloge, des 32., ausgezeichnet. Die Deutschen haben in einer norwegischen Loge im Kriege eine Fotografie gefunden, die ROOSEVELT bei der Aufnahme seiner beiden Söhne in den zweiten und dritten Ordensgrad unter amerikanischen Ordensbrüdern zeigt.« ROOSEVELT, so BRAUN »besitzt . . . eine Gedächtnisbibliothek von 12 000 Bänden bei B'nai B'rith. B'nai B'rith (hebräisch: ›Söhne des Bundes‹) ist der wichtigste Freimaurerorden der Welt.«

Es sollte auch darauf hingewiesen werden, daß das freimaurerische Emblem, die Pyramide mit dem weltüberwachenden Auge an der Spitze, auf jedem heutigen Eindollarschein zu finden ist. Es dürfte daher wohl kaum Zufall gewesen sein, daß dieses Emblem während der ROOSEVELT-Administration auf die Eindollarscheine zum erstenmal gedruckt wurde. BRAUN schreibt ferner, daß ROOSEVELTS Außenpolitik sich niemals aus rein amerikanischer Interessenlage heraus erklären läßt. Vielmehr »paßt. . . sie sich aber genau . . . der Konvergenztheorie einer freiheitsbedrohenden, rötlichen Weltregierung (an)«.[509] Dem sollte man noch hinzufügen, daß dies keinesfalls abwegig ist, denn es ist ein offenes Geheimnis, daß 54 der 55 Delegierten des zweiten Kontinentalen Kongresses, der immerhin die amerikanische Verfassung entwarf, Freimaurer waren.[510] Und es ist anzunehmen, daß viele, wenn nicht sogar die meisten der amerikanischen Präsidenten Freimaurer waren, die unterschiedlichen Geheimbünden angehörten.[511] Um die Sache zum Schluß zu bringen, sollte man dem Vorschlag Curtis DALLS zustimmen und Oberlogenbruder ROOSEVELT nun endlich sein besprochenes Denkmal, auch für konspirative Leistungen, setzen.

STIMSON, ein enger Vertrauter ROOSEVELTS, hatte noch in sein Tagebuch (der Mann konnte anscheinend nicht ohne Tagebucheintragung leben) folgende Bemerkung notiert: »Hätten die Vereinigten Staaten zu irgendeiner Zeit den Japanern freie Hand in China gelassen, dann hätte es keinen Krieg im Pazifik gegeben.« Dem ist nur noch hinzuzufügen, daß die Japaner gar keine »freie Hand« in China gefordert hatten. Elenor ROOSEVELT (ROOSEVELTS Gattin) schilderte den Pearl-Harbor-Tag in einem Artikel im *New York Times Magazin* vom 8. Oktober 1944 als »gleich den Entscheidungstagen, die später folgen sollten. Wir hockten vor dem Radio und warteten auf weitere Einzelheiten. Aber sie waren für uns nicht der Schock, wie für das ganze Land. Wir hatten etwas Derartiges seit langem erwartet«.[512] Das dürfte anhand der Umstände nur allzu verständlich sein.

Und dies wohl nicht ohne Grund, denn am 3. Dezember 1941, drei Tage vor dem Angriff auf Pearl Harbor, ereignete sich nämlich in Washington ein innenpolitischer Skandal. Ein US-Offizier hatte dem isolationistischen US-Senator Burton WHEELER ein Pentagon-Dokument vorgelegt, das er nicht länger verheimlichen wollte. Es war so dick wie ein Roman und trug den aufschlußreichen Titel »Planung für den Endsieg – Streng geheim«. Der Offizier erklärte dem Senator, daß der Kongreß »ein Recht darauf hat zu erfahren, was die Exekutive wirklich treibt, wenn es um Menschenleben geht«. In der Beurteilung des Senators war das Dokument nichts anderes als der Generalplan für den totalen Krieg in Europa und Asien. Dafür war eine Gesamtstärke von 10 Millionen Mann vorgesehen. Senator WHEELER übergab das Dokument den Zeitungen zur Veröffentlichung. Am 4. Dezember 1941 war auf der Titelseite des Washingtoner *Times Herald* zu lesen: »ROOSEVELTS Kriegspläne. Sein Ziel: 10 Millionen unter Waffen. Die Hälfte davon als alliierte Kampfverbände in Europa vorgesehen. Für den 1. Juli 1943 geplante Landungsoperation soll Nazis vernichten.«

US-Generalstabsoffizier Albert C. WEDEMEYER mußte erkennen, daß dies genau die Wiedergabe der »Planung für den Sieg« war, an der er selbst die letzten Monate Tag und Nacht gearbeitet hatte.[513] Er selbst sagte in seinem Buch *Der verwaltete Krieg (Wedemeyer Reports)* folgendes aus: »Der 5. Dezember 1941 ist ein Datum, das ich wohl kaum je vergessen werde. Als ich an diesem Freitag, zwei Tage vor Pearl Harbor, um 7 Uhr 30 mein Büro im Munitions Building betrat, spürte ich sofort eine erregte Atmosphäre... Im Raum herrschte Stille, und aller Augen waren auf mich gerichtet, während ich die schreiende Hauptschlagzeile las: ... Ein vertraulicher Bericht, der vom Vereinigten Armee- und Marine-Oberkommando auf Anweisung Präsident ROOSEVELTS vorbereitet worden ist, verlangt für amerikanische Expeditionsstreitkräfte die Aufstellung von fünf Millionen Mann für einen entscheidenden Angriff zu Land gegen Deutschland und seine Satelliten. Es sieht Streitkräfte in Höhe von 10 045 658 Mann vor. Es ist ein Entwurf für einen totalen Krieg in einem noch nicht dagewesenen Ausmaß in mindestens zwei Ozeanen und drei Kontinenten: Europa, Afrika und Asien. Ich war so erschüttert, als wäre eine Bombe auf Washington geworfen worden. Hier waren die unwiderlegbaren Beweise, daß Amerika sich darauf vorbereitete, in den Krieg einzutreten, und zwar bald. Präsident ROOSEVELTS Versprechungen, uns aus dem Krieg herauszuhalten, konnten jetzt als Wahlkampfpropaganda abgetan werden.«[514]

Verteidigungsminister STIMSON hatte größte Mühe, diese Pläne auf einer Pressekonferenz als »unvollendete Studien« abzuwerten. Aber wieder einmal hatten die führenden Schichten der USA Glück. Der japanische Angriff auf Pearl Harbor, nur drei Tage später, beendete, zumindest vorläufig, weitere Untersuchungen, und mit ihm schlug die Antikriegsstimmung im Land blitzartig um.[515]

Noch am 6. Dezember, eine Nacht vor dem Angriff auf Pearl Harbor, vertraute US-Marineminister KNOX einem Freund an, daß ein kleiner Kreis von Eingeweihten bei ROOSEVELT im Weißen Haus: Verteidigungsminister STIMSON, US-Generalstabschef MARSHALL, Admiral STARK, Präsidentenberater Harry HOPKINS und KNOX selbst, wußte, was das Volk, der Kongreß und die Militärbefehlshaber in Pearl Harbor aber nicht wußten und was sie erwarteten – den ersehnten japanischen Angriff auf Pearl Harbor.[516] ROOSEVELT rief in den frühen Nachmittagstunden des 7. Dezember nach dem Pearl Harbor-Angriff zum erstenmal wieder seine Führungsmannschaft zusammen. Auf dieser ersten Sitzung nach dem japanischen Angriff, an der außer ROOSEVELT die Minister STIMSON, HULL und KNOX sowie die beiden Stabschefs STARK und MARSHALL um 15 Uhr im Weißen Haus teilnahmen, war eine Sache ganz klar, und zwar alle waren der Meinung, »daß HITLER letzten Endes der Feind sei und daß er niemals ohne Waffengewalt bezwungen werden könne; daß wir früher oder später ohnehin in den Krieg eintreten müßten und daß Japan uns die Gelegenheit dazu verschafft habe«.[517]

Diese Verschwörung im Weißen Haus wußte genau, was sie tat. Sie wollte die zwei ernsthaften Wirtschaftskonkurrenten Deutschland und Japan ausschalten. Denn ein Sieg dieser Mächte hätte bedeutet, daß es mit der amerikanischen Wirtschaftshegemonie vorbei gewesen wäre. Ein Sieg der beiden hätte ferner zu einer Vormachtstellung geführt. Die englischen, französischen und amerikanischen Kolonien und Rohstoffbasen Afrikas, des Nahen und Mittleren Ostens, besonders das Öl im Irak, Iran und Saudi-Arabien, wären an Deutschland verlorengegangen, während Japan die englischen, französischen und amerikanischen Rohstoffbasen in Asien bekommen hätte. Die USA hätten sich mit Lateinamerika als einziger ausländischer Rohstoffbasis abfinden müssen. So beschrieb es die Pentagon-Studie *Planung für den Sieg* und umriß damit eindeutig den wirklichen Grund für Amerikas Kriegseintritt.[518] Man wäre eben nicht mehr die Weltmacht und hätte wahrscheinlich auch noch den größten ausländischen Absatzmarkt für industrielle Fertigprodukte, Europa, an Deutschland verloren. Parallel dazu hätte man die schwere Wirtschaftskrise nicht so schnell überwunden, denn es gelang ROOSEVELT die Beseitigung der Massenarbeitslosigkeit erst durch eine starke Aufrüstung, die 1939 richtig begann.[519] Deshalb mußte ein Krieg her, auch wenn es ein Weltkrieg sein sollte. Erst der Krieg wurde ROOSEVELTs Retter, erst in der Mitte des Krieges, 1942, war das Arbeitslosenproblem gelöst; in den USA herrschte dann die ersehnte Vollbeschäftigung.[520]

Atombomben trotz Kapitulationsangebot

Der Krieg mit Japan war von vornherein ein abgekartetes Spiel. Die USA hatten fast doppelt so viele Menschen wie Japan, ihr Industriepotential betrug in einem so miserablen Jahr wie 1938 das Siebenfache des japanischen und die Staatseinnahmen das Siebzehnfache. Gegen eine solche Übermacht, auf deren Seite auch noch ein großer Teil der Welt stand, konnte Japan nicht gewinnen.[521] Schließlich endete der Krieg mit der herabwürdigenden atomaren Bombardierung Japans. Obwohl Japan schon am Boden lag und fast seine gesamte Luftwaffe und Flotte sowie die Rohstoffbasen verloren hatte, schlossen die USA Anfang 1945 keinen für sie günstig ausfallenden Kompromißfrieden, zu dem die Japaner bereit waren.[522] Die US-Machtelite ging mit Japan genauso um, wie sie dies mit Deutschland tat (hierzu anschließend mehr).

Schon im März 1945 war Japan bereit, bedingungslos zu kapitulieren.

Angehörige des US-Militärs waren unterrichtet: »Durch das Auffangen verschlüsselter Nachrichten« wußten sie, »daß der japanische Kaiser seinen Botschafter in Moskau anwies, die Sowjets zu bitten, einen Waffenstillstand mit den Amerikanern zu vermitteln... Den ganzen Krieg über war es ihnen ... gelungen abzuhören, was die Japaner ihren Diplomaten sagten. In Wirklichkeit wußte man, daß die Japaner Anfang 1945 bereit waren aufzugeben, vorausgesetzt, die USA würden ihre Forderung nach bedingungsloser Kapitulation fallenlassen«.[523]

Im März ließ das japanische Oberkommando der US-Botschaft in Moskau, der russischen Botschaft in Tokio und dem Pentagon in Washington die Nachricht zukommen, daß die japanisch-kaiserliche Regierung die bedingungslose Kapitulation wünsche. In Washington wurde diese Nachricht einfach übergangen! Im nachhinein behauptete die US-Regierung, man habe die Botschaft nicht entschlüsseln können – eine völlig lächerliche Behauptung –, offenbar wollte man hiermit der Welt weismachen, daß die US-Regierung zwar imstande gewesen sei, die äußerst komplizierten blauen und violetten (diplomatischen sowie Marine-) Geheimcodes der Japaner zu entziffern, aber nicht fähig gewesen sei, eine einfache kurze japanische Mitteilung in einfachem Japanisch zu entschlüsseln. Da viele Tausende Japaner in US-Konzentrationslagern saßen, stellt sich unweigerlich die Frage, warum man diese Mitteilung nicht von einem dieser japanischen Gefangenen hat übersetzen lassen?[524]

In Wirklichkeit hatte die US-Regierung ganz andere Absichten. Japan sollte so weit wie möglich zerstört und gedemütigt werden, die Sowjetunion sollte durch den Abwurf von zwei Atombomben abgeschreckt und gewarnt werden – auch wenn TRUMANS (mittlerweile US-Präsident) Stabschef selbst, Admiral LEAHY, die ›Bombe‹ für keine neue Waffe hielt, sondern für »ein giftiges Ding« und nicht glauben wollte, daß man Kriege dadurch gewinne, »daß man Frauen und Kinder tötet«. »Da wir die ersten waren, die diese Waffe gebrauchten, glaube ich, daß wir eine ethische Norm angenommen hatten, die uns wieder zu Barbaren des dunkelsten Mittelalters stempelt«, die uns wieder »in die Zeiten DSCHINGIS KHANS zurückversetzen« wird. Der Abwurf der Atombomben auf Nagasaki und Hiroshima hatte also keinen militärischen Zweck, es war eine Art Massenterror, wie er schon zuvor in Städten wie Dresden und Berlin angewendet worden war.[525]

Um ihre Schandtat zu rechtfertigen, ließ die US-Regierung nach der atomaren Vernichtung von Hiroshima und Nagasaki (6. und 9. August 1945) die Lüge verbreiten, man habe hiermit das Leben unzähliger amerikanischer Soldaten gerettet, die bei einer künftigen Invasion Japans umgekommen wären. Daß dies nicht der Wahrheit entsprach, enthüllte unter anderem Gar ALPEROVITZ. Die erst vor kurzem entdeckten Tagebücher des damaligen US-Präsidenten Harry S. TRUMAN, so ALPEROVITZ, vertreten genau die gegenteilige Ansicht: »Entgegen seiner öffentlichen Rechtfertigung der Bombardierung als des einzigen Wegs, den Krieg ohne eine kostspielige Invasion Japans zu beenden, kam TRUMAN schon zu dem Schluß, daß Japan zu kapitulieren bereit war«. Auch als EISENHOWER von STIMSON über den bevorstehenden Einsatz der Bombe unterrichtet wurde, meinte er in einem selbstverfaßten Bericht: »Ich vermittelte ihm meine ernsthafte Befürchtung, erstens auf Grund meines Glaubens, daß Japan schon besiegt war und daß der Abwurf der Bombe völlig unnötig sei. . .«

Sogar der fanatische, rechtsgerichtete Luftwaffengeneral Curtis LEMAY hat wiederholt behauptet, der Einsatz der Bombe sei unnötig gewesen und Japan hätte innerhalb von zwei Wochen kapituliert. Der Chef der Armee-Air Force, General Henry ARNOLD, verlangte, daß eine seine Meinung wiedergebende Aussage in das Protokoll der Vereinten Stabschefs vom 16. Juli 1945 eingefügt werde, nämlich, daß der Krieg ohne Invasion Japans mit Leichtigkeit bereits im September oder Oktober 1945 hätte beendet sein können. Auch General Douglas MACARTHUR, der nie zur Atombombe befragt wurde, sagte oft nach dem Krieg, daß die atomare Bombardierung unnötig gewesen sei.[526]

Daß das Gerede von der kostspieligen und opferreichen Invasion Japans eben nur ein scheinheiliger Rechtfertigungsversuch war, wurde letztendlich dadurch bewiesen, daß ROOSEVELT und CHURCHILL schon im September 1944 beschlossen hatten, daß man eine Atombombe, wenn es sie gebe, »wahrscheinlich nach einiger Bedenkzeit, gegen Japan benutzen könne«. Desweiteren schreibt der US-Historiker Ronald H. SPECTOR in seinem Buch *Eagle against the Sun – The American War with Japan*: »Es gab niemals irgendwelche Zweifel, daß die Bombe benutzt würde. Jahrelanges Gerede der Amerikaner über die Japaner als wilde Fanatiker, die sich nichts aus menschlichem Leben machten, bereiteten den Weg für eine solche Entscheidung vor.«[527]

Die Behauptung, daß keine Regierung der Welt so reagiert hätte wie die US-amerikanische in bezug auf Pearl Harbor, als sie genau wußte, daß eine feindlich gesinnte Regierung einen Angriff auf ihr Territorium plante, ist wohl kaum übertrieben – es sei denn, die US-Regierung brauchte dringend einen Vorwand, um in den Zweiten Weltkrieg zu ziehen! Wie wir gesehen haben, war die ganze Sache von Anfang an geplant: ROOSEVELT und seine engsten Vertrauten waren in eine Verschwörung verstrickt, die zum Ziel hatte, den Einstieg in den Zweiten Weltkrieg über Japan und Pearl Harbor zu erzwingen, da HITLER auf ROOSEVELTS Provokationen nicht einging.[528] Mit dem japanischen Angriff auf Pearl Harbor befand sich nun aber auch Deutschland als Japans Verbündeter im Krieg mit den USA. Und so löste HITLER am 11. Dezember 1941 ein weiteres größeres Problem ROOSEVELTS: Er erklärte Amerika den Krieg.[529] Das war, was man in Washington so ersehnt hatte. Nun konnte man endlich gegen die beiden einzigen wirklichen Wirtschaftskonkurrenten Deutschland und Japan vorgehen, wie man es in der *Planung für den Sieg* vorgesehen hatte. Man konnte sie nun in einem totalen Krieg mit der ›bedingungslosen Kapitulation‹ vernichten.

Und Deutschlands Schicksal

Wie wir gesehen haben, waren viele US-Großkonzerne maßgeblich daran beteiligt gewesen, Deutschland in den zwanziger und dreißiger Jahren aufzubauen, damit es auch einen langen verheerenden Krieg führen könne. Dokumente beweisen eindeutig, daß ohne die massive Unterstützung der US-Konzerne ein deutscher Krieg niemals fünf lange Jahre hätte andauern können. Als der Zweite Weltkrieg dann ausbrach, unternahm die US-Machtelite viele Dinge, die den Krieg unnötigerweise länger andauern ließen, als er eigentlich hätte währen sollen. Dies war stets im Interesse der US-Machtelite, die mit dem Zweiten Weltkrieg nicht nur das Problem der heimischen Arbeitslosigkeit löste, sondern auch noch ihre eigene Macht finanziell und politisch enorm ausbaute. Viele Kriegshistoriker sind sich mittlerweile darüber einig, daß der Zweite Weltkrieg schon viel früher hätte beendet werden können. Wären die USA wirklich daran interessiert gewesen, den Krieg so schnell wie möglich abzuschließen, so hätten sie genügend Gelegenheiten dazu gehabt, die sie aber nie ergriffen haben. Im Zusammenhang mit dem Zweiten Weltkrieg äußerte Winston CHURCHILL einmal die Ansicht: »Niemals hätte sich ein Krieg leichter verhindern lassen als dieser.«[530]

Schon als der Krieg vier Jahre lang im Gang war, nämlich 1943, hätten die USA ihn um mindestens ein Jahr verkürzen können (das letzte Kriegsjahr war bekanntlich das zerstörerischste). Es wäre nämlich logisch gewesen, wenn US-Truppen und Alliierte 1943 von Italien aus einen entscheidenden Vorstoß in das Herz des HITLERreiches unternommen hätten – so wie CHURCHILL dies immer wieder erfolglos von den Amerikanern verlangt hatte und viele zeitgenössischen Militärhistoriker dies unterstützten. CHURCHILL hatte den für die Alliierten vernünftigen Vorschlag gemacht, Deutschland sowohl vom Süden als auch vom Norden her anzugreifen und die mitteleuropäischen sowie die Balkanländer unter die Kontrolle der Alliierten zu bringen, bevor die Rote Armee dies tun würde. Aber CHURCHILLS Strategie wurde von der amerikanischen Führung überstimmt. Auf der Konferenz von Quebec im August 1943 hatte General George C. MARSHALL darauf bestanden, daß Teile der alliierten Truppen aus Italien abgezogen und für eine zweite Invasion in Frankreich eingesetzt wurden, die gleichzeitig mit der Invasion in der Normandie stattfinden sollte. MARSHALLS Plan brachte den alliierten Anstrengungen überhaupt nichts; im Gegenteil, er behinderte tatsächlich die Bemühungen und verlängerte den Krieg um viele Monate.[531]

Es ist ROOSEVELTS Schwiegersohn, Colonel Curtis B. DALL, zu verdanken, daß diese Verzögerungsstrategie genau aufgeklärt und aufgedeckt wurde. In seinem Buch *Amerikas Kriegspolitik – Roosevelt und seine Hintermänner* berichtet DALL die erschütternde Geschichte des Commander George EARLE. Im Jahre 1943, unmittelbar vor der Casablanca-Konferenz, auf der ROOSEVELT und CHURCHILL die ›bedingungslose Kapitulation‹ Deutschlands forderten, hatte ROOSEVELT Commander EARLE zu seinem persönlichen Marineattaché in Istanbul ernannt. EARLE erzählte DALL: »Ich habe Ihrem verstorbenen Schwiegervater ROOSEVELT gesagt, wie er den Zweiten Weltkrieg wesentlich verkürzen könnte (um fast zwei Jahre). Er wollte nicht auf mich hören oder, soll ich sagen, er durfte mir nicht zuhören: Können Sie sich das vorstellen?«

EARLE traf im Frühjahr 1943 in Istanbul ein. Zuvor hatte er sich den Ruf eines energischen NS-Gegners erworben. Eines Morgens klopfte jemand an die Tür seines Hotelzimmers. Ein Mann stellte sich in Zivilkleidung vor als Admiral Wilhelm CANARIS, Chef des deutschen Geheimdienstes, und bat um ein zwangloses Gespräch. Die folgende Unterhaltung war so wichtig, wie sie vertraulich war. CANARIS berichtete EARLE, daß es viele vernünftige Deutsche gebe, die ihr Vaterland liebten und eine große Abneigung gegen HITLER hätten, weil sie der Meinung seien, daß er seine Nation mit dem Krieg vernichte. CANARIS erklärte, daß die Politik der ›bedingungslosen Kapitulation‹, wie sie Amerika und England dargelegt hatten, für die deutschen Generale unannehmbar sei. Er sagte jedoch, falls der amerikanische Präsident zu verstehen gäbe, daß er ein ehrenhaftes Aufgeben des deutschen Heeres annehme, welches den amerikanischen Streitkräften angeboten würde, so ließe sich dies arrangieren.

EARLE war zunächst »bestürzt« über diese völlig unerwartete Wende der Dinge. Als er sich jedoch von seinem Schock erholt hatte, bemühte er sich um eine äußerst vorsichtige Antwort gegenüber dem deutschen Admiral und seinem überraschenden Vorschlag. Kurz nach diesem erstaunlichen Gespräch traf EARLE mit Franz VON PAPEN, dem deutschem Botschafter in der Türkei, zusammen, der ein großer Gegner HITLERS war. Nach diesem weiteren Gespräch war EARLE fest davon überzeugt, daß es diese hohen Vertreter Deutschlands mit ihren Vorschlägen vollkommen ernst meinten. Nachdem er noch weitere Informationen über die heimlichen Ziele der Russen bekommen hatte, schickte er eine verschlüsselte Botschaft an Präsident ROOSEVELT, wobei er von seinen Treffen mit Admiral CANARIS und Botschafter VON PAPEN ausführlich berichtete. Er bat um eine sofortige Antwort. Doch es kam keine Antwort!

Wie vereinbart, rief ihn Admiral CANARIS nach dreißig Tagen telefonisch an und fragte: Haben Sie irgendwelche Nachrichten? Worauf EARLE erwidern mußte: »Ich warte auf Nachrichten. Habe aber bis jetzt keine.« Der Admiral (CANARIS) sagte: »Das tut mir wirklich sehr leid.« Darauf hin meldete er sich nicht mehr.

Dann lernte EARLE Baron Kurt VON LERSNER kennen, der die Orientgesellschaft, eine deutsche kulturelle Organisation, leitete. VON LERSNER erzählte ihm, daß er über ihn in der Presse gelesen habe und auch seine Ansichten über die Nationalsozialisten kenne; daher habe er das Gefühl, daß sie über gewisse Dinge derselben Meinung seien. Ein Zusammentreffen der beiden an einem entlegenen Platze, spät in der Nacht, wurde schnell verabredet. Das Gespräch dauerte mehrere Stunden. Dort stellte Baron VON LERSNER dieselbe Frage an EARLE, die schon CANARIS gestellt hatte. Es ging darum, ob die Wehrmacht, falls die Anti-HITLER-Kräfte in Deutschland die deutsche Armee an die amerikanischen Streitkräfte ausliefern würden, dann mit einer Mitarbeit der Alliierten rechnen könnten, um die Sowjets aus Mitteleuropa herauszuhalten. Von LERSNER sagte weiter, wenn ROOSEVELT einer »ehrenvollen Übergabe« zustimmen würde, würden sie HITLER, falls er von seinen eigenen Leuten nicht vorher umgebracht sein sollte, an die Amerikaner übergeben. Nochmals erklärte EARLE, er werde ein dringendes verschlüsseltes Telegramm an das Weiße Haus schicken, um Präsident ROOSEVELT zu bitten, das Angebot der HITLERgegner zu prüfen. Aber es kam trotzdem keine Antwort. Daraufhin erfolgte ein zweites Zusammentreffen mit VON LERSNER, der als neuen Plan vorschlug, HITLERS abgelegenes östliches Hauptquartier zu umzingeln und dann die deutsche Armee an die Ostfront zu schicken, bis ein Waffenstillstand abgeschlossen werden könnte. EARLE erklärte erneut, daß er eine äußerst dringende Botschaft an Präsident ROOSEVELT abschicken werde, diesmal nicht mit der diplomatischen Post, sondern durch die Armee und Marine, um ganz sicher zu sein, daß diese wichtige Botschaft auch ROOSEVELT erreichen werde.

EARLE erzählte Curtis B. DALL Jahre später, er glaube, daß ein starker »Einfluß« aus dem Weißen Haus den Präsidenten beherrscht habe, der den festen Willen erkennen ließ, das ganze deutsche Volk auszumerzen, ohne Rücksicht darauf, wie viele amerikanische Soldaten auf dem Schlachtfeld, zur See und in der Luft ihr Leben opfern müßten, um dieses abscheuliche Ziel zu verwirklichen.

In Istanbul waren Pläne ausgearbeitet worden, denen zufolge EARLE nach der erhofften günstigen Antwort ROOSEVELTS hinsichtlich einer ehrenvollen Übergabe nach einem geheimen Ort in Deutschland fliegen sollte, um dort von HITLERS Gegnern weitere Einzelheiten über die Übergabebedingungen zu bekommen, die dann sofort an das Weiße Haus zwecks weiterer Aktionen geleitet werden sollten. Ein Flugzeug wartete in der Nähe von Istanbul. Aber es sollte vergebens warten. Als Washington wiederum nicht antwortete, wurde EARLE hinsichtlich der Lage immer mehr entmutigt. Endlich traf tatsächlich eine Art Antwort ein. Sie besagte, daß er mit dem Oberkommandierenden in Europa Vorschläge für einen auszuhandelnden Frieden ausarbeiten sollte. Eine wohl undurchführbarere oder tragischere Vorgehensart hätte man wohl nicht erfinden können. Damit waren die möglichen und äußerst realistischen Verhandlungsmöglichkeiten zur Beendung des Zweiten Weltkriegs im Jahre 1943 endgültig in den Wind geschlagen.

Jahre später erinnerte sich EARLE an EISENHOWERS abwegigen Entschluß, daß die amerikanischen Truppen weder Berlin noch Prag einnehmen, sondern beide Hauptstädte den Sowjets überlassen sollten, obwohl die Bevölkerung in Prag inbrünstig darum gebeten hatte, sich den Amerikanern ergeben zu dürfen. Es wurde später behauptet, EISENHOWERS Entschluß sei ein offenkundiger Fehler gewesen. Er hat diese Entscheidung nicht allein getroffen. In Wirklichkeit war es von der US-Machtelite geplant.[532] Warum, werden wir noch später sehen. Enttäuscht kehrte EARLE in die USA zurück, und der Zweite Weltkrieg nahm seinen grausamen und geplanten Verlauf.

Nach einiger Zeit aber beschloß EARLE, dem amerikanischen Volk die Wahrheit über den Zweiten Weltkrieg mitzuteilen, und nahm diesbezüglich Verbindung mit Präsident ROOSEVELT auf, doch dieser reagierte sehr heftig und verbat EARLE, seine Absichten in der Öffentlichkeit zu äußern. In einem persönlichen Brief an EARLE erklärte er im März 1945: »Sie haben während meiner Regierung wichtige, vertrauliche Ämter innegehabt. Die Veröffentlichung von Informationen, die Sie in diesen Ämtern erlangt haben, wäre ein großer Verrat. Sie erklären, Sie werden veröffentlichen, wenn ich Ihnen nicht bis zum 28. März gesagt habe, daß ich dies nicht wünsche. Ich wünsche es nicht nur nicht, sondern ich verbiete es Ihnen ausdrücklich, jegliche Information oder Meinung über einen Verbündeten (Sowjetunion, M. K.) zu veröffentlichen, die Sie in einem Amt oder im Dienst der US-Navy erlangt haben.«[533]

Ferner berichtet DALL: »General PATTON wußte, was gespielt wurde. Aber er starb eines ›frühen‹ Todes. Der Sekretär James FORRESTAL erkannte es ebenfalls. Auch er starb eines ›frühen‹ Todes. Sicherlich hat es auch General Douglas MACARTHUR gewußt, Harry TRUMAN jedoch anscheinend nicht; aber vielleicht wollte er es auch nicht wissen.«[534] Daß die Auslieferung HITLERS an seine Feinde vom deutschen Widerstand geplant war, ist eine Tatsache. In diesem Zusammenhang schreibt George CROCKER in seinem Buch *Schrittmacher der Sowjets – Das Schicksal der Welt lag in Roosevelts Hand*: »Heute weiß man, daß die höheren Offiziere der deutschen Armee zum großen Teil zur Auflehnung bereit waren. Die Häupter der Widerstandsbewegung gegen HITLER waren General Ludwig BECK, früher Chef des deutschen Generalstabs, und Karl GOERDELER. . . Armeebefehlshaber wie die Feldmarschälle VON KLUGE und VON MANSTEIN sahen voraus, wohin HITLERS Politik Deutschland führte. Admiral CANARIS, General OSTER und der tapfere Graf VON STAUFFENBERG gehörten zu der großen Zahl ernstlich beunruhigter Männer, die HITLER töten oder absetzen wollten, um dem Krieg unter einigermaßen ehrenhaften Bedingungen ein Ende zu machen.«

CROCKER verweist dann darauf, daß diese Menschen die Unterstützung der Gegenseite benötigten, diese aber nie bekamen, um dann die interessante Frage zu stellen, ob hinter dieser Haltung der Alliierten eine böswillige Mißgunst stand? Er beantwortet seine eigene Frage wie folgt: »Im Pentagon und im Weißen Haus wußte man recht gut, daß HITLER am Rande eines Abgrundes der Unzufriedenheit im eigenen Lande entlangwankte. General Albert C. WEDEMEYER, der nächste Vertraute General MARSHALLs in jener Zeit, der auch mit ihm in Casablanca war, sagte dazu: ›Die westlichen Alliierten unternahmen nicht den geringsten Versuch, die Deutschen zu teilen, indem sie HITLERS Gegnern annehmbare Friedensbedingungen boten – und dies, obwohl der englische und amerikanische Nachrichtendienst wußten, daß HITLER mit dem Widerstand von Männern in den höchsten Stellungen in der Armee, in der Marine und in der Zivilverwaltung zu rechnen hatte.«[535]

Aber es wurde nicht nur absichtlich die Chance vertan, 1943 durch Italien hindurch dem NS-Regime ein Ende zu bereiten, sondern auch in Sachen Luftkrieg verspielte die US-Luftwaffe absichtlich ihre Chance, den Krieg schneller zu beenden. So schreibt der verstorbene und anerkannte ›Insider‹ Professor Carrol QUIGLEY in seinem Monumentalwerk *Tragedy and Hope*, daß die massiven Luftangriffe auf Deutschland, die im Frühjahr 1942 einsetzten, »ein großer Aufwand... [waren], um fast völlig wertlose Ziele wie Flugplätze, U-Boot-Docks, Häfen, Eisenbahnhöfe, Panzerfabriken zu bombardieren.« Diese »strategische Bombardierung erwies sich überwiegend als Fehlschlag, und zwar wegen der sorglosen Auswahl der Ziele und wegen der langen Zeitabstände zwischen den einzelnen Angriffen«. »Eine solche strategische Bombardierung hätte auf einer sorgfältigen Analyse der deutschen Kriegswirtschaft beruhen müssen, um ein oder zwei der entscheidenden Objekte aufzusuchen, die für den Krieg maßgeblich waren. Dazu hätten wahrscheinlich Anlagen zur Herstellung von Kugellagern, Flugzeugbenzin [das die US-Konzerne noch während des Kriegs an Deutschland lieferten, M.K.] und Chemikalien gehört, die alle von entscheidender Bedeutung waren und alle räumlich konzentriert lagen. Nach dem Krieg hat der deutsche General Gotthard HEINRICI gesagt, daß der Krieg schon ein Jahr früher zu Ende gewesen wäre, wenn die Alliierten ihre Bombenangriffe auf die Ammoniumfabriken konzentriert hätten.« Wenn all diese gigantischen Luftangriffe aber nicht auf lebenswichtige Ziele geflogen worden sind, deren Zerstörung die Kriegsdauer erheblich verringert hätten, welchem Zweck dienten sie dann?

Die Antwort auf diese Frage lautet, daß die US-Machtelite ein ganz anderes Ziel als die schnelle Beendigung des Krieges im Auge hatte. Diese Machtelite nutzte den europäischen Kriegsschauplatz zu ihrem eigenen Wohl und Nutzen, denn sie plante eindeutig über das Kriegsende hinaus und hatte die unermeßlichen Reichtümer im Auge, die sich an den ›Wiederaufbauprojekten‹ verdienen ließen. Dies erklärt auch die nutzlose und vor allem menschenverachtende Politik der Bombardierung der Städte im Zweiten Weltkrieg. J. M. SPAIT beschreibt in seinem Buch *Bombing Vindicated*, daß die Bombardierung der Zivilbevölkerung und ihrer Städte im Zweiten Weltkrieg nicht nur völlig sinnlos war, sondern auch keinen militärischen Sinn hatte. Die Bombardierung von Städten wie Dresden[536] wurde durchgeführt, weil Dresden sehr teure Grundstückswerte hatte und weil die Machtelite wußte, daß daher der Wiederaufbau der völlig zerstörten Stadt ein Riesengeschäft für sie würde. Rein militärisch gesehen, waren die Luftangriffe nicht sinnvoll, denn wahrscheinlich ist die Aussage richtig, daß Deutschland bis ins Frühjahr 1945, nach zwei Jahren schwerer Luftbombardierung durch die Westmächte, nicht nur mehr wichtige Kriegsausrüstungen herstellte als vorher und als das Vereinigte Königreich von England, sondern auch seine relative Stellung verbessert hatte. Das alles kostete die Amerikaner und Briten 40 000 Flugzeuge und 158 906 Luftsoldaten.[537]

Die wirklichen Gründe, weshalb die Machtelite in Washington alles tat, damit es zu einem Weltkrieg kam, hat G. A. DEBORIN in dem Buch *Der Zweite Weltkrieg* auf eindrucksvolle Weise aufgedeckt. Darin heißt es: »Die herrschenden Kreise der USA nahmen den Ausbruch des Krieges in Europa mit schlecht verhohlener Freude auf. Seit 1937 bebte die Wirtschaft der USA unter den Schlägen der Wirtschaftskrise. Die amerikanischen Monopolkapitalisten beurteilten daher den Krieg in erster Linie vom Gesichtspunkt neuer Absatzmöglichkeiten. Amerikanische Zeitungen schrieben ganz offen, der Einfluß des europäischen Krieges auf die Wirtschaftslage der USA werde vielseitig sein. Sie gaben zu, daß die Rüstungsindustrie den größten Gewinn erzielen würde. Die amerikanischen Geschäftsleute beunruhigte einzig die Frage, wie lange der Krieg dauern werde. Wenn der Ölzweig die Großmächte zu locken anfinge, so würde, nach der Ansicht von USA-Wirtschaftlern, das Geschäftsleben darunter leiden. Die gesamte Wirtschaft der Vereinigten Staaten werde auf einen langen Krieg umgestellt, schrieb damals die einflußreiche amerikanische Zeitung *The New York Herald Tribune*. Tatsächlich begann die mit Rüstungsaufträgen gespeiste amerikanische Wirtschaft sich wie Hefeteig zu heben.

Der Vorsitzende der Kommunistischen Partei der USA, William FOSTER, beurteilte diese Tatsache folgendermaßen: ›Erst als im Jahre 1939 der tödliche Schatten des Zweiten Weltkrieges am Horizont erschien, begann die amerikanische Industrie, die erneut mit riesigen Kriegsaufträgen gefüttert wurde, wieder aufzuleben.‹ ...Waren die hochfliegenden Pläne des amerikanischen Imperialismus nach dem Ersten Weltkrieg nicht verwirklicht worden, so würde diesmal, meinten die Machthaber der USA, die Weltherrschaft in ihre Hände übergehen... Anne MCCORMICK, eine Korrespondentin der *New York Times*, schrieb, das Wort Washingtons werde in der

Entscheidung über das Geschick der Welt nach dem Krieg den Ausschlag geben.«[538]

Daß dies nicht etwa Übertreibung war, bewiesen nachdrücklich die Statistiken und Fakten der Nachkriegsära. »Während des Zweiten Weltkrieges stiegen die Gewinne der amerikanischen Monopolherren durch Regierungsaufträge von 6,4 Milliarden Dollar im Jahre 1939 auf 24,5 Milliarden Dollar im Jahre 1945. In vier Kriegsjahren strichen die großen Gesellschaften 87 Milliarden Dollar Gewinne ein. Mit dem grauenhaften Elend des Krieges machten sie ein vorteilhaftes Geschäft.«[539] Und so faßt DEBORIN richtigerweise zusammen: Der Zweite Weltkrieg »war. . . ein Krieg zwischen zwei kapitalistischen Koalitionen. Der Koalition Deutschland–Italien–Japan stand die Koalition USA–Großbritannien–Frankreich gegenüber. Der Kern des Konflikts bestand in dem Kampf um Absatzmärkte und Rohstoffe, um Kapitalanlagesphären, um die Weltherrschaft«.[540]

Vor allem aber war dieser Krieg auch für die Art und Weise bezeichnend, wie die US-Machtelite ihn inszenierte. Erst baute sie den Feind förmlich auf, in diesem Fall war es NS-Deutschland, um ihn dann mit ihrem überwältigenden Rohstoff- und Industriepotential zu vernichten. Auf diese Art konnte die US-Finanzelite dann nochmals an dem Wiederaufbau Deutschlands verdienen. Dieses Doppelspiel: erst aufbauen, dann zerstören, sollte auch in der Zukunft eine wichtige Rolle in der amerikanischen Kriegspolitik spielen.

»Wir müssen unseren moralischen Verpflichtungen nachkommen, die, sind sie einmal erfüllt, sich anscheinend immer mit unseren Interessen decken.«
US-Präsident Jimmy Carter

Kapitel 6

Vom Kalten Krieg zum Koreakrieg

Wie schon angedeutet, war der Zweite Weltkrieg für die Amerikaner das Geschäft des Jahrhunderts. Nach Ende des Kriegs befanden sich 75 Prozent des gesamten Weltkapitals in den USA und ebenfalls zwei Drittel der gesamten Industriekapazität.[541] Europa war nun endgültig zur Zweitrangigkeit herabgestuft worden. Aber trotz des glorreichen Sieges begann eine Angelegenheit, den US-Machthabern Sorgen zu bereiten. Mit dem endgültigen Sieg über den Faschismus und HITLER hatte man überhaupt keine Feinde mehr, aber genau solche Feinde waren bitter nötig, um die Rüstungsausgaben zu rechtfertigen. An der Aufrüstung der USA profitierten ein paar Rüstungsfirmen und Politiker, die Aufträge für die Rüstungsfirmen vergaben. Das Ganze führte zu einer Art Teufelskreis; die Politiker unterstützten ein paar gigantische Rüstungsfirmen, während diese sich erkenntlich zeigten und die Wahlkampagnen der Politiker und Parteien großzügig finanzierten. Es ist kein Geheimnis, daß fast alle US-Präsidenten seit dem Zweiten Weltkrieg von Öl- und Rüstungsunternehmen ihre finanzielle Unterstützung erhalten haben, ohne die sie ihre kostspieligen Wahlkampagnen gar nicht hätten durchführen können.

Man brauchte also wieder dringend einen Feind, und in dieser Hinsicht war die Sowjetunion prädestiniert, der beste Kandidat zu sein. Denn der Kommunismus breitete sich in Westeuropa wie ein Lauffeuer aus. In Italien war nach den ersten Nachkriegsjahren die kommunistische Partei mit einem Drittel aller Stimmen die eindeutig stärkste Partei. In Frankreich erhielten die Kommunisten mit gut einem Viertel aller Stimmen ebenfalls die eindeutige Mehrheit. Die USA, mit Hilfe des CIA, planten einen militärischen Eingriff in Italien, falls die Wahlen nicht durch andere Methoden zu kontrollieren seien. Letztendlich konnte durch eine Mischung von Gewalt, Drohungen und Kontrolle der wichtigen Lebensmittel die politische Alternative des Kommunismus im freien Europa beseitigt werden.[542] So blieb nur noch die Rote Armee in Europa die einzige militärische Macht, die die Amerikaner herausfordern konnte.

Die Sowjetunion wird zum Feind

Kaum war ROOSEVELT beerdigt, beschloß man einen Tag danach, am 15. April 1945, seine Politik auf den Kopf zu stellen. Das fand auf einer Sitzung im Außenministerium statt, an der rund fünfzehn Personen teilnahmen, unter anderen der Bankier John MCCLOY und der Präsident von General Motors.

Alle Anwesenden wünschten sich einen milden Frieden mit Deutschland, das als Bollwerk gegen die Sowjetunion benutzt werden sollte. Der eigentliche Wechsel der amerikanischen Politik wurde eingeleitet, noch bevor ernsthafte Schwierigkeiten zwischen den USA und der UdSSR stattfanden. Vor allem wurde er ohne den Präsidenten und den Kongreß, also außerhalb der demokratischen Legalität, angeordnet, so daß auch hier gleichermaßen von einer Verschwörung gesprochen werden kann.

Wieder tauchte das alte Problem auf, die Bevölkerung von dieser Politik zu überzeugen. Die US-Bevölkerung wollte eigentlich gar nicht mitmachen: Nach einer 1945 durchgeführten Gallup-Meinungsumfrage gaben 55 Prozent der Bevölkerung an, daß sie eine weitere Zusammenarbeit mit der Sowjetunion für richtig hielten. Diese 55 Prozent waren zu fast zwei Dritteln gebildete Amerikaner. Amerika war also inzwischen mehrheitlich prorussisch. Dies mußte aber unbedingt rückgängig gemacht werden. So wurde Moskau gereizt und provoziert. Es sollte in der Öffentlichkeit immer als Nein-Sager und in Opposition zu den edlen Zielen und Taten der USA dargestellt werden. In diesen Zusammenhang gehörten auch der Abwurf der Atombombe zwei Tage vor dem vereinbarten Einmarsch der Russen in die Mandschurei; die Ernennung eines US-Oberkommandierenden für Japan, ohne Rußland überhaupt zu fragen; die Deklaration von Potsdam, die man veröffentlichte, bevor die Russen ihr Einverständnis gegeben hatten, und die Einfügung der Artikel 51 und 52 in die UNO-Charta, die nichts anderes bezweckten, als die Sowjetunion zu isolieren. Diese Maßnahmen zeigten nur ein halbes Jahr später ihre Wirkung: Die öffentliche Meinung änderte sich grundlegend – statt der 55 Prozent, die vorher für eine Fortsetzung des Bündnisses mit der Sowjetunion eingetreten waren, waren es jetzt nur noch 46 und dann 38 Prozent.[543] Man hatte also wieder geschickt die öffentliche Meinung manipulieren können, aber nicht, weil man wirklich Angst vor den Russen hatte. Diese waren viel zu geschwächt, um sich wirklich mit den Amerikanern anzulegen:

Im Zweiten Weltkrieg hatten die Russen zwischen 20 und 25 Millionen Menschen verloren, die Amerikaner hingegen lediglich einige hunderttausend. Auf jeden getöteten Amerikaner kamen 10 Deutsche und 50 Russen. Des weiteren fiel keine einzige Bombe auf die USA, wohl aber auf die Sowjetunion, dort wurden 1710 Städte vernichtet, mehr als 70 000 Dörfer, 70 000 Kilometer des Eisenbahnnetzes, 4100 Eisenbahnstationen, 40 000 Krankenhäuser und 6 Millionen Gebäude verbrannt oder zerstört.[544] Die Russen waren also gar nicht imstande, den Amerikanern gefährlich zu werden, sie waren vielmehr damit beschäftigt, ihr Land wieder aufzubauen. Das wußte natürlich auch das Pentagon, aber es konnte und wollte das ebensowenig zugeben, denn die Russen mußten, gemäß den neuen Plänen, die neuen Feinde sein.

In der damaligen, der Öffentlichkeit vorenthaltenen Geheimstudie *Preparing for the Next War* (›Vorbereitungen für den nächsten Krieg‹) von Michael S. Sherry heißt es im abschließenden Urteil: »Die Sowjetunion stelle keine unmittelbare Gefahr dar, gaben die Teilstreitkräfte zu. Ihre Wirtschaft und ihr Arbeitskräftepotential seien durch den Krieg erschöpft... Folglich würde sich die UdSSR in den nächsten Jahren auf den inneren Wiederaufbau konzentrieren... Allein die Möglichkeiten der UdSSR, unabhängig davon, wie die russischen Absichten eingeschätzt wurden, schienen Grund genug, die UdSSR als einen potentiellen Feind zu bestimmen.«[545] Trotzdem plante die US-Machtelite, einen Krieg gegen die Sowjetunion bald anzufangen. Dieser Krieg sollte erbarmungslos mit allen Mitteln ausgetragen werden.

»Auf Weisung des Komitees der Vereinigten Stabschefs wurde bis Mitte 1948 der Plan ›Charioteer‹ erarbeitet. Beginnen sollte der Krieg ›mit konzentrischen Angriffen unter Einsatz von Atombomben gegen Regierungszentren und Zentren der politischen Administration und der Verwaltung, gegen städtische Industriegebiete und ausgewählte Betriebe der Erdölraffinierung innerhalb der UdSSR, und zwar von Stützpunkten in der westlichen Hemisphäre, besonders in England, aus‹. In einer ersten – 30 Tage umfassenden – Phase des Krieges sollten 133 Atombomben auf 70 sowjetische Städte abgeworfen werden. 8 Atombomben sollten auf Moskau, 7 auf Leningrad niedergehen und alles auf einer Fläche von 540 bzw. 35 Quadratmeilen vernichten. In den beiden darauffolgenden Kriegsjahren beabsichtigte man, 200 weitere Atombomben sowie 250 000 Tonnen konventioneller Bomben abzuwerfen. Das Kommando der strategischen Bomberflotte setzte voraus, daß die Sowjetunion irgendwann während dieser Bombardements oder danach kapitulieren würde... Am 21. Dezember 1948 legte der Oberbefehlshaber der Luftstreitkräfte dem Komitee der Vereinigten Stabschefs den in Durchführung der erwähnten Pläne aufgestellten Operationsplan ›Einschätzung der Pläne für strategische Luftoffensiven‹ vor:

... 1. ...

2. Der Krieg wird vor dem 1. April 1949 ausbrechen.

3. Atombomben werden in dem Ausmaß eingesetzt werden, wie es möglich und wünschenswert ist...

Personelle Verluste: 11. Die erste atomare Offensive könnte bis zu 2 700 000 Tote und weitere 4 000 000 Verletzte zur Folge haben, je nach Effektivität der sowjetischen Maßnahmen bei der passiven Verteidigung. Eine große Anzahl von Häusern würde zerstört werden, und die Wohnprobleme für den Rest der 28 Millionen Menschen (d. h. der Gesamtbevölkerung der für Atombombenabwürfe ausgesuchten Städte, M.K.) in den 70 Zielstädten wären maßlos schwierig‹.«

Warum wurde dieser Plan, der unter den US-Militärs unter dem Namen ›Dropshot‹ umlief, nie in die Tat umgesetzt? Die Gründe, die höchstwahrscheinlich einen atomaren Holocaust verhinderten, waren, wie wir sehen werden, keinesfalls moralischer Natur. Als die Dokumente über den Geheimplan zur atomaren Vernichtung der UdSSR bekannt wurden, tauchten folgende Einwände auf:»1) die Vereinigten Staaten hätten den dritten Weltkrieg durchaus verlieren können; 2) Rußland wäre vermutlich imstande gewesen, Westeuropa binnen 20 Tage zu besetzen; 3) die US-Air Force vertrat die Ansicht, daß Rußland in der Lage sein würde, Großbritannien – damals Amerikas Hauptverbündeter mit Basen, die für die Durchführung des Atomschlages von größter Bedeutung gewesen wären – innerhalb von 60 Tagen auszuschalten; 4) russische atomare Schläge, verbunden mit kommunistischer Guerillakriegführung innerhalb der Vereinigten Staaten, würden Amerikas Fähigkeit und Willen zur Kriegführung schwerwiegend untergraben; 5) Amerika könnte seine eigenen Städte nicht verteidigen; 6) Amerika würde letztlich zwei Jahre gebraucht haben, um seine Industrie und Streitkräfte auf ein Niveau zu bringen, das seinem Militär ermöglicht hätte, nach Europa zurückzukehren... und 7) Amerika wollte Rußland besetzen und damit einen unablässigen Guerillakrieg in jenem Land riskieren...«[546] Dies waren also die wahren Gründe, warum es nicht zu einem nuklearen Holocaust kam. [Weitere Informationen zur US-Atomwaffenpolitik finden sich im Anhang 3 des Buches.]

1949 kam es für die US-Elite zu einem bösen Erwachen. In China verlor nämlich ihr alliierter Haudegen TSCHIANG KAI-SCHEK den Bürgerkrieg gegen die Kommunisten und mußte nach Formosa (Taiwan) flüchten. Ihr Traum vom US-freundlichen China war sprichwörtlich zerschlagen, und die Kommunisten waren äußerst schlecht auf die Amerikaner zu sprechen, hatten diese doch die Nationalisten unter TSCHIANG KAI-SCHEK gegen sie unterstützt. Präsident TRUMAN wurde von seinen politischen Gegnern, den Demokraten, schwer kritisiert, er habe China für die USA verloren. Er wurde dadurch gezwungen, einen noch härteren Kurs gegen die Kommunisten einzuschlagen. Des weiteren bekam TRUMAN als Präsident einen innenpolitischen Tiefpunkt zu spüren: Im Juni 1950 merkte TRUMAN, daß er eine Krise oder zumindest einen triftigen Grund brauchte, um dem amerikanischen Volk sein Wiederaufrüstungs-Programm (NSC 68) zu verkaufen.[547]

Das Wiederaufrüstungs-Programm war vor dem Koreakrieg nur eine theoretische Überlegung, 1950 lagen die Rüstungskosten bei jährlich 13 Milliarden Dollar, am Ende des Koreakriegs 1953 hatten sie sich aber fast vervierfacht, indem sie bei erstaunlichen jährlichen 50 Milliarden Dollar lagen. Ferner wurde klar, daß sich ohne amerikanische Unterstützung TSCHIANG nicht länger in Formosa (Taiwan) und RHEE nicht in Südkorea halten könnten. Die US-Air Force und Marine brauchten eine Berechtigung, um ihre Stützpunkte in Japan zu behalten und auszuweiten und um auch eine langfristige Wiederbewaffnung der Bundesrepublik Deutschland einzuleiten. Alle diese Ziele wurden durch den Koreakrieg verwirklicht. Vor allem die Ölindustrie und daher ROCKEFELLERS Standard Oil Company dürften sich an dieser Aufrüstung gewaltig erfreut haben, denn sie war mit dem militärisch-industriellen Komplex eng verknüpft, der der Hauptauftraggeber der USA war. Die Armee wurde mit den durch den Koreakrieg ermöglichten Notstandsverordnungen Präsident TRUMANS drastisch vergrößert, indem er sie um 50% auf 3,5 Millionen Männer und Frauen aufstockte. Die NATO weitete sich aus, insbesondere in bezug auf die Länder Türkei und Griechenland, die wegen ihrer geographischen Lage strategisch wichtig geworden waren. Und eine der wohl wichtigsten innenpolitischen Folgen für die USA war die Tatsache, daß das Verteidigungsministerium in den USA der größte industrielle Auftraggeber der Welt wurde; die riesigen Privatfirmen wie Standard Oil, General Motors, Du Pont, die führenden Flugzeughersteller stiegen praktisch zu Monopolisten auf, die ihre ökonomische Macht ungehindert einsetzen konnten.[548]

Vor dem Koreakrieg verursachte eine Rezession ein erdrückendes wirtschaftliches Klima in den USA. Sie ereignete sich 1948, und sie schien zu bestätigen, daß ohne Kriegswirtschaft die USA, wie vor dem Zweiten Weltkrieg, der Gefahr ausgesetzt waren, weitere andauernde Rezessionen hinnehmen zu müssen.[549] Als Indikator für diesen Niedergang der US-Wirtschaft kann die Arbeitslosenquote gelten, die von 1948 bis 1950 um enorme 130 Prozent stieg. Der Produktionsindex lag 1943 bei 212, während er 1948 auf 170 und 1949 sogar auf 156 gesunken war. Die Investitionen fielen im ersten Vierteljahr 1950 um 11% gegenüber dem Vorjahr. Seit 1947 war der Export der USA in absoluten wie auch prozentualen Werten, verglichen mit dem Rest der Welt, ständig im Rückgang gewesen. Betrug er 1950 im März noch 867 Millionen Dollar, so war er ein Jahr vorher im gleichen Monat noch bei 1177 Million Dollar festgestellt worden. Dies sind natürlich nur die offiziellen Zahlen, die uns für die Zeitperiode zur Verfügung stehen, der wirkliche Wert der Indikatoren dürfte weit höher gelegen haben. Aber aus bekannten Gründen, um die Bevölkerung nicht allzu sehr zu beunruhigen, wurden die vorstehenden Zahlen angegeben.

Ein Krieg irgendwo, ein möglichst langer, war also dringend notwendig, um die Wirtschaft wieder anzuheizen. Dieser dürfte um so akuter notwendig gewesen sein, als man die Verstrickung des US-Kapitals selbst in Südkorea kannte. Der ›Zufall‹ will es so gewollt haben (so würde man es wohl dem amerikanischem Volk erklären), daß gerade diejenigen, die in der US-Außenpolitik aktiv waren, auch in Südkorea Kapital angelegt hatten. Nach dem Zweiten Weltkrieg wurden mehr als 1 250 000 000 Dollar in Südkorea investiert. Unter anderem entstand die New Corea Company, die – welch eine Überraschung – ein Aktienprodukt der hochgeschätzten Banken der Wall-street war. Mit im Rennen war auch die mächtige Morgans National City Bank. Und um die Überraschung schlechthin vorwegzunehmen, saß auch Dulles, der Haudegen des Kalten Krieges, im Aufsichtsrat der erwähnten National City Bank, die die genannte New Corea Company gegründet hatte.

Nachdem die USA die Japaner als Kolonialmacht in Korea verdrängt hatten, übernahmen US-Firmen ›nur‹ die Hälfte der Bergwerke, Eisenbahnen, Banken und des fruchtbaren Landes von Korea. Auch Nordkoreas Gebiet wurde von den US-Kapitalisten beansprucht! Der Glanzpunkt dabei war die Tatsache, daß die Unsan-Goldgruben in Nordkorea, die reichsten Goldvorkommen Asiens, von der sich in amerikanischen Händen befindenden Oriental Consolidated Mining Company beansprucht wurden. Und wie es der ›Zufall‹ nun eben so einmal wollte, war der Direktor dieser US-Company, S. H. Dolbear, ebenfalls der ›Berater‹ des südkoreanischen Diktators Syngman Rhee in allen erdenklichen Bergwerksfragen.[550]

Vergessen wir hierbei aber nicht eine kleine ›Nebensächlichkeit‹, oder warum wurde sie sonst einfach übersehen? Zur besagten Zeit, 1950, hat die von den USA angeführte Welt den Goldstandard angenommen. Dies bedeutete, einfach ausgedrückt: Wer Gold besaß, hatte bares Geld in seiner Tasche. Natürlich wollen wir hier nicht dem niederträchtigen Gedanken verfallen, daß die US-Machtelite auch nur für einen Moment nicht im Interesse des Friedens und der Demokratie handeln könnte. Es bleibt also alles widersprüchliche, verwerfliche ›kommunistische Propaganda‹.

Vorspiel zum Koreakrieg

Nach dem Zweiten Weltkrieg wurde Korea nach Abmachung zwischen den USA und der Sowjetunion von beiden besetzt. Innerhalb von fünf Jahren sollten aber Wahlen unter UNO-Aufsicht stattfinden, und die Möglichkeit einer Wiedervereinigung sollte gegeben werden. Die Amerikaner brachten den Diktator Syngman Rhee, der bis dahin 37 Jahre in den USA gelebt hatte, als Herrscher nach Südkorea. Rhee ließ sofort alle seine politischen Gegner inhaftieren und foltern. Er wußte, daß er ohne die Amerikaner nicht an der Macht bleiben konnte, da sein Regime von Tag zu Tag unbeliebter wurde. Das ging sogar so weit, daß eine beträchtliche Anzahl von Südkoreanern nach Nordkorea floh. Er wußte auch, daß die Zeit gegen ihn arbeitete, denn Ende 1950 waren Wahlen vorgesehen, die zu einer von der überwiegenden Mehrzahl der Koreaner ersehnten Wiedervereinigung führen sollten.[551]

So kam es, daß auf Beschluß einer vereinigten Konferenz der Führer der politischen Parteien und gesellschaftlichen Organisationen Nord- und Südkoreas Wahlen zur einheitlichen gesetzgebenden Körperschaft des Landes, der Obersten Volksversammlung, am 25. August 1948 durchgeführt wurden. 99,98 Prozent der Nordkoreaner beteiligten sich an den Wahlen und immerhin 77,52 Prozent in Südkorea, obwohl sie damit den Haß des brutalen Terrorregimes Syngman Rhees auf sich zogen. Die Oberste Volksversammlung rief die Demokratische Volksrepublik Korea aus und wandte sich an die Regierungen der Sowjetunion und der USA mit dem Ersuchen, gleichzeitig die sowjetischen wie die amerikanischen Truppen aus Korea abzuziehen. Die US-Regierung überging dies, während die Sowjets ihre Truppen bis zum Dezember 1948 restlos abzogen. Die Amerikaner zogen ihre Truppen erst im Juni 1949 und dann auch nicht vollständig ab. Die Sowjetunion hatte schon Anfang 1948 den Vorschlag gemacht, ihre Truppen gleichzeitig mit den US-amerikanischen abzuziehen, die USA lehnten aber auch diesen Vorschlag ab.[552]

Rhee brauchte die Amerikaner zur Verteidigung seines Regimes in Südkorea, die Amerikaner brauchten ihn wiederum, unter anderem, weil sie viel Kapital in Südkorea investiert hatten und sich noch weitere Profite erhofften. Die Russen verhielten sich viel diplomatischer und nachsichtiger, trotzdem richteten sie eine kommunistische Regierung in Nordkorea ein.[553]

Etwas Aufsehenerregendes ereignete sich am 1. März 1949, als General MacArthur, der Oberkommandierende der US-Streitkräfte im Fernen Osten, von dem britischen Journalisten G. Ward Price interviewt wurde. Bei diesem Gespräch definierte er die pazifische Grenze der amerikanischen Interessensphäre als eine »defensive Linie«, die von den Philippinen über die japanischen Inseln bis zu den Aleuten und dann nach Alaska lief – womit er ganz Korea einfach von dieser »defensiven Linie« ausschloß. Dieses damals scheinbar unbedeutende Interview schien der US-Machtelite jedoch so sehr zu gefallen, daß sie es gleich als Südostasien-Politik der USA betrachtete. Denn am 12. Januar 1950 erklärte Staatssekretär Acheson feierlich die »defensive Linie« zur neuen Aufgabe der USA. Damit aber nicht der Gedanke aufkommen konnte, man habe die anderen Gebiete im Pazifik vergessen, ließ Acheson seinen Zuhörern folgende vage Erläuterung im Nationalen Presse-Club zukommen: »Es muß klar sein, daß keine Person dieses Gebiet gegen einen militärischen Angriff garantieren kann.« Damit hatte er nicht nur Korea völlig aus dem Verteidigungsbereich der USA herausgenommen, er hatte auch noch betont, daß es keine Garantie geben könne, diese Gebiete gegen einen militärischen Angriff zu schützen. Als der Koreakrieg dann sechs Monate später ausbrach, beschuldigten republikanische Kritiker einmütig Acheson, die Kommunisten eingeladen zu haben.[554] Man sollte sich ernsthaft fragen, was es mit dieser Einladung auf sich hatte! Später wurde diese offizielle Erläuterung der US-Politik in bezug auf den Koreakrieg als Panne wegerklärt. Wie wir aber sehen werden, war sie alles andere als eine Panne.

Das US-Militär beim Ausbruch des Koreakrieges

Am 25. Juni 1950 brach der sogenannte Koreakrieg aus, zumindest offiziell. Denn: »Am Tag des Kriegsausbruchs«, schreibt John GUNTHER in seinem Buch *The Riddle of MacArthur*, »wurde im Hauptquartier MACARTHURS in Tokio ein wichtiges Mitglied der Besatzungsmacht unerwartet ans Telefon gerufen. Der Betreffende kam zurück und flüsterte: Soeben ist eine tolle Geschichte passiert! Die Südkoreaner haben Nordkorea angegriffen.«[555]

John GUNTHER war zur besagten Zeit in einem privaten Salonwagen MACARTHURS mit zwei Offizieren der US-Besatzungstruppen in Japan unterwegs, als einer von den beiden »gerade vor dem Mittagessen unerwartet ans Telefon gerufen« wurde, um die äußerst verblüffende Nachricht zu erhalten. (GUNTHER, der MACARTHURS Biograph war und ihn bewunderte, meinte wahrscheinlich deshalb in seinem Buch, das Telefongespräch sei vermutlich nicht klar zu verstehen gewesen. Ebenso glaubte er an die Standardversion des Koreakriegs und wertete alle widersprüchlichen Informationen leichtfertig als »kommunistische Propaganda« ab.) Doch MACARTHURS Hauptquartier unternahm nichts. Wollte RHEE also durch eine vorgetäuschte oder leichte Aggression die Nordkoreaner zu einer Invasion provozieren, um sich und sein Regime zu retten, indem er sich bei der Verteidigung Südkoreas unersetzlich machte? Ließen die Amerikaner ihn gewähren, weil sie sich selbst Nordkorea aneignen wollten? Selbst US-Außenminister Dean ACHESON war »sich nie ganz sicher, daß RHEE den Angriff der Kommunisten im Jahre 1950 nicht provozierte«.

Die *New York Times* berichtete von einem Treffen in General MACARTHURS Hauptquartier in Tokio, das nur wenige Tage vor Ausbruch des Koreakrieges stattfand. An diesen »in geheimnisvoller Atmosphäre erfolgten Besprechungen«,[556] die parallel zu DULLES' Besuch in Korea und Japan stattfanden, nahmen die Chefs des amerikanischen Kriegsapparates, Verteidigungsminister JOHNSON und Generalstabschef BRADLEY teil. Kaum war eine Woche vergangen, daß die südkoreanische Armee Nordkorea dann schon überfiel. Wie auch immer diese ›Geschichte‹ begonnen hatte, eins stand fest: Hätte Nordkorea tatsächlich den Krieg begonnen, dann wäre MACARTHURS Hauptquartier in Tokio, vor allem sein militärischer Nachrichtendienst, über den bevorstehenden Angriff (Aufmarsch nordkoreanischer Panzerverbände) unterrichtet gewesen. Doch das Hauptquartier in Tokio soll ›völlig überrascht‹ gewesen sein. Wollte man die Nordkoreaner in Südkorea einfallen lassen, damit man sie mit einer großen Militäraktion zurückdrängen konnte, um dann selbst in Nordkorea einzufallen?

Für die führenden Schichten in den USA und Kriegsheld MACARTHUR kam die ›nordkoreanische Aggression‹ offensichtlich wie gerufen. Nun konnte man Nordkorea beschuldigen und gegen es vorgehen. Aber das sollte noch nicht alles sein, denn man wollte ganz Korea bis zum Jalu-Fluß, der chinesischen Grenze, ›befreien‹ und dann auch das kommunistische China angreifen. MacArthurs Verhaltensweise und die seiner mächtigen republikanischen Auftraggeber in Washington standen schon zu Beginn des Koreakrieges im Einklang mit einer Strategie, in Asien einen Krieg anzufangen und ihn dann ausufern zu lassen. Auch US-Verteidigungsminister Johnson befürwortete die Auffassung, daß ein sofortiger Angriff gegen das kommunistische China besser sei als ein Krieg zu einem späteren Zeitpunkt, denn damals war Maos China nach dem langen Bürgerkrieg militärisch und wirtschaftlich noch schwach. Solch einen Krieg hielten beide, MacArthur und Johnson, für »unvermeidlich«.[557] Und deshalb erörterten vor Ausbruch des Koreakriegs US-Verteidigungsminister Johnson, John Foster Dulles, US-Generalstabschef Omar Bradley und General MacArthur, Oberbefehlshaber im Pazifik und im Fernen Osten, in Tokio die »Möglichkeit eines Krieges mit Rußland in Asien«. In einem solchen Krieg glaubte man zum damaligen Zeitpunkt überlegen zu sein, besaß man doch die Atombombe und war dabei, die H-Bombe zu entwickeln. Zudem verfügte man über ausreichend spaltbares Material, um genügende A- und H-Bomben herzustellen. Weder die Russen noch die Chinesen waren technisch so weit. Diese Situation mußte ausgenutzt werden, bevor die Russen und Chinesen aufholen konnten. Die ›Bombe‹ konnte man als Druckmittel benutzen oder sogar einsetzen, falls sich die andere Seite mit konventionellen Waffen als zu stark erweisen würde. Dies war eine Gelegenheit, wie sie vielleicht nie wieder kommen würde.[558]

Wer griff in Korea an?

In Washington ging man davon aus, daß Moskau den nordkoreanischen Angriff geplant hatte, aber es sprachen einige Tatsachen ganz entschieden dagegen. Im Juli 1950 sollte nämlich der sowjetische Delegierte Vorsitzender des UNO-Sicherheitsrats werden und hätte aufgrund seiner Stellung die Anträge der USA und ihrer Verbündeten gegen die Sowjetunion und Nordkorea annullieren können, bis die Nordkoreaner der schlecht ausgerüsteten südkoreanischen Armee eine Niederlage zugefügt hätten. Doch die Russen wurden durch den Kriegsausbruch völlig überrascht. Der Historiker David Horowitz zitiert ein Mitglied der damaligen amerikanischen Militärregierung in Südkorea, das zu dem Ergebnis kommt, daß der Angriff auf Südkorea nur von Kim Il-Sung in Nordkorea befohlen wurde. Die Entscheidung Kims sollte eine Reaktion auf die Provokation des südkoreanischen Rhee-Regimes gewesen sein, das drei nordkoreanische Bevollmächtigte am 11. Juni in Seoul empfing, um über die unmittelbar bevorstehende Wiedervereinigung zu verhandeln. Rhee jedoch ließ die drei verhaften und höchstwahrscheinlich ermorden (man hat die drei nie wieder gesehen). KIM IL-SUNG hatte vorgeschlagen, daß die Besatzungsmächte nach den Wahlen wieder abziehen sollten. Dies war eine Forderung, die in beiden Teilen Koreas äußerst volkstümlich war.[559] Wiedervereinigung und Neuwahlen wären aber das Ende für das RHEE-Regime gewesen, dem die Südkoreaner am 30. Mai schon bereits eine schwere Wahlniederlage im eigenen Abgeordnetenhaus beigebracht hatten, und RHEE wußte, daß er in einer von der UNO vorgesehenen Volkswahl für eine gesamtkoreanische Koalitionsregierung nicht einmal ein Prozent der Stimmen erhalten werde.[560]

Hinzu kommt die nordkoreanische Behauptung, der Einmarsch in Südkorea sei nur eine Antwort auf drei südkoreanische Angriffe gegen nordkoreanische Stellungen gewesen.[561] Diese Behauptung wurde von den Amerikanern als »kommunistische Propaganda« sofort zurückgewiesen, läßt sich aber tatsächlich nachweisen. Die Nordkoreaner behaupteten daher nicht zu Unrecht, daß zwei Tage vor ihrem Gegenangriff (am 23. und 24. Juni 1950) südkoreanische Truppen nordkoreanisches Gebiet bombardiert hätten. Dieser Bombardierung folgte ein Überraschungsangriff der Südkoreaner, die daraufhin das Dorf Haeju und andere Gebiete einnahmen. Entgegen der weitverbreiteten Behauptung, daß die UN-Beobachter den Ausbruch der Feindseligkeiten sahen, läßt sich mit Sicherheit sagen, daß die besagten UN-Beobachter dies gar nicht hatten tun können, denn sie waren schon am 23. Juni abgezogen worden, so daß jene UN-Behauptungen auf Spekulationen und Annahmen beruhen.

Was die im Westen verbreitete Annahme, der Koreakrieg sei durch die Nordkoreaner ausgelöst worden, noch unwahrscheinlicher macht, ist die Tatsache, daß das südkoreanische Büro für Öffentliche Information am Morgen des 26. Juni mitteilte, südkoreanische Streitkräfte hätten in der Tat das nordkoreanische Dorf Haeju eingenommen. Zwar bestritt daraufhin die südkoreanische Regierung, daß Haeju eingenommen worden sei, indem sie diese Behauptung auf eine übertriebene Aussage eines Militärs zurückführte. Aber es ist sehr fraglich, ob die südkoreanische Regierung hier wirklich die Wahrheit mitteilte, wenn sie ihre erste Nachricht dann plötzlich widerrief, um die offizielle (westliche) US-Sichtweise des Koreakriegs zu bestätigen. Die nordkoreanischen Aussagen werden wohl eher stimmen, denn die nordkoreanische Regierung wird wohl nicht umsonst allein 1949 behauptet haben, daß die südkoreanische Armee 2617mal in nordkoreanisches Gebiet eingefallen sei.[562]

In Olaf GROEHLERs Buch *Der Koreakrieg 1950–1953*, heute leider kaum noch erhältlich, sind diesbezüglich höchst interessante Informationen enthalten, die die nordkoreanische Behauptung bestätigen. Am 25. Juni 1950 gab die Regierung der KDVR (Kommunistischen Demokratischen Volksrepublik) in einem Kommuniqué bekannt: »Feindliche Truppen sind an drei Stellen – dem westlichen Teil des Bezirkes Hai Tschu, Kum Tschen in Hwanghai und Teschel Won in der Provinz Kang Won – in ein bis zwei Kilometer Tiefe in Nordkorea eingefallen. Der Hauptstoß der 1. südkoreanischen Division unter Generalmajor Paik SUN YUP richtete sich gegen Haeju, jenen von der Regierung der KDVR vorgeschlagenen Konferenzort aller demokratischen Parteien zur Wiedervereinigung des Landes.« Sowohl die *New York Times* als auch der Londoner *Daily Herald* meldeten am 26. Juni voller Genugtuung die Einnahme dieser Stadt.[563] Auch der Londoner *Guardian* gab am selben Tag (26. Juni) bekannt, daß amerikanische Sachbearbeiter die Einnahme von Haeju durch südkoreanische Truppen bestätigten. Auch das südkoreanische Büro für Öffentliche Information bestätigte diese Berichte. Ebenfalls berichtete die *New York Herald Tribune* am 26. Juni, daß »südkoreanische Truppen an dem 38. Breitengrad, welcher die Grenze darstellt, vorgedrungen sind, um das Herstellungsdorf Haeju, etwas nördlich von der Grenzlinie, einzunehmen. Diese republikanischen Truppen erbeuteten eine Menge Ausrüstung«.[564]

Jedoch wurde dieses Ereignis wenige Tage später nicht mehr erwähnt und fiel somit der schnell einsetzenden Vergessenheit zum Opfer. Dies wurde wohlbemerkt bewußt getan, damit die von dem Syngman RHEE-Regime verbreitete Lüge von der Invasion des Nordens nicht in Zweifel gezogen wurde. Folgende Frage drängt sich nun unmittelbar auf: Wenn der Norden wirklich den Süden so überwältigend militärisch überrannt hätte, wie dies die (US-)Berichte aussagten, wie konnte dann der Süden laut *New York Times* am 26. Juni, einen Tag nach dem besagten massiven nordkoreanischen Überfall, schon eine nordkoreanische Stadt einnehmen, wenn Südkorea angeblich in schwere ›Verteidigungskämpfe‹ verwickelt war?

Überhaupt wurde viel über den Koreakrieg verschwiegen, was nicht zu der offiziellen amerikanischen Politik beitrug oder sie unterstützte. So fiel auf, daß nach anfänglichen Unregelmäßigkeiten in den Reportagen und Meldungen über den Krieg, welche die Militärs und Politiker als Verrat auslegten, immer weniger über den Krieg berichtet wurde, bis er schon ein Jahr nach seinem Beginn aus den Schlagzeilen praktisch ganz verschwand, obwohl er noch bis 1953 andauern sollte.

Bald nach Ausbruch des Koreakriegs führte die US-Armee eine Zensur ein und untersagte jegliche Kritik an der Kriegführung oder gar eine Infragestellung des Krieges. Schnell wurde ein stillschweigender Konsens der widerstreitenden journalistischen und militärischen Interessen gefunden. Dies erinnert an die Militärzensur im Golfkrieg. Man sollte jedoch nicht den seltsamen Telefonanruf in MACARTHURS Hauptquartier vergessen, dem zufolge die Südkoreaner Nordkorea angegriffen hätten. Was einen nordkoreanischen Erstangriff überhaupt völlig unwahrscheinlich erscheinen läßt, ist die Tatsache, daß die nordkoreanische Armee ihren Mobilisierungsplan gar nicht durchführte. Von insgesamt 15 für den Kriegsfall vorgesehenen

Divisionen waren nur 6 am 25. Juni einsatzbereit, wie ein verantwortlicher Nachrichtenoffizier im MACARTHURS Stab am 30. Juli 1950 eingestand. Ferner sahen die nordkoreanischen Pläne im Falle einer Invasion die Aufstellung von 13 bis 15 Divisionen vor.[565] Wenn also Nordkorea wirklich eine Invasion geplant und als erster ausgeführt hätte, dann wohl kaum in einem solchen desolaten Zustand, in dem nur etwas mehr als ein Drittel seiner Divisionen einsatzbereit war.

Ein solcher Zeitpunkt für eine Invasion wäre auch aus anderen Gründen völlig unvernünftig und dumm gewesen. Denn einen Tag nach dem angeblichen nordkoreanischen Angriff, es war ein Montag, trat das neue südkoreanische Parlament zusammen, in dem eine überwältigende Mehrheit gegen Syngman RHEE saß.[566] Man hätte logischerweise erst dann einen Angriff begonnen, wenn alle Divisionen auch einsatzbereit gewesen wären. Die UN-Kommission, die mit der Klärung der Ursachen für den Koreakrieg beauftragt wurde, ging auf die Beschwerde der nordkoreanischen Regierung, der zufolge die Südkoreaner an drei Stellen nordkoreanisches Gebiet angegriffen hätten, erst gar nicht ein. Statt dessen behauptete sie – ohne eine Untersuchung auch nur einzuleiten –, es gebe keinerlei Beweise für die Berechtigung der nordkoreanischen Anschuldigungen. Der Vorschlag des jugoslawischen UN-Vertreters, die Delegationen der KDVR und Südkoreas anzuhören, wurde zum zweitenmal abgelehnt.[567]

Der Plan zum Koreakrieg

Was nun geschah, erinnert stark an den Golfkrieg der neunziger Jahre. Nordkorea wurde zum Aggressor erklärt, obwohl die UN-Kommission die Ursache des Krieges nicht feststellen konnte. Ähnlich wie im Golfkrieg wurde von amerikanischen Regierungssprechern bestätigt, daß die USA keine Verpflichtungen zur Verteidigung Koreas hätten, wenn ein Angriff auf Südkorea stattfinden würde. Die USA forderten den UN-Sicherheitsrat auf, militärische und wirtschaftliche Sanktionen gegen Nordkorea durchzuführen und Südkorea jegliche Hilfe zu gewähren (im Golfkrieg hieß es »mit allen notwendigen Mitteln«), um den bewaffneten Angriff abzuwehren.

Die US-Machtelite führte ihren Plan äußerst verdeckt aus, indem sie ihn nur Stück für Stück offenbarte: Zuerst erklärte sie, die Einmischung der US-Regierung würde sich lediglich auf die Lieferung von Rüstungs- und anderen Gütern beschränken, dann wurde bekanntgegeben, daß ebenfalls Luft- und Seestreitkräfte, nicht aber Bodenstreitkräfte entsandt würden. Danach kündigte sie die Entsendung von Bodenstreitkräften nach Korea an, die dort aktiv am Krieg teilnahmen.[568] Am 30. Juni 1950 erklärte Präsident TRUMAN, die Vereinigten Staaten wollten nur »Frieden wiederherstellen und . . . die Grenze«.

Vor den Vereinten Nationen erklärten die USA, ihr Ziel sei, die Grenzlinie am 38. Breitengrad wiederherzustellen. Aber bereits am 1. September, also sechs Tage, bevor die US-Truppen den 38. Breitengrad überschreiten sollten, beteuerte TRUMAN feierlich, es sei notwendig, ganz Korea vom Kommunismus zu befreien.[569] Dies ging nicht nur weit über jegliche UN-Befugnisse (die die USA unter äußerst zweifelhaften Umständen von der UNO bekommen hatten) hinaus, sondern es bedeutete auch, daß das US-Militär nun Chinas Grenze bedrohte, was von Anfang an der Plan der US-Führung in Washington gewesen war, wie wir noch sehen werden. (Im Golfkrieg behauptete George BUSH ähnlich, man wolle nur Saudi-Arabien beschützen und Kuwait befreien, von einer schweren Bombardierung Iraks war anfangs nie die Rede gewesen.)

Schon am 26. Juni, also nur einen Tag nach dem (offiziellen) Ausbruch des Koreakriegs, bombardierten US-Flugzeuge Städte und Dörfer Nordkoreas. Dies beweist, daß die US-Militärs einen Angriff auf Nordkorea schon seit längerem geplant haben müssen, sonst wäre ein so früher Luftangriff gegen Nordkorea gar nicht möglich gewesen. Mit ihrem Luftangriff, der schon einen Tag nach dem Ausbruch des Kriegs erfolgte, stellte die US-Führung bewußt die UNO vor vollendete Tatsachen. Da der Sicherheitsrat erst am nächsten Tag, dem 27. Juni, zu einer Krisensitzung zusammentraf, schien die US-Führung es überhaupt nicht für notwendig zu halten, darauf zu warten, wie der Sicherheitsrat über die Korea-Krise abstimmen würde. Im Sicherheitsrat stimmten nur die Sowjetunion und Jugoslawien gegen den Beschluß, während Ägypten und Indien sich der Stimme enthielten.[570]

Am 30. September 1950 war die ›nordkoreanische Offensive‹ zwar zerschlagen, Südkorea ›befreit‹ worden, die Russen und Nordkoreaner zu Verhandlungen bereit, aber die USA und RHEE lehnten ab.[571] Auch hier werden wir an den Golfkrieg erinnert: Die USA lehnten jede Friedensverhandlung ab, die eine Bombardierung und Invasion Iraks verhindert hätte.

Sie hatten nämlich ganz andere Pläne. Bereits am 11. September 1950 hatte MACARTHUR einen Plan zur Eroberung Nordkoreas vorgelegt, der vom Nationalen Sicherheitsrat gebilligt worden war. MACARTHURS Haltung zum Krieg war zudem eindeutig. Im Sommer 1948 hatte er bezüglich des 38. Breitengrades öffentlich in Seoul verkündet: »Diese Grenze muß und wird fallen.«[572] Syngman RHEE, der im Oktober 1945 auf MACARTHURS Befehl nach Südkorea eingeflogen worden war (er lebte, wie schon erwähnt, zuvor 37 Jahre lang in den USA),[573] hatte 1949 versichert, daß er Korea verteidigen würde, als handelte es sich um die Grenzen der USA. GROEHLER schreibt über Syngman RHEE, er habe sich seit 1948 dem Ziel verschrieben, die herrschenden Kreise der USA für einen Überfall auf Nordkorea zu gewinnen. Diesbezüglich gab er am 24. August 1948 öffentlich in Washington bekannt: »Der Marsch nach dem Norden ist die wichtigste Aufgabe.«[574]

Konsequenterweise fielen einmarschierende Truppen der nordkoreanischen Armee in Seoul im Juni 1950 Dokumente aus der Staatskanzlei Syngman RHEES in die Hände, die die systematische Vorbereitung des Regimes auf den Krieg aktenkundig machten. Trotzdem nahmen die Staaten des Westens offiziell weder im Jahre 1950 noch später von ihnen Kenntnis, obwohl an der Echtheit der als Fotokopien veröffentlichten Dokumente keine Zweifel bestanden (selbst die US-Regierung bestritt nie die Authentizität der Dokumente).[575]

In einem dieser Dokumente, einem Schreiben des Beraters für Auslandsangelegenheiten der Marionettenregierung Syngman RHEES, EN PEK KU, an Lee Syngman RHEE vom 3. Dezember 1948, heißt es: ».. . müssen vereinigt und unter die Führung eines Oberkommandierenden gestellt werden, wobei es drei Ziele zu erreichen gilt, und zwar: Die Japaner müssen nach Nordosten, nach Wladiwostok, durchbrechen, die koreanische und die amerikanische Armee sollen, nachdem sie das Nordterritorium befreit haben, den Vormarsch über die Liaudung-Halbinsel bis Haarbin vortragen, die wiedererstandene chinesische nationalistische Armee (Kuomintangarmee) soll das verlorene Territorium Chinas einschließlich der Provinz Schandung wiedererobern; nach dem siegreichen Abschluß dieser Aufgabe werden die koreanische und die amerikanische Armee die Mandschurei in der Hand haben. . . In der folgenden Etappe zur Umgestaltung des Fernen Ostens soll Japan die herrschende Stellung in Wladiwostok und einem Teil Sibiriens erhalten.«

In Artikel 7 des Entwurfs zum ›Koreanisch-amerikanischen Bündnisvertrag‹, den Lee Syngman RHEE im Jahre 1949 der amerikanischen Regierung vorlegte, heißt es: »Die Hohen Vertragschließenden Seiten erkennen an und sind der Ansicht, daß, falls der Freiheitskrieg (das heißt der aggressive Krieg der Vereinigten Staaten, Lju Danjän) auf dem Territorium der Mandschurei fortgesetzt werden müßte. . . seine Exzellenz, dem Präsidenten der Koreanischen Republik, helfen würde, den Freiheitskrieg bis zum siegreichen Ende zu führen. Der Präsident der Koreanischen Republik verpflichtet sich seinerseits, außer dem Wiederaufbau von Nordkorea, der von größtem Interesse für die Koreanische Republik sein wird, die Erschließung der Naturschätze der Mandschurei und anderer Teile Ostchinas der gemeinsamen Verwaltung der Vereinigten Staaten und Koreas zu unterstellen.«[576]

Beide Dokumente beweisen eindeutig zweierlei: Erstens hatten die USA schon mindestens seit dem 3. Dezember 1948 den Überfall auf Nordkorea vorbereitet, also gut eineinhalb Jahre, bevor es zu dem von ihnen provozierten Koreakrieg kam. Zweitens hatte der US-Agent Lee Syngman RHEE bereits im Jahr 1949 der US-Machtelite mitgeteilt, es gehe nicht nur um ganz Korea, sondern auch um große Teile Chinas, die er mit den USA erobern und dann gemeinsam aufteilen wollte. Dabei handelte es sich, wie er selbst sagte, um die Naturschätze der Mandschurei und andere Teile Ostchinas, die von den USA und Korea dann ausgebeutet werden sollten.

Wer auch bis hierhin noch skeptisch bleibt, der wird durch Verlautbarung einer Meldung in den US-Medien eines besseren belehrt. Denn in einer auf den 2. November 1950 datierten Stellungnahme erklärte die Agentur Telepress aus New York, daß der von TRUMAN gebilligte strategische Plan für den Fall, daß die Vereinigten Staaten »gezwungen sein würden, militärische Handlungen in China vorzunehmen«, aus zwei Teilen bestehe. »Im ersten Teil wird die strategische Bedeutung Koreas und Taiwans für die Erreichung des Hauptziels der USA im ›Kampf gegen die Expansion des asiatischen Kommunismus‹ und in der ›Verteidigung der Wirtschaftsinteressen der USA in Asien‹ eingehend behandelt. Im zweiten Teil werden die möglichen Veränderungen in der politischen Situation während der zweiten Hälfte dieses und zu Beginn des folgenden Jahres diskutiert, sowie Berechnungen über die Beteiligung der amerikanischen Armee an einer direkten ›militärischen Intervention‹, die ›in China durchzuführen ist‹, angestellt... Das Oberkommando der USA schlägt als Teil des strategischen Plans vor, das Territorium Koreas und die koreanische Armee für die Kriegführung in der Mandschurei und in einigen Gebieten des Nordens auszunutzen. Das Territorium und die militärischen Stützpunkte Indochinas, Birmas und Hongkongs werden als Aufmarschgebiete für die Südfront beim Überfall auf Südchina benutzt werden. Starke Verbände der Fallschirmtruppen werden von Taiwan in die nahe gelegenen Gebiete Schanghais und andere Gebiete Zentral- und Südchinas geworfen.«[577] Mit dieser Mitteilung wurde das gesamte inszenierte Täuschungsmanöver der US-Machtelite enttarnt und ihre Aggression gegen Nordkorea und China entblößt.

Desweiteren wurde das ganze Jahr 1949 von einem ununterbrochenen Druck der Syngman RHEE-Clique geprägt: Durch Kontaktleute versuchte sie, die entscheidenden Kräfte der US-Regierung für ihr abenteuerliches Vorhaben zu gewinnen. Zum Beispiel schrieb Syngman RHEE am 30. September 1949 an einen Dr. Robert OLIVER, den früheren amerikanischen Berater seiner Regierung, der sich zum damaligen Zeitpunkt in den USA aufhielt: »Ich bin fest davon überzeugt, daß jetzt der psychologisch geeignetste Augenblick gegeben ist, eine aggressive Maßnahme zu ergreifen und die Verbindung mit den uns ergebenen Einheiten der kommunistischen Armee im Norden herzustellen, um so die übrigen Einheiten in Pjöngjang zu vernichten. Wir werden KIM IL SUNGS Leute in die Berge jagen und sie dort allmählich aushungern... Sie müssen die amerikanischen Staatsmänner und die amerikanische öffentliche Meinung überzeugen und dafür sorgen, daß sie stillschweigend der Aufnahme unserer Operation und der Durchführung unseres Programms zustimmen und uns alle materielle Hilfe geben, die wir brauchen. Je länger wir bummeln, desto schwieriger wird es... Ich bin sicher, daß wir diese Frage in einer ziemlich kurzen Zeit erledigen können, wenn wir nur die Erlaubnis bekommen, es zu tun. Bringen Sie bitte den ganzen Inhalt dieses Schreibens in die Form einer sehr überzeugenden Erklärung, nehmen Sie hier und dort Kontakt mit gewissen einflußreichen Personen auf und verschaffen Sie uns deren Unterstützung. Wenn es Ihnen gelänge, diese Sache an Präsident TRUMAN heranzubringen, so würde dies, denke ich, der gewünschten Wirkung dienlich sein.«

Schon am 10. April 1949 hatte Lee Syngman RHEE an TSCHO BION OK (Dr. TSCHUGH), seinen persönlichen Vertreter in den USA, folgendes geschrieben: »Ich denke, Sie sollten diese Lage in streng vertraulicher Weise freimütig mit hochgestellten Beamten der Vereinten Nationen und der Vereinigten Staaten besprechen. Sie sollten sie streng vertraulich über unsere Pläne zur Vereinigung Nord- und Südkoreas informieren. Wir sind heute tatsächlich in jeder Hinsicht für diese Vereinigung fertig, bis auf einen Punkt: Wir haben nicht genug Waffen und Munition. Ein großer Teil der koreanischen kommunistischen Armee ist bereit zu meutern... Wir müssen genug Streitkräfte haben, um in den Norden vorzurücken, die Verbindung mit der Armee in Nordkorea, die uns ergeben ist, herzustellen, den Eisernen Vorhang vom 38. Breitengrad bis zum Fluß Jalu zurückzuschieben und dort die Grenze gegen fremde Infiltration zu bewachen.«[578]

Die entscheidenden Kräfte der US-Regierung weigerten sich jedoch 1949 noch, dem Syngman RHEE-Regime grünes Licht für seinen Überfall zu geben. Der Grund für dieses zögerliche Verhalten war, daß die Mehrheit der in den USA herrschenden Clique schon längst wichtige Erfahrungen in Sachen Invasion Nordkoreas gesammelt hatte, und diese erwiesen sich als ziemlich pessimistisch. Hierzu sind wichtige Zeugenaussagen an die Öffentlichkeit gedrungen, wie zum Beispiel die des ehemaligen Innenministers Südkoreas KIM I SEKS oder die der von den Nordkoreanern gefangenen südkoreanischen Soldaten. Diesen Zeugenaussagen zufolge war eine Invasion Nordkoreas für Juli–August 1949 geplant und wurde auch tatsächlich am 15. Juli in Angriff genommen, aber sie scheiterte, weil einige Truppenteile Syngman RHEES in den Norden desertierten, bedingt durch die Erfolglosigkeit der vielen von Syngman RHEE am 38. Breitengrad provozierten Zwischenfälle und vor allem durch eine verstärkte Partisanentätigkeit im Süden.

KIM I SEK berichtete, daß auf den Konferenzen in Seoul John J. MUCCIO, US-Botschafter in Südkorea, und General ROBERTS, Chef der amerikanischen Militärmission in Korea, ihm und seinen Kollegen eingehende Instruktionen gaben, Operationen gegen Partisanen festgelegt wurden und der Wert dieser Vorbereitungen für die spätere »Expedition gegen den Norden« sowie vor allem die Bedeutung der »Stärkung des Rückens« bei der Bereitstellung für die Expedition betont wurden, daß schließlich annähernd tausend Grenzprovokationen organisiert und endlich im Juli 1949 der Befehl zur ersten Invasion, von General ROBERTS, gegen das Gebiet nördlich des 38. Breitengrads angeordnet wurden.[579]

Trotz der gescheiterten US-südkoreanischen Invasion gab Syngman RHEE nicht auf, denn er wußte, daß er sich auf die US-Machtelite verlassen konnte, sobald diese entschieden hatte, daß der richtige Zeitpunkt für einen neuen Einfall gekommen sei. Im Oktober beklagte sich der südkoreanische Kriegsminister SIHN SUNG MO: »Wenn wir gekonnt hätten, wie wir wollten, so hätten wir, dessen bin ich sicher, bereits angefangen. Aber wir mußten warten, bis sie (die US-Regierung) fertig sind. Sie sagen uns immerfort: Nein, nein, wartet! Ihr seid noch nicht fertig.«[580] Hierzu ergänzend schrieb die *New York Herald Tribune* vom 1. November 1949 über Kriegsminister SIHN SUNG MO, »daß seine Armee bereit ist und darauf wartet, in das kommunistische Nordkorea einzudringen«.[581] Im selben Zusammenhang schrieb die *Neue Zürcher Zeitung* am 20. Juni 1950: »Es fehlt im südlichen Korea nicht an Leuten, die eine Lösung der das Land schwer bedrückenden Probleme im militärischen Angriff auf den Norden sehen. Die Amerikaner haben in Südkorea 150 000 Mann mit amerikanischen Waffen ausgerüstet, unter das Kommando amerikanischer Instrukteure gestellt und bereiten seit langem den Krieg vor.«

Die Einstellung der herrschenden Kreise in den USA gegenüber den abenteuerlichen Plänen ihrer südkoreanischen Vasallen war zwiespältig. Einerseits unterstützten sie die südkoreanischen Machthaber, um die Lage am 38. Breitengrad zu verschärfen und die Anzahl und die Schwere der Grenzprovokationen zu steigern, so daß die Lage an der Demarkationslinie bis zum Juni 1950 bereits einem Kriegszustand ähnelte.[582] Andererseits schienen sie Syngman RHEES Absichten nicht zu vertrauen, lieferten ihm und seinem Regime offenbar deshalb nicht die angeforderten 189 Panzer und begrenzten die Stärke der Luftstreitkräfte.[583] Die US-Regierung wollte anscheinend unter allen Umständen vermeiden, daß Syngman RHEE den Norden von sich aus im großen Stil angreife, denn dann würde Südkorea, der Verbündete der USA, als Aggressor dastehen, und es wäre für die USA dann viel schwieriger gewesen, diesen Aggressor gegen die Nordkoreaner zu unterstützen. Dies untermauert die Auffassung, daß die US-Führung nur ein kleines provokatives Manöver einfädeln wollte, das undurchsichtig und vor allem abstreitbar sein sollte, damit die US-Machtelite alle Widersprüchlichkeiten des kommenden Krieges als ›kommunistische Propaganda‹ abwerten und verleumden konnte.

Verschiedene Äußerungen von US-Außenminister John Foster DULLES bestätigen dieses Mißtrauen der USA ihrem Verbündeten Südkorea gegenüber. Der Geheimplan der herrschenden Kreise der USA sah, wie so oft, einen Krieg vor, der durch die Nordkoreaner ausgelöst wurde, indem sie Südkorea überfielen. Alles müsse so aussehen, als seien die Südkoreaner

Opfer der nordkoreanischen Kommunisten. Erst dann könnten die USA behaupten, daß sie unschuldigen Opfern helfen und somit das internationale Recht verteidigen würden. (Der Golfkrieg sollte für die US-Machtelite übrigens nach den gleichen Regeln ablaufen.)

Daß der Koreakrieg aber eine abgemachte und vor allem geplante Sache war, bestätigte letztendlich der damalige Chef der amerikanischen Militärmission in Korea, General ROBERTS, auf einer Konferenz mit den Divisionskommandeuren in Seoul (auf überaus peinliche Weise, möglicherweise trieben ihn seine militärischen Bestrebungen und sein Übereifer zu solchen Äußerungen). Die Konferenz fand im Oktober 1949 statt, und es lohnt sich, US-General ROBERTS Äußerungen wörtlich wiederzugeben, denn er offenbarte folgendes:

»Gewiß sind zahlreiche Angriffe auf das Gebiet nördlich des 38. Breitengrades auf meinen Befehl hin erfolgt, und es werden in den kommenden Tagen noch zahlreiche weitere erfolgen. . . Von nun an ist die Invasion der Landestruppen gegen das Gebiet nördlich des 38. Breitengrades nur aufgrund von Befehlen der amerikanischen Militärmission durchzuführen«. Das heißt im Klartext: Invasion Nordkoreas. Aber eine solche darf nur stattfinden, wenn Washington es befiehlt. Ist schon so viel Offenheit und Ehrlichkeit bei dem besagten General erstaunlich, so trieb ihn seine schier unhaltbare Begeisterung noch weiter, und er plauderte einen geradezu alles vernichtenden Satz über die US-Ziele in Korea aus, den KIM I SEK bei einer Besprechung im Zimmer des Ministers für Landesverteidigung Mitte Januar 1950 bestätigte: »Der Feldzug gegen den Norden ist eine beschlossene Sache, und der Termin seiner Durchführung liegt nicht allzu fern! Das Potential, vor allem das Kampfpotential, muß in vollem Maße bereit sein, wenn Sie das Ziel erreichen wollen. . . Die gegen den Norden gerichtete Expedition wird natürlich von uns zuerst begonnen werden. Aber wir müssen, wenn auch nur formal, einen vernünftigen Entschuldigungsgrund dafür haben. Die Berichte der Kommission (der gleichgeschalteten UNOK) an die UNO werden in dieser Beziehung von großer Bedeutung sein. Die UNO-Kommission wird natürlich für die Vereinigten Staaten günstige Berichte übermitteln. Aber auch Sie müßten diesen Fragen größere Aufmerksamkeit zollen und das Wohlwollen der Kommission gewinnen.«[584]

Am 14. März 1950 berichtete der Korrespondent der *New York Times* SULLIVAN aus Seoul, daß dreizehn Abgeordnete der südkoreanischen Nationalversammlung wegen Vergehens gegen das Staatssicherheitsgesetz zu Gefängnisstrafen von eineinhalb bis zehn Jahren verurteilt worden seien. Die Anklage habe aus fünf Punkten bestanden, von denen einer auf »Opposition gegen die Invasion Nordkoreas durch südkoreanische Truppen« gelautet habe. In dieselbe Richtung ging der Bericht von Richard JOHNSTON, ebenfalls von der *New York Times,* der am 27. April 1950 einer Zuhörergruppe im

Presseklub in New York mitgeteilt wurde. JOHNSTON, der sich einige Jahre in Südkorea aufgehalten hatte, schrieb: »Es besteht bei den Südkoreanern ein sehr reales Verlangen, Nordkorea anzugreifen, das nur durch die Tatsache im Zaum gehalten wird, daß die amerikanischen Stellen ihnen immer nur gerade Munition für einen dreitägigen Kampf einräumen.«[585]

Am 19. Juni 1950, also nur sechs Tage vor dem Ausbruch des Koreakriegs fuhr der äußerst einflußreiche CIA-Chef John Foster DULLES an den 38. Breitengrad nach Südkorea. Dort traf er sich mit Diktator Syngman RHEE, Botschafter MUCCIO und dem Kommandeur der ›Militärberatergruppe für Südkorea‹. DULLES und die anderen wichtigen Entscheidungsträger standen also an der Linie, die General ROBERTS »die Front« nannte. Von diesem Besuch wurden zahlreiche Fotos veröffentlicht. Auf einem, das in der *Times* erschien, ist DULLES mit dem Botschafter und dem Kommandeur neben einem Panzer abgebildet. Ein anderes Foto zeigt, wie DULLES gerade in einem Schützengraben an der Front eine an die Brust gehaltene, ausgebreitete Karte studiert. Die Karte wurde später von den Nordkoreanern im Geheimarchiv des südkoreanischen Regierungsgebäudes entdeckt. Sie war gemeinsam von der Regierung Lee Syngman RHEE und den amerikanischen Militärbevollmächtigten in Seoul angefertigt worden. Sie zeigt in großen Zügen die geplanten Operationen, wobei punktierte Linien und Pfeile die Punkte kennzeichneten, an denen zur Unterstützung der beiden Hauptstöße nach Norden über den 38. Breitengrad unter Einsatz von Flugzeugen Landungen erfolgen sollten. Die Karte zeigt ganze Reihen von kleinen Dreiecken und Quadraten, die die Reservetruppen symbolisieren, die an den Schwerpunkten konzentriert wurden. Am Breitengrad selbst waren die Stoßtruppen für den Durchbruch eingezeichnet. Im Bereich des 38. Breitengrads waren rund zehn südkoreanische Divisionen zusammengezogen, und jeder Division ist auf der Karte des Generalangriffsplans ein ganz bestimmter Abschnitt zugewiesen. Diese Karte gilt als weiteres Indiz dafür, daß ein Angriffsplan existierte und nach dem Entwurf der Karte auch teilweise ausgeführt wurde.

Daß sich so ranghohe Politiker und Militärs an der Grenze zu Nordkorea so kurz vor Ausbruch des Koreakriegs befanden, ist bezeichnend für ihre Absichten. Dies bemerkte auch KIM I SEK, als er folgendes über DULLES' letzte Anweisungen an Lee Syngman RHEE und SIN SEN MO aussagte: »Beginnen Sie mit der Aggression gegen den Norden unter gleichzeitiger Eröffnung einer Gegenpropaganda des Inhalts, daß der Norden den Süden zuerst überfallen habe. Wenn Sie nur zwei Wochen lang aushalten können, dann wird alles glatt gehen, denn während dieser Zeit werden die Vereinigten Staaten mit der Beschuldigung, daß Nordkorea Südkorea angegriffen habe, die Vereinten Nationen zwingen, in Aktion zu treten, wobei in deren Namen Land-, See- und Luftstreitkräfte mobilisiert werden.«

In den frühen Morgenstunden des 25. Juni 1950 begann dann der Überfall auf Nordkorea. Damit keine Zweifel aufkommen, was sich wirklich abgespielt hatte, berichtete ein gefangengenommener südkoreanischer Frontoffizier namens HAN SU WAN: »Das 17. Regiment lag in einem Ort namens Kawangsan, anderthalb Kilometer nördlich von Ongdschin, und war unter der Leitung amerikanischer Militärberater, und zwar des Majors STRAGGIE . . . Fünf oder sechs Tage vor dem Ausbruch des Krieges machten die sogenannten UNO-Militärbeobachter eine Inspektionsfahrt durch das Gebiet am 38. Breitengrad, das sie am 23. Juni wieder verließen. Seit diesem Zeitpunkt wurde die Atmosphäre an der Front gespannter, und wir hatten das Gefühl, daß etwas Ungewöhnliches geschehen würde. Obwohl der 24. Juni ein Samstag war, hatten die Offiziere des Regiments keinen Ausgang; sie hatten Befehl erhalten, alarmbereit zu sein. Wir waren in jener Nacht alle aufgeblieben und in gespannter Erwartung, und im Morgengrauen des 25. Juni traf bei uns ein Geheimbefehl vom Hauptquartier ein, einen Angriff auf das Gebiet nördlich des 38. Breitengrades zu eröffnen. Alle Einheiten, die den plötzlichen Angriff aus dem Raume Ongdschin vorgetragen hatten, stießen über den 38. Breitengrad vor, und ihr Vormarsch erreichte eine Tiefe von ein bis zwei Kilometern. . . Bald nachdem wir unseren Angriff begonnen hatten, stießen wir auf eine heftige Gegenoffensive der Polizeieinheiten der Volksrepublik . . . Wir, die wir so stolz auf unsere Ausrüstung mit amerikanischen Waffen der allermodernsten Art waren, blieben, völlig zerschlagen, überall vor den Polizeieinheiten der Volksrepublik liegen; selbst die 53 Raketengeschütze, die wir hatten, waren nutzlos.«[586]

Am 8. Juli 1950 sagte der ehemalige Komplize und Innenminister Syngman RHEES, KIM I SEK, folgendes über seinen Ex-Chef aus: »Es ist weitgehend bekannt, daß Li Syng MAN (das ist Syngman RHEE, M.K.) dieses Frühjahr, einer Aufforderung MACARTHURS folgend, nach Japan gereist ist. Dort erhielt er von MACARTHUR Befehl, diesem seine Armee für die Zeit des ›Feldzugs nach Norden‹ zur Verfügung zu stellen. . . Li Syng MAN schritt zur Ausführung dieses Befehls und war überzeugt, er werde, wenn er den Feldzug nach Norden beginne, von der amerikanischen Luftwaffe und Kriegsmarine unterstützt werden sowie aus Japan eine ›Freiwilligenarmee‹ erhalten und den Krieg unbedingt gewinnen . . . Am 25. Juni dieses Jahres gab Li Syng MAN beim Morgengrauen Befehl, die Offensive gegen Nordkorea zu beginnen.« Das sind die Geständnisse und Aussagen des ehemaligen Innenministers der Marionettenregierung Li Syng MAN.[587] Dem ist wohl nichts mehr hinzuzufügen.

Wem diese Geständnisse aber noch immer nicht genügen, weil sie nicht westlichen Ursprungs sind, dem sei gesagt, daß es sogar noch dicker kam in Form einer Aussage des britischen Diplomaten Sir John PRATT, der Sachbearbeiter für Ostasien im Foreign Office war und im Dezember 1951 von seinem Posten zurücktrat. Bevor er den Amerikanern aber diesen Gefallen tat, fühlte er sich wohl doch noch zu einer Erklärung verpflichtet, die er dann auch prompt folgen ließ. Sir PRATTS veröffentlichte Erklärung war sehr aufschlußreich: »Am Morgen des 25. Juni griff Li Syng MAN (Syngman RHEE) Nordkorea an. Das State Department wandte sich sofort planmäßig an den Sicherheitsrat und forderte, daß die Nordkoreaner zu ›Aggressoren‹ erklärt würden. Dies geschah noch am gleichen Nachmittag, ohne daß der beschuldigte Teil auch nur gehört worden wäre und ohne daß man irgendwelche Beweise für die Richtigkeit der Beschuldigung vorweisen konnte.«[588] Eine so klare Verurteilung durch einen Diplomaten Großbritanniens, des Hauptverbündeten der US-Amerikaner, dürfte wohl alles andere als bestätigend für die US-Propaganda im Koreakrieg gewesen sein.

Der biologische Krieg der USA

Was folgte, war ein grausamer, unnötiger Krieg, der jetzt erst richtig entfacht wurde und ungefähr 4 Millionen Menschen das Leben kostete. Ende Oktober/Anfang November 1950 hatten die USA den größten Teil Nordkoreas ›befreit‹. Die regulären nordkoreanischen Verbände waren besiegt worden, und der Rest hatte sich hinter den Jalu-Fluß auf chinesisches Gebiet zurückgezogen. Jetzt hätte man wieder einen günstigen Frieden für die USA abschließen können. Aber die USA überschritten ganz ausgiebig die Grenzen ihrer UN-Befugnisse wie im Golfkrieg und griffen China an. MACARTHUR begann eine 100 000 Mann starke Offensive zum Jalu-Fluß hin auf chinesisches Gebiet und plante die Bombardierung chinesischer Städte und Dämme.[589] Er erwog auch, die Atombombe einzusetzen. Er provozierte China, wo er nur konnte, und weigerte sich, irgendeinen Frieden zu schließen.

Das wohl dunkelste Kapitel des Koreakriegs war, daß die US-Militärs einen streng geheimen bakteriologischen Krieg gegen nordkoreanische und chinesische Zivilisten ausführten. Zwar bestritt die US-Regierung dies sofort als abscheuliche kommunistische Propaganda, doch die Beweise sprechen für sich! Der Koreakrieg hatte schon überaus schlecht für die Amerikaner begonnen: Nur mit größten Anstrengungen konnten sie sich, mit aller erdenklichen Verstärkung aus den USA, in der äußersten Südostecke der Halbinsel (Südkorea) im Gebiet um Pusan halten.[590] Wäre ihnen dies nicht gelungen, wäre der Krieg höchstwahrscheinlich schon Ende September 1950, nach nur drei Monaten, beendet worden, Korea wiedervereinigt gewesen und ein äußerst sinnloser Krieg mit ungeheuren Zerstörungen vermieden worden. Zu diesem Zeitpunkt hatten die Nordkoreaner 90% des koreanischen Territoriums eingenommen. Aber MACARTHUR hielt die besagte Stellung, und mit einem ebenso gewagten wie umfangreichen Marinemanöver landeten Marineinfantristen dann bei Inchon weit hinter den feindlichen Linien, um dem Feind in den Rücken zu fallen. Nach langen Kämpfen hatten die Amerikaner am 30. September die Nordkoreaner wieder zurückgeschlagen und standen erneut am 38. Breitengrad.[591] Dennoch wurde den Amerikanern eine Niederlage nach der anderen in Korea zugefügt; die 8. US-Armee wurde vernichtend von den Nordkoreanern und Chinesen auf nordkoreanischem Territorium geschlagen, und die Moral der US-Soldaten war äußerst schlecht: Oft überließen ganze Regimente dem Gegner nicht nur ihre Stellungen, sondern auch ihre gesamten schweren Waffen, als sie fluchtartig wegrannten. Die Verluste unter den UNO-Truppen waren außergewöhnlich hoch, allein von April bis Juli 1951 verloren sie 60 000 Mann, 700 Geschütze und mehr als 1000 Flugzeuge. Im November 1950 wurden UN-Truppen schwer geschlagen und von der chinesischen Armee aus Nordkorea vertrieben. Für die Amerikaner war es eine der beschämendsten und unerwarteten militärischen Niederlagen in ihrer damals fast zweihundertjährigen Militärgeschichte, besonders, wenn man berücksichtigt, daß die Chinesen über eher primitive Streitkräfte verfügten, nur wenige Flugzeuge und fast keine Marine besaßen.[592]

Unter diesen frustrierenden Umständen führten die Amerikaner immer stärkere Flächenbombardierungen gegen die größeren Städte Nordkoreas durch, wobei sie auch das geächtete Napalm einsetzten. Aber selbst diese drastischen Maßnahmen konnten den Sieg nicht herbeiführen, und so griffen sie zu einer der verachtetsten Waffen überhaupt, der biologischen. In ihrem Buch *Unit 731: The Japanese Army's Secret of Secrets* (›Einheit 731‹) beschreiben Peter WILLIAMS und David WALLACE die erbärmliche und verbrecherische Begebenheit, mit der ein biologischer Krieg gegen die Zivilbevölkerung Nordkoreas geführt wurde. Das Kapitel »Korean War« (›Koreakrieg‹) deckt diese schamlose Aktion auf. Es ist interessant zu vermerken, daß genau dieses Kapitel in der US-Ausgabe des Buches fehlt, obwohl es in den englischen, neuseeländischen, australischen und kanadischen Ausgaben enthalten ist. Die Verfasser berufen sich auf die ISC (International Scientific Commission), eine Organisation, deren Quelle heute als hochwertig gilt und daher glaubwürdig ist.

In der Nacht zum 5. April 1952 flog ein US-Kampfflugzeug des Typs F-82 über das koreanische Dorf Min-Chung nahe der chinesischen Grenze. Bei Tagesanbruch wurden die Bewohner des Dorfes von mehr als 700 verseuchten Wühlmäusen heimgesucht. Ein Test, der an einer toten Wühlmaus durchgeführt wurde, ließ keine Zweifel aufkommen, daß sie verseucht war. Da dies nicht der erste Versuch der Amerikaner war, biologische Waffen gegen Nordkorea einzusetzen, wurde eine internationale Untersuchungskommission gegründet mit dem Ziel, die Wahrheit über diese Vorfälle aufzudecken. Diese internationale Kommission kam zu dem einstimmigen Ergebnis: »Es besteht kein Zweifel, daß eine große Anzahl von mit der Pest infizierten Wühlmäusen in der Nacht zum 5. April 1952 von einem Flugzeug, das die Bewohner gehört haben, über dem Distrikt Kann-Nan abgeworfen wurde. Dieses Flugzeug wurde als ein amerikanischer F-82 Doppelrumpf-Nachtjäger identifiziert.«

Trotzdem blieb auch die ISC-Kommission erstaunt darüber, wie die Wühlmäuse von der Luft aus verstreut werden konnten, bis sich herausstellte, daß die Japaner diese hinterlistige Art von biologischer Kriegführung vervollkommnet hatten. Als die USA Japan im Zweiten Weltkrieg besiegt hatten, klagten sie nicht den Vater des japanischen biologischen Kriegführungsprojekts, Shiro Ishii, an, sondern gewährten ihm Amnestie, mit der Auflage, daß er seine Erkenntnisse ihnen anvertraue. Zu ihnen gehörte unter anderem auch, wie man von Flugzeugen aus biologische Waffen einsetzen könne. Die ISC kam außerdem mit dem Fall einer Venusmuschel-Bombardierung auf Nordkorea in Berührung. Es handelte sich um einen gescheiterten Versuch, die Wasserversorgung zu verseuchen. Amerikanische Flugzeuge entluden in der Luft choleraverseuchte Venusmuscheln auf einem Hügel, der neben einer Wasserkläranlage stand. Solchen und ähnlichen Verseuchungsaktionen fielen sogar amerikanische und verbündete Soldaten zum Opfer. Viele von ihnen kämpften in der Mukden-Region und erkrankten an rätselhaftem Fieber und anderen Krankheiten. Als sie verlangten, über diese Vorfälle aufgeklärt zu werden, beschieden ihnen ihre Regierungen noch 1987, daß es »keine Beweise« gebe.[593]

Es gab weitere Fälle, die die biologische Kriegführung der USA bestätigten. Ende Januar 1952 beobachteten Bewohner der Provinz Kanwon amerikanische Flugzeuge. Da sie ständigem Napalmregen ausgesetzt waren, fürchteten sie einen weiteren Napalmregen. Doch die erwarteten Explosionen blieben aus, die Flugzeuge kreisten um den Ort. Anstatt Splitter oder Napalmbomben abzuwerfen, warfen sie seltsame Behälter ab, die sich bei der Berührung des Bodens mit einem Klicken öffneten. Als einige Schaulustige an diese Behälter näher traten, entdeckten sie im Schnee Fliegen, Wanzen und Spinnen. Dasselbe Schauspiel wiederholte sich im Dorf Balnamri. Bevor eine Untersuchungsgruppe am Fundort eintraf, waren einige Einwohner mit den Insekten, die es in dieser Art und Form noch nie in Korea gegeben hatte, in Berührung gekommen. Die Folgen waren fatal: 50 von ihnen erkrankten an der Pest, während 36 starben. Diese grauenvolle Prozedur wiederholte sich nun täglich, wobei in jedem Fall gemeldet wurde, daß dieselben seltsamen Behälter gesichtet wurden. Täglich, aus verschiedensten Bezirken, wurden diese neuartigen Bombenbehälter dafür verantwortlich gemacht, daß die Pest ausbrach. Die Insekten waren die Träger von Pest, Cholera, Typhus, Milzbrand (auch ›Anthrax‹ genannt, ein äußerst tödlicher Krankheitserreger) und anderen gefährlichen Infektionskrankheiten.

Es lagen auch Beweise vor, daß chemische Kriegswaffen eingesetzt wurden. Am 6. Mai 1951 wurde die Stadt Nampo viermal mit Bomben belegt. Nach der Explosion zeigten sich erst schwarze Rauchwolken, die dann als gelbe und schließlich farblose Schwaden über den Boden krochen. Der Geruch erinnerte an Chlor. 480 Menschen fanden so den Erstickungstod. Der Aufschrei in der Welt war einhellig. Eine internationale Juristenkommission, der zahlreiche Beobachter der NATO-Länder zugesellt waren, reiste nach Korea und legte Beweise vor, daß das US-Militär sowohl biologische als auch chemische Waffen im Koreakrieg eingesetzt hatte.[594]

Auch die Autoren des Buches *Der Krieg der Gene*, Charles PILLER und Keith YAMAMOTO, beide Experten in Sachen bakteriologischer Kriegführung, schreiben über die wahrscheinlichen historischen Vorfälle von bakteriologischem Waffeneinsatz: »Noch überzeugendere Beweise liegen für solche Angriffe im Koreakrieg vor. Im Februar 1952 führten die Nordkoreaner und ihre chinesischen Alliierten gefangene amerikanische Bomberpiloten vor, die zugaben, ›Bomben mit Keimen‹ abgeworfen zu haben. Die US-Regierung bezeichnete diese Aussagen rasch als ›Erfindungen‹ und behauptete, die Piloten seien einer Gehirnwäsche unterzogen worden. Die Chinesen antworteten darauf mit der Bildung einer internationalen Untersuchungskommission, der Fachleute aus der UdSSR, aus Italien, Frankreich, Schweden, Brasilien und Großbritannien angehörten. Der siebenhundert Seiten lange Bericht dieser Kommission, der im Oktober 1952 veröffentlicht wurde, kommt zu dem Schluß, ›daß die Völker von Korea und China tatsächlich als Ziele für bakteriologische Waffen dienten‹. Der Bericht deutet an, daß die Amerikaner mit allen möglichen Dingen experimentiert haben. Das reichte von Füllhaltern mit infizierter Tinte bis zu einem Spektrum an Vektortechniken, einschließlich Federn, die mit Anthrax bestrichen waren, und Flöhen und Läusen, die die Pest mit sich herumtrugen.«[595]

Bezüglich der Illegalität von Biowaffen sei noch eine ebenso interessante wie bezeichnende Tatsache angeführt: Als die ›Genfer Konvention‹ zur Abschaffung von biologischen Waffen 1925 in Genf beraten war, stimmten die meisten Großmächte dieser Vereinbarung mit ihrer Unterschrift zu. Nur zwei Nationen hielten sich zurück, im nachhinein wohl nicht überraschend: Japan und die USA.[596]

Der eigentliche Aggressor

Wenn Nordkorea wirklich der Aggressor gewesen wäre, als der es beschuldigt wurde, dann wäre der Zeitpunkt des nordkoreanischen Angriffs ein äußerst schlechter gewesen. Denn für den dem nordkoreanischen Angriff folgenden Montag wurde das neue südkoreanische Parlament einberufen, das, wie gesagt, eine Anti-RHEE-Mehrheit aufwies. Warum sollte man ein Land angreifen, in dem kurz darauf wahrscheinlich ein Kurswechsel eingeleitet wird und das dann über die koreanische Wiedervereinigung verhandeln würde?

Ein weiterer Grund sprach gegen diesen Zeitpunkt: Die Russen, die Nordkoreas Alliierte waren, verließen die UN aus Protest gegen den Ausschluß Chinas aus der UN. Nun konnten die Nordkoreaner nicht mehr mit den Sowjets rechnen, die in der UN als Sicherheitsratsmitglied die UN-Pläne der USA mit ihrem Veto hätten zunichte machen können.[597] So war die darauffolgende Sitzung der UNO ebenso wie deren Beschluß illegal, denn das Sicherheitsratsmitglied UdSSR war nicht anwesend. Nach der UN-Charta müssen nämlich alle Ständigen Mitglieder des Sicherheitsrates zustimmen, um eine Resolution zu Sachfragen durchzubringen. Die UN-Resolution war daher nicht nur illegal, sondern eine offenkundige Mißachtung der UN-Charta.[598]

Ferner rief ein Zeitungsreporter nach dem Angriff der Nordkoreaner das Pentagon an, worauf ein Mitarbeiter des Pentagons bestätigte, daß die Vereinigten Staaten den Angriff erwartet hätten. Dieser Mitarbeiter wies darauf hin, daß Schiffe vor dem Angriff der Nordkoreaner bereitstanden, um die Familien der amerikanischen Offiziere zu evakuieren. Als Zeitungsreporter eine Bestätigung für diese Aussage suchten, riefen sie Admiral Roscoe H. HILLENKOETTER an, seinerzeit Leiter des CIA. Er teilte den Reportern mit, der amerikanische Geheimdienst wisse, daß eine »Situation in Korea existiere, die eine Invasion diese oder nächste Woche zur Folge haben könnte«.[599]

Einige Beobachter des Koreakriegs äußerten die Annahme, daß die Nordkoreaner die Invasion Südkoreas auf jeden Fall geplant haben müßten, denn – so argumentierten diese – der rasche Erfolg, mit dem die Nordkoreaner die Südkoreaner förmlich von der Landkarte fegten, müsse als Indiz für eine solche Annahme gelten. Diese Annahme weist aber eindeutige Schwächen auf: So waren die Nordkoreaner über den Angriff der Südkoreaner im Juni 1950 gut informiert, denn die Regierung der Demokratischen Volksrepublik erhielt schon im Mai 1950 zuverlässige Informationen darüber, daß die Lee-SYNGMAN-Clique den Angriff gegen Nordkorea für Mitte Juni 1950 angesetzt hatte. Außerdem hatten die Südkoreaner ja schon im Juli 1949 eine Invasion durchgeführt, die gescheitert war.[600] Aufgrund dieser Informationen konnten die Nordkoreaner ihre Gegenangriffsmaßnahmen bestens vorbereiten. Auch wird bei der erwähnten Annahme vergessen, daß die Kampfmoral und Motivation der südkoreanischen Truppen auffällig schlecht war. Ähnlich wie die von den USA unterstützten chinesischen Truppen TSCHIANG KAI-SCHEKS gaben sie ihre Stellungen samt der kompletten Bewaffnung schnell auf, wenn sie auf wesentlichen Widerstand seitens der Nordkoreaner stießen.

Der Grund, weshalb die Nordkoreaner so schnell entscheidende Erfolge verbuchen konnten, lag größtenteils darin, daß sie im wesentlichen an das glaubten, was sie taten. Dagegen wußten die Südkoreaner, daß sie von einem völlig unpopulären Diktator regiert wurden, so daß in ihren eigenen Reihen viele Sympathisanten des Nordens zu finden waren. Nicht selten, zumindest zu Beginn des Krieges, erschienen Berichte, in denen ganze südkoreanische Dörfer und Städte ihre Eroberung durch die Nordkoreaner feierten und diese auf jede nur erdenkliche Art unterstützten, in der Hoffnung, daß diese den Krieg gegen das eigene, verhaßte und unterdrückende Lee-SYNGMAN-Regime gewinnen würden. Es ist auch anzunehmen, daß die US-Machtelite insgeheim hoffte, daß der von ihnen befohlene Angriff der südkoreanischen Truppen schnell von den Nordkoreanern zurückgeschlagen werde, damit die USA dann als Retter der hilflosen Südkoreaner gegen die ›unprovozierte nordkoreanische Aggression‹ auftreten könnten. In dieser Hinsicht ist es auch interessant zu bemerken, daß die Südkoreaner so gut wie keine Luftwaffe besaßen, als sie die Nordkoreaner angriffen (die Nordkoreaner hatten zu Beginn auch keine, außer ein paar alten Flugzeugen, die sich nur noch für Trainingsflüge eigneten). Auch in Sachen Panzer sah es für die Südkoreaner schlecht aus, denn sie hatten gar keine und waren daher dem T-34, dem nordkoreanischen Panzer, ziemlich hilflos ausgeliefert. Dies paßte auch in das Konzept der Amerikaner, die schon im vornherein geplant hatten, nach Ausbruch des Kriegs mit ihren eigenen Streitkräften in Korea massiv einzugreifen.

Rückblickend erscheint nur eine Schlußfolgerung realistisch: Die USA wollten einen Konflikt erzeugen, der zu einem Krieg mit Nordkorea und vor allem China führen sollte. Bei diesem kriminellen Unternehmen mußten die Südkoreaner Nordkorea so lange provozieren und angreifen, bis diesem keine andere Wahl blieb, als Südkorea anzugreifen. Nur so konnten die USA durch ihre südkoreanischen Verbündeten den Koreakrieg auslösen und Nordkorea als Aggressor darstellen. Die Lage erschien für die US-Machtelite günstig, denn man war damals die einzige atomare Weltmacht, und diese Lage mußte ausgenutzt werden, da sie sich möglicherweise nie wieder bieten würde. Wahrscheinlich noch wichtiger war aber die Tatsache, daß der Koreakrieg die traditionelle US-Außenpolitik grundlegend veränderte – die USA wurden durch den Koreakrieg wieder aufgerüstet und übernahmen Allianzen mit über 41 Staaten dieser Erde, um den Kommunismus zu beseitigen. Ohne den Koreakrieg konnte das nicht geschehen. Das unterstrich am besten der amerikanische Journalist Ian F. STONE, als er während des Koreakriegs General VAN FLEET zitierte: »Korea war ein Segen. Es mußte ein Korea geben, entweder hier oder irgendwo anders in der Welt.«[601]

Daß Nordkorea den Koreakrieg auslöste, ist eine propagandistische Behauptung und eine gewaltige Geschichtsverfälschung, mit der die US-Machtelite ihr Eingreifen in den Koreakrieg rechtfertigen wollte. Wie wir gesehen haben, gab es genug Zeugen auf beiden Seiten, Dokumente und Berichte, die belegen, daß Südkorea und daher die USA den Koreakrieg anfingen, in der Annahme, daß sie einen verhältnismäßig schnellen Sieg für sich verbuchen könnten, der sie dann nach China geführt hätte, wo sie die Verluste ihres Haudegens Tschiang Kai-schek wieder rückgängig machen wollten. Auch hätten die Nordkoreaner wohl damals nicht im Traum daran gedacht, Südkorea anzugreifen, denn kein General würde eine Invasion durchführen, wenn nur rund ein Drittel seiner Divisionen kampfbereit ist. Ein zentraler Grundsatz der Militärstrategie lehrt, daß ein Angreifer überhaupt nur dann Aussichten auf Erfolg hat, wenn er eine numerische Überlegenheit von drei zu eins an Soldaten besitzt.

Außerdem ist anzunehmen, daß Rhee den Angriff auf Nordkorea nur mit US-Unterstützung durchführen durfte. Wir brauchen nur an die angeführte Erklärung des begeisterten US-Generals erinnern, wonach der Angriff gegen Nordkorea eine beschlossene Sache gewesen sei. Zudem behauptete Nordkorea, daß es nur auf drei Angriffe der Südkoreaner geantwortet habe, eine Behauptung, die sich durch unabhängige Berichte, in mindestens vier großen westlichen Tageszeitungen, nachweisen läßt. Betrachtet man die US-Geschichte der Verschwörungen, Provokationen, Manipulationen und Täuschungsmanöver, dann erscheint eine US-Beteiligung oder gar eigenmächtige Auslösung des Koreakrieges als zwingend, kennzeichnend und logisch.

Kapitel 7
Vietnam, das zweite Gewaltopfer, und andere Eskapaden

Nach dem Koreakrieg, den man nicht gewinnen konnte, gab es immerhin noch eine nicht zu verachtende Wirtschaftskonjunktur (dank des Krieges). Denn nur der Koreakrieg ermöglichte es, daß »in den Jahren von 1949 bis 1953... der Krieg zu einem stattlichen jährlichen Wirtschaftswachstum und einem Anstieg des Bruttosozialproduktes von durchschnittlich 6,1 Prozent – das war mehr als das Doppelte des zuvor in friedlichen Zeiten erzielten normalen Zuwachses« – führte. Ebenso erfreulich war für die USA eine andere Tatsache: »Der Krieg halbierte die seit der Beendigung des Zweiten Weltkrieges schon wieder bedenklich angeschwollene Zahl der Arbeitslosen«.[602] Hierzu äußerte sich das Sprachrohr der US-Finanzoligarchie, das *Wallstreet Journal:* »Der Krieg in Korea ist ein außerordentlich einträgliches Business für die USA-Monopole.«

Und es war wohl alles andere als Zufall, daß der amerikanische Überfall auf Korea gerade zu dem Zeitpunkt begann, als die US-Wirtschaft in einer Überproduktionskrise steckte, das heißt, als sie einen Schwächeanfall erlitt. Der bekannte Wirtschaftsprofessor Paul A. SAMUELSON ließ keine Zweifel an den Ursachen des Wirtschaftsbooms aufkommen, als er bestätigte: »Der Koreakrieg und andere Verteidigungsausgaben der Regierung lagen unserer Prosperität zugrunde.«

Diese Indizien werden noch durch die Tatsache verstärkt, daß dieses Wirtschaftswunder plötzlich endete, als ebenfalls der Koreakrieg mit dem im Juli 1953 abgeschlossenen Waffenstillstand beendet wurde. Eine Senkung der industriellen Produktion um 10 Prozent und die gleichzeitige Entlassung von über fünf Millionen Arbeitern in den USA waren die Folgen.[603] Noch im Jahre 1953 wurde die Sozialistische Regierung MOSSADEGHS im Iran mit Hilfe des CIA gestürzt, da sie gewagt hatte, ihre eigenen Ölquellen zu verstaatlichen.[604] Und dies konnte EISENHOWER, der inzwischen Präsident war, nicht zulassen, denn er war schließlich durch Gelder der Ölindustrie zum Präsidenten gewählt worden.[605]

Zuvor gab es noch die gescheiterte Schweinebucht-Invasion in Kuba, bei der dem CIA mißlang, einen Umsturz einzuleiten. Daß 80% der kubanischen Bevölkerung für die Revolution auf Kuba waren, tat natürlich nichts zur Sache.[606]

Verdeckte Operationen des CIA

Eine der geheimsten und am wenigsten diskutierten Operationen bei der Planung des frühen Kalten Krieges fand einige Zeit vor der Kapitulation Japans im Zweiten Weltkrieg statt. Die Pläne für die Invasion Japans lagen schon seit Jahren vor. Sobald die Insel Okinawa als Stützpunkt für diese Operation zur Verfügung stand, begann man, den Nachschub und die Ausrüstung für eine Invasionsarmee von wenigstens einer halben Million Mann dort zu stapeln, zwei bis drei Meter hoch über die ganze Fläche der Insel. Als Japan sich dann bald ergab, fand die Invasion nicht mehr statt, und der gewaltige Berg an Rüstungsmaterial wurde nicht mehr gebraucht. Fast augenblicklich erschienen Transportschiffe der US-Navy in Nha Harbor auf Okinawa und nahmen die riesige Ladung auf.

Der Ex-CIA Agent L. Fletcher PROUTY war zu jener Zeit auf Okinawa stationiert, und als er einmal im Hafen zu tun hatte, fragte er den Hafenmeister, ob nun all das neue Rüstungsmaterial zurückgeschafft werde. Letzterer antwortete ohne Umschweife: »Zum Teufel, nein! In den Staaten sieht man davon nichts wieder. Die eine Hälfte von dem Zeug, die für Ausrüstung und Versorgung von wenigstens 150 000 Mann reicht, geht nach Korea, die andere nach Indochina.« 1945 kam natürlich noch niemand auf die Idee, daß die ersten beiden Schlachten des Kalten Krieges in diesen beiden Regionen von US-Einheiten geschlagen werden sollten – die eine ab 1950 in Korea, die andere ab 1965 in Vietnam. Doch genau das hatte man geplant, und es trat auch genau so ein. Wir sehen, daß manche Entscheidungen von der US-Machtelite bis in Einzelheiten getroffen worden sein müssen.

Einheiten des OSS, der Vorgängerorganisation des CIA, die mit Syngman RHEE in Korea und mit HO CHI-MINH in Vietnam zusammenarbeiteten, hatten die Verschiffung dieser riesigen Rüstungsmengen in die beiden von den Japanern zerstörten Länder koordiniert und in Gang gesetzt. 1953 wurde der Koreakrieg beendet, und man plante schon einen weiteren Krieg in Ostasien. Die Hälfte des auf Okinawa lagernden Kriegsmaterials, das ursprünglich einmal für die Invasion Japans dienen sollte, wurde im September 1945 wieder verladen und nach Haiphong verschifft, dem Hafen der vietnamesischen Hauptstadt Hanoi. In Haiphong wurde diese gewaltige Ladung für eine Armee von 145 000 Mann der Aufsicht von Brigadegeneral Philip E. GALLAGHER, der mit dem OSS zusammenarbeitete, und seinem Bündnispartner HO CHI-MINH untergebracht. Beide waren aus China gekommen, wo sie die Gegend von den Resten der geschlagenen japanischen Armee gesäubert hatten. Hos Militärchef, Oberst Vo Nguyen GIAP, versteckte die Rüstungsgüter schnell für den Tag, an dem sie gebraucht würden.

1954 war es dann so weit. Die vietnamesische Unabhängigkeitsbewegung führte, mit neuen amerikanischen Waffen ausgerüstet, einen ständigen Guerillakrieg gegen die Franzosen. Diese hatten anscheinend keine Ahnung, wie gut die Rebellen ausgerüstet waren und woher sie ihre Waffen hatten.[607] Mitte Januar lagen fünf französische Bataillone mit 11 000 Mann im belagerten Dien Bien Phu. Die angreifenden Vietminh hatten neunzehn gut bewaffnete Bataillone mit 24 000 Mann. Während dieser Belagerung der Franzosen im Jahre 1954 schlug der äußerst einflußreiche Außenminister John Foster DULLES für den Fall, daß Frankreich geschlagen würde, vor, eigene Guerillaaktionen gegen die Vietminh durchzuführen. Außerdem unterbreitete er den Franzosen das Angebot, Atombomben zur Befreiung der eingekesselten französischen Soldaten einzusetzen.[608]

Um die richtige Kriegs- und Krisensituation hervorzurufen, begann der CIA, eine Million nordvietnamesische Flüchtlinge nach Südvietnam einzufliegen, zu verschiffen und auf sonstige Art nach Südvietnam zu bewegen. Es wurde eine der größten Völkerwanderungen der modernen Zeit. Warum plante und führte man eine derart unmenschliche Aktion durch? Die einzige einleuchtende Antwort war: Sie schuf das nötige Klima, damit der Krieg weiterging.[609] Mit den amerikanischen Waffen kontrollierte HO CHI-MINH von 1945 bis 1954 große Teile Vietnams. Es waren diese Waffen, vor allem die schwere Artillerie, die den Vietminh zum Sieg über die Franzosen in Dien Bien Phu verhalfen. So hatten die Vereinigten Staaten den Mann, den sie später ›Feind‹ nennen würden, mehr als reichlich mit modernen Waffen ausgestattet. Diese Tatsache wurde durch zahlreiche Berichte bestätigt. Ein Spitzenbeamter in Vietnam stellte fest: »Während dieser Periode hat man beim Vietcong niemals eine chinesische oder sowjetische Waffe gefunden.« Alle Waffen, die man dem Vietcong abgenommen habe, seien entweder selbstgemacht gewesen, oder sie stammten aus zuvor angeschafften Vorräten des Diem-Regimes oder der Vereinigten Staaten.[610] Daß der Vietcong mit hochmodernen amerikanischen Handfeuerwaffen, Granatwerfern usw. kämpfte, war längst bekannt.[611]

Nachdem 1954 die Franzosen bei Dien Bien Phu offensichtlich geschlagen waren, einigten sich die Kriegsparteien und andere Nationen auf eine Konferenz, auf der beschlossen wurde, daß 1956 Nord- und Südvietnam durch nationale Wahlen wiedervereinigt werden sollten. EISENHOWER erklärte aber, daß er eine Wiedervereinigung unter einer kommunistischen Regierung nicht anerkennen würde und daß die USA dies mit großer Besorgnis betrachteten.

In Vietnam lief dasselbe Spiel wie in Korea. Die Mehrzahl der Bevölkerung lebte in Nordvietnam und war deutlich prokommunistisch, während man im Süden dem Kommunismus ebenfalls nicht abgeneigt war. EISENHOWER gab sogar in seinem Tagebuch zu, daß, wenn man 1954 gewählt hätte, 80 Prozent der Stimmen an die Kommunisten gegangen wären.[612] Washington ließ zuerst Frankreich seine Arbeit verrichten, da die Franzosen einen Stellvertreterkrieg gegen die Nordvietnamesen führten, die das Land vereinigen wollten. Als die Franzosen anscheinend die Aussichtslosigkeit ihrer Lage in Vietnam erkannten, begannen sie, mit den nationalistischen Nordvietnamesen über einen Waffenstillstand zu verhandeln. Als aber Washington davon hörte, übten die Amerikaner massiven Druck auf Frankreich aus, nicht zu verhandeln, ansonsten, so drohte Washington, würde man die dringend notwendige Wirtschaftshilfe für Frankreich einstellen. Da Paris es sich nicht leisten konnte, die US-Wirtschaftshilfe abzulehnen (Frankreich war in den Jahren 1953–1954 der größte Empfänger von US-Wirtschaftshilfe), gab die französische Regierung alle Bemühungen auf, mit den Nordvietnamesen zu verhandeln.[613] Das Pentagon mußte auf die Franzosen setzen, denn der Kongreß war nicht bereit, 1954, nur wenige Monate nach Ende des sehr unpopulären Koreakriegs, in Vietnam einzugreifen.[614]

Den Amerikanern ging es aber nicht nur um die so oft zitierte Eindämmung des Kommunismus, es gab auch wirtschaftliche Interessen, die im Zusammenhang mit dem Vietnamkrieg bis heute kaum erwähnt wurden. So sagte L. JOHNSON schon 1953, also zehn Jahre, bevor er Präsident wurde, daß »das Wegfallen Indochinas verheerende Auswirkungen auf all unsere Pläne in Asien« haben würde. Ganz besonders warnte er vor dem Verlust reicher Wolfram-, Zinn- und Gummiressourcen und unterstrich die Angst, ganz Südostasien und wahrscheinlich ganz Asien zu verlieren. »Letztendlich würden wir vom ganzen Pazifik verdrängt werden.« Schon ein Jahr zuvor, also 1953, hatte EISENHOWER verkündet: »Nehmen wir an, daß wir Indochina verlieren würden. Ohne Indochina würden wir kein Zinn und kein Wolfram mehr haben, das für uns so wichtig ist.«[615] Zinn und Wolfram sind nämlich strategische Rohstoffe, die für die moderne Kriegführung unentbehrlich sind.

Im Sommer 1965 kündigte sich ein drastischer Einschnitt in die Wirtschaftskonjunktur der USA an. Die industrielle Produktion begann zu stagnieren, der Hausbau und die Aufträge für dauerhafte Güter zeigten rückläufige Tendenzen. Da erwähnte Präsident JOHNSON am 28. Juli 1965 auf einer Pressekonferenz die massive Erhöhung der Ausgaben für den Vietnamkrieg noch im laufenden Jahr und die Verstärkung der US-Streitkräfte in Vietnam auf 125 000 Mann. Am nächsten Morgen erschien die *New York Times* mit der Überschrift: »Wall Street stößt Erleichterungsseufzer über JOHNSONS Vietnam-Politik aus«. Um keinen Zweifel aufkommen zu lassen, schrieb eine konservative Wochenzeitschrift unter dem bezeichnenden Titel »Von Vietnam geht der Anstoß aus«: »Washingtoner Sachverständige erklären, daß die Eskalation des Vietnamkrieges nunmehr die fortgesetzte Ausdehnung des Wirtschaftslebens der USA sicherstellt«. Eine ebenso prominente Wochenzeitschrift der US-Finanzwelt jubelte: »Vietnam schließt Rezession aus«. Fast alle glaubten, daß der Vietnamkrieg die Gefahr eines größeren (wirtschaftlichen) Rückgangs ausschließe. Einige Wochen später resümierte die führende Tageszeitung, die *New York Times*, die Lage durch die Schlagzeile: »Vietnamkrieg heizt USA-Wirtschaft an«. Der Artikel beginnt mit den vielversprechenden Worten: »Wir sind noch einmal davon gekommen... Der Boom war am Ende. Die Wirtschaftstätigkeit hatte sich verlangsamt. Eine längere Pause, wenn nicht sogar ein ernstes Absinken der Wirtschaft kündigte sich an. Die Produktion würde weiter gefallen sein. Da kam die Entscheidung zu eskalieren... Der Zeitpunkt für die Eskalation in Vietnam war hervorragend gewählt und bewahrte die Wirtschaft vor dem Zusammenbruch.«[616]

Als JOHNSON die Eskalation des Krieges befahl, konnte jeder lesen: »Die Notwendigkeit wachsender Rüstungsausgaben beseitigt alle schleichenden Zweifel, die dem USA-Business für 1966 entgegengebracht wurden.« So die Zeitschrift *U.S. News & World Report*. *Business Week* schloß sich dem auch gleich mit dem Kommentar an: »In nüchterner mathematischer Sicht ändert die Verstärkung des Vietnamkrieges die ökonomischen Aussichten zum Besseren.« Auch die *New York Times* stimmte dem eifrig und eindeutig zu: »Es ging gerade noch einmal gut. Nach und nach hat sich herausgestellt, daß die längste Expansion zu Friedenszeiten in der Geschichte der USA in Gefahr war, zu Ende zu gehen, bis die Eskalation des Kriegs in Vietnam ihr neue Lebenskraft einflößte.«[617] Die USA exportierten nicht nur den Krieg nach Vietnam, sie verwandelten auch noch das verwüstete Land in eine lukrative Gewinnquelle: Der Bau von Häfen, Kraftwerken, Munitionsdepots, Flughäfen usw. bedeutete überragende Profite für US-Konzerne, die Profitrendite belief sich auf 20 bis 30%.[618]

Der Geheimkrieg als Anfang

Die amerikanische Führung tat nun alles, um nationale Wahlen zur Wiedervereinigung Vietnams zu sabotieren. Der CIA begann verdeckte Operationen (›covert operations‹), um den Vietminh (Nordvietnamesische Bewegung zur Wiedervereinigung Vietnams) militärisch, wirtschaftlich und politisch zu ruinieren. Bis 1965 wurde ein Geheimkrieg geführt, ohne daß die amerikanische Öffentlichkeit davon wußte.[619] Gegen Ende 1961 hatte der CIA eine Flotte von Flugzeugen bereitgestellt, diese Jets waren schwarz lackiert, wiesen keine Hoheitszeichen auf und wurden auf der Tan Son Nhut-Landepiste streng bewacht. Die Jets unterstützten die laufenden Sabotageaktionen in Nordvietnam, in die ›Special Forces‹ (Sondereinheiten) verwickelt waren. Eine CIA-Operation namens ›Project Pacific Ocean‹ war mit Grenzüberschreitungen beschäftigt.[620]

Die Sabotageakte, Agitationen und begrenzten Störaktionen gegen Nordvietnam wurden von Agententruppen geführt, die vom CIA in Südvietnam in bestimmten Lagern geschult worden waren. Diese sprangen dann mit Fallschirmen über Nordvietnam ab oder wurden von Booten an Land gebracht.[621] Gleichzeitig bereitete sich das Pentagon auf einen massiven Krieg

US-Präsident Harry S. Truman mit seinem Außenminister George C. Marshall. Nach Roosevelts Tod im April 1945 wurde Truman 33. US-Präsident (bis 1953) und stellte sich dann nicht mehr zur Wahl.

Allan Dulles, Leiter des CIA, und sein Bruder John Foster Dulles, US-Außenminister – der Haudegen des Kalten Krieges. Beide spielten eine entscheidende Rolle bei den US-Interventionen in Ostasien in den fünfziger Jahren.

Zu S. 242 ff.: Syngman Rhee (er hatte 1919 in Shanghai eine koreanische Exilregierung gegründet. Der Mann der USA war maßgeblich für den Koreakrieg verantwortlich).

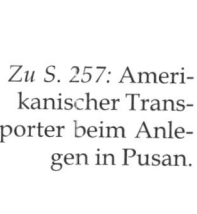

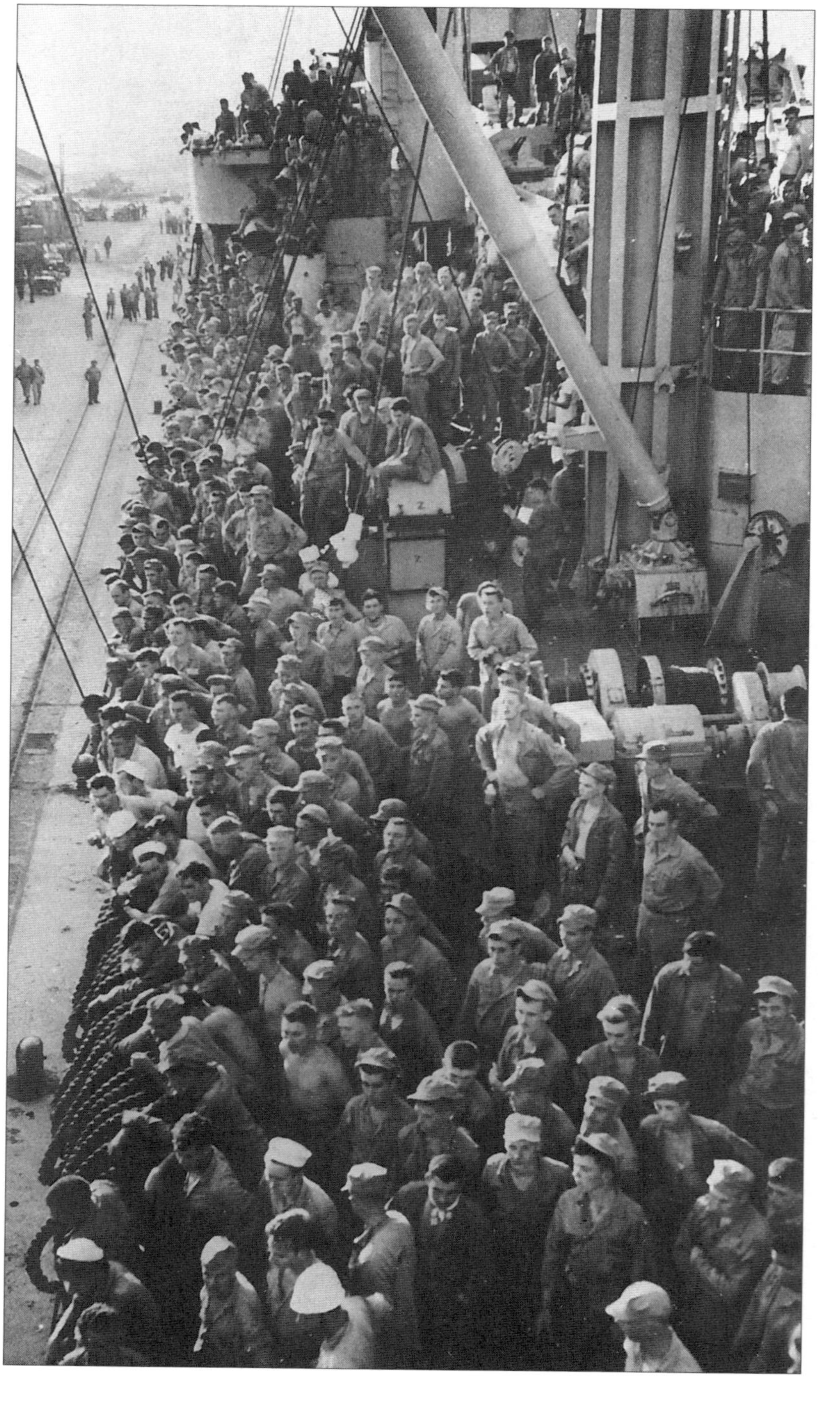

Zu S. 257: Amerikanischer Transporter beim Anlegen in Pusan.

Zu S. 245-263: Drei höhere US-Offiziere im Koreakrieg, von rechts nach links: General Omar N. Bradley, General James A. van Fleet und General Matthew B. Ridgway.

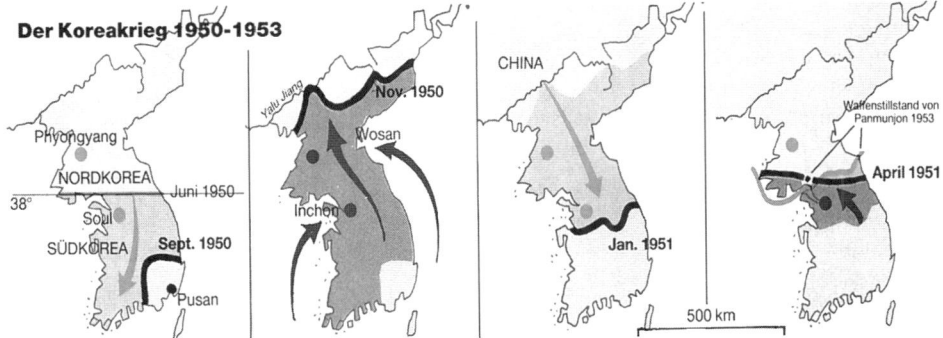

Zu S. 245–263: Die US-Amerikaner setzten im Koreakrieg vielfach Napalmbomben, auch gegen die Zivilbevölkerung, ein. Hier wird ein nordkoreanischer Verschiebebahnhof bombardiert.

Zu S. 245–262: Seit Juni 1950 forderte der Koreakrieg große Opfer unter der koreanischen Zivilbevölkerung. Bis Juli 1953 starben rund eine Million Zivilisten, größtenteils unter den Bombenangriffen der Amerikaner.

Nach zweijährigen Verhandlungen unterzeichneten am 27. Juni 1953 der amerikanische General Harrison für die UN-Truppen und General Nam Il für Nordkorea einen Waffenstillstandsvertrag. In dem Holzgehäuse der ›Friedenspagode‹ hatten sich die Unterhändler über lange Monate schweigend gegenüber gesessen.

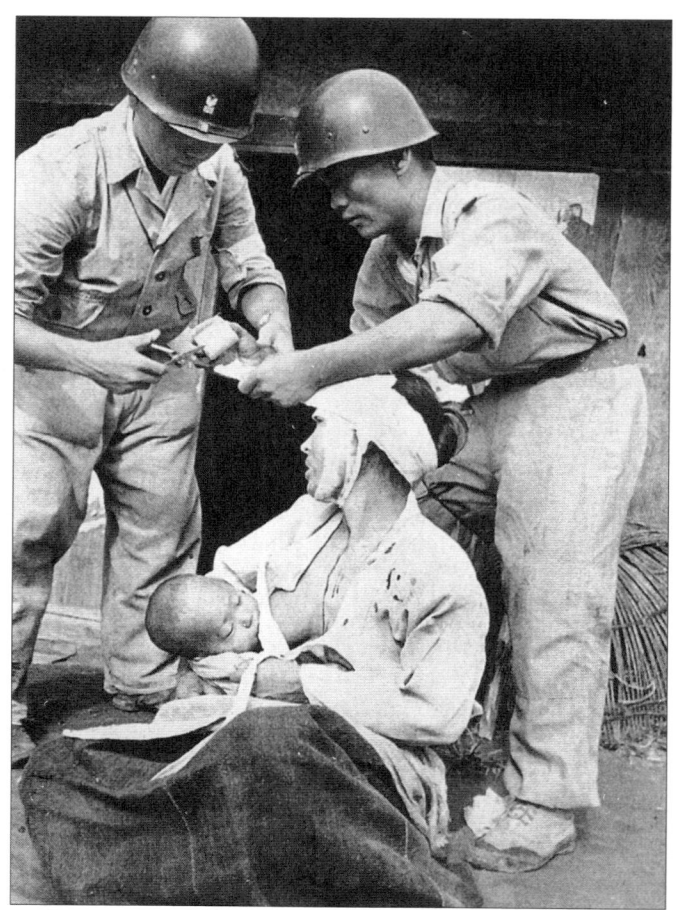

vor, der nicht erklärt war. Die US-Regierung unternahm große Anstrengungen, um diesen Geheimkrieg auch geheimzuhalten. Als am 8. Februar 1962 das neue US Military Assistance Command (US Militärhilfe-Kommando Vietnam) gegründet wurde, befanden sich 4000 US-Militärs mit Geheimaufträgen in Vietnam, und US-Außenminister Dean RUSK teilte am 1. März mit: »Wir wünschen keine Stützpunkte oder sonstigen militärischen Vorteile (in Südvietnam)«.[622] Im Januar 1963 gab das Pentagon auf Druck des US-Kongresses nach und bestätigte vor diesem, daß 14 000 Soldaten in Vietnam waren. Das Pentagon wehrte sich aber gegen die Behauptung, daß diese in Kampfhandlungen verwickelt seien, wie z.B. Truppen zu führen, Kampfflugzeuge und Helikopter zu fliegen, obwohl Augenzeugenberichten zufolge genau dies passierte. Trotzdem blieb das Pentagon bei seinem Standpunkt, daß die US-Angehörigen nur als Berater tätig waren.

Diese Einstellung beruht wahrscheinlich darauf, daß die USA nicht direkt das Genfer Abkommen brechen wollten, nach dem die USA in Indochina die Anzahl von 685 Militärangehörigen haben durften. Zwar hatten die USA das Abkommen nicht unterschrieben, aber ihr Delegierter Bedell SMITH sagte zu, daß sein Land das Abkommen beachten werde. Der CIA finanzierte auch primitive Bergstämme, die gegen Laos und Nordvietnam kämpften. Insgesamt waren 1963 mehr als 16 000 US-Militärangehörige in Vietnam, die einen Geheimkrieg gegen Nordvietnam, Laos und Kambodscha führten. Die US-Hilfe erreichte die erstaunliche Summe von 3 Milliarden Dollar und belief sich auf 1,5 Millionen Dollar pro Tag.[623]

Als die USA später den Krieg öffentlich führten, gab es immer noch einen Geheimkrieg, der 1967 als ›Phoenix Project‹ (in Südvietnam) weitergeführt wurde. Er zeichnete sich vor allem durch seine besonders brutalen Methoden aus, mit der oft ganze Dörfer vernichtet wurden, unter dem Vorwand, daß sie mit dem Vietminh sympathisierten.[624] Doch der Gegner zeigte sich als zu verbissen, und so stand man vor dem Dilemma, den Krieg zu beenden oder ihn massiver zu führen, was aber dann ohne das Wissen des amerikanischen Volkes nicht mehr ging. Deshalb suchte Washington nach einem Vorwand, um damit der eigenen Bevölkerung weiszumachen, daß die US-Kriegführung in Vietnam gerechtfertigt sei.

Der ›Tonkin-Zwischenfall‹ – eine Provokation im richtigen Augenblick

Im August 1964 behaupteten der CIA und das Marineoberkommando der 7. Flotte, daß im Golf von Tonkin der US-Zerstörer ›Maddox‹ von nordvietnamesischen Torpedobooten angegriffen worden sei. Als Reaktion auf diesen ›Zwischenfall‹ nahm der US-Senat die von Präsident JOHNSON vorgelegte ›Tonkin-Resolution‹ an, die die Grundlage für Amerikas Eingreifen in Vietnam bildete.[625] Mit dem ›Tonkin-Zwischenfall‹ rechtfertigten die USA die übermäßige Bombardierung Nordvietnams: Nicht viel später bombardierten die USA Nordvietnam, wie noch kein Land bis dahin bombardiert worden war. Auf das kleine Vietnam wurden mehr als dreimal so viele Bomben abgeworfen wie die Alliierten auf Deutschland im Zweiten Weltkrieg niedergehen ließen. Eine etwas andere Statistik bestätigt, daß im Jahr 1970 (der Krieg dauerte offiziell bis 1975) mehr Bomben auf Vietnam entladen worden sind als bis dahin in der gesamten menschlichen Geschichte.[626]

Im Jahre 1964 war der amerikanische Leutnant Michael K. auf dem US-Zerstörer ›Maddox‹ zum angeblichen Zeitpunkt des ›Tonkin-Zwischenfalls‹. Das Schiff wurde aber an diesem Tag weder torpediert noch sonstwie angegriffen. Man befand sich vielmehr in internationalen Gewässern und führte eine Routinepatrouille durch, änderte dann aber auf höheren Befehl den Kurs und griff selbst im Verbund mit Kampfflugzeugen der 7. Flotte nordvietnamesische Torpedoboote an, wobei eines versenkt wurde. Der junge Offizier, der seine Aussage öfter, auch in Zeitungsartikeln, wiederholte, wurde darauf weder im weiteren Verlauf des Vietnamkriegs noch zu späteren Wehrübungen eingezogen.

Das gleiche berichtete auch die *New York Times* im September 1971 mit Berufung auf die von Daniel ELLSBERG zugespielten *Pentagon-Papiere*, die die Geheimgeschichte des Vietnamkrieges enthüllen. Den Dokumenten zufolge hatte es am 2. August 1964 gar keine Torpedierung der US-›Maddox‹ durch nordvietnamesische Torpedoboote gegeben.[627] Ganz im Gegenteil, die ›Maddox‹ war es vielmehr, die nach Kursänderung in Richtung US-Flugzeugträger ›Ticonderoga‹ ein nordvietnamesisches Torpedoboot versenkt hatte. Diesbezüglich lesen wir in den *Pentagon-Papieren*: »Fest steht jedoch, daß der Zerstörer am 2. August zweimal seinen Kurs änderte, um einem Verband von drei nordvietnamesischen Torpedobooten und einer Flotte von Dschunken, die die Gewässer vor den Inseln nach den Angreifern absuchten, auszuweichen. Der Zerstörer erreichte noch am selben Tag den nördlichen Punkt seiner vorgeschriebenen Patrouillenroute und ging dann wieder auf Südkurs. ›Als die [nordvietnamesischen] Patrouillenboote sich – aus einer Entfernung von ungefähr 10 Meilen – der ›Maddox‹ mit Höchstgeschwindigkeit zu nähern begannen, war diese 23 Meilen von der Küste entfernt und hatte Kurs auf internationale Gewässer. . . Offenbar . . . hielten diese Boote den Zerstörer für ein südvietnamesisches Begleitschiff‹. In dem folgenden Kampf wurden zwei Torpedoboote von Flugzeugen, die vom Flugzeugträger ›Ticonderoga‹ aufgestiegen waren, beschädigt. Der Flugzeugträger war aus Gründen, die die Studie nicht anführt, im Süden stationiert worden. Ein drittes Patrouillenboot versank nach einem Volltreffer aus der Fünf-Zoll-Kanone des Zerstörers.« Daher war es die ›Maddox‹, die ein nordvietnamesisches Torpedoboot versenkte, während zwei weitere nordvietnamesische Torpedoboote im Golf von Tonkin von US-Flugzeugen beschädigt wurden.[628]

Erst zwei Tage nach diesem US-Angriff hatten nordvietnamesische Torpedoboote versucht, den Lenkwaffen-Zerstörer ›Maddox‹ in einer Gegenmaßnahme anzugreifen, jedoch erfolglos. Die ›Maddox‹ blieb unbeschädigt.[629] Auch die *New York Times* vom 21. Dezember 1967 veröffentlichte einen ausführlichen aus Washington datierten Eigenbericht, dem zufolge »einige Mitglieder des Auswärtigen Ausschusses des Senats den Erklärungen der Regierung skeptisch gegenüberstanden und die Einzelheiten der Tonkin-Zwischenfälle von 1964 untersuchten. Einige von ihnen bezweifelten, ob die Torpedobootzerstörer überhaupt von automatischen Waffen und Torpedos angegriffen worden sind ... Zum Beispiel empfing das Komitee kürzlich einen Brief eines früheren Seeoffiziers, aus dem hervorgeht, daß McNamara und die vereinten Stabschefs dem Kongreß Falschinformationen gegeben hätten«.

Der Briefschreiber, John W. White, diente selber auf dem Flugzeugträgerschiff ›Pine Island‹, das als erstes Kriegsschiff in vietnamesische Hoheitsgewässer nach der angeblichen Attacke auf die beiden US-Torpedobootszerstörer eindrang. In seinem Brief erläuterte White: »Ich erinnere mich ganz deutlich an die konfusen Radiomeldungen der beiden Zerstörer – konfus darum, weil die Zerstörer selber nicht sicher waren, ob sie überhaupt angegriffen worden waren.« Leutnant White hatte dann eine Unterredung mit dem Chef des Meß- und Ortungssystems der ›Maddox‹. Dieser Offizier, der während des angeblichen Angriffs in seinem Dienstraum war, »sagte mir, daß seine Einschätzung des Sonarpostenbildes negativ war, daß keine Torpedos auf das Schiff – sei es durch das Wasser oder mit anderen Mitteln – abgefeuert worden sind. Und er sagte auch, daß er dies dem kommandierenden Offizier ständig mitgeteilt habe«.[630]

Ferner berichten die Autoren des bedeutenden Buches *The CIA and the cult of intelligence,* daß der CIA spezielle Guerillaüberfälle auf Nordvietnam organisierte. Mindestens eine solche CIA-Überfallgruppe operierte im Bereich des Tonkin-Golfs, in dem während des besagten Tonkin-Zwischenfalls angeblich zwei US-Zerstörer von nordvietnamesischen Torpedobooten angegriffen worden seien. Die Autoren, beide Ex-CIA Mitarbeiter, legen in ihrem Buch den Verdacht nahe, daß diese CIA-Überfälle eigens dazu benutzt worden seien, um die Nordvietnamesen zu provozieren, damit diese gegen die US-Zerstörer vorgingen. Auf diesem Weg, so die Autoren, würde Johnson vom US-Kongreß seine juristische Rechtfertigung für die Bombardierung Nordvietnams bekommen.

Merkwürdigerweise sollte gerade der Textabschnitt, der auf die CIA-Überfälle im Tonkin-Golf hinwies, durch den CIA zensiert werden, eine Tatsache, die jedoch noch vor der Drucklegung des Buches verhindert werden konnte. Trotzdem zensierte der CIA 308 Textstellen in dem Buch, worauf die Verfasser in ihrer Einleitung hinweisen.[631]

In seinem Buch *Das schwarze Reich* behauptet E. R. CARMIN sogar: »Tatsache indessen ist, daß US-Schiffe bereits am 31. Juli Inselstellungen im Golf beschossen hatten, um die Nordvietnamesen, die den gesamten Golf als ihr Hoheitsgewässer betrachteten, zu provozieren.«[632] Dies wird auch von Stanley KARNOW in seinem umfassenden Buch *Vietnam – A History* bestätigt. Am 31. Juli, nach Mitternacht, griffen südvietnamesische Boote, die ihren Stützpunkt bei Danag verlassen hatten, im Norden erst die Insel Hon Me an, welche sieben Meilen von der Küste entfernt liegt; sie wollten die Insel stürmen. Doch der Widerstand gegen die Landung war auf der Insel zu stark, so daß das Ziel, die Radaranlage dort zu zerstören, nicht erreicht wurde. Statt dessen beschossen die Angreifer die Insel aus der Ferne, mit Kanonen und Maschinengewehrgeschossen. Zeitgleich bombardierten zwei andere Boote Hon Ngu, eine Insel, die ungefähr drei Meilen von Vinh, einem der belebtesten Häfen Nordvietnams, entfernt liegt.

Es war laut KARNOW kein geringerer als Präsident JOHNSON selbst, der geheime Spionage- und Angriffspatrouillen entlang der nordvietnamesischen Küste schon im März 1964 befohlen hatte. Wegen des schlechten Wetters wurden die Marinepatrouillen kurzfristig eingestellt, um von JOHNSON dann statt der geplanten viermonatigen Phase für ein ganzes Jahr verlängert zu werden. Im Juli wurde das Marineunternehmen wieder von den Vereinten Stabschefs aufgenommen. Schon am 10. Juli soll die ›Maddox‹ dazu benutzt worden sein, mit südvietnamesischen Angriffsbooten eine Geheimoperation gegen die Küstenregion Nordvietnams einzuleiten. Schon Monate zuvor waren die südvietnamesischen Matrosen vom CIA für solche Übergriffe auf nordvietnamesisches Territorium ausgebildet worden. Ihr CIA-Ausbildungschef war ein gewisser Tucker GOUGELMANN.[633] Bereits am 31. Juli protestierten die Nordvietnamesen offiziell gegen die Angriffe auf ihre Inseln. Aber die ›Maddox‹ blieb auf Befehl in der Gegend, um die Küstenregion weiterhin auszuspionieren, was die nordvietnamesische Führung nur beunruhigen konnte, da diese Spionageaktivitäten einen gezielten Angriff der USA immer wahrscheinlicher werden ließen. Die US-Schiffe fingen wichtige elektronische Signale der Küstenregion auf: Die südvietnamesischen Schiffe wurden nämlich dazu benutzt, die Radarstationen der Nordvietnamesen so zu stören, daß diese durch ihre Signale ihre Position preisgaben.[634]

Vor der Morgendämmerung des 2. August traf die ›Maddox‹ auf Hunderte nordvietnamesischer Dschunken. Der beunruhigte Kapitän HERRICK teilte der siebten Flotte mit, er werde die ›Maddox‹ in östliche Richtung führen, um einer Auseinandersetzung aus dem Weg zu gehen. Daß aber im Tonkin-Golf zum fraglichen Zeitpunkt, also kurz vor dem Zwischenfall am Tonkin-Golf, der CIA eine Geheimoperation einleitete – wie die Autoren MARCHETTI und MARKS vermuten –, ist zwar schwer zu beweisen, dennoch alles andere als abwegig.

Wie wir gesehen haben, hat sich der Tonkin-Zwischenfall überhaupt nicht ereignet, zumindest keineswegs so, wie die US-Regierung ihn dargestellt hat. Es ist daher ziemlich wahrscheinlich, daß die Machtelite den CIA benutzt hat, um die nordvietnamesische Führung im Tonkin-Golf zu provozieren, damit letztere der JOHNSON-Administration eine Rechtfertigung für die sowie einen Vorwand zur Bombardierung Nordvietnams liefere. In dieser Hinsicht ist auch das Buch des Ex-CIA-Offiziers Leroy Fletcher PROUTY *The Secret Team* von Bedeutung. Hier zeigt PROUTY nämlich, daß schon vor dem Tonkin-Zwischenfall das ›Secret Team‹ (eine Bezeichnung, die PROUTY gleichbedeutend für die US-Machtelite benutzt) geplant hatte, über Nordvietnam eine Eskalation im Indochinakrieg herbeizuführen. Vor allem weist PROUTY in diesem Buch eindrucksvoll nach, wie der CIA immer wieder von der US-Machtelite dazu benutzt wurde, kleine geheime Schattenkriege zu inszenieren, um diese dann, wenn möglich, ausufern zu lassen. Dies erfolgte stets in Verbindung mit Falsch- und Desinformationen, die dem Präsidenten und anderen wichtigen US-Entscheidungsträgern vom CIA übermittelt wurden. Der CIA operierte in dieser wichtigen Situation mit dem Wissen, daß der Präsident nur wenig Zeit zur Verfügung habe, um diese CIA-Berichte zu lesen, geschweige denn, sie auf ihre Richtigkeit hin zu überprüfen. Der CIA hatte auch dabei den Vorteil genutzt, von jedem US-Präsidenten ein psychologisches Profil zu besitzen, um ihn dann besser beeinflussen zu können.[635] PROUTY, der beruflich über Jahrzehnte mit diesen heiklen Operationen beauftragt war, weiß sozusagen als Insider aus erster Hand, wovon er in seinen Büchern schreibt.

Krieg in Vietnam

Die US-Regierung hatte schon Monate vorher geplant, Nordvietnam zu bombardieren, und verhandelte deswegen im Juli 1964 streng geheim mit den blutigen Komplizen von Saigon. Inzwischen ist erwiesen, daß am 4. August 1964 ein amerikanischer Zerstörer auf eine Mission in die nordvietnamesischen Gewässer geschickt wurde, in der Absicht, das Alarmsystem Nordvietnams auszukundschaften und zu neutralisieren. Wenige Stunden nach dem sogenannten Tonkin-Zwischenfall ließ US-Präsident JOHNSON Nordvietnam bombardieren, ohne die geringsten Beweise für seine Anschuldigung gegen das Land zu besitzen. Diese bewußte Provokation wurde sogar mittels eines zwanzigseitigen Tatsachenberichts der außenpolitischen Kommission des US-Senats (den das offizielle Washington noch verschwiegen hatte) vor der Weltpresse teilweise offenbart. Diesbezüglich erklärte am 21. Februar 1968 der demokratische US-Senator Wayne MORSE von der Tribüne des Kongresses in Washington: »Die ›Maddox‹ war ein Spionageschiff, das den Befehl hatte, Spionagetätigkeit auszuüben . . . Die Vereinigten Staaten waren am 4. August 1964 ein Provokateur im Golf von Tonkin, und so wird die Geschichte es festhalten.« Außerdem hatte Nordvietnam von Anfang an erklärt, daß der von Washington behauptete zweite Angriff überhaupt nicht stattgefunden habe.[636]

Auch der Kapitän der ›Maddox‹, der an dem besagten 2. August 1964 das Kommando über das Schiff hatte, Kapitän HERRICK, schickte eine Meldung an seine Vorgesetzten, daß das durchzuführende Manöver ihm als zu riskant erscheine, und bat um eine Änderung des Manövers. Er wurde auch von dem NSA-Geheimdienst (National Security Agency) gewarnt, daß ein feindlicher Angriff wahrscheinlich sei. Seine Vorgesetzten bestanden aber trotzdem darauf, das Manöver fortzusetzen. In diesem Sinne schrieb John PRADOS in seinem Buch *The Hidden History of the Vietnam War:* »Alle Indizien weisen darauf hin, daß die ›Maddox‹ davon ausging, daß das entgegenkommende nordvietnamesische Schiff auf sie schießen wollte, aber die ›Maddox‹ war es, die letztendlich das Feuer eröffnete und so den Tonkin-Zwischenfall verursachte.«

Doch HERRICKs Befehlsgeber gaben sich damit noch nicht zufrieden. Am nächsten Morgen wurde der ›Maddox‹ erneut befohlen, sich wieder im Gebiet des Zwischenfalls aufzuhalten, und zwar zwei Tage lang. Dort angekommen, sollte die ›Maddox‹ mit einem anderen amerikanischen Zerstörer, der ›Turner Joy‹, am Morgen des 3. August zusammentreffen und einen Tag in der Nahe von Vinh verbringen. Dies war der belebte nordvietnamesische Hafen, dessen Nachbarinsel bereits am 31. Juli unter den Beschuß der Südvietnamesen geraten war. Dann sollte, laut Befehl, nochmals südlich an der Vinh Son-Insel nah vorbeigefahren werden. Diese Insel wurde schon am 31. Juli von den Südvietnamesen mit US-Hilfe direkt unter Beschuß genommen. Abschließend fuhren die beiden US-Kriegsschiffe 96 Stunden lang an der nordvietnamesischen Küste entlang.[637]

Die beiden US-Zerstörer würden also im Tageslicht direkt in Gewässern verkehren, die acht Meilen von der nordvietnamesischen Küste und vier Meilen von den Inseln entfernt waren, obwohl die Nordvietnamesen eine Zwölf-Meilen-Zone für sich öffentlich beansprucht hatten. KARNOW bestätigte, man forderte die Kommunisten so weit heraus, daß ein weiterer Zusammenstoß voraussehbar war. »Die ›Maddox‹ und die ›Turner Joy‹ wurden förmlich als Köder benutzt, um die Kommunisten herauszulocken.« Und der Köder wurde noch schmackhafter gemacht, indem man die südvietnamesischen Boote am Nachmittag des 3. August wieder auf die zuvor angegriffenen Inseln losschickte.

Kapitän HERRICK wußte anhand der Überwachungsmöglichkeiten der ›Maddox‹ Bescheid, daß die Nordvietnamesen die südvietnamesischen Boote auf ihren Radars gesichtet hatten und daß sie die ›Maddox‹ ebenfalls mit diesen verdeckten Überfällen in Verbindung brachten. Obwohl er sich der

Gefahr eines Gefechts so nah an der nordvietnamesischen Küste bewußt war, wurde sein Vorschlag, die beiden Zerstörer wieder auf hohe See zurückzunehmen, verärgert zurückgewiesen.[638]

Es war in diesem Zusammenhang klar, daß man in Washington krampfhaft versuchte, einen weiteren Zwischenfall einzuleiten. Der von Präsident JOHNSON so genannte Tonkin-Zwischenfall vom 4. August (Washingtoner Zeit), konnte nie nachgewiesen werden. Es liegen keine Beweise vor, denen zufolge die beiden US-Militärschiffe von nordvietnamesischen Torpedobooten angegriffen worden sind. Von dem berüchtigten 4. August gibt es keine Fotos, auch fanden sich keine amerikanischen Seeleute, die den Feind beobachteten, wie er angeblich auf die US-Schiffe feuerte. Ein Pilot namens James B. STOCKDALE ging auf die Radaranweisungen ein, die wiederum auf die US-Marine zurückgingen, und machte sich auf die Suche nach den nordvietnamesischen Booten, die die Marine als Ziele ausgemacht hatte, konnte aber nichts finden.

Ähnlich erging es Leutnant John NICHOLSON, Führer eines Luftgeschwaders, das von dem Flugzeugträger ›Constellation‹ startete. Auch er konnte außer den US-Schiffen nichts finden.[639] Im Gegensatz zum ersten Zwischenfall am 2. August fand der andere angeblich in der Nacht zum 4. August statt.[640] Auch acht ›Crusader‹-A-8 Jet-Piloten, die zur Unterstützung gegen vermeintliche nordvietnamesische Boote angefordert worden waren, konnten keine Spur von diesen finden.[641] Die atmosphärischen Bedingungen waren solcher Art, daß alle Sonargeräte an Bord der ›Maddox‹ nicht richtig funktionierten.[642] Deshalb hätten die Techniker auf den beiden US-Schiffen, die die nordvietnamesischen Schritte registrieren sollten, alles Mögliche registrieren können, auch Regen und Wellen sowie das Summen ihrer eigenen Propeller.

Um etwa acht Uhr abends bekam HERRICK angeblich abgefangene Radiobotschaften, die besagten, daß kommunistische Patrouillenboote einen Angriff planten. Er forderte vom Flugzeugträger ›Ticonderoga‹ Unterstützung an, die Jets konnten aber keine feindlichen Boote sichten.[643] Leutnant John NICHOLSON, der, wie gesagt, vom Flugzeugträger ›Constellation‹ über dem Tonkin-Golf flog, hatte eine mondbeleuchtete Kulisse vor Augen, konnte aber ebenfalls außer den beiden US-Zerstörern nichts sehen. Als ein Pilot etwas zu erkennen glaubte, wurden Leuchtspurgeschosse abgefeuert, dennoch gab es nichts Ungewöhnliches zu sehen. Letztendlich teilten die Zerstörer mit, wo die A-4C Jets angreifen sollten. Als diese ihre Mission ausführen wollten, baten die Zerstörer sie darum, ihre Mission abzubrechen. Als die Jets wegflogen, erkannten sie, daß die Zerstörer genau unter ihnen waren, wo der Angriff hätte stattfinden sollen. Danach waren die Piloten der Meinung, daß die Meldungen der Zerstörer sehr unzuverlässig seien.[644] Nach diesem angeblichen Zwischenfall wurde von offizieller Seite sofort behauptet, die beiden US-Zerstörer wären unprovoziert von kommunistischen Torpedobooten angegriffen worden.[645] Die Sonargeräte hatten zwar einem Bericht zufolge 22 Torpedos gezählt, die auf die beiden US-Schiffe abgeschossen sein sollten, aber nicht ein einziger Torpedo hatte die beiden amerikanischen Schiffe getroffen.[646] Es ist schon erstaunlich, daß von 22 Torpedos nicht 20 oder 21 ihr Ziel völlig verfehlten, nein, alle 22 sollen Blindgänger gewesen sein. Auf diesen angeblichen Angriff antworteten die Amerikaner mit massivem Beschuß ihrerseits, 249 5-Zoll- und 123 3-Zoll-Geschosse wurden abgefeuert sowie vier bis fünf Wasserbomben.[647]

Die Offiziere der beiden Zerstörer meldeten ihr voreiliges Ergebnis mit dem unsichtbaren Feind: Zwei, vielleicht drei kommunistische Boote sollen versenkt worden sein. Nur kurz nach dem vermeintlichen Gefecht, das etwas über Mitternacht hinaus vom 3. bis auf den 4. August gereicht haben sollte, kamen HERRICK und seinen Männern Zweifel an dem ganzen Vorfall. Als sie aus der Zone fuhren, in der das Gefecht laut Washington stattgefunden hatte, teilte HERRICK sofort seine Bedenken seinen Vorgesetzten mit. »Er sagte, daß die ›ganze Aktion viele Zweifel‹ hinterlasse, und drängte zu einer ›vollständigen Aufklärung bei Tageslicht‹ von der Luft aus.«[648] Außer HERRICK weigerten sich auch der Missionskommandant OGIER und sein Flaggoffizier, dem Vorfall Authentizität zu bescheinigen, als man sich in Hawaii dafür interessierte.[649] Außer dem allerersten Radarkontakt, glaubte HERRICK, seien alle anderen Radarbehauptungen ungültig, die Torpedo-Feststellungen könnten aufgrund des vom Schiff selbst erzeugten Geräusches entstanden sein. Auch OGIER, der Missionskommandant der ›Maddox‹, stimmte dem zu.

Außerdem hatten die Elektronikspezialisten der ›Maddox‹ einen schrecklichen Tag mit ihren Geräten gehabt, einen Ausfall des Sonargerätes am Morgen, Radiostörungen danach und die besagte Leistung in der Nacht des 4. August. Die beste Bestätigung für die ›Leistung‹ der Ortungsgeräte ereignete sich in der Nacht zum 4. August, als die ›Maddox‹ ein Ziel geortet hatte. Die 5 Zoll-Kanone wurde auf das Ziel gerichtet. Nur als Nebengedanke ließ der für Kanonen zuständige Offizier eine Bitte an den anderen US-Zerstörer ›Turner Joy‹ richten, sie solle sich identifizieren. Als diese mit Lichtzeichen antwortete, befand sie sich mitten im Zielvisier der ›Maddox‹.[650] HERRICK wurde noch skeptischer, als er die ganze Crew nach dem Vorfall befragen ließ: »Kein einziger Matrose auf beiden Schiffen hatte einen Kahn gesehen oder Schüsse der Kommunisten gehört.« Auch die Piloten der ›Crusader‹-A-8 waren erstaunt, bei vierzigminütigem Überfliegen der Gegend kein einziges feindliches Boot gesichtet zu haben. HERRICK schilderte seine Zweifel in einem weiteren Bericht. »Die ›Maddox‹ hat keine ›eigentliche visuelle Ortung‹ von kommunistischen Patrouillenbooten gemacht. Die Radaraufzeichnungen, die anscheinend den Feind zeigten, wurden durch ›abnorme Wetterverhältnisse‹ und einen ›übereifrigen‹ jungen

Sonaroperateur, der für die Torpedoregistration zuständig war, verursacht.« HERRICK schlug wiederum eine »völlige Auswertung« des Ereignisses vor, bevor man irgendwelche Maßnahmen ergreife.[651]

Doch Präsident JOHNSON war natürlich nicht an einer wirklichen Aufklärung des Tonkin-Zwischenfalls interessiert. Schon fünf Stunden nach dem angeblichen Zwischenfall (vom 4. August 1964) beantragte er eigenhändig eine Zustimmung vom Kongreß, um gegen Nordvietnam Krieg zu führen.[652] Natürlich konnte in der knappen Zwischenzeit niemand feststellen, was sich wirklich im Golf von Tonkin zu der besagten Zeit ereignet hatte. Ein paar Monate später vertraute Präsident JOHNSON selber einem Berater an: »Von allem, was ich weiß, könnte unsere Marine auf Wale da draußen geschossen haben.«[653] Dazu schreibt der bekannte US-Senator William FULBRIGHT, einer der wenigen frühen Gegner des Vietnamkriegs, in seinen Memoiren: »Der Vorfall selbst wurde falsch dargestellt. Die Leute um JOHNSON wußten genau, daß es kein unprovozierter Angriff gewesen war. Ich bin auch sicher, daß sie wußten, daß es eine Provokation seitens der Südvietnamesen gegeben hatte, die einen Vergeltungsschlag herausfordern konnte. Und sie wußten auch, daß der sogenannte Angriff kaum diese Bezeichnung verdiente. Der Sachverhalt war so, daß JOHNSON das alles hätte wissen müssen, wenn ich auch nicht mit Sicherheit sagen kann, was in ihm vorging. Auf alle Fälle war die Darstellung, die man uns gab, eine Verdrehung der Tatsachen, für die der Präsident verantwortlich gemacht werden muß. Als mir Admiral TRUE später ein Telegramm schickte, in dem er erklärte, er bezweifle aufgrund seiner 25jährigen Erfahrung als Kommandant von Zerstörern die Darstellung des Angriffs, und die ganze Sache komme ihm verdächtig vor, leiteten wir die Hearings ein, und sie entlarvten die offizielle Darstellung, die zur Tonkin-Resolution geführt hatte. Erst als wir in diese Hearings über das einstiegen, was im Golf von Tonkin tatsächlich geschehen war, begann es mir zu dämmern, daß wir getäuscht worden waren. Und seit damals habe ich nur noch wenig Vertrauen zu den Äußerungen der Regierung... Hätte ich von Anfang gewußt, daß es ein Betrug und eine Lüge war, hätte ich mich sicher anders verhalten. Ich hätte sofort Hearings abgehalten. Aber ich glaube, daß sich Lyndon JOHNSON dennoch nicht hätte aufhalten lassen und daß er bloß nach einem Vorwand suchte, um seinen Entschluß in die Tat umzusetzen.«[654]

Als eine Senatskommission für Auswärtige Beziehungen (Senate Foreign Relations Committee) am 6. August 1964 sich mit dem Fall beschäftigte, wurde der Text dieser Anhörung erst zwei Jahre später, am 24. November 1966, als der (US-)Vietnamkrieg schon fast zwei Jahre in vollem Gange war, veröffentlicht, und dann auch nur in einer stark zensierten Version, vor allem was den Zwischenfall im Golf von Tonkin betrifft. Die US-Führung versuchte, den Krieg zu rechtfertigen, indem sie behauptete, Südvietnam sei Opfer Nordvietnams. Dem widersprechend, gab es interessante Informationen in einer Saigoner Zeitung, wonach es eine heftige Steigerung der südvietnamesischen Angriffe auf die Nordgebiete gegeben habe. Diese Angriffe fanden am 10. Juli 1964 statt, also mehr als drei Wochen vor dem ersten angeblichen Torpedobootangriff der Nordvietnamesen vom 2. August. Am 31. Juli 1964 bombardierten südvietnamesische Torpedoboote, die von den USA geliefert worden waren, zwei nordvietnamesische Inseln, etwa 3 bis 5 Meilen von der nordvietnamesischen Küste entfernt. Senator MORES behauptete, daß die amerikanischen Zuständigen davon gewußt hätten, daß »die Bombardierung stattfinden würde«. Amerikanische Kriegsschiffe patrouillierten im Golf von Tonkin für ungefähr anderthalb Jahre, bewegten sich nun innerhalb der 12-Meilen-›Grenze‹ (die von den Nordvietnamesen beansprucht, von den USA aber nicht anerkannt wurde) auf die nordvietnamesische Küste am 31. Juli zu. Nicht viel später kam es dann zu dem angeblichen Tonkin-Zwischenfall 65 Meilen von der nordvietnamesischen Küste entfernt.[655] Um wirklich auf Nummer sicher zu gehen, wurde am besagten 4. August ein Befehl erlassen, daß, falls im Golf nichts passieren sollte, man für drei weitere Tage Militärschiffe in die Region schicken würde.[656]

Nachträgliche Untersuchungen, die von offizieller sowie inoffizieller Seite durchgeführt wurden, ließen mit fast vollkommener Gewißheit erkennen, daß sich kein zweiter Angriff im Golf von Tonkin jemals ereignete.[657] Ray CLINE, damals stellvertretender Direktor des CIA, bestätigte, nachdem er tagelang Berichte über den zweiten Zwischenfall (4. August) gesammelt und überprüft hatte, daß sie entweder fehlerhaft waren oder mit dem ersten Zwischenfall zu tun hatten.[658]

Es gingen auch Gerüchte um, denen zufolge das Weiße Haus eine Verschwörung geplant habe. So soll es ein Telegramm von Admiral David L. MCDONALD, Kapitän HERRICKS Vorgesetztem, gegeben haben, HERRICK solle sich in gefährliches Gebiet begeben, um einen Zwischenfall zu provozieren. Bei diesem Unternehmen sei ihm Geleitschutz von US-Zerstörern garantiert. Man sagte außerdem, Präsident JOHNSON habe das ganze Unternehmen eingeleitet. Das Tagebuch des Präsidenten zeigt zumindest, daß er am 31. Juli 1964 zwischen 13 und 13 Uhr 45 mit Admiral David MCDONALD und anderen Mitgliedern der ›Vereinten Stabschefs‹ zusammengetroffen war. Die ›Vereinten Stabschefs‹ sind die militärischen Planer der USA. Treffen sie sich mit dem US-Präsidenten, dann stehen meistens sehr wichtige Entscheidungen bevor, besonders, wenn die USA, wie zum damaligen Zeitpunkt in Vietnam der Fall, einen Geheimkrieg gegen ein anderes Land führen. Auch wenn die Verschwörungsthese nie eindeutig bewiesen wurde, so deutet doch das ganze Geschehen am Golf von Tonkin darauf hin, daß die US-Regierung bewußt versuchte, die nordvietnamesische Führung in einen Zwischenfall zu verwickeln, um sie zu provozieren. Man wollte und brauchte einen Vorwand, um einen Krieg zu rechtfertigen.⁶⁵⁹

Am Morgen des 6. August 1964 rief ein Pentagonoffizier, der anonym bleiben wollte, Senator Wayne MORSE an. Er offenbarte diesem, daß die ›Maddox‹ in der Tat in die verdeckten südvietnamesischen Operationen gegen Nordvietnam verwickelt war. Demnach hatte die US-Regierung einfach gelogen, als sie behauptet hatte, die Angriffe gegen die ›Maddox‹ (erster Zwischenfall vom 2. August) seien unprovoziert gewesen. MORSE konfrontierte daraufhin Verteidigungsminister Robert MCNAMARA mit dieser Information. MCNAMARA reagierte aufgebracht und behauptete: »Unsere Marine hatte damit nichts zu tun, wußte nichts über südvietnamesische Aktionen, wenn es überhaupt welche gab. . . Ich sage das offen. Es ist eine Tatsache.« Als 1968 eine neue Senatsanhörung, die sich auf Dokumente stützte, MCNAMARAS frühere Aussage in Frage stellte, versuchte dieser, sein Dementi zu umgehen. Nun gab er zu, daß der Kapitän der ›Maddox‹ über südvietnamesische verdeckte Operationen Bescheid wußte, aber die Einzelheiten nicht kannte. Bei derselben Anhörung erlitten MCNAMARA und General Earle WHEELER Gedächtnisschwund, als sie über die Pentagonpläne, Nordvietnam schon im Frühjahr 1964 zu bombardieren, befragt wurden.⁶⁶⁰ Diese Bombardierungspläne brauchten natürlich auch einen Grund. Ein unprovozierter Angriff auf die ›Maddox‹, der ›Maine-Zwischenfall‹ drängt sich unweigerlich auf, wäre dafür geradezu ideal gewesen. Das wußten selbstverständlich auch die beiden Befragten.

Das waren aber nicht die einzigen Versuche, die nordvietnamesische Führung zu provozieren. Ein ehemaliger CIA-Offizier, Philipp LIECHTY, berichtete 1982 von Plänen, die er in den frühen sechziger Jahren zu Gesicht bekommen habe. Diese Pläne zielten darauf ab, Waffen kommunistischer Ostblockstaaten auf ein vietnamesisches Boot zu laden, sodann eine gefälschte Schlacht in Szene zu setzen, in der das besagte Boot sinken sollte, möglichst in flachen Gewässern, damit westliche Reporter das Boot begutachten und feststellen konnten, die Nordvietnamesen würden eindeutig von anderen (kommunistischen) Mächten unterstützt.

Und genau dies passierte auch, als das State Department in seinem *White Paper* »Aggression from the North« 1965 berichtete, ein »verdächtiges Boot« sei am 16. Februar 1965 nach einem Angriff der Südvietnamesen in »flachen Gewässern« vor der südvietnamesischen Küste gesunken. Das Boot, so wurde berichtet, hatte mindestens 100 Tonnen Waffen als Ladung, »fast ausschließlich kommunistischer Herkunft, größtenteils aus dem kommunistischen China und der Tschechoslowakei«. Das *White Paper* gab bekannt, daß »Vertreter der freien Presse das gesunkene Boot und seine Ladung besichtigten«.

LIECHTYS Kommentare hierzu in der *Washington Post* waren auch sehr interessant. So gab er zu verstehen, daß die *White Papers* dazu beitragen sollten, der amerikanischen Bevölkerung weiszumachen, daß Nordvietnam und andere kommunistische Länder Südvietnam bekämpften, und damit die öffentliche Meinung auf den massiven Einsatz der amerikanischen Streitkräfte vorzubereiten. US-Senator Stephen YOUNG aus Ohio sagte aus, daß bei einem Aufenthalt in Vietnam ihm ein CIA-Agent erzählt habe, daß sie als Vietkong (nordvietnamesische Truppen) verkleidete Leute Greueltaten, darunter Vergewaltigungen, begehen ließen, um die Kommunisten zu diskreditieren.[661]

So hatte man, wie so oft zuvor, einen Zwischenfall fabriziert, um einen Krieg eskalieren zu lassen, denn dazu brauchte man die Unterstützung der Öffentlichkeit. Die ›Pentagon-Papiere‹ enthüllten aber ein weiteres Geheimnis: Man hatte den Krieg nämlich schon längst geplant. Wie zuvor im Koreakrieg ging es eigentlich nicht so sehr um Vietnam, sondern um China, gegen das man entsprechend vorgehen wollte. Das Pentagon sah nämlich in China die eigentliche Bedrohung der US-Interessen in Südostasien.[662] Der Kampf gegen China war nach der vorherrschenden Meinung in Washington der eigentliche Hintergrund des Vietnamkriegs. Dieses Argument wurde von Außenminister RUSK, Verteidigungsminister MCNAMARA, den Beratern MCGEORGE und Maxwell TAYLOR, den Staatssekretären MCNAUGTON sowie William BUNDY, den Generalen WHEELER und JOHNSON, also der gesamten intellektuellen Elite, im Laufe des Jahres 1965 vor den Kongreßausschüssen sowie vor der Öffentlichkeit immer wieder vorgetragen, um ihre Politik zu erklären. Auch Außenminister John Foster DULLES vertrat impulsiv diesen Standpunkt.[663] Edward WEINTAL und Charles BARLETT berichteten, daß die US-Regierung schon seit März 1964 eine Eskalierung des Konflikts mit Nordvietnam plante. Der bekannte Washingtoner Korrespondent Charles ROBERTS von *Newsweek* erklärte seinerseits, Präsident JOHNSON habe ihm persönlich erzählt, die Entscheidung über die Bombardierung vier Monate vor Pleiku getroffen zu haben. Pleiku bezog sich auf einen Angriff der Nordvietnamesen in Südvietnam am 7. Februar 1964, wobei amerikanische Soldaten getötet worden sind. Das würde bedeuten, daß sich Präsident JOHNSON bereits am 7. Februar 1964, fast vier Monate vor dem Tonkin-Zwischenfall, entschieden hatte, Nordvietnam zu bombardieren. Parallel dazu berichtete Tom WICKER in der *New York Times*, daß JOHNSON schon wochenlang die Resolution mit sich herum trug, die er dann passend einen Tag nach dem ›Tonkin- Zwischenfall‹ dem Kongreß vorlegte.[664]

Auch andere Quellen vertreten diesbezüglich den Standpunkt, daß die Resolution, mit der der Kongreß am 16. August 1964 JOHNSON ermächtigte, Nordvietnam anzugreifen, bereits seit Ende Mai vorbereitet war.[665] So hatte die Machtelite also nicht nur den Zwischenfall ausgeheckt, sondern auch gleich die dazugehörige Resolution vorbereitet, damit dann alles planmäßig ablaufen konnte. Der Zeitpunkt war nämlich hervorragend gewählt: 1964 war Wahljahr, und JOHNSONS Berater rieten diesem sofort, die Resolution einzufordern, bevor sie zum Wahlthema im Herbst würde. Außerdem war es ein Geschenk des Himmels: Nun mußte JOHNSON ja die Resolution einfordern, denn eine ›nackte unprovozierte Aggression‹ gegen ein US-Schiff lag vor, und JOHNSONS Pflicht war es, die vergeltende Resolution einzufordern. Mit dieser Taktik, das wußten JOHNSONS Berater, konnte der Präsident alles bekommen, ohne dafür Verantwortung übernehmen zu müssen. In Washingtons elitären Kreisen wußte man auch, daß es Jahre dauern würde, bis Zweifel am ›Tonkin-Zwischenfall‹ aufgedeckt und bestätigt würden. In der Zwischenzeit würde die Exekutive jedoch gegen alle Zweifler vorgehen, und, was noch wichtiger war, der Krieg würde längst in vollem Gange sein.[666]

Auch weiterhin log das Weiße Haus das amerikanische Volk an, indem es ihm beispielsweise am 2. Oktober 1963 versicherte: »MCNAMARA und General TAYLOR schätzen die Lage so ein, daß die militärischen Aufgaben der USA (in Vietnam) im wesentlichen Ende 1965 beendet sein können.« Kriegsminister MCNAMARA kündigte sogar die Rückkehr von Militärkontingenten der USA für Ende 1963 an (Erklärung vom 19. November 1963).[667] Aber die hohen Herren des Weißen Hauses hätten es besser wissen müssen, denn der Generalstabschef des amerikanischen Heeres, General JOHNSON, hatte bereits im Frühjahr in San Francisco erklärt, die USA müßten sich auf »zehn Jahre und mehr« in Indochina und Thailand einrichten, und er präzisierte im Mai 1965, er habe »wenigstens zehn, eher zwanzig Jahre« gemeint.[668]

Der General sollte recht behalten, denn der Krieg sollte noch rund zehn lange und vor allem grausame Jahre dauern. Es gab auch Meinungsverschiedenheiten. Ein Streit zwischen den beiden US-Geheimdiensten, die in Vietnam arbeiteten, wurde erst nach Ende des Vietnamkriegs aufgedeckt. Es ging um die unterschiedlichen Einschätzungen der Vietminh-Stärke. 1982 berichtete der amerikanische CBS TV-Sender, US-Militärs hätten die wahre Stärke des Gegners in Vietnam verheimlicht. Diesem Bericht zufolge hatte der CIA dem MACV (Militärisches Hilfskommando-Vietnam) mitgeteilt, daß dessen Schätzung der gegnerischen Truppenstärke viel zu niedrig angesetzt sei. Von höheren Truppenzahlen auf seiten des Gegners wollte der MACV jedoch nichts wissen. Auch der DIA (Defense Intelligence Agency, Verteidigungs-Nachrichtendienst) in Vietnam hatte gegenüber dem MACV den gleichen Standpunkt vertreten. Als der Oberkommandeur der US-Truppen, General William C. WESTMORELAND, von diesen wesentlich höheren Schätzungen der Geheimdienste hörte, soll er gesagt haben: »Wenn ich diese Nachricht nach Washington sende, wird sie dort wie eine politische Bombe einschlagen.«

Zu jener Zeit bemühte sich die JOHNSON-Regierung um die Unterstützung der amerikanischen Bevölkerung für den Krieg in Vietnam. Ein Geheimtreffen von Präsidentenberatern, das später als die ›Sitzung der weisen Männer‹ bekannt wurde, fand am 2. November 1967 statt. Im Mittelpunkt stand die Frage, wie das Land hinter den politischen Führungskräften vereinigt werden könne. Es wurde beschlossen, daß die Medien von nun an nicht mehr den Ton angeben durften, zumindest in der Vietnam-Frage. Nunmehr sollte nur noch über die im Vietnamkrieg erzielten Fortschritte berichtet werden.[669] Da machte ihnen aber die Tet-Offensive der Nordvietnamesen Anfang 1968 einen gewaltigen Strich durch die Rechnung.

Seine erste Wahl zum US-Präsidenten 1968 hatte Richard NIXON hauptsächlich seinem Wahlversprechen zu verdanken, den äußerst unpopulären Krieg in Vietnam so schnell wie möglich zu beenden.[670] Aber die Wähler wußten natürlich nicht, daß NIXON ein notorischer Lügner war: Zunächst sagte er nicht die Wahrheit, als er erklärte, daß er niemals amerikanische Soldaten nach Vietnam schicken werde. Dies geschah lange vor dem Zeitpunkt, als er Präsident wurde. Später bestritt er, daß er in Kambodscha und Laos einen Geheimkrieg führe. Dann behauptete er scheinheilig, er wolle den Krieg in Vietnam so schnell wie möglich beenden, während er ihn in Wirklichkeit ausufern ließ und verstärkte, und schließlich log er beim Watergate-Skandal, der letztendlich seiner politischen Karriere ein beschämendes Ende setzte.

NIXON steckte nach seiner Wahl 1968 in einem schweren Dilemma: Einerseits hatte er dem amerikanischen Volk eine möglichst baldige Beendigung des Vietnamkriegs versprochen, andererseits wußte er aber, daß eine während seiner Amtszeit erfolgende Beendigung des Krieges seine Chancen auf eine Wiederwahl wesentlich verringern würde, denn er stünde da als der US-Präsident, der den ersten Krieg in der amerikanischen Geschichte verloren hätte.

So entschloß er sich, den Krieg in Vietnam zu verstärken, damit die Nordvietnamesen gleichermaßen an den Verhandlungstisch bombardiert würden und er einen günstigen Frieden für die USA abschließen könnte. Da aber diese Luftangriffe in den USA immer unpopulärer wurden, mußte NIXON die Sache so geheim wie möglich halten. NIXON und KISSINGER leiteten mit ein paar wenigen Eingeweihten die Operation ›Linebacker‹ ein, mit dem Ziel, die Nordvietnamesen an den Verhandlungstisch in Paris zu zwingen.[671] NIXON, ein begeisterter Football-Fan, nannte die Operation nach einer im US-Football beliebten Taktik.[672]

Die erste ›Linebacker‹-Operation fand am 10. Mai 1972 statt. Nordvietnam hatte damals eines der besten Luftverteidigungssysteme der Welt.[673] Die Operation ›Linebacker‹ benutzte den B-52-Bomber, den Bombertyp, der damals die meisten Bomben tragen konnte. Die B-52 wurde eigens für diese Operation verändert: Der herkömmliche Typ konnte lediglich 27 schwere Bomben mit sich führen, die neue Version, der B-52D, dagegen 108 Eisenbomben von je 227 kg![674] Bis Ende Juni 1972 verfügten die US-

Einheiten über 98 B-52 des älteren Typs und immerhin über 102 modifizierte D-Typ-Maschinen mit je 108 Bomben an Bord.

Während des ›Linebacker‹-Unternehmens wurden die Angriffe weit in den Norden außerhalb der Demarkationslinie geflogen, bis Nixon im Oktober 1972 aufgrund der Pariser Friedensverhandlungen die Operation einstellte. Als die Friedensverhandlungen dann ins Stocken gerieten, ließ Nixon die Operation ›Linebacker 2‹ starten.[675] Dieser Operation war höchstwahrscheinlich die schwerste und intensivste in der gesamten Geschichte der Luftangriffe. ›Linebacker 2‹ ging in die Geschichte als ›The Eleven Days of Christmas‹ (elf Tage Weihnachten) ein; sie dauerte vom 18. bis 29. Dezember 1972 an. Diese in der Geschichte einzigartige Luftoffensive prägte sich der Welt auch als der Elf-Tage-Krieg ein.[676] Oft operierten mehr als 100 Bomber gleichzeitig während der Nacht in einem Gebiet, das mit MiG-Jägern, Luftabwehr-Raketenstellungen und radargesteuerter Flak gespickt war. Vom 18. bis 29. Dezember 1972 wurden 729 Einsätze mit der B-52 geflogen und mehr als 15 000 Tonnen Bomben auf Ziele wie Flughäfen und die Hafenstadt Haiphong abgeworfen.[677] Mehr als 1600 militärische Einrichtungen wurden getroffen, zehn Flugplätze unbenutzbar gemacht, über elf Millionen Liter Öl und Treibstoff gingen in Flammen auf. Das nordvietnamesische Eisenbahnnetz wurde an über 500 Stellen unterbrochen.[678] Die Nordvietnamesen schossen massenweise Boden-Luft-Raketen sowjetischer Bauart ab, um sich vor der mörderischen Bombardierung zu schützen, immerhin gelang es ihnen, nicht weniger als 18 der B-52 Bomber abzuschießen,[679] während 14 weitere so schwer beschädigt wurden, daß sie nur mit Mühe zum Stützpunkt zurückkehren konnten.[680]

Dies war ein beträchtlicher Erfolg für die Nordvietnamesen, denn die USA hatten bis dahin immerhin acht Jahre lang keinen einzigen B-52 Bomber verloren.[681] Die Anflüge auf Nordvietnam waren damit für die US-Air Force gefährlich geworden. Die Vietnamesen hatten fast 300 SAM-Stellungen (Boden-Luft-Raketen), die zum großen Teil die neue treffsichere Version der SAM-2 Rakete verschossen, während die Zahl der radargesteuerten Flakbatterien auf über 1500 gestiegen war. Hinzu kamen etwa 250 Abfangjäger – ein Drittel davon schnelle, agile MIG-21 Düsenjäger. Die MIG-21 hatte ähnlich wie schon die MIG-15 im Koreakrieg die US-Piloten das Fürchten gelehrt. Obwohl die Nordvietnamesen in Sachen Luftkampf Neulinge waren, hatten sie 1968 für jedes US-Flugzeug, das sie im Luftkampf abgeschossen hatten, nur zwei eigene einbüßen müssen. Dies bedeutete, so Robert Wilcox, ein Experte in Sachen Luftkampf in Vietnam, daß die im Vietnamkrieg so wichtige Luftüberlegenheit bald an die Nordvietnamesen übergehen würde (zumal letztere ein ausgedehntes Ausbildungsprogramm mit vielen jungen Piloten gerade beendeten). Solch eine Entwicklung könnte, so Wilcox, verheerende Auswirkungen auf den Ausgang des gesamten

Kriegs in Vietnam haben. Die Abschußraten der US-Piloten hatten laut WILCOX noch nie so blamierend tief gelegen.

Im Laufe des Kriegs wurde die Top-Gun-Schule gegründet, die dafür sorgte, daß sich die US-Abschußraten wieder nach oben bewegten.[682] Mit ›Linebacker‹ wurden mehr Militär- und Industrieanlagen als je zuvor zu Zielen erklärt: Bahnhöfe, Brücken, Fabriken, Öllager, Flugplätze und Truppensammelplätze. In sechs Monaten führte ›Linebacker‹ zum Zusammenbruch des Transportsystems in Nordvietnam und zur völligen Vernichtung anderer Ziele. Trotzdem weigerte sich Hanoi, die Bedingungen der USA für ein Waffenstillstandsabkommen anzunehmen. Erst die Operation ›Linebacker 2‹, mit der auch bislang bewahrte Ziele zerstört wurden, brachte die Verhandlungen wieder in Gang. Zu diesen neuen Zielen gehörten Fabriken, Flugplätze und Transporteinrichtungen, die inmitten von Hanoi und Haiphong lagen, also Großstädten, die nun von der US-Luftwaffe regelrecht terrorisiert wurden. Angesichts der ungeheuren Verwüstungen, die die ›Linebacker‹-Operationen angerichtet hatten, nahmen die Nordvietnamesen die Friedensverhandlungen am 1. Januar 1973 wieder auf. Am 23. Januar wurde ein Waffenstillstandsabkommen unterzeichnet.[683]

Kriegsverbrechen der USA

Untersuchungen, die nach dem Krieg in Vietnam durchgeführt wurden, wiesen eine abnorm hohe Krebsrate, Chromosomendefekte sowie Mißgeburten auf. Die US-Luftwaffe versprühte 1962–1971 über 72 Millionen Liter dioxinhaltige Herbizide in einer »streng geheim gehaltenen« Operation ›Ranch Hand‹ über Südvietnam. Rund 170 Kg Dioxin gingen auf Vietnam nieder. Dioxin ist einer der giftigsten Stoffe der Welt. 17 Millionen Menschen waren dem »Supergift ausgesetzt«, mehr als 1 Million erkrankten an ihm, während 100 000 Babies schwere Geburtsschäden davontrugen, klagte Hanoi. Die Spätfolgen dieser chemischen Waffe wurden fünf Jahre lang durch ein kanadisches Unternehmen ermittelt. Mit Satellitenfotos, Bodenproben und Blutuntersuchungen fand man im Blut von auch nach Kriegsende Geborenen hohe Dioxinkonzentrationen, ein Beweis, daß die Substanz immer noch in der Nahrungskette verbreitet war... Das waren die unmittelbaren Folgen des US-Einsatzes chemischer Waffen in Vietnam. Telford TAYLOR, höchster US-Vertreter beim Nürnberger Kriegstribunal, meinte 1971, daß viele Mitglieder der JOHNSON-Administration wegen Kriegsverbrechen im Sinne der Nürnberger Prozesse als schuldig betrachtet werden könnten.[684] Erneut zeigte sich, wie sich die USA über das Völkerrecht und die ›Genfer Konvention‹ hinwegsetzten: Sie bombardierten Laos und Kambodscha sowie Vietnam ohne jegliche Kriegserklärung, in völliger Mißachtung internationaler Gesetze. Dazu gehörten auch der chemische Krieg und das ›Agent Orange‹-Giftgas, das gegen Nordvietnam verstärkt eingesetzt wurde mit der Begründung, daß man den Dschungel entlauben müsse, um den Feind besser zu erkennen. Ferner erteilte man den US-Soldaten den Befehl, keine Gefangenen zu machen (besonders verwundete feindliche Soldaten sollten erschossen werden). Dieser Befehl war allgemein gültig und stellte einen eindeutigen Verstoß gegen die ›Genfer Konvention‹ dar.[685] Dieser Befehl wurde übrigens auch im Golfkrieg wiederholt.[686]

Die Gesamtkosten der US-Aggression in Vietnam werden auf 135 bis 140 Milliarden Dollar geschätzt. Dabei wurden mehr als 3 Millionen Menschen (hauptsächlich Nordvietnamesen) getötet, drei Millionen Menschen in Vietnam, Laos und Kambodscha wurden zu Flüchtlingen. Insgesamt detonierten über Indochina Bomben mit der unglaublichen Sprengkraft von hundert Hiroshima-Atombomben. Der Verlust für die Amerikaner, der sich auf 58 000 Tote, 303 605 Verwundete, 3705 Flugzeuge und 4867 Hubschrauber belief, war wirtschaftlich gesehen nicht weiter tragisch. Denn der Wirtschaft ging es während des Krieges gut. Mit Ende des Krieges kehrte die Rezession bezeichnenderweise wieder zurück, die Arbeitslosigkeit stieg auf immerhin 8,5% an, und die Inflation schnellte hoch. Unter CARTER erreichte sie sogar zweistellige Prozentzahlen.[687]

Für Vietnam war die Bilanz nach dem Ende des US-Kriegs natürlich schokkierend: Der US-Luftterror ermordete Hunderttausende von Menschen, die überwiegende Mehrheit davon waren Zivilisten, drei der sechs Großstädte wurden völlig zerstört, ebenso 12 der 29 Provinzhauptstädte, 51 der 116 Kreisstädte und 300 der 4000 Dörfer. Große Teile Hanois und Haiphongs wurden in Schutt und Asche gelegt, sowie 2923 Schulen, 1850 Krankenhäuser und Ambulanzen, 949 Kirchen und Pagoden sowie 808 Kulturdenkmäler.[688] Der Bombenhagel, der auf Vietnam niederprasselte, betrug am Ende des Krieges die unvorstellbare Menge von über sieben Millionen Tonnen, also dreieinhalbmal so viel wie im gesamten Zweiten Weltkrieg,[689] was, wie gesagt, der Detonation von 100 Hiroshima-Atombomben entspricht.[690]

Kambodscha: Dominostein im Kreuzzug gegen Vietnam

Prinz Norodom SIHANOUK schrieb in seinen Memoiren, daß John Foster DULLES als US-Außenminister nach Kambodscha kam, um ihn von einer »kommunistischen Aggression« zu unterrichten, die unmittelbar bevorstehe. Um dieser entgegenzuwirken, drängte DULLES den Prinzen, seine Nation solle sofort dem SEATO-Pakt (südostasiatische Vertragsorganisation) beitreten. SIHANOUK versuchte, DULLES zu erklären, daß er die SEATO für eine aggressive Militärallianz halte, die seine Nachbarstaaten bedrohe. SIHANOUK beschrieb J. F. DULLES als einen bitteren arroganten Mann. Nicht viel später kam dessen

Bruder, Allen DULLES, der damals Leiter des CIA war, und legte Dokumente vor, die angeblich beweisen sollten, was VON SIHANOUK schon zuvor gesagt worden war. SIHANOUK ließ sich aber nicht beirren und erklärte, daß die Beweise mit seinen Informationen über die Sicherheit Kambodschas nicht übereinstimmten und daß sein Land neutral bleiben wolle, weil seine Landsleute Buddhisten seien und Kambodscha allein mit allem zurechtkomme.[691]

Wenn SIHANOUK damit geglaubt hatte, die US-Behörden losgeworden zu sein, dann irrte er sich gewaltig. Denn im März 1956 begannen die beiden Nachbarstaaten Südvietnam und Thailand, die auf US-Hilfe stark angewiesen waren, ihre Grenzen zu schließen. Das war ein folgenschweres Ereignis für Kambodscha, denn der Handel mit dem Rest der Welt ging entweder über den Mekong-Fluß durch Südvietnam oder wurde per Eisenbahn durch Thailand befördert. Die Gefahr, die die USA für den Prinzen vorausgesagt hatten, ging nun – eine Ironie – von den US-Alliierten aus, die beide Mitglieder der SEATO waren.

Es fanden nun wiederkehrende militärische Provokationen statt. Thailändische Truppen drangen in kambodschanisches Gebiet ein, und der CIA finanzierte irreguläre Verbände, die Überfälle von Südvietnam aus durchführten. 1958 wurden die Überfälle schlimmer: Fünf von Flugzeugen unterstützte Bataillone überschritten erneut die kambodschanische Grenze bis 16 Kilometer tief ins Land hinein und stellten neue Grenzmarkierungen auf. Als SIHANOUK dem entgegenwirken wollte, wurde ihm von dem US-Botschafter in Kambodscha, Carl STORM, mitgeteilt, daß die US-Militärhilfe ausschließlich zum Entgegenwirken der ›kommunistischen Aggression‹ bestimmt sei und auf keinen Fall gegen einen US-Verbündeten eingesetzt werden dürfe. Der Botschafter ermahnte den Prinzen: Sollte eine einzige Patrone auf Südvietnamesen gefeuert oder ein einziger der von den USA gelieferten Lkws dazu benutzt werden, kambodschanische Truppen gegen die Vietnamesen zu befördern, würde es als Grund reichen, die US-Hilfe für Kambodscha zu beenden. Daraufhin beschloß SIHANOUK, Washingtons Hilfe abzulehnen. Damit war Kambodscha wohl das einzige Land, das seinerseits die US-Hilfe kündigte.[692] In *Sideshow: Kissinger, Nixon and the Destruction of Cambodia,* das wohl am besten recherchierte Buch über den US-Krieg in Kambodscha, zeigt William SHAWCROSS, wie (in den *Pentagon-Papieren* erwähnte) Papiere des NSC (nationaler Sicherheitsrat) aus jener Zeit bestätigen, daß Washington Thailand und Vietnam als Druckmittel benutzte, um, über die Grenze von Kambodscha, SIHANOUK dazu zu bringen, eine pro-amerikanische Haltung einzunehmen.[693]

Aber der CIA führte den Stellvertreterkrieg auch noch auf eine andere Art. Zu den thailändischen und südvietnamesischen Truppen kamen auch noch die Khmer Serei und die Khmer Krom, ethnische Kambodschaner, die Gegner SIHANOUKS waren.[694] Diese Streitkräfte wurden von Spezialeinheiten

(Green Berets) und dem CIA rekrutiert, finanziert, bewaffnet und ausgebildet. Sie begannen im Jahre 1958, in Kambodscha einzusickern, mit dem Ziel, Sihanouk zu stürzen. Diese Verschwörung soll laut Sihanouk im September 1958 auf einem SEATO-Treffen beschlossen und einen Monat später ausführlich geplant worden sein, als er in New York die UNO besuchte. Sihanouk erschien es im nachhinein als bittere Ironie, daß der CIA gegen ihn konspirierte, während er in Washington von Präsident Eisenhower mit einem 21 Schuß-Salut geehrt wurde.[695]

Am 9. Februar 1969, also knapp einen Monat nach Richard Nixons Wahl zum Präsidenten, kabelte General Creighton Abrams, Kommandeur der US-Truppen in Südvietnam, eine Botschaft an die Adresse von General Earl C. Wheeler, Stabschef der Vereinten Streitkräfte. In dieser geheimen Botschaft gab Abrams seinem Vorgesetzten neue Informationen über einen Stützpunkt der Vietminh. Diesen Angaben zufolge sollten die Nordvietnamesen nicht, wie früher gedacht, in Laos, sondern im südlichen Teil Kambodschas geheime Basen besitzen, in die sie sich immer wieder von Südvietnam zurückziehen konnten, um somit den Bombenangriffen der US-Luftwaffe zu entkommen.

Kambodscha war, was den Vietnamkrieg bis zu diesem Zeitpunkt betraf, als neutrale Nation weltweit anerkannt. Davon unbeeindruckt, wollte Abrams die Region (Südkambodscha) bombardieren. Er wollte die Region über einen kurzen Zeitraum »konzentrierten B-52-Angriffen von bis zu 60 Flügen, in kürzester Zeit«, aussetzen. Sechzig Flüge sollten binnen einer Stunde stattfinden. Abrams Antrag wurde mit strengster Geheimhaltung behandelt. Ein gewisser McConnell antwortete Abrams so diskret, daß außer den beiden kaum dritte von der Aktion etwas erfuhren. Die Antwort, die Abrams erhielt, war mit Geheimhaltungsmerkmalen versehen: »Streng geheim« – »Sensitiv«, »Nur zum Einsehen bestimmt«, »Überbringen während Rundgangsstunden«, »Nur für angewiesene Person zum Einsehen bestimmt«. McConnell teilte Abrams in dem Geheimkommuniqué mit, daß sein Antrag »der höchsten Autorität« vorgelegt worden sei. In der gängigen Kabelsprache bedeutete dies, daß Präsident Nixon es höchst persönlich gesehen hatte. Man habe sich mit dem Thema befaßt und werde dies noch weiter tun, Abrams werde bald eine weitere Antwort behalten.

Die nächsten fünf Wochen wurde das Thema in dem Oval Office im Weißen Haus in aller Geheimhaltung besprochen. Nixon und dessen sehr einflußreicher Außenminister Henry Kissinger forderten nochmals, daß das Thema nur in völliger Geheimhaltung erwähnt werden dürfe, die normalen ›Top Secret‹ Berichterstattungskanäle seien hierfür nicht geeignet. Am 17. März 1969 bekam Abrams seine ersehnte Befugnis, die Angriffe gegen Südkambodscha zu fliegen. Die Operation erhielt den Namen ›Breakfast‹ (Frühstück). Die Angriffe wurden verheimlicht. Die Bomber wurden für die normalen Einsätze gegen Vietnam bereitgestellt. Wenn die Vereinten Stabschefs aber das Signal ›Execute repeat Execute Operation Breakfast‹ erteilten, sollten die Bomber etwas weiter auf die vietnamesisch-kambodschanische Grenze zufliegen und die kambodschanischen Stützpunkte bombardieren. Es gab keine Ankündigung. »Wegen der Sensitivität der Operation wird versichert, daß die adressierten Personen nur Informationen bekommen, die gerade ausreichen, um die Operation auszuführen und daß diese Information die Betreffenden so spät wie möglich erreicht, damit die Operation effektiv durchgeführt werden kann.« (Alle Piloten, die daran beteiligt waren, erhielten also nur die absolut notwendige Information zur Ausführung ihres Auftrags, und diese Information bekamen sie so spät wie möglich, damit die Geheimhaltung gewahrt blieb.)

Achtundvierzig Einsätze waren vom Pentagon, sprich von den Vereinten Stabschefs, ausgewählt worden, und zwölf weitere durfte sich ABRAMS aussuchen. Bevor die Aktion ausgetragen war, wurde den Piloten von ihren vorgesetzten Befehlshabern erklärt, daß ihnen die Bodenkontrolleure neue Koordinaten für Ziele geben würden (diese bezogen sich auf Kambodscha).[696] Über diese Bombenangriffe besonders glücklich war jene Spezialeinheit mit dem Codenamen ›Daniel Boone‹, die seit 1967 damit beschäftigt war, kambodschanisches Gebiet zu infiltrieren. Die Amerikaner dieser Spezialeinheit waren alle Freiwillige, sie hatten sich verpflichtet, sich der strengsten Geheimhaltung unterzuordnen, und Dokumente unterschrieben, denen zufolge sie 10 000 Dollar zahlen und zehn Jahre Gefängnisstrafe erhalten würden, wenn sie irgendwelche Einzelheiten über die Eingriffe preisgaben. Die Todesfälle innerhalb dieser Einheit wurden den Verwandten beschrieben, als hätten sie sich »an der Grenze« ereignet.

1967 wurden diese Grenzüberfälle begonnen, natürlich ohne das Wissen des Kongresses. Keiner der Kongreßausschüsse, die die Sache zu billigen oder zu untersagen hatten und die bei erteilter Genehmigung für die Finanzierung verantwortlich gewesen wären, wurde von NIXON benachrichtigt, daß er sich entschlossen hatte, einen Krieg in ein drittes Land zu verlegen, ein Land, dessen Neutralität von der USA angeblich geachtet wurde.

Die Einheiten hatten die Anweisung, dreißig Kilometer tief in kambodschanisches Gebiet vorzudringen und Landminen zu legen.[697] Seit General ABRAMS seinen Geheimantrag am 9. Februar 1969 gestellt hatte, waren vierzehn Monate vergangen. In diesen vierzehn Monaten wurden 3630 B-52- Einsätze gegen die kambodschanischen Stellungen geflogen. In den Akten wurden die Nachteinsätze über Kambodscha so registriert, daß es schien, als hätten sie in Vietnam stattgefunden.[698] Am 18. März 1969 begann die besagte vierzehnmonatige Bombardierung Kambodschas – ›Operation Menu‹, die eine Bombenmenge auf das kleine Kambodscha entlud, die viermal die Menge der über Japan im Zweiten Weltkrieg abgeworfenen übertraf.⁶⁹⁹ Am 9. Mai 1969 berichtete die *New York Times* zum ersten Mal (ihre Quelle waren Luftwaffenoffiziere, die ihr Schweigen gebrochen hatten), daß »amerikanische B-52 Bomber einige Vietcong [Vietminh] und nordvietnamesische Verpflegungsdepots und Basen in Kambodscha angegriffen hatten, laut NIXON-Administration hatte Kambodscha aber noch nicht protestiert«.⁷⁰⁰

Wegen der Geheimbombardierung bewegten sich die Vietminh weiter in kambodschanisches Gebiet, um den US-Bomben zu entweichen, und die B-52 flogen weiter nach Kambodscha hinein, um die Vietminh zu vernichten. Auf diese Weise breitete sich der Krieg auf weitaus größere Teile Kambodschas aus.⁷⁰¹ Da aber die NIXON-Regierung die Bombenangriffe für anscheinend nicht mehr ausreichend hielt, begann am 30. April 1970 die vollständige amerikanische Invasion Kambodschas. Sie verursachte weite Proteste in den ganzen USA, vor allem an Universitäten. Die vielleicht überraschendste Reaktion war der Rücktritt von vier verärgerten Mitgliedern von KISSINGERS Nationalem Sicherheitsrat. KISSINGER stempelte dies als die »Feigheit des östlichen Establishments« ab (damit bezog er sich auf die Harvard/Yale Elite, der er selbst angehörte).

Bis Ende Mai 1970 waren durch die Bombenangriffe zahlreiche Dörfer dem Erdboden gleichgemacht worden, und die Flüchtlingsströme der Kambodschaner machten Schlagzeilen in aller Welt. Drei Jahre später, nachdem über 100 000 Tonnen Bomben entladen worden waren, wurde in Paris eine Übereinkunft getroffen, um dem zehnjährigen Krieg der USA in Vietnam ein Ende zu setzen. Die Bombardierung Kambodschas setzte sich jedoch fort. Vor der Pariser Übereinkunft hatte die US-Regierung behauptet, daß ihre Bombenangriffe auf Kambodscha dem einzigen Grund dienten, Amerikaner in Vietnam zu schützen.

Der Vietnamkrieg war nun offiziell beendet, trotzdem hörten die USA nicht auf, Kambodscha zu bombardieren, nein, sie steigerten ihre Angriffe noch mehr. Der Grund war ein verzweifelter Versuch, die Roten Khmer davon abzuhalten, die Macht in Kambodscha zu ergreifen. Im März, April und Mai 1973 war die Bombenlast, die über Kambodscha abgeworfen wurde, mehr als doppelt so hoch wie im ganzen Jahr zuvor. Die traditionelle Wirtschaft und das alte Kambodscha waren auf immer zerstört. Nur unter massivem Druck des US-Kongresses beendete die NIXON-Administration endlich die Bombardierung im August 1973. Bis zu diesem Zeitpunkt waren mehr als zwei Millionen Kambodschaner heimatlos geworden.⁷⁰²

In seiner Abschiedspressekonferenz im September 1973 nannte der US-Botschafter in Kambodscha, Emory SWANK, den Krieg gegen dieses Land, »Indochinas nutzlosesten Krieg«. Als der US-Kongreßabgeordnete Pete MCCLOSKY nach dem Krieg Kambodscha besuchte, erklärte er: Was die USA »der Nation angetan hatten, ist von größerer Bosheit, als was wir jemals einem anderen Land in der Welt angetan haben, und völlig grundlos, außer daß wir daraus unsere eigenen Vorteile im Krieg gegen Vietnam gezogen haben«.

Das Leiden Kambodschas schien aber kein Ende zu kennen. Am 17. April 1975 siegten die Roten Khmer. Sie würden, fast unvorstellbar, noch größeres Leid über das Land bringen. Die bittere Ironie des Ganzen war, daß die US-Machtelite, nachdem sie die Roten Khmer gnadenlos bekriegt hatte, nun genau diese unterstützte.[703] Der Grund dürfte wohl darin liegen, daß die Roten Khmer 1978 von den Vietnamesen angegriffen worden waren und die US-Elite sich immer noch an (Nord-)Vietnam rächen wollte.

Nachdem die USA den Vietnamkrieg verloren hatten, verschlechterten sich die Beziehungen zwischen Kambodscha und Vietnam 1975/76. Beide beschuldigten sich gegenseitig der Grenzüberschreitungen, subversiver Aktionen und der Mißachtung der eigentlichen Grenze. Ferner wurde über die Inseln der Gegend gestritten, besonders, als vermutet wurde, diese würden reich an Erdöl sein. Der Grund für den Krieg zwischen beiden Staaten dürfte aber eher in der aggressiven Außenpolitik Kambodschas unter den Roten Khmer zu finden sein. Vietnam gab zwar im Inselstreit nach, unterstützte aber den Sturz der Roten Khmer, die nichts weiter als eine Mörderbande waren, 1978 sogar öffentlich.[704]

Die Roten Khmer waren von dem barbarischen POL POT angeführt. POL POT wollte gewissermaßen eine ›Steinzeit‹-Gesellschaft errichten. Alles, was auch nur annähernd modern war, sollte sofort abgeschafft werden. Alle, die sich weigerten, wurden sofort umgebracht. Unter dieser grausamen, zwischen 1975 und 1978 währenden Diktatur kamen insgesamt 2 Millionen Menschen um.[705] Für ein Land, das damals nur 8 Millionen Menschen zählte, war dies ein Genozid, das prozentual den Holocaust bei weitem übertrifft und ihn, wie der US-Historiker Stanley KARNOW meint, zahm aussehen läßt.

Der kluge Führer SIHANOUK war im März 1970 mit tatkräftiger CIA-Hilfe gestürzt worden.[706] Er hatte alles Erdenkliche getan, um Kambodscha neutral zu halten und die Roten Khmer nicht an die Macht kommen zu lassen. Im Januar 1978 griff Vietnam massiv in Kambodscha ein. Als die Vietnamesen in Phnom Penh einmarschierten, konnten sie dem sich ihnen bietenden Anblick kaum glauben: Massengräber, Massenzwangslager, in denen die Bevölkerung 14 Stunden am Tag mit nur einer Reisschale und einem Schluck Wasser arbeiten mußte. Die solchen Torturen nicht gewachsenen Personen starben in großer Zahl; Menschen, die Brillen trugen, wurden als ungewünschte Intellektuelle sofort ermordet, Familien wurden auseinandergerissen. Da die moderne medizinische Versorgung, wie alles Moderne, strikt verboten war, starben viele, weil sie keine Medikamente erhielten. Hungersnot war an der Tagesordnung.

Hätten die Vietnamesen nicht eingegriffen, um diesem Wahnsinn ein Ende zu machen, hätte diese Hölle wohl noch jahrelang bestanden, zumal der

Westen merkwürdigerweise die vietnamesische Intervention verurteilte und die USA sogar das Terrorregime der Roten Khmer unterstützten. Wenn es in der Geschichte des 20. Jahrhunderts eine gerechtfertigte, da humane Intervention gegeben hat, dann zweifellos die vietnamesische in Kambodscha.

Aber die Vietnamesen zogen sich bald aus Kambodscha zurück, nachdem sie eine humanere Regierung eingesetzt hatten. Dennoch gaben die USA den nun in die Rebellion getriebenen Volksmördern (Roten Khmer) alle erdenkliche Hilfe und unterstützten deren Anspruch als legitime Vertreter Kambodschas (die Roten Khmer änderten den Namen Kambodschas in Kamputschea um) in der UN.[707] Die Weigerung der Roten Khmer, die Regierung anzuerkennen, erzeugte praktisch einen Bürgerkrieg in Kambodscha, der erst im Anfang der neunziger Jahre teilweise durch diplomatische Bemühungen beendet werden konnte.

Wann wird die Tragödie dieses Landes endlich beendet sein? SIHANOUK sagte nach dem Krieg einmal, daß kein einziges Land für den Zustand seines Landes beschuldigt werden könnte. »Es gibt nur zwei Männer, die für die Tragödie Kambodschas verantwortlich sind, Mr. NIXON und Dr. KISSINGER. Lon NOL (ein weitere Oppositioneller, der sich mit den Roten Khmer verbündete) war nichts ohne sie, und die Roten Khmer waren nichts ohne Lon NOL. Mr. NIXON und Dr. KISSINGER gaben den Roten Khmer (am Anfang) ungewollte Unterstützung, weil die Bevölkerung die kommunistischen Patrioten gegen Lon NOL unterstützen mußte. Durch die Ausweitung des Kriegs nach Kambodscha töteten NIXON und KISSINGER viele Amerikaner und viele andere Menschen, sie gaben enorme Geldsummen aus – 4 Milliarden Dollar – und das Ergebnis war das Gegenteil dessen gewesen, was sie erreichen wollten. Sie demoralisierten Amerika, sie überließen ganz Indochina den Kommunisten und schufen die Roten Khmer.«[708]

Dem ist wohl nichts mehr hinzuzufügen! Außer vielleicht, daß KISSINGER für seine Glanzleistung im gesamten Indochina-Krieg den Friedensnobelpreis bekam, was diesen Preis wohl lächerlich gemacht haben dürfte.

Laos: ein weiteres Opfer des Kreuzzuges

»In den letzten zwei Jahren haben die USA eine der ununterbrochensten Bombardierungskampagnen in der Geschichte gegen wesentlich zivile Ziele in Nordost-Laos durchgeführt... Amerikanische Jets haben den überwiegend größten Teil der Dörfer und (Klein-)Städte im Nordosten zerstört... Flüchtlinge vom Flachland in Jars berichteten, daß sie im letzten Jahr fast täglich von amerikanischen Jets bombardiert worden seien. Sie sagten, sie hätten die meiste Zeit in den letzten zwei Jahren damit verbracht, in Höhlen und Löchern zu leben.« Diese Zeilen stammen aus dem *Far Eastern Economic Review*,[709] dem wohl bekanntesten Wirtschaftsmagazin Südostasiens.

Im Grunde ist die Tragödie von Laos eine Fortsetzung der kambodschanischen. Wiederum fing alles damit an, daß der CIA – mit Beteiligung des US-Außenministeriums zumindest in den Jahren 1958, 1959 und 1960 – die Regierung in Laos stürzte, wann immer diese nicht mit der US-Politik einverstanden war. Laos war eigentlich ein CIA-Spielplatz, eine US-Fabrikation. Während der sechziger Jahre ging der CIA in Laos ein und aus, wie er wollte, baute Luftlandeplätze, Flugzeughallen, eine Basis hier, ein Lagerhaus da, Baracken oder eine Radarstation, siedelte Tausende von Menschen um, ganze Dörfer und Stämme, um dem strategischen militärischen Bedarf gerecht zu werden, und rekrutierte seine Krieger vor Ort.[710]

Weil die ganze Sache aber genauso geheim wie in Kambodscha ablaufen mußte, wurde dem Kongreß nichts davon mitgeteilt, denn dieser hätte solche Geheimoperationen nicht genehmigt. Der Kongreß war aber für die Finanzierung einer solchen Aktion zuständig. Das bedeutete, daß der CIA die notwendigen Gelder vom Kongreß nicht bekommen konnte. Unter diesen Umständen wäre die Geheimoperation an Geldmangel gescheitert. Aber die ›cleveren Jungs‹ von dem CIA hatten natürlich schon ihre eigenen Pläne, wie man einen aufwendigen Geheimkrieg in Südostasien finanzieren könne. Das Zauberwort hieß Heroin.

Mit der Air America, einer Tarnfluggesellschaft des CIA, flog man Opium und Heroin, zum größten Teil aus Laos, in alle Welt. Heroin wurde in Labors in Nordlaos hergestellt, die unter CIA-Kontrolle standen. Nach zehn Jahren US-Krieg in Indochina wurde Südostasien die Quelle für 70 Prozent des illegalen Opiums in aller Welt und der Hauptlieferant für Amerikas aufblühenden Heroinmarkt. Der Krieg, der von dem CIA und ihrem Drogenhandel finanziert wurde, lief für den Geheimdienst bestens. Doch in der Zwischenzeit wurde die Oppositionsbewegung in Laos, die Pathet Lao, stärker und machte Anstrengungen, das Regime zu übernehmen. Um dem zuvorzukommen, stürzte der CIA die Koalitionsregierung in Laos im April 1964 und setzte seinen Mann, Phoumi NOSAVAN, an die Spitze der neuen rechtsgerichteten Regierung.

Nun hieß es für die Pathet Lao: alles oder nichts. Die Kämpfe wurden verstärkt, und bald erzielte die Pathet Lao-Offensive erhebliche Siege. Es schien so, als ob wieder ein Machtwechsel in Laos bevorstünde. Da setzten die US-Bombenangriffe ein. Zwischen 1965 und 1973 fiel die schier unglaubliche Menge von über 2 Millionen Tonnen Bomben auf das winzige Laos hinab. Dies war erheblich mehr, als während des gesamten Zweiten Weltkriegs auf Deutschland und Japan abgeworfen worden war. Während der ersten Jahre galten die Bombenangriffe in erster Linie den von der Pathet Lao kontrollierten Provinzen. Über die Bombardierung sagte der ehemalige amerikanische Sozialarbeiter Fred BRANFMAN, der damals in Laos arbeitete: »Ein Dorf nach dem anderen wurde dem Erdboden gleichgemacht. Zahllose Menschen wurden durch hochexplosives Material lebendig begraben, oder von Napalm und weißem Phosphor lebendig verbrannt, oder durch Anti-Personen-Bombenkugeln zersiebt.« » Die Vereinigten Staaten haben es unternommen«, stand in einem Senatsbericht, »einen groß angelegten Luftkrieg über Laos zu entfachen, um die physische und soziale Infrastruktur der von Pathet Lao gehaltenen Gegenden zu zerstören. . . all dies ist von einer Politik der Ausflüchte und Geheimhaltung umgeben. . . Durch solche Methoden wie Dauerbombardierung und die verstärkte Evakuierung der Bevölkerung von feindlich besetztem oder bedrohtem Gebiet haben wir dazu beigetragen, Hunderttausenden von Dorfbewohnern namenloses Leid zuzufügen.«[711]

Ein Waffenstillstand wurde in Laos 1973 errungen, dieser brachte eine Koalitionsregierung an die Macht, die dann 1975 durch die Pathet Lao abgelöst wurde. Seit dem US-Krieg wurde Laos zu einem Land von Nomaden, ohne Dörfer, ohne Farmen, mit einer Generation von Flüchtlingen. Das Land beklagte Hunderttausende von Toten und Verwundeten. Als die US-Luftwaffe ihre Radiostation in Laos schloß, beendete sie ihren Abzug mit der Durchsage: Danke und »Auf Wiedersehen bis zum nächsten Krieg«. (»Good-by and see you next war.«)[712] Ja, diese Amerikaner, sie hatten schon immer ein besonderes Fingerspitzengefühl, wenn es darum ging, wichtige Mitteilungen äußerst taktvoll und diplomatisch herüberzubringen!

Außer im Vietnamkrieg blieben der CIA und die Exekutive jedoch auch sonst nicht untätig. Sie unternahmen geplante Mordanschläge, um die ›nationale Sicherheit‹ zu gewährleisten. Noam CHOMSKY stellte fest, daß Washington den Weltrekord an politischen Mordversuchen hält: zum Beispiel auf den Erzfeind Fidel CASTRO in Kuba (der annähernd einem Dutzend Anschlägen entgangen sein soll), auf den radikalen Moslem Scheich FADLALLAH, auf einen Präsidentschaftskandidaten der Philippinen, dem man Gift ins Getränk mischte, weil er die amerikanischen Militärstützpunkte beseitigen wollte. 1963 wurde der irakische Staatspräsident KASSEM mit Hilfe des CIA gestürzt und ermordet; er hatte es gewagt, im Irak die ›Iraq Petroleum Company‹ zu verstaatlichen. In Chile stürzte man ein Jahrzehnt später Salvador ALLENDE, den ersten freigewählten marxistischen Präsidenten Lateinamerikas, und trieb ihn mit Unterstützung der Militärjunta unter Diktator PINOCHET in den Tod.[713] In Brasilien hatte man schon 1964 die freigewählte Regierung gestürzt, seitdem besteht im größten südamerikanischen Land eine noch größere Kluft zwischen arm und reich als in den USA.

Kapitel 8
Kleinere Kriege

Grenada 1983: Ein Inselstaat bedroht die USA!

Was soll man davon halten, wenn eine Supermacht mit 250 Millionen Menschen und der größten sowie modernsten Wirtschaft der Welt eine Invasion gegen einen winzigen Inselstaat durchführt? Wenn dieser Inselstaat auch noch äußerst unterentwickelt ist, hundertzehntausend Einwohner hat, vornehmlich Kokosnüsse und Bananen ausführt und und von der Fläche her kleiner als Berlin ist.[714]

Wenn man Ronald REAGAN heißt, der der 40. Präsident der USA war, hält man eine ganze Menge davon. Zum Beispiel, daß eine kommunistische Invasion der Insel bevorstand. Oder lassen wird doch ›Ronnie‹ selbst zu Wort kommen: »Wir haben einen kompletten Stützpunkt, ausgerüstet mit Waffen und Nachrichtengerät entdeckt, was deutlich erkennen läßt, daß eine kubanische Besetzung der Insel geplant war... [Ein Lagerhaus] enthielt Waffen und Munition fast bis an die Decke aufgestockt, genug, um Tausende von Terroristen auszustatten.« Grenada, so der Präsident, war »eine kubanisch-sowjetische Kolonie, aus der eine größere militärische Bastion werden sollte, zum Export von Terror und zur Unterminierung der Demokratie, aber wir kamen gerade noch rechtzeitig an«.

Es ist natürlich gut, daß ›Ronnies‹ Truppen gerade noch rechtzeitig eintrafen; kaum auszudenken, sie hätten es nicht rechtzeitig geschafft, diese Retter der Demokratie! Aber ›Ronnie‹ und die US-Regierung hatten natürlich noch andere ›Beweise‹, die sie stolz der Welt ›präsentierten‹. Dokumente zeigten angeblich, daß »die Kubaner planten, ihre eigene Regierung in Grenada zu installieren (später gestand CIA-Direktor William CASEY ein, daß die Dokumente ›kein richtiger Fang waren‹), und man fand etwas wie ein Trainingszentrum für Terroristen«. Desweiteren wurden Raketensilos in Grenada gebaut, es waren 1100 Kubaner auf der Insel, wie bekanntgegeben wurde, fast alle waren Berufssoldaten; bald erreichte ihre Anzahl 1600... eine überaus bedrohliche Anzahl, wenn man bedenkt, daß die USA zum damaligen Zeitpunkt rund 2 Millionen Soldaten hatten! Als aber dann Korrespondenten damit begannen, der Sache auf den Grund zu gehen, lösten sich die ›Beweise‹ förmlich in Luft auf. Ein Reporter des Londoner *Guardian* teilte, wohl enttäuscht, mit, daß in dem Lagerhaus, »das die meisten Waffen besaß, nur fünf Granatwerfer zu sehen waren, ein Gewehr, ein sowjetisches Vier-Lauf-Anti-Flugzeug-Geschütz und zwei altmodische in Korea hergestellte britische Bren-Gewehre«. Nicht gerade ein geeignetes

Waffenarsenal zum Umsturz einer Regierung, von einer Bedrohung der USA sollte man wohl lieber ganz schweigen.

Jahre später ließ ein auf den 30. Oktober 1983 datierter US-Geheimdienstbericht erkennen, daß die Waffendepots auf Grenada für die Armee und Miliz bestimmt waren und weder ausreichend noch für den Umsturz anderer Regierungen der benachbarten Inseln vorgesehen waren. Es war wohl eher der Fall, daß die grenadische Regierung über vier Jahre von Destabilisierung bedroht wurde, und zwar von den USA. Daher die äußerst bescheidenen Bemühungen, eine Art Waffendepot für den Ernstfall bereitzustellen. Auf ›Ronnies‹ Anschuldigung hin berichtete die kubanische Regierung, daß sie 784 Bürger auf Grenada habe, und beschrieb deren dortige Tätigkeiten: 636 waren Bauarbeiter, die meisten davon in den Vierzigern und Fünfzigern (eine Tatsache, die auch von amerikanischen und britischen Journalisten bemerkt wurde); die übrigen, darunter 44 Frauen, waren Ärzte, Zahnärzte, Krankenschwestern, öffentliche Gesundheitsmitarbeiter, Lehrer usw., und 43 gehörten dem militärischen Personal an. Danach benutzten die USA die kubanischen Zahlen. Die Welt sollte glauben, daß eine große kubanische militärische Anwesenheit in Kürze die Kontrolle über die grenadische Regierung übernehmen werde. All dies, obwohl die Kubaner nicht in der Lage waren, Maurice BISHOP und seine Regierung zu retten, die CASTRO so leidenschaftlich und warm unterstützt hatte und die Washington unbedingt beseitigen wollte.[715]

Aber so schnell ließ man sich in Washington nicht entmutigen. ›Ronnie‹, stets bereit, alle seine Widersacher eines besseren zu belehren, behauptete auch gleich, daß die USA von der OECS (Organisation der ostkaribischen Staaten) dringend und flehend aufgerufen worden waren, einzugreifen. In Washington begann dann auch gleich ein Heer von Anwälten Überstunden zu machen, um zu beweisen, daß letztendlich die Artikel des OECS-Unterstützungspakts eine US-Invasion als Rechtens erscheinen ließen. Dieses Dokument, auch wenn es auf großzügigste Weise ausgelegt wurde, erlaubte aber nichts dergleichen. Im Gegenteil, Artikel 6 des OECS-Pakts sieht vor, daß *alle* Mitglieder einer Entscheidung zustimmen müssen, um die Rechtskräftigkeit der Entscheidung zu gewährleisten. Da Grenada Mitglied dieser Organisation war, hätte man Grenadas Zustimmung benötigt. Grenada war aber nicht einmal auf der Sitzung anwesend, die über die Rechtmäßigkeit einer Invasion Grenadas entscheiden sollte.

Aber so schnell gab ein REAGAN nicht auf, und so griff er noch einmal gewaltig in die Trickkiste, um behaupten zu lassen, daß es einen Grund »von übergreifender Wichtigkeit« gab, der die US-Regierung dazu aufforderte einzugreifen. Denn viele hundert Amerikaner befänden sich auf der Insel und müßten nun evakuiert werden, da sonst, so REAGAN, ihre Sicherheit nicht mehr gewährleistet werden könne. Hierbei handelte es sich in erster Linie um die Medizinstudenten des St. George's Medical College, die sich angeblich in Gefahr befanden, weil, so die offizielle Verlautbarung, die subversiven Elemente in Grenada den Umsturz planten. Aber auch hier befand sich REAGAN auf dem Holzweg. Zwei Mitglieder der US-Botschaft in Barbados, Ken KURZE und Linda FLOHR, berichteten, daß während des Wochenendes vor der Invasion »US-Studenten in Grenada größtenteils dagegen waren, [Grenada] zu verlassen oder evakuiert zu werden. Sie waren zu sehr mit ihrem Studium beschäftigt«. Am 23. Oktober schickten die Kubaner eine Nachricht an die grenadischen Führer, mit der Empfehlung, das Gebiet um das Medizin-College zu entmilitarisieren, damit den USA – unter dem Vorwand, ihre Bürger zu evakuieren – keine Entschuldigung für eine Invasion gegeben werde. Als der Sprecher des Weißen Hauses befragt wurde, ob es konkrete Informationen über Bedrohungen der Amerikaner auf Grenada gab, antwortete dieser: »Nicht, daß ich wüßte.«

Davon unbehelligt, benutzte die REAGAN-Regierung die Medien, um die ›richtige‹ Stimmung zu erzeugen. Die Medien griffen das Thema anscheinend enthusiastisch auf (schockierende Schlagzeilen haben sich schon immer gut verkauft) und behaupteten, daß ein sowjetischer U-Boot-Stützpunkt an der südlichen Küste von Grenada sich im Bau befinde. Dieser Report erhielt umfangreiche Berichterstattungen bis 1983, bis ein Korrespondent der Washington Post den angeblichen Bauplatz aufsuchte und erläuterte, daß es einfach nicht möglich sei, einen U-Boot-Stützpunkt in einer Gegend zu bauen, wo die See so flach ist. Im Februar 1983 behauptete das US-Verteidigungsministerium, daß die Sowjetunion Angriffshubschrauber, Torpedoboote und Überschall-MIG-Kampfflugzeuge an Grenada geliefert habe und sich damit zweihundert moderne Flugzeuge in der grenadischen Luftwaffe befänden. Schon allein der Gedanke an diese riesengroße Waffenlieferung ist lächerlich, und bis heute blieb diese Luftwaffen-Armada unauffindbar.

Nun kam Ronald REAGAN seiner Sternstunde nahe, als er vor laufenden Kameras behauptete, daß der neue Flughafen, der auf Grenada gebaut wurde, ein für Russen und Kubaner bestimmter Militärflughafen sei. Grenada beteuerte, vergeblich, daß es sich um einen Zivilflughafen für seine Tourismus-Industrie handelte. Nichts da, sagte der ehemalige zweitrangige Filmschauspieler und fuhr fort, über die lange Landestrecke des Flughafens zu reden: »Grenada hat noch nicht einmal eine Luftwaffe. Für wen ist sie? [die Landestrecke]... Die sowjetisch-kubanische Militarisierung von Grenada... kann nur als Machtausbreitung in der Region angesehen werden.« REAGAN zeigte seinem Publikum Luftaufnahmen der Baustelle, die den Eindruck erweckten, als ob diese absichtlich versteckt wäre, was aber nicht der Fall war, da sie für jeden zugänglich war.

REAGAN hätte es besser wissen müssen, denn mindestens fünf andere karibische Inselstaaten hatten ähnliche oder gar größere Landestrecken und ebenfalls keine Luftwaffe. Der Aufbau der Landestrecke wurde von der Weltbank gefördert, welche auch den damit verbundenen Bau der Touristenhotels besprach. Die Ausbaggerungen wurden von einer Firma aus Florida besorgt (Layne Dredging Co.), während das Kommunikationssystem von Plessey, einem britischem Multikonzern, installiert wurde und die Arbeiter samt Maschinerie von den Kubanern gestellt wurden. Plessey gab daraufhin in einer Pressemitteilung bekannt, daß der Flughafen rein zivilen Charakter habe. Der Flughafen wurde von rund einem Dutzend Nationen finanziert, während die USA eine Anfrage zur Finanzierung abgelehnt und statt dessen Druck ausgeübt hatten, um die internationale Finanzierung zu verhindern. Nach der Invasion wurde der Flughafen von den USA fertiggestellt, und zwar – welche Ironie – als Militärflughafen für die USA, teilte eine der Zulieferfirmen mit. REAGAN gab am 25. Oktober 1983 den Befehl zur Invasion –wohlbemerkt, ohne, wie von der amerikanischen Verfassung eigentlich vorgeschrieben, den Kongreß um Billigung zu ersuchen. Auch die Briten wurden nicht gefragt, obwohl Grenada Teil des britischen Commonwealth war.

Die Invasion selbst wurde unter dem Codenamen ›Urgent Fury‹ durchgeführt - insgesamt von 7000 ›marines‹ und ›paratroopers‹ – mit noch mehr Soldaten, die auf ihren Befehl hinter der Küste warteten. Kampfflugzeuge, ausgestattet mit mörderischen multiläufigen Gatlin-Kanonen, feuerten auf die winzige grenadische Armee. Trotzdem war die Invasion für die Amerikaner ein wahlloses Durcheinander: Ein Mariner fragte: »Die grenadische Volksarmee – ist sie auf unserer oder auf deren Seite?«

Die Aggression gegen Grenada, obwohl nur ein Einmarsch in einen winzigen Inselstaat, wies die höchste Rate an US-Soldaten auf, die von ihren eigenen Kameraden ange- und erschossen wurden. Und auch mit den internationalen Gesetzen und Vorschriften ging man nicht gerade zimperlich um: Das Haus des kubanischen Botschafters wurde von amerikanischen Soldaten beschädigt und geplündert, gefangene kubanische Soldaten wurden als Geiseln benutzt; ihnen wurde befohlen, vor amerikanischen jeeps zu marschieren, als diese auf kubanische Posten vorrückten – was eine klare Verletzung der ›Genfer Konvention‹ darstellte. Eine amerikanische Radiostation auf Grenada meldete am Morgen des US-Einfalls, daß Großbritannien einen Zerstörer zur Unterstützung der US-Aktion schickte, was eine glatte Lüge war. (Sie sollte wahrscheinlich den Willen des Widerstands brechen, denn Grenada gehörte immerhin zum britischen ›Commonwealth‹, und stellte damit ein Mittel der psychologischen Kriegführung dar.) Als nach einer Woche die Kämpfe eingestellt wurden, waren 135 Amerikaner, 84 Kubaner und rund 400 Grenadaner tot. Die Invasion wurde allgemein in Lateinamerika verurteilt. Auch die UN stimmte mit überwältigender Mehrheit gegen die US-Invasion.[716]

Nach Ende der Invasion kamen einige Tatsachen an das Licht der Öffentlichkeit. So sagte zum Beispiel US-Botschafter Evan GALBRAITH am 26. Oktober 1983 vor dem französischen Fernsehen, daß die REAGAN-Administration die Invasion schon zwei Wochen zuvor geplant hatte, dies wäre dann endgültig vor dem angeblichen Ersuchen der karibischen Staaten gewesen.[717] Dieses angebliche Ersuchen der karibischen Staaten erwies sich auch als eine sehr zweifelhafte Sache Washingtons. Denn Washington hatte schon kurz nach dem Überfall verkünden lassen, Sir Paul SCOON, der Generalgouverneur, sei bereits dabei gewesen, eine neue Regierung für Grenada zu bilden. Es sollte nämlich alles so legal und normal wie möglich erscheinen. Die UNO und die Weltöffentlichkeit sollten glauben, die USA seien nur auf die Insel gekommen, weil sie von diesem Sir SCOON, dem Vertreter der britischen Königin als dem nominellen Staatsoberhaupt von Grenada, gerufen wurden, um »das Chaos« zu beseitigen und die »verfassungsmäßige Ordnung« wie-derherzustellen.

Die Einzelheiten der Geschichte mit dem Hilfeersuchen von Sir SCOON sind allerdings noch mysteriöser als die Entstehung jenes offiziellen Dokuments, mit dem sechs Ostkaribikstaaten die USA aufgefordert haben, »sich ihrer militärischen Aktion anzuschließen«, wie dies der US-Präsident im Fernsehen der Welt bekanntgab. Daß dieses Dokument aber vor der Invasion von der Regierung in Washington verfaßt und erst danach den angeblich Hilfsbedürftigen und Schutzflehenden zugestellt und von diesen – ob gewollt oder nicht – angenommen worden ist, wurde inzwischen bewiesen. SCOON unterschrieb ›sein‹ Hilfeersuchen, auf das sich die US-Regierung berief, erst nach Beginn der Maßnahme, und dann auch noch auf einem US-Schlachtschiff, der ›Guam‹, nachdem ihn amerikanische Soldaten aus seiner Residenz von der Insel geholt hatten. Auf der ›Guam‹ verbrachte er dann zwei Tage und Nächte, als ›Gast‹ versteht sich natürlich von selbst. Da auf Anfragen weder Washington noch die Organisation Ostkaribischer Staaten (OECS) etwas Schriftliches von SCOON vorweisen konnten, wurde nun folgende Version verbreitet, die allerdings sehr nach einem Scheingrund klang:

»SCOON, in Sorge über die Verhältnisse in Grenada nach BISHOPS Tod, habe am Abend des 23. Oktober einen (bis heute nicht identifizierten) Boten beauftragt, sich nach Barbados zu begeben. Von dort sollte er die Regierungschefin von Dominica, Eugenia CHARLES, ›anrufen‹. Ihr, die derzeit gerade der OECS vorstand, hätte der Bote dann Sir SCOONS mündliches Hilfeersuchen zu übermitteln gehabt. Nun sei der Bote zwar nach Barbados gelangt, konnte dort aber ›nur‹ den Premierminister dieses Landes, John ADAMS, erreichen. Der habe jetzt von sich aus die Verbindung zur Kollegin CHARLES hergestellt und auch gleich Präsident REAGAN informiert, weil die mündliche Botschaft an die OECS auch den Zusatz enthalten hätte: ›I also want help from the United States‹. Zeitangaben und alle anderen

Umstände lassen nun wirklich kaum einen anderen Schluß zu, als daß in diesem Teil der Karibik und auch in den USA ganz wunderbare, offenbar doch ideale, um nicht zu sagen paradiesische Verhältnisse herrschen. Sonst gänzlich unmögliche Sachen werden dort jedenfalls sofort erledigt. Man reist an einem Abend los, und obwohl hier, wie es heißt, Aufruhr und Verfolgung herrschen, kommt man pünktlich weg und rechtzeitig im anderen Inselstaat an, wird dort sogleich von höchster Stelle empfangen, man telefoniert hierhin, dorthin, und nach der Devise: Anruf genügt, komme sofort! ist am nächsten Abend der Aufmarsch für einen Kriegszug von 6 Kleinstaaten und einer Großmacht schon erfolgt, so daß im Morgengrauen zugeschlagen werden kann. Das ist wirklich Tempo, geradezu Zauberei!

Aber das ist noch nicht alles. Damit von dem mündlichen Mirakel auch etwas Schriftliches existiert, das man dann schwarz auf weiß besitzt, deshalb tippt Premier ADAMS von Barbados die Botschaft des Boten aus Grenada ›eigenhändig‹, wie ausdrücklich vermerkt wird, in die Maschine. Und er tippt sie in Gestalt eines Briefes, denn er ahnt natürlich, daß Sir PAUL später, ›nach seiner Befreiung‹ durch die US-Truppen, eben solch einen Brief noch unterzeichnen möchte, damit Washington etwas vorweisen kann. Und unterzeichnen will er natürlich auf einem Schlachtschiff, nach bester USA-Tradition, so wie ja auch 1945 die Kapitulation des Inselreiches Japan auf einem Schiff der USA-Marine erfolgte. Dies also ist die sagenhafte Geschichte vom Hilfeersuchen des Sir Paul SCOON, dem das großmächtige Amerika und einige gute Nachbarn prompt nachgekommen sind, so wie es bei ihnen eben Brauch ist und auch überall und immer so sein sollte. Wie man sieht, eine rührende Geschichte, reif für Hollywood.

Man kann schon verstehen, daß die britische Regierung sehr aufgebracht auf diese ärgerliche Version eines schwerwiegenden internationalen Ereignisses reagierte, das ihre Interessen beträchtlich berührte und beeinträchtigte. Es änderte auch nicht viel daran, daß Sir PAUL, als er wieder in seiner Residenz war und die Amerikaner endlich auch einem BBC-Team die Erlaubnis erteilten, die Insel kurzfristig zu betreten, für das britische Fernsehen ein Interview gab, mit dem er die Dinge in ein besseres Licht zu rücken versuchte. Denn für dieses Programm (und für dieses Publikum) erklärte er nun: ›Ich bat um Hilfe, nicht aber um Invasion.‹«[718]

Medienzensur und Kriegsverbrechen

Damit auch keinerlei Zweifel an der US-Version der Invasion Grenadas aufkommen konnten, wurden die Medien streng ausgeschaltet. »Keine Presse, vor allem kein Fernsehen«, so lautete die strikte Anweisung aus dem Pentagon und Washington. Amerikanische Journalisten, die rechtzeitig von den Aggressionsvorbereitungen unterrichtet waren und auf eigenes Risiko mit gecharterten Booten von den Nachbarinseln aus an den Ort der Kampfhandlungen vordringen wollten, wurden mit Flugzeugen und Schnellbooten aufgespürt, verfolgt und zum Abdrehen gezwungen. Vizeadmiral METCALF berichtete darüber nicht ohne Stolz: »Wir haben schon auf solche Boote geschossen«. »Einen Krieg ohne Zeugen wollte das Weiße Haus«, berichtet der *Stern*. »Und es bekam ihn. Die Öffentlichkeit war vom Kampfgeschehen ausgeschlossen. Die Armee entsandte ihre eigenen Reporter und Kameraleute, um amerikanisches Heldentum bei der Besetzung der Muskatinsel schaurig-schön darzustellen. Die freie Presse störte dabei nur.« Und so faßte der *Stern* zusammen: »Präsident REAGAN ist anders als seine Vorgänger. Er räumt auf. Auch mit der Wahrheit.«

Damit aber auf der angegriffenen Insel selbst niemand auf die Idee kam, sich mit der Außenwelt in Verbindung zu setzen, um über die wahren Vorgänge Bericht zu erstatten, griff das Pentagon in die Ereignisse ein. Nach der obligatorischen Ausschaltung des Radiosenders wurde parallel dazu die Stromversorgung unterbunden. Zuerst nahmen Bomber das Kraftwerk ins Visier, und was dann an funktionsfähigen Anlagen noch übrigblieb, erledigten die fleißigen Besatzer kurzerhand von selbst. Auch die diplomatische Vertretung des Landes wurde umstellt und streng isoliert, was zwar einen Verstoß gegen das Völkerrecht darstellte, aber mit diesem war Washington noch nie zimperlich umgegangen. Damit waren dann die Bewohner Grenadas ohne Strom, ohne Wasser und ohne Verbindung zur Außenwelt den Besatzern ausgeliefert. Unter diesen Umständen wurden »341 ausgewählte Bürger befragt«, wie sie denn nun zu der US-Invasion stünden. Daraufhin sollen sich von ihnen 91 Prozent für das »Eingreifen der USA« ausgesprochen haben. Dies ist wohl kaum verwunderlich: Hält man jemandem eine Pistole an die Schläfe und sagt ihm, er könne zwischen Leben und Tod wählen, werden wohl immer »über 91 Prozent« sich für das Überleben entscheiden.

Daß eine so hermetische Medienzensur über Grenada verhängt wurde, hatte wohl folgende Gründe, über die man in Washington keinesfalls berichten wollte: Die erste militärische Aktion der US-Angreifer ließ ein Hotel in Flammen aufgehen. Als zweite Aktion sank das Krankenhaus in Richmond Hill bei St. George's in Trümmer und begrub 183 Patienten unter sich, als es Opfer des Bombenhagels der Düsenjäger wurde, die von dem Flugzeugträger ›Independence‹ gestartet waren. Alle ausländischen Augenzeugen, die gezwungen wurden, in ihre Heimat zurückzukehren, berichteten von schlimmen Zerstörungen, großen Opfern unter der Bevölkerung und groben Gewalttaten der Invasoren schon während der Kämpfe und erst recht danach. Der Leiter der FDJ-Freundschaftsbrigade aus der ehemaligen DDR, Hans-Jürgen GROBER, berichtete: »Wir waren auf eine wunderschöne Insel in voller Entwicklung und Blüte gekommen. Aber verlassen haben wir ein trauriges Stück Erde... Die Amerikaner haben überall brutal zerstört, was die Grenader sich in mühseliger Arbeit und unter schwierigsten Bedingungen in den vergangenen Jahren geschaffen haben.« Zusammen mit fünf anderen Landsleuten war der Kanadier Harvey TOTTEN zur Zeit des Überfalls auf der Insel Grenada. Er habe mit eigenen Augen gesehen, wie US-Marineinfanteristen auf alles schossen, was sich bewegte. Caroline GREEN, ein weiteres Mitglied dieser Gruppe, mußte die Zerstörung des Krankenhauses von Richmond Hill mit ansehen. Die Invasoren hatten es nicht einmal für nötig gehalten, die Trümmer beseitigen zu lassen, unter denen sich noch immer Tote befanden. Selbst der Regierungssitz von Grenada blieb von den US-Bombardierungen nicht verschont und wurde »völlig zerstört«.

Die englische Lehrerin Derina MOUSTIN versicherte nach ihrer Rückkehr von Grenada, daß sie Zeuge wurde, wie die US-Kampfflugzeuge »vor allem dichtbewohnte Ortschaften bombardierten«. »Ich sah, daß es viele Opfer gegeben hat.« Ferner sagte sie aus: »Eine große Anzahl von Verwundeten, ich glaube, es waren nicht weniger als 70 Prozent, starben, weil ihnen niemand ärztliche Hilfe erteilen konnte.« »Die amerikanischen Invasoren weigerten sich, die Verwundeten in Hospitäler zu bringen.«[719]

Nach der US-Invasion entpuppte sich, wie verlogen die Begründung der REAGAN-Regierung gewesen war, man habe die Invasion unternommen, um die Demokratie in Grenada zu sichern. Zur Wiederherstellung von »Recht und Ordnung«, wie von der REAGAN-Regierung erwähnt, gehörte es anscheinend, daß allen Staatsbürgern Grenadas zunächst jedes Recht aufgehoben wurde. Es wurden sogenannte Notstandsgesetze erlassen, die alle öffentlichen Versammlungen verboten und Festnahmen ohne Haftbefehl ermöglichten. Der Begriff ›Notstandsgesetze‹ war eigentlich noch eine Beschönigung. Denn tatsächlich waren unmittelbar nach der Invasion alle Einwohner der Verfolgung ausgesetzt, sie wurden vernommen, wann und warum sie an der Entwicklung des Landes seit 1979 teilgenommen und damit das ›revolutionäre Regime‹ unterstützt hätten.

Noch während der eigentlichen Kämpfe begannen die US-Soldaten, auf der Insel Haus für Haus zu durchsuchen, um ›Feinde‹ aufzuspüren. Feinde waren aber alle, die ihre vorherigen politischen und gesellschaftlichen Rechte wahrgenommen hatten, ob nun als Mitglied oder Funktionär der führenden neuen Jewel-Bewegung, ob als Angestellter im Staatsapparat, Volksarmist oder Milizangehöriger, Mitglied oder Funktionär der Gewerkschaft oder des Jugendverbandes. Dies hatte zur Folge, daß sich die Gefängnisse und KZ-Lager mit den Opfern der Massenverhaftungen füllten. Razzien, Festnahmen, Verhöre waren an der Tagesordnung und unterstanden der ›Arbeit von US-Soldaten‹. Selbst amerikanische Zeitungen wie der *Philadelphia Inquirer* gaben zu, daß sich die amerikanischen Soldaten bei ihrer ›Arbeit‹ »wie Marodeure« verhielten, während die BBC das, was nach der Invasion einsetzte, »eine Menschenjagd« nannte.[720]

In *Nacht über Grenada* erwähnen die beiden Autoren in dem Kapitel »die Verschwörung«, daß die Entscheidung, Grenada zu überfallen, guten Quellen zufolge zwischen Präsident Ronald REAGAN und seinem Außenminister George SCHULTZ am siebenten Loch eines Golfplatzes in Augusta, Georgia, vereinbart worden sei. Unmittelbar danach erläutern die Autoren, daß nichts weiter von der Wahrheit entfernt sein könnte als die offizielle Verlautbarung. Denn: »Die Vergewaltigung des Inselstaates in der Ostkaribik war seit langem erwogen, geplant und vorbereitet. Es handelte sich, würde man das Strafrecht als Maßstab zu Rate ziehen, durchaus um ein Verbrechen mit Vorbedacht, eine vorsätzliche Tat.« Sie berichten außerdem: »Seit mindestens zwei Jahren stand fest, wie man es machen wollte. Die Übung gegen ›Amber und die Amberinnen‹ hatte den Kommandostäben zufriedenstellende Erkenntnisse vermittelt. Die Operationspläne waren fertiggestellt, und von den Militärs aus konnte ›die Sache‹ losgehen. Sie warteten nur auf die Genehmigung vom Weißen Haus. Das Weiße Haus wiederum hatte nur auf den günstigsten Zeitpunkt und den vorteilhaftesten Anlaß gewartet. Allerdings nicht untätig. Es hat entschieden daran mitgewirkt, den Anlaß herbeizuführen. Es war sozusagen ein Eingreifgrund auf Bestellung.«

Und so kam der bekannte Schriftsteller, Kolumnist und Meinungsforscher Carl STONE wenige Tage nach dem Überfall der US-Truppen zu der Überzeugung: »Die grenadische Revolution wurde Ronald REAGAN sozusagen auf einer Schüssel gereicht, appetitlich gewürzt und fertig zum Verzehr. Unter den Angehörigen des Coard-Flügels und dessen externen Gruppierungen waren auch von dem CIA angeheuerte Leute. Sie erledigten ihre Aufgabe ganz hervorragend, nämlich Grenada reifzumachen für den Eingriff von Interessengruppen, die Sozialismus und Marxismus, sozialistische Revolutionen und radikale Abweichungen in der Wirtschafts- und Sozialpolitik ablehnen.« Carl STONEs Information kommt keineswegs von jemandem, der sich gegen die Außenpolitik der USA wenden wollte. STONE verurteilt diese nicht. Um so gravierender erscheint seine Aussage, Washington sei der Drahtzieher der »unsichtbaren Armee« gewesen, die die Tragödie auf Grenada im Oktober 1983 herbeiführte.

Erst durch diese krisenhafte Lage, bei der der damalige Führer Grenadas Maurice BISHOP umkam, bekam die REAGAN-Regierung ihren Vorwand, Grenada zu überfallen. Als Toter wurde BISHOP für die Amerikaner in Washington auf einmal sympathisch, obwohl sie ihn und sein Regime in Grenada zuvor verurteilt hatten. Die Sympathie kam wohl deshalb, weil nun die Machtelite in Washington den Vorwand hatte, ihre ›Marines‹ einzusetzen, die sie dann auch noch als ›Befreier‹ bezeichnen konnte. In der UN-Vollversammlung aber nannte der Vertreter des westafrikanischen Staates

Obervolta die Sympathiebekundung der US-Regierung: »nichts als Krokodilstränen, die von den Invasoren über den Tod von Bishop vergossen werden, denn sein politischer Tod ist von ihnen selbst vorbereitet worden«. Daß die Reagan-Regierung aber nichts dem Zufall in Sachen Invasion überließ, beschrieben eindrucksvoll die Autoren von *Nacht über Grenada*. Zur Vorbereitung des Überfalls wurden ihnen zufolge »im Ausland, vornehmlich in den USA und in einigen benachbarten Inselstaaten, konterrevolutionäre Gruppierungen für Grenada organisiert und ausgehalten. Auch militärische Vorbereitungen liefen an. Zusammen mit den Somoza-Banden, den sogenannten Exilkubanern, mit den konterrevolutionären Terrorgruppen aus El Salvador, Honduras und Guatemala wurden in Miami, in Fort Bliss, in den Terror-Ausbildungsschulen in der Panama-Zone sowie in Camp Peary, der sogenannten Farm in Virginia, dem geheimen Ausbildungszentrum für in- und ausländische CIA-Agenten, auch regierungsfeindliche Banden für Grenada zusammengestellt und trainiert«.[721]

Schließlich durften bei dem ›Unternehmen‹ auch nicht die wirtschaftlichen und militärischen Gesichtspunkte zu kurz kommen. So ist es wohl kaum überraschend, daß das amerikanische Nachrichtenmagazin *Newsweek* im November 1983 mitteilte: »Vertreter großer USA-Firmen beschäftigen sich jetzt intensiv damit, die Wirtschaft Grenadas wieder unter die Kontrolle des ›Big Business‹ zu stellen.« Und natürlich gab es auch schon Pentagon-Pläne, wie man Grenada zu einem perfekten US-Militärstützpunkt ausbauen könnte, für Flugzeuge und Raketen, für U-Boote und als Stützpunkt für die ›schnellen Eingreiftruppen‹. Damit hätte man, wie es in den Ausarbeitungen hieß, nicht nur die Ostkaribik ›im Griff‹, sondern auch noch das nahegelegene Festland mit den äußerst wichtigen reichen Ölfeldern Venezuelas vor der ›Haustür‹. Überhaupt liege auf diese Weise der ganze amerikanische Kontinent vor den Füßen der Machtelite in Washington. Dies mußte natürlich ausgenutzt werden, denn die Lage Grenadas sei »strategisch für die USA einfach zu ideal«, als daß man darauf verzichten könnte, die Früchte der Invasion zu ernten, egal, wie die UN reagieren würden.[722]

Schon im Sommer 1981 hatte der CIA Pläne zur Destabilisierung der Wirtschaft auf Grenada entwickelt, in der Hoffnung, Premierminister Maurice Bishop zu stürzen, der jedoch erst durch die US-Invasion gestürzt wurde. Am vierten Tag der Invasion ließ sich Reagan nicht mehr lange bitten und hielt eine Rede, in der er es irgendwie schaffte, den Abschuß eines koreanischen Linienflugzeugs durch die Sowjetunion, den Tod von US-Soldaten im Libanon und die amerikanischen Geiseln im Iran mit der Invasion Grenadas in Verbindung zu bringen. Auch der von Reagan gewählte Zeitpunkt für den Überfall auf Grenada war von Bedeutung, denn nur zwei Tage zuvor war ein US-Militärstützpunkt im Libanon in die Luft gesprengt worden, bei dem 241 Amerikaner den Tod fanden. Reagan mußte von diesem außenpolitischen Fiasko ablenken, um sein Image zu retten.[723] Und das Ablenkungsmanöver war erfolgreich, denn das Wählervolk jubelte, als REAGAN Grenada überfiel, um die ›Große Knüppel‹-Politik ganz im Stil Teddy ROOSEVELTS einzusetzen.[724]

Für REAGAN signalisierte die Invasion das Ende der Demütigung Amerikas, sogar die Erinnerung an Vietnam wurde geahndet. REAGAN verteilte Orden an die US-Soldaten, die damit von ihm zu Helden erklärt wurden.[725] Das müssen schon Helden gewesen sein: Helden, die einen winzigen wehrlosen Inselstaat mit der größten Militärmaschine aller Zeiten angriffen, Helden, die anscheinend schon fast mehr auf sich selbst schossen als auf den vermeintlich bösen Feind, Helden, die jedes erdenkliche Gesetz brachen, solange dies zu ihrem Vorteil geschah. Ja, da hatte REAGAN recht, das sind schon außergewöhnliche Helden gewesen.

Nach der Invasion fanden Wahlen in Grenada mit einer 675 000 Dollar-Spende des CIA statt. Das Geld wurde dazu verwendet, die Bevölkerung in Sachen Wahlen zu belehren. Der CIA war auch gleich so entgegenkommend und beauftragte einen Meinungsforscher, die Daten der Wahl zu analysieren, damit auch ein starker, den USA wohlgesinnter Führer gewinnen werde. Dreizehn Monate später kam es dann auch zu dem ersehnten Erdrutschsieg des US-Favoriten.[726] Ja, diese Retter der Demokratie, sie leisten doch immer ganze Arbeit!

Libyen 1980-1986: Reagan sieht rot

Libyen wurde 1986 bombardiert, die US-Regierung übte Vergeltung, weil angeblich Libyer eine Bombe in einer Berliner Disco namens ›La Belle‹ explodieren ließen. Jedoch gibt es dafür keine substantiellen Beweise, bestenfalls vage Indizien.[727] Als ein Top-Beamter der REAGAN-Administration gefragt wurde, ob es »konkrete Beweise« bezüglich der Beschuldigungen Libyens gebe, bemerkte dieser, die Administration habe keine. Als das Thema auch die Briten erreichte, kommentierten diese, daß die US-Geheimdienstanalysen über Libyen, welche an sie weitergeleitet worden waren, »wild übertrieben« seien, um sie »absichtlich zu täuschen«.[728]

Die angeblichen Beweise kamen von der NSA (National Security Agency), der Text wurde aber nie veröffentlicht. Die NSA fing die angebliche Nachricht auf, entschlüsselte sie aber erst mit Hilfe des deutschen BND (Bundesnachrichtendienst), der den libyschen Schlüssel schon Jahre zuvor entziffert hatte. Nach der Entschlüsselung des Textes war es immer noch nicht klar, was der Text eigentlich besagte, da verschiedene Fassungen vorhanden waren, zumindest berichtete dies der *Spiegel*. Das hatte zur Folge, daß BND und NSA zu verschiedenen Urteilen über die Bedeutung der Botschaft gelangten. Deutsche Sicherheitsbeauftragte meinten, Libyen sei möglicherweisee nicht das einzige Ziel der Nachforschungen, rieten daher von »zu früher Anschuldigung« ab und behaupteten, es sei ebenso wichtig, auch konkurrierende Disco-Gruppen sowie Drogendealer zu überprüfen.

Im Januar 1987 sagte ein einflußreicher Bonner Abgeordneter dem Reporter Seymour HERSH, daß die deutsche Regierung gegenüber dem amerikanischen Standpunkt im Fall ›La Belle‹ weiterhin »sehr kritisch und skeptisch« sei, wonach, wie gesagt, Libyen mit dem Anschlag in Verbindung stehe.

Ein äußerst interessanter, wenn vielleicht auch noch nicht ganz gelöster Fall spielte sich vor dem US-Angriff auf Libyen ab. Am 27. Juni 1980 wurde ein italienisches Passagierflugzeug über dem Mittelmeer von einer Luft-Luft-Rakete abgeschossen, 81 Menschen fanden dabei den Tod. Zur selben Zeit geschah etwas Merkwürdiges: Ein libysches Flugzeug mit GADDAFI an Bord flog im selben Bereich herum. Italienische Flugkontrolleure listeten das Flugzeug als ›VIP 56‹ auf, was soviel bedeutete wie Flugzeug mit libyschen Top-Regierungsleuten an Bord. 1988 berichtete das italienische staatliche Fernsehen, das italienische Passagierflugzeug sei versehentlich abgeschossen worden, und zwar von einer Luft-Luft-Rakete der NATO. Ein Jahr später gab der italienische Verteidigungsminister bekannt, daß wahrscheinlich eine (NATO-) ›Sidewinder‹-Rakete das Flugzeug abgeschossen habe. Daraufhin begann die italienische Presse zu vermuten, daß es einen (US-) Plan gegeben haben müsse, GADDAFI abzuschießen, während er über dem besagten Gebiet flog, daß aber der Plan fehlgeschlagen und statt der libyschen Maschine die italienische abgeschossen worden sei. Zur besagten Zeit deutete Libyen an, daß die USA für das Flugunglück verantwortlich seien. Die USA stritten jedoch ab, in den Abschuß verwickelt gewesen zu sein. Aber ein italienischer Luftwaffenoffizier gab zu, ein Radarband vom Abend des Abschusses vernichtet zu haben, während eine Ziviluntersuchung darauf hindeutete, daß vielen Luftwaffenangehörigen nahegelegt worden sei, zu lügen oder die ganze Sache zu vergessen.[729]

Das Interessante an der Sache ist, daß der US-Regierung offenbar daran lag, GADDAFI zu beseitigen, denn die Bombardierung Libyens 1986 war nichts als ein Attentatsversuch. Dies bezeugte zumindest ein gut informierter US Air Force-Geheimoffizier, der von der *New York Times* zitiert wurde: »Es gibt keine Frage, sie suchten GADDAFI. Es war so abgesprochen. Sie wollten ihn töten.«[730] Schon im Juli 1985 gab es im Weißen Haus Besprechungen, daß man in bezug auf GADDAFI härter durchgreifen müsse. Unter den Teilnehmern befanden sich neben dem Präsidenten auch CASEY, SCHULTZ und WEINBERGER. ›Flower‹ (Blume) war das Codewort für eine streng geheime Anti-GADDAFI-Operation. Nur ungefähr zwei Dutzend Beamte, einschließlich Präsident REAGAN und CASEY, waren eingeweiht. ›Tulip‹ war ein weiterer Codename für eine geheime CIA-Aktion, die GADDAFI stürzen sollte. ›Rose‹ (Rose) war ein Code-Wort für einen militärischen Angriff auf Libyen, der mit US-Alliierten, besonders Ägypten, durchgeführt werden sollte. Die USA würden die Luftunterstützung bereitstellen, und das Ziel wäre GADDAFI selbst. Die amerikanische Verfassung verbietet jedoch das Töten fremder Staatsoberhäupter. REAGAN sagte während der Sitzung, wenn GADDAFI getötet würde, würde er die Verantwortung dafür übernehmen – gewiß ein direkter Verstoß gegen die US-Verfassung, doch schien dies für REAGAN kein Problem darzustellen.[731]

Das war jedoch kein neuer Plan: Schon Anfang der achtziger Jahre hatte der CIA den Tod von GADDAFI geplant. Der CIA behauptete, daß ein Angriff auf GADDAFIS Familie in der Beduinenkultur für dessen Image als Führer sich als vernichtend erweisen werde: Wenn er nicht sein Heim verteidigen könne, werde sich Libyens Bevölkerung von ihm abwenden. Damals behauptete die REAGAN-Regierung, sie habe Beweise, daß GADDAFI einen Mord an REAGAN plane. Man brachte auch den internationalen Terroristen CARLOS mit ins Spiel und führte an, er sei von GADDAFI angeheuert, REAGAN zu töten. »Wir haben Beweise«, sagte REAGAN Reportern, »und er [GADDAFI] weiß es.« Daraufhin bedrängten die Reporter das Weiße Haus, die Beweise zu veröffentlichen, aber sie wurden zurückgewiesen. Statt dessen kündigte die Regierung an, Mitte 1981 würde sich eine Kommission unter William CLARK mit dem ganzen GADDAFI-Fragenkomplex befassen. Jahre später bemerkte der bekannte Reporter Seymour HERSH (der das Li My-Massaker im Vietnamkrieg aufdeckte): Laut Primärquellen gibt es kaum Zweifel innerhalb CLARKS Kommission, wer für die Anti-GADDAFI-Zuspielungen verantwortlich ist – der CIA mit Unterstützung des Präsidenten, CLARKS und HAIGS Ein ehemaliger beteiligter Beamter erinnerte sich: »Wir kamen mit dieser großen terroristischen Bedrohung der US-Regierung heraus. Die ganze Sache war ein Phantasieprodukt.«

Eine Untersuchungsgruppe faßte offiziell zusammen, daß [CIA-Direktor William] CASEY tatsächlich eine Maßnahme in der amerikanischen Regierung vorantrieb: »Er (CASEY) fütterte die Desinformation in das Geheimdienstsystem, damit es so aussah, als ob es separate, unabhängige Berichte wären«, damit diese von den Regierungsagenturen als seriös eingestuft wurden. Es stellte sich auch heraus, daß die bezichtigten Mörder Libanesen waren, die REAGAN geholfen hatten, US-Geiseln aus Beirut zu befreien, und die GADDAFI haßten.[732]

Es war eine Ironie des Schicksals, daß es die USA waren, die in Wirklichkeit GADDAFI bedrohten. Während der REAGAN-Administration unterstützten die USA die Nachbarstaaten Libyens militärisch und führten militärische Manöver mit Ägypten durch, um GADDAFI zu provozieren. Wirtschaftliche Sanktionen wurden eingeleitet, libysche Exilgruppen finanziell unterstützt und der Mord an GADDAFI mit Ägypten und Frankreich geplant. Der CIA betrieb seinerseits Desinformationskampagnen: US- und ausländische

Presseagenturen wurden dazu benutzt, Gerüchte über libysche terroristische Pläne in die Welt zu setzen, mit jedem neuen Terroranschlag irgendwo in der Welt wurde sofort Libyen in Verbindung gebracht: GADDAFI wurde suggeriert, daß seine Hauptberater nicht loyal seien, daß das libysche Militär sowie das russische gegen ihn putschen, seine Truppen massenweise desertieren würden oder daß ein neuer militärischer Angriff seitens der USA bevorstehe – eine Vorgehensweise, so hoffte man, die ihn zu ›irrationalen‹ Aktionen drängen würde. Sein bevorstehender Sturz wurde so oft vorausgesagt wie der CASTROS. Eine Operation beinhaltete besondere Marinekommandos (Navy Seals), die an libyschen Küsten landeten und deutliche Spuren hinterließen – wie Streichholzschachteln und israelische Zigarettenstümpfe – damit der Libyer nervös und immer aufgeregter würde.[733]

Das US-Nachrichtenmagazin *Newsweek* veröffentlichte im August 1981 »einen großangelegten, multiphasigen und kostspieligen Plan, um das libysche Regime zu stürzen«. Die Sache ließ dann auch nicht lange auf sich warten. Am 19. August 1981 flogen US-Kampfflugzeuge über GADDAFIS ›Todeslinie‹, die 120 Meilen-Grenze, die Libyen sich im Golf von Sidra vorbehielt, und schossen zwei libysche Jets ab. Die USA hatten angeblich das umstrittene Gebiet ausgesucht, um militärische Manöver durchzuführen. Weshalb sie gerade diese heikle Gegend für ihre Manöver brauchten, wurde von der US-Regierung nicht erklärt. Die Libyer ließen daraufhin ihre Jets starten, Washington behauptete später, die Libyer hätten das Feuer zuerst eröffnet. Ob dies stimmt, bleibt nach wie vor sehr umstritten, wenn nicht sogar zweifelhaft, denn es wäre keineswegs das erste Mal gewesen, daß Washington einen Konflikt oder einen Krieg provoziert hätte. Am Morgen des 19. August 1981, kurz nach dem Abschuß der libyschen Flugzeuge, begrüßte REAGAN seine führenden Berater, indem er den Vorfall nachspielte: mit einer Szene aus einem Western, in der er zwei imaginäre Revolver zog und wild um sich schoß.[734] Kommentar überflüssig!

Die Nachricht, daß REAGAN, Alexander HAIG und CIA-Boß William CASEY befürwortet hatten, die von GADDAFI beanspruchte 120 Meilen-Zone zu verletzen, vermochte daher nicht zu überraschen.[735] 1985 bemühte sich das State Department, einen Plan des Weißen Hauses zu verhindern. Dieser Plan war eine US-ägyptische Land-und Luftinvasion Libyens. Davon unbehelligt, bereitete das Weiße Haus einen Angriffsplan (›Prairie Fire‹, Präriefeuer) auf GADDAFI für den 14. März vor. Bei der Besprechung der Einzelheiten fragte Stabschef DONALD REAGAN unvermittelt: »Werden Nuklearwaffen benutzt?«, daraufhin sprangen die anderen förmlich auf und antworteten mit einem bestimmten »Nein«.[736]

Im März 1986 sollte sich jedoch endgültig herausstellen, wie sehr Washington darum bemüht war, einen Konflikt oder gar einen Krieg mit Libyen zu provozieren: Am 23. März flogen Kampfflugzeuge der US-Marine über

GADDAFIS ›Todeslinie‹, um eine Gegenmaßnahme zu erzwingen. Da es aber keine Reaktion von seiten der Libyer gab, kamen sie am nächsten Tag zurück, sowie auch am Tag danach, an dem sie eine libysche Flak zweimal angriffen und drei oder vier libysche Schiffe zerstörten. Washington gab bekannt, daß am zweiten Tag Libyen zuerst die US-Kampfflugzeuge mit Raketen beschossen habe. Kurz danach wurden britische Elektroingenieure von der Londoner *Sunday Times* interviewt, die zum damaligen Zeitpunkt in Libyen arbeiteten. Ein Ingenieur sagte aus, daß er während des zwei Tage währenden Angriffs den Radarmonitor beobachtet habe. Er habe zwei US-Kriegsflugzeuge gesehen, die nicht nur das Gewässer innerhalb der 120 Meilen-Zone Libyens überflogen hätten, sondern auch über Libyen selbst geflogen seien. »Ich beobachtete, wie die US-Flugzeuge ungefähr acht Meilen im libyschen Luftraum flogen. Ich glaube, die Libyer hatten keine andere Wahl, als zurückzuschlagen. Meiner Meinung nach taten sie das widerstrebend.«[737]

Als BUSH REAGAN im Amt des US-Präsidenten ablöste, wurden wieder ›militärische Übungen‹ im libyschen Hinterhof durchgeführt mit dem Ergebnis, daß erneut zwei libysche Flugzeuge abgeschossen wurden. Parallel dazu erschien es dem US-Außenministerium angebracht, Libyen wieder des Terrorismus zu bezichtigen, wahrscheinlich, damit die Abschüsse keine zu große Beachtung in den (Welt-)Medien fänden; denn dem internationalen Terrorismus müsse man eben entschlossen entgegentreten.[738]

Geradezu zynisch und heuchlerisch ist die Behauptung, die US-Regierung würde den Drogenhandel bekämpfen. Der CIA unterstützt wichtige Drogenhändler, und unter deren Obhut werden Rauschgiftanbauflächen vergrößert, um von dessen Erlös auf dem schwarzen Markt Waffen für lateinamerikanische Guerillaverbände einzukaufen. Denn der US-Kongreß muß die Gelder für die Exekutive bewilligen, und das tut er nicht immer, wie REAGAN erfahren mußte, als er die Contras in Nicaragua mit Waffen beliefern wollte. Die Drogengeschäfte des CIA und der Exekutive wurden durch den ›Iran-Contra‹-Skandal aufgedeckt: Waffen (auch aus deutschen NATO-Kasernen) wurden an den Iran geliefert, um Gefangene frei zu kaufen, um dann mit dem Erlös Waffen für die Contras zu kaufen. Auch der panamesische Diktator NORIEGA, mit dem ebenfalls Drogengeschäfte ›getätigt‹ wurden, soll auf den Auftragslisten des CIA gestanden haben.[739]

Invasion Panamas 1989 oder:
wie Bush seinen ›Krieg gegen die Drogen‹ gewann

Die Invasion Panamas 1989 war eigentlich nichts Neues. Schon unter Theodore ROOSEVELT hatten die USA im Jahre 1903 die Provinz Panama von Kolumbien getrennt, um dann aus Panama einen neuen Staat zu machen. Dies tat Washington, weil Kolumbien sich geweigert hatte, auf seinem Staatsgebiet den Kanal bauen zu lassen, den Washington forderte.

Seit jenem Zwischenfall hatte Washington sieben weitere Male Truppen in Panama einmarschieren lassen. Während der ›Watergate‹-Anhörung stellte sich heraus, daß das Weiße Haus E. Howard HUNT, ein ›ehemaliges‹ CIA-Mitglied und ›Watergate‹-Einbrecher, verpflichtet hatte, den damaligen panamesischen Staatschef Omar TORRIJO zu ermorden, da dieser sich bei den Verhandlungen über die Panama-Kanal-Verträge unkooperativ gezeigt habe. Als Omar TORRIJO bei einem Flugzeugabsturz starb, wurde NORIEGA Teil der regierenden Militärjunta. Bis zu diesem Zeitpunkt hatte Washington Noriega finanziell unterstützt (mit Ausnahme der CARTER-Administration), die Unterstützung endete erst 1986. (1987 teilte Colonel Robert Diaz HERRERA, ein Cousin TORRIJOS und Mitglied der Junta mit, daß Torrijo durch eine sich in dessen Flugzeug befindende Bombe getötet worden sei. Als Verschwörer nannte DIAZ unter anderen NORIEGA, den CIA, US-General Wallace NUTTING, damals Chef des US Southern Command [südliches US-Hauptquartier] in Panama.)

NORIEGA setzte sich nun an die Spitze der Junta; er machte sich in Washington beliebt, indem er vertrauliche Informationen über CASTRO und Daniel ORTEGA ins Pentagon weiterleitete, ebenso, als er dem SCHAH 1979 Asyl gewährte und US-Horchposten in Panama stationieren ließ. Auch bei den US-Geheimoperationen gegen Nicaragua spielte er für das Pentagon eine wichtige Rolle, indem er Waffen und Geld an die Contras weiterleitete. Ebenfalls half er den Amerikanern, gegen El Salvador einen Stellvertreterkrieg zu führen, und ließ US-Spionageflugzeuge in Panama stationieren. NORIEGA machte aber auch mit den Kubanern gemeinsame Sache: Er half ihnen, das US-Wirtschaftsembargo zu umgehen, verkaufte Waffen an die Sandinisten (welche die Contras bekämpften) oder an Guerillas in El Savador und Kolumbien und verkaufte hochwertige Waffen nach Osteuropa.

Allmählich verschlechterten sich seine Beziehungen zu Washington. Aber trotzdem hielt BUSH zu NORIEGA. Als BUSH 1988 für die Präsidentschaft kandidierte, wiederholte er, es gebe keine klaren Beweise für NORIEGAS Verwicklung in den Drogenhandel. BUSH war zur REAGAN-Zeit Leiter der Kampfgruppe gegen Drogen. Ungeachtet dessen planten die USA insgeheim, NORIEGA in einem gewaltlosen Coup zu stürzen. Bei einem Scheitern sollten von Miami aus mit CIA-Geldern unterstützte Rebellen panamesischer Abstammung den Umsturz erzwingen. Nach den Wahlen von 1989 in Panama stellte sich heraus, daß der CIA nicht nur NORIEGAS Gegenkandidat unterstützt, sondern auch die Wahlen gefälscht hatte. (Die Retter der Demokratie hatten wieder ganze Arbeit geleistet) NORIEGA, dem das Ganze wohl zu dumm wurde, beendete einfach abrupt die Wahlen und ließ die Oppositionskandidaten und ihre Anhänger von seinen Handlangern verprügeln.

Am 3. Oktober 1989 ließen Elemente der panamesischen Verteidigungskräfte (PDF) Washington wissen, daß sie einen Putsch gegen Noriega planten. Die Amerikaner verhielten sich äußerst merkwürdig: Sie unterstützten den Putsch überhaupt nicht, obwohl die Putschisten Noriega zwei Stunden lang festgenommen hatten und sie bereit waren, ihn dem US-Militär zu überliefern. Die Bush-Regierung gab für ihre Passivität verschiedene Gründe zu unterschiedlichen Zeiten. Es wurde behauptet: »Wir wußten nicht, was los war; wir glaubten nicht, daß die Rebellen Noriega festgenommen hatten; sie hatten ihn vielleicht festgenommen, aber sie wollten ihn uns nicht übergeben; der US-Militärkommandeur in Panama war nicht autorisiert, Noriega festzunehmen [später stellte sich heraus, daß er es doch war]; die Rebellen waren politisch nicht nach unserem Geschmack; unsere Hände waren durch den Geheimdienstausschuß des Kongresses gebunden (seltsamerweise war das in der Vergangenheit nie ein Grund für die US-Regierung, eine illegale Aktion nicht durchzuführen); und wir hatten Verdacht, daß das Ganze nur eine Finte war, um die US-Regierung zu blamieren.«

Das US-Militär in Panama blockierte nicht die Straßen, die von Noriegas loyalen Truppen benutzt wurden, um ihn zu befreien. Die Administration erwiderte daraufhin: Als sie die Truppenbewegungen mitbekommen habe, sei es zu spät gewesen, um etwas zu unternehmen. Doch ein Konvoi der loyalen Truppen fuhr mit LKWs an der US-Botschaft vorbei. Hinzu kam die Tatsache, daß die USA eine Anzahl von Hubschraubern (Berichten zufolge bis zu einem Dutzend) in der Luft hatten, die die ganze Angelegenheit beobachteten. Die US-Botschaft in Panama teilte Außenministerium und CIA mit, daß die Rebellen Noriega an die USA übergeben wollten. Angehörige der Administration sagten später aus, die Botschaft habe das US-Militär falsch verstanden, weil die Telefonverbindungen in Panama zum damaligen Zeitpunkt schlecht gewesen seien. All diese Antworten der Bush-Administration klingen nicht gerade überzeugend![740]

War die Bush-Administration nicht an einer Auslieferung Noriegas interessiert, weil sie entschlossen war, ihre eigene Invasion durchzuführen? Ein weiterer merkwürdiger und ebenfalls ungeklärter Vorfall ereignete sich während der US-Invasion Panamas.

Ein europäischer Diplomat in Panama City, der einen Hauptverbündeten der USA vertrat, behauptete, er habe weniger als drei Stunden nach Beginn der Invasion das US-Militär informiert, daß sich Noriega zwei Häuser weiter in der Wohnung seiner Mätresse befinde, doch ging das Militär auf diese Information nicht ein. Der Diplomat sagte, daß er sich über Noriegas Aufenthaltsort hundertprozentig sicher gewesen sei. Andere Anwohner bestätigten die Angaben des Diplomaten über Noriegas Aufenthaltsort. Als der Diplomat aber ›SouthCom‹ (südliche US-Militär-Hauptzentrale in Panama) anrief, wurde ihm gesagt, man habe dort andere Prioritäten. Weder

›South Command‹-Mitarbeiter noch die US-Botschaft nahmen hierzu Stellung.

War die Bush-Administration in den ersten Stunden der Invasion nicht an der Festnahme Noriegas interessiert, weil sie in Wirklichkeit entschlossen war, Noriegas Machtbasis, die PDF zu zerstören, um einen grandiosen militärischen Triumph nach Hause fahren zu können? Dies wäre anscheinend für George Bush von großer Bedeutung gewesen, da er während des Wahlkampfes zur Präsidentschaftswahl 1988 häufig in den Medien als Weichling hingestellt worden war, eine Schwäche, die ihm immer wieder als ›Wimp Factor‹ angelastet wurde. *Newsweek* brachte in ihrer Ausgabe vom 19. 10. 1987, also mitten im Wahlkampf: »Bush Fighting the ›Wimp Factor‹ – America's '88 Election« (Bush bekämpft den Weichlingsstatus – Amerikas '88-Wahl). Mußte das US-Militär stark auftreten, damit es auch nach dem Dahinschwinden der ›sowjetischen Bedrohung‹ eine Rechtfertigung für einen großen, jederzeit bereitstehenden Militärapparat gab? Oder sollte die Invasion als Botschaft, gewissermaßen als Signal, in Richtung Nicaragua verstanden werden, wo in den nächsten drei Monaten Wahlen geplant waren?

Danach befragt, warum sie in der Panama-Politik eine Kehrtwendung um 180 Grad vollzogen hätten, gaben Bush und Verteidigungsminister Cheney einen in der Nacht zum 17. Dezember 1989 stattgefundenen Zwischenfall an. Nach Angaben des Verteidigungsministeriums ereignete sich in jener Nacht folgendes: Vier unbewaffnete und in Zivil gekleidete US-Militärangehörige, die sich verfahren hatten, fuhren aus Versehen auf eine Straßensperre der PDF zu, wo sie mißhandelt wurden. Als sie wegfahren wollten, wurden sie beschossen, dabei wurde einer getötet und ein anderer verletzt. Als ein US-Marineoffizier und seine Frau bezeugen wollten, was sich abgespielt hatte, wurden sie von der PDF verprügelt. Ein Jahr später berichtete die *Los Angeles Times* jedoch, daß der Zwischenfall nicht ›als unprovozierter Aggressionsakt‹ seitens der PDF anzusehen sei, wie Washington ihn bezeichnete. Es handelte sich vielmehr um eine stufenweise geplante Provokation einer kleinen Gruppe von US-Soldaten, die die Geduld und Reaktionen der panamesischen Streitkräfte auf die Probe stellen wollten. Die Geduld der Panamesen wurde oft dadurch strapaziert, daß bewaffnete US-Truppen an wichtigen panamesischen Straßensperren fuhren, ihre Wagen nicht stoppten oder plötzlich wegfuhren. An besonders wichtigen Straßensperren beleidigten sie die Panamesen, indem sie ihnen den ›Stinkefinger‹ zeigten, Obszönitäten brüllten und wegfuhren. Die Panamesen eröffneten dann das Feuer.

Die Glaubwürdigkeit dieses Berichts wurde durch ein aufgenommenes Telefongespräch verstärkt, das ein junger Marinebewacher am nächsten Morgen von der US-Botschaft aus mit seiner Mutter in den USA führte. Die vier Amerikaner, so der Marinebewacher, befanden sich »in verbotenem

Gebiet, weil sie keinen Grund hatten, dort zu sein. Jeder weiß, daß sie nicht dahin gehen sollten. Sie bauten Mist. Wenn die Vereinigten Staaten eine Straßensperre irgendwo aufgestellt hätten und sich jemand so benommen hätte, dann hätten wir auch angefangen zu schießen«.

Schon zuvor hatte es provokative Handlungen seitens der US-Streitkräfte gegeben. Vier Monate vor der Invasion führten die USA militärische Manöver durch, die die PDF nur beunruhigen konnten. Mit offensiven Waffen bewaffnete US-Truppen bewegten sich in schnellen Konvois, eskortiert von bewaffneten Mannschaftstransportfahrzeugen, die den Eindruck vermittelten, als würden sie jeden Augenblick angreifen. US-Marinesoldaten stiegen von Kampfhubschraubern hinab, um Notevakuierungen aus der Botschaft durchzuführen. Panamesische militärische Feldlager wurden umzingelt, während US-Soldaten die Panamesen beschimpften. Währenddessen überflogen US-Hubschrauber und Kampfflugzeuge im Tiefflug NORIEGAS Haus, und amerikanische Stoßtruppen überrannten die nah gelegene Küste.

Ende September wurde General Max THURMAN zum neuen Oberbefehlshaber des südlichen Kommandos ernannt. Ihm wurde von Admiral William CROWE mitgeteilt, daß es eine sehr große Wahrscheinlichkeit dafür gebe, daß BUSH eine große militärische Aktion in Panama in der nahen Zukunft planen werde. Er sagte, »wir werden marschieren, [aber] ich kann dir nicht sagen wann«. Nach der Invasion sagte die Mutter eines getöteten ›Marines‹, daß ihr Sohn am 14. Dezember anrief und ihr sagte, daß er an einer gefährlichen Mission teilnehmen werde. »Er rief an, um auf Wiedersehen zu sagen... und daß (er) möglicherweise nicht mehr nach Hause kommen werde.« Dies war vor dem Straßensperrevorfall. Ein anderer Militärangehöriger bemerkte zu Reportern nach der Invasion, daß Soldaten von ihr schon gewußt hatten, »vielleicht vier oder fünf Tage, bevor ihr es wußtet«. Als ein Reporter fragte, wann dies gewesen sei, hielt ein Armeeoffizier den Soldaten davon ab zu antworten. Es erscheint anhand dieser Indizien sicher, daß der Krieg schon geplant war, bevor der US-Militärangehörige erschossen wurde. Alles, was benötigt wurde, war ein Vorwand, ein Zwischenfall (wie so oft).[741]

Am 16. Dezember 1989 gab es einen Zwischenfall in Panama, bei dem ein US-Offizier zweimal auf einen panamesischen Polizisten schoß und diesen verwundete. »Der US-Offizier fühlte sich bedroht«, teilte die BUSH-Administration mit, womit sie zugab, daß ihre frühere Version des Zwischenfalls, der zufolge der Panamese eine Pistole auf den US-Offizier gerichtet habe, nicht stimmte.[742] In diesem Zusammenhang ist die Erklärung eines in Panama stationierten US-Offiziers zu verstehen, welcher aussagte, daß die US-Truppen in Panama die PDF anstachelten. Er sagte: »Es war ein Versuch, sie zu verärgern, damit sie etwas dagegen unternehmen.« Damit beschrieb er die wiederholten Einfälle der US-Truppen in verbotene panamesische Gebiete.[743]

Mit solchen Aktionen oder besser gesagt Provokationen hatte Washington das Terrain bestens vorbereitet. Nun konnte man auch schon einmal die Wunderwaffe Tarnkappenbomber F-117 einsetzen, um zu testen, wie wirksam sie im Golfkrieg sein würde. Bevor aber der Einmarsch stattfinden konnte, hatten die Medien NORIEGA bereits dämonisiert, wie zuvor GADDAFI und später Saddam HUSSEIN. Was dieselben Medien jedoch verschwiegen, war, daß die REAGAN- und BUSH-Administrationen währenddessen ihre Zahlungen an MOBUTU, CEAUSESCU, Saddam HUSSEIN und andere Diktatoren fortsetzten, die weitaus schlimmer als NORIEGA waren.

Das ›Unternehmen Gerechte Sache‹

Die sogenannte ›Operation Just Cause‹ (›Unternehmen Gerechte Sache‹) wurde im Dezember 1989 wahrscheinlich aus zwei Gründen durchgeführt. Zwar lancierte man, daß NORIEGA in Drogengeschäfte verwickelt sei und internationale Drogenkartelle unterstütze, dies wußte Washington aber schon seit 1971. Der eigentliche Grund war, daß der Panama-Kanal am 1. Januar 1990 zum größten Teil – im Jahr 2000 vollständig – an Panama übergehen sollte. Es war ferner möglich, daß sich NORIEGA an die internationale Presse wendete, um über seine von REAGAN und BUSH unterstützten Drogengeschäfte zu plaudern.[744] Da man dem Panama-Kanal große Bedeutung beimaß, mußte NORIEGA, der eine zu große Eigenständigkeit erlangt hatte, durch einen gefügigeren Mann abgelöst werden. Erst versuchte man es mit Wirtschaftssanktionen, dann mit einem gewöhnlichen Militärputsch. Doch als auch der scheiterte und man unter extremen Zeitdruck geriet, befahl BUSH eine Invasion, bei der wahrscheinlich vier- bis siebentausend Panamesen ihr Leben verloren.[745] Die Invasion begann am 20. Dezember 1989 um 1 Uhr morgens.[746] Dieses Mal hatten es BUSHs Boys wirklich noch gerade rechtzeitig geschafft einzugreifen, um den Kanal wieder an sich zu reißen, bevor er rechtmäßig an die Panamesen übertragen wurde.

Daß die Invasion ›Unternehmen Gerechte Sache‹ genannt wurde, beruht wahrscheinlich auf folgenden Tatsachen:
- Hunderte von Zivilisten wurden durchsucht und festgenommen, obwohl nichts gegen sie vorlag.
- Häuser wurden aufgebrochen, um einige dieser Personen festzunehmen.
- US-Truppen feuerten ohne Warnung in die Luft, während sie durch volle Straßen liefen.
- Gefängnisse wurden geöffnet und deren Insassen freigelassen, woraufhin der (von den USA ernannte) Kommandeur der neuen panamesischen öffentlichen Polizei die außergewöhnliche Welle an Verbrechen und Gewalt, die in Panama nach der Invasion einsetzte, den US-Truppen zuwies. Er sprach dabei von Hunderten von gefährlichen Kriminellen, die

befreit wurden, und erklärte, daß das Maß an tätlichen Angriffen, Morden und anderen Verbrechen »viel schlimmer« als unter NORIEGA war.
- Ausgangssperren wurden der Bevölkerung auferlegt.
- Krankenwagen, die mit heulenden Sirenen Patienten in die Krankenhäuser fuhren, wurden von US-Truppen angehalten, um NORIEGA-Anhänger ausfindig zu machen.
- Besichtigungen in der Residenz NORIEGAS wurden organisiert, damit Reporter seine persönlichen Sachen – bis zu seinen Unterhosen – begutachten konnten. Seine religiöse Überzeugung wurde lächerlich gemacht.
- US-Truppen mit bemalten Gesichtern feuerten ihre Maschinengewehre in die Luft, überfielen das Haus des nicaraguanischen Botschafters, wo derselbe zu Boden gerungen wurde; er sowie einige andere Personen wurden mit Schußwaffen in Schach gehalten, während US-Soldaten das Haus durchstöberten, dabei Waffen, 3000 Dollar in bar und persönliche Sachen beschlagnahmten. Das Geld, so der Botschafter, wurde nie zurückgegeben;
- NORIEGA flüchtete in die Vatikanische Botschaft, während US-Truppen das Gebäude umzingelten und tagelang die ganze Nachbarschaft mit riesigen Lautsprechern und dem Song ›Come Out‹ (Komm raus) von der Heavy Metal Band Twisted Sister bedröhnten und belästigten.[747]

Ein Ergebnis von BUSHS erklärtem »Krieg gegen die Drogen« war, daß NORIEGA, der notorische Drogendealer, ›sauber‹ geworden war. Mit einer Ausnahme, im März 1986, hatte er mit dem Drogenhandel nichts mehr zu tun gehabt. Alle Verbrechen, für die er 1988 in den USA in Abwesenheit verklagt worden war, fanden im Juni 1984 oder früher statt. Selbst die DEA (›Drug Enforcement Agency‹), die US-Anti-Drogenbehörde, war stark gespalten in die, die NORIEGA als Kriminellen ansahen, und die, die schworen, er habe ihnen tatsächlich geholfen, den Drogenhandel zu lindern, wenn nicht sogar abzuschaffen.[748] Es stellte sich heraus, daß der von den Amerikanern eingesetzte neue Präsident, einer der beiden Vizepräsidenten sowie der Justizminister Verbindungen zum Drogenhandel hatten. Im Frühjahr 1991 wurde berichtet, daß kolumbianische Drogenkartelle und NORIEGAS ehemalige Junta-Mitglieder Panama wieder zu einem Umschlagszentrum für Drogen gemacht hätten, es gebe inzwischen wesentlich mehr Kokainproduktionsanlagen und einen viel höheren Drogenmißbrauch als jemals unter NORIEGA.[749] Ja, so ist es, BUSHS ›Krieg gegen die Drogen‹ stellte sich als Fehlschlag heraus.

Nach der Invasion richteten die USA 1990 unter dem Namen ›Council of Public Security and National Defense‹ einen Überwachungsstaat in Panama ein. Aufgabe dieser Organisation war die totale Überwachung aller ›Ärgermacher‹, inklusive Oppositionellen und Demonstranten. Die US-Armee mit dem berüchtigten Namen ›4. Psychologische Operationsgruppe‹ brachte ›subversive‹ Elemente in Haftlager. Als der US-treue Präsident Guillermo ENDARA im Dezember einer militärischen Rebellion gegenüberstand, die er nicht unterdrücken konnte, rief er US-Truppen zum Eingreifen herbei, damit der Aufstand bezwungen werde. ENDARA war während der US-Invasion, ein Jahr zuvor, auf einem US-Militärstützpunkt als Präsident eingeschworen worden. Die offizielle Pentagon-Studie über die Besetzung Panamas hält fest, daß die ursprünglichen Nach-Invasions-Pläne eine regelrechte US-Militärregierung vorgesehen hatten. Diese sollte vom Chef des Southern Command als Panamas neuem de facto-Herrscher geführt werden. In letzter Minute, so die Studie, wurde die Entscheidung getroffen, ENDARA als Präsidenten einzusetzen. Aber seine Regierung war nach der Studie ›nur eine Fassade‹.[750]

Die afghanische Tragödie: eine russische Aggression? 1979–1988

Über den Krieg in Afghanistan ist verhältnismäßig viel geschrieben worden. Dennoch geht der größte Teil dieser Bücher und Artikel auf die eigentlichen Ursachen dieses unbarmherzigen Krieges nicht ein. Der Grund dafür ist offensichtlich: Die Russen sind, zumindest im Westen, für die ganze Tragödie des Afghanistan-Kriegs verantwortlich gemacht worden, weil sie am 27. Dezember 1979 in Afghanistan einmarschierten[751] und damit den Afghanistankrieg auslösten, der mit dem ersten Golfkrieg der wohl längste Krieg in diesem Jahrhundert war. Es liegt nicht in der Absicht des Autors, den Krieg der Sowjets in Afghanistan zu entschuldigen oder zu verharmlosen. Sicher tragen sie die Hauptschuld an dem Leid und Elend, das dem afghanischen Volk zugefügt wurde. Es wäre jedoch ebenso falsch, ihnen die ganze Schuld zuzuschreiben, da auch die US-Politik an den Ursachen, die zur Invasion Afghanistans führten, nicht unbeteiligt war.

Gleich von Anfang an wurde immer wieder behauptet, diese Invasion habe ohne jegliche Provokation stattgefunden, und somit wurde die Sowjetunion schlagartig zum international Geächteten erklärt. Es gibt aber zumindest Hinweise darauf, daß die ganze Sache nicht ganz so einseitig über die Bühne gegangen ist, wie sie in den Medien immer wieder dargestellt wurde und wird. Die Sowjetunion behauptete, der CIA habe Exil-Afghanen in Pakistan bewaffnet, und die afghanische Regierung beschuldigte Pakistan und Iran, ebenfalls Exil-Afghanen bewaffnet zu haben, welche die Grenze nach Afghanistan überschritten hätten, um sich an dem sich anbahnenden Bürgerkrieg zum Sturz der prosozialistischen Regierung Afghanistans zu beteiligen.

Im März 1979 ging der damalige Präsident Afghanistans TARAKI nach Moskau, um Unterstützung in Form von sowjetischen Bodentruppen zu erbitten.

Ihm wurde zwar militärische Hilfe versprochen, aber Bodentruppen, so der sowjetische Premierminister Kossygin, könne Moskau nicht schicken. Als Begründung gab er an, daß die Feinde des sozialistischen Lagers nur darauf warteten, daß sowjetische Truppen in Afghanistan erschienen, um sich dann in der Weltöffentlichkeit zu empören und einen Grund zu liefern, bewaffnete Banden und Rebellen nach Afghanistan schicken zu können.

Interessanterweise geschah trotz Kossygins Absage genau das, wovor er gewarnt hatte. Der Grund, warum die Sowjets wahrscheinlich doch in den afghanischen Bürgerkrieg eingriffen, war das merkwürdige Verhalten des damaligen Präsidenten Amin. Amin tat im Grunde alles, um die sozialistische Revolution, die sich allmählich ausbreitete und für eine verhältnismäßig gerechte Verteilung des Volkseigentums kämpfte, in Mißkredit zu bringen. Eigentlich verhielt er sich dadurch wie ein US-Agent. (Amin ging bezeichnenderweise in den späten fünfziger und frühen sechziger Jahren auf das Columbia University Teachers College, das damals den Ruf hatte, eine Rekrutierungsstelle für junge Studenten aus der Dritten Welt für den CIA zu sein.) Es kann sogar behauptet werden, daß die damalige sozialistische Regierung Afghanistans die einzige war, die überhaupt etwas für die Modernisierung und den Wohlstand des Volkes tat. Leider wurde diese Regierung Opfer der Machtpolitik der Supermächte.

Da das Verhalten Amins offensichtlich zunehmend proamerikanischer wurde und Afghanistan immerhin ein Nachbarstaat der Sowjetunion war, sah sich die sowjetische Führung gezwungen, Amin zu beseitigen. Also töteten sie Amin, da man ihn wahrscheinlich für einen US-Agenten hielt, der den afghanischen Bürgerkrieg zu einer mittelbaren Bedrohung der Sowjetunion ausufern ließ. Die Eskalation ließ nämlich den Einfluß des CIA immer deutlicher erkennen. Es steht zumindest fest, daß US-Mitarbeiter für auswärtige Politik sich mit afghanischen Rebellenführern schon mindestens seit April 1979 trafen, um sie auszurüsten. Noch konkretere Beweise gibt es dafür, daß der CIA diese Guerillas schon ein ganzes Jahr zuvor in Pakistan ausgebildet hatte. Dieses Trainingsprogramm wurde mit Radiopropaganda verbunden, die vom CIA nach Afghanistan ausgestrahlt wurde.[752]

Laut E. R. Carmin, der sich wiederum auf Wilhelm Dietl beruft, wurde der Bernard Lewis-Plan (siehe unten) ursprünglich durch Pakistan angeregt. Nachdem Kissinger dem ehemaligen pakistanischen Präsidenten Zulfikar Ali Bhutto drohte, an ihm ein schreckliches Exempel zu statuieren, wenn er das pakistanische Atomprogramm nicht einstelle, beseitigte man Bhutto und löste ihn durch General Zia ul-Haque ab. Zia war eine Marionette der US-Machtelite, die durch ihn ihre Einkreisung und Destabilisierung der Sowjetunion einleitete. Zia war Anfang der sechziger Jahre in den USA gedrillt worden und eignete sich daher bestens für die Pläne der Machtelite. Nach dem Bernard Lewis-Plan wurden von Pakistan aus Fundamentalistentrupps in alle islamischen Länder geschickt. »Vor allem in Indien und in Afghanistan wurden die ›Jamaati‹ zwecks moslemischer Destabilisierung eingesetzt, und längst bevor das letzthin die sowjetische Invasion in Afghanistan auslösende ›KHOMEINI-Projekt‹ durchgeführt wurde, sickerten die Brüder auf alten britischen Nachrichtenpfaden in sowjetisches Gebiet ein – nicht nur, um ihren Brüdern jenseits des Oxus islamisches Schrifttum zu bringen, sondern auch, um Anschläge gegen russische Einrichtungen zu organisieren.«[753] Ferner fädelten die CIA-Spezialisten von der Abteilung für ›dirty tricks‹ mit den Chinesen eine lange vorbereitete Aktion in Afghanistan ein, die zur Folge hatte, daß der afghanische Staatschef AMIN dazu gebracht wurde, Verbindungen mit Washington aufzunehmen und den Amerikanern sein Land als Stützpunkt anzubieten. Zur gleichen Zeit wurde auf kriegspsychologische Art den sowjetischen Beratern eine Abfuhr erteilt. Die Folgen ließen nicht lange auf sich warten, denn »die zu regelrecht panischen Einkreisungsängsten provozierten Sowjets tappten blindlings in die Falle«.[754]

Könnte es nicht sein, daß die sowjetische Führung einen Eingriff für immer notwendiger hielt, da Afghanistan ein Nachbarstaat war und sie es nicht zulassen wollte, daß dieser, wie der Iran, ein weiterer Vorposten und ein potentieller Militärstützpunkt für die USA würde? Vor allem könnten die Beziehungen, die die Sowjetunion mit Ägypten unterhielt, eine nicht unbedeutende Rolle gespielt haben. In den sechziger und frühen siebziger Jahren war Ägypten im Mittleren Osten einer der Staaten, die der Sowjetunion gegenüber am treuesten waren. Nach der Ermordung NASSERS begann das Verhältnis sich zwischen Moskau und Kairo zu verschlechtern. Zwar brauchte SADAT, der neue ägyptische Führer, noch die Sowjetunion wegen wichtiger Militärhilfe, aber kurz vor dem Anfang des Yom Kippur-Krieges im Oktober 1973 schmiß er praktisch alle sowjetischen Berater aus Ägypten heraus und vollzog eine drastische Wendung zu den USA, die von nun an der westliche Hauptverbündete der Ägypter wurden.

Möglicherweise befürchtete die Sowjetunion, daß sich alles nun in Afghanistan wiederholen würde, was sich damals in Ägypten abgespielt hatte. Dabei darf auch nicht vergessen werden, daß die Sowjetunion als Grenzstaat zu Afghanistan viel besorgter sein mußte, da die Gefahr bestand, daß auch dieser Staat ein weiteres Mitglied der US-Allianz gegen die Sowjetunion werden könnte. In diesem Zusammenhang sei daran erinnert, daß nach dem Zweiten Weltkrieg die beiden Weltmächte USA und Sowjetunion stillschweigend abgemacht hatten, daß Afghanistan als Teil der sowjetischen Einflußsphäre anzusehen sei. Die US-Politik bestätigte diese Abmachung auch jahrzehntelang, bis Ende der siebziger Jahre, als die USA sich immer mehr in die Angelegenheiten Afghanistans einmischten.[755]

Wenn dies stimmt, und davon kann man ausgehen, dann bleibt eine wichtige Frage auch weiterhin ungelöst: Was beabsichtigten die USA mit ihrer

Politik in bezug auf Afghanistan? Möglicherweise hoffte die US-Machtelite, die Sowjetunion würde in das Chaos des Bürgerkriegs in Afghanistan eingreifen. Somit wären die Sowjets dann in den afghanischen Bürgerkrieg verstrickt gewesen, der dann aber eine Wende nahm, als die inzwischen vereinigten Rebellen gegen die sowjetischen Truppen kämpften. Wie wir noch sehen werden, war die Kalte Kriegs-Konfrontationspolitik aus Washington in der Öffentlichkeit immer unbeliebter geworden, und in der Weltöffentlichkeit war damals oft von ›Entspannungspolitik‹ die Rede, besonders in Westeuropa und Deutschland. Die Außenpolitik der SPD-Kanzler Willy Brandt und Helmut Schmidt war um bessere Beziehungen zu Moskau sehr bemüht. Dies konnte für die US-Machtelite aber nur als Bedrohung ihrer Interessen gelten, denn sie war und ist nach wie vor an einer Kontrolle über Westeuropa stark interessiert und wollte kräftig an der damaligen Nachrüstung, die hauptsächlich Westeuropa betraf, verdienen. Mit einer Invasion der Russen in Afghanistan, dies mußte der Machtelite völlig klar sein, wäre das ganze ›Geschrei‹ um Entspannungspolitik und der damit gekoppelten Abrüstungsforderungen der Öffentlichkeit ein für allemal zunichte gemacht.

Daß die Invasion der Sowjets aber keinesfalls eine Überraschung für die US-Regierung war, dürfte klar sein. Denn schon im März 1979, also fast zehn Monate vor dem Einmarsch der Sowjets, erkannten US-Spähsatelliten militärische Aktivitäten, woraufhin die USA der Sowjetunion mitteilte, daß sie jegliche externe Einmischung in die internen Probleme Afghanistans als eine »ernste Angelegenheit mit einem Potential für erweiterte Spannungen und eine Destabilisierung der gesamten Region« ansehe. Dies war, um es vorwegzunehmen, eine Brüskierung, da Afghanistan als Teil der sowjetischen Interessensphäre anerkannt war und die Russen noch nicht in Afghanistan einmarschiert waren.

Es gibt Hinweise, daß die Amerikaner schon Ende September 1979 durch diplomatische Kanäle bestens über eine bevorstehende Invasion informiert waren. Der ehemalige US-Botschafter in Afghanistan, Malcom Toon, berichtete nach den militärischen Aktivitäten der Sowjets an der Grenze zu Afghanistan gegenüber der *International Herald Tribune*: »Ich glaube, wir in der Botschaft haben es vorausgesehen. Ich ging Mitte Oktober. Man konnte es schon damals sehen. Es war ziemlich klar, daß die Sowjetunion ihre Position in Afghanistan durch Gewalt aufrechterhalten werde.«[756] Schon Wochen vor der Invasion am 27. Dezember 1979 registrierten die US-Geheimdienste die Aufstellung der sowjetischen Militärstreitkräfte sowie die Überführung von russischen Fallschirmspringern in die afghanische Hauptstadt Kabul. Noch viel wichtiger war, daß bereits im Sommer vor der Invasion der nationale Sicherheitsberater Brzezinski US-Präsident Carter klar machte, daß er mit einem russischen Schlag rechnen könne, der die Regierung in

Kabul stürzen werde.⁷⁵⁷ Das waren klare Worte des US-Sicherheitsberaters.

Was passierte aber nun, da man in Washington schon so gut gewarnt war? Gab es Proteste, daß die US-Regierung einen solchen Eingriff in die Angelegenheiten Afghanistans nicht zulassen werde? Gab es Warnungen an die Adresse der Sowjets? Gab es diplomatische Bemühungen, einen Kompromiß für alle drei Parteien zu finden?

So weit es die Öffentlichkeit betrifft, kann behauptet werden, daß Warnungen, Proteste und diplomatische Bemühungen nicht erfolgten, die die mögliche Krise vor dem Einmarsch der sowjetischen Truppen hätten verhindern können. Vertrauliche, das heißt geheime, Versuche, die Invasion Afghanistans abzuwenden, falls es sie gegeben hat, scheiterten dagegen allesamt. War also Afghanistan nicht vielleicht doch eine Falle für die Russen, die für die Kalten Krieger in Washington kaum zu einem günstigeren Zeitpunkt hätte auftreten können? Vielleicht lag es ja sogar im Interesse der US-Machtelite, daß die Sowjetunion eine Invasion Afghanistans durchführte. Natürlich bleibt dieser Gedanke reine Vermutung, aber die Invasion Afghanistans kam zu einem äußerst günstigen Zeitpunkt für die Hardliner der ›Kalten Kriegs-Politik‹ in Washington. Zum einen konnte man dadurch der Entspannungspolitik und ihren damit verbundenen Abrüstungsforderungen den Todesstoß versetzen. Nach der Invasion sprachen nur noch die wenigsten von einer erfolgreichen Entspannungspolitik mit den Russen. Im Gegenteil, in den Medien wurde nunmehr ständig darüber diskutiert, wie man den Russen entgegentreten und sie am besten bestrafen könne. Die Ost-West-Entspannungspolitik war zum damaligen Zeitpunkt, ähnlich wie während John F. KENNEDYS Präsidentschaft, der größte Feind der Rüstungsindustrie und eine Gefahr, falls es zu einem Frieden zwischen Ost und West kommen sollte. Aber die Entspannungspolitik, auch als ›Detente‹ bekannt, die während der siebziger Jahre ihren Aufschwung gefeiert hatte, erhielt durch die sowjetische Invasion in Afghanistan einen Rückschlag, von dem sie sich bis zu GORBATSCHOWS Glasnost-Politik in den späten achtziger Jahren nicht wieder erholte.

Es gibt zumindest indirekte Hinweise dafür, daß die US-Regierung die Sowjets bei ihrer Invasion Afghanistans unterstützt hat. Dabei spielte William CASEY eine Schlüsselrolle. CASEY war Mitglied des ROCKEFELLER-Imperiums, das ebenfalls den ›Council on Foreign Relations‹ (CFR) beherrscht. Dieser Rat für Auswärtige Beziehungen wurde schon von einigen Beobachtern der US-politischen Szene als die unsichtbare und ungewählte Überregierung der USA bezeichnet.⁷⁵⁸ Um die Macht des CFR zu verdeutlichen, sei nur eines gesagt: »Seit der Gründung des CFR waren alle US-Präsidenten bis auf Ronald REAGAN bereits vor ihrer Wahl Mitglieder gewesen... Der CFR ist durch das ROCKEFELLER-Syndikat kontrolliert und verwirklicht dessen Ziel.«⁷⁵⁹

Nun bekam CASEY, vom ROCKEFELLER-Imperium als sein Handlanger in die Politik geschickt, also gewissermaßen als Agent der Machtelite, einen hochbrisanten Auftrag: Er sollte ein berüchtigtes Geschäft mit der Sowjetunion arrangieren. Als Präsident der Export-Import-Bank war er für die Finanzierung des Kama-Lastwagen-Vorhabens in der Sowjetunion verantwortlich. Es ging hierbei um das bis dahin größte Produktionsvorhaben in Sachen Lastwagen: Die Kama-Anlage soll mehr Lastwagen hergestellt haben als alle US-Konzerne zusammen. Die Anzahl belief sich auf 150 000 schwere Lastwagen und 150 000 schwere Lastwagenmotoren.[760] Mit genau dieser riesigen Anzahl von Lastwagen wurde die Invasion von Afghanistan äußerst erfolgreich durchgeführt. Bei der ganzen Sache ist die Tatsache ebenfalls von Bedeutung, daß für schwere Lastwagen, wie sie in diesem Kama-Lastwagen-Vorhaben gebaut wurden, praktisch genau dieselbe Technologie angewendet wird wie beim Bau von Panzern. Mit diesem Lastwagenprojekt von sehr großem Umfang gab man den Russen also auch gleich noch das notwendige Werk, um Panzer zu bauen. In diesem Zusammenhang schreibt Gary ALLEN: Das Großprojekt sollte damals »die größte Lastwagenfabrik der Welt werden. . . Bitte, erwähnen Sie dabei nicht, daß Lastwagen in der Neuzeit das Rückgrat für militärische Operationen darstellen und daß bei Ausbruch eines offenen Krieges Lastwagenfabriken schnell auf den Bau von Panzern umgestellt werden können«.

Das Vorhaben wurde von der Pullman Company errichtet und kostete zwei Milliarden Dollar. Die Finanzierung des Kama-Projektes ist zu 45 Prozent von der Export-Import-Bank beglichen worden – einer amerikanischen Bundesbehörde, also mit vollem Wissen und Unterstützung der US-Regierung. Weitere 45 Prozent stellte ROCKEFELLERS Chase Manhattan-Bank bereit. Die Sowjets mußten also nur 10 Prozent des benötigten Kapitals beisteuern und konnten dann sofort mit dem Aufbau des Werkes rechnen.[761]

Die Frage, die dabei offen bleibt, lautet: Wieso lieferte die US-Regierung ihrem größten Feind, mit sehr entgegenkommender Unterstützung, gleich die LKW-Fabrik, mit deren Erzeugnissen dann die Sowjets auch sofort in Afghanistan einmarschieren konnten? Wie schon erwähnt, warnte CARTERS Sicherheitsberater ihn schon im Sommer vor der Invasion, daß er einen Coup d'Etat in Kabul zu erwarten habe. War es dann nicht eine äußerst verdächtige Aktion, auch weiterhin den Sowjets die Mittel bereitzustellen, mit denen sie diese Invasion noch erfolgreicher durchführen konnten? Reagiert so eine Regierung, die angeblich dauernd besorgt ist, daß die Russen sich ausbreiten könnten und andere Länder überfallen würden? Diese und andere angegebenen Hinweise und Indizien lassen die gängigen Erklärungen, die zur Invasion Afghanistans gegeben wurden, in einem anderen Licht erscheinen. Es ist daher wohl eher angebracht zu vermuten, daß es der US-Machtelite und den Hardlinern in Washington alles andere als ungelegen kam, als Afghanistan von den Sowjets eingenommen wurde. In den gängigen Medien des Westens brachen dann aber natürlich die Proteststürme los, als die Invasion im Gange war.

Überhaupt: Ist es nicht äußerst merkwürdig, um nicht zu sagen verdächtig, daß immer dann, wenn das Ende kriegerischer Auseinandersetzungen und die sich anbahnende Friedenszeit die Militärindustrie in Schwierigkeiten bringen, irgendwo in der Welt ein Krieg ausbricht, der die Rüstungsindustrie rettet? Es sei an das Ende des Zweiten Weltkriegs kurz erinnert, als die USA noch eine Kriegswirtschaft besaßen. Den USA boten sich damals zwei Möglichkeiten: Entweder allmählich zu einer normalen Vorkriegsvolkswirtschaft zurückfinden, was natürlich Zeit erforderte, damit die Umstellung keinen Anstieg der Arbeitslosigkeit nach sich zog, oder die vor allem für die (Militär-) Konzerne sehr einträgliche Kriegswirtschaft in der Nachkriegszeit zu behalten. Entscheidet man sich für eine solche Kriegswirtschaft, wie die USA seit dem Koreakrieg andauernd,[762] braucht man aber zur Rechtfertigung der gigantischen (Auf)Rüstungskosten irgendeinen Krieg, der nicht nur möglichst lange anhalten, sondern letztendlich auch als Bedrohung aufgefaßt werden soll.

Der Koreakrieg war, wie gesehen, genau dieser erforderte Krieg, er war eine Verschwörung der US-Machtelite, die ihn mit der Unterstützung ihres südkoreanischen Marionettenregimes hinterlistig einfädelte. Ähnlich wie bei der Invasion Afghanistans brach der Koreakrieg gerade dann aus, als die Truman-Administration nicht mehr wußte, wie sie dem amerikanischen Volk ein Budget aufdrängen konnte, das einfach viel höher ausfallen würde, als die Bevölkerung zu ertragen bereit gewesen wäre. Mit dem Koreakrieg änderte sich jedoch alles fast schlagartig. Vor dem Koreakrieg hielt Truman die jährliche Summe von 15 Milliarden Dollar für den Wehretat für das Höchste, was die Wirtschaft und das amerikanische Volk vertragen könnten. Anfang 1951, als der Koreakrieg wütete, gab die US-Regierung bereits aber rund 60 Milliarden Dollar jährlich für ihr Militär aus, eine Vervierfachung dessen, was der Präsident für die möglich obere Grenze gehalten hatte.

Der Koreakrieg, und da sind sich sogar die konservativsten Historiker einig, leitete eine grundlegende Wende in der US-Außenpolitik ein: Er machte aus den Sowjets ›echte‹ Feinde, die bis dahin eher ideologische Konkurrenten waren. Er bescherte den USA eine bis zum heutigen Tag bestehende Kriegswirtschaft, und – wahrscheinlich ebenso wichtig – er schaffte die Umstände, aufgrund deren die USA Bündnisse mit über 40 Staaten gegen die Sowjetunion abschlossen. All dies wäre ohne den Koreakrieg wohl nicht erreicht worden. Zwar hätten die US-Medien mit der US-Machtelite zusammengearbeitet und früher oder später Feinde aus den Sowjets gemacht, aber die anderen Ziele wären wahrscheinlich nicht ohne den Krieg erreicht worden.

Auf genau dieselbe Art verfehlte Afghanistan nicht seine Wirkung: Die CARTER-Regierung setzte ein Getreideembargo gegen die Sowjetunion durch, und die Olympischen Spiele in Moskau, für Sommer 1980 geplant, wurden von westlichen Regierungen boykottiert. In der Presse war nun in bezug auf die Sowjetunion nur noch die Rede von der russischen Aggression und Moskaus Machtergreifung in Afghanistan, die angeblich zur kommunistischen Weltrevolution führen sollten. Eigentlich war diese ganze Entwicklung für die Anhänger des Kalten Krieges in Washington ein in Erfüllung gehender Wunschtraum. Die US-Machtelite, die eng mit der amerikanischen Militärindustrie verstrickt ist, hat sich wohl die Hände gerieben, denn nun waren endlich alle Verteidiger der weitaus vernünftigeren Entspannungspolitik in aller Welt schwer in Verruf gebracht worden. Die ›Kalten-Krieger‹ in Washington konnten nun der Welt ›beweisen‹, wie hinterhältig, arglistig und gefährlich diese Kommunisten in Moskau doch wirklich waren.

Abrüsten? Nein, danke, hieß es nun in Washington, und schon gar nicht, solange die verschwörerischen Russen in Afghanistan blieben. Schnell bombardierten die Medien die westliche Bevölkerung mit Panikmacherei: Die Russen würden Afghanistan nur als Vorposten benutzen, da ihr wirkliches Ziel der erdölreiche Golf sei (als ob die Russen damals wie heute nicht genug eigenes Erdöl besäßen), die Russen wollten endlich einen Warmwasserhafen besitzen, da dies schon zu Zarenzeiten ihr Traum war. Vergessen sollte man dabei ganz schnell, daß die Russen nicht einmal Afghanistan selbst einnehmen konnten (einigen Berichten zufolge war es ihnen nicht einmal gelungen, mehr als ein Drittel Afghanistans zu kontrollieren), geschweige denn nun auch Pakistan oder den Iran erobern, die ihnen als Zugang zum heißgeliebten Warmwasserhafen im Weg standen.

Interessanterweise ist die ganze Warmwasserhafen-Theorie, die den Russen aggressiv-expansionistische Ziele unterstellt, höchstwahrscheinlich eine vom französischen Diplomaten CHEVALIER D'ECON in die Welt gesetzte Fälschung. Diese Theorie soll ursprünglich dem Testament des Zaren *Peter I.* entstammen, was sich als die Erfindung des französischen Diplomaten entpuppte.[763] Es erübrigt sich wohl von selbst zu sagen, daß keines dieser angeblichen Ziele jemals von der Sowjetunion erreicht worden ist. Auffallend an allen diesen phantastischen Unterstellungen ist, wie sehr sie mit den angeblichen Zielen des verschwörerischen Weltkommunismus übereinstimmen. Schon zu Zeiten des Vietnamkriegs erfand man in Washington tolle Berechtigungsgründe für diesen mörderischen Krieg: Die Kommunisten, so Washington, würden, wenn man sich aus Vietnam zurückziehe, ganz Südostasien einnehmen. Diese Theorie wurde schnell als ›Domino-Theorie‹ bekannt, denn es wurde angenommen, daß, wenn erst einmal ein Land kommunistisch würde, es alle seine Nachbarstaaten unterwerfen werde.[764] Man braucht wohl kaum zu erwähnen, wie falsch all diese Schreckgespenstvoraussagen waren. Die bittere Ironie war, wohl ziemlich zum Verdruß aller, die solchen Schwachsinn verbreiteten, daß die einzigen kommunistischen Länder Südostasiens, nämlich China und Nordvietnam, 1979 gegeneinander einen Krieg führten (›die chinesische Aggression‹). Von einer kommunistischen Bedrohung, die ganz Südostasien betreffen würde, konnte überhaupt nicht die Rede sein, weil beide Länder, denen man eine solche Aggression unterstellte, anscheinend lieber sich selbst bedrohten und sich gegenseitig angriffen. Soviel also zu der monolithischen gesteuerten kommunistischen Weltverschwörung Moskaus oder Pekings. (Im Januar 1978 griff Vietnam Kambodscha an,[765] ob man nun Kambodscha als kommunistisch bezeichnen will oder nicht, bleibt natürlich fraglich. Aber auch dieser Krieg zeigt, wie unsinnig die ›Domino-Theorie‹ war.)

Wie die afghanische Invasion sich auch immer abgespielt haben mag, sie kam genau zu dem Zeitpunkt, als eine große Debatte geführt wurde. Bei dieser Debatte ging es um nichts Geringeres als um die Zukunft der Militärindustrie in den USA. Es wurde 1979 und auch noch später bis 1982 viel darüber diskutiert, ob eine Nachrüstung in Westeuropa nicht Unsinn und eine reine Verschwendung von Ressourcen sei. Es ging also um Beträge in Milliardenhöhe, die die Rüstungsindustrie in den USA zu verdienen hoffte, und zwar vor allem durch den Verkauf von Nuklearraketen, U-Booten und Kampfflugzeugen mit nuklearen Mehrfachsprengköpfen nach Europa. Genau zu diesem Zeitpunkt war die sowjetische Invasion sozusagen der Retter in letzter Not für die US-Rüstungsindustrie und die US-Machtelite, die sich schwindelerregende Profite davon erhofften.

Als Antwort auf die Invasion Afghanistans rief das *Wall Street Journal* (Finanzblatt des Establishments) auch zur »militärischen Reaktion« auf, dem Bau einer neuen Rakete (gemeint war die Pershing-Mittelstreckenrakete, die mit atomaren Mehrfachsprengköpfen die Grundlage der westeuropäischen Nachrüstung bildete), dem Aufbau von US-Stützpunkten im Mittleren Osten und der erneuten Einführung der allgemeinen Wehrpflicht. Die Aufrüstung, die schon unter CARTER wegen der Invasion Afghanistans einsetzte, wurde dann von Ronald REAGAN zur größten Aufrüstung in Friedenszeiten schlechthin, die bis zum heutigen Tag fast unvermindert anhält.[766] Die Machtelite war nun wieder im siebten Himmel, sie ließ sich durch Steuergelder die Aufrüstung bezahlen, um die Fertigprodukte zu horrenden Preisen an die staatlichen Streitkräfte zu verkaufen. Da die Machtelite größtenteils selbst den Multikonzernen angehörte, die die Aufträge von ihren politischen Vertretern bekamen, kam es zu einer Art Selbstbereicherungsprozeß, den die Vertreter von Industrie und Politik fieberhaft förderten.[767] Als der Afghanistan-Krieg andauerte, schienen die US-Politiker kein Interesse daran zu haben, diesen blutigen Krieg diplomatisch zu beenden. Ein US-Kongreßabgeordneter, Charles WILSON, erklärte, es habe 58 000 Tote in Vietnam gegeben, und die USA seien es den Russen einfach schuldig, ihnen ihr Vietnam in Afghanistan zu bereiten.[768] Daß man in Washington den Russen es ein für allemal heimzahlen wollte und dazu Afghanistan benutzte, war so etwas wie ein offenes Geheimnis im Weißen Haus. Und den ›Kalten Kriegern‹ in Washington war dafür auch kein Preis zu hoch. Daß dabei eine Million Afghanen starben, drei Millionen verkrüppelt und fünf Millionen Flüchtlinge wurden, im ganzen war das die Hälfte der Bevölkerung Afghanistans, ließ die Machthaber in Washington und Moskau kalt.[769] Anderen Berichten zufolge wurden 42 Prozent der Afghanen im fast neunjährigen Afghanistankrieg entweder getötet, vertrieben oder verwundet.[770] Hätten sich die damaligen Supermächte aus Afghanistan herausgehalten, dann wäre Afghanistan heute wohl ein friedliches Land mit einer Regierung, die das Volkseigentum verhältnismäßig gerecht aufgeteilt und außenpolitisch ihre bewährte neutrale Politik auch weiterhin betrieben hätte. Aber dafür gab es zu viele Interessen und Mächte, die ihre Politik dem afghanischen Volk aufzwingen wollten.

Auch für den CIA kam Afghanistan wie gerufen. 1977 hatte nämlich Präsident CARTER während des ›Halloween Massacre‹ durch seinen neuen CIA-Chef Stansfield TURNER fast zweihundert Mitarbeiter des CIA entlassen oder frühzeitig pensionieren lassen. Da dies im Oktober geschah, wurde es in der Geschichte des US-Geheimdienstes als das ›Halloween Massacre‹ bekannt und bildete gleichzeitig für alle CIA-Mitglieder den absoluten Tiefpunkt in der Geschichte[771] des 1947 gegründeten Geheimdienstes.[772] CARTER reagierte damit auf die Empörung der Öffentlichkeit im Zusammenhang mit dem Watergate-Skandal, da auch der CIA daran beteiligt war, sowie auf die allgemeine Stimmung in der US-Bevölkerung, die zu Recht den CIA mit dem Debakel in Vietnam in Verbindung brachte und wollte, daß dieser Organisation Mittel sowie Befugnisse entzogen würden.

Aber noch bevor diese Einschränkungen den berüchtigten US-Geheimdienst in seine Schranken verweisen konnten, wurde er wegen Afghanistan wieder aktuell. CARTER mußte zur Kenntnis nehmen, daß der CIA bei der Lieferung von Waffen an die Muhajedeen unumgänglich war. Als er kurze Zeit später von Präsident REAGAN abgelöst wurde, kannte dieser ohnehin keine Skrupel, was den CIA betraf.[773] Somit wurde der CIA nicht nur rehabilitiert; er machte sich auch unentbehrlich bei der gesamten Aufrechterhaltung des Afghanistankriegs. Die CIA-Operationen in Afghanistan beliefen sich letztendlich auf einige Milliarden Dollar und wurden somit zur größten CIA-Operation der ganzen Nachkriegsgeschichte. Die US-Steuerzahler zahlten ungefähr 3 Milliarden Dollar, aber ein wohl größerer Teil wurde von US-Alliierten, allen voran Saudi-Arabien, bezahlt, um einen ›Heiligen Krieg‹ gegen die gottlosen Kommunisten in Afghanistan zu unterstützen.

Der CIA war der große Koordinator in diesem Krieg, er kaufte oder arrangierte die Herstellung von sowjetischen Waffen von Ägypten, China, Polen, Israel und anderen Herstellern. Saudi-Arabien soll allein über eine Milliarde Dollar in dieses Unternehmen investiert haben.[774] Es waren, wie schon erklärt, der Koreakrieg und die Invasion Afghanistans, die der schändlichen Kriegswirtschaft nicht nur zum Überleben verhalfen, sondern dieser erst so richtig einen Rüstungsboom in den USA verschafften. So gesehen waren die Jahre 1950 (Ausbruch des Koreakriegs) und 1979 (Invasion Afghanistans) sehr entscheidende Jahre, die den Weg für weitere Kriege und Elend in der Welt erst ermöglichten. Somit hatte die Machtelite in den USA vorgesorgt und hatte für weitere Kriege auch die nötigen Waffen, die dann auch eingesetzt werden konnten.

Nachbetrachtung (2001)

Neue Informationen eines erstrangigen US-Insiders zeigen, wie sehr die gesamte sowjetische Invasion Afghanistans mit den Plänen der US-Machtelite völlig im Einklang stand. Denn niemand Geringeres als Zbigniew BRZEZINSKI, der damalige Sicherheitsberater von US-Präsident CARTER, sollte dies selber unwiderruflich beweisen. In einem Interview 1998, also fast zehn Jahre nach Ende des verheerenden Afghanistan-Krieges, gab er zu, daß die offizielle Begründung der USA, weshalb sie die Mudjahedin in Afghanistan unterstützt hätten, nicht stimmte. »In Wahrheit unterstützten die USA die fundamentalistischen Mudjahedin bereits sechs Monate, *bevor* die Russen ihren Feldzug begannen. Damals habe er geglaubt – und dies auch CARTER mitgeteilt –, daß ›dies die Sowjets veranlassen würde, eine militärische Intervention durchzuführen‹.«

Als BRZEZINSKI gefragt wurde, ob er dies bereue, antwortete er: »Warum bereuen? Diese geheime Operation war eine ausgezeichnete Idee. Sie hatte die Wirkung, die Russen in die afghanische Falle zu locken, und Sie wollen, daß ich es bereue? An dem Tag, an dem die Russen die Grenze offiziell überschritten, schrieb ich an Präsident CARTER: Wir haben jetzt die Gelegenheit, den Russen ihr eigenes Vietnam zu verpassen. In der Tat, für fast zehn Jahre mußte Moskau einen für die Regierung unhaltbaren Krieg führen, einen Konflikt, der die Demoralisierung und das endgültige Auseinanderbrechen des sowjetischen Reiches verursachte.«

Was BRZEZINSKI in diesem aufschlußreichen Interview verschwieg, war die Tatsache, daß dieses Vorgehen – die Sowjetunion zu destabilisieren – genau mit den 1979 festgelegten Geheimzielen der Trilateralen Kommission übereinstimmte, die den Bernard LEWIS-Plan einsetzen sollte. Die Trilaterale Kommission wurde 1973 von dem einflußreichen Bankier David ROCKEFELLER ins Leben gerufen, der sofort seinen Schützling Zbigniew BRZEZINSKI zum ausführenden Direktor *(executive director)* dieser elitären Organisation ernannte. Verdächtig und aufschlußreich ist in dieser Hinsicht auch, daß BRZEZINSKI ein wichtiger Berater des US-Ölkonzerns Amoco war, als er sein Buch *Die einzige Supermacht* schrieb. Seine Beraterrolle betraf die Geschäfte am Kaspischen Meer, also genau in der Gegend der ehemaligen Sowjetunion, die heute als eine der erdöl- und gasreichsten Regionen der Welt gilt. Durch ihren Zusammenbruch verlor die Sowjetunion die Kontrolle über ihre ehemaligen Republiken. BRZEZINSKI und seine Familie arbeiten mit anglo-amerikanischen Ölkonzernen zusammen, die die riesigen Vorräte der Region an Öl, Gas und Gold an sich reißen wollen. »Ein zentraler Aspekt von BRZEZINSKIS Geopolitik ist das Ziel, jeglichen Einfluß Rußlands in diesem Teil der früheren Sowjetunion auszuschalten – ohne Rücksicht auf die militärischen Folgen.«

Es ist kein Zufall, daß die BRZEZINSKI-Clique und der CIA nicht nur die Mudjahedin massiv unterstützten, sondern auch deren Nachfolgeorganisation, die Taliban. Die Talibanen sollten für die US-Machtelite im wahrsten Sinne des Wortes den Weg für diese erdöl- und gasreiche Region frei machen. 1996 reiste die US-Unterstaatssekretärin Robin RAPHEL über Südasien nach Kabul, um die US-Position klarzustellen. In einer Rede in Kabul verkündete sie: »›Wir sind besorgt, daß ökonomische Gelegenheiten verpaßt werden, falls politische Stabilität nicht wiederhergestellt wird‹. RAPHEL bezog sich auf eine vorgeschlagene Gaspipeline, die von dem amerikanischen Ölgiganten Unocal gebaut werden sollte, um Gas von Turkmenien über Afghanistan nach Pakistan zu leiten.«

Die CLINTON-Administration sympathisierte eindeutig mit den Taliban, da diese mit Washingtons anti-iranischer Politik im Einklang standen. Ferner nahmen sie eine große Bedeutung hinsichtlich einer südlichen Ölleitung an, die von Zentralasien ausgehen und den Iran ausschließen würde. Bei diesem Pipeline-Projekt handelt es sich um ein Milliardengeschäft, bei dem insbesondere zwei Konzerne gegeneinander kämpften: der US-Ölgigant Unocal und die argentinische Firma Bridas. Der Clou der ganzen Sache war die Tatsache, daß Bridas den Taliban das Angebot machte, ohne Verschuldung dieses Projekt aufzunehmen, während Unocal darauf bestand, daß Afghanistan über internationale Verschuldung (Weltbank) dieses Projekt finanzieren müsse. »Die Position von Unocal war mit der Afghanistan-Politik der USA eng verknüpft – so daß das Unternehmen keine Pipeline bauen oder mit den Taliban verhandeln wollte, solange es keine anerkannte Regierung in Kabul gab, die sich Geld von der Weltbank und anderen Banken für das Projekt leihen würde.«

»Seit es die USA gibt, ging es darum, andere Staaten zu dominieren.
Wir haben sie wirtschaftlich abhängig gemacht. Wir geben militärisch den Ton an.
Und wir setzen dank CIA und FBI auf ihrem Gebiet unsere Politik durch.«

Gore VIDAL, US-Schriftsteller, zum amerikanischen Herrschaftstrieb.

Kapitel 9

Der erste Golfkrieg oder: Wessen Stellvertreterkrieg war er?

Wer den zweiten Golfkrieg wirklich verstehen will, muß sich auch mit dem ersten Golfkrieg befassen, denn beide Kriege sind nicht unabhängig voneinander in einem Vakuum entstanden. Auf den ersten Blick gesehen, mag es zwar so erscheinen, als hätten beide Kriege wenig oder gar nichts miteinander zu tun. Der zweite Golfkrieg (1991) konnte aber eigentlich genau so wenig ohne den ersten Golfkrieg entstehen, wie der Zweite Weltkrieg nicht ohne den Ersten Weltkrieg zu verstehen ist. Leider wird diese Tatsache nur wenig in der Literatur über den zweiten Golfkrieg berücksichtigt.

Der erste Golfkrieg war der längste Krieg des letzten Jahrhunderts, schon allein deswegen sollte er berücksichtigt werden. Dieser zwischen Irak und Iran von 1980 bis 1988 tobende Krieg war zwar vom vorübergehenden Abflauen und Dahinschwinden der Kämpfe geprägt. Da er über eine sehr lange Zeitperiode geführt wurde, tötete oder verkrüppelte er jedoch rund eine Million Menschen, und der britische Wirtschaftler Kamran MOFID rechnete die Kriegskosten des Irans auf 627 Milliarden und des Iraks auf 561 Milliarden Dollar hoch.[775]

Die wohl wichtigste Frage ist auch im Zusammenhang mit dem ersten Golfkrieg die der Kriegsursachen. Natürlich spielte hierbei die regionale Politik eine wichtige Rolle: Die islamische Revolution, die Anfang 1979 im Iran ausbrach, bedrohte insofern alle arabischen Staaten der Region, als diese eben nicht wirklich islamisch waren, sondern nur hinter der Fassade eines vorgehaltenen Pseudoislams lebten. Dies war allgemein in der islamischen Welt bekannt, und KHOMENI war einer der wenigen Führer der islamischen Welt, die sich auf glaubwürdige Art zum Ziel gesetzt hatten, dieses Regime zu stürzen. Das bedeutete natürlich vor allem, daß der arabische Nachbarstaat Irak vom revolutionären iranischen Islam bedroht wurde.

Außerdem war es schon zur Schah-Zeit Politik des Irans gewesen, die Schiiten des Iraks zu unterstützen, die immerhin 55 Prozent der irakischen Bevölkerung ausmachten. Andererseits hatte sich auch der Irak in die internen Angelegenheiten des Irans eingemischt. Nach der iranischen Revolution aber wurde der Druck auf den Irak und Saddam HUSSEIN immer stärker. In erster Linie war dies eine politische Mission des Irans, die den Irak beschuldigte, nicht islamisch, sondern verweltlicht zu sein, weswegen die iranische Regierung alle aufforderte, das islamfeindliche Regime im Irak zu stürzen. Saddam Hussein versuchte zuerst zu erklären, daß, wenn die (iranische) islamische Revolution erfolgreich sein sollte, sie gegenüber den arabischen Ländern freundlich gesinnt sein müsse. Da die iranische Regierung aber Terrorkommandos (hauptsächlich Kurden) im Iran ausbildete, um sie dann in den Irak einzuschleusen, und Saddam ebenfalls aktiv an dem Umsturz der iranischen Regierung arbeitete, verschlechterten sich die Beziehungen der beiden Staaten schnell. Saddam ließ im März 1980 97 Anhänger der Al Daawa-Organisation, die größtenteils aus schiitischen Dissidenten bestand, hinrichten. Dies rief Empörung im Iran hervor, worauf die iranische Führung die Ermordung von Tarik Aziz, Saddam Husseins Vizepräsidenten, plante. Am 1. April 1980 schlug dieser Plan fehl, als Tarik Aziz diesem vorbereiteten Attentat entkommen konnte.

Von nun an schienen die Beziehungen so weit belastet zu sein, daß eine versöhnliche Annäherung für beide Staaten nicht mehr möglich oder gar wünschenswert erschien. Die Konfliktparteien hatten unversöhnliche Stellungen bezogen, von denen sie nicht mehr abweichen wollten. Saddam Hussein erklärte den Algier-Vertrag (siehe unten) von 1975, den die Bath-Partei nach ihrer zweiten Machtübernahme 1979 unter Saddam Hussein nicht offiziell anerkannt hatte, für ungültig. Er tat dies im irakischen Fernsehen, um seine Entschiedenheit zu unterstreichen, und zerriß den Vertrag.[776] Der Algier-Vertrag war noch zu den Zeiten des Schahs entstanden, als der Iran eindeutig die stärkste Macht im Mittleren Osten war, zu einer Zeit also, als der Irak militärisch noch verhältnismäßig schwach war, was ihm kaum eine andere Wahl ließ, als den Vertrag zu unterzeichnen.

Nach der Machtübernahme durch Khomeini hatten sich aber die Umstände allgemein verändert: Der Iran war nun nach seiner Revolution geschwächt, hatte sich diplomatisch mit seiner Geiselnahme der 52 amerikanischen Botschaftsmitglieder isoliert und damit seinen größten Waffenlieferanten, die USA, verloren. Saddam Hussein erkannte, daß der Iran vorübergehend schwach war, diese Annahme vertraten auch iranische Ex-Militärs, die nach dem Sturz des Schahs in den Irak geflohen waren. Sie ermutigten Saddam Hussein zu einem Angriff auf die schwachen iranischen militärischen Streitkräfte. Saddam Hussein erkannte früh, daß er mit einem erfolgreichen Blitzkrieg nicht nur die akute Bedrohung des iranischen Mullah-Regimes abwehren, sondern daß er auch den strategisch wichtigen Shatt el Arab-Fluß einnehmen könnte, der die Grenze zwischen beiden Staaten bildet. Desweiteren hoffte er, die erdölreiche Grenzprovinz des Irans, Khuzistan, einnehmen zu können, vor allem, weil sie vornehmlich von arabischen Bewohnern bevölkert ist. Von ihnen wurde erwartet, daß sie die irakischen Truppen als Befreier empfangen würden. Um zu sehen, ob die anderen arabischen Staaten ihm beistehen würden, wenn er den Iran angreifen würde, beriet Saddam Hussein sich mit den Führern der arabischen Welt.

Er besuchte deswegen Saudi-Arabien und Kuwait, die ihm auch gleich ihre Zustimmung versprachen, um die ›arabische Sache‹ zu unterstützen.⁷⁷⁷

Ein Plan für den Mittleren Osten?

Es wurde in der Öffentlichkeit immer behauptet, daß der Sturz des SCHAHS für die USA ein schwerer Rückschlag in dieser Region gewesen sei. Es gibt aber Berichte, die eindeutig darauf hinweisen, daß der CIA zum Sturz des SCHAHS entscheidend beigetragen hat. Im November 1978 ernannte Präsident CARTER seinen Kollegen in der Trilateralen Kommission, George BALL, der schon der Bilderberg-Gruppe bei deren Bildung geholfen hatte, zum Leiter einer eigenartigen Sonderkommission. Sie war als ›Arbeitsgruppe Iran‹ im Weißen Haus bekannt und arbeitete eng mit BRZEZINSKI zusammen. BALL schlug CARTER vor, den SCHAH fallen zu lassen und stattdessen eine fundamentalistische Gruppe, die sich um Ajatollah KHOMEINI gebildet hatte, zu unterstützen. BALL war ein langjähriger ›Insider‹ der Machtelite, ebenso wie BRZEZINSKI. Schlugen diese etwas vor, so kann man davon ausgehen, daß es längst mit der Machtelite abgesprochen war.

Der Plan wurde nun also in die Wege geleitet. Dazu gab man den Linken im Iran, die zur damaligen Zeit ziemlich zahlreich gewesen waren, die nötigen Signale. Es ist nicht nur interessant zu wissen, daß durch das US-Signal die Linken auf die Straßen gebracht wurden, sondern daß auch fast alle anderen Gruppen in der iranischen Politik scheinbar spontan einhellig auf das Signal reagierten. Ein gewisser Richard BOWIE vom CIA wurde zum ›case officer‹ für den Sturz des SCHAHS ernannt. Der Staatsstreich gegen den SCHAH wurde ein Gemeinschaftsunternehmen des US- und britischen Geheimdienstes. Durch einen provozierten Streik wurde die lebenswichtige Ölproduktion lahmgelegt, wodurch das Chaos im Iran nur noch weiter verstärkt wurde. Diese von London vorbereitete Aktion ebnete den Weg für innenpolitische Schwierigkeiten und schuf einen weiteren Vorwand für die Agitationen professioneller Aufwiegler, die für Washington und London arbeiteten. (Washington und London wußten, daß sie nur gemeinsam ihre Ziele im Iran erreichen konnten, da Briten und Amerikaner je 40 Prozent des Ölpreises im Iran kontrollierten.)⁷⁷⁸

Diese Aufwiegler schürten die Unzufriedenheit der iranischen Bevölkerung, während sie sich mit den sozialen Unruhen der städtischen Armen solidarisierten. Sogenannte US-Berater trieben die gefürchtete SAVAK – die iranische Geheimpolizei, die eigentlich nichts weiter als der CIA des Iran war – während der Unruhen zu immer brutalerem, provokativerem Vorgehen an. Dies sollte im Volk einen immer größeren Haß gegen das SCHAH-Regime hervorrufen. Zeitlich perfekt arrangiert und abgestimmt, beschwerte sich dann die CARTER-Regierung über die »Verletzung der Menschenrechte« im Iran, obwohl diese nie zuvor von offizieller US-Seite bemängelt worden waren. Die BBC, die als staatlicher Rundfunk unter der Kontrolle der britischen Regierung steht, begann mit ebenso perfekt zeitlich arrangierten Rundfunkmeldungen im Iran für Furore zu sorgen. Das Programm, das in persischer Sprache in die entferntesten Winkel Persiens ausgestrahlt wurde, hetzte die Mengen im Iran mit übertriebenen Berichterstattungen und breiten Reportagen zum Protest gegen den Schah auf.[779]

Es gab aber auch schon im Vorfeld deutliche Anzeichen für eine Anti-SCHAH-Kampagne der US-Regierung. Die iranische Zeitung Ettelaat begann, Auszüge aus CARTERS Buch Why not the Best, das sich mit dem Thema Menschenrechte befaßte, zu veröffentlichen. CARTER benutzte diesen Nimbus, um Präsident zu werden. Ein solches Buch aber im Iran zu veröffentlichen, wo sich ein Aufstand gegen die SCHAH-Regierung anbahnte, wurde zu diesem Zeitpunkt als eine Art negatives Signals für die Politik des SCHAHS angesehen. Als CARTER dann zum US-Präsidenten gewählt wurde, antwortete er erst nach zwei Wochen auf die Glückwünsche des SCHAHS zu seinem Wahlsieg. Die Oppositionsgruppen im Iran sahen dies als ein klares Anti-SCHAH-Signal der US-Regierung an.

Einige Wochen nach CARTERS Wahlsieg veröffentlichte die US-Informationsagentur – eine CIA-Organisation im Iran – ein paar hundert Kopien einer Rede, die Staatssekretär Cyrus VANCE über die Menschenrechte gehalten hatte. Diese Rede wurde vervielfacht und kursierte in Tausenden von Kopien im Iran. Sie lief unter dem Titel Sogar US bemerkt die Brutalitäten des Schahs (»even US recognizes the Shah's savagery«). Den politischen Wind, der zu der Zeit im Iran wehte, bekam fast jeder zu spüren, der sich auch nur entfernt für Politik interessierte. Das ging so weit, daß selbst Iraner in den USA – die iranische Lobby – ihre Führer im Iran berieten. Einer dieser Berater war Ibrahim YAZDI, ein in den USA geborener Iraner, der dort als KHOMEINIS Berater gewirkt hatte. Er riet KHOMEINI auch prompt: »Die Freunde des Schahs in Washington sind weg.... Es ist Zeit, in Aktion zu treten.« Bereits in den ersten Tagen der CARTER-Präsidentschaft begannen die proamerikanischen SCHAH-Gegner in der US-Botschaft Teheran, mit den USA Verbindung aufzunehmen.

Ein anderes Ereignis sollte schon im Vorfeld deutlich machen, wie Washington nun wirklich über seinen Verbündeten, den SCHAH, dachte. Kurz nachdem CARTER zum 39. US-Präsidenten gewählt worden war, kam der SCHAH zu Besuch ins Weiße Haus. Dieser Besuch wurde von einem eigenartigen Ereignis heimgesucht. Während der Live-Übertragung des SCHAH-Empfangs im Weißen Haus konnte man Demonstranten vor dem Regierungssitz in Mengen aufmarschieren sehen. Die Willkommenszeremonie für den SCHAH wurde ernsthaft von Demonstranten gestört. Der Protestmarsch war so gewalttätig, daß die Sicherheitskräfte im Weißen Haus Trä-

Auf dem Höhepunkt des Kalten Kriegs: die US-Blockade gegen Kuba 1962. In seiner Ansprache an das amerikanische Volk drohte Kennedy: »Jeder Raketenabschuß von Kuba wird mit einem vollen Vergeltungsschlag gegen die Sowjetunion beantwortet.« Am 2. November 1995 verurteilte die UNO-Vollversammlung zum viertenmal die illegale Blockade Kubas mit 117 zu 3 Stimmen.

US-Marinesoldaten informieren sich über die von John F. Kennedy am 22.10. 1962 verhängte See-Blockade.

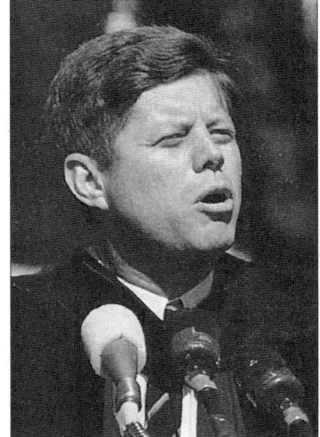

Zu S. 289–296: US-Präsident Richard Nixon und sein Außenminister Henry Kissinger: Nach dem Vietnamkrieg waren sie an weiteren US-Eskapaden im ostasiatischen Raum (Kambodscha und Laos) beteiligt.

Von oben: Die Präsidenten John F. Kennedy und Lyndon Baines Johnson und ihr Verteidigungsminister Robert McNamara (1961–1967).

Zu S. 279–289: Südvietnamesen werden von US-Amerikanern bewaffnet, damit sie für US-Interessen kämpfen.

Von links: Henry Cabot Lodge (US-Botschafter in Südvietnam, 1949, Chefdelegierter bei den Pariser Vietnam-Verhandlungen 1969), General Maxwell Taylor (Berater unter Präsident Johnson) und der Oberkommandeur der US-Truppen, General William C. Westmoreland.

Zu S. 279-289: US-Soldaten haben einen verwundeten Vietcong gefangengenommen.

nengas gegen die Demonstranten einsetzen mußten, mit dem Ergebnis, daß der SCHAH und alle anderen Mitglieder des Weißen Hauses, CARTER inbegriffen, sich die Augen reiben und wegen des Tränengases weinen mußten. Das ganze heillose Fiasko wurde live im iranischen Fernsehen ausgestrahlt. Im Iran glaubte man, daß der ganze Zwischenfall ein Komplott CARTERs gegen den SCHAH gewesen sei. Auch der SCHAH selbst war höchstwahrscheinlich dieser Meinung.

Dieser Zwischenfall, so harmlos er für Außenstehende (Nicht-Iraner) auch zu sein schien, war ein Desaster für das Ansehen des SCHAHs und eine schwere Demütigung. Der SCHAH war von den meisten Iranern als ›König der Könige‹ anerkannt, er war eine fast übermenschliche Person, doch nun weinte er vor laufenden Kameras, sein unantastbares Image war ruiniert. Viele Beobachter der peinlichen Szene fragten sich wohl zu Recht, wie die Demonstranten so nah an das Weiße Haus gelangen konnten ohne Bewilligung von seiten des Weißen Hauses.[780] Zumindest war der Einsatz von Tränengas bei wichtigen Empfängen von Staatspersonen ein einmaliges, nie wieder aufgetretenes Ereignis. Auch der SCHAH äußerte sich später keinesfalls schmeichelhaft über die US-Führung, als er, gestürzt, aus dem Iran flüchten mußte. Kurz vor seinem Tod im Exil diktierte er einem Interviewer: »Damals wußte ich es nicht oder wollte es vielleicht auch nicht wissen, aber jetzt ist es mir klar: Es waren die Amerikaner, die mich weghaben wollten. Es besteht gar kein Zweifel mehr . . das war es, . . . was [sie] wollten.«[781] Anhand aller Indizien kann man davon ausgehen, daß die Machtelite in den USA entschieden hatte, den SCHAH abzusetzen. Aber warum sollten sie ihren seit fast 30 Jahren engen Verbündeten nun stürzen wollen?

Der vorläufige Grund für ein solch drastisches Umdenken könnte im Jahr 1978 entstanden sein. Damals standen neue Verhandlungen über das auslaufende, 25 Jahre alte Ölförderabkommen zwischen der Schah-Regierung und British Petroleum (BP) an. Die Gespräche verliefen aber ganz und gar nicht so, wie man sich dies in London vorgestellt hatte, und scheiterten dann im Oktober 1978 am britischen ›Angebot‹, das ultimativ die exklusiven Rechte auf die zukünftige iranische Ölförderung verlangte, ohne Garantien über eine Mindestabnahme an Öl geben zu wollen. Im Klartext hätte dies bedeutet, daß London über BP (British Petroleum) die Ölförderung des Irans kontrolliert hätte. Es war daraufhin aber wohl alles andere als verwunderlich, daß der SCHAH nicht auf dieses ›Angebot‹ einging, denn die Iraner wollten ihre Abhängigkeit von dem durch die Briten kontrollierten Export ihres Öls beenden und wie 1953 ihr Öl wieder selbst vermarkten.

Bekanntlich war 1953 der bittere Wendepunkt in der angestrebten iranischen Ölpolitik. Denn damals übernahmen die USA und Großbritannien mit Hilfe eines CIA-Putsches die Kontrolle über das iranische Erdöl, indem sie die MOSSADEGH-Regierung stürzten, die die Verstaatlichung des iranischen Erdöls durchgesetzt hatte. Verärgert über diese Ablehnung Irans, einer ehemaligen Kolonie des britischen Imperialismus, arbeitete nun die Londoner Regierung darauf hin, einen Sturz des SCHAHS herbeizuführen. Nach bewährtem Muster setzte man auch wie damals 1953 wieder auf die Amerikaner und zielte auf einen anglo-amerikanischen Putsch hin. Aber der Sturz des SCHAHS war eigentlich nur ein Teil eines breit angelegten Plans zur Neugestaltung des Nahen Ostens. Der Urheber dieses teuflischen Plans, der einer Verschwörung gleichkam, war der britische ›Islam-Spezialist‹ Bernard LEWIS. Dieser Plan lag auch der berüchtigten Bilderberg-Gruppe (einer vom ROCKEFELLER-Imperium gegründeten und unterstützten Gruppe) im Mai 1979 vor. Grundidee des Plans war, den gesamten Nahen Osten in religiöse sowie stammesmäßig gegliederte Staaten aufzusplittern.

Um dies zu erreichen, wollten die Verschwörer den islamischen Fundamentalismus und seine radikalen Brüderschaften benutzen. Auf diese Art erhofften sie sich, eine Balkanisierung heraufzubeschwören. LEWIS drückte es so aus: »Das daraus resultierende Chaos würde . . . ›einen Krisenbogen‹ erzeugen.« Er spornte die USA, diesen Plan tatkräftig zu unterstützen, mit der Bemerkung an, daß die so erzeugte Destabilisierung rasch in die moslemischen Gebiete der Sowjetunion eindringen würde.[782] LEWIS' Plan wurden den sogenannten ›Dokumenten‹ entnommen, Informationen, die in der US-Botschaft im Iran – während der Belagerung (1979) und der etwas späteren Einnahme – gefunden wurden. Die Informationen in der Botschaft waren verschlüsselt, und einige wurden vom Botschaftspersonal durch den Reißwolf vermeintlich zunichte gemacht. Das ›clevere‹ Botschaftspersonal vergaß jedoch dabei, daß die Iraner eine Kultur des Teppichknüpfens besitzen und so in der Lage waren, die Dokumente wieder zusammenzusetzen. Diese Dokumente gaben seit TROTZSKIS Veröffentlichung von geheimen Dokumenten über die bolschewistische Revolution den besten Einblick in geheime politische Dokumente einer Regierung. Da man sie zuerst entziffern mußte, dauerte es in manchen Fällen Jahre, bis sie endlich alle veröffentlicht wurden. Einige wurden in Buchform veröffentlicht und erreichten bis zum Juli 1987 58 Bände. Schon anhand dieser Tatsache kann man sich den enormen Umfang der Spionageaktivitäten der US-Regierung im Iran zur SCHAH-Zeit vorstellen. In der US-Botschaft fanden die Studenten, die an den Demonstrationen gegen die USA teilgenommen hatten, ein Computersystem, das durch einen Safe, der größer als eine Wohnung war, geschützt wurde. Dieser Safe wurde durch elektronische Tore kontrolliert. Auch die Informationen, die der Computer enthielt, waren verschlüsselt.[783]

Aber es gab noch andere Gründe, warum die USA diesen britischen Plan gern entgegennahmen. Hierbei handelte es sich um die Bemühungen Deutschlands und Frankreichs, mit der Sowjetunion im Rahmen der damaligen Entspannungspolitik die Wirtschafts- und Handelsbeziehungen zu verbessern. Was die US-Machtelite dabei am meisten wohl beunruhigte, war die Tatsache, daß Deutschland und Frankreich, die beiden wichtigsten Länder auf dem europäischen Festland, ein verläßliches, langfristiges sowjetisch-europäisches-iranisches Energieabkommen abschließen wollten. April 1975 hatte die Regierung unter Bundeskanzler Schmidt mit der Sowjetunion und Schah Pahlewi ein bemerkenswertes Dreiecksgeschäft ausgehandelt. Das sonst abgefackelte Erdgas der Bebehan- und Gachsaran-Felder der Sowjetunion sollte mittels einer Pipeline nach Kasachstan und Isfahan im Süden der Sowjetunion geleitet werden. Dafür sollte die Sowjetunion Erdgas nach Westdeutschland liefern. Die Deutschen würden dafür die Röhren für die Pipeline und ein Stahlwerk in Isfahan bauen, während die Sowjetunion Industriegüter im Wert von einer Milliarde Rubel an den Iran schicken würde.

Interessanterweise war eine der ersten Amtshandlungen Khomeinis die Kündigung dieses Abkommens mit der Sowjetunion und Deutschland.[784] Diesem Öl-Pipeline-Geschäft mußte entgegengewirkt werden, und zwar energisch, so daß es scheitern mußte, denn die Sowjetunion besaß zu diesem Zeitpunkt die vermutlich größten Ölreserven in der Welt. Deswegen setzten Carters damaliger Sicherheitsberater Brezezinski und Außenminister Cyrus Vance nun den Plan des Dr. Lewis ein. Diesem zufolge sollte der iranische Putsch an der Südflanke der Sowjetunion Unruhen unter der moslemischen Bevölkerung auslösen. Damit der Plan auch erfolgreich in die Wege geleitet werden konnte, reiste ein Heer von US->Beratern‹ in die Grenzregionen, vor allem nach Pakistan und in die Türkei. Um die Entspannungspolitik zwischen der Sowjetunion und Westeuropa auch wirklich zum Scheitern zu bringen, begann die US-Politik, massiv auf die sogenannte ›China-Karte‹ zu setzen. Dezember 1978 erkannten die USA das kommunistische China diplomatisch an und entzogen dafür ihrem Verbündeten, dem nationalchinesischen Regime in Taiwan, die Anerkennung. Mit diesem folgenschweren Schritt drehte die US-Führung ihre damalige Taiwan-freundliche Politik um 180 Grad um und besorgte Rotchina Sitz, Stimme und auch Vetorecht im äußerst wichtigen Sicherheitsrat der UNO.[785]

Damit gaben sich die Machthaber in Washington aber noch nicht zufrieden. Sie ließen den Chinesen umfangreiche US-Militärhilfe mit Hochtechnologie zukommen. All dies mußte unweigerlich eine sehr negative Auswirkung auf das Ost-West-Verhältnis und die Entspannungspolitik haben, denn China war zur damaligen Zeit mit den Russen völlig zerstritten. Schon 1969 gab es einen Grenzzwischenfall, als am Usuri-Fluß Soldaten auf beiden Seiten getötet wurden. Auf einem Gipfeltreffen im Januar 1979 protestierte Bundeskanzler Helmut Schmidt gegen Carters Politik der ›China-Karte‹, weil sie die neu entstehenden, noch zerbrechlichen deutsch-sowjetischen Beziehungen gefährde.[786]

Vielleicht noch bessere Indizien bezüglich des wahrscheinlich US/CIA-bedingten Sturzes des Schahs sind in den Taten der Khomeini-Regierung zu finden. Trotz der ganzen Anti-Amerika-Rhetorik und -Polemik benahm sich das Khomeini-Regime, obwohl verdeckt, wie ein treuer US-Verbündeter. Wie wir schon gesehen haben, war eine der ersten Taten des Khomeini-Regimes die Kündigung des Dreiecksgeschäfts zwischen der Sowjetunion, Westdeutschland und dem Iran. Einer der Hauptgründe, weshalb der Lewis-Plan überhaupt eingesetzt wurde, war, eine Annäherung Irans an die Sowjetunion sowie eine Annäherung an Westeuropa (besonders Westdeutschland und Frankreich) zu verhindern.

Außerdem ging Khomeini so mit den Kommunisten und Sozialisten im Iran um, wie man sich das wohl in Washington erträumt hatte. Als Khomeini am 1. Februar 1979 die Macht im Iran übernahm, beauftragte er Mehdi Bazargan mit der Bildung einer neuen Regierung. Bazargan ließ sich nicht lange bitten und übernahm die Regierungsgeschäfte am 11. Februar. Die US-Botschaft im Iran war nun sicher, daß alles glatt gehen würde: Bazargan war nämlich bekannt für seine starken antikommunistischen Neigungen und seinen glaubwürdigen Willen, enge Beziehungen zu den USA aufrechtzuerhalten. Für die gesamte kommunistische Trudeh-Partei wurden Todesurteile ausgesprochen, die meisten Parteimitglieder wurden inhaftiert.[787] Schon Monate zuvor hatte er normale Beziehungen mit den USA über die US-Botschaft in Teheran durch Dritte hergestellt. In Bazargans Kabinett saßen einige Iraner mit US-Paß, darunter der mächtige Vize-Premier, Ibrahim Yazdi. Die US-Medien begrüßten den Sturz des Schahs als Sieg der Demokratie und Menschenrechte, während die Carter-Administration es nicht für schadhaft hielt, es als positives Ergebnis der Carter-Kampagne für die Menschenrechte darzustellen, obgleich der Schah, wie gesagt, fast 30 Jahre lang ein Verbündeter der USA gewesen war.

Die ganze US-Politik in bezug auf die iranische Revolution und deren Antikommunismus wurden in den ›Dokumenten‹ aktenkundig. Ein Bericht des US-Außenministeriums an die US-Botschaft in Teheran verkündete: »Die Foreign Office-Abteilungspolitik scheint jetzt Khomeini als wertvolle anti-sowjetische Kraft zu akzeptieren. Khomeinis Machtergreifung ist, auf lange Sicht gesehen, nach allem, nicht als eine schlechte Entwicklung zu beurteilen.« Und auch das bekannte Massachusetts Institute of Technology scheute sich nicht, die Lage wie folgt zu analysieren: »Die iranische Revolution ... wird auf kurze Sicht Probleme für den Westen schaffen. Auf lange Sicht aber wird sie wahrscheinlich gefährlicher für die Sowjetunion im moslemischen Zentralasien sein.«[788] Auch außenpolitisch tat die Khomeini-Regierung alles, um den Lewis-Plan voranzutreiben, indem sie eine äußerst aggressive anti-irakische Haltung einnahm, die zum ersten Golfkrieg führen sollte.

Wenn die US-Machtelite nun aber glaubte, daß sie den Iran wieder in der Tasche habe, sah sie sich einer schweren Täuschung ausgesetzt. Denn obwohl die Iraner den USA noch später halfen, einige Geiseln im Mittleren Osten zu befreien und von Israel über Drittstaaten Reifen für ihre F-4 Phantom-Kampfflugzeuge und anderes Kriegsmaterial zu bekommen, sollten sie bald sehr unbequem für die US-Machtelite werden. Die iranische Revolution verlief nach demselben Muster wie die Umstürze einst auf Kuba und in Libyen: Zunächst verhandelte die US-Machtelite mit dem Gegner der damaligen Regierung. Diese – wie CASTRO und GADDAFI – zeigten sich anfangs sehr US-freundlich; diese ›Freundschaft‹ hielt auch noch eine Weile an, nachdem der CIA ihre Coups unterstützt hatte. Als sie aber ihre Stellung gefestigt hatten, kritisierten sie die USA aufs schärfste und begannen, eine US-unabhängige Politik durchzusetzen. Die iranische Revolution machte nur nach, was CASTRO 1959 und GADDAFI 1969 vorexerziert hatten.

Was den Verhandlungen über eine weitere und vor allem weitreichendere Ost-West-Entspannungspolitik den Todesstoß versetzte, war die sowjetische Invasion Afghanistans. Wie wir aber gesehen haben, war diese Invasion keine einseitige Aktion der Sowjetunion, viel mehr hatte die US-Außenpolitik die Lage im afghanischen Bürgerkrieg verschärft, ob dies reiner Zufall, ungewollt oder vielleicht bewußt war, bleibt leider Spekulation. Gegen eine Zufallserklärung spricht aber einiges, denn der Plan des Dr. LEWIS wollte den ganzen Mittleren Osten aufspalten, um dabei auch die Südflanke (Afghanistan/Südsowjetrepubliken) der Sowjetunion zu bedrohen, mit dem Ziel, in ihr Unruhen hervorzurufen. Es wäre ungerecht, der Sowjetunion hierfür allein die Schuld in die Schuhe zu schieben.

Amerikanisch-israelische Geheimverbindungen im ersten Golfkrieg

Diese Schilderung der Kriegsursachen wäre aber nicht vollständig, wenn sie nicht die Rolle der USA berücksichtigte. Auch die US-Regierung hatte ein reges Interesse an dem ersten Golfkrieg; denn um den US-Einfluß in der Golfregion auszubauen, mußten zwei der potentiell mächtigen Golfstaaten, der Irak und der Iran, militärisch und wirtschaftlich geschwächt werden.

Die USA mußten nun mit einem Regime in Teheran zurechtkommen, das äußerst anti-amerikanisch eingestellt war und dazu auch noch drohte, die Golf-Scheichtümer zu entthronen. Die US-Regierung befand sich gegenwärtig in Bedrängnis, den Einfluß der neuen iranischen Regierung einzudämmen, um ihre Einflußsphäre am Golf zu erhalten. Ein Krieg gegen ihren neuen Erzrivalen am Golf, den Iran, dachte man in Washington, werde das neue fundamentalistische Regime enorm schwächen oder gar beseitigen. Washington wollte aber nicht, so ein ehemaliger REAGAN-Mitarbeiter, daß einer der beiden Staaten als Sieger hervorgehe.[789] Denn die ›Machtbalance‹

mußte erhalten bleiben; eine Region mit vielen verhältnismäßig gleich schwachen Staaten würde Washingtons Einfluß auch weiterhin garantieren, was nicht der Fall gewesen wäre, wenn der Irak oder der Iran den Golfkrieg gewonnen hätte, denn dann hätte es eine zu starke Macht im Nahen Osten gegeben, die ein zu schweres Gegengewicht zu den USA gewesen wäre. Henry KISSINGER brachte die US-Außenpolitik mit seiner prägnanten, wenn auch ungeheuer sarkastischen Aussage über den ersten Golfkrieg glaubwürdig herüber, als er über die beiden Golfkrieg-Kontrahenten sagte: »Ich hoffe, sie bringen sich beide um«, und: »Es ist zu schade, daß sie nicht beide verlieren können.«[790]

Ungeachtet der Tatsache, daß die Beziehungen zwischen dem Irak und dem Iran sich seit der Machtübernahme KHOMEINIS verschlechtert hatten, machte KHOMEINI Saddam HUSSEIN ein erstaunliches Angebot. »Er schlug ihm vor, die beachtlichen Streitkräfte des Iran und des Irak zu vereinigen, um Jerusalem zu befreien und das palästinensische Heimatland unter dem Banner des Islams wiederherzustellen. Er verwies alle Mossad-Agenten des Landes und überließ den Palästinensern die große israelische Botschaft.« Saddam HUSSEIN, der zwar immer rhetorisch Israel verurteilt hatte und angeblich die ›arabische Sache‹ unterstützte, lehnte es ab, auf dieses Angebot einzugehen. Statt dessen setzte er auf Israel, indem er Mossad-Agenten bat, ihm bei der »Ausnutzung des ›iranischen Chaos‹ behilflich zu sein, und gab Hunderte von Millionen dafür aus, irakische Juden für angeblich vor über 15 Jahren verlorenes Besitztum zu entschädigen... Der Mossad versprach HUSSEIN, daß solche Großzügigkeit ihm viel Ansehen einbringen würde. Es könnte sogar sein, daß er als Titelbild auf der ›Times‹ erscheinen würde, als Streiter für Frieden und Demokratie. Sie statteten ihn ebenfalls mit der sogenannten ›ultra-classified intelligence‹ über KHOMEINIS Iran aus, in der Annahme, daß KHOMEINI im Sterben läge und nur noch ein paar Wochen zu leben hätte und daß das Land auseinanderfiele.« »Sie erklärten ihm, daß der Irak nie wieder so eine Gelegenheit haben würde, gleichzeitig Arabistan zurückzuerobern, die Kurden zu bekämpfen, den Iran in einem andauernden schwachen Zustand zu halten und den Traum von der Wiedergeburt eines modernen Babylon zu verwirklichen. Der Irak erhielt als Zeichen der neuen Unterstützung Waffen von der Sowjetunion und Frankreich.«[791]

Dies war aber nur die halbe Wahrheit, denn die neue Unterstützung für den Irak, der zuvor in den westlichen Medien einen äußerst schlechten Ruf hatte, kam nicht nur von Israel. Diesbezüglich schrieb der ehemalige US-Botschafter in Saudi-Arabien, James AIKEN, einen interessanten Artikel in der *Los Angeles Times*, in dem er die neue Irak-Politik der USA erläuterte. Laut AIKEN war es schwer für Henry KISSINGER, die äußerst bittere Pille der iranischen Revolution zu schlucken, da der Iran nach dem Sturz des SCHAHS nun seine militärische Macht gegen Israel verwenden könnte. KISSINGER, der, selbst Jude, seine Karriere der Tatsache verdankt, Handlanger des ROCKER-FELLER-Syndikats und stets um die Existenz Israels besorgt gewesen zu sein, heckte nun innerhalb der US-Machtelite ein Komplott aus, um den Iran militärisch und wirtschaftlich so zu schwächen, daß er keine Bedrohung mehr für Israel und die US-Interessen in der Region darstellen könne.

Nun gelang dem »CIA in Zusammenarbeit mit seinen Agenten im Irak, Saddam HUSSEIN zum Angriff auf den Iran zu verleiten, mit der Versicherung, daß er ihm nicht nur helfen würde, die strittige Region (Shatt-al-Arab) zu erobern, sondern daß er aus ihm auch einen arabischen Helden machen würde. Der CIA begann nun, Waffen und Munition an Saddam HUSSEIN zu liefern, der dann auch versuchte, chemische und biologische Waffen herzustellen. Auch hier war der CIA zuvorkommend und half ihm, die hierfür nötige Maschinerie von den USA und Brasilien zu bekommen«. Dank der Unterstützung des CIA war SADDAMS Kriegsmaschine nun bestens auf einen Angriff auf den Iran vorbereitet.[792] Diese Unterstützung war natürlich der Öffentlichkeit nicht bekannt, die USA schickten durch verdeckte Dritte Waffen an den Irak im Wert von 50 Milliarden Dollar, diese Drittländer waren Ägypten, Jordanien und Kuwait. Diese massive Waffenlieferung war ein direkter Verstoß gegen das Waffenembargo, das zuvor von der US-Regierung gegen den Irak verhängt worden war (da die US-Regierung den Irak zu einem terroristischen Staat erklären ließ).[793]

Der irakische Angriff auf den Iran am 22. September 1980 fand zumindest die stillschweigende Billigung der US-Regierung. Der Irak entwarf einen Kriegsplan für seinen Blitzkrieg. Dieser Plan sah die Einbeziehung einer royalistischen iranischen Armee vor, die sich im Irak gebildet hatte. Dem Plan zufolge sollten dann die Invasoren den 1979 abgesetzten iranischen Premierminister Schapur BACHTIAR auffordern, mit irakischem Schutz eine provisorische Regierung zu bilden. Nach dem Krieg bezeugte der ehemalige iranische Präsident Abolhassan BANI-SADR den beiden bekannten Nahost-Experten John BULLOCH und Harvey MORRIS gegenüber, daß der Plan mit den Amerikanern abgesprochen worden sei und deren Zustimmung bekommen habe. BANI-SADR sagte desweiteren, er habe 1980 den Bericht eines Nachrichtendienstes über ein Treffen von Saddam HUSSEIN mit Präsident CARTERS Sicherheitsberater Zbigniew BRZEZINSKI in Jordanien erhalten, bei dem BRZEZINSKI die Unterstützung der Vereinigten Staaten für einen Angriff auf den Iran zugesagt habe.[794]

Es gab aber neben dieser iranischen Quelle auch noch mindestens eine andere, eher unparteiische Bezugsquelle, die das komplizenhafte Komplott gegen den Iran belegte. Diese stützte sich auf zuverlässige kuwaitische Quellen. Diesen zufolge drängte Zbigniew BRZEZINSKI Saddam HUSSEIN Ende des Jahres 1979, den Iran anzugreifen, um Khuzistan – eine reiche, ebenfalls als ›Arabistan‹ bekannte Ölregion – zu erobern.[795] Dies stimmt auch mit BRZE-

ZINSKIS etwas späterer öffentlicher Erklärung überein, daß er nichts gegen »ein irakisches Vorgehen gegen den Iran« gehabt habe.[796]

Aber Washington beließ es nicht nur bei der zuvor erwähnten CIA-Unterstützung, Waffen und Munition an den Irak zu liefern. Washington überreichte Bagdad Geheiminformationen, die die militärischen Schwächen des Irans als absichtlich übertrieben darstellten. Diese Geheiminformationen wurden zuerst nach Saudi-Arabien geleitet, um dann auf Washingtons Anweisungen weiter in den Irak geschickt zu werden. Auf diese Weise sah es so aus, als kämen diese Geheiminformationen nicht aus Washington, sondern aus Saudi-Arabien. Aufgrund der übertriebenen Schwäche des iranischen Militärs war es in Washington klar, daß diese angebliche Geheiminformation Saddam HUSSEIN ermutigen werde, den Iran anzugreifen. Die Saudis hatten ihrerseits reges Interesse daran, einen Angriff auf den Iran zu unterstützen, da sie sich von dem islamischen Regime in Teheran bedroht fühlten.[797] Ferner wurde Saddam HUSSEIN dieses Wagnis dadurch schmackhaft gemacht, daß er mit einem solchen erfolgreichen Angriff den wichtigen Schatt-al-Arab-Fluß erbeuten könnte. Dieser Fluß war schon seit dem Bestehen des Iraks ein Wunschziel jedes irakischen Regimes gewesen. Der Irak ist nämlich fast ein Binnenland ohne den wichtigen Zugang zum Persischen Golf. Ein solcher Zugang ist aus wirtschaftlichen und geostrategisch-militärischen Gründen für die irakische Sicherheit erforderlich.[798]

Saddam war siegessicher

Saddam war von einem schnellen militärischen Sieg über den Iran überzeugt. »HUSSEIN sagte zu seinem Kabinett: ›Wie kann uns der Sieg versagt bleiben, wenn die ganze Welt hinter uns steht?‹«[799] SADDAM schätzte die Dauer des Blitzkrieges auf nur vier Tage ein, um einen totalen Sieg zu erringen.[800] Saddam HUSSEIN zeigte sich offenbar ebenso naiv wie bei seinem späteren Einmarsch in Kuwait. Er schien aufgrund der ganzen Schmeicheleien von seiten der Amerikaner und Israelis kaum zu berücksichtigen, daß der CIA und der Mossad ganz andere Absichten verfolgten als jene, die ihn zum Angriff gegen den Iran antrieben.

Will man aber die wirtschaftlichen Hintergründe des ersten Golfkrieges verstehen, so muß die finanzielle Lage der US-Machtelite zum damaligen Zeitpunkt genau untersucht werden. Denn: »Das Erscheinen KHOMEINIS kam sowohl für die trilateralen Banken als auch für die großen Ölgesellschaften in einem bedeutsamen Augenblick. 1979 hatten sie das Problem der Ölschwemme. Die höherentwickelte Technik hatte die Ölsuche und Ölausbeutung wesentlich leichter gemacht, und die systematische Ölpreiserhöhung erwies sich von Tag zu Tag als größeres Problem. Die ROCKEFELLER-Banken benötigten aber diese Erhöhungen, um zahlungsfähig zu bleiben... KHOMEINI

... weigerte sich nicht nur, die Dienste der trilateralen Banken anzunehmen, sondern wollte den ROCKEFELLER-Instituten sogar die iranischen Einlagen entziehen; eine Forderung, die rundweg abgelehnt wurde... Nachdem mehrere Mordanschläge fehlschlugen, um KHOMEINI loszuwerden, drängte die Koalition Israel-UdSSR-Trilaterale-CARTER-Regierung den Irak in einen Krieg, von dem sie annahmen, daß er KHOMEINI in die Knie zwingen würde... Besonders Israel wurde von dem Krieg begünstigt... Während HUSSEIN immer noch Millionen in die Taschen des Mossad fließen ließ, bombardierte die israelische Luftwaffe Iraks Kernkraftwerk und setzte es außer Dienst... Seine Agenten wirkten als die wichtigsten Waffenhändler in diesem Konflikt. Damit der Krieg nicht zu schnell zu Ende ging, sorgte Israel dafür, daß ein gewisses Waffengleichgewicht herrschte, indem es über schlecht getarnte Dritte Iran mit der notwendigen Menge wichtiger Ersatzmaterialien für Düsenjäger, Anti-Panzer-Raketen und Radarausrüstung versorgte.«[801]

Während die REAGAN-Administration die Operation ›Stauch‹ startete, die Regierungen in aller Welt davon abhalten sollte, Waffen an den Iran zu schicken, verkaufte sie insgeheim selbst Waffen an den Iran. Diese schockierende Nachricht wurde von der libanesischen Zeitung *Al-Shiraa* veröffentlicht. Iraks Vizepräsident RAMADAN behauptete also zu Recht, daß eine US-Verschwörung gegen den Irak im Gange war, als er klagte: »Was über anderthalb Jahre stattfand..., waren nicht nur Waffenlieferungen an den Iran. Diese waren Teil einer Verschwörung, einer gefährlichen Verschwörung gegen den Irak... Es gab eine Koordination zwischen drei Parteien – Israel, den Vereinigten Staaten und dem Iran. Diese Zusammenarbeit beinhaltete Geheimdienstinformationen, Kommunikation, Waffen und die Qualität dieser Waffen... Die Verschwörung... begann am 24. Dezember 1986.« »Am meisten erbost war RAMADAN über gefälschte Satelliten-Geheimdienstinformationen, die die USA dem Irak zukommen ließen.«[802] Die amerikanische und die israelische Regierung versorgten beide kriegführenden Nationen, den Irak und den Iran, mit Waffen und Munition.

In der Öffentlichkeit wurde auch das Geiseldrama zwischen den USA und dem Iran so dargestellt, als wäre es nur auf Grund der Iraner zustande gekommen. Dabei wurde die Tatsache überhaupt nicht beachtet, daß die Weigerung der ROCKEFELLERS, die iranischen Einlagen in den USA (in Höhe von rund 12 Milliarden Dollar) herauszugeben, das Geiseldrama beschleunigte. Diese Geiselkrise kam aber für die ROCKEFELLERS wie ein Segen des Himmels, da sie ihre Hauptverantwortung verdeckte. Erneut zeigte sich, wer in den USA wirklich das Sagen hat: Die CARTER-Regierung stellte nämlich die Interessen der ROCKEFELLERS über die Interessen Amerikas und das Leben der Geiseln, als sie sich weigerte, die Forderung der neuen iranischen Regierung, die Rückzahlung der eingefrorenen Gelder als Bedingung zur Beendigung der Geiselnahme, zu erfüllen.[803]

Die Lage in Europa 1989 und die US-Außenpolitik

Die Ursachen des zweiten Golfkriegs sind eigentlich erst zu verstehen, wenn man sich die 1989 und unmittelbar danach in Europa herrschende Lage vergegenwärtigt. Der Fall der Berliner Mauer wurde zwar in West- sowie Mitteldeutschland begeistert bejubelt, aber in Washington, London und Paris war man alles andere als begeistert. Denn der Fall der Mauer war ein folgenschwerer Schritt gegen die Interessen der US-Machtelite, da diese aus dem Kalten Krieg und dessen Rüstungsindustrie ungeheuren Profit zog. Nach dem Fall der Mauer war aber eben diese Rüstungsindustrie zum erstenmal seit Ende des Zweiten Weltkriegs in Frage gestellt. Nach dem Fall der Mauer kam es in fast ganz Osteuropa zu ähnlichen Aufständen und Umstürzen, die gesamte Kalte-Kriegs-Weltordnung wurde damit auf den Kopf gestellt, und dieser Vorgang bildete somit die größte Herausforderung für die Kalten Krieger in Washington. Als auch die Sowjetunion eine gewisse Schwäche aufwies, war in den Medien und der Öffentlichkeit immer mehr die Rede von einer »Friedensdividende«. Gemeint war, daß man nun abrüsten könne, da die kommunistische Gefahr vorüber sei. In Washington kam man daher zu der Überzeugung, daß man dringend eine Krise irgendwo in der Welt brauche, um sie in einem Krieg eskalieren zu lassen. Damit könne man der Welt und allen Kritikern der Rüstungsindustrie beweisen, daß es immer noch Gefahren, auch nach dem Ableben des Kommunismus, gebe, denen notfalls mit militärischer Macht entgegenzuwirken sei.

Dies war nun um so wichtiger, als zum erstenmal seit dem Zweiten Weltkrieg die gesamte westliche Rüstungsindustrie vom Frieden bedroht war. Die US-Machtelite dachte aber keinesfalls, das lukrative Rüstungsgeschäft ohne Widerstand aufzugeben. So plante sie erneut, einen Krieg zu inszenieren. Hierfür war der Mittlere Osten als Krisengebiet geradezu wie vorherbestimmt, da dort bereits viele Kriege stattgefunden hatten. Außerdem eignete sich der Mittlere Osten vorzüglich für die Pläne der US-Machtelite: Bei einem siegreichen Krieg in dieser Ölregion würden die USA ihre Kontrolle über das wertvolle Erdöl weiterhin ausbauen. Die Machtelite wußte, daß sie dann die Ölwaffe gegen ihre wirtschaftlichen, auf Erdöl angewiesenen Hauptkonkurrenten einsetzen könne. Zu ihnen gehörten Europa, vor allem das wiedervereinigte Deutschland, und Japan. Da Erdöl etwa ein Drittel des gesamten Bruttoinlandsprodukts einer Industrienation ausmacht, könnte Washington die erweiterte Kontrolle über die Ölreserven des Mittleren Ostens gezielt gegen ein wirtschaftlich zu starkes Europa und Japan einsetzen.

Nun setzte die US-Machtelite alles in Gang, um eine Krise im Mittleren Osten zu erzeugen. War sie einmal erzeugt, so mußte die Machtelite sie eskalieren lassen, um daraus einen Krieg zu entwickeln. Zu diesem Zweck plante die US-Machtelite, ihrem ehemaligen Verbündeten im Mittleren Osten, Saddam Hussein, eine Falle zu stellen – einen Vorwand, um Krieg gegen den Irak zu führen. Der Golfkrieg sollte der größte Coup der US-Machtelite seit der Koreakriegs-Verschwörung werden.

Kapitel 10

Die Vorbereitung der Golfkrise

Die Beziehungen USA-Irak nach dem ersten Golfkrieg

Während des ersten Golfkriegs waren die USA stets bemüht, den Irak militärisch zu unterstützen, um vor allem einen Sieg des Irans zu verhindern. Im Gegensatz zum zweiten Golfkrieg gab es damals von den USA keine Verurteilung dafür, daß der Irak den Iran am 22. September 1980 angegriffen hatte. Auch gab es keine Verurteilung für die irakische Mißachtung des internationalen Gesetzes und den Verstoß gegen die UN-Konvention. Die Gründe für diese Außenpolitik sind eindeutig: Iran galt als Feind Nummer eins im Mittleren Osten, denn das iranische Regime wollte seine islamische Revolution über die ganze Golfregion ausbreiten, was für die westliche sowie die amerikanische Vormachtstellung in der Region verheerende Folgen gehabt hätte. Die Politik, die die USA am Golf verfolgten, war schon immer darauf bedacht, den Status quo zu erhalten, also die Stabilität zu gewährleisten. Während des ersten Golfkrieges gingen die USA sogar so weit, nicht nur große Mengen an Waffen über Jordanien nach dem Irak einzuschleusen, sie zeigten sich auch bereit, die Geheiminformation ihrer Spähsatelliten den Irakern zur Verfügung zu stellen, damit diese immer bestens über den Verlauf ihres Kriegs mit dem Iran informiert waren.[804] Die amerikanische Unterstützung für den Irak belief sich noch vor dessen Invasion Kuwaits auf geschätzte 50 Milliarden Dollar an US-Waffen. Diese Waffen wurden illegal über verdeckte Konten sowie Drittländer, unter anderen Ägypten, Jordanien und – welche Ironie! – Kuwait, an den Irak geliefert.[805] Mit US-Unterstützung wußten die Iraker dank der US-Spähsatelliten über Truppenstellungen und Manöver der Iraner Bescheid. Diese Zusammenarbeit führte auch dazu, daß die Amerikaner in Bagdad ihr eigenes Gebäude hatten, in dem sie die Geheiminformationen unmittelbar an die Iraker während des ersten Golfkriegs gaben.[806] Diese Satellitenfotos waren aber teilweise gefälscht worden, so daß sie die Interessen der US-Machtelite besser vertraten.[807] Wie aber schon zuvor erwähnt, bewaffnete die REAGAN-Administration heimlich auch den Iran, teilweise, um US-Geiseln aus dem Libanon freizukaufen. Dies wurde später als der Iran-Contra-Skandal bekannt.[808]

Nach dem ersten Golfkrieg änderten sich die amerikanisch-irakischen Beziehungen schlagartig. Der erste Golfkrieg endete nach acht langen Jahren am 20. August 1988 mit einem Waffenstillstand zwischen den beiden Golfstaaten. Und fast augenblicklich verschlechterte sich das Bild des Iraks in den USA. Am 8. September 1988 sollte der irakische Außenminister Sa'dun HAMMADI Außenminister George SHULZ treffen. Nach der langjährigen US-Unterstützung für den Irak in seinem Krieg gegen den Iran hatten die Iraker allen Grund zur Annahme, daß man sie warm in Washington empfangen und eine Phase der engeren wirtschaftlichen Zusammenarbeit einleiten würde. Stattdessen wurde von dem Sprecher des US-Außenministeriums, Charles REDMAN, um 12 Uhr 30, nur zwei Stunden vor dem Treffen mit SHULZ, eine Pressekonferenz einberufen, in der beklagt wurde: »Die US-Regierung ist überzeugt, daß Irak chemische Waffen gegen kurdische Guerillas eingesetzt hatte. Wir wissen nichts über das Ausmaß der eingesetzten Waffen, aber jegliche Benutzung in diesem Kontext ist verachtend und nicht zu rechtfertigen. . . Wir brachten unsere starke Betroffenheit gegenüber der irakischen Regierung zum Ausdruck, welche unsere Position bezüglich der Benutzung chemischer Waffen gut kennt, und daß wir dieses Einsetzen von solchen Waffen für total ungerechtfertigt und unakzeptabel halten.«

REDMAN hielt es nicht für notwendig, Beweise für diese Anschuldigungen vorzuweisen. Während HAMMADIS Unterhaltung mit SHULZ wurde er von der US-Presse aufgefordert, zum Massaker Stellung zu nehmen. Der verblüffte HAMMADI fragte wiederholt, warum die Reporter ihm diese Fragen stellen würden? Nur 24 Stunden nach der Presseveröffentlichung entschied sich der US-Senat für Sanktionen gegen den Irak, die den Verkauf von Lebensmitteln und Technologie aufheben würden. Daraufhin folgte eine zweijährige Kampagne wirtschaftlicher Schikanen des US-Außenministeriums, der amerikanischen Medien und des Kongresses.[809]

Wie schon erwähnt, erklärte am 8. September 1988 Washington mit Entsetzen, daß der Irak Giftgas gegen die Kurden eingesetzt habe. Daß dieser dies schon während des Golfkrieges gegen den Iran mit verhängnisvollen Folgen getan hatte, wurde damals kaum zur Kenntnis genommen, aber dafür jetzt um so mehr. Selbst ein früherer Hungerstreik der Kurden vor dem UN-Gebäude war von Washington nicht beachtet worden.

Nicht viel später sprach sich der Senat im US-Kongreß eindeutig für Sanktionen gegen den Irak aus, diese wurden aber nicht durchgesetzt. Des weiteren sollte die Denunzierung des State Department zwei Jahre lang gegen den Irak gerichtet sein. Besonders, als Saddam HUSSEIN Israel am 2. April 1990 drohte, halb Israel mit Giftgas zu vernichten, wenn es etwas gegen den Irak unternehmen werde, wurde die Drohung aufgegriffen und der Irak zum potentiellen Aggressor erklärt.[810] Kurz nach dieser Warnung an Israel äußerte sich SADDAM aber gegenüber einem arabischen Sachbearbeiter: »Sag den Vereinigten Staaten, daß unsere Aussage nur für innenpolitische Zwecke gültig ist. Wir haben keine Absicht, Israel Schaden zuzufügen.«[811]

Wenn man dem ägyptischen Präsidenten MUBARAK Glauben schenken darf, dann verhandelte SADDAM mit Israel zur selben Zeit, als er es mit chemischen Waffen bedrohte. MUBARAK gab bekannt, daß SADDAM sein Angebot, mit Israel zu verhandeln, ablehnte, da Saddam dies lieber durch eine Professorin der Harvard-Universität tat. Anscheinend reiste sie nach Bagdad, um dann von dort aus SADDAMS Botschaft nach Israel weiterzuleiten.

MUBARAK berichtete auch über irakische Verbindungen zu dem Mossad (Israels Geheimdienst), ebenso, daß eine israelische Firma, dessen Namen er nannte, die irakische Armee versorgen würde.[812] In diesem Sinn sind wohl auch SADDAMS Annäherungsversuche gegenüber Israel zu verstehen. Denn zwei spanischen Journalisten zufolge habe es zahlreiche Geheimkontakte zwischen Bagdad und Jerusalem vor und nach der irakischen Invasion Kuwaits gegeben. Daß dies keineswegs abwegig ist, bewies schon die Tatsache, daß Israel Saddam HUSSEINS Angriff auf den Iran im ersten Golfkrieg heimlich unterstützte. »So gab es vor der Invasion mehrfache direkte Kontakte zwischen hohen israelischen Regierungsbeamten und Geheimdienstlern mit Tarik AZIZ, Saddam HUSSEINS christlichem Außenminister, dem ehemaligen Botschafter in Washington, Nizar HAMDUN, und dem irakischen Vertreter in Ägypten, Nabil Nizam AL-TAKRIT. Bei diesen Kontakten soll es um die Einrichtung einer Art ›roten Telefons‹ zwischen Bagdad und Jerusalem zwecks Vermeidung von Irrtümern im Fall eines Krieges gegangen sein. Der frühere US-Verteidigungsminister Donald RUMSFELD war aktiv an der Vermittlung von Kontakten zwischen Jerusalem und Bagdad im Vorfeld der Invasion Kuwaits beteiligt. Mehrmals fungierten vor der Invasion die amerikanische Botschafterin im Irak, April GLASPIE, und der jüdische amerikanische Kongreßabgeordnete Norman BERMAN als Übermittler von Botschaften der israelischen Regierung an Saddam HUSSEIN. Unmittelbar vor der Invasion übermittelten beide eine direkte Nachricht des israelischen Premiers Yitzak SHAMIR. Diese Kontakte rissen auch nach der Invasion nicht ab. Wochen vor der Invasion, während der irakische Diktator vor der Weltöffentlichkeit mit Angriffen mit chemischen Waffen drohte, übermittelte König HUSSEIN von Jordanien insgeheim eine schriftliche Botschaft Saddam HUSSEINS an die Israelis, in der dieser einen Nichtangriffspakt zwischen Israel und Irak im Falle eines Golfkrieges vorschlug.«

Eine Schlüsselrolle spielte die schon erwähnte Miss April GLASPIE (über sie später noch mehr), denn sie war nicht nur als US-Botschafterin im Irak, sondern im Rahmen einer nachrichtendienstlichen Spezialeinheit des State Department mit spezielleren als nur diplomatischen Aufgaben beauftragt, was nicht zuletzt durch ihre Botentätigkeit zwischen Jerusalem und Bagdad offenbar wurde.[813] Trotzdem hatte SADDAM diese Äußerung wohl nicht ganz ohne Begründung gemacht, denn 1981 hatten die Israelis gegen das internationale Recht verstoßen, als sie den irakischen Osirak-Reaktor bombardierten, während der israelische Außenminister am 5. Dezember 1990 warnte, daß Israel den Irak angreifen werde, wenn die USA den Irak nicht zwängen, sich aus Kuwait zurückzuziehen, und sein Militär zerstörten. Saddam HUSSEIN wollte mit seiner Drohung wohl einen weiteren Angriff dieser Art verhindern.

Aber die US-Politik begann nun, einen härteren Kurs gegen den Irak einzuschlagen, sie verhängte *de facto*-Sanktionen gegen den arabischen Staat, die von der UN nicht gebilligt waren und die wirtschaftliche Lage im Irak noch verschärften.[814] Diese Geheimdiplomatie zwischen Bagdad und Jerusalem ist auch in dem Sinn zu verstehen, daß Saddam HUSSEIN wußte, daß er – ohne die Billigung Israels für einen Einmarsch in Kuwait – mit einem Angriff des militärisch überlegenen Israels hätte rechnen müssen. So gesehen war die Geheimdiplomatie nötig, um eine Invasion Kuwaits, falls erforderlich, aussichtsreich durchzuführen.

Dennoch waren die Beziehungen zwischen beiden Staaten keineswegs eindeutig in eine Richtung festgelegt. Wie so oft in der Vergangenheit, trieb die US-Machtelite auch mit dem Irak ihr ›Doppelspiel‹. Denn die USA ließen dem Iran während des ersten Golfkriegs militärische Geheimdienstinformationen zukommen. Oliver NORTH teilte den Iranern ebenfalls mit, daß »die USA ihnen helfen würden, den irakischen Staatschef zu stürzen«. Er teilte ihnen mit, »[wir] erkennen auch, daß SADDAM gehen muß«, und NORTH erklärte, wie man dies bewerkstelligen könne. In Frankfurt erläuterte NORTH 1985 die Position der US-Machtelite in einem Gespräch mit einem Vertreter der iranischen Regierung: »Eine der Sachen, die wir tun wollen, ist, aktiv daran beteiligt zu sein, diesen Krieg zu beenden [Iran-Irak], in einer solchen Weise, daß es sehr offensichtlich für alle ist, daß der Typ, der die Probleme macht, Saddam Husain *(sic!)* ist.«[815]

Während die USA diplomatischen und ökonomischen Druck auf den Irak ausübten, waren sie gleichzeitig bereit, auch weiterhin den Irak mit Technologien zu beliefern, die militärische sowie zivile Bedeutung hatten. Bei diesen Lieferungen ging es um fortgeschrittene Computer, Radiogeräte, Graphikterminals, mit denen man Raketen entwerfen und deren Flug analysieren kann, Maschinen, Werkzeug und bestimmte Geräte, die es ermöglichen, Satellitenfotos zu deuten. Höchst merkwürdig erscheint aber ein Artikel aus der *Washington Post* über Handelsunterlagen, die dem Kongreß übergeben worden seien, gerade fünfzehn Tage, bevor der Irak am 2. August 1990 in Kuwait einmarschierte. In diesem Artikel wurde bestätigt, daß die BUSH-Regierung Lizenzen für hochtechnologische Erzeugnisse in Höhe von 4,8 Millionen Dollar an den Irak verkaufte. Diese Handelspolitik wurde genau bis zu einem Tag vor der Invasion Kuwaits durchgeführt; an diesem Tag lieferte die BUSH-Regierung für 695 000 Dollar hochentwickelte Datenübertragungsgeräte an den Irak.[816] Es ist wohl schon etwas zynisch, wenn man bedenkt, daß George BUSH von den vielen US-Geheimdiensten über die bevorstehende Invasion Kuwaits genau unterrichtet war und trotzdem diese Invasion mittelbar unterstützte, indem man noch einen Tag zuvor dem Aggressor US-Waffentechnologie lieferte.

Trotz dieser indirekten Unterstützung war die Situation für den Irak und Saddam Hussein alles andere als gut. Nach einem acht Jahre langen sinnlosen Krieg war der Irak mit etwa 100 Milliarden Dollar verschuldet, und selbst für ein erdölreiches Land wie den Irak war dies eine ungeheure Bürde, die es verkraften mußte.[817] Außerdem waren im Irak nach dem ersten Golfkrieg immer noch eine Million Soldaten unter Waffen, viele von ihnen waren während des Krieges eingezogen worden, um gegen die iranischen Menschenwellenangriffe Verteidigung zu leisten.[818] Saddam Hussein mußte diese enttäuschte bewaffnete Masse unter Kontrolle halten, denn sie konnte jederzeit zu der Überzeugung kommen, daß er das Land mit seinem Krieg gegen den Iran in den finanziellen Ruin getrieben habe. Saddam Hussein befand sich also seit Anfang 1990 in einer kritischen Lage, er mußte zugleich dem Druck von außen wie von innen standhalten, und die Wirtschaftslage machte ihm und seiner Bevölkerung schwer zu schaffen.

Irakisch-kuwaitische Beziehungen nach dem ersten Golfkrieg

Das Jahr 1988 wurde von immer häufigerem Streiten zwischen dem Irak und Kuwait über den Verlauf der gemeinsamen Grenze geprägt. Schon am 8. August 1988, nur einem Tag nach dem Ende des ersten Golfkriegs, brach Kuwait den OPEC-Vertrag, indem es seine Erdölproduktion drastisch erhöhte, vor allem im Rumailah-Ölfeld, das zwischen dem Irak und Kuwait liegt und als äußerst umstritten gilt. Der irakische Vizepremier Saadun Hamadi reiste durch die Golfstaaten wegen der bedrohlichen finanziellen Situation des Iraks, um neue Kredite zu bekommen. Er wies noch einmal auf den Verfall des Ölpreises hin, weil die OPEC-Staaten auf Drängen Kuwaits seit Sommer 1988 dreimal die Förderquoten erhöht hatten. Saddam Hussein empfand das Vorgehen Kuwaits als Provokation und Verrat. Das zusätzliche Öl erhöhte die ohnehin schon vorhandene Überproduktion und führte zu massiven Preisstürzen auf dem Öl-Weltmarkt: Der Rohölpreis fiel von 21 auf 11 Dollar. Allein durch diese Maßnahme fiel das Einkommen Iraks, der zu über 90% auf Erdölexporte angewiesen ist, um 14 Milliarden Dollar jährlich. Aber damit gaben sich die Kuwaiter nicht zufrieden: Im März 1989 verlangten sie eine 50prozentige Erhöhung ihrer OPEC-Quote. Diese Forderung wurde aber auf der Juni-Tagung der OPEC-Konferenz zurückgewiesen, was den kuwaitischen Ölminister Scheich Ali Al-Khalifa zu der Ankündigung veranlaßte, daß sich Kuwait nun nicht mehr an die Ölquoten halten werde. Kuwait ließ daraufhin die Förderung auf zwei Millionen Barrel je Tag ansteigen.[819]

Pierre SALINGER und Eric LAURENT beschreiben in ihrem Buch *Krieg am Golf*, daß Kuwait beabsichtigte, die strittigen Ölfelder am Rumailah-Ölfeld, der Grenze zwischen dem Irak und Kuwait, stärker auszunutzen. Die meisten Beobachter glauben, daß das Rumailah-Ölfeld sich auf irakischem Boden befindet. Während im ersten Golfkrieg der Irak gegen den Iran kämpfte, verschob Kuwait seine Grenze nordwärts und besetzte 900 Quadratmeilen, einschließlich des Rumailah-Ölfelds, die dem Irak gehörten.

Was die Sache noch verschlimmerte, war die Tatsache, daß Iraks Zugang zum Golf durch die beiden kuwaitischen Inseln Bubiyan und Warba blockiert ist. Kuwait tat eigentlich nichts, um die beiden Inseln zu entwickeln, während der Irak ungefähr eine Milliarde Dollar ausgegeben hatte, um die Häfen von Umm Qasr und Khor Zubair auszubauen, die nicht weit von den Inseln entfernt waren. Deshalb schickte Saddam HUSSEIN am 7. August 1988, nur zwei Wochen nach dem Ende des ersten Golfkriegs, seinen Innenminister, Samir Adul WAHHAB, nach Kuwait, um Diskussionen zur Lösung der Grenz-, Insel-, Öl-, und Schuldenfragen einzuleiten. Dies war aus irakischer Sicht zweifellos eine Geste des Entgegenkommens, denn Kuwait hatte jahrelang auf eine Lösung des Grenzproblems bestanden, weil der Irak Kuwait nie als souveränen Staat anerkannt hatte.

Schon 1961 hatte der Irak versucht, das Kuwaitproblem militärisch zu lösen. Zwei Jahre lang lehnten die Kuwaitis jegliche Diskussion über die obengenannten Probleme ab, die, wie Saddam HUSSEIN sagte, die Wirtschaft des Iraks zerstörten.[820] Mit der Schrägbohrtechnologie der amerikanischen Bohrtechnikfirma Santa Fe Drilling Corporation konnten die Kuwaitis Öl aus dem umstrittenen Gebiet der Iraker pumpen. Auf dem Höhepunkt des Irak-Iran-Krieges verkaufte dann Kuwait dieses Öl an die irakischen Kunden, die der Irak wegen des Krieges nicht beliefern konnte. Zu diesem Zeitpunkt beschuldigte Saddam HUSSEIN Kuwait, einen Wirtschaftskrieg gegen den Irak zu führen.[821] Der Krieg erzeugte im Irak wie gesagt eine riesige Verschuldung, die sich kurz vor dem 2. August 1990 auf rund 100 Milliarden Dollar belief.[822] Das meiste Geld schuldete Bagdad Saudi-Arabien und Kuwait. Kuwait hatte dem Irak während des Krieges knapp 12 Milliarden Dollar zur Kriegführung gegeben, nachdem der Iran Kuwait unmittelbar bedroht hatte. Nun verlangten die Kuwaitis das Geld aber zurück. Wie aber jeder Politiker im Mittleren Osten wußte, war diese Forderung unzumutbar und aus irakischer Sicht sogar eine Provokation. Die Iraker behaupteten nämlich zu Recht, daß ihr Volk für den Schutz und Wohlstand der restlichen Golfstaaten bluten mußte, während die Kuwaitis Mitte der achtziger Jahre das höchste Pro-Kopf-Einkommen der Welt genossen. Daher konnte von einer Rückzahlung keine Rede sein.

Als der irakische Delegierte HAMMADI von einer Unterredung mit dem kuwaitischen Erdölminister nach Bagdad zurückkehrte, mußte er feststellen, daß Kuwait die erhöhten Förderquoten bis Oktober 1990 beibehalten würde. Diese feindliche Ölförderungspolitik Kuwaits war eine schwere Last für den Irak. Das jährliche Einkommen der Ölexporte belief sich für den Irak auf 9,5 oder 10 Milliarden Dollar. Im zweiten Quartal des Jahres 1990 erhöhten die Kuwaitis ihre hemmungslose Überproduktion auf 18 Prozent der gesamten OPEC-Erzeugung.[823] Es gab daher keine Hoffnung, daß der Irak seinen Verbindlichkeiten Kuwait gegenüber nachkommen könnte, der Irak schien unausweichlich auf den Bankrott zuzusteuern. Diese finanzielle Krise konnte auch nicht durch die maximale Ölförderung aller irakischen Ölfelder ausgeglichen werden, zumal dies auch eine Überschreitung der Ölquoten zur Folge gehabt hätte. Iraks Einkommen belief sich im Jahr 1989 auf 13 Milliarden Dollar, während die Ausgaben bei rund 24 Milliarden Dollar lagen. Die Auslandsschulden beliefen sich auf etwa 100 Milliarden Dollar. Es war nötig, mit dem Wiederaufbau Iraks zu beginnen, aber das, so westliche Ökonomen, würde zwanzig Jahre dauern, sogar wenn der ganze Ölreichtum dafür aufgewendet werde. Die Kosten des Kriegs mit dem Iran, von dem SADDAM gedacht hatte, daß er vier oder fünf Tage dauern würde, waren kaum berechenbar.[824]

Desweiteren wurde klar, daß es nicht mehr nur um eine Überproduktion ging. Bagdad beschuldigte vielmehr Kuwait, Militärposten innerhalb des irakischen Territoriums eingerichtet und seit 1980 für mehr als 2,4 Milliarden Dollar Erdöl aus dem irakischen Teil vom Rumailah-Ölfeld gestohlen zu haben. Das von dem Rumailah-Ölfeld (das sich drei Meilen nach Kuwait erstreckt) gestohlene Öl wurde in Mengen von 25 000 Barrels je Tag aus dem Ölfeld gepumpt. Als Ausgleich für das gestohlene Öl verlangte der Irak eine 99jährige Pacht der Hälfte des Bubiyan-Ölfelds und die Übereignung der Souveränität von Warbah, einem weiterem Ölfeld (der rechtsmäßige Besitz der beiden Ölfelder war schon immer umstritten), die Streichung der irakischen Schulden und einen Kredit von 10 Milliarden Dollar. Dies würde auch die lang ersehnte irakische Anerkennung der kuwaitischen Landesgrenzen garantieren. Ansonsten, drohte Saddam HUSSEIN, dessen Geduld enorm belastet wurde: »Wenn Worte uns nicht mehr schützen können, dann haben wir keine andere Wahl, als zu Taten zu greifen, um unsere Rechte zu schützen.« Am 17. Juli 1990, dem Tag dieser Rede, bewegten sich irakische Truppen in Richtung kuwaitische Grenze, um SADDAMS Worten Nachdruck zu verleihen.[825]

Dies war zugegeben ein plausibles und vernünftiges Angebot und die einzige Möglichkeit für den Irak, einem Bankrott zu entgehen. Kuwait war zu diesem Zeitpunkt (kurz vor dem Einmarsch der Iraker) eines der reichsten Länder der Welt mit einem Pro-Kopf-Einkommen, das an der Weltspitze lag.[826] Ferner hatte Kuwait einen Reservefonds für zukünftige Generationen, der sich auf mindestens 100 Milliarden Dollar belief (manche behaupten sogar 250 Milliarden Dollar), welche die Kuwait Investment Authority mit Sitz in London betreute. Die kuwaitische Herrscherfamilie, die AL SABAH´s, besitzt fast 60 Milliarden Dollar. Mit anderen Worten: Die Regierung, die in Wirklichkeit die AL SABAH-Familie darstellt, kontrolliert direkt oder indirekt 160 Milliarden Dollar. Wenn man außerdem bedenkt, daß Kuwait vor dem zweiten Golfkrieg jährlich über 6 Milliarden Dollar aus kuwaitischen Investitionen im Ausland verdiente, dann ist das sogar noch mehr als die Einkünfte durch den Ölverkauf.[827] So schien es nicht zuviel verlangt zu sein, daß die Kuwaitis auf die Angebote der Iraker eingingen. Kuwait hätte sie ohne weiteres annehmen, einen Krieg verhindern und immer noch sein äußerst luxuriöses Dasein führen können.

Vorbereitungen der USA auf die Krise am Golf

Ein wichtiges Ereignis fand im Juni 1989 statt, als eine hochrangige Delegation des Amerikanisch-Irakischen Wirtschaftsforums auf Einladung Saddam HUSSEINS nach Bagdad reiste. Dieser Delegation gehörte Alan STOGA von der Beratungsfirma Kissinger Associates an, dazu gesellten sich Vorstandsmitglieder von Bankers Trust, Mobil Oil, Occidental Petroleum und anderen multinationalen US-Firmen. Es ging um das Thema Badusch-Staudamm, ein gewaltiges Bewässerungsprojekt, das 40 Milliarden Dollar kostete und den Irak innerhalb von fünf Jahren von Nahrungsmittelimporten unabhängig gemacht hätte. Bis zu diesem Zeitpunkt war das Land nämlich auf teure Lebensmittelimporte angewiesen. Ferner hatte der Irak US-Gesellschaften angeboten, in einen umfassenden petrochemischen Komplex, Düngermittelbetriebe, ein Stahlwerk und ein Fahrzeugwerk zu investieren, um auf diese Weise die Entwicklung des Landes zu fördern.

Die US-Geschäftsleute wollten aber nicht darauf eingehen. Statt dessen bestanden sie darauf, Saddam HUSSEIN müsse zuerst seine Staatsschulden in Ordnung bringen und zu diesem Zweck seine nationale Ölindustrie wenigstens zum größten Teil ›privatisieren‹. Natürlich lehnte der irakische Führer einen solchen Ausverkauf der irakischen Ölindustrie an die Amerikaner ab. Daß die US-Geschäftsleute es auf die Ölreserven des Iraks abgesehen hatten, kam nicht von ungefähr. Denn nach verfügbaren anglo-amerikanischen Untersuchungen sollen im irakischen Wüstensand die ergiebigsten, bisher nicht öffentlich zugegebenen Ölreserven der Welt liegen. (Nur in der Sowjetunion wurden damals noch größere Reserven vermutet.) Aufgrund der gescheiterten Verhandlungen wurde dem Irak dann später im Jahr 1989 ein Kredit, der von Präsident BUSH schon zugesagt war und sich auf 2,3 Milliarden Dollar belief, verweigert. Die Auswirkung der Sperrung dieses wichtigen Kredits zu einem Zeitpunkt, als der Irak nahezu pleite war, bedeutete, daß der Irak Anfang 1990 plötzlich und unerwartet völlig von westlichen Bankkrediten ausgeschlossen war. Dies mußte unweigerlich zu einer Ausdehnung der Wirtschaftskrise im Irak führen.[828]

Schon 1973 begann das Pentagon mit den Vorbereitungen für einen möglichen Krieg am Golf. Jedes Jahr fanden Manöver in der Mojave-Wüste, Alkali Canyon genannt, statt, bei denen man Marinetruppen und Landstreitkräfte gegen Soldaten in libyschen und irakischen Uniformen kämpfen ließ. Strategen bereiteten öffentlich Pläne für eine Invasion am Golf und die Besetzung der Ölfelder vor. Kuwait und Saudi-Arabien nahmen diese Pläne, über die SCHLESINGER sprach, 1974 so ernst, daß sie ihre Ölfelder verminten. 1977 erklärte Senator Henry JACKSON: »Ein Engagement zur Verteidigung der Ölquellen am Golf und für die politische Stabilität der Region ist für die Vereinigten Staaten stets von lebenswichtigem Interesse.« Präsident James Earl CARTER verkündigte seine ›CARTER Doctrin‹, und das Pentagon beschloß, eine schnelle Eingreiftruppe eigens für den Golf bereitzustellen. Diese wurde von dem Pentagon als ›Rapid Deployment Joint Task Force‹ (RDJTF) bezeichnet.[829]

Vorbereitungen zum Golfkrieg

Zur richtigen Ausführung der neuen US-Interventionsstrategie war der Kriegsplan ›1002‹ aus der frühen REAGAN-Ära entwickelt worden. Er besagte, daß jeder Bedrohung amerikanischer Interessen am Golf mit militärischen Mitteln entgegenzuwirken sei.[830] 1983 wurde die schnelle Eingreiftruppe dem CENTCOM-Oberkommando unterstellt und insgeheim das Netz geheimer Militärstützpunkte in Saudi-Arabien ausgebaut. Diese zwanzig Stützpunkte waren sogar so hochmodern, wie es sie nicht einmal in den USA selbst gibt. Sie kosteten 200 Milliarden Dollar. Der amerikanische Journalist Scott ARMSTRONG beschrieb sie als unentbehrlich für den Golfkrieg, diese Geheimstützpunkte boten das Überwachungssystem des gesamten Krieges. Ohne sie hätte der Krieg wahrscheinlich ein oder zwei Jahre gedauert. Ohne sie hätten die Amerikaner nicht gewußt, was sie getroffen hätten, und sie waren der Grund, weshalb die irakische Luftwaffe es erst gar nicht gewagt hatte, gegen die Amerikaner anzufliegen. Ohne diese Basen wäre die Zielgenauigkeit von amerikanischen Radars, Kampfflugzeugen und Raketen um 25 Prozent schlechter gewesen, als sie es im Golfkrieg war. Entscheidungen, die in Minuten getroffen wurden, hätten ohne diese Stützpunkte Wochen oder gar Monate gedauert. Die USA hätten den Krieg zwar immer noch gewonnen, aber höchstwahrscheinlich mit 30 bis 40 000 toten Soldaten. ARMSTRONG glaubt, daß die USA den Golfkrieg daher nicht ohne diese Stützpunkte geführt hätten.[831]

1987 wurde General Norman SCHWARZKOPF Jr. Befehlshaber des CENTCOM. 1989 wurde der CENTCOM-Kriegsplan ›1002‹ geändert in CENT-

COM-Kriegsplan ›1002-90‹. In dieser neuen Version waren nun die Iraker die einzigen Gegner der US-Truppen. Die letzten zwei Ziffern standen für das Jahr 1990. Auf Schwarzkopfs Anweisungen begann CENTCOM mit der Entwicklung von Planspielen gegen den Irak. 1990 wurden mindestens vier dieser gegen den Irak gerichteten Szenarien – einige gingen von der Annahme einer irakischen Invasion Kuwaits aus – vor der tatsächlichen Invasion durchgespielt. Eines der ersten, die Computersimulation ›Internal Look‹, fand im Januar 1990 statt, und im Juni ließ Schwarzkopf in gewaltigen Szenarien Tausende von US-Soldaten gegen bewaffnete Divisionen der Republikanischen Garde antreten. Schwarzkopf plante und simulierte diesen Krieg mindestens ein Jahr, bevor er eigentlich stattfand.[832] Noch bevor die Computer-Simulationsspiele vorbei waren, klingelte in Schwarzkopfs Schlafzimmer das Telefon, General Colin Powell war am anderen Ende der Leitung und meldete: »Nun, sie haben (die) Grenze überschritten.« Daraufhin antwortete Schwarzkopf: »Wissen Sie, ich bin nicht überrascht. Jetzt wird es interessant werden zu sehen, was sie tun werden.«[833]

Im Mai 1990 hatte das Zentrum für Strategische und Internationale Studien (CSIS), eine Denkfabrik in Washington, eine zwei Jahre zuvor begonnene Studie abgeschlossen, die den Ausgang eines Kriegs zwischen den Vereinigten Staaten und dem Irak voraussagte. Diese Studie wurde, so ein Mitarbeiter, Major a.D. James Blackwell, im Pentagon unter Kongreßabgeordneten und Rüstungsfirmen verbreitet.[834] Nicht verwunderlich war dann auch die Tatsache, daß die irakische Invasion Kuwaits das Szenario für die intensive US-Planung darstellte. Daniel Sheehan von dem Christic Institute beruft sich diesbezüglich auf strategische Studien: die der US-Armee, *A Strategic Force for the 1990s and Beyond* (Januar 1990), und die der US-Luftwaffe, *Global Reach, Global Power* (Juni 1990). »Laut Sheehan wählten diese Studien, noch bevor Saddam Hussein irgendwelche Andeutungen machte, den Persischen Golf für neue Missionen des Militärs aus und nannten ausdrücklich den Irak und Saddam Hussein als ›wahrscheinliche Kandidaten‹.«[835]

Was sollte man hier wohl noch hinzufügen außer, daß man einen Krieg kaum besser planen kann! Schwarzkopf spielte also seine Computersimulationsspiele, die ihm im Florida-Hauptquartier genau beschrieben, wie der Krieg ablaufen würde. Wie er wissen konnte, daß der Irak Kuwait angreifen würde und daß dies alles 1990 passieren würde, ist wirklich erstaunlich. Schließlich wird man feststellen können, daß solche Prophezeiungserkenntnisse höchst ungewöhnlich sind, um es einmal gelinde auszudrücken. Vielmehr erhärtet sich hier der Verdacht, daß Herr Schwarzkopf schon längst wußte, daß ein Krieg zwischen dem Irak und Kuwait bevorstand.

Nach dem vernichtenden Krieg mit dem Iran verkündete Saddam Hussein sein 40 Milliarden Dollar-Programm für den friedlichen Wiederaufbau seines Landes. In einer vom Institute for Strategic Studies (Institut für strategische Studien) der US-Kriegsakademie vorgelegten Untersuchung hieß es 1990 dazu: »Es steht nicht zu erwarten, daß Bagdad irgend jemanden zu einer militärischen Konfrontation provozieren wird. Seinen Interessen ist zur Zeit und in nächster Zukunft mit dem Frieden am besten gedient... Die Einkünfte aus Ölverkäufen könnten ihm ökonomisch gesehen zu einem Platz in den vordersten Reihen der Staaten verhelfen. Die Stabilität im Nahen Osten ist dem Verkauf von Öl nur förderlich; Störungen wirken sich langfristig nachteilig auf den Ölmarkt und damit für den Irak aus... Gewalt ist nur wahrscheinlich, wenn sich die Iraker ernstlich bedroht fühlen... Nach unserer Überzeugung ist der Irak grundsätzlich einer nicht-aggressiven Strategie verpflichtet und bestrebt, im Laufe der nächsten Jahre seinen Militärapparat beträchtlich zu verkleinern. Die wirtschaftlichen Bedingungen zwingen praktisch zu solchen Maßnahmen... Es scheint keinen Zweifel daran zu geben, daß der Irak nun, nach dem Ende des Krieges, demobilisieren will.«[836]

Die Beziehungen zwischen den USA und Kuwait vor dem Golfkrieg

Historisch gesehen waren die Beziehungen zwischen Kuwait und den USA nie gut gewesen. Kuwait war ironischerweise immer einer der ausgesprochen antiamerikanischen Golfstaaten im Mittleren Osten. Dies änderte sich jedoch fast schlagartig, als sich die Lage zwischen Kuwait und dem Irak zuspitzte. Die Kuwaitis setzten schon von Anfang an auf die Amerikaner und ließen dies auch die Iraker auf den Krisen-Gipfeltreffen merken, als sie sagten, daß sie ›mächtige Freunde‹ hätten. Als eine jordanische Delegation, geführt von König Hussein II. persönlich, am 30. Juli 1990 nach Kuwait reiste, um die Kuwaiter darauf hinzuweisen, daß sich die Krise nicht nur zugespitzt habe, sondern, daß die mögliche Gefahr einer irakischen Invasion bevorstehe, waren die Kuwaits auch bei diesem Gipfeltreffen anscheinend unbesorgt. Um auch nicht den geringsten Zweifel aufkommen zu lassen, daß die kuwaitische Führung völlig unbesorgt war, sagte Scheich Sabah wörtlich: »Wir werden nicht [auf die Iraker] reagieren... Wenn es ihnen nicht gefällt, laßt sie unser Territorium besetzen... wir werden die Amerikaner herholen.«[837]

Krieg es Zufall, daß die kuwaitischen Herrscher sich plötzlich so kampflustig gegen den größeren Nachbarn stellten, als gleichzeitig die Pentagonplaner den Irak im Visier hatten? Wenige Kuwaitis glaubten das. In einem Artikel für *The New Yorker* zitiert der Nahost-Experte Milton Viorst Ali Al-Bedah, einen kuwaitischen Geschäftsmann und pro-demokratischen Aktivisten: »Ich glaube, daß die Königsfamilie ohne den Druck seitens der Amerikaner niemals Schritte unternommen hätte, um Saddam zu provozieren.« Viorst zitierte auch Mussama Al-Mubarak, einen Politikwissenschaftler an der Universität von Kuwait: »Ich weiß nicht, was die Regierung dachte, aber sie ist auf eine äußerst harte Linie eingeschwenkt, was mich vermuten läßt, daß die Entscheidungen nicht in Kuwait allein getroffen wurden. Ich nehme an, daß Kuwait sich in diesen Angelegenheiten ganz selbstverständlich mit Saudi-Arabien und Großbritannien abstimmte, ebenso wie mit den Vereinigten Staaten.« VIORST interviewte sowohl amerikanische als auch kuwaitische Regierungsmitglieder. Der kuwaitische Außenminister Scheich Al-Salem AL-SABAH erklärte, daß General SCHWARZKOPF Kuwait nach dem iranisch-irakischen Krieg regelmäßig besuchte. Er sagte wörtlich: »SCHWARZKOPF war einige Male hier, um sich mit dem Kronprinzen und dem Verteidigungsminister zu treffen. Es wurden Routinebesuche daraus, um die militärische Zusammenarbeit zu erörtern, und als die Krise mit dem Irak bereits ein Jahr schwelte, wußten wir, daß wir uns auf die Amerikaner verlassen können.« Ein US-Vertreter in Kuwait bestätigte die Einschätzung des Scheichs: »SCHWARZKOPF kam vor dem Krieg zu Besuchen hierher, vielleicht einige Male im Jahr. Er war ein politischer General, an sich etwas Ungewöhnliches. Er engagierte sich persönlich sehr stark und war mit allen Ministern in Kuwait praktisch per du.«

Ein Dokument, das von irakischen Soldaten in Kuwait City entdeckt und sichergestellt wurde, beweist dies eindeutig. Dieses auf den 22. November 1989 datierte Dokument, das weder von der kuwaitischen Exilregierung noch von der amerikanischen Regierung dementiert wurde, läßt den Ursprung der Krise in einem neuen Licht erscheinen. Es wurde dem damaligen Generalsekretär der UNO, Perez DE CUELLAR, vorgelegt. Es bestätigt das Zusammentreffen von Fahd Hakmad EL-FAHD, dem kuwaitischen Direktor der Staatssicherheit, und CIA-Direktor William WEBSTER und richtet sich an den Innenminister. Der Paragraph 5 des Memorandums lautet:

»Wir stimmen mit der amerikanischen Seite in der Einschätzung überein, daß es wichtig ist, von der Verschlechterung der wirtschaftlichen Lage des Iraks zu profitieren, um Druck auf dieses Land auszuüben mit dem Ziel, eine gespannte Situation über den Grenzverlauf zu provozieren. Der CIA hat uns seinen Standpunkt über die geeigneten Mittel vorgetragen, diesen Druck aufrechtzuerhalten. Seine Verantwortlichen haben uns gesagt, daß eine weitgehende Zusammenarbeit unter der Bedingung stattfinden müsse, daß diese Aktivitäten auf höchster Ebene koordiniert würden.«

Der CIA stritt die Echtheit des Dokuments natürlich ab und behauptete, das Thema Irak sei ›bei der Begegnung‹ nicht erörtert worden. Er bezeichnete das Dokument als eine vollkommene Fälschung. Zahlreiche Experten hingegen bestätigen seine Echtheit, unter anderen auch die UNO. Und nicht nur sie schienen es für echt zu halten: Als der kuwaitische Außenminister durch seinen irakischen Gegner damit konfrontiert wurde, fiel er in Ohnmacht.[838] Das Dokument hatte also eine schlagartige Wirkung gehabt. Es liefert aussagekräftige Beweise und dokumentiert den Wirtschaftskrieg Kuwaits und der Vereinigten Staaten gegen den Irak – einen Krieg, den die USA lange nach der Vertreibung irakischer Streitkräfte aus Kuwait mit Sanktionen auch weiterhin mit unverminderter Härte durchführen.[839] Hiermit verstärken sich nicht nur die Indizien für eine eindeutige Verschwörungstheorie, sie bestätigen sich sogar durch dieses echte Dokument, da selbst die Regierungen der beiden Parteien es nicht dementierten.

Um die wirklichen Hintergründe und Ursachen des Golfkriegs zu erforschen, ist es notwendig, das Verhältnis zwischen den USA und Kuwait näher zu untersuchen. Denn Kuwait war letztendlich der Schlüssel zur irakischen Invasion, die den Golfkrieg erst ermöglichte. Wie konnte die kuwaitische Führung eigentlich überhaupt zulassen, daß ganz Kuwait von den Irakern eingenommen wurde? Hätten sie dadurch nicht zugleich ihr Land an den Irak verloren und somit ihren Status als Herrscherelite Kuwaits eingebüßt? Es ist nur logisch zu schlußfolgern, daß die kuwaitische Führung sich niemals auf ein solches selbstmörderisches Abenteuer eingelassen hätte, wenn sie nicht schon zuvor mit den Amerikanern eine konkrete Abmachung vereinbart hätte. Solche eine Vereinbarung müßte einer Garantie gleichkommen, in der sich die US-Führung verpflichtet hätte, der kuwaitischen Führung sofort zu Hilfe zu kommen.

Das ganze Benehmen der kuwaitischen Führung im Vorfeld des Krieges; ihre arrogante, ebenso beleidigende wie ablehnende Art dem Irak gegenüber, wenn es darum ging, einen vernünftigen Kompromiß zu finden, kann eigentlich nur mit dem sicheren Wissen, eine solche Abmachung mit den USA getroffen zu haben, verstanden werden. Auch verschiedene Indizien bestätigen die Ereignisse nach der irakischen Invasion. Einer dieser ziemlich erstaunlichen Hinweise stammt von König HUSSEIN aus Jordanien. Er sagte, er habe unmittelbar vor der irakischen Invasion (noch in derselben Woche) erfahren, daß der Kronprinz von Kuwait höhere Militäroffiziere zusammengerufen habe, um ihnen ihre Aufgabe zu erklären – im Falle einer Invasion –, die Iraker für 24 Stunden aufzuhalten. Bis dahin, so der Kronprinz, würden amerikanische und andere fremde Streitkräfte in Kuwait landen und jene vertreiben.[840]

Dies stimmt auch bestens mit der Mitteilung überein: »Die Herrscherfamilie hatte vorher Bescheid gewußt und war mitsamt ihrem Rolls-Royce-Fuhrpark, ihren Juwelen und anderen Wertsachen außer Landes geflohen. Ein früherer Regierungsbeamter aus Kuwait bemerkte dazu im Londoner Exil mit Bitterkeit: ›Der CIA informierte die königliche Familie rechtzeitig, außer Landes zu gehen. Aber die AL-SABAHS [die Herrscherfamilie Kuwaits] vergaßen geflissentlich, das kuwaitische Militär von der bevorstehenden Invasion in Kenntnis zu setzen.‹«[841] (Dies erinnert unweigerlich an den Verrat der polnischen Elite, die 1939 während des deutschen Überfalls auch fluchtartig ihr Land im Stich ließ.) Nach dem ABC-Nachrichtenkorrespondenten John COOLEY war ein ballonartiges Aufspürgerät einer der Gründe, weshalb der Emir und seine Familie vor der irakischen Invasion fliehen konnten. Dieses US-Aufspürgerät befand sich in der Nähe des Bodens und wurde im ersten Golfkrieg zur Warnung vor Kampfflugzeugen verwendet.

Am 2. August 1990 registrierte es den irakischen Vormarsch nach Kuwait.[842] Somit lief alles nach dem Drehbuch der US-Machtelite ab: Nachdem man Saddam HUSSEIN monatelang durch Kuwait provoziert und sich die wirtschaftliche Lage des Iraks zunehmend verschlechtert hatte, ließ ihn die US-Führung zur damaligen Zeit noch insgeheim wissen, daß sie die ganze Sache mit Kuwait als eine ›innerarabische‹ Angelegenheit erachte, und riet ihm mittelbar noch dazu, auch alles zu tun, um die Sache so schnell wie möglich zu bereinigen. Wie wir noch sehen werden, spielte die US-Machtelite wie so oft ihr verschwörerisches Doppelspiel. Während Washington Kuwait schon nach dem ersten Golfkrieg geheime Zusicherungen in Falle eines irakischen Angriffs garantierte[843] und dafür sorgte, daß die Kuwaitis mit den Irakern keine Kompromisse eingingen, schickte die BUSH-Regierung eine Beratergruppe nach Bagdad, um SADDAM dazu aufzufordern, höhere Ölpreise von den OPEC-Staaten zu fordern.[844] Auf diese Episode wird später noch ausführlicher eingegangen. Dies konnte nur die Kuwait-Krise verschärfen und mußte zwangsläufig zur Eskalation führen, die von der US-Machtelite geplant war. Die Falle war also schon für Saddam HUSSEIN aufgestellt: Er mußte nur noch hineintappen, dann würde sie zuschnappen, und die US-Machtelite hätte ihren Krieg.

Die Wirtschaftslage in den USA

Wie bei anderen vorherigen amerikanischen Kriegen gab es unmittelbar vor dem Golfkrieg einen schwerwiegenden Konjunktureinbruch in der Wirtschaftslage der USA. Als Saddam HUSSEIN am 2. August 1990 in Kuwait einmarschierte, war die Wirtschaftslage in den USA noch normal. Doch Ende 1990 machte sich die Rezession unweigerlich bemerkbar. Die Auftragslage verschlechterte sich, die Preise purzelten in den Keller, was in den 50 Jahren zuvor nie eingetreten war, das Weihnachtsgeschäft fiel besonders schlecht aus, und die Arbeitslosenziffer erhöhte sich rasch auf 6,1%. Im ganzen Land befürchtete man, daß die Großbanken und -versicherungen Bankrotterklärungen abgeben müßten, was dann auch eintraf. Mehr als die Hälfte der Verwaltungszentralen von Staat und Städten sahen sich sehr hohen Haushaltsdefiziten gegenüber. Viele beabsichtigten große Kürzungen auf dem sozialen Sektor, die Gehälter ihrer Angestellten wurden gekürzt. Henry AARON vom Washingtoner Brookings Institute meinte sogar: »Ich glaube, man muß bis zur Großen Depression [der dreißiger Jahre] zurückdenken, um eine ähnlich gespannte Lage zu finden.«[845] Die Zahl der Arbeitslosen stieg ständig, schließlich auf 7,6 Millionen, das entsprach rund 6 Prozent, während der Dollar unter 1,47 DM sank.

In seinem Buch *The Persian Gulf TV War* beschreibt Douglas KELLNER, wie schlecht es um George BUSH 1990 bestellt war. 1990 war BUSHs Präsidentschaft mit schweren wirtschaftlichen und innenpolitischen Problemen belastet. Zu ihnen gehörten: astronomische Verteidigungsausgaben, eine schwere Bankkrise [Savings & Loans], verursacht durch republikanische Liberalisierungspolitik, und öffentliche Unruhen, erzeugt durch wachsende Obdachlosigkeit, Arbeitslosigkeit, ökonomische Ausschließung, zerfallende Städte mit epidemischer Kriminalität und Drogenabhängigkeit [BUSH hatte zu dieser Zeit seinen angekündigten Krieg gegen die Drogen verloren] sowie das Fehlen eines nationalen Programms zur Krankenversicherung.[846] Immer mehr Wirtschaftsbranchen hatten Absatzeinbußen zu beklagen. Für die Vereinigten Staaten wurde der Zusammenbruch der Spar- und Darlehenskassen erheblich teurer als der gesamte Zweite Weltkrieg. Und man befürchtete schon ein noch größeres Chaos.

George BUSH brauchte nun eine politische Entlastung, um sein politisches Überleben zu sichern, er brauchte schnell etwas, wodurch die Nation sich geeint hinter ihn stellen würde. Aber George BUSH war immerhin acht lange Jahre REAGANs Vizepräsident gewesen, und kein anderer als dieser zeigte besser, was zu tun war, wenn eine politische Krise ernst zu werden drohte. Ronald REAGAN, der 40. Präsident der USA, ließ gegen jedes Völkerrecht 1986 Libyen bombardieren, und sein Wählervolk war begeistert.[847] Er überfiel 1983 Grenada, und die Öffentlichkeit jubelte.[848] Auch sein nicht vom Kongreß gebilligter Krieg gegen Nicaragua führte beim Wahlvolk zu überhöhten Sympathien.[849] BUSH hatte keinen anderen Ausweg, als von diesen innenpolitischen Problemen abzulenken, was er auch tat, als er Saddam HUSSEIN für die amerikanische Rezession indirekt verantwortlich machte. Mitte November sagte er, daß die Rezession eine Folge der steigenden Ölpreise sei, die durch die Golfkrise ausgelöst worden seien.

Nun begann sich die US-Wirtschaft auf den kommenden Golfkrieg einzustellen. Das Wirtschaftsmagazin *Business Week* diagnostizierte: »Wenn man die Lehren der Geschichte betrachtet . . ., wird ein langer Krieg die Vereinigten Staaten aus ihrem wirtschaftlichen Tief ziehen«, und: »Angestiegene Aufträge für das Militär stellen den Großteil der im Dezember vergebenen Aufträge dar«. Weiter hieß es: »Ausgaben für das Militär sind einer der wenigen Bereiche der Stärke in unserer Wirtschaft«, und abschließend: »Ausgaben für den Golfkrieg sind die einzige Waffe einer antizyklischen Fiskalpolitik, die politisch annehmbar ist«, und selbst für den Fall, daß es ein sehr kurzer Krieg sein würde, sagte ein Wirtschafts- und Börsenanalytiker von

Business Week voraus, auch ein kurzer intensiver Krieg werde ohne Zweifel das ersehnte Wirtschaftswachstum – und damit auch den Wahlaussichten des Präsidenten – einen kräftigen Auftrieb (›boost‹) geben.

In der großen amerikanischen Tageszeitung *USA Today* stand fett gedruckt auf der ersten Seite: »Die Wall Street sieht den Krieg als gute Nachricht an«, und weiter: »Es besteht kaltherzige Übereinstimmung in der Wall Street darüber, daß auch dieser Krieg, wie zuvor alle Kriege, die Aktienkurse nach oben treiben wird.« Zu guter Letzt kam noch der Börsenexperte John MANLEY zu Wort mit seinem fachlichen Rat: »Für Leute, die langfristig anlegen wollen, wäre es ganz falsch, aus Furcht vor einem Krieg die Aktien zu meiden. Historisch gesehen, waren Kriege für Aktienkurse nie schlecht.«

Der erste Tag des Krieges zeigte auch, daß dies noch untertrieben war und daß die Börsen- und Wirtschaftsexperten recht hatten. Der ›Dow Jones‹-Aktienindex stieg an dem besagten Tag um außergewöhnliche 114 Punkte, dies war damit der zweithöchste Anstieg, den man jemals an der Wall Street an einem Aktientag festgestellt hatte. Der österreichische Wirtschaftswissenschaftler Joseph SCHUMPETER sollte also mit seiner These recht behalten, daß der Kapitalismus »ein fortgesetzter Prozeß kreativer Zerstörung« ist.[850] Eine ARD-Meldung teilte mit, daß sich in den USA die Stimmen häuften, die behaupteten, daß der wirtschaftliche Niedergang der USA[851] durch das siegreiche Ende von ›desert storm‹ gestoppt werde. In diesem Zusammenhang hoffte man, daß die beiden Wirtschaftskonkurrenten Japan und Deutschland als mögliche führende Weltmächte im 21. Jahrhundert noch einmal überwältigt würden.[852] Dies war keine hypothetische Überlegung, die US-Machtelite wußte genau, daß durch die Kontrolle über das Öl des Mittleren Ostens ihre beiden Wirtschaftskonkurrenten BRD und Japan leichter zu kontrollieren seien. Dies geht aus der einfachen Tatsache hervor, daß 75% des deutschen und 90% des japanischen Erdölbedarfs aus dem Mittleren Osten eingeführt werden.[853]

BUSHs Kalkül ging auf, denn nach Meinungsumfragen standen 91 Prozent der Amerikaner nach dem Golfkrieg vom 1. März 1991 hinter BUSH (die höchste Nachkriegsquote, nur US-Präsident Franklin Delano ROOSEVELT hatte während des Zweiten Weltkriegs eine noch höhere Quote erreicht). Nach dem Golfkrieg sprach BUSH zum amerikanischen Volk: Wenn man dem Präsidenten Glauben schenken darf, hatten sich die USA mit dem Sieg über den Irak auf fast epische Weise verwandelt. Der Präsident behauptete: »Wir hören so oft, unsere jungen Leute seien deprimiert, unsere Kinder würden unsere Erwartungen nicht erreichen, unsere Schulen versagten, amerikanische Produkte und amerikanische Arbeiter seien zweitrangig. Nun glaubt es nicht! Die Amerikaner, die wir in der *Operation Wüstensturm* sahen, besaßen erstklassiges Talent.«[854] Es war eine tolle Taktik, um von den wirklichen Problemen Amerikas abzulenken. Es war zu jener Zeit, als mit der

Bankkrise zusammenhängende Fragen BUSH zu verfolgen schienen. Sein eigener Sohn Neil war damals schon in den Skandal der Savings & Loan-Bank tief verstrickt. Selbst BUSH und andere führende Republikaner waren mit Charles KEATING, einem ›Savings & Loan‹-Kriminellen, befreundet, dessen Finanzimperium bankrott machte und damit viele Investoren in den finanziellen Ruin stürzte. Während der ›mid-term‹ Kongreßwahlen von 1990 verlor BUSH und seine Partei den Budget-Kampf. WEINER (1991) behauptete sogar, daß BUSH einen »innenpolitischen Kollaps von historischem Ausmaß« erlitt[855] und daß er einen Krieg brauchte, um sein politisches Schicksal wieder in den Griff zu bekommen.[856] Bei dem Bank- und Versicherungsskandal handelte es sich um die gigantische Summe von 500 Milliarden Dollar.[857]

Kapitel 11

Die Inszenierung der Golfkrise und die Golfkriegsverschwörung der Bush-Regierung

Die wohl wichtigste und einleuchtendste Frage, die unweigerlich gestellt werden muß, wenn es um den Golfkrieg geht, ist: Warum gab es keine eindeutige Warnung von der BUSH-Regierung an den Irak, als die Krise sich zuspitzte und US-Geheimdienste voraussagten, daß Saddam HUSSEIN Kuwait überfallen würde? Eine Regierung, die über einen möglichen Überfall Saddam HUSSEINs auf den Kuwait wirklich besorgt gewesen wäre, hätte wohl kaum darauf verzichtet, eine klare Warnung an den Irak und Saddam HUSSEIN zu richten. Dies geschah aber nicht. Man kann ohne jegliche Übertreibung sogar behaupten, daß die BUSH-Regierung vielmehr Saddam HUSSEIN zum Überfall auf den Kuwait ermutigte.

Interessanterweise ließ das Center for Strategic and International Studies von der Georgetown University im Mai und Juni 1990 dem Pentagon und US-Kongreß folgende brisante Nachricht zukommen: Aufgrund ihrer Studien im Bereich künftiger konventioneller Kriege sei das Forschungszentrum zu der Erkenntnis gekommen, daß ein Krieg zwischen dem Irak und Kuwait am ehesten eine amerikanische militärische Reaktion erfordern werde.[858] Das ist eine ungeheure genaue Vorhersage des damals noch unvorstellbaren zweiten Golfkriegs. Wer sich mit solchen Studien auskennt, weiß, daß diese fast immer falsch oder sich nur teilweise als richtig entpuppen. Es fragt sich also, warum diese Voraussage so genau war. Die Antwort wird wohl lauten müssen: weil man es hier mit der Vorbereitung des Golfkriegs zu tun hatte.

Die US-Machtelite ließ dem genannten Institut Informationen zukommen, die einen Krieg mit dem Irak eindeutig voraussagten, damit die US-Regierung sich auf einen solchen einstellen könne, und vor allem, damit sie wisse, wie man auf einen solchen einzugehen habe. Nach dem Vorsitzenden eines Senate Relations Intelligence Committee, das im September 1990 tagte, wurden Geheimdienstberichte US-Entscheidungsträgern übergeben, die mit »sehr hoher Wahrscheinlichkeit« drei bis vier Tage vor der Invasion mit einem bevorstehenden Einfall der Iraker rechneten. Miles COPELAND, ein ehemaliger CIA-Offizier im Mittleren Osten, informierte die BBC, daß er CIA-Pläne für eine bereits im April oder Mai 1990 vorgesehene Invasion kenne.[859] Am 1. August 1990 erklärte ein Offizier der nationalen Sicherheit dem

CIA: »Dies ist eure letzte Warnung.« Der Irak, so der CIA-Mitarbeiter, werde Kuwait Ende des Tages angreifen, was auch erfolgte.[860]

Aber nicht nur die US-Regierung war vor einer irakischen Invasion Kuwaits eingehend gewarnt worden, auch die Kuwaitis.[861] Eine noch eindeutigere und nicht dementierte Warnung kam vom kuwaitischen Militärattaché, Colonel Said MATAR, der damals 14 Monate im irakischen Basra stationiert war. Am 7. März 1991 wurde die Pressekonferenz eines Ministers und mehrerer Armeeoffiziere in Kuwait City abgebrochen, als MATAR erklärte, wie er geheimdienstliche Informationen über das irakische Militär gesammelt habe. Er schickte dem kuwaitischen Außen- und Verteidigungsministerium viele Berichte zu, in denen er bereits im April 1990 vor einer irakischen militärischen Operation gegen Kuwait warnte. Am 25. Juli 1990 teilte er seiner Regierung mit, daß die Invasion für den 2. August 1990 (kuwaitische Zeit) geplant sei.[862]

Schon am 23. Juli 1990 berichtete die *Washington Post* mit Berufung auf einen hohen US-Offizier (damit ist oft der Oberkommandeur der US-Streitkräfte gemeint): Sollte der Irak kuwaitisches Gebiet einnehmen, um politischen Druck auf Kuwait auszuüben, dann würden die USA diese Operation wahrscheinlich nicht direkt herausfordern, sondern sie mit allen arabischen Staaten verurteilen und Druck auf den Irak ausüben, um ihn niederzuzwingen. »Wir gehen, ziehen aber nicht in den Krieg«, sagte der ranghohe Offizier. »Aber sie werden Manöver und Schiffe sehen.«

Nach dieser Offenbarung bestellte Saddam HUSSEIN sofort die US-Botschafterin April GLASPIE für den 25. Juli 1990 zu einer grundlegenden Unterredung zu sich.[863] Allem Anschein nach wollte Saddam HUSSEIN, nachdem er die freundlichen und günstigen Signale der US-Regierung erkannt hatte, sich noch einmal vergewissern, daß die US-Regierung wirklich nichts gegen ein irakisches Eingreifen in Kuwait habe. Ein paar Tage nach dieser Unterredung, am 30. Juli 1990, brachte die *Washington Post* einen Bericht von Patrick TYLER über die Golfkrise: Einige Mitglieder (Weißes Haus, Außen- und Verteidigungsministerium) hätten einen Tag zuvor bestätigt, daß ein irakischer Angriff auf Kuwait keine Reaktion des US-Militärs zur Folge haben würde. Die USA würden jedoch für diejenigen Partei ergreifen, die einen solchen Akt verurteilen, und einen irakischen Rückzug auf dem diplomatischen Weg erzwingen!

Man kann mit Sicherheit davon ausgehen, daß die irakischen Diplomaten in Washington diese Information schnellstens nach Bagdad weiterleiteten. Dort angekommen, war sie eine eindeutige Ermunterung für einen Mann wie Saddam HUSSEIN, der sich mitten in einer Krise mit Kuwait befand. Als ob dies noch nicht genug Ermunterung für Saddam HUSSEINS möglichen Angriff gegen Kuwait war, schrieb wiederum die *Washington Post* am 28. Juli 1990: »Während das US-Zentralkommando – das Militär angeführt von General Norman H. SCHWARZKOPF und verantwortlich für den Mittleren Osten – eine starke Darbietung der Streitkräfte zur Abschreckung SADDAMS bevorzugte, ›wiesen Beamte im Außenministerium, Weißen Haus und den höheren Etagen des Pentagons darauf hin, daß die USA den freien Zugang zum Öl am Persischen Golf gewährleisten und sich auf keine militärische Verpflichtung einlassen würden, um Kuwait zu verteidigen‹.« Washington wußte natürlich auch, daß alle Botschaften die *Washington Post* lesen. Dieses ›grüne Licht‹ an die Adresse Bagdads wurde wohl nicht zufällig genau an dem Tag gegeben, als Saddam HUSSEIN mit US-Botschafterin April GLASPIE zusammentraf und nachdem Unterstaatssekretär KELLY eine ›Voice of America‹-Radiosendung gestrichen hatte, die eine Warnung an den Irak richten sollte, nämlich, daß die USA daran festhielten, ihre Freunde am Golf zu unterstützen.[864]

Auch kurz nach der Invasion Kuwaits am Morgen des 3. August 1990 zeigte sich die US-Regierung nicht besonders entsetzt oder gar erschüttert. Verteidigungsminister CHENEY blieb zu Hause und kehrte nicht zur Arbeit zurück. »Für ihn gibt es keine Entscheidungen zu treffen«, beteuerte ein Pentagonsprecher. General POWELL antwortete zurückweisend: »Dies ist nicht unsere Show«, und blieb in seinem Quartier. Um 8 Uhr morgens traf BUSH mit Brent SCOWCROFT (nationaler Sicherheitsberater), Dick CHENEY (Verteidigungsminister), Colin POWELL (Chef des Generalstabs der Streitkräfte), Judge William WEBSTER (CIA), John SUNUNU (Chef des Weißen Haus-Stabs) und anderen Mitgliedern des Nationalen Sicherheitskomitees zusammen. Nach Meinung eines Teilnehmers lautete der Tenor: »Schade um Kuwait, Kuwait ist ja aber nur eine Tankstelle, wen interessiert, ob es das Tankstellensschild ›Sinclair‹ oder ›Exxon‹ anzeigt.«

Auch auf einer kurzen Pressekonferenz erklärte Präsident BUSH, daß er nicht an ein militärisches Eingreifen denke. BUSH blieb sogar so locker, daß er es nicht für nötig hielt, in Washington zu bleiben. Statt dessen reiste er nach Aspen, Colorado, wo er Premierministerin Margaret THATCHER traf und mit ihr eine Rede vor dem Aspen Institute hielt.[865] Alles in allem lief die ganze Sache etwa so ab, als ob US-Botschafterin April GLASPIE mit ihrem viel zitierten Satz »wir haben zu ihrem Grenzkonflikt. . . keine Meinung« recht behalten sollte.

Es steht wohl außer Frage, daß eine solche Äußerung Saddam HUSSEIN in seiner Einschätzung der amerikanischen Stellung nur bestärken konnte. Er konnte nun sicher sein, daß die USA ihn gewähren lassen würden, das Problem mit Kuwait auf seine Art zu lösen.

Unmittelbar nach der irakischen Invasion kamen, wie zu erwarten, zwar Proteste aus Washington, sie waren aber verhältnismäßig mild und zurückhaltend; in ihrer realpolitischen Substanz waren sie ohnehin belanglos. Präsident BUSHs unmittelbare Reaktionen auf die Invasion waren sehr mild und überraschten die Weltöffentlichkeit. Mehr Ermunterung, auch weiterhin in Kuwait zu bleiben, brauchte Saddam nun wirklich nicht mehr.[866]

Nach drei Tagen wurde der Ton des US-Präsidenten auf einmal überraschend aggressiv und drohend. Bush benutzte auffallend abwertende Begriffe wie ›Diktator‹, ›Hitler‹, ›Menschenrechtsverletzer‹, ›Aggression‹, ›Vergewaltigung‹ usw. Er verurteilte die irakische Invasion aufs schärfste und forderte den unverzüglichen, bedingungslosen Rückzug der Iraker. Hatten Bush und seine Berater damit eine vollständige Kehrtwendung vollzogen? Wohl kaum! Eine solche völlige Kehrtwendung würde ja bedeuten, daß die US-Regierung sich völlig verschätzt hätte, daß es alle paar Minuten diesen und dann jenen Plan in Washington gegeben hätte.

Die Indizien und Beweise sprechen aber nun einmal eine ganz andere Sprache! Daß die Bush-Regierung nicht sofort Saddams Raubzug aufs schärfste verurteilte, war kein Fehler. Nein, man wollte, daß Saddam erst einmal die Beute an sich riß.[867] Es würde wahrscheinlich einige Tage dauern, bis die irakischen Soldaten die greifbaren Schätze auf Saddams Befehl hin in den Irak abtransportierten. Dies war auch ein psychologisches Einfang-Element: Wenn Saddam erst einmal die Beute gesichert hätte, dann würde es danach viel schwerer für ihn werden, sie wieder aufzugeben. Es gab zahlreiche Berichte über Plünderungen irakischer Soldaten, sie beraubten im großen Stil die reiche kuwaitische Bevölkerung; besonders die kuwaitischen Frauen besitzen, wie fast überall in Arabien, viel Gold in Form von Schmuck. Plünderungsraubzüge fanden in den vorzüglich ausgestatteten kuwaitischen Warenhäusern statt.

Die Zeitabstimmung für die ›Kehrtwendung‹ Bushs ist also von besonderer Bedeutung. Die US-Regierung hatte ja schon vor der Invasion in ihren eigenen Medien darauf hingewiesen, daß sie eine mögliche irakische Invasion Kuwaits verurteilen und versuchen würde, sie mit diplomatischen Mitteln rückgängig zu machen. Es lief also alles nach dem Plan der US-Machtelite. Deswegen schien Saddam Hussein wohl auch zu Beginn der Invasion noch zu glauben, daß die USA gegen ihn nicht militärisch vorgehen würden.

Grünes Licht für Saddam Hussein

Craig Hulet, ein ehemaliger Geheimdienstler, verriet in einem von David Barsamian geführten Interview am 14. 2. 1991 etwas äußerst Interessantes: »Ich glaube, die Presse war so desinteressiert, daß sie durch Bushs ›Waffenruf‹ im Mittleren Osten nicht aufgeschreckt wurde und gar nicht mitbekam, daß der Krieg schon am 2. August beschlossene Sache war. . . Während eines zehntägigen Zeitraums vor dem 2. August (1990) haben CIA und NSA den Präsidenten ständig beraten. Sie informierten ihn darüber, daß eine Invasion des Iraks unmittelbar bevorstand. Ungefähr eine Woche vor dem 2. August stand die bevorstehende Invasion außer Frage.«[868]

Das Weiße Haus war über SADDAMS Bedrohungen und sein Potential ausgiebig unterrichtet worden, durch die US-Botschafterin im Irak, aber auch von anderen Quellen, insbesondere vom israelischen Geheimdienst.[869] Die Israelis hatten Washington mindestens drei Jahre lang gewarnt, daß, wenn Saddam HUSSEIN, seinen Krieg gegen den Iran gewinne, er die größte Gefahr und Bedrohung für die USA und die Region darstellen werde.[870] Eine Woche vor der Invasion überreichte der israelische Verteidigungsminister Moshe ARENS dem Pentagon die neueste Beurteilung der kritischen Lage am Golf, wie sie von seinem Geheimdienst eingeschätzt wurde. Die in diesem Bericht enthaltenen Aussagen stellten sich als äußerst genaue Voraussagen heraus. Aber in Washington schien kaum jemand zuzuhören.

Es ist falsch anzunehmen, wie dies einige Beobachter taten, die irakische Invasion habe die USA überrascht. Eine Woche nach der irakischen Invasion, am 8. August 1990, wurde George BUSH auf einer Pressekonferenz dazu befragt, ob der US-Geheimdienst die Amerikaner hängen gelassen habe. Der US-Präsident antwortete überraschend fröhlich: »Überhaupt nicht!« und erklärte, daß es für ihn kein geheimdienstliches Versagen gebe. Der CIA-Sprecher Joseph TOANI meinte: »Der CIA konnte den irakischen Angriff vorhersagen – allerdings nicht das genaue Datum und die Uhrzeit. . . Es gab keine Überraschungen.«[871] Trifft das zu, dann stellt sich einhellig die Frage, warum vorher keine eindeutige Warnung an Saddam HUSSEIN ergangen ist.

Die USA und Saudi-Arabien besitzen AWACS-Aufklärungsflugzeuge, die regelmäßig die gesamte Golf-Region überwachen. Außerdem wußten die Amerikaner mittels ihrer Aufklärungssatelliten und riesigen Funküberwachungsanlagen mehr über die irakischen Truppenbewegungen, als den Israelis überhaupt möglich war.[872] Während dieser Zeit, so um den 25. Juli herum, berichtete die US-Botschafterin im Irak, April GLASPIE, Saddam HUSSEIN, daß im Falle eines Grenzstreits (und sie wußte sehr wohl, daß Truppen an der Grenze standen) die USA dies als rein arabischen Konflikt betrachten und keine Stellung beziehen würden. Gleichzeitig wurde bekannt, daß es die Politik des State Department war, da Unterstaatssekretär John KELLY vor dem Senatsausschuß genau die gleiche Aussage machte. Er ging sogar so weit zu behaupten, daß die USA keinen Verteidigungsvertrag mit Kuwait hätten und es ein innerarabischer Konflikt sei. Zwei Tage später wurde Margaret TUTWEILER zu diesen Äußerungen befragt, und sie wiederholte die BAKER-Position, nämlich, daß es sich um einen innerarabischen Konflikt handele und daß die USA keinen Verteidigungspakt mit Kuwait hätten, selbst wenn Panzer in Kuwait einrollen würden.[873] Dies entsprach aber nicht der Wahrheit, da die US-Regierung, wie bereits gesehen, der kuwaitischen Regierung geheime Zusicherungen im Falle eines irakischen Angriffs auf

Kuwait gegeben hatte. Der ehemalige Geheimdienstler Craig HULET berief sich auf die ›White Papers‹, denen zufolge schon im April 1990 die USA auf die Zerstörung des irakischen Militärpotentials hinarbeiteten!

HULET gibt uns weitere aufschlußreiche Auskunft: »Ich glaube, sie [die BUSH-Regierung] gab SADDAM absichtlich grünes Licht, damit er so reagiert und sie eine notwendige Provokation zur Erlangung eines vorher bestimmten politischen Ziels erhielten, wie es in dem Task Force-Bericht dokumentiert ist. Dieses Ziel wurde im April 1990 bei einer Konferenz im Weißen Haus in Umrissen ausgearbeitet. Der Task Force-Bericht wurde von Derek FITZGERALD, dem früheren Premierminister Irlands, veröffentlicht. Im Task Force-Bericht und in den Mitschriften der Aussagen, die während der Konferenz im Weißen Haus gemacht wurden, steht der Beschluß, daß der Mittlere Osten einseitig und vollständig entmilitarisiert werden müsse: ballistische Raketen, konventionelle Waffen, alles. . . Dafür wurde der Beschluß gefaßt, diese Länder zu entmilitarisieren. . . Die westlichen Mächte entschieden, im Mittleren Osten einzugreifen und ein Vakuum zu füllen, das die Sowjetunion hinterließ, als sie in den letzten beiden Jahren zu zerfallen begann. . . Ich habe die Empfehlung dieses Berichtes nach der voluminösen Aufzählung des militärischen Potentials des Mittleren Ostens gelesen. Darin heißt es, daß ›jetzt dringend Schritte unternommen werden müßten, um die nukleare, chemische, biologische und konventionelle Abrüstung, die Rüstungskontrolle und -überwachung einzuleiten. Dies ist eine Angelegenheit, die vom UN-Sicherheitsrat überwacht werden sollte‹.«

HULET erklärte weiter: »Ich glaube, diese Sache in Kuwait war eine ›Inszenierung‹ seitens unserer Regierung und der internationalen Gemeinschaft, um eine Provokation SADDAMS als Begründung für diesen Krieg zu erhalten, damit wir einseitig mit Hilfe des UN-Sicherheitsrates, wie im April 1990 vorgeschlagen, den militärisch-industriellen Komplex zerstören können.«[874]

Schon Monate zuvor, am 12. April 1990, um genau zu sein, reiste eine Delegation von US-Senatoren nach Bagdad, um Saddam HUSSEIN unter anderem davon zu überzeugen, daß die Sanktionen gegen den Irak höchstwahrscheinlich durch George BUSH annulliert würden. Genau das geschah, auch am 21. Februar 1990 war es BUSH, der die entsprechenden Sanktionen mit seinem präsidentialen Veto verhinderte. Die von Robert DOLE angeführte Delegation versicherte SADDAM fälschlich, BUSH habe mit der Anti-Irak-Medienkampagne nichts zu tun, diese sei vielmehr ausschließlich »verdorbenen und eingebildeten« Reportern zuzuschreiben. Des weiteren fragte die Delegation SADDAM, ob er einseitigen Abrüstungen zustimmen werde. Diese Frage deckt sich völlig mit dem Task Force-Bericht, demzufolge das irakische ballistische, nukleare und chemische Militärpotential abgeschafft werden solle.[875]

Glaspie bei Hussein

Am 28. Juli 1990 informierte der CIA-Direktor William WEBSTER den Präsidenten über die aktuelle Lage am Golf. Was der CIA-Direktor zu sagen hatte, war sehr besorgniserregend, aber Präsident BUSH reagierte unerwartet gelassen auf das, was er zu hören bekam. WEBSTER zeigte ihm eine Mappe mit Satellitenfotos, die eindeutig bewiesen, daß irakische Truppen Munition, Treibstoff und Wasser an die nördliche Grenze von Kuwait beförderten. Die Fotos, die WEBSTER BUSH an diesem Morgen vorlegte, bestätigten, daß es sich hier um kein Routinemanöver handelte. Das war auch BUSH klar, der selbst von 1976 bis 1980 Leiter des CIA und somit bestens in der Lage war, geheime, von der National Security Agency (N.S.A.) kommende Satellitenfotos zu deuten. Diese bestätigten zweifellos, daß 35 000 irakische Soldaten nahe der kuwaitischen Grenze standen und jederzeit die Grenze überschreiten könnten. Es war ein vielsagendes Zeichen, daß vier Panzerdivisionen sowie Treibstofflaster und Panzertransporter an der Grenze massiert waren.

Stunden später, noch am selben Tag, schickte BUSH ein Telegramm an Saddam HUSSEIN, in welchem er sich besorgt über die Drohung des irakischen Führers, Gewalt zu benutzen, zeigte. Er erwähnte Kuwait nicht, statt dessen beteuerte er die US-Grundhaltungen dem Irak gegenüber: »Lassen Sie mich Ihnen versichern, daß meine Regierung weiterhin bessere Beziehungen mit dem Irak anstrebt.« Schon zuvor, am 25. April 1990, hatte er zum Ende des islamischen Fastenmonats Saddam HUSSEIN einen persönlichen Freundschaftsgruß geschickt.

Die präsidiale Botschaft, die nach vielen Jahren ähnlicher freundlicher Signale an Saddam HUSSEIN gesandt wurde, war nicht geeignet, den irakischen Staatsschef von einem Überfall auf Kuwait abzuhalten. Hochrangige Mitarbeiter des Defense Department versuchten, das Telegramm noch rechtzeitig zu stoppen, sie befürchteten nämlich zu Recht, daß das so mild verfaßte Telegramm von SADDAM falsch interpretiert werde. »Wir hatten schon die Truppenbewegung gesehen. Wir wurden besorgt, und wir schickten ihm diesen Brei. Es war einfach viel zu schwach. Wir hätten ihm etwas viel Bedrohlicheres schicken sollen«, erinnerte sich Henry ROWEN, stellvertretender Verteidigungsminister für internationale Sicherheitsangelegenheiten. ROWEN und andere im Pentagon waren nämlich besorgt, daß Botschafterin GLASPIE schon zu nachgebend mit Saddam HUSSEIN verhandelt habe, und fanden, daß nun eine versöhnliche Botschaft von BUSH ebenso wirkungslos sein würde. Sie taten ihr Bestes, aber der Präsident blieb dennoch bei seinem besänftigenden und versöhnenden Kurs.[876]

Am 25. Juli 1990, als sich die Krise zwischen dem Irak und Kuwait zuspitzte und gar auszuufern drohte, bat Saddam HUSSEIN die amerikanische Botschafterin April GLASPIE, nach Bagdad zu kommen, um die aktuelle Krisenlage am Golf zu erörtern. Das Gespräch war erstaunlich, ja irreführend. Die amerikanische Fernsehkette ABC hat sich den Wortlaut der Unterredung beschaffen können. Um 13 Uhr kam Frau GLASPIE danach sehr angespannt in Saddam HUSSEINS Arbeitszimmer, um ihr erstes Einzelgespräch mit ihm zu führen. Anwesend waren noch Tarik AZIZ, Saddam HUSSEINS Außenminister, und ein Dolmetscher. Nachdem SADDAM die Botschafterin respektvoll empfangen hatte, sagte er gleich: »Ich habe Sie hierher gebeten, um mit Ihnen eine eindringliche Diskussion zu führen, die ich als eine Botschaft an Präsident BUSH ansehe.« Dieser Satz Saddam HUSSEINS deutet ganz klar darauf hin, daß er diese folgende Unterredung als ein Treffen auf höchster Ebene einstufte.

Während der Unterredung ging Saddam HUSSEIN auf die Politik der OPEC-Staaten, insbesondere auf Kuwaits Ölpolitik, ein. Saddam HUSSEIN behauptete zu Recht, daß Kuwait den OPEC-Vertrag und dessen Abkommen gebrochen und damit dem Irak einen ungeheuren wirtschaftlichen Schaden zugefügt habe. Er erklärte ausführlich, daß man einen Krieg ebenso mit Panzern und Flugzeugen führen könne wie mit wirtschaftlichen finanziellen Mitteln, es komme letztendlich auf dasselbe hinaus: Man verhindere damit, daß ein Volk zu Wohlstand und Entwicklung gelange, und blute es sozusagen finanziell aus. Er sagte dann: »25 Dollar pro Barrel ist kein hoher Preis.« Die Botschafterin (April GLASPIE) reagierte darauf äußerst positiv: »Viele Amerikaner aus unseren eigenen Fördergebieten möchten, daß der Preis die 25 Dollar übersteigt.« Dies war das erste grüne Licht, das Saddam HUSSEIN brauchte. Nun konnte er glauben, daß die Botschafterin und darüber hinaus der Präsident (BUSH) Forderungen nach höheren Ölpreisen unterstützen würden.

Saddam HUSSEIN sprach noch ein wenig über Öl: »Der Preis war schon mal auf 12 Dollar pro Barrel gefallen, und der Verlust von 6 bis 7 Milliarden Dollar hat verheerende Auswirkungen auf das bescheidene irakische Budget.« Die Botschafterin stimmte durch Kopfnicken zu: »Das kann ich ohne weiteres verstehen. Ich lebe seit Jahren hier. Ich bewundere Ihre außerordentlichen Anstrengungen, das Land aufzubauen. Ich weiß, daß Sie dafür Kapital brauchen. Wir verstehen das und sind der Meinung, daß Sie die Möglichkeit haben müssen, das Land wieder aufzubauen... Wir können sehen [durch Spähsatelliten], daß Sie viele Truppen im Süden stationiert haben. Normalerweise ginge uns das nichts an, aber wenn dies im Zusammenhang mit ihren anderen Drohungen gegen Kuwait passiert, dann haben wir Grund, besorgt zu sein. Deshalb habe ich Instruktionen bekommen, Sie im Geist der Freundschaft, nicht der Konfrontation nach Ihren Absichten zu fragen: Warum sind Ihre Truppen so nah an der kuwaitischen Grenze stationiert?«

Daraufhin antwortete Saddam HUSSEIN: »Wie Sie wissen, habe ich jahrelang jede Anstrengung unternommen, um unseren Streit mit Kuwait zu lösen. Ein Treffen soll in zwei Tagen stattfinden: Ich bin bereit, Verhandlungen noch ein letztesmal eine Chance zu geben. Wenn wir [die Iraker] mit ihnen [den Kuwaitis] zusammentreffen und wir sehen, daß es Hoffnung gibt, dann wird nichts passieren. Aber wenn wir keine Lösung finden, dann wird es selbstverständlich sein, daß der Irak nicht seinen Untergang akzeptieren wird.« [GLASPIE]: »Welche Lösungen wären annehmbar?« [HUSSEIN]: »Wenn wir den ganzen Shatt el Arab behalten könnten, unser strategisches Ziel im Krieg mit Iran, dann würden wir Zugeständnisse [an die Kuwaitis] machen. Werden wir aber gezwungen, zwischen der Hälfte des Shatt el' Arab und ganz Irak [d.h. einschließlich Kuwait] zu entscheiden, dann werden wir den Shatt ganz aufgeben, um unsere Ansprüche gegenüber Kuwait zu verteidigen, um den *ganzen Irak* in der Bedingung zu erhalten, wie wir ihn haben wollen. Welche Meinung vertreten die Vereinigten Staaten diesbezüglich?« [GLASPIE, nach einer Pause sehr vorsichtig): »Wir wollen zu den innerarabischen Konflikten keine Position beziehen, beispielsweise zu Ihrem Konflikt mit Kuwait.[877] Ende der sechziger Jahre war ich auf Posten in Kuwait. Unsere damaligen Instruktionen hießen, keine Meinung zu Problemen zu äußern, die Amerika nicht betrafen. James BAKER hat jetzt unserem offiziellen Sprecher den Auftrag gegeben, diese Instruktionen erneut zu bestätigen. Wir hoffen, daß Sie Ihre Probleme durch alle notwendigen Maßnahmen lösen, über KILBI [den damaligen Generalsekretär der Arabischen Liga] oder über Präsident MUBARAK. Das einzige, was wir wünschen, ist, daß Sie zu einer schnellen Lösung kommen.«[878] (SADDAM lächelte.)[879] Hier bekam Saddam HUSSEIN erneut grünes Licht: »Wir wollen zu den innerarabischen Konflikten keine Position beziehen, beispielsweise zu Ihrem Konflikt mit Kuwait.« Damit wurde Saddam HUSSEIN praktisch eingeladen, in Kuwait einzumarschieren, da dies offenbar kein Problem für die USA darstelle.

GLASPIES Äußerung zur US-Haltung bezüglich der Irak-Kuwait-Krise war keinesfalls ein Fauxpas der amerikanischen Botschafterin. Denn einen Tag zuvor, am 24. Juli 1990, hatte sie ein Telegramm des State Department erhalten, das sie ausdrücklich aufforderte, SADDAM mitzuteilen, »daß die Vereinigten Staaten keine Position bezüglich innerarabischer Konflikte hätten«.[880] Noch am selben Tag schickte April GLASPIE eine Abschrift ihrer Unterhaltung mit SADDAM an das State Department. Aus ihrer Abschrift geht ebenfalls hervor, daß Präsident George BUSH am 28. Juli 1990 ein Geheimtelegramm bezüglich der Unterredung an Saddam HUSSEIN geschickt hatte.[881]

Was in dieser ebenso geheimen wie persönlichen Botschaft an Saddam HUSSEIN stand, wird wahrscheinlich nie an die Öffentlichkeit kommen, aber es dürften keine Zweifel aufkommen, daß BUSH im Grunde nur wiederholt hatte, was die US-Regierung schon seit Monaten Bagdad mitteilte. Ansonsten läßt sich die irakische Invasion nur sieben Tage nach der geheimen Botschaft Bushs nicht verstehen. Auch konnte praktisch kein Zweifel bestehen, wie sich Saddam Hussein entscheiden würde! Denn dieser hatte wohl nicht umsonst die US-Botschafterin gebeten, folgende Worte an Bush weiterzuleiten, die er für eine wichtige Botschaft an Präsident Bush hielt: »Irak erlitt 100 000 Kriegsopfer (im ersten Golfkriegs mit Iran) und ist nun so arm, daß die Pensionen für Waisen bald gestrichen werden müssen, trotzdem hält sich das Ölreich Kuwait nicht einmal an die OPEC-Regeln. Irak hat den Krieg satt, aber Kuwait ignoriert die Diplomatie. . . . Wenn der Irak öffentlich gedemütigt wird . . ., [wird] er keinen Ausweg haben als zu ›reagieren‹, gleich, wie unlogisch und selbstzerstörerisch dies sein könnte.«[882] Daß Saddam Husseins Geduld am Ende war, dürfte für die Bush-Administration ein offenes Geheimnis gewesen sein, denn der irakische Staatschef hatte Glaspie resigniert erklärt, daß er sich um eine Lösung der Krise bemüht habe: »Ich habe alles versucht. Wir schickten Gesandte, schrieben Botschaften, baten König Fahd von Saudi-Arabien, einen Vierer-Gipfel zu arrangieren (Irak, Saudi-Arabische Regierung, V.A.E., Kuwait).«[883] Somit wußte Washington von seiner eigenen Botschafterin bestens, wie der Irak auf die Unversöhnlichkeit der Kuwaiter ›reagieren‹ würde. Daß in den frühen Morgenstunden des 2. August 1990 etwa 100 000 irakische Soldaten Kuwait besetzten, dürfte die US-Machtelite überhaupt nicht überrascht haben.

Weitere Enthüllungen

Nach dem Krieg, am 21. März 1991, dementierte Glaspie die zuvor geschilderte Wiedergabe ihrer Unterredung mit Hussein. In ihrer Aussage vor dem außenpolitischen Ausschuß des Senats erklärte sie, sie habe Hussein wiederholt gewarnt, daß die USA die Anwendung von Gewalt seitens des Iraks als Mittel der Konfliktlösung nicht hinnehmen würden. Sie meinte, Hussein sei wohl zu »dumm« (stupid) gewesen, die möglichen Reaktionen der Vereinigten Staaten zu verstehen. Aber im Juli 1991 wurden die Telegramme Glaspies an das Außenministerium mit ihrer Wiedergabe der Unterredung schließlich dem Senat zugänglich gemacht. Daraus ging hervor, daß ihre Aussage vor dem Senat weitgehend auf Erfindungen beruhte und die vom Irak veröffentlichte Version zutreffend war. Daraufhin, am 12. Juli 1991, verlangte der Ausschußvorsitzende, Senator Claiborne Pell, in einem zornigen Brief an Außenminister James Baker eine Erklärung für die Unstimmigkeiten zwischen Glaspies Aussage und dem Telegramm. Senator Alan Cranston behauptete, Glaspie habe den Kongreß hinsichtlich ihrer Rolle im Golfkrieg vorsätzlich in die Irre geführt. Die ganze Aktion dürfte von da an äußerst peinlich für April Glaspie geworden sein. Somit kann auch bewiesen werden, daß die Autoren, die GLASPIES Meinung unterstützten, das irakische Telegramm über GLASPIES Unterredung mit Saddam HUSSEIN sei von den Irakern verfälscht worden, unrecht haben. Denn GLASPIES Aussage war eine Erfindung, um ihren Ruf zu retten, da sie erkannt haben mußte, daß die Instruktionen, die sie am 24. Juli 1990 vom State Department erhielt, keine Warnung an die Adresse SADDAMS waren. Wie schon erwähnt, kamen diese Anweisungen direkt vom State Department und wiesen GLASPIE ausdrücklich darauf hin zu wiederholen, daß die USA »keine Meinung« zu »arabisch-arabischen« Konflikten hätten.[884]

Am 29. August 1990 berichtete der *Miami Herald*, daß das State Department (Außenministerium) gebeten worden sei, seine Akten über das Treffen von April GLASPIE und Saddam HUSSEIN an einen Bundesrichter weiterzugeben, damit dieser feststellen könne, ob die Akten der Öffentlichkeit zugänglich gemacht werden sollen. Das State Department aber verteidigte seine Haltung gegenüber der Öffentlichkeit, indem es sich auf den Freedom of Information Act von 1974 berief, wonach alle Akten den US-Bürgern zugänglich gemacht werden müssen, die sie anfordern, solange diese Akten die nationale Sicherheit nicht gefährden. Der mit dieser Angelegenheit betraute Richter, Charles RICHEY, entschied, daß die Akten die nationale Sicherheit sowie die Außenpolitik der USA gefährden könnten. Die irakische Abschrift zitiert die Aussage von A. GLASPIE, die Vereinigten Staaten würden bei arabischen Konflikten, wie dem irakischen Grenzstreit mit Kuwait, keine Stellung beziehen.

Am 2. September 1990, zwei Monate nach der irakischen Invasion in Kuwait, kamen britische Journalisten in den Besitz einer Tonbandaufzeichnung und einer Kopie des oben geschilderten Gesprächs. Über den Inhalt überrascht, konfrontierten sie April GLASPIE. Journalist 1 (das Duplikat nach oben haltend): »Sind diese Kopien korrekt, Fräulein Botschafterin?« (GLASPIE antwortete nicht). Journalist 2: »Sie wußten, daß SADDAM Kuwait überfallen würde, aber Sie warnten ihn nicht, es zu unterlassen. Sie sagten ihm nicht, daß Amerika Kuwait verteidigen würde. Sie erzählten ihm das Gegenteil, daß Amerika nicht mit Kuwait verbündet sei.« Journalist 1: »Sie ermutigten diese Aggression – seine Invasion. Was haben Sie sich dabei gedacht?«

April GLASPIE: »Natürlich dachte ich nicht, und keiner tat dies zur Zeit, daß die Iraker ganz Kuwait einnehmen würden.« Journalist 1: »Sie dachten, er würde nur einen Teil davon nehmen? Aber, wie konnten Sie das denken? SADDAM sagte Ihnen, daß er, falls die Verhandlungen scheitern, sein iranisches Ziel (Shatt el Arab-Fluß) aufgeben werde, um den ›ganzen Irak, in dem Zustand, wie wir ihn wollen‹, zu bekommen. Sie wissen, daß dies Kuwait beinhaltete, das die Iraker immer als historischen Teil ihres Landes angesehen haben!« (April GLASPIE sagte nichts, bewegte sich an den beiden Journalisten vorbei.) Journalist 1: »Amerika gab das grüne Licht für die

Invasion. Zumindest gaben Sie Saddam ein Signal, daß etwas Aggression okay war, daß die USA nichts gegen die Einnahme des Rumailah-Ölfelds, der strittigen Grenze, sowie der Golfinseln, die vom Irak beansprucht wurden, hätten.« (Erneut erwiderte Glaspie nichts, als sie in ihre Limousine einstieg und wegfuhr.)[885]

Dieses nachträgliche Gespräch zwischen den Journalisten und April Glaspie erbrachte den eindeutigen Beweis, daß die US-Botschafterin durch ihre von der Bush-Administration erhaltene Botschaft an Saddam Hussein diesen zum Einmarsch in Kuwait nicht nur ermutigte, sondern daß sie ebenso wußte, daß, falls die Verhandlungen zwischen den Kuwaitis und den Irakern scheiterten, Saddam ganz Kuwait besetzen würde. Oder, wie er es ihr gegenüber ausdrückte, er würde sein Ziel verfolgen, den ganzen Irak zu bekommen, also unter Einbeziehung Kuwaits, das Saddams Regierung nie als legitimen Staat anerkannt hatte. Die ermutigende Botschaft der Bush-Regierung an Saddam war aber nicht der einzige Versuch seitens der US-Administration, den irakischen Führer davon zu überzeugen, sie sei auf seiner Seite.

Regelrecht nach Verschwörung roch ebenfalls die Beteuerung der Bush-Regierung, Saddam zu unterstützen, wenn er nach höheren Ölpreisen riefe. Die Sache ist längst aktenkundig geworden: Am 21. Oktober 1990, also zweieinhalb Monate nach der irakischen Invasion, brachte der Londoner *Observer* einen besonders aussagekräftigen Bericht von Helga Graham, in dem sie andeutete, daß Bush Saddam Hussein zum Angriff auf Kuwait ermutigt habe. Die Bush-Regierung unterstützte Saddam Hussein aktiv in seinem Ziel, höhere Ölpreise zu verlangen, und dies schon sieben Monate vor der irakischen Invasion Kuwaits. Einer hochrangigen US-Quelle zufolge wurde auf einer im Januar 1990 in New York stattgefundenen Konferenz diskret beschlossen, daß der Irak höhere Ölpreise von den anderen OPEC-Staaten fordern solle. Abschriften zwischen der Bush-Regierung und Saddam Hussein, die während der (Kuwait-)Invasion an die Öffentlichkeit gedrungen sind, bestätigen die Unterstützung von Saddams Forderung nach erhöhten Ölpreisen durch die US-Regierung.

Bush, das geht ebenfalls aus den Abschriften hervor, schickte einen Geheimboten, der sich unter Ausschluß der Öffentlichkeit mit einem persönlichen Vertrauten Saddams traf. Die US-Regierung veranlaßte ein Treffen zwischen einem ehemaligen amerikanischen Botschafter und Mitglied des berüchtigten Council on Foreign Relations, den Bush oft benutzte, um sich mit einem hohen Minister des Iraks zu treffen. Der Bote sagte dem Vertrauten Saddams, der Irak solle höhere Ölpreise fordern und durchsetzen, um aus seiner angespannten und maroden Wirtschaftslage herauszukommen. Dieser Rat bezog sich auf die Untersuchungen des Washington Center for Strategic and International Studies, einer Behörde, die Verbindungen zum Irak hatte. Saddam wurde nahegelegt, sich diese ölpolitischen Studien anzuschauen. In seiner verzweifelten Lage nahm SADDAM den Rat des BUSH-Boten an und ließ seine Truppen zur kuwaitischen Grenze aufrücken. GRAHAM schreibt in ihrem Bericht zu Recht, daß die Fakten eindeutig für eine Komplizenschaft der USA sprechen, daß nicht nur SADDAMS Fehleinschätzung den Golfkrieg auslöste. Die Dokumente, die an die Öffentlichkeit gedrungen sind, ergeben nach GRAHAM ein klares Bild von der aktiven Unterstützung des Iraks durch Präsident George BUSH.[886] »Die USA unterstützten in der Tat den Irak und Saudi-Arabien, um den Ölpreis in die Höhe zu treiben, während sie Kuwait und die Arabischen Emirate ermutigten, ihre (Öl-)Produktion zu erhöhen. Desweiteren ermutigte die USA Kuwait, in der territorialen Angelegenheit hart zu bleiben.«[887] Dies mußte unweigerlich zu einem Konflikt zwischen dem Irak und Kuwait führen.

Da die US-Machtelite die Lage im Irak praktisch aus erster Hand kannte, konnte sie sicher sein, daß SADDAM auf ihren Vorschlag, die Ölpreise zu erhöhen, eingehen würde. Denn SADDAMS Irak war hoch verschuldet und konnte den Nachzahlungsforderungen seiner Gläubigerstaaten nicht mehr nachkommen. Die Ölpreise waren aufgrund der kuwaitischen Überproduktion stark gefallen und würden wahrscheinlich im Sommer noch tiefer fallen. Es lebten im Irak 700 000 Menschen, die seit dem ersten Golfkrieg keine Arbeit hatten und keine fanden. Die irakische Wirtschaft hatte bei weitem nicht genug Arbeitsplätze, um auch nur annähernd so viele Menschen zu beschäftigen, die Armee konnte nicht alle aufnehmen. Am 6. Januar 1990 wurde ein Anschlag auf Saddam HUSSEIN verübt, bei dem er beinah umkam. Die Bevölkerung erwartete die versprochene politische Liberalisierung, wie sie in fast ganz Osteuropa und im benachbarten Jordanien stattgefunden hatte. Aber Saddam HUSSEIN konnte keine demokratischen Tendenzen zulassen, da sein Regime vor dem Ruin stand. SADDAM wußte daher, daß er nur durch ein außergewöhnliches Ereignis das irakische Volk hinter sich vereinigen konnte: Ein gelungener Raubzug gegen das extrem reiche Kuwait würde fast alle seine Sorgen beseitigen, die Bevölkerung die Bereicherung begeistert aufnehmen, und die Schulden wären damit auf einen Schlag beglichen.[888]

Eine interessante Aussage machte der Insider George SHULZ, der schon im Vorfeld bestens über die Zukunft des Iraks Bescheid zu wissen schien. Als Mitarbeiter des Bechtel-Konzerns, eines multinationalen Baugiganten, der im Irak Geschäfte machte, riet er im Frühjahr 1990 dem Konzern, sich aus dem Irak zurückzuziehen. Von ihm stammen folgende wegweisende Worte: »Ich sagte, etwas wird im Irak äußerst schiefgehen und hochgehen (blow up), und wenn Bechtel dort blieb, würde auch er (der Konzern) hochgehen. Deswegen riet ich ihnen abzuziehen.« Das sind folgenschwere Worte eines Insiders. Aber es sind letztendlich viel mehr als nur Worte, denn ein multinationaler Konzern wie Bechtel, der Millionen im Irak verdiente, zieht sich nicht einfach aus einem so einträglichen Geschäft zurück und überläßt es nicht seinen Konkurrenten, es sei denn, die Information, die SHULZ ihm zukommen ließ, war völlig hieb- und stichfest. Bechtel hätte sich folglich nie aus dem lukrativen Geschäft zurückgezogen, wenn der Konzern nicht absolut sicher gewesen wäre, daß es bald im Irak zu einer Katastrophe kommen würde. Da George SHULZ schon in der REAGAN-Administration wichtige Stellungen innegehabt hatte, wußte Bechtel, daß man sich hundertprozentig auf seine Informationen verlassen konnte. Es ist nun einmal eine unbestreitbare Tatsache, daß sich multinationale Konzerne wie Bechtel nicht aufgrund von Annahmen und Hörensagen aus gewinnträchtigen Regionen und Geschäften zurückziehen.[889]

Zu dieser amerikanischen Einladung gibt es eine ungewöhnlich interessante Parallele, die scheinbar wohlwollende Signale an die Betreffenden vermittelte. Sechs Monate vor dem Koreakrieg, also Ende 1949, gab Staatssekretär Dean ACHESON eine interessante öffentliche Erklärung ab: Die Vereinigten Staaten würden Korea nicht verteidigen. Denn er hatte eine »defensive Linie« für die Vereinigten Staaten im Pazifik definiert, die von den Aleuten-Inseln durch Japan und dann zu den Ryukyu-Inseln (Okinawa) und den Philippinen ging. »Es muß klar sein«, sagte ACHESON, »daß keine Person diese Gebiete gegen Angriffe garantieren kann.«[890] Korea war damit eindeutig von den Amerikanern in Sachen Verteidigung ausgeschlossen. Daraufhin beschuldigten einige US-Senatoren die TRUMAN-Administration, die Roten zum Einfall in Südkorea geradezu eingeladen zu haben – eine also nicht unlogische Schlußfolgerung den Umständen entsprechend. In Wirklichkeit war es aber die US-Außenpolitik, die den Koreakrieg auslöste, wie wir gesehen haben.[891]

Man kann nun eindeutig behaupten, daß US-Botschafterin GLASPIE bei ihrem Gespräch mit Saddam HUSSEIN am 25. Juli ein einladendes Signal an den irakischen Führer überbrachte, das George BUSH mit seinem Telegramm vom 28. Juli 1990 noch verstärkte. (Zuvor, am 25. Juli 1990, hatte BUSH ein Eid- Glückwunschtelegramm an SADDAM geschickt – Eid ist der wichtigste islamische Feiertag; als Zeichen der Freundschaft schicken sich Moslems auf der ganzen Welt Eid-Glückwunschkarten, ähnlich wie die Christen in der Weihnachtszeit.)

Aber damit sollte noch nicht genug sein! Am 31. Juli 1990, zwei Tage vor SADDAMS Einmarsch in Kuwait, entdeckte die Defense Intelligence Agency (DIA), der militärische US-Geheimdienst, daß irakische Truppen Treibstoff, Wasser, Munition und anderen Nachschub an Kuwaits Grenze verlegten. Am selben Tag gab der stellvertretende Außenminister John KELLY, der schon am 12. Februar 1990 SADDAM im Irak besucht und ihm in einem persönlichen Gespräch mitgeteilt hatte, daß Amerika ihn als »stabilisierenden Faktor in der Region« betrachte, das letzte täuschende Signal an Saddam

Hussein; seine Rede wurde von der BBC (British Broadcasting Corporation) auch nach Bagdad übertragen. In einem Unterhaus-Ausschuß wurde er von dem Abgeordneten Lee Hamilton zur aktuellen Lage im Golf befragt:

Hamilton: »Haben wir gegen unsere Verbündeten am Golf eine Verpflichtung für den Fall, daß sie in Öl- oder Gebietskonflikte mit ihren Nachbarn verwickelt werden?«

Kelly: »Wie ich bereits sagte, Herr Vorsitzender, haben wir mit keinem der Länder Beziehungen, die durch ein Verteidigungsabkommen geregelt sind. Wir haben es immer vermieden, zu Grenzkonflikten oder internen OPEC-Beratungen Stellungen zu beziehen, doch haben wir alle Regierungen in unmißverständlicher Weise zu einer friedlichen Beilegung der Differenzen in dieser Region aufgerufen.«

Hamilton: »Wenn Irak – aus welchen Gründen auch immer – die Grenze überschreitet und Kuwait angreift, wie würden wir uns hinsichtlich des Einsatzes der US-Streitkräfte verhalten?«

Kelly: »Das ist rein hypothetisch, Herr Vorsitzender, eine Eventualität, Fragen, die ich nicht beantworten kann. Es sei nur so viel gesagt, daß wir auf das äußerste besorgt wären, aber ›was wäre wenn‹... Gedankengänge bleiben mir verschlossen.«

Hamilton: »Ist es unter diesen Voraussetzungen dennoch zutreffend, daß wir kein Beistandsabkommen abgeschlossen haben, das uns zu einem Einsatz der US-Streitkräfte verpflichten würde?«

Kelly: »Das ist zutreffend.«

Es mag zwar zutreffen, daß nicht gerade jeder normale Bürger sich Reden von stellvertretenden Außenministern anhört, aber Regierungen tun das bestimmt, besonders, wenn darüber diskutiert wird, ob ein mächtiger Staat den Überfall eines anderen zulassen oder ihn bestrafen soll. Somit war diese Rede von John Kelly das letzte ›grüne Licht‹, auf das Saddam Hussein höchstwahrscheinlich wartete, um seine Invasion durchzuführen. Es sei noch daran erinnert, daß John Kelly im Februar 1990 den irakischen Führer als Zeichen der Stabilität und als gemäßigten Führer im Mittlern Osten angesehen und dies auch noch offiziell verkündet hatte.[892]

Zusammenfassend kann festgestellt werden: Die Diplomatie zeigt eindeutig, daß die Bush-Regierung alles tat, um Saddam Hussein im Glauben zu lassen, er habe von den USA nichts zu befürchten. Man kann sogar von einem bewußten diplomatischen Täuschungsmanöver reden, das inszeniert wurde, um Saddam Hussein in eine Falle zu locken. Es ist nun einmal nicht zu leugnen, daß keine Regierung wie die Bush-Regierung auf eine solche Krise reagiert hätte, wenn sie sie bewußt verhindern wollte. Die diplomatischen Fakten und Indizien sprechen eine eindeutige Sprache: Man wollte Saddam Hussein bewußt eine Falle stellen.

Katastrophen-Diplomatie

Nachdem die US-Botschafterin April GLASPIE in ihrem wichtigen Gespräch mit Saddam HUSSEIN diesem grünes Licht für eine Invasion Kuwaits gegeben hatte (GLASPIE hatte sich, wie schon zuvor erwähnt, auch mit geheimdienstlichen Aufträgen des State Department beschäftigt), trat sie am 1. August 1990, am Vorabend der Invasion, ihren ›Urlaub‹ an. Gerade an jenem Tag traf sich US-Außenminister James BAKER mit seinem russischen Kollegen Eduard SCHEWARDNADSE am Baikalsee zum Fischen, wie es nach offizieller Verlautbarung hieß, um das nächste Gipfeltreffen zwischen BUSH und GORBATSCHOW vorzubereiten. In Wirklichkeit ging es keineswegs ums Fischen, sondern darum, einen ausgeheckten Plan zu verwirklichen. Es war also gleichermaßen ein Treffen in letzter Minute, um den Stand der Dinge noch einmal zu erörtern. »Zwischen BAKER und SCHEWARDNADSE gab es an diesem 1. August 1990 nur ein einziges Thema: die bevorstehende Invasion Kuwaits durch den einstigen Verbündeten der Sowjetunion und das neue ›Design‹ des Nahen und Mittleren Ostens im Rahmen einer ›Neuen Weltordnung‹. BAKER führte in seinem Gepäck sämtliche Analysen und NSA-Berichte über die auf Hochtouren laufenden Vorbereitungen der Okkupation mit, während SCHEWARDNADSE seinem Kollegen mit den jüngsten Informationen der KGB-Station in Bagdad diente. Desgleichen war CIA-Chef William WEBSTER in Washington über den kontrollierten Gang der Dinge völlig auf dem laufenden.«[893]

Somit war George BUSH auf die Invasion bestens vorbereitet. In diesem Sinne ist wohl auch sein bereits erwähnter aufschlußreicher Kommentar zu bewerten, der CIA habe ihn keinesfalls hängen lassen. Denn BUSH war nicht nur über den Tag X der Invasion informiert gewesen, sondern sämtliche strategischen Möglichkeiten für diesen Fall lagen bereits auf seinem ›Tisch‹ und waren schon bis in jede Einzelheit ausgearbeitet.[894] In diesem Zusammenhang ist wohl auch Oberkommandeur SCHWARZKOPFS Äußerung unmittelbar nach der irakischen Invasion Kuwaits zu verstehen, als er durch einen Kollegen telefonisch erfuhr, die Iraker hätten soeben Kuwait überfallen, daß er über die Invasion SADDAMS nicht überrascht sei.

Daß die Russen sich an der Golfkriegs-Verschwörung beteiligt hatten, bewies zumindest indirekt die Tatsache, daß nicht nur April GLASPIE Saddam HUSSEIN versichert hatte, die USA würden nicht eingreifen, wenn der Irak Kuwait überfiele. Auch ein wichtiger russischer militärischer Stratege, General A. MAKASHOV, besuchte den Irak, um Saddam HUSSEIN als ›Verbündetem‹ mitzuteilen, daß er bei einer irakischen Invasion Kuwaits nichts zu befürchten habe.[895]

Aber schon bevor es zur Invasion Kuwaits kam, hatte sich die US-Regierung massiv in die Politik des Mittleren Ostens eingemischt. Diese Einmischung hatte deutlich dazu beigetragen, daß die Lage am Golf eskalierte.

Denn nach Yassir ARAFAT gab es vernünftige Bemühungen, die Golfkrise zwischen dem Irak und Kuwait zu beenden, um den Frieden in der Region wiederherzustellen. Aber Washington, so ARAFAT, mischte sich im Mai 1990 in die Angelegenheit ein und brachte eine friedliche Lösung des Konflikts absichtlich zum Scheitern, nachdem Saddam HUSSEIN und die Kuwaitis sich bereit erklärt hatten, eine »akzeptable Grenze« zu vereinbaren. ARAFAT berichtete in diesem Zusammenhang: »Die USA ermutigten Kuwait, nicht auf irgendeinen Kompromiß einzugehen,. . . was bedeutete, daß es keine Verhandlungslösung geben konnte, welche die Golfkrise hätte verhindern können.« Laut ARAFAT versprachen die USA, Kuwait gegen einen irakischen Angriff zu verteidigen.[896] Der Chefkorrespondent der *New York Times*, Thomas FRIEDMAN, berichtete demzufolge am 22. August 1990, daß »die USA die Diplomatie ›blockieren wollten, weil diese die Krise auf Kosten einiger geringfügiger Vorteile für den Irak entschärfen könne‹«.[897] Diese irakischen Vorteile wurden in der *New York Times* als »eine kuwaitische Insel oder geringfügige Grenzanpassungen« angegeben.[898] Um eine wirklich effektive Blockade der Diplomatie in Gang zu setzen, ermutigte die US-Regierung insgeheim Kuwait, keine Lösung ihrer Streitigkeiten mit dem Irak anzustreben. Zu etwa dieser Zeit machte der Irak ein Angebot, die Krise durch Verhandlungen zu lösen.[899]

Nach seinem Einmarsch in Kuwait am 2. August 1990 mußte Saddam HUSSEIN manches sehr verdächtig vorgekommen sein: vor allem, daß die Invasion so völlig reibungslos und schnell über die Bühne gegangen war, das kuwaitische Militär hatte ja den Befehl erhalten, keinen Widerstand zu leisten, falls die Iraker angreifen würden. Ferner muß die Tatsache, daß die gesamte königliche Familie noch vor Abschluß der Invasion fliehen konnte (durch eine Warnung des CIA, wie wir gesehen haben), Saddam HUSSEIN klar gemacht haben, daß diese Personen von außen gewarnt worden waren. Somit war sein eigentlicher Plan höchstwahrscheinlich gescheitert, denn es ist anzunehmen, daß Saddam HUSSEIN die Gefangennahme der königlichen Familie geplant hatte, um von ihr die gewollten Kredite und Konzessionen zu bekommen. Schon zu diesem Zeitpunkt mußte Saddam HUSSEIN die ganze, wenn auch noch so erfolgreiche Invasion verdächtig vorgekommen sein. Er hatte ja schon im Vorfeld öffentlich von einer zionistisch-amerikanischen Verschwörung gegen den Irak gesprochen. Nun mußte er wahrscheinlich um so mehr in seiner Auffassung bestätigt worden sein, daß eine Verschwörung gegen den Irak im Gange war.

Saddam HUSSEIN mußte nur kurz nach der Invasion mit Bitterkeit feststellen, daß auch der ägyptische Präsident MUBARAK ihn betrogen hatte. Noch vor der Invasion war MUBARAK mit SADDAM zusammengetroffen, um die Krise zwischen dem Irak und Kuwait zu erörtern. MUBARAK residierte in SADDAMS Palast, wo er sich mit dem irakischen Führer drei Stunden lang allein über die Sachlage unterhielt. MUBARAK fragte unter anderem Saddam HUSSEIN: »Was sind deine Absichten, warum diese Spannung zwischen Irak und Kuwait?« Ebenso erkundigte er sich nach den Truppenbewegungen der Republikanischen Garde in Richtung Kuwait. SADDAM antwortete gelassen, daß es keinen Grund zur Besorgnis gebe, denn die Truppenbewegung sei eine normale Sache, die in solchen Lagen eben angewendet werde. Damit gab sich MUBARAK nicht zufrieden und fragte: »Hast du irgendwie vor, eine militärische Aktion gegen Kuwait zu unternehmen?« Erneut sagte der irakische Führer, MUBARAK solle sich keine Sorgen machen, denn die Truppenbewegung sei nur zur Abschreckung der SABAHS [der kuwaitischen Herrscherfamilie] unternommen worden. Da diese nun geängstigt und schockiert sei, sei das angestrebte Ziel erreicht.

Nach dem gemeinsamen Mittagessen fuhr SADDAM MUBARAK persönlich zum Flughafen. Der Ägypter teilte SADDAM mit, daß er als nächstes nach Kuwait reisen werde, er könne eine Botschaft von SADDAM an die Kuwaitis weiterleiten. Aber HUSSEIN schien nicht wirklich an einer solchen Sache interessiert zu sein. Statt dessen hatte er eine Bitte an MUBARAK: »Sag ihnen [den Kuwaitis] jetzt nicht, daß ich gar nichts tun werde. Laß sie für einige Zeit erschrocken sein.«

MUBARAK anzuvertrauen, daß die Truppenmassierung an der Grenze zu Kuwait ›lediglich‹ als diplomatisches Druckmittel dienen sollte, war jedoch ein folgenschwerer Fehler. Denn der ägyptische Staatschef teilte sofort JABER AL-SABAH mit, SADDAM habe keine Invasionsabsichten. Mit dieser Mitteilung, und darüber kann es keine Zweifel für MUBARAK gegeben haben, hatte er SADDAMS Plan bewußt sabotiert und mit Erfolg ruiniert.[900] Diese Ansicht vertritt auch M. HOFMANN in seinem Buch *Siegen ist nicht gleich Frieden*: »So habe auch Präsident MUBARAK das in ihn gesetzte Vertrauen gebrochen, denn er habe den Kuwaitis mitgeteilt, daß die Truppenmassierung ›lediglich‹ als diplomatisches Druckmittel diene. . .« Dies bewirkte eine entscheidende sowie grundlegende Niederlage für Saddam HUSSEINS Kuwait-Politik. Für den Fall, daß er seine Truppen an der Grenze zu Kuwait nur deshalb aufmarschieren ließ, um von den Kuwaitis Zugeständnisse zu erhalten, steht jedoch fest, daß er ursprünglich gar keine Invasion Kuwaits durchführen wollte, und das läßt den ganzen Golfkrieg in einem anderen Licht erscheinen.

Daß Saddam HUSSEIN aller Wahrscheinlichkeit nach diese Absicht verfolgte, wird auch indirekt durch einen historischen Präzedenzfall unterstützt. Schon sein Vorgänger Präsident KASSEM hatte 1961 Anspruch auf Kuwait erhoben, eine mögliche Invasion wurde aber durch britische Truppen verhindert, die am 3. Juli 1961 in Kuwait eintrafen, um das Land zu verteidigen.[901] Nicht viel später wurde KASSEM durch einen vom CIA gesteuerten Putsch beseitigt. Dennoch hatte Kuwaits Bedrohung durch KASsem damals zu erstaunlichen Zugeständnissen seitens der Kuwaitis geführt: die Zusammenlegung der Armeen beider Staaten unter ein Kommando sowie die Übergabe der kuwaitischen Souveränität in Sachen Außenpolitik und der teilweisen Finanzkontrolle an den Irak.

Nach der Beseitigung Kassems riet Großbritannien Kuwait, zukünftigen Bedrohungen mit Bestechungen entgegenzuwirken. In diesem Sinne zahlte der Kuwait dem damaligen bathistischen Regime 50 Millionen Pfund; damit wurde die irakische Forderung bezüglich Kuwaits eingefroren. Dies, so der Nahost-Experte Said Aburisch, erklärt größtenteils Saddams Versuch, Kuwait zu bedrohen, um seine im Zuge des ersten Golfkriegs entstandenen Finanzprobleme zu klären.[902] Saddam folgte daher nur dem historischen Beispiel seines Vorgängers.

Es ist ferner anzunehmen, daß nur die US-Führung mit enormem Druck Mubarak veranlassen konnte, Saddams Einschüchterungsplan an die Kuwaits zu verraten. Da die Kuwaitis sich nun wohl nicht mehr einschüchtern lassen würden, mußte Saddam Hussein härter vorgehen und den Kuwaitis ›eine Lektion erteilen‹. Da aber die ganze Lage um Kuwait Hussein immer verdächtiger erschien – er sprach wohl nicht nur aus polemischen Gründen von einer US-zionistischen Verschwörung gegen den Irak –, teilte er allen Betroffenen mit, der Irak werde sich selbstverständlich »innerhalb weniger Tage« (ab 5. August) zurückziehen und zu einem Dialog bereit sein – vorausgesetzt, voreilige Verurteilungen würden ausbleiben, denn »die beste Weise, uns zu behandeln, sind weder Drohungen noch Einschüchterungen«.[903]

Aber auch diesmal sollte ihm Mubarak einen gewaltigen Strich durch die Rechnung machen, und zwar auf amerikanischen Druck hin (»Nehmen Sie eine harte Haltung« gegen den Irak ein, oder Sie »können nicht mehr auf die USA zählen«.)[904] Dahinter stand George Bush, der schon am 2. August 1990 seinen nationalen Sicherheitsberater Brent Scowcroft aufgefordert hatte, Druck auf die arabischen Länder auszuüben, daß sie die irakische Invasion verurteilten. Die Botschaft, die am 3. August beim ägyptischen Außenminister eintraf, beinhaltete klare Worte von US-Diplomaten, die genau wußten, daß die ägyptische Wirtschaft ohne die Wirtschaftshilfe der USA nicht überleben könne, und dies den Ägyptern klar machten.[905]

Im Weißen Haus wußte man auch, daß Saddam Hussein auf zunehmenden Druck nicht mit Nachgiebigkeit reagieren werde, sondern mit noch größerem Starrsinn, da man davon ausgehen konnte, daß das Weiße Haus das Psychogramm Saddam Husseins besaß.[906] Überhaupt war im Weißen Haus ein möglicher Rückzug der Iraker aus Kuwait als ›Alptraum-Szenario‹ bekannt. Denn ein solcher Rückzug hätte das irakische Militär intakt gelassen und somit den Plan der Bush-Administration zunichte gemacht.[907]

Man versuchte daher fast krampfhaft, alles in die Wege zu leiten, damit sich Saddam Hussein nicht aus Kuwait zurückziehe. In Washington spielte man also wieder das altbewährte Doppelspiel, auch wenn man alles zu tun schien, um den Irak zum Rückzug zu bewegen. Einer der ersten Schritte zur Verschärfung der Lage am Golf war also, Druck auf Ägypten auszuüben, daß der Irak bei der Arabischen Liga in Kairo am 2. und 3. August verurteilt werde. Aber schon einen Tag nach der Invasion sprach Saddam HUSSEIN mit König HUSSEIN von Jordanien und äußerte seine Bereitschaft, sich aus Kuwait zurückzuziehen. Der Rückzug werde am 5. August beginnen – allerdings unter der Bedingung, daß keine arabischen Staaten die Invasion verurteilten. Der angesehene Journalist Pierre SALINGER führt Saddam HUSSEINs Warnung an: »Wenn die Dinge in diese Richtung laufen (Verurteilung des Iraks), sage ich einfach, daß Kuwait ein Teil des Iraks ist und annektiere es.«

Am 3. August war Saddam HUSSEIN also zum vollständigen Rückzug aus Kuwait bereit. König HUSSEIN flog zuversichtlich nach Amman, überzeugt davon, daß ein Rückzug erfolgen werde, da MUBARAK versprochen hatte, den Irak nicht zu verurteilen. Noch am selben Tag bestätigte Saddam HUSSEIN in einer Verlautbarung, daß er seine Truppen am 5. August aus Kuwait zurückziehen werde. Laut Radio Bagdad begann der irakische Abzug wie geplant um 8 Uhr, und die zuvor formierten Einheiten der kuwaitischen Volksarmee übernahmen die Kontrolle, während die Iraker abzogen.[908] Schon am 3. August, nur einen Tag nach der Invasion, reagierte BUSH prompt auf dieses Kommuniqué: »Mal abwarten, ob er nun seine Truppen sofort abziehen wird.« Zwei Tage später, am 5. August, warnte der US-Präsident: »Die USA werden die Einführung eines Marionettenregimes in Kuwait nicht hinnehmen.«[909]

Als König HUSSEIN in Jordanien ankam, mußte er jedoch erfahren, daß Ägypten die Invasion verurteilt hatte. Daß dieser verhängnisvolle Schritt durch die USA veranlaßt wurde, ist längst bestätigt.[910] So stellte unter anderen Dr. EMERY fest, daß MUBARAK auf US-Druck hin gezwungen wurde, den Irak zu verurteilen, und zwar um 17 Uhr, damit diese Verurteilung zeitgleich mit der Resolution des UN-Sicherheitrats erschien. Auf diese Weise sollte noch mehr Druck auf den Irak und Saddam HUSSEIN ausgeübt werden. Der Sicherheitsrat erhielt den Text der Resolution Nummer 661 um 17 Uhr 48 per Fax von den USA, dies war nur einen Tag nach der Besetzung Kuwaits durch die Iraker. Die US-Führung tat anscheinend alles, um das erwähnte ›Alptraum-Szenario‹, einen irakischen Rückzug aus Kuwait, zu vermeiden.[911] Dieser Auffassung verlieh ein pensionierter Offizier der US-Armee, der an den Friedensdiskussionen im August als Vermittler teilgenommen hatte, Nachdruck, als er behauptete: Die Friedensbemühungen »bewegten sich gegen die Regierungspolitik«.[912]

Zahlreiche Nationen und Persönlichkeiten unternahmen diplomatische Schritte zur Beseitigung der Krise. Alle Bemühungen waren jedoch zum Scheitern verurteilt, da die BUSH-Regierung an ihrer Politik ›keine Belohnung für Aggression – bedingungsloser Rückzug aus Kuwait‹ unbeugsam festhielt. Dies, und darüber waren sich die Entscheidungsträger in Washington einig, ließ Saddam HUSSEIN keinen Ausweg, als einen schweren Image- und Prestigeverlust hinzunehmen.

Saddam HUSSEIN unterbreitete viele Rückzugsvorschläge, um der Krise ein Ende zu bereiten. Es wäre jedoch zu mühsam, auf alle Vorschläge seitens des Iraks zur Entschärfung der Lage am Golf einzugehen, wir möchten uns auf die wichtigsten beschränken.

Am 7. August 1990 hatte Saddam HUSSEIN der PLO einen vollständigen Abzug aus Kuwait vorgeschlagen, im Austausch gegen eine größere Barzahlung an Bagdad, die Ablösung des Emirs durch eine gewählte Regierung und die Übergabe der Inseln Bubiyan und Warba an den Irak. Washington ignorierte einfach diesen Vorschlag, indem es erst gar nicht auf ihn einging.[913] Selbst das State Department stellte fest, daß mindestens zwei ähnliche Vorschläge seriös und annehmbar klangen. Als aber BUSH auf diese Vorschläge nicht einging, machte Saddam HUSSEIN weitere umfangreiche Zugeständnisse an die Adresse der US-Regierung. Zuletzt war er sogar bereit, sich aus Kuwait zurückzuziehen, *nur* unter der Bedingung, daß die USA nach dem Rückzug auf eine gerechte Lösung der von Israel besetzten Gebiete bestünden. Damit wollte SADDAM sein Gesicht wahren, ein solcher Vorschlag kam jedoch letztlich einer Kapitulation vor der US-Politik gleich.

Als Kritiker der irakischen Politik kann man natürlich behaupten, daß sich Saddam HUSSEIN bedingungslos zurückziehen sollte. Er bot tatsächlich einen fast bedingungslosen Rückzug aus Kuwait an, als einzige Bedingung verlangte er eine Zusage seitens der USA, im Falle eines Rückzugs den Irak nicht anzugreifen. Die US-Regierung ignorierte jedoch dieses ernstgemeinte Angebot, das der Iraker zwei Wochen vor Ablauf des Ultimatums unterbreitete und das die Golfkrise beendet hätte.

Schon zuvor hatte Saddam HUSSEIN ein ähnliches Angebot an die US-Regierung geschickt, das jedoch abgelehnt und in den Medien überhaupt nicht erwähnt wurde.[914] Er äußerte dann sogar seine Bereitschaft, mit Präsident BUSH und Frau THATCHER an einer Fernsehdebatte teilzunehmen. »Ich bin vorbereitet und bereit für direkte Gespräche und einen Dialog mit Herrn BUSH und Frau THATCHER«, sagte er. In Washington bezeichnete Margaret TUTWILLER diesen Vorschlag schamlos als »krank« und meinte, er sei es nicht wert, beantwortet zu werden.[915] Dies zeigt nur erneut, daß die US-Regierung gar keine Absicht hatte, die Krise zu beenden. Im Gegenteil, George BUSH sorgte für eine weitere Verschärfung der Krise, als er ein »Kriegsverbrechertribunal« zu Saddam HUSSEINS Verurteilung anregte. Das US-Außenministerium meinte, es sei absichtlich von einem »Kriegsverbrechertribunal« die Rede gewesen, um Bagdads Verhandlungsvorstöße zum Scheitern zu bringen«.[916]

Man kann jetzt zwar erneut einwenden, daß SADDAM HUSSEIN natürlich auch ohne eine US-Zusicherung einen Rückzug hätte beginnen können. Dem stand entgegen, daß die USA (wie Saddam HUSSEIN dies befürchtete) trotzdem den Irak angegriffen hätten.[917] Diesbezüglich äußerte sich Saddam HUSSEIN gegenüber Tony BENN (damals Mitglied des britischen Parlaments) und anderen Besuchern im Irak, daß ein bedingungsloser Rückzug die Moral der irakischen Zivilisten und vor allem der Soldaten zum Zusammenbruch gebracht hätte.[918] Mehr noch: Tony BENN erinnerte sich, wie SADDAM während des dreistündigen Gesprächs immer wieder behauptete, daß die Vereinigten Staaten den Irak zerstören würden, selbst wenn er seine Truppen aus Kuwait zurückzöge.[919] Auch der englischen Reporterin Helga GRAHAM antwortete Saddam HUSSEIN auf ihre Frage, weshalb er sich nicht aus Kuwait zurückziehen werde, er sei sich sicher, daß selbst bei einem Abzug die Amerikaner den Irak angreifen würden. Dem zweithöchsten Vertreter der PLO, Abu IYYAD, erklärte Saddam HUSSEIN, er würde Verhandlungen mit dem Westen willkommen heißen, vorausgesetzt, er bekäme Garantien, daß die chemischen und atomaren Forschungsstätten nicht durch Luftangriffe zerstört würden. Aber auch IYYAD gegenüber äußerte er seinen Verdacht, die Amerikaner würden den Irak zerstören, auch wenn er einen Rückzug aus Kuwait befehlen werde.[920]

Daß die BUSH-Administration schon seit geraumer Zeit ein militärisches langfristiges Festsetzen am Golf plante, wurde nicht zuletzt durch den damaligen Außenminister James BAKER bestätigt, als dieser vor dem Repräsentantenhaus erläuterte, daß es Teil der neuen regionalen Sicherheitspolitik sei, das irakische Militär in Schach zu halten, selbst wenn der Irak sich aus Kuwait zurückziehen werde. Anfang September 1990 betonte BAKER, es gebe eine neue regionale Sicherheitspolitik, die möglicherweise einen internationalen Waffenboykott gegen den Irak einplane, und man beabsichtige, die arabischen Nachbarn aufzurüsten und US-Flotten und Bodenstreitkräfte in dieser Region zu stationieren.[921]

Letztendlich gab es noch das von den Medien viel beachtete Zusammentreffen von James A. BAKER und seinem irakischen Kollegen Tarik AZIZ. Viele Hoffnungen wurden an diese ›Letzte-Minute-Konferenz‹ geknüpft. In Wirklichkeit war sie nichts als ein Public Relations-Schauspiel, das die Welt davon überzeugen sollte, George BUSH und die US-Regierung hätten alles getan, um einen Krieg am Golf zu vermeiden. Nichts könnte aber weiter von der Wahrheit entfernt sein, denn selbst BUSHs engster Mitarbeiter, Brent SCOWCROFT, äußerte Anfang Dezember 1990 gegenüber dem saudischen Botschafter in den USA, Prinz BANDAR: »Dies sind alles nur Übungen.« Damit war gemeint, daß diese scheinheilige Konferenz nur zur Beruhigung der amerikanischen Öffentlichkeit gedacht war.[922] SUNUNU, ein weiterer Berater BUSHs, kam zum selben Ergebnis und sagte öffentlich: Der Vorschlag sei nur »Teil einer Checkliste mit diplomatischen und innenpolitischen Zügen, die der Präsident und seine Administration durchgehen, weil sie denken, dies tun zu müssen..., bevor sie militärisch eingreifen können«.

Wie scheinheilig dieser ganze P.R.-Zirkus eigentlich war, zeigte sich, als Bush unmittelbar nach großangelegter Medienverkündung der Konferenz selbst erklärte: »Ich bin nicht in Verhandlungsstimmung«, und: »Es kann keine Gesichtwahrungsgewährleistung geben... Sie [die Iraker] müssen sich ohne Bedingungen zurückziehen... Wir werden nicht nachgegeben.« Der Nah-Ost-Experte William Quandt urteilte dann auch gleich: »Die ganze Sache sah so aus, als ob sie von vornherein nicht funktionieren sollte.«[923] Wie borniert und selbstherrlich Bush mit seinen eigenwilligen Zielen umging, zeigte sich, als er schamlos verkünden ließ: »Wenn er nicht die Unterstützung des Kongresses habe (die Verfassung besagt, daß nur der Kongreß einen Krieg sanktionieren kann), hoffe er, daß er die Unterstützung des amerikanischen Volkes haben werde. Wenn er aber auch diese nicht haben werde, so sagte er, werde dies ihn trotzdem nicht abhalten, einen Krieg gegen den Irak zu führen, wenn er diesen für richtig halte.«[924]

Überhaupt wandte die Bush-Regierung eine alte Strategie der US-Außenpolitik bei Kriegen und Krisen an. Washington stellte zunächst äußerst begrenzte Forderungen an den vermeintlichen Gegner, um diese Forderungen im Laufe der Krise immer höher zu schrauben, bis letztendlich die Forderungen eigentlich gar nichts mehr mit den ursprünglich gestellten zu tun hatten. Mit dieser bewährten Vorgehensweise wußte man, daß das amerikanische Volk für solche begrenzten Forderungen zu gewinnen war, ebenso der Kongreß. Mit zunehmender Zuspitzung der Krise stellte Washington jedoch immer größere Forderungen, so daß das amerikanische Volk gar nicht richtig merkte, daß letztlich ein ganz anderes Ziel verfolgt wurde als das ursprüngliche.

In dieser Hinsicht ist auch Bushs Irak-Politik zu verstehen. Zuerst hatte Washington Anfang August 1990 erklärt, Ziel sei, Saudi-Arabien zu verteidigen. Im September war es dann die Befreiung Kuwaits und die damit verbundene Rückführung des kuwaitischen Herrscherklans. Im Oktober wollte Bush nun, daß ein Kriegsverbrechertribunal für die irakische Führung eingerichtet werde. Im November wurde die auf Verteidigung eingestellte Art der US-Truppenansammlung völlig verändert, indem weitere 230 000 Mann nach Saudi-Arabien verlegt wurden, womit nun die defensive Truppenstruktur klar in eine offensive umgewandelt wurde. Im Dezember wiederum wurden die Wirtschaftssanktionen einfach verworfen und somit friedliche Lösungen der Krise immer unwahrscheinlicher.

Desweiteren wurde im Dezember von der UNO ein Ultimatum für den Abzug der irakischen Truppen verabschiedet und dem Irak aufgezwungen. Das Ultimatum war von neuen Forderungen begleitet: Unter anderem müßten die Iraker nun ihre chemischen und nuklearen Waffen zerstören (womit dem Irak unterstellt wurde, Nuklearwaffen zu besitzen, was nicht zutraf).[925] Interessanterweise war dieses Ziel, den Irak einseitig zu entwaffnen, auch dasjenige, das die US-Regierung schon auf einer Geheimkonferenz Anfang 1990 verfolgt hatte, wie dies der US-Geheimdienstler Craig HULET bestätigte. In nur vier Monaten hatte man sich also in Washington von dem ursprünglichen Ziel – der Verteidigung Saudi-Arabiens – auf ein ganz anderes zubewegt: Irak müsse seine Truppen sofort zurückziehen, oder es würde einen Krieg mit den USA geben. Das ursprüngliche, völlig auf Verteidigung abgestellte Ziel wurde in nur vier Monaten um 180 Grad umgedreht, in eine vollkommene Offensive.

Kurz, bevor das UNO-Ultimatum an den Irak ablief, sozusagen in letzter Minute, wollte GORBATSCHOW die sich anbahnende Katastrophe noch einmal verhindern. Er appellierte an BUSH, seinen Plan anzunehmen, den die Sowjets mit den Irakern ausgehandelt hatten. Dabei hatten sich die Iraker damit einverstanden erklärt, Kuwait binnen 14 Tagen zu räumen. Doch Washington beachtete den Plan erst gar nicht. Das offizielle Washington empfand die Friedensinitiative als »nasty« (eklig). Kurz darauf ließ BUSH pompös verlauten, daß die Welt nicht länger warten könne.[926]

Daß die Welt nicht länger warten konnte, entsprach aber nicht der Wahrheit. Es traf wohl eher zu, daß BUSH nicht länger warten konnte, und zwar weil er dies nicht wollte. Daß die Welt schwerwiegende Ungerechtigkeiten in der Golfregion erwarten konnte, war schon 30 Jahre lang zuvor unter Beweis gestellt worden. Nachdem Israel 1967 im Sechstage-Krieg Gebiete arabischer Staaten besetzt hatte, forderte die UNO bekanntlich mit vielen Resolutionen Israel immer wieder auf, die besetzten Gebiete zu verlassen. Doch brachten Israels Hauptverbündete, die USA, durch ihr Veto im Sicherheitsrat jede Resolution zum Scheitern. Als George BUSH also behauptete, die Welt könne nicht länger warten, meinte er in Wirklichkeit, er und die US-Machtelite könnten nicht länger warten, nach der bewährten ›Großen Knüppel‹-Manier loszuschlagen.

Warum griff der Irak Kuwait an?

Diese Frage wird oft mit der Standarderklärung abgetan, daß Saddam HUSSEIN ein Diktator sei, der den Überfall auf Kuwait schon Monate lang zuvor geplant habe. Die besten verfügbaren Geheimdienstinformationen besagen aber, daß es keinen Plan für den Überfall auf Kuwait gab. Wie immer bewegte sich Saddam HUSSEIN von einem Schritt zum nächsten und verließ sich dabei auf seinen Instinkt, ohne daß es jemanden im Irak gab, der ihn dabei hätte aufhalten können. Die Standardversion versucht, alle Verhandlungsversuche des Iraks als bloße Täuschungsmanöver darzustellen. Es gibt aber eine Reihe von Indizien, die eine solche Deutung als unwahrscheinlich erscheinen lassen. Als häufigster Grund für SADDAMS Überfall auf Kuwait wird oft betont, daß der Irak hoffnungslos verschuldet gewesen sei und daher keinen anderen Ausweg gesehen habe, als sich die Reichtümer Kuwaits anzueignen. Außerdem werden die Krise und der Krieg am Golf mit Saddam HUSSEINS machtpolitischem Verhalten erklärt. Er sei nun einmal ein Diktator, und Diktatoren handelten so, wie es SADDAM tat, wenn sie glauben, einen Staat ohne weitere Konsequenzen überfallen zu können. Verfechter dieser These verweisen immer schnell darauf, daß SADDAM 1980 den Nachbarstaat Iran angegriffen habe und daß man deshalb nicht überrascht sein könne, daß er nun Kuwait angegriffen habe.

Bezüglich des irakischen Angriffs auf den Iran vom 22. September 1980 wird jedoch allzu schnell vergessen, daß der Irak nicht die ganze Kriegsschuld trug. So muß gerechterweise anerkannt werden, daß das Unternehmen, den Iran zu überfallen, mit der aktiven Unterstützung und zumindest stillschweigender Billigung Amerikas stattfand. Der Irak entwarf den Schlachtplan für seinen Blitzkrieg mit der Unterstützung ehemaliger Generale des SCHAHS im Irak und hoffte, bei seiner Invasion auf die Hilfe einer großen royalistischen, für den SCHAH eingenommenen iranischen Armee, die sich im Irak formiert hatte. Die Invasion sollte dann den 1979 abgesetzten iranischen Premierminister Schapur BACHTIAR auffordern, unter irakischem Schutz eine provisorische Regierung zu bilden. Der ehemalige iranische Präsident Abolhassan BANI-SADR hat nach dem Krieg enthüllt, daß der Plan mit den Amerikanern abgesprochen worden sei und deren Zustimmung gefunden habe. Er sagte weiter, daß er 1980 den Bericht eines Nachrichtendienstes über ein Treffen von SADDAM mit Präsident CARTERS Sicherheitsberater Zbigniew BRZEZINSKI in Jordanien erhalten habe, bei dem der Amerikaner angeblich die Unterstützung zusagte, die der Irak von den USA für einen Angriff auf den Iran erhalten werde.[927]

Außerdem muß der Umstand berücksichtigt werden, daß der Iran innerhalb des Iraks eine Rebellion der Kurden unterstützte, mit dem Ziel, die irakische Regierung zu stürzen. Die Behauptung, der Irak oder Saddam HUSSEIN hätten unprovoziert den ersten Golfkrieg angezettelt, stimmt also nicht. Natürlich spielen auch machtpolitische Gründe eine Rolle, wie im ersten Golfkrieg, Saddam HUSSEIN wollte eine Vormachtstellung am Golf haben, und diese hätte er auch bekommen, wenn es ihm gelungen wäre, den Iran schnell zu besiegen. Vor allem ging es aber, wie so oft, in der Golfregion um den Grenzverlauf der beiden Nationen. Dieser Grenzverlauf ist eng mit dem Shatt el Arab verknüpft, einem Grenzfluß, der für beide Nationen von größter Bedeutung ist.

Für den Irak spielt der Shatt el Arab eine wichtige strategische Rolle. Der Shatt el Basra (Teil des Shatt el Arab) mündet im Chor Abdulla in den

Persisch-Arabischen Golf. Diesem Seengebiet vorgelagert sind die kuwaitischen Inseln Bubiyan und Warba. Ein irakisches Schiff, das durch das Chor Abdulla in den Golf fahren will, muß kuwaitische Hoheitsgewässer durchqueren, die von den beiden Inseln aus sehr leicht zu kontrollieren und zu blockieren sind. Außerdem mündet der Shatt el Arab in den einzigen freien Hafen für die Iraker im Persischen Golf. Ein Grund für den Irak-Kuwait-Krieg war also der freie Zugang zu den beiden Inseln, Bubiyan und Warba, die der Irak erfolglos von den Kuwaitis zu pachten versucht hatte.[928]

Ein weiterer Grund für den zweiten Golfkrieg war die ungeklärte Grenzfrage zwischen dem Irak und Kuwait. Das Rumailah-Ölfeld war ein zusätzlicher Grund für diesen Krieg. Das Ölfeld ist etwa zu vier Fünfteln auf irakischem und zu einem Fünftel auf kuwaitischem Gebiet, anderen Angaben zufolge gehören 70 Prozent des Ölfelds dem Irak. Die schlechte wirtschaftliche Lage im Irak erbrachte einen weiteren Kriegsgrund.[929]

Letztendlich waren alle diese Kriegsgründe mehr oder weniger zweitrangig. Der eigentliche Grund, weshalb es endgültig zum Golfkrieg kam, war die kompromißlose und arrogante Haltung der Kuwaitis gegenüber den Irakern, vor allem gegenüber Saddam Hussein. Die konsequenten Überschreitungen der Öl-Quoten (der OPEC Regelungen) führten, wie schon besprochen, im Irak zu ungeheuren finanziellen Verlusten, die die ohnehin schon schwierige wirtschaftliche Lage noch verschärften. Das von den Kuwaitis gestohlene Öl aus dem Rumailah-Ölfeld verschlechterte die schon jämmerlichen Beziehungen zwischen beiden Staaten zusätzlich. Wie unschwer vorherzusehen, fühlte sich Saddam Hussein verärgert und beleidigt durch die Aktionen der Kuwaitis, die er als deutliche Provokation auffaßte. Die Iraker hatten mehrmals versucht, bei verschiedenen Zusammenkünften mit den Kuwaitis und den Saudis die Krise zu entschärfen, aber sie waren jedesmal an den hartnäckigen und arroganten, oft auch beleidigenden Kuwaitis gescheitert. Dies konnte letztendlich kein Zufall sein, denn ein kleines Land wie Kuwait konnte normalerweise nicht daran interessiert sein, seinen viel stärkeren Nachbarn zu provozieren.

Ein ebenso bedeutender Grund für die Auslösung des Golfkriegs ist die Einstellung der USA. Während der gesamten Krise verhielten sich die USA so, als wären sie mit der irakischen Haltung einverstanden, und verleiteten damit den Irak und Saddam Hussein dazu, in Kuwait einzumarschieren. Es besteht auch Grund zu der Annahme, daß Saddam Hussein Kuwait lediglich als eine Art Pfand oder Verhandlungsgrundlage benutzen wollte, um von den Kuwaitis den geforderten Ausgleich zu erhalten, der nach seiner Auffassung dem Irak zustand. Ein US-Kongreßausschuß, der sich mit der irakischen Invasion befaßte, kam zu demselben Schluß: »Die Iraker glaubten anscheinend mit ihrer Invasion Kuwaits, die Aufmerksamkeit der Welt gewonnen zu haben, um somit ihre ökonomische Verhandlungsposition verbessert zu haben, um daraufhin abziehen zu können... Eine diplomatische Lösung, die für die Interessen der USA befriedigend gewesen wäre, wäre unmittelbar nach der Invasion durchaus möglich gewesen.«[930] Wahrscheinlich verstand auch Saddam HUSSEIN US-Botschafterin April GLASPIE in diesem Zusammenhang, als sie sagte: »Das einzige, was wir (die US-Regierung) wünschen, ist, daß sie das Problem mit den Kuwaitis möglichst schnell lösen...« Da sie eindeutig betont hatte, daß die USA traditionell keine Stellungnahme zu innerarabischen (Grenz-) Konflikten beziehen wollten, sah dies Saddam HUSSEIN verständlicherweise als eine Einladung an, das Problem auf seine Art und Weise zu bereinigen, besonders, da sie ihm nahelegte, das Problem »möglichst schnell zu lösen«.

Kapitel 12
Der Weg in den Krieg

Wir haben bisher gesehen, wie die Golfkrise von der Machtelite in den USA zielbewußt inszeniert wurde. Dokumente belegen es:

1. Die Niederschrift des Gesprächs zwischen April C. GLASPIE und Saddam HUSSEIN (datiert vom 25. Juli 1990), die die US-Botschafterin nur wenige Tage nach ihrer Unterredung mit SADDAM an das State Department weiterleiten mußte. Aus dieser Abschrift geht hervor, daß die irakische Abschrift mit dem Telegramm, das GLASPIE an das State Department schickte, übereinstimmt, auch wenn GLASPIE dies dementierte, bevor dieses Dokument vom State Department für den Senatsausschuß veröffentlicht wurde. Die Abschrift umfaßte die eindeutige Feststellung: »We have no opinion on the Arab-Arab conflicts, like your border disagreement with Kuwait...« (»Wir haben keine Meinung zu innerarabischen Konflikten, wie etwa Ihre Grenzstreitigkeit mit Kuwait...«)

2. Jenes von irakischen Truppen in Kuwait-City entdeckte Geheimschreiben vom CIA und dem kuwaitischen Geheimdienst (datiert auf den 22. November 1989), das von der UNO für echt erklärt wurde und dessen Echtheit die US-Regierung nicht einmal bestritt (wie zu erwarten stritt lediglich der CIA ab, daß das Thema Irak besprochen wurde). In diesem Dokument kamen besagte Geheimdienste, wie wir gesehen haben, zu dem berüchtigten Entschluß, daß es angebracht sei, wirtschaftlichen Druck von seiten Kuwaits und der USA auf den Irak auszuüben, damit ein Grenzkonflikt zwischen dem Irak und Kuwait entstehe. Dieser wirtschaftliche Druck fand in Form von Schrägbohrungen im irakischen Teil des Rumailah-Ölfelds statt; die Schrägbohrtechnologie, mit der die Kuwaitis das Öl abpumpten, stammte aus den USA.

Eine noch schlimmere Art, Druck auf den Irak auszuüben, war die andauernde Ölüberproduktion der Kuwaitis, die den Ölpreis von 21 Dollar je Barrel auf 11 Dollar je Barrel fallen ließen. Das kostete den verschuldeten Irak jährlich 14 Milliarden Dollar, was er sich nicht länger leisten konnte, es sei denn, er akzeptierte die wirtschaftliche Kapitulation. Weiterhin blieben die Kuwaitis während der Verhandlungen mit den Irakern stets kompromißlos und oft arrogant. Diese Verhandlungen beinhalteten auch den Zugang zum Meer, den die Iraker schon immer haben wollten und beanspruchten.

3. Craig HULET, ein ehemaliger Geheimdienstler, veröffentlichte die *White Papers*, denen zufolge der Golfkrieg eine geheim geplante Sache war, denn es ging um die Abrüstung des Iraks und dessen Bedrohung der Region.

4. Einige Autoren (Alan FRIEDMAN u.a.) haben eindeutig bewiesen, daß die USA besonders unter Ronald REAGAN und George BUSH den Irak mit aufgerüstet haben. Insbesondere George BUSH und sein Freund (Außenminister) James BAKER setzten sich persönlich, gegen den Willen des US-Kongresses, dafür ein, daß Bagdad alle Waffen bekam, die es wollte, und gewährten Saddam HUSSEIN Kredite, obwohl immer mehr internationale Einrichtungen und Bankiers dies ablehnten, weil sie (zu Recht) befürchteten, daß der Irak zahlungsunfähig werde. Die USA waren knapp hinter Deutschland der größte Waffenlieferant des Iraks.[931]

5. Der Geheimplan, mit dem BUSHS engste Mitarbeiter den Irak anstifteten, höhere Ölpreise von den OPEC-Staaten zu verlangen, wurde bekannt, als der Londoner *Observer* (21. 11. 90) die wichtigsten Teile davon veröffentlichte. (Das Dokument wurde angeblich auch in begrenzter Auflage veröffentlicht.) Der Londoner *Observer* konnte somit bestätigen, daß die BUSH-Regierung zwei anscheinend widersprüchliche Ziele verfolgte: Zum einen sollte der Irak offiziell US-Unterstützung in allen erdenklichen Belangen gewährt bekommen, zum anderen unterstützte die US-Regierung geheim die Ölbedingungen des Iraks, was so viel bedeutete wie eine gegen Kuwait gerichtete Politik, da dieser der wichtigste Überproduzent in dem Ölkartell OPEC war und gegen die OPEC-Regelung verstieß. Der Irak sollte nun denken, die US-Regierung sei in Wirklichkeit immer noch sein Verbündeter, während der CIA gemeinsam mit Kuwait (einschließlich V.A.E) daran arbeiteten, das Öl im Rumailah-Feld (das zu 70% dem Irak gehört) abzupumpen, um es dann billig und in möglichst großen Mengen auf dem internationalen Ölweltmarkt zu verkaufen, damit die Preise für den Irak fallen. Wie wir wissen, ging der Plan in Erfüllung und machte den Irak immer ärmer.

6. ARAFAT berichtete, daß die US-Regierung sich aktiv in die Verhandlungen zwischen dem Irak und Kuwait einmischte, als diese versprachen, die Krise zwischen den beiden Nationen zu beenden. Dies wurde in der US-Zeitung *Christian Science Monitor* vom 5. Februar 1991 aktenkundig. Wer die geschichtlichen Beziehungen zwischen den USA und dem Irak kennt, weiß, daß diese allgemein alles andere als freundlich waren.

7. Die USA haben über dreißig Jahre lang versucht, die irakische Regierung zu destabilisieren und zu stürzen. 1958 befreite sich der Irak durch seine Palast-Revolution vom Kolonialismus und erklärte sich zur Republik. Dadurch wurden die Ölquellen verstaatlicht, eine Tatsache, die die US-Regierung (und die britische) mit Feindseligkeit hinnahm. Bis zu diesem Zeitpunkt der Revolution waren die Ölquellen fest in britischer und amerikanischer Hand gewesen, die Verstaatlichung bedeutete für beide Regierungen und deren (private) internationale Ölkonzerne Verluste in Milliarden Höhe. Die USA und Großbritannien wollten unbedingt zum früheren Status quo zurückkehren und planten die Beseitigung des neuen irakischen

Staatschefs Abdul Karim KASSEM. Unter anderem schickte der CIA per Post ein vergiftetes Taschentuch (als Geschenk) an KASSEM, das ihn todkrank machte. Dieser starb dann 1963 beim Putsch der Ba'ath-Partei (jener Partei, mit der Saddam HUSSEIN nach einem erneuten Putsch an die Macht kommen sollte). Der CIA hatte den Ba'ath-Putsch unterstützt, aber mit den neuen Machthabern eine Fehlinvestition getätigt, denn die Ba'ath-Partei brüstete sich mit dem Motto ›arabisches Öl für die Araber‹. Dies war verständlicherweise kein angenehmes Motto für Washington. So strengte sich Washington erneut an und stürzte auch die Ba'ath-Partei, um eine neue Partei an die Macht zu bringen, aber auch diese erwies sich als nicht nachgiebig genug, so daß 1968 wieder die Ba´ath-Partei an die Macht kam und ihre lange Amtszeit mit einem Blutbad einleitete.

Mit dem Ausbruch des Irak-Iran-Kriegs (des ersten Golfkriegs), für den die USA dem Irak schon Ende 1979 ihre Unterstützung zugesagt hatten, verbesserten sich die US-Irak-Beziehungen schlagartig. Wie schon beschrieben, wollte die US-Regierung zum damaligen Zeitpunkt die iranische Regierung (die äußerst antiamerikanisch war) stürzen oder, falls nicht möglich, zumindest schwächen. Präsident CARTERS Sicherheitsberater BRZEZINSKI ermutigte damals Saddam HUSSEIN, einen Blitzkrieg gegen den vermeintlich schwachen Iran durchzuführen. Das REAGAN/BUSH-Duo betrieb dann sieben Jahre lang dieselbe Politik. Während der REAGAN/BUSH-Jahre (1980–88) verkaufte das dynamische Duo Waffen im Wert von 50 Milliarden Dollar an den Irak! Dies war illegal, da der Kongreß es ausdrücklich verboten hatte, aber das konnte die beiden meisterhaften Manipulatoren und Waffenschieber nicht beeindrucken, geschweige denn daran hindern, ihre Waffen über Drittstaaten und Händler nach Bagdad zu schmuggeln. Wie zu erwarten, spielte die US-Außenpolitik ein doppeltes Spiel. Während die USA den Irak aufrüsteten, schickten sie auch heimlich Waffen über Israel (und andere Nationen) an den Iran, um US-Geiseln freizukaufen (was letztendlich in dem größten und peinlichsten Skandal für die REAGAN-Regierung endete: dem Iran-Contra-Skandal 1986 – durch eine libanesische und vom Iran kontrollierte Zeitung veröffentlicht). Den Iranern gab man auch gleich Fotos von Spionagesatelliten, die, das verschwieg man natürlich, teilweise gefälscht worden waren. Solche Fotos überließ man auch den Irakern. Man wollte, daß ein möglichst langer, zermürbender Krieg zwischen den beiden Nationen stattfinde, ein solcher Krieg würde beide Kontrahenten schwächen und die US-Position im Mittleren Osten stärken (ganz nebenbei verdienten die Aufrüster auch noch Milliarden).

Der notorische Handlanger REAGANS, Oliver NORTH, berichtete den Iranern während des ersten Golfkriegs, daß die US-Regierung den Sturz Saddam HUSSEINS fördern werde. NORTH wurde noch deutlicher: In Frankfurt am Main offenbarte er anderen Geheimdienstlern (Richard SECORD, Albert

Hakim und einem Iraner), die US-Regierung wolle diesen iranisch-irakischen Krieg so beenden, daß es so aussehe, als sei Saddam Hussein der einzige, der Probleme verursache. Er sagte wörtlich: »Iran wird nicht Kuwait überrennen. Iran wird nicht die Saudi-Arabische Regierung stürzen. Das echte Problem in der Region ist Saddam Hussein, und wir werden uns um dieses Problem kümmern müssen.«[932] Dies bedeutete nichts anderes als die geplante Beseitigung Saddam Husseins durch dieselbe Reagan/Bush-Regierung, die seit 1980 den Irak aktiv aufrüstete.

Aber Saddam Hussein blieb auch nicht uninformiert. Er wußte spätestens durch seinen eigenen Geheimdienst, daß die Bush-Regierung Ende 1989–Anfang 1990 ein Komplott gegen ihn und den Irak plane. Er sprach wohl nicht nur aus polemischen und rhetorischen Gründen von einem gegen den Irak gerichteten US-zionistischen Komplott, das auch Kuwait und die V.A.E. umfasse. Es ist wohl erlaubt anzunehmen, daß er oder zumindest seine sieben Geheimdienste[933] die US-strategischen Studien gelesen hatten. Studien, wie die U.S. Army's *A Strategic Force for the 1990s and Beyond* (›eine strategische Macht für die neunziger Jahre und darüber hinaus‹) von Januar 1990 oder das *Global Reach, Global Power* (›Globale Reichweite, Globale Macht‹) der Air Force von Juni 1990: »Dies sind die Dokumente, die in der frühen Periode, bevor Saddam Hussein irgendeine Andeutung bezüglich Kuwait machte, spezifisch den Persischen Golf und insbesondere den Irak und Saddam Hussein als ›wahrscheinliche Kandidaten‹ auserkoren haben für . . . neue militärische Missionen«, teilt uns Daniel Sheehan, Mitglied des Christic Institute und Verfasser vieler beeindruckender Leitartikel für die *New York Times*, mit.[934]

Warum waren die USA am Golfkrieg interessiert?

Einige Beobachter des Golfkriegs behaupteten, daß die USA, angeführt von George Bush, im Golf für das UN-Völkerrecht und für die Aufrechterhaltung der ungestörten Öllieferungen gekämpft hätten. Wenn das stimmt, muß aber die Frage gestellt werden, was Bush denn 1989 in Panama tat, als er gegen das UN-Völkerrecht den Zwergstaat angriff und dabei 7 000 bis 20 000 Panamesen tötete. Panama bedrohte zu jenem Zeitpunkt nicht die USA, und auch wenn sein Präsident Noriega im Drogenhandel verstrickt war (eine Tatsache, die der US-Administration mindestens seit 1972 bekannt war[935]), war dies noch lange kein Grund, einen Staat anzugreifen.

Außerdem stehen die USA auf äußerst wackeligen Füßen, wenn sie anfangen, vom Völkerrecht zu reden. Seit 1800 haben Sie nämlich 53mal in anderen Staaten mit ihren militärischen Streitkräften eingegriffen,[936] ebenso oft waren sie wahrscheinlich an CIA-gesteuerten Putschaktionen beteiligt (siehe diesbezüglich auch Anhang I und II), und sie setzten im UN-Sicherheitsrat am häufigsten ihr Veto ein. Mit anderen Worten: Sie haben mehr als jeder andere Staat mit ihrem Veto gegen die Mehrheit gestimmt.[937] Die Situation für die UN-Vollversammlung ist sehr ähnlich, auch hier haben die USA in regelmäßigen Abständen gegen Resolutionen, die sich mit Aggression, Menschenrechtsverbrechen, Abrüstung, internationalen Gesetzen und ähnlichen Fragen befaßten, gestimmt. Oft stimmten die USA dann allein oder mit wenigen Klientelstaaten, wie beispielsweise Israel, gegen den Rest der UN-Vollversammlung. Auch die indonesische Invasion Osttimors, die einem Genozid gleichkam, konnte nur dank der materiellen und moralischen Unterstützung der US-Regierung so erfolgreich durchgeführt werden. Ebenso waren es die USA, welche die UNO bei diesem Völkermord zur Unwirksamkeit verurteilten. Was den Mittleren Osten betrifft, so haben die USA in den letzten zwanzig Jahren jede UN-Resolution, die eine Lösung der Krise in der Region angestrebt hatte, mit ihrem Veto zum Scheitern gebracht.[938]

Ein solcher Staat sollte eigentlich nicht über Völkerrecht reden oder gar sich zu dessen Anführer erklären. Trotzdem verkündete Präsident BUSH am 29. Januar 1991 noch einmal: »Unter den Ländern der Welt verfügen lediglich die Vereinigten Staaten über die moralische Standfestigkeit... Unsere Sache ist gerecht, unsere Sache ist moralisch, und unsere Sache ist richtig.« Was das Öl angeht, so muß gesagt werden, daß Iraks Invasion nicht den Ölbedarf des Westens gefährdete, wie es oft fälschlich dargestellt wurde: Europa importiert nur 6 Prozent seines Öl aus dem Irak und Kuwait, während die USA 11% aus dieser Region beziehen. Insgesamt beziehen die USA sowieso nur 5% ihres Ölbedarfs aus dem Golf. Der Anteil Iraks und Kuwaits an der Weltproduktion macht jeweils ganze bescheidene 4,8% und 2,7% aus.[939] Von einer großen Bedrohung der Ölinteressen der USA kann daher nicht die Rede sein. Die OPEC kann auch nicht allein den Ölpreis bestimmen, da die Erzeugung der Förderstaaten wie Mexiko, Angola und den Nordseestaaten, die nicht der OPEC angehören, gestiegen ist! Das veranlaßt die OPEC-Staaten, flexibler zu sein und sich den Kräften des Markts anzupassen. Selbst im Fall eines nur schwer vorstellbaren Ölexportembargos der gesamten Golfstaaten verfügen die von den Ölimporten abhängigen Industriestaaten durch die Nutzung ihrer strategischen Reserven und Einsparungsmaßnahmen, durch eine Steigerung der Ölproduktion in anderen Weltregionen (Nordsee, Venezuela, Mexiko, Rußland und ex-Sowjetstaaten im Kaukasus und Zentralasien sowie China) und durch die verstärkte Nutzung anderer Alternativenergien über vielfältige Möglichkeiten, kurz- und ebenfalls auch mittelfristig ziemlich leicht eine ›Durststrecke‹ zu überwinden, und sind deswegen besser gestellt als die zu 90 Prozent von Öleinnahmen abhängigen sogenannten ›Erpresserstaaten‹. Denn die Tatsache, daß die Ölstaaten am Golf nach Angaben von 1989 mit 1081

Mio. Tonnen Öl nur mit rund 67 % an der OPEC-Produktion (1552,8 Mio. Tonnen) und mit 35 % an der Weltölproduktion (3225,3 Mio. Tonnen) beteiligt waren sowie lediglich 13,5 % des gesamten, aus Öl, Gas, Kohle, Atom- und Hydroenergie bestehenden Weltprimärenergieverbrauchs (8013,3 Mio. Tonnen Öläquivalente) abdeckten, relativiert die ohnehin dramatisch überbewertete Bedeutung der Golfregion für die Weltenergieversorgung. Deswegen wird die Ölversorgung des Westens nicht bedroht oder gar zum Stocken kommen und braucht daher keine militärische Absicherung durch den Westen. Eine gegensätzliche Behauptung führt nur dazu, Ängste in der westlichen Bevölkerung zu schüren und damit die militärische Intervention am Golf zu rechtfertigen.[940]

Die eigentlichen Gründe für das Interesse der USA und der Bush-Regierung an dem Golfkrieg waren demnach:[941]
 1. Vernichtung der aufsteigenden Militärmacht Irak, damit sie die von den Amerikanern beherrschte Golfregion nicht (indirekt) beeinflusse.
 2. Beherrschung der Ölquellen in der Golfregion, damit die USA (und nicht die Golfstaaten) den Ölpreis diktieren können. Somit konnten die USA durch die Kontrolle des Golföls die Hauptwirtschaftskonkurrenten Deutschland (EU) und Japan kontrollieren. Denn 90% des japanischen und immerhin 75 % des deutschen Ölbedarfs kommen aus dem Mittleren Osten.[942]
 3. Aktive Unterstützung Israels, des Hauptverbündeten der USA im Mittleren Osten. Durch die starke jüdische Lobby in den USA hatte die Führung der USA keine andere Wahl, denn der amerikanische Präsident ist auf das Geld der starken jüdischen Wirtschaftsmacht im eigenen Land angewiesen.[943] Israel hatte schon drei Jahre lang auf die irakische Gefahr hingewiesen und wünschte sich einen Krieg der USA gegen den Irak, um wieder die unangefochtene Militärmacht der Region zu sein.
 4. Demonstration militärischer Stärke der USA zur Abschreckung anderer Staaten (oder revolutionärer Bewegungen) in der Golfregion, besonders jener, die sich gegen die Ziele der US-Außenpolitik im Mittleren Osten gewandt hatten oder dies in der Zukunft planen könnten.
 5. Sicherung der geostrategischen Lage des Golfs mit der Stationierung von US-Stützpunkten, die auch nach dem Golfkrieg in der Region verstärkt wurden, in Saudi-Arabien, Bahrain, den Vereinten Arabischen Emiraten und Ägypten (Suez-Kanal).
 6. Demütigung der islamisch-arabischen Masse und deren Fundamentalisten in der Golfregion und der ganzen islamischen Welt.
 7. Nutzung des Golfkriegs und der Golfregion, um US-Waffen zu testen, insbesondere nicht kriegserprobte, wie die Tomahawk Cruise Missiles, den F-117 Tarnkappen-Bomber (der bei der Panama-Invasion 1989 nur begrenzt

eingesetzt worden war) oder die Patriot-Raketen als Anti-Raketen-Waffe. Hiermit konnte auch gleich bewiesen werden, daß die amerikanischen Waffen den anderen, besonders den sowjetrussischen, weitgehend überlegen waren. (Eine Tatsache, die der US-Regierung schon seit dem Korea-, dem Vietnam- und dem israelisch-arabischen Krieg bekannt war.) Es gab auch zumindest Indizien, daß das US-Militär Waffen zur Gedankenkontrolle an irakischen Soldaten erprobe, um diese aus ihren sicheren Bunkern herauszubekommen.[944]

8. Die UNO unter amerikanische Kontrolle bringen, damit sie die Aggression gegen den Irak unterstütze und amerikanischen Interessen nutze.

9. Kuwait frei bomben, um den feudalen aristokratischen Herrscherclan, der stark prowestlich war und enorme Investitionen im Westen getätigt hatte, wieder an die Macht zu bringen.[945]

10. Die Rüstungsindustrie im eigenen Land retten, die nach dem Ende des Kalten Krieges schwer angeschlagen war und mit massiven Budgetkürzungen zu kämpfen hatte. Im selben Zusammenhang sind die späteren amerikanischen Waffenverkäufe in der Golfregion in Milliardenhöhe zu verstehen.[946]

11. Von der Rezession und den steigenden sozialen Problemen im eigenen Land ablenken, die der Bush-Administration schwer zu schaffen machten. Diesbezüglich mehrten sich nach ARD-Meldungen die Stimmen in den USA, wonach der wirtschaftliche Niedergang der USA durch das siegreiche Ende von ›desert storm‹ (›Operation Wüstensturm‹) gestoppt werde. In diesem Zusammenhang hoffte man, daß die beiden Wirtschaftskonkurrenten Japan und Deutschland als vorherrschende Weltmächte für das 21. Jahrhundert noch einmal überwältigt würden. (Der Bush-Plan funktionierte, nach Meinungsumfragen standen 91 % der Amerikaner hinter ihrem Präsidenten, die höchste Mehrheit seit dem Zweiten Weltkrieg.[947])

12. Eine ›Neue Weltordnung‹ (›New world order‹) unter der Herrschaft der Amerikaner herbeiführen, die die bisherige bipolare Ost-West-Ordnung zugunsten einer unipolaren amerikanisch-zentrierten verdrängen würde.

13. Das sogenannte ›Vietnam-Syndrom‹ (die Niederlage im Vietnamkrieg) überwinden und beseitigen, damit das amerikanische Militär in der amerikanischen Bevölkerung wieder salonfähig werde. In einer Rundfunkansprache erklärte Bush seinen Soldaten: Dank für die Vertreibung des »Gespenstes Vietnam«.[948]

14. Lukrative Wiederaufbauaufträge im zerbombten Kuwait in Milliardenhöhe (die Amerikaner bekamen in der Tat 80 Prozent aller Wiederaufbauaufträge im Kuwait, die auf 100 bis 200 Mrd. Dollar geschätzt werden).[949]

15. Das Ende des Kalten Kriegs günstig nutzen: Nach dem Kalten Krieg befand sich die Sowjetunion militärisch *und* wirtschaftlich in einem akuten Schwächezustand, den die USA opportunistisch und geschickt zu nutzen

gewußt hatten. Die Sowjetunion war zuvor als Schutzmacht des Iraks und dessen Hauptwaffenlieferant aufgetreten. Als die Golfkrise ausbrach, war sie aber nicht mehr in der Lage und auch nicht mehr gewillt, ihren ehemaligen Verbündeten Irak zu schützen, was von der BUSH-Regierung konsequent ausgenutzt wurde.[950]

16. Saddam HUSSEIN demütigen, ein wichtiges Ziel in den Augen der US-Führung: Damit sollte jeder Politiker, der sich mit Saddam HUSSEIN identifizierte, gewarnt werden. Die Botschaft, vor allem an die Adresse der Staaten der Dritten Welt, konnte nicht klarer und deutlicher sein: Ein antiamerikanischer Führer müsse in der ›Neuen Weltordnung‹ der USA mit schwerwiegenden Repressalien rechnen.

17. Ihren arabischen Verbündeten, allen voran Saudi-Arabien, beweisen, daß im Falle einer Krise die arabischen Feudalherren und Aristokraten auf die USA setzen und zählen können.

18. Araber gegen Araber kämpfen zu lassen. Auf diese Weise glaubte die US-Machtelite, die Solidarität der Araber und ihrer Nationen am leichtesten zerstören zu können. Es war das erste Mal, daß arabische Nationen gegeneinander Krieg führten. Bis zu diesem Zeitpunkt hatten sie, vom irakischen Angriff auf den nichtarabischen Iran abgesehen, nur gegen Israel Krieg geführt.

19. Den Golfkrieg als einmalige Chance für die USA nutzen, sich als Weltpolizist zu engagieren und somit die Hegemonialherrschaft zu übernehmen, bevor mögliche Konkurrenten diese Rolle den USA streitig machen könnten. Die potentiellen Konkurrenten wären möglicherweise China, die EU oder ein erstarktes Rußland gewesen.[951]

20. Sanktionen als Druckmittel, auch nach dem Golfkrieg, gegen den Irak (also gegen das irakische Volk) durchsetzen, damit der Irak in einer geschwächten Dauerlage bleibe, weiterhin von westlicher Hilfe und Bankkrediten abhänge und somit leicht von außen zu kontrollieren sei. Die US-Machtelite träumt nach wie vor von einem Umsturz im Irak, von einem Regime wie zur Schah-Zeit, das sich ständig den US-Wünschen unterordnet.

21. Den Traum der US-Machtelite von der ›Eine Welt-Regierung‹ durchsetzen. Dieser Grund darf auf keinen Fall unterschätzt werden, denn die ›Eine Welt-Regierung‹ würde für die superreiche US-Machtelite der lang ersehnte unbeschränkte Zugriff auf alle Märkte dieser Welt bedeuten. Die ›Eine Welt-Regierung‹ würde, wie bereits angedeutet, zur uneingeschränkten Kontrolle seitens der US-Machtelite (mit anderen Machteliten in der Welt, vor allem der britischen) über die Weltwirtschaft führen. Eine solche ›Weltregierung‹ würde nämlich nicht zulassen, daß lästige Nationen Schutzzölle und Tarife gegen eine übermächtige Nation (USA) oder Machtelite errichten. Keine Nation und keine Einzelperson könnte sich der Kontrolle dieser Machtelite über sämtliche Kredite und Geldbewegungen entziehen.[952]

Die Vorbereitungen der Bush-Regierung auf den Golfkrieg

Gleich mit der ersten Nachricht über eine irakische Invasion Kuwaits befand sich Washington auf Kriegskurs. Am 2. August 1990, um 5 Uhr morgens, fertigte BUSH zwei Verordnungen an, die den Handel mit dem Irak verboten, und fror die irakischen Guthaben in Höhe von 30 Milliarden US-Dollar ein. Die irakische Besetzung Kuwaits hatte erst wenige Stunden zuvor begonnen. Um 5 Uhr 30 traf sich BUSH mit seinem nationalen Sicherheitsberater Brent SCOWCROFT, um zu überlegen, wie man die Alliierten für die Sanktionen gewinnen könne. Am selben Tag verabschiedete der UN-Sicherheitsrat eine von den USA eingebrachte Resolution, die die irakische Invasion Kuwaits verurteilte und den Rückzug der Truppen verlangte. Schon am 2. August entsandten die Vereinigten Staaten einen kleinen Flottenverband von sieben Kriegsschiffen, angeführt von der ›Independence‹, in den Golf. Am 5. August war ein weiterer Flugzeugträger im Mittelmeer einsatzbereit, ein weiteres Landungsfahrzeug konnte in die Region geschickt werden. US-amerikanische und alliierte Marinetransporter machten sich auf den Weg in den Golf, noch vor BUSHS Ankündigung am 7. August 1990, daß Saudi-Arabien der Landung von 90 000 US-Soldaten zugestimmt habe.

Später konnte KÖNIG HUSSEIN berichten, Margaret THATCHER habe ihm erklärt, daß die »Truppen schon halb am Ziel waren, bevor sie angefordert worden waren«. Ohne Abstimmung mit dem Kongreß waren 40 000 Soldaten sofort in den Einsatz geschickt worden. Der Einsatz sollte zur größten Truppenmobilisierung seit dem Vietnamkrieg und zur größten Luftbrücke seit dem Zweiten Weltkrieg werden. Als die USA in der saudischen Wüste mit massiven Truppenkonzentrationen begannen, waren die meisten Amerikaner überrascht. Die Truppenstärke war von Anfang an viel größer, als der Öffentlichkeit bekannt war. Die USA waren in der Lage, Kampfflugzeuge aus der ganzen Welt auf mehr als 20 voll einsatzbereiten, befestigten Militärstützpunkten in Saudi-Arabien landen zu lassen – auf jenen Stützpunkten, die man zehn Jahre zuvor für die schnelle Eingreiftruppe errichtet hatte. Auf die Kriegsschiffe warteten neun Häfen.[953]

Die BUSH-Regierung behauptete, daß die Vorbereitungen am Golf ausschließlich defensiv seien.

BUSH hatte ein neues Täuschungsmanöver inszeniert, indem er öffentlich behauptete, die Vorbereitungen am Golf würden ausschließlich der Verteidigung dienen. Am 8. August 1990, sechs Tage nach der irakischen Invasion Kuwaits, sprach George BUSH im amerikanischen Fernsehen aus dem Oval Office über die Krise in Kuwait und sagte: »Wir streben den sofortigen, bedingungslosen und kompletten Rückzug aller irakischen Streitkräfte aus Kuwait an.« Dennoch erklärte er, daß das Militär bei diesem Unternehmen nicht offensiv eingesetzt werde. »Die Mission unserer Truppen ist gänzlich defen-

Zu S. 336 f.: US-Präsident Jimmy Carter im Gespräch mit Cyrus Vance und dem nationalen Sicherheitsberater Zbigniew Brzezinski. Das Trio organisierte unter anderem die Absetzung des Schahs R. Pahlevi im Jahre 1979.

Zu S. 399: Oliver North, Ronald Reagans notorischer Handlanger u.a. im ersten Golfkrieg.

Zu S. 298, 309: Ronald Reagan mit seinem Freund William Casey, dem Direktor des CIA. Letzterer war an mehreren US-Machenschaften beteiligt: Iran-Contra-Skandal, Grenada-›Krise‹, Operationen gegen Gaddafi.

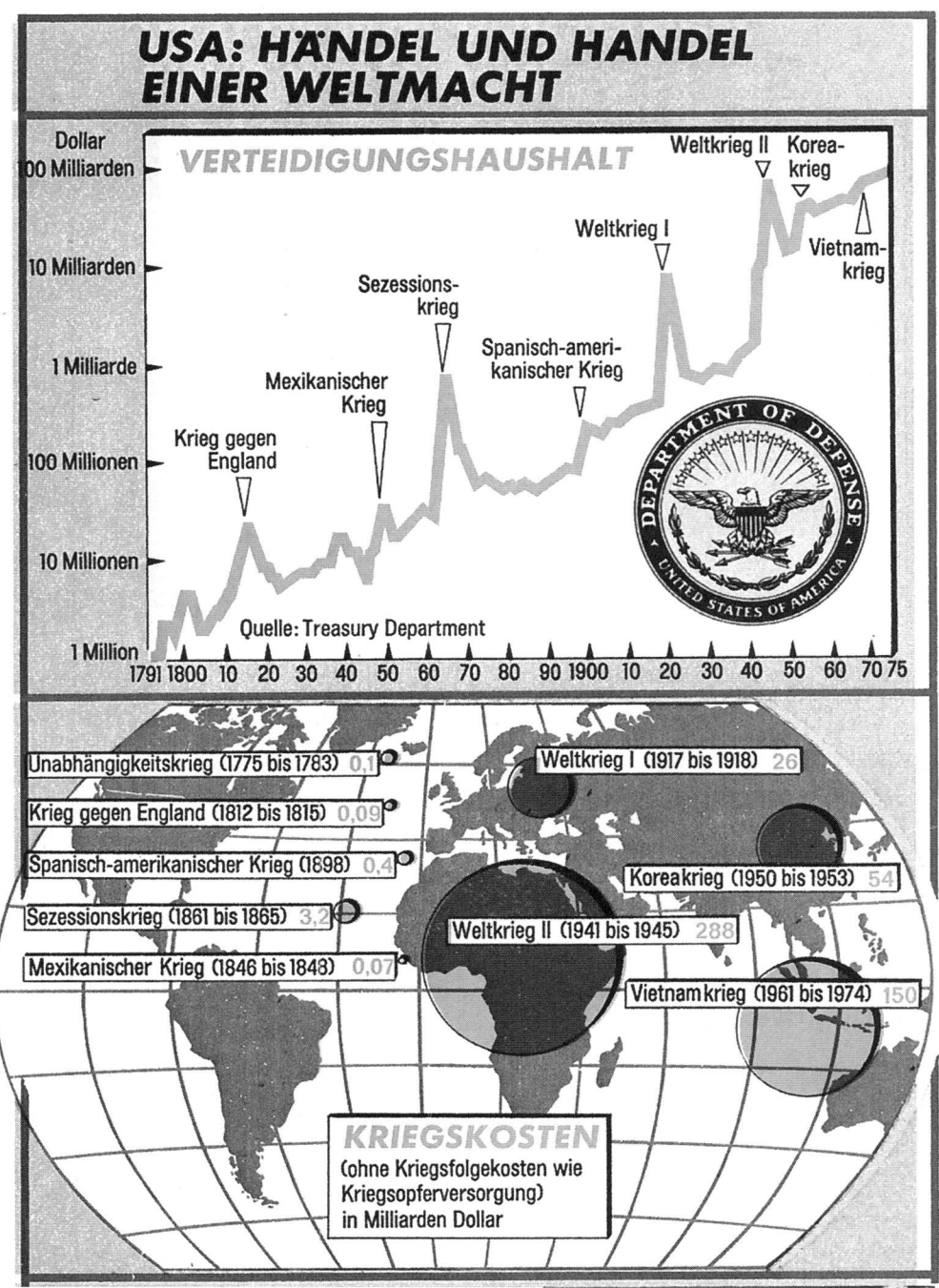

Spiegel-Graphiken über US- Waffenhandel und -Kriegsausgaben

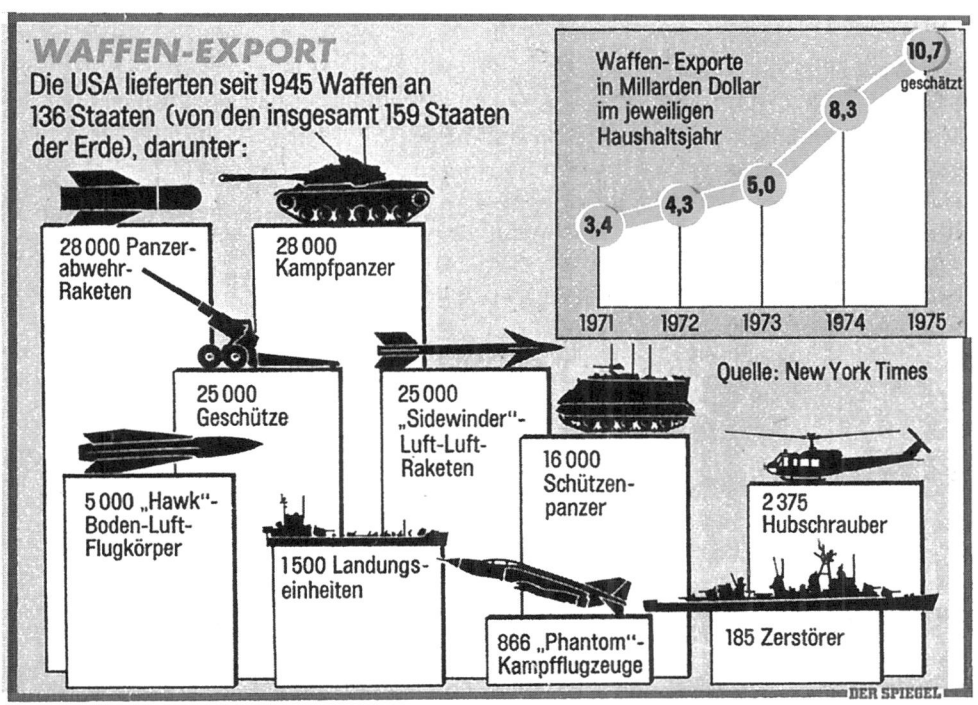

Militärmacht USA. Die Aufnahme stammt aus den siebziger Jahren.

Zu S. 298 ff: Die US-Invasion des Zwergstaats Grenada, eine von R. Reagans Sternstunden und Ausdruck militärischer Stärke.

Zu S. 312 ff.: Daniel Noriega, der lange Jahre die US-Unterstützung genoß, hier in Miami. Bei der ›Aktion‹ in Panama wurden über 1500 Menschen getötet und ein ganzes Stadtviertel zerstört.

siv. Hoffentlich werden sie nicht lange gebraucht. Sie [die Truppen] werden keine Feindseligkeiten beginnen, aber sie werden sich verteidigen, das Königreich Saudi-Arabien und andere Freunde am Persischen Golf.«[954]

Daran kann man schon sehen, wie sehr Bush die amerikanische Öffentlichkeit hinters Licht führte und, was wahrscheinlich noch wichtiger ist, wie er die Iraker und Saddam Hussein hinterging, indem er sie im Glauben ließ, daß die Vereinigten Staaten den Irak nicht angreifen würden. Diese Haltung trug auch eindeutig dazu bei, daß sich der irakische Führer in Kuwait sicher fühlte und weiterhin glauben konnte, die US-Regierung habe seine Annexion Kuwaits inzwischen als vollendete Tatsache hingenommen. Mit seiner Behauptung, daß die amerikanische Unternehmung am Golf ausschließlich defensiven Charakter haben werde, hatte George Bush also Saddam Hussein von seinen wahren Absichten abgelenkt.

Von Anfang an deuteten die Nachrichten in den Medien auf umfangreiche Planungen der Vereinigten Staaten für einen Angriff hin. Am 11. August, als sich 40 000 US-Soldaten am Golf befanden, stellte die *Los Angeles Times* in einem Leitartikel fest: »Aus anonymer Quelle im Pentagon wird allgemein zitiert, daß Pläne für den Eventualfall am Persischen Golf zur Entsendung von bis zu 200 000 oder 250 000 Soldaten der US-Bodentruppen führen können... Das ist ernüchternd – um nicht zu sagen: wahnsinnig.«[955]

Am 24. August zitierte dieselbe Zeitung in einem mit »Pentagon bei grünem Licht: massiver Schlag« überschriebenen Artikel den Stabschef der Luftwaffe, Michael Dugan, enthüllend: »Wir sind auf einen gemeinsamen Angriff eingestellt.« Später, als die USA mit Nachdruck und unter dem Vorwand, ›Wüsten-Schild‹ diene nur der Verteidigung, ihre Koalition schmiedeten, enthob US-Verteidigungsminister Richard Cheney den General nach ähnlich offenherzigen Erklärungen seines Postens. Am 15. September eröffnete Dugan den Reportern, daß der Angriff auf herkömmliche militärische Ziele im Irak nicht ausreiche, um den Krieg zu gewinnen. Er halte irakische Städte, Stromversorgungseinrichtungen, Straßen, Eisenbahnen und Ölfelder für bessere Ziele.

Dies bewies eindeutig, daß der Aufmarsch am Golf auf Angriff abgestellt war. Bis zum 4. September waren 100 000 Soldaten am Golf, bis Mitte Oktober hatte sich ihre Zahl ohne jeden Anlaß verdoppelt. Ohne politische Notwendigkeit verdoppelte Bush das Kontingent am 30. Oktober nochmals. Mit der Veröffentlichung der Entscheidung über die Stationierung von 400 000 Soldaten ließ Bush sich allerdings bis kurz nach den Wahlen zum Kongreß Zeit.[956] Die Anzahl an Soldaten und Waffen war für eine reine Verteidigungsmaßnahme einfach übertrieben. Weshalb Bush von einer reinen Verteidigung Saudi-Arabiens sprach, lag an der Einschätzung seiner Berater, daß ein Angriff unmittelbar nach Saddams Überfall auf Kuwait nicht möglich sei, weil eine solche Aktion die Entsendung von mindestens

300 000 US-Soldaten benötigen und ungefähr vier Monate dauern werde. BUSH war also gezwungen, erst einmal über Monate hinaus die US-Militärmaschine im Golf aufzubauen.[957]

Allein die Stationierung des Tarnkappen-Bombers F-117 kann überhaupt nicht auf Verteidigung abgestellt gewesen sein, denn dieses Flugzeug kann sich selbst überhaupt nicht verteidigen. Deshalb ist es auch für herkömmliches Radar unsichtbar. Es ist mit Präzisionslaserbomben bestückt und hat nur die Aufgabe, auf feindlichem Gebiet seine Präzisionsbomben ins Ziel zu bringen.[958] Weiterhin erfüllen die B-52 Stratosphären-Bomber überhaupt keine Verteidigungsaufgaben; sie haben nur die Aufgabe, Ziele massiv zu bombardieren, ähnlich wie die Flächenbombardierung im Vietnamkrieg.[959] Ferner sind die Tomahawk-Marschflugkörper alles andere als Verteidigungswaffen, sie sind raketenartige Waffen für einen Angriff, die vorprogrammierte Ziele aus tausend Meilen Entfernung treffen können.[960] Es war daher reiner Zynismus, als BUSH behauptete, daß die Waffen am Golf rein verteidigungsmäßige Aufgaben zu erfüllen hätten. Und warum wurde General Michael DUGAN seines Amtes enthoben? Die Antwort ist einleuchtend: weil er den Plan der BUSH-Regierung eines massiven Luftkriegs gegen den Irak vorzeitig verriet. Dies konnte die US-Regierung nicht ungestraft lassen, da sonst andere Offenbarungen an die Presse gedrungen wären. Die militärische Strategie der USA mußte aber geheim bleiben. Jean SMITH schreibt in ihrem wichtigen Buch *George Bush's War*, daß BUSH zuerst seine Politik als nur zur Verteidigung Saudi-Arabiens bestimmt erklärte. Dies, so SMITH, war ein eindeutiges Täuschungsmanöver. Daß das amerikanische Volk von Anfang an einem Angriff auf den Irak zugestimmt hätte, war nämlich unwahrscheinlich! Am 8. August 1990 hatten nur 38 Prozent der US-Amerikaner bei einer von der *Washington Post* durchgeführten Umfrage erklärt, daß sie einen Krieg gegen den Irak unterstützen würden. Ferner, so SMITH, hatte George BUSH am 8. August, bei seiner wichtigen Rede an die Nation, nicht von militärischen Mitteln gesprochen, die in in einem Krieg gegen den Irak eingesetzt werden sollten, und es ist auch unwahrscheinlich, daß der Kongreß zum damaligen Zeitpunkt mit einem militärischen Vorgehen gegen den Irak rechnete. Dies alles verschwieg BUSH dem amerikanischen Volk[961], obwohl er sich schon längst für einen Krieg gegen den Irak entschieden hatte.

Die Zeitabstimmung für den US-Angriff auf den Irak

Einige Beobachter meinten, daß die USA großzügig mit ihrer Fristerklärung umgegangen seien, denn diese ermöglichte dem Irak eine lange Bedenkzeit, um seine Truppen aus Kuwait zurückzuziehen. Was hierbei aber nicht berücksichtigt wird, ist die Tatsache, daß die USA, das heißt die Regierung, gar keine andere Wahl hatte. Bush hatte sich auf eine militärische Auseinandersetzung mit dem Irak vorbereitet. Er erinnerte sich an die Anmerkungen seines Generals Robert Johnson. Er beschrieb die Periode vom 1. Januar bis zum 15. Februar 1991 als »ein Fenster der Gelegenheit«. Die Wetterbedingungen würden sich im März verschlechtern und schwere Regenfälle sowie hohe Temperaturen mit sich bringen. Außerdem werde der heilige Monat Ramadan am 17. März 1991 für alle Muslime beginnen, die dann von Sonnenaufgang bis Sonnenuntergang fasten und nicht kämpfen dürften. Es war auch klar, daß die Truppen nicht unbegrenzt ›herumhocken‹ konnten, vor allem nicht nach dem Einsetzen der Sandstürme im Frühjahr. Dann wären die Truppen auch nicht in der Lage gewesen, zur Offensive überzugehen. Außerdem gab es auch schon Protestaktionen unter den amerikanischen Soldaten in der saudischen Wüste, die wieder nach Hause wollten. Deswegen hatte Bush schon am 31. Oktober 1990 einen geheimen Zeitplan für den Luftangriff genehmigt. Dieser Geheimplan sah einen Luftkrieg Mitte Januar 1991 und eine groß angelegte Bodenoffensive Mitte Februar 1991 vor.[962]

Der Propagandafeldzug der Bush-Regierung: die Medien in den USA und ihr Einfluß auf den Golfkrieg

In einem demokratischen Staat sind die Medien im politischen Sinn geschaffen, um die Demokratie zu gewährleisten und zu sichern. Zumindest ist eine freie Presse ein fester und unwiderruflicher Bestandteil eines demokratischen Staates. Im Golfkrieg, besonders in den USA, bekam man aber eher das Gefühl, daß die Medien Sprachrohr der Bush-Regierung und Verfechter von deren Politik waren.

Als die Bush-Regierung bekannt gab, daß sie eine große Anzahl von Truppen am 7. August 1990 nach Saudi-Arabien schicke, klatschten die führenden Medien Beifall und wurden zum Kommunikationskanal für die US-Regierung. In den ersten drei Monaten wurde das US-Unternehmen in äußerst positivem Licht dargestellt, und in den Medien waren so gut wie keine oppositionellen Stimmen zu vernehmen. Während das amerikanische Militär nach Saudi-Arabien zog, waren TV-Kommentatoren damit beschäftigt, die Unvermeidlichkeit des Krieges zu beschreiben. Einige Beispiele: Am 20. August 1990 äußerte ABCs ›Nightline‹-Berichterstatter Forrest Sawyer seine Vermutung, daß sich die USA in Richtung auf eine militärische Lösung zubewegten. ABC berichtete am 21. August, nachdem der Fernsehsender eine bei 75 Prozent liegende Billigung von Bushs Politik ausgemacht hatte, daß die Amerikaner geschlossen hinter ihrem Präsidenten stünden und militärische Aktionen unterstützen würden. Später gab ABC im gleichen Programm die Äußerung von Frankreichs Staatspräsident Mitterrand wieder, Saddam Hussein habe die Welt zu einem Krieg geführt, von dem es schwer sein werde, sich zurückzuziehen. Am 23. August berichtete NBC durch ihren Pentagon-Korrespondenten Fred FRANCIS, das Pentagon habe den Saudis versprochen, sie nicht im Stich zu lassen, und man werde Saddam HUSSEIN nicht erlauben, in Kuwait zu bleiben. Falls Saddam HUSSEIN sich nicht sofort aus Kuwait zurückziehe, so der Bericht weiter, werde es Krieg binnen drei bis sechs Wochen geben.

Als die Iraker am 12. August 1990 die Krise auf dem diplomatischen Weg zu lösen versuchten, bekamen sie von der BUSH-Regierung, die sich unaufhaltsam in Richtung Krieg bewegte, keine Chance. Die Medien kritisierten die Regierung kaum, als es um das Scheitern einer diplomatischen Lösung der Krise ging.[963] In der Tat waren die herkömmlichen Medien nicht viel mehr als ›public relations‹- Manager für das Weiße Haus und das Pentagon. Interessant ist auch, daß viele Medienkonzerne Aktionäre von Militärfirmen waren, weshalb sie wahrscheinlich so eindringlich für eine militärische Lösung des Konflikts eintraten.

Scott HENSON deckte die Verstrickung der Medienkonzerne mit den Waffenherstellern auf. Der General Electric (GE) gehört NBC, und GE verdiente von insgesamt 54,4 Milliarden Dollar 9 Milliarden Dollar mit Militärverträgen 1989 (während NBC nur 3,4 Milliarden Dollar einbrachte). LEE und SOLOMON (1991) weisen nach, daß GE fast jedes Teil für fast jedes bedeutende Waffensystem – Patriot- und Tomahawk-Marschflugkörper, den Stealth-Bomber, den B-52 Bomber, die AWACS-Flugzeuge und das NAVSTAR-Spionagesatellitensystem inbegriffen – »entwirft, herstellt oder liefert«. Mit anderen Worten: Als NBC-TV die Leistung der US-Waffensysteme lobte, machte sie kostenlose Werbung für Waffen ihrer Geldgeber, die diese Waffensysteme herstellen. Viele GE-Vorstandsmitglieder sitzen in Medienvorständen, etwa der *Washington Post*, und alle sind den US-Regierungsstellen und Öl-Firmen eng verbunden. ABCs Vorstandsmitglieder stehen in fester Verbindung mit Ölfirmen und der Verteidigungsindustrie. Greg LEROY zeigte in der *Houston Post* vom 4. August 1991 an, daß ABC-TV im Vorstand von Texaco sitzt. Und dem CBS-Vorstand gehören Direktoren von Honyewell und der Rand Corporation (beide sind große Vertragspartner der Militärs) an. NBC gehört General Electric, derselben Firma, die Flugzeugdüsen für mehr als 20 verschiedene Kampfflugzeugtypen im Golfkrieg baute.[964]

Ferner sind die Journalisten besonders in Krisenzeiten von ihrer Regierung abhängig. Presse und Medien bekommen ihre Informationen meist von offiziellen Quellen. George BUSH lud Reporter beispielsweise zum Joggen ein und spielte Tennis mit dem ABC-Korrespondenten im Weißen Haus, Brit HUME. BUSH und sein Kabinett versorgten bevorzugt ›sympathische‹ Reporter wie HUME mit Informationen oder Interviews. Wenn Reporter ihre Quellen bezweifeln oder zu kritisch offizieller Politik gegenüberstehen, können sie wichtige Verbindungen verlieren.[965]

Die gängigen Medien legten die Golfkrise als persönlichen Konflikt zwischen George BUSH und Saddam HUSSEIN dar. Im Gegensatz zur stets völlig ungünstigen Darstellung SADDAMS wurden BUSHS Aktionen als »entscheidend«, »brillant« und »meisterhaft« gepriesen. Am 7. August 1990 sprach CBS-Korrespondent Leslie STAHL von BUSHS »einzigartigem« diplomatischen Stil, und am selben Tag bezeichnete Maureen DOWD in der *New York Times* BUSH schmeichelnd als Mann der Tat. Ein paar Tage später nannte die *Times* BUSH übertrieben »den Führer aller Nationen« (12. August 1990). US-Beweggründe wurden als gut und rein beschrieben, die *Times* meinte zum Beispiel, daß sich US-Politiker auf »hohe moralische Werte, auf die Lektionen der Geschichte berufen...« Wenige Fragen wurden hinsichtlich anderer Motive gestellt, wie zum Beispiel in bezug auf die Forderung einer Kontrolle über den Ölzufluß und die Petrodollars, das Errichten einer dauernden militärischen Anwesenheit in diesem Gebiet, das Disziplinieren der Dritten Welt, die sich gegen eine US-Hegemonie zur Wehr setzt, oder zu innenpolitischen Motivationen von BUSH und dem Militär. Statt dessen wurde die USA als guter Beschützer kleinerer Länder wie der Bundesrepublik Deutschland und Japan, welche sich reserviert gegenüber einer militärischen Lösung zeigten, dargestellt. *Newsweek* schrieb, daß »der Präsidenten-Plan für die Zeit nach dem Kalten Krieg einfach zusammengefaßt werden kann: Stoppt internationale Tyrannen« (3. Sept. 1990).[966]

Es gab in den Medien erstaunlich wenig Kritik an der BUSH-Regierung. Eine Studie von FAIR (Fairness and Accuracy in Reporting) zeigte, daß während der ersten fünf Monate der TV-Berichterstattung über die Golfkrise ABC nur 0,7 % Sendezeit, CBS 0,8 %, NBC 1,5 %, ganze 13,3 Minuten, Berichten über Proteste, Anti-Kriegsorganisationen, bewußte Ablehner, religiöse Dissidenten und Ähnlichgesinnte widmeten. Mit anderen Worten: Von den 2855 Minuten TV-Übertragung über die Golfkrise, vom 8. August 1990 bis zum 3. Januar 1991, befaßten sich nur 29 Minuten, oder rund 1 Prozent, mit der Opposition zum militärischen Eingreifen am Golf. Nicht nur die Anti-Kriegsbewegung wurde übergangen, sondern auch die außenpolitischen Experten, die mit der Friedensbewegung in Verbindung standen, wie Edward SAID, Noam CHOMSKY oder die Gelehrten des Institute for Policy Studies, erschienen in keiner der nächtlichen Diskussionen (FAIR 1991, Presseveröffentlichung). Eine Umfrage des *Times-Mirror* von September 1990 und Januar 1991 deckte jedoch auf, daß die Öffentlichkeit in ihrer Mehrheit mehr über Amerikaner erfahren wollte, die gegen die Entsendung von Truppen in den Golf waren.[967]

Darauf gingen die Medien aber natürlich nicht ein, dieselbe der Regierung günstige Propaganda wurde auch weiterhin bis zum Krieg am Golf verbreitet. Die US-Medien waren fast ausschließlich damit beschäftigt, die Bevölkerung auf den Krieg am Golf einzustimmen. In den USA spielten Radiostationen populäre Lieder von Rockgruppen, deren Texte eigens zur Verteufelung Saddam Husseins umgeändert wurden. Es gab T-Shirts mit bösartigen Motiven und Schriftzügen über Saddam Hussein und die Iraker. Saddam Hussein wurde systematisch verteufelt, wurde zur Inkarnation des Bösen, während die Amerikaner im allgemeinen und die Bush-Regierung im besonderen das Böse bekämpften. Hussein wurde von der Reporterin Mary McGory als »Biest« und »Monster« beschrieben, »das Bush wahrscheinlich zerstören muß« (*Washington Post*, 7. August 1990, u. *Newsweek*, 20. Oktober 1990). Der bekannte Journalist George Will schrieb, Saddam Hussein sei gefährlicher als Mussolini, und steigerte Husseins Bösartigkeit, indem er ihn Hitler gleichstellte. Der Herausgeber der *New York Times,* A. M. Rosenthal, griff Saddam Hussein als »barbarisch« und »bösen Träumer des Todes« an (9. August 1990). Die *New York Post* bezeichnete Hussein als »blutdürstigen Größenwahnsinnigen« (7. August 1990). Die *The New Republic* fälschte ein auf dem Titelblatt des *Time Magazin* erschienenes Foto Saddam Husseins, etwa durch Verkleinerung seines Schnurrbarts, so daß er Hitler ähnlich aussah. Die Saddam=Hitler-Analogie stand im Mittelpunkt des Medienkriegs gegen den Iraker. Eine von der Gannett Foundation durchgeführte Studie stellte fest, daß Saddam Hussein in den Medien insgesamt 1170mal mit Hitler verglichen wurde.[968] Die Medien waren immer eifrig, wenn es darum ging, über die neuesten angeblichen Verbrechen Saddam Husseins zu berichten.

In den Medien wurde über irakische Terroranschläge in den USA viel spekuliert. Auf Anweisungen des CIA sprach George Bush Saddams Namen absichtlich falsch aus. Bush sagte immer »Saad'm«, was im Englischen an die Wörter ›damnation‹ (›Verdammung‹) und ›Sodom‹ (›Sodomie‹) erinnert. Die Medien benutzten oft die falsche Aussprache ›Sad-dam‹, die im Englischen an ›sadism‹ (›Sadismus‹) und ›damnation‹ (›Verdammung‹) erinnert. Bush behauptete öffentlich, daß die Vereinigten Staaten in den Krieg gezogen seien, um gegen »das dunkle Chaos« eines »brutalen Diktators«, der das »Gesetz des Dschungels« befolge und »systematisch« vergewaltige und einen »friedlichen Nachbarn« überfalle, zu kämpfen.[969]

Hinzu kamen rassistische Darstellungen in den US-Medien. Das Fernsehen übertrug wiederholt Szenen von demonstrierenden Arabern, die anti-amerikanische Slogans von sich gaben, es zeigte reiche korrupte Araber und andere, die als Terroristen dargestellt wurden, auch Verbrennungen von amerikanischen Fahnen und Flaggen. Andere Darstellungen zeigten Araber als moderne, durch die riesige Wüste wandernde Nomaden im Vergleich zu dem zivilisierten Westen. Alle TV-Ausstrahlungen bedienten sich häufig einer machoartigen Sprache. Verfechter des Krieges, von George Bush und Norman H. Schwarzkopf bis zu den Truppen in der Wüste, redeten im Fernsehen darüber, wie sie in den »Arsch treten« würden, wörtlich »kicking ass«.[970]

Der Sprachenmord des Pentagons und der Medien

Die US-Regierung bereitete die Öffentlichkeit auf den Golfkrieg vor, indem sie dem amerikanischen Volk den Krieg als eine saubere, chirurgische und vorprogrammierte Sache verkaufte. Es gab dazu Bilder und symbolische Andeutungen, die den Krieg als eine Art Computerspiel zeigten. Das Bombardieren von Städten wurde als ›high-tech‹-Angelegenheit dargestellt, bei der die Zivilbevölkerung verschont oder zumindest nur minimal betroffen werde. Es ging sogar so weit, daß die Sprache verfälscht wurde: Es wurden beschönigende Wörter verwendet oder gar erfunden, die den Krieg entweder verharmlosten oder neutralisierten. Die BUSH-Administration begann von »kollateralen Schäden« zu sprechen, anstatt von ›Zerstörung‹ und ›Verwüstung‹. Man redete in den Medien über das »Ausschalten« von Chemiewaffen- und biologischen Kampfstoffabriken. Menschen wurden ebenfalls »ausgeschaltet« oder »neutralisiert«, wenn man sie tötete. Städte oder Militärstellungen wurden »ausradiert«. Es war vom »Feuerzauber« aus Bagdad die Rede. Als B-52 Bomber ihre tödliche Ladung über dem Irak abwarfen, wurde lediglich von »Bombenteppichen« gesprochen, das suggeriert eine in dem Wort ›Teppich‹ steckende Kuscheligkeit.[971] Im *Time Magazin* wurde mit dem Begriff »Nebenschäden« auf tote oder verwundete Zivilisten hingewiesen, als handelte es sich um ein in sich zusammenfallendes Gebäude und deren zufällige Opfer. Die Medien benutzten auch die Variante »Kollateral-Schäden«, eine Bezeichnung, die sehr distanziert klingt, als hätte man fast gar nichts mit der Zerstörung und dem Töten von Menschen zu tun. US-Kampfpiloten sprachen begeistert und lässig davon, daß Bagdad unter ihrem Bombenterror »wie ein Christbaum« aufgeleuchtet habe. Ziele wurden nicht zerstört, sondern »bedient«: Als die Kampfflugzeuge ihre Ziele »bedienten«, wurden feindliche Panzer nicht zerstört, sondern »neutralisiert«. Die irakische Kriegsmaschine wurde nicht vernichtet, sondern »entwaffnet«. Beschönigungen für das Töten von Menschen waren Phrasen wie die »Eliminierung«, »Neutralisierung« oder »Liquidierung« des Feindes. Der Feind wurde nicht mit den eigenen Truppen offiziell angegriffen, sondern die eigenen Truppen gingen auf den Feind ein (»engaged the enemy«). Dabei muß noch betont werden, daß in der englischen Sprache dieser *Linguizid (Mord durch Sprache)* noch eindrucksvoller klingt als in der deutschen.

Auch die Art, wie die Benutzung der Waffensysteme beschrieben wurde, war voreingenommen und gründete auf einem bewußten Modell der Doppelmoral. Als ein paar Scud-Raketen auf Tel Aviv geschossen wurden, bezeichneten die (gängigen) US-Medien den Vorfall als einen, in dem terroristische Waffen eingesetzt worden waren, während das Abfeuern von Tausenden von Raketen auf Bagdad und Basra als technisches Wunder bezeichnet wurde. Getötete US-Soldaten wurden verharmlosend ›KIAs‹ (Killed in Action/ in Aktion getötet) genannt. Bei solchen Bezeichnungen hat man das Gefühl, daß man nicht über Menschen, sondern über leblose Dinge redet. Die offiziellen Quellen bezeichneten den Feind als »unbarmherzig«, »rücksichtslos«, »grausam«, »übermütig«, »verzweifelt«, »überraschend« und »listig«. Dagegen wurden die US-Streitkräfte als »präzise«, »vorsichtig«, »besorgt«, »unnachgiebig«, »entscheidend« und »effektiv« beschrieben. Die Medien benutzten natürlich das diskriminierende Sie-und-Wir-Image, um einen schwerwiegenden Unterschied zwischen den Amerikanern und den Irakern darzustellen. Das dänische Blatt *Politiken* prüfte die englische Sprache während des Golfkrieges und dokumentierte einige der Methoden, wie sie zur Darstellung des Gegensatzes zwischen den Guten und den Bösen verwendet wurde.[972]

Die Alliierten haben:	*Die Iraker haben:*
Armee, Marine, und eine Luftwaffe	eine Kriegsmaschine
Regelungen für Journalisten	Zensur
Einsatzbesprechungen für die Presse	Propaganda
Die Alliierten:	*Die Iraker:*
eliminieren	töten
neutralisieren	töten
halten durch	vergraben sich in Löchern
führen Präzisions-Bombardierungen aus	feuern wild auf alles
Die alliierten Soldaten sind:	*Die irakischen Soldaten sind:*
professionell	gehirngewaschen
vorsichtig	feige
voller Mut	Kanonenfutter
loyal	blind gehorsam
tapfer	fanatisch
Die alliierten Raketen:	*Die irakischen Raketen:*
erzielen extensive Schäden	verursachen zivile Opfer
George Bush ist:	*Saddam Hussein ist:*
entschlossen	widerspenstig
ausgeglichen	verrückt

Das Schlüsselwort ›Operation Wüstensturm‹ läßt Bushs Aggression als ›Operation‹ erscheinen, und nicht als das, was sie in Wirklichkeit war: ein brutaler Krieg. Es erinnert unter anderem an die Invasion Panamas, die ›Operation Just Cause‹, also ›Operation Gerechte Sache‹, hieß und auch unter Bushs Obhut stattfand. Die Bezeichnung ›Operation Wüstensturm‹ läßt die ganze Sache als natürliches Ereignis erscheinen, das von den Kräften der Natur anstatt von menschlicher Hand entfacht wurde. Das wurde auch durch die eigenartige Sprache unterstützt. Die Medien berichteten, daß während der ersten Nacht der Krieg mit »Wellen« ausbrach. Bomben »regneten« auf ihre Ziele nieder, und Flugzeuge »donnerten« durch die Nacht. Diese Umschreibungen gaben dem Krieg einen Hauch von Unvermeidlichkeit, denn all dies klang so natürlich in den Medien. Die Medien mythologisierten den Krieg. Indem über eine Kraftprobe am Golf die Rede war, erschien alles als ein Konflikt zwischen Gutem und Bösem. Viele Waffen suggerierten starke naturartige Kräfte; es wurde von »Thunderbolts« (Donnerschlägen), »Tornados«, »Hawks« (Adlern), »Falcons« (Falken), »Hellfires« (Höllenfeuer), »Hornets« (Hornissen) und natürlich von der »Operation Wüstensturm« geredet.[973]

Die Ausschaltung der Opposition in den USA

Die wenigen Berichte und deren Bilder, die über die Opposition in den USA veröffentlicht wurden, wurden allgemein kritisiert und als unnötig wegerklärt. Die wenigen gezeigten Demonstranten wurden von den Medien fast immer als irrationale Gegner der US-Politik dargestellt, als aus lauter langhaarigen Einzelgängern bestehender Mob. Ihre Diskussionen wurden fast nie übertragen. Die größten Zeitungen und Magazine versagten auch darin, die immer größer werdende Friedensbewegung zu berücksichtigen. Die Medien stellten die Friedensbewegung allgemein als unkontrollierbar und irrational dar.[974] BUSH sagte, daß jeglicher Kompromiß ein Fehler sei, er sprach fast täglich davon, daß jede Haltung außer einer kompromißlosen nichts anderes als Belohnung für Aggressoren sei. Damit behauptete er, daß man von vornherein nicht mit Aggressoren verhandeln könne, und räumte so jeglichen Spielraum in Sachen Diplomatie aus dem Weg, der nötig gewesen wäre, um die Krise auf friedliche politische Art und Weise zu lösen.

Die Brutkasten-Lüge

Die Medien waren nicht nur bereit, die US-Regierung allgemein zu loben, sie verbreiteten auch praktisch alles, was die BUSH-Regierung über die Golfkrise verkündete, ohne es nachzuprüfen. BUSH sprach öffentlich von der Vergewaltigung Kuwaits durch den Irak. In der US-Geschichte wurde Vergeltung für Vergewaltigung – besonders die Vergewaltigung von weißen Frauen durch farbige Männer – zur Legitimierung des US-Imperialismus benutzt. Dramen von weißen Frauen, von Indianern gefangengenommen und vergewaltigt, waren das Standardgenre der amerikanischen Kolonialliteratur, und während des amerikanisch-spanischen Krieges veröffentlichten die *Hearst*-Zeitungen die Geschichte über das Kidnapping einer noblen hellhäutigen kubanischen Frau durch Spanier als Vorwand für ein Eingreifen der USA. John GOTTLIEB erinnerte im *The Progressive* daran, daß BUSH die Vergewaltigung einer Frau eines amerikanischen Offiziers als Rechtfertigung für den Überfall auf Panama (1989) benutzte.[975]

Die aber wahrscheinlich groteskeste Lüge, die die BUSH-Regierung schuf, war eine Geschichte über irakische Greueltaten im besetzten Kuwait. Im Oktober 1990 bezeugte eine weinende Teenagerin in dem House Human Rights Caucus, daß sie gesehen habe, wie irakische Soldaten fünfzehn Babys aus ihren Brutkästen holten, um sie dann auf dem Boden des Krankenhauses sterben zu lassen. Später stellte sich im *New York Times* (6. Januar 1992) heraus, daß das Mädchen die Tochter des kuwaitischen Botschafters in den USA war und ihre Geschichte frei erfunden hatte. Die Tochter des Botschafters war durch die Public Relations-Firma Hill and Knowlton geschult worden, die auch die Anhörung im Kongreß bewirkte. Was die ganze Angelegenheit noch verdächtiger macht, ist die Tatsache, daß Craig FULLER, BUSHS früherer Stabschef und ein BUSH-Loyalist während BUSHS Vizepräsidentschaft, Hill and Knowlton leitete und in die PR-Kampagne verwickelt war. Daher ist es wahrscheinlich, daß die US-Regierung zusammen mit der kuwaitischen Regierung diese Propagandakampagne entwickelte, um die amerikanische Öffentlichkeit so zu manipulieren, daß sie den Golfkrieg dann akzeptiere und unterstütze.

Diese Kampagne war eine der teuersten, die die Firma jemals unternahm, sie kostete zwischen dem 20. August und dem 10. November 1990 rund 5,6 Millionen Dollar, die Gesamtkosten werden jedoch auf 11 Millionen Dollar geschätzt. Außerordentlich half die Brutkastengeschichte bei der Mobilisierung zur US-Militäraktion. Bush erwähnte die Geschichte sechsmal in einem Monat und achtmal in 44 Tagen, Vizepräsident Dan QUAYLE benutzte sie oft, genauso wie SCHWARZKOPF und andere Militärsprecher. Sieben Senatoren erwähnten ebenfalls diese Geschichte in ihren Reden, mit denen sie die Entschließung vom 12. Januar 1991 unterstützten, die den Golfkrieg genehmigte. Am 17. Januar 1991 strahlte ABC seine ›20/20‹ Sendung aus. Ein Arzt sagte aus, er habe vierzehn neugeborene Babys, die irakische Soldaten aus ihren Brutkästen genommen hätten, begraben. Dieser Arzt, in Wirklichkeit ein Zahnarzt, gab später zu, die Babys nie begraben zu haben. Auch Amnesty International berichtete über den angeblichen Vorfall, um ihn dann später zu widerrufen. Trotzdem berief sich BUSH weiterhin auf den Amnesty-Report[976] – bis John G. HEALEY, Exekutivdirektor von Amnesty International USA, sich zu einer Richtigstellung entschloß. Doch wurde seine Pressemeldung in den Medien größtenteils übergangen. Er erwiderte, daß er »zutiefst bekümmert sei durch den selektiven Gebrauch« des [Amnesty International] Reports, bei BUSHS »opportunistischen Manipulationen der Internationalen Menschenrechtsbewegung«.[977]

ABC berichtete auch, daß Hill and Knowlton eine sogenannte ›focus Gruppe‹ eingesetzt habe. Eine solche Gruppe bringt Menschen zusammen, um herauszufinden, was sie am meisten aufregt und ärgert. Die ›focus Gruppe‹ reagierte stark auf die Baby-Greueltatgeschichte, und aus diesem Grunde benutzten Hill and Knowlton sie in ihrer Kampagne. Außerdem enthüllte Reporter Morgan STRONG, daß Hill and Knowlton auch die Frau eines kuwaitischen Planungsministers benutzten, die eine bekannte TV-Persönlichkeit in Kuwait war. Diese Frau, Fatima FAHED, erschien gerade zu dem Zeitpunkt, als die UNO über die Anwendung von Gewalt debattierte, um die Iraker aus Kuwait zu bewegen. Sie beschrieb »schreckliche Einzelheiten über irakische Greueltaten in ihrem Land«. FAHED bezeugte, daß ihre Information aus erster Hand sei, und beteuerte: »Solche Geschichten. . . habe ich persönlich erlebt.« Aber STRONG bestätigte, daß die Frau bei ihrer UNO-Anhörung aussagte, über die von ihr beschriebenen Fälle kein Wissen aus erster Hand zu haben (1992). Als Hill and Knowlton sie dann trainierte, änderte sie ihre Geschichte.

STRONG beschreibt auch eine von Hill and Knowlton herausgegebene Kassette aus Kuwait, »aufgenommen, um friedliche Demonstranten zu zeigen, auf die Soldaten der irakischen Besatzungstruppen schießen.« STRONG sprach aber mit einem kuwaitischen Flüchtling, der an der besagten Demonstration teilnahm, und dieser Flüchtling sagte, »daß keine Demonstranten verletzt wurden und daß die Schüsse, die auf der Kassette zu hören sind, von Irakern sind, die aber auf Widerstandskämpfer in der Nähe feuerten, welche aber zuerst auf die Iraker geschossen haben«. Also war das Video der Firma Hill and Knowlton, die, wie gesagt, mit der kuwaitischen Regierung, der US-Regierung und dem US-Kongreß zusammenarbeitete, manipuliert worden. Das Gebaren dieser Firma ging so weit, daß einige Mitglieder der Public Relations-Industrie sich beschwerten, Hill and Knowlton würde die gesamte Industrie in Verruf bringen. Zur Zeit der Propagandakampagne von Hill and Knowlton war die öffentliche Meinung gegen einen Militäreinsatz am Golf, auch der Kongreß war gegen die militärische Option. Hill and Knowltons Kampagne riß die öffentliche Meinung aber herum, bis diese für ein militärisches Eingreifen oder gar einen Krieg war.[978] Die Werbefirma hatte also ganze Arbeit geleistet und die öffentliche Meinung derart manipuliert, daß der größte Teil der amerikanischen Bevölkerung nun bereit war, einen Golfkrieg zu befürworten.[979]

Kapitel 13

Die Gründe der Bush-Regierung für den Golfkrieg

Die Gründe, die George Bush zur Rechtfertigung des Golfkriegs heranzog, änderten sich während der Golfkrise (2. August 1990 – 15. Januar 1991) ständig und müssen schon allein deswegen kritisch analysiert werden. Sie reichten von lebenswichtigen Interessen, die auf dem Spiel stünden, über den Grundsatz, daß Aggression sich nicht bezahlt machen dürfe, bis zur Behauptung, Iraks Präsident Saddam Hussein sei schlimmer als Hitler.[980]

Außenminister Baker behauptete zunächst, erstmalig, daß am Golf die »Brieftaschen« und der »Lebensstandard« aller Amerikaner auf dem Spiel stünden. Ferner sei der Bush-Administration klar geworden, daß die gesamte US-Golfstrategie zunichte gemacht würde, wenn der momentane Trend nicht umgekehrt werde. Damit kam Baker auf das Motiv ›Arbeitsplätze‹, mit dem er der Nation Angst machte, als er sagte: »Damit es auch der Mann von der Straße versteht. . ., will ich es so ausdrücken: Es geht um die Arbeitsplätze. Ein weltweiter Konjunkturrückgang, verursacht durch die Kontrolle einer Nation – eines Diktators, wenn Sie so wollen – [über das Erdöl] wird zum Verlust von Arbeitsplätzen amerikanischer Bürger führen.«[981] Dies war raffiniert gemacht, denn mit einem Zug gab Baker dem irakischen Präsidenten nicht nur die Schuld für den US-Aufmarsch am Golf, sondern auch für die Verschlechterung der wirtschaftlichen Lage der Nation (die schon vor dem Krieg deutlich zu spüren war).

Saddam Husseins Machtergreifung mit freundlicher Unterstützung des CIA

Es ist äußerst interessant, daß George Bush Saddam Hussein als Hitler diffamierte und sogar behauptete, er sei »schlimmer als Hitler«. Dies kann nämlich nur als krampfhafter Kommentar gedeutet werden, da schon George Bushs Vater, Prescott Bush, in verschiedene kriminelle Geschäfte mit den Nationalsozialisten verstrickt war. Prescott Bush gehörte ebenso wie später sein Sohn George dem elitären Geheimbund Skull & Bones an, über den nur sehr wenig bekannt ist, außer, daß er aus W.A.S.Ps besteht (weißen protestantischen Anglo-Amerikanern) und daß er mit Waffengeschäften zu tun hat(te). Skull & Bones entspringt einer Verbindung an der Yale-Universität, wurde aber laut Russell S. Bowen als verdeckte Einrichtung benutzt, um Waffengeschäfte zu tätigen. Skull and Bones wurde ausschließlich von mächtigen Wall Street-Kreisen der US-Machtelite entworfen, um treue, ehrgeizige junge Männer anzuwerben, die dann die Herrschaftsideologie der Wall Street vertreten und ständig vorantreiben sollten. Der Skull and Bones-Orden bildet den inneren Kreis (die Elite) des CFR (Council on Foreign Relations). Skull & Bones wird seit 1833 von folgenden Familiensyndikaten oder -imperien beherrscht:

ROCKEFELLER (Standard Oil), HARRIMAN (Eisenbahn), WEYERHAEUSER (Holzfäller), SLOANE (Einzelhandel), PILLSBURY (Mehl-Mühlen), DAVISON (J. P. Morgan) und PAYNE (Standard Oil).[982]

Daß schon George BUSHs Vater mit den Nationalsozialisten schmutzige Geschäfte tätigte, ist keinesfalls ein Hirngespinst übereifriger Verschwörungstheoretiker. Der zuvor erwähnte Russell BOWEN, ein pensionierter US Airforce-General, schreibt in *The immaculate deception – The Bush crime family exposed* über eine US-Senatsanhörung bezüglich Sklavenarbeit in Auschwitz. In dieser Senatsanhörung wurde festgestellt, daß am 14. Juni 1940 Sklavenarbeit betrieben wurde, um aus Kohle Benzin zu erzeugen. Die Senatskommission stellte bald fest, daß die Standard Oil of New Jersey – ein Machtinstrument des ROCKEFELLER-Imperiums – mit der deutschen IG Farben-Firma in diesem Zusammenhang zusammengearbeitet hatte. Senator Harry S. TRUMAN leitete damals die Senatsanhörung, in der es festzustellen galt, ob es eine Kollaboration zwischen Standard Oil of New Jersey und den Nationalsozialisten gegeben habe. Die Anklage lautete: »kriminelle Konspiration mit den Nazis«, zu der sich die Beschuldigten nicht äußern wollten. Bevor der Hauptangeklagte FARISH aussagte, erzählte TRUMAN (der später auch US-Präsident werden sollte) Zeitungsreportern: »Ich glaube, daß dies [diese Sache] dem Landesverrat gleichkommt.« Hierzu bezog BOWEN erneut Stellung, indem er enthüllte, daß die Geschäfte der Standard Oil mit HITLER bis zum Ende des Zweiten Weltkriegs anhielten. (Eine Sache, die oben ausführlicher in dem Kapitel »Wer finanzierte Hitler?« besprochen wurde.)

Die Waffengeschäfte ermöglichten es Prescott BUSH, in die unteren Etagen des Eastern Establishments aufzusteigen. Das Eastern Establishment ist der anglo-amerikanische-protestantische Flügel der US-Machtelite, der andere besteht größtenteils aus jüdischen Mitgliedern. Schon im Ersten Weltkrieg war Prescott BUSH an lukrativen Waffengeschäften beteiligt gewesen. Daß die Erscheinung HITLER keine rein deutsche Angelegenheit war, wurde oben schon ausführlich erläutert. Einer der Verbindungsmänner HITLERs zu anglo-amerikanischen Kapitalisten war Fritz THYSSEN. Bei seinem Verhör im Jahre 1945 erinnerte er sich, daß General LUDENDORFF 1923 an ihn herangetreten war mit der Bitte, als Verbindungsmann für HITLER zu wirken. Über Rudolf HESS arrangierte THYSSEN einen 250 000 Mark-Kredit für die Nationalsozialisten durch die Voor Handel en Scheepvaart N. V. Bank in Rotterdam. Diese holländische Bank war eine Filiale der Thyssen-Bank (ehemals Heyd Bank) in Deutschland, die wiederum mit dem Harriman Bank-Komplex verbunden war. Die holländische Bank kontrollierte die Union Banking Corporation in New York und war in der Tat eine Thyssen-Harriman-Verbindungseinrichtung, die einige Skull & Bones-Angehörige als Vorstandsmitglieder aufwies. So war es alles andere als verwunderlich, daß Prescott BUSH in den dreißiger Jahren Vorstandsmitglied der Union Banking Corportion war. Wie schon geschildert wurde, ging diese geheime Zusammenarbeit so weit, daß Standard Oil durch diese verschiedenen Geheimverbindungen das äußerst wichtige klopffeste Benzin an HITLERS Kriegsmaschinerie lieferte, damit die deutsche Luftwaffe ihre Kampfflugzeuge einsetzen konnte, ohne Sorgen haben zu müssen, daß ihnen bald der wichtige Treibstoff für ihre Maschinen ausging. Es ging hierbei um 500 Tonnen Treibstoff (und die noch wichtigere Tatsache, daß dieser Treibstoff von den Nationalsozialisten dann auch selbst produziert werden konnte).

Die Bank, die dieses Ereignis einleitete und ermöglichte, war die Brown Brothers, Harriman & Co. in New York. Dies geht aus einem Brief hervor, der auf den 21. September 1938 datiert ist – gerade noch rechtzeitig, sozusagen, um die Krise um die Tschechoslowakei zu beeinflussen. Hierbei sollte wohl noch erwähnt werden, daß Prescott BUSH ein lebenslanger Partner von Brown Brothers, Harriman & Co. war. Nebenbei sollte auch bemerkt werden, daß der ehrenwerte George Herbert Walker BUSH von einer alten Familie aus Connecticut stammt, die lange Verbindungen zur Wall Street, internationalen Bankiers, Öl-Kartellen und faschistischen Kartellen besitzt, welche hinter dem Dritten Reich standen.[983] Es gehört also schon etwas Mut, um nicht zu sagen Zynismus dazu, wenn man, wie George BUSH dies tat, Saddam HUSSEIN mit HITLER vergleicht, besonders wenn man – wie BUSH – Saddam HUSSEIN und sein diktatorisches Regime von 1980 bis 1990 noch mit allen erdenklichen Mitteln unterstützt hatte.[984]

Aber hier hört die BUSH-Saddam HUSSEIN-Connection noch lange nicht auf! So deckten unter anderem einige Journalisten, Senatoren und Autoren eine weitere dunkle Seite des George BUSH auf, die so ironisch klingt, daß man sie beinahe ins Land der Märchen verweisen könnte, wenn sie nicht auf klaren Tatsachen und Fakten gründete. »Der Chicagoer Journalist Sherman SKOLNICK entdeckte in geheimen Gerichtsdokumenten, daß George BUSH und Saddam HUSSEIN 250 Millarden Dollar in der Form von Golföl-Rückzahlungen (Kickbacks) aufgeteilt hatten, die durch die skandalträchtige BCCI-Bank transferiert wurden. [Die BCCI wurde aber mit Startkapital der Rothschild-Dynastie gegründet, M.K.] ›Dies sind keine Regierung-zu-Regierung Transaktionen. Dies sind private Transaktionen zwischen BUSH als Individuum und SADDAM als Individuum – Transaktionen im Wert von

Milliarden Dollars. Das House Banking Committee unter der Leitung des Vorsitzenden Henry GONZALES (D-Texas) hatte schon bestätigt, daß die BCCI-Bank mit der Banca Nazionale del Lavoro (BNL) zusammengearbeitet hatte. BNL ist die größte Bank in Italien. Sie besitzt fünf Zweigstellen in den USA. Die berüchtigten BUSH-SADDAM-Transaktionen gingen über diese beiden Banken. Der Fall wurde unter der Bezeichnung Fall No. 90 C 6863, The People of the State of Illinois ex rel Willis C. Harris vs the Board of Governors of the Federal Reserve System, aufgearbeitet.‹«

Es dürfte wohl auch nicht allzu überraschend sein, daß die berüchtigten Federal Reserve-Banken wieder ihre Hände mit in dem schmutzigen Spiel hatten. Nach SKOLNICK waren die wichtigen Unterlagen der BNL in Chicago, die das House Banking Committee haben wollte, ebenfalls in der Hand des Federal Reserve Gremiums. Diese Unterlagen zeigen, daß private Transaktionen in Höhe von 250 Milliarden Dollar in Sachen Ölgeld von der gesamten Golfregion an Saddam HUSSEIN gezahlt wurden. Das Federal Reserve Gremium wollte, daß der Kongreßabgeordnete GONZALEZ zustimme, diese Unterlagen in seinen Kongreßberichten niemals zu verwenden. Er solle sich diese Unterlagen nur ansehen können. Aber der Kongreßabgeordnete weigerte sich, den Geheimschwur zu unterschreiben.[985] Zehn lange Jahre war Saddam HUSSEIN der Geldeintreiber des Persischen Golfs. »Die OPEC-Ölproduzenten am Golf mußten 25 Prozent der von den westlichen Ölfirmen gezahlten Summe an SADDAM zurückzahlen, und das Geld ging durch die Bank. Es gab mehr als eine Billion Dollar für den Wert des Öls, das zwischen 1980 und 1990 vom Golf in den Westen verschifft wurde. Von diesen Öl-Geschäften bekam Saddam HUSSEIN Rückzahlungen in Höhe von 250 Milliarden Dollar, welche von George BUSH sowie Ölfirmen arrangiert wurden, die wiederum mit George BUSH [einem der Vorsitzenden von Pennzoil] verbunden sind. SADDAM teilte diese ›Rückzahlungen‹ von den Ölfirmen mit George BUSH und anderen.« Sollten diese Gerichtsunterlagen jemals an die Öffentlichkeit dringen, würde George BUSH sich nach amerikanischem Recht sofort im Gefängnis wiederfinden. Da aber viele andere einflußreiche Personen an diesen kriminellen Verstrickungen mehr oder weniger beteiligt waren, wird man BUSH wohl nicht hinter Gittern zu Gesicht bekommen, wo er eigentlich hingehört.[986]

Historiker werden vielleicht eines Tages von der Ironie der Sanktionen Kenntnis nehmen. Denn Saddam HUSSEINs Machtergreifung war genauso wenig eine reine irakische Sache, wie HITLERs Machtergreifung eine reine deutsche Erscheinung war. Seit dem Sturz der prowestlichen Monarchie im Irak 1958 arbeitete der CIA mit britischen Geheimdiensten an einer Wiederherstellung des früheren Status quo. Nach dem Nahostexperten Said ABURISH gelang ihnen ein solcher Coup mit der Beseitigung Abdel Karim KASSEMS, die am 8. Februar 1963 stattfand und am Morgen des 9. Februar mit Luftangriffen auf KASSEMS Hauptquartier erfolgreich abgeschlossen war. Daß dieser äußerst blutige Putsch größtenteils eine CIA-Operation war, wird von vielen Experten des Nahen wie des Mittleren Ostens bestätigt, unter anderem von Patrick SEALE, Hanna BATATU, Muhammad HEIKAL, Marion und Peter SLUGLETT, Heather DEEGAN und KASSEMS ehemaligem Informationsminister Ismael AREF, die alle bezeugten, daß der CIA Listen für die Beseitigungskampagne an Saddam HUSSEINS Putschisten lieferte. ABURISH schätzt die Anzahl der Opfer des blutigen Putsches auf 5000 und berichtet, daß alle Beobachter der irakischen politischen Szene darin übereinstimmen, daß sich auf den Listen Angehörige der irakischen Bildungsschicht befanden.

Einige Listen wurden durch mysteriöse Rundfunkmeldungen aus Kuwait an anti-KASSEM-Elemente ausgestrahlt. Saddam HUSSEIN kam schnell aus dem Exil in Kairo zurück in den Irak und beteiligte sich persönlich an den Folterungen, insbesondere, wenn es um linksorientierte und kommunistische Iraker ging. Das britische Committee for Human Rights im Irak war eine der wenigen internationalen Organisationen, die die Hintergründe des Putsches im Irak untersuchten. In einem 1964 erschienenen Bericht verglich es den Umsturz der ba'athistischen Anschlagsschwadronen (Hitsquads) mit »HITLERS Sturmabteilungen«. »Entgegen allen Vorschriften offenbarte das US-Außenministerium Stunden, nachdem die Rebellion begonnen hatte, die Komplizenschaft des CIA am Coup, lange bevor das Resultat gegen KASSEM sicher war. Es gab seinem Geschäftsträger in Bagdad die Anweisung, mit den Rebellen Verbindung aufzunehmen und ihnen Anerkennung auszusprechen.« Ein gewisser Robert KOMER, damals Mitglied des Sicherheitsrats, berichtete Präsident John F. KENNEDY: »Der Coup ist ein Vorteil für unsere Seite«. Auch James AKINS, damals politischer Attaché in Bagdad und später US-Botschafter in Saudi-Arabien, sagte: »Aufgrund des ba'athistischen Coups erfreuen wir uns besserer Beziehungen mit dem Irak.« »Es war aber Ali Saleh SA'ADI, der Innenminister, der eindeutig offenbarte: ›Wir kamen durch das CIA-Gefolge an die Macht‹.«

Der vielleicht bekannteste arabische Journalist, Muhammad HEIKAL, ließ sich von König HUSSEIN von Jordanien bestätigen, daß dieses CIA-Gefolge nicht nur die vielschichtige Stationierung von Radiostationen in Kuwait beinhaltete, welche die Beseitigungslisten lieferten, sondern daß eine Liste dafür verwendet wurde, den Umstürzlern Anweisungen zukommen zu lassen. Der Grund für das ganze Umsturz-Unternehmen war, wie so oft, vorrangig von wirtschaftlicher Natur. KASSEM hatte die Ölindustrie des Iraks verstaatlichen lassen. Nachdem er in dem brutalen Putsch beseitigt worden war, kamen die Ölfirmen wieder in den Irak – Shell, BP, Bechtel, Parsons, Mobil – , und andere britische sowie amerikanische Giganten nahmen ihre Ölgeschäfte im Irak wieder mit Begeisterung auf.[987]

Die Lüge über das Atomprogramm des Iraks

Ein paar Wochen vor Ablauf des an den Irak gestellten Ultimatums begann BUSH von dem wirklichen Zweck und Grund eines Kriegs im Golf abzulenken, indem er fieberhaft versuchte herauszufinden, was die Amerikaner am ehesten dazu bewegen werde, einen Krieg im Golf zu führen. Zu diesem Zweck wandte sich die BUSH-Administration an Werbefirmen, bestellte ein ›Focus-Gruppen‹-Interview und gab eine *New York Times*/CBS-Umfrage in Auftrag. Beide ergaben eindeutig, daß sich die US-Bürger am meisten bei Reportagen empörten, denen zufolge der Irak nukleare Waffen besitze oder bald bekommen werde. Dies nutzte BUSH auch gleich aus, als er am wichtigen amerikanischen Feiertag, dem Erntedankfest, die US-Truppen in Saudi-Arabien besuchte. Dort dramatisierte er die Gefahren, die auf die USA zukommen würden, wenn Saddam HUSSEIN in der Lage sei, Nuklearwaffen herzustellen. BUSH sagte in Saudi-Arabien zu seinen Soldaten: »Mit jedem Tag, der verstreicht, nähert sich SADDAM seinem Ziel, ein Atomwaffenarsenal aufzubauen. Und das ist der Grund, warum Ihre Mission mehr und mehr zur Notwendigkeit, unausweichlich wird... Er hat noch nie eine Waffe besessen, von der er keinen Gebrauch machte.« Damit legitimierte er auch den Krieg gegen den Irak. Dasselbe Argument wurde von Verteidigungsminister Richard CHENEY und dem nationalen Sicherheitsberater Brent SCOWCROFT aufgegriffen. Ihrer Ansicht nach lagen Geheimdienstinformationen vor, denen zufolge der Irak eine nukleare Bereitschaft in einem Jahr erreichen könne.[988] Aber die Fakten sprachen eine ganz andere Sprache!

Beim Ausbruch des Golfkrieges verfügte der Irak über folgende kerntechnische Anlagen:
- einen Forschungsreaktor französischer Herkunft (0,5 MWth),
- einen Forschungsreaktor sowjetischer Herkunft (5 MWth),
- einige ›heiße Zellen‹ für Laborzwecke; die genutzt werden konnten, um hochangereichertes Uran oder Plutonium aus dem im Inneren der Reaktoren befindlichen Brennstoff abzutrennen,
- eine Laboranlage zur experimentellen Herstellung von Brennstoff aus Natururan oder schwach angereichertem Uran.

Keine dieser Einrichtungen war geeignet, Material für eine Kernwaffe herzustellen. Das Erbrüten von ausreichend Plutonium für eine Bombe (rund 5 kg) in den kleinen Forschungsreaktoren hätte Jahre gedauert. Alle Anlagen standen unter regelmäßiger Überwachung, der Internationalen Atomenergie-Organisation (IAEO). Ein großer Forschungsreaktor französischen Ursprungs, Tammuz II, war 1981 von der israelischen Luftwaffe zerstört worden. Der Irak besaß vor dem Golfkrieg 12,3 kg hochangereichertes Uran (93 %), das ursprünglich als Brennstoff für den zerstörten Tammuz II geliefert worden war; dazu kamen etwa 10 kg 80prozentiges hochangereichertes Uran; davon waren bei der letzten Inspektion rund zwei Drittel in dem Forschungsreaktor sowjetischen Ursprungs.

Der Irak verfügte außerdem über mehrere Tonnen Natururan und abgesichertes Uran aus Käufen vom Ende der siebziger Jahre. Grund dieser Einkäufe war vermutlich, Brutmaterial für die Plutoniumproduktion zu bekommen. Das gesamte Material war bei der letzten IAEO-Inspektion im November 1990 noch vorhanden. Mit dem hochangereicherten Uran wäre der Irak imstande gewesen, eine einzige ›primitive‹ Bombe herzustellen. Seit Mitte der achtziger Jahre hat sich der Irak mit mäßigem Erfolg darum bemüht, auf den Spuren Pakistans ein eigenes Anreicherungsprogramm aufzubauen, um damit in den Besitz von waffenfähigem Spaltmaterial zu gelangen. Dieses Programm wies aber große Lücken auf. Der Irak verfügte nach vorliegenden Erkenntnissen nicht über eine Anlage, um das Vorprodukt der Anreicherung, Uranhexafluorid, herzustellen. Es war dem Land nicht gelungen, eine Anreicherungsanlage auch nur im Labormaßstab aufzubauen. Zwar verfügte Bagdad über Teile von Zentrifugen (magnetische Lager, präzisionsgeformte Spezialstahlröhren, Motoren und Gasflußinverter). Aber andere Komponenten fehlten, wie zum Beispiel Bodenlager, Molekularpumpen, Rotorvorformen, Böden und Decken und die Federung, zum großen Teil, weil es gelang, die Lieferung vor und nach Beginn des Embargos zu stoppen. In Anbetracht dieser Tatsachen läßt sich sagen, daß der Irak vor dem zweiten Golfkrieg von der Fähigkeit zur selbständigen Produktion von kernwaffenfähigem Material noch Jahre entfernt war. Zur Herstellung einer einzigen Kernwaffe hätte das vorhandene hochangereicherte Uran knapp ausgereicht; die Produktion hätte jedoch noch erhebliche Anforderungen an die irakischen Techniker gestellt.[989]

Joachim BADELT und Arend WELLMANN behaupten, daß bei allen Bemühungen des Iraks, sich die Atombombe zu beschaffen, die Experten im Sommer 1990 darin übereingestimmt hätten, der Irak sei noch mindestens fünf Jahre von der Herstellung einer Atombombe entfernt.[990]

In der *New York Times* vom 27. November 1990 (Op-Ed-Sparte) berichtete Richard RHODES, Experten hätten bestätigt, daß die irakische Einrichtung eines begrenzten Nukleararsenals mindestens noch 10 Jahre erfordern würde. Außerdem brauche man jährlich ungefähr 1000 Zentrifugen, um genug angereichertes Uran für eine Atomwaffe zu erzeugen. Allen Berichten zufolge hatte der Irak aber nicht mehr als ein paar dieser Zentrifugen, die er sich durch importierte Technologie angeeignet habe. Das verdeutlichte, daß das irakische nukleare Militärpotential importiert war. »Es gibt kein kurzfristiges Risiko bezüglich einer irakischen Nuklearwaffe – zumindest nicht über das, was uns die BUSH-Administration bis jetzt gesagt hat«, erklärte Gary MILHOLLIN, Direktor des Wisconsin-Projekts zur Nuklearwaffen-Kontrolle, Ende November 1990 gegenüber dem Senate Armed Service Committee. »Die Administration sollte sich schämen, die Öffentlichkeit wegen der irakischen Bombe irrezuführen.« Es sollte eine vernünftige Grenze der Regierungsdesinformation geben, wenn so viel auf dem Spiel steht. Eine ähnliche Aussage machte Frank BARNABY, Autor des Buches *Weapons of Mass Destruction – A Growing Threath in the 1990's?:* »Es würde mindestens fünf Jahre dauern und wahrscheinlich doppelt so lange, bis der Irak nukleare Waffen für seine militärischen Bedürfnisse produzieren kann.« Er schrieb ferner: »Geschichten, die vor kurzem [von den USA] veröffentlicht wurden, sind mehr Propaganda, anstatt auf dem zu gründen, was wirklich technisch möglich ist.«[991]

BUSH übertrieb immer wieder absichtlich die irakische Gefahr gerade aufgrund von HUSSEINS Atomprogramm. Es gab daraufhin viele Reportagen, daß der Irak nah daran gewesen wäre, Nuklearwaffen herzustellen. Am 22. November 1990 erklärte BUSH, daß der Irak möglicherweise nur Monate von der Entwicklung nuklearer Waffen entfernt sei, obwohl BUSHS Geheimdienst der Einschätzung war, daß es mehr als fünf Jahre dauern würde, bis der Irak einen einzigen primitiven nuklearen Sprengsatz haben würde.[992] Im April 1992 begutachteten Nuklearwaffen-Experten ein Jahr lang mit der Internationalen Atomenergie-Kommission das irakische Atomprogramm und stellten fest, daß der Irak noch mindestens drei Jahre brauche, um eine einzige Atombombe zu bauen.[993] John SIMPSON, der den Irak nach dem Golfkrieg besuchte, bestätigte, daß der Irak nach der Invasion Kuwaits keine Nuklearwaffen besaß, obwohl Israel der UNO und den USA das Gegenteil einzureden versuchte.[994] Außerdem ist es noch lange nicht gesagt, daß man einen ganzen Krieg beginnen muß, um eine mögliche Gefahr zu beseitigen. Dies hatte wohl Israel am besten bewiesen, als es 1981 den irakischen Osirak-Reaktor bombardierte, bevor er ›eingeschaltet‹ wurde, und damit Saddam HUSSEINS Atomprogramm zunichte machte.

Um allem noch die Krone aufzusetzen, enthüllten die Journalisten Joel BAINERMAN und Alan FRIEDMAN, daß die REAGAN/BUSH-Administration dem Irak verdeckt geholfen habe, Nuklearwaffen herzustellen. BAINERMAN schreibt, daß die REAGAN/BUSH-Administration fünf Jahre vor dem zweiten Golfkrieg Waren im Wert von 1,5 Milliarden Dollar durch das Commerce Departement an Saddam HUSSEIN geliefert habe. Hierbei handelte es sich unter anderem um wichtige Technologien, die SADDAM in seinem Nuklearprogramm verwendete.

Aber damit noch nicht genug! Man ging in den höchsten Etagen der Machtelite auf Nummer sicher, damit SADDAMS Wissenschaftler auch wirklich eine Atombombe bauen könnten. Gary MILHOLLIN teilte verblüfft mit, daß im August 1989 das Pentagon und das Energieministerium (Department of

Energy) drei irakische Wissenschaftler zu einer Detonationskonferenz nach Portland Oregon eingeladen hatten. Die irakischen Wissenschaftler erhielten Informationen, wie man Schockwellen in allen Konfigurationen entwickelt, über HMX, die verschiedenen Möglichkeiten atomarer Detonationen, und über sogenannte ›flyer plates‹, Schockwellen erzeugende Geräte, die zur Zündung von Atombomben benötigt werden.

Es wäre falsch anzunehmen, daß die damalige Administration nichts über diese interessanten Vorgänge gewußt habe. Nach Bushs Wahl zum US-Präsidenten wurden jedoch alle Warnungen vor dem irakischen Atomprogramm und der US-Unterstützung zum Schweigen gebracht.[995] Ein gewisser Bryan Siebert vom Energieministerium, der Saddams Atomprogramm seit 1987 verfolgte, gelangte durch nachrichtendienstliche Quellen des CIA und des Energieministeriums zu der Erkenntnis, daß, wenn die Bush-Administration nichts unternehme, der Irak bald eine Atombombe besitzen werde. Als Siebert diese Informationen der Bush-Administration überreichte, stieß er dort auf taube Ohren. Dennoch machte er auch weiterhin auf sein Anliegen in US-Regierungskreisen aufmerksam, was letztendlich dazu führte, daß er im April 1991 versetzt wurde und offiziell nichts mehr mit Technologiepolitik und Exportkontrolle zu tun hatte. Statt dessen hatte er nun nur noch als Chef des Energieministeriums mit geheimen Dokumenten zu tun. Siebert war fassungslos, als er erfuhr, daß die irakischen Wissenschaftler in Portland, Oregon, durch das Energieministerium in Verbindung mit der US-Luftwaffe und der US-Marine, die nukleare Detonations-Konferenz besuchen konnten. Denn die Iraker kamen aus dem irakischen Al Qaqaa, wo irakische Techniker nach Raketentechnologie forschten, um damit Nuklearsprengköpfe abschießen zu können. Die Konferenz fand mit freundlicher Unterstützung der US-Streitkräfte und der ›National Laboratories‹ in Los Alamos und Lawrence Livermore statt. Ein hoher Angestellter im Energieministerium schrieb später hierzu: »Um es kurz zu machen, die Konferenz war der Ort, an dem es galt, im September 1989 zu sein, wenn Sie ein potentieller Atomwaffenentwickler sind.«[996] Es gehört schon viel Zynismus dazu, wenn man einen Krieg gegen den Irak hauptsächlich damit rechtfertigt, daß der Irak eine akute Bedrohung des Weltfriedens sei, wenn man – wie die Bush-Administration – der aktive Urheber dieser atomaren Aufrüstung war.

Wie wir sehen, wurde hier das gleiche ›Spiel‹ gespielt, wie es schon zuvor mit NS-Deutschland von der US-Machtelite inszeniert worden war. Erst versieht man den vermeintlichen Feind mit allen notwendigen Waffen, damit ein bevorstehender Krieg auch lang genug anhalten kann – dadurch kann die Machtelite sicher sein, daß sie durch einen in die Länge gezogenen Krieg auch genug verdient. Dann dämonisiert man den vermeintlich ach so bösen Feind – eine Sache, bei der die US-Massenmedien stets immer mit Begeisterung mitgeholfen haben –, um schließlich auch eine Rechtfertigung für den kommenden Krieg zu haben. Und letztendlich erhofft man (die US-Machtelite) sich lukrative Wiederaufbauverträge, um die zerbombten Länder auf Kosten der US-Steuerzahler wieder instand zu setzen. Durch diese hinterhältige Vorgehensweise verdient die US-Machtelite gleich dreimal an allen provozierten Kriegen: erst bei der Aufrüstung der Länder, dann durch den langen Krieg gegen diese Länder und letztendlich bei dem ertragreichen Wiederaufbau der zerstörten Staaten, ein genial gemeines Spiel, im Ersten wie im Zweiten Weltkrieg von der Machtelite erfolgreich vorgeführt! Oftmals sind die bekriegten Staaten noch vor der (geheimen) US-Aufrüstung durch US-Agenten in ihrer Wirtschaft durchsetzt und unterwandert.

Der Mythos des unterbrochenen Ölflusses

George BUSH beunruhigte die Weltöffentlichkeit mit der Behauptung, die Invasion Kuwaits dürfe nicht zugelassen werden, da man den Wohlstand nicht einem Diktator überlassen könne. Das rief Ängste hervor, die beseitigt werden mußten: Wenn Saddam HUSSEIN das Öl kontrolliert, gehen bei uns Lichter und Heizungen aus, Autos und Fabriken stehen still, die Arbeitslosigkeit steigt rapide an, und der Lebensstandard fällt abrupt. Dies war aber nichts als ein weiterer erfundener Grund, einen vernichtenden Krieg gegen den Irak zu führen.[997]

Solche Ängste waren in mehrerer Hinsicht unbegründet und einfach lächerlich, wenn man sich einmal mit der Materie statistisch befaßt hat: Erstens war BUSHS Behauptung faktisch und statistisch einfach falsch, die USA importierten nur 5 % ihres Öls aus der Golfregion und nur 1 % aus dem Irak und Kuwait (Europa nur 6% seines Ölbedarfs aus dem Irak und Kuwait).[998] Zweitens förderten die neuen Golfstaaten (Bahrain, Iran, Irak, Kuwait, Neutrale Zone, Oman, Katar, Saudi Arabien und Vereinigte Arabische Emirate) Ende 1989 zusammen nur 25,7 % der Welterdölmenge, wobei der Irak 4,8 % und Kuwait nur 2,7 % der Weltfördermenge produzierten.[999] Außerdem würde der irakische Diktator auch dann nicht die ›Ölreserven der Welt‹ kontrollieren, wenn die Annexion Kuwaits nicht rückgängig gemacht und das Land tatsächlich dauerhaft zur 19. Provinz des Iraks würde: 1989 lagen unter beiden Ländern zusammen ein Fünftel (19,5 %) der bekannten Ölreserven der Welt; ihr Anteil an der Welterdölförderung betrug ein gutes Vierzehntel (7,5%). Zum anderen war auch der irakische Diktator darauf angewiesen, sein Öl auf dem Weltmarkt zu verkaufen.

Die ökonomische Abhängigkeit des Iraks vom Ölexport ist um ein Vielfaches höher als die des Westens von den irakisch-kuwaitischen Exporten. Insofern ist nicht einmal zu befürchten, daß das Öl den Verbrauchern in der Welt auf einmal nicht mehr zur Verfügung steht, wenn es statt von den kuwaitischen Emiren vom irakischen Staatspräsidenten kontrolliert wird.

Es gibt also keinen rationalen Grund für diese kompromißlose Haltung dem Irak gegenüber. Die Ölproduzenten waren nämlich schon immer viel mehr vom Westen abhängig, als dies umgekehrt der Fall war. Ihre Nationalwirtschaften weisen ständig starke Monostrukturen auf. Der Ölanteil an ihrem gesamten Exportwert beträgt beispielsweise für die Vereinigten Arabischen Emirate 86 %, für Saudi-Arabien 90 %, Katar 91 %, den Iran 92 %, den Irak 98 %, Oman 99 % und für Libyen 100 % [Irak erzielt 95 bis 97 % seines BSP aus Ölexporten].

Deshalb hängt das Überleben dieser Regierungen und das Funktionieren dieser Wirtschaften ganz entschieden vom ununterbrochenen Ölfluß ab. Der Ausfall von Ölproduzenten wie dem Irak und Kuwait, die zusammen vor der Golfkrise 18 % des OPEC-Exports stellten, führt daher zu keiner schweren Störung der Ölversorgung. Umgekehrt zeigte uns das gegen den Irak verhängte Handels- und Ölembargo eindrucksvoll, wie wirksam ein Ölboykott gegen die Ölproduzenten eingesetzt werden kann. Und dies war nicht das erste Mal. 1952/53 hatten die USA, Großbritannien und andere westliche Länder einen Ölboykott gegen die demokratisch gewählte iranische Regierung unter Mossadegh so lange benutzt, bis dies zu einer Finanzkrise führte und Mossadegh vom CIA 1953 gestürzt wurde. Daß die erdölerzeugenden Staaten vom industrialisierten Westen viel abhängiger sind als umgekehrt, beweist auch die Tatsache, daß der Anteil der OPEC-Staaten an der weltweit geförderten Erdölmenge von 65 % im Jahr 1973 auf 35 % heute erheblich zurückging.[1000] Zwar haben manche Golfstaaten versucht, sich über ihre existenzsichernden Öleinnahmen hinaus auch durch die Anlage ihres gesamten überschüssigen Kapitals in den westlichen Staaten abzusichern, aber als Gegenmaßnahme zu einem eventuellen Ölembargo kann dieses Kapital jederzeit von den westlichen Staaten eingefroren oder gar beschlagnahmt werden.[1001]

Drittens geht es wohl eher um die Frage des Preises. In dieser Hinsicht gibt es die bitteren Erfahrungen mit dem OPEC-Kartell, das den Ölpreis von 1,83 Dollar 1973 auf 11,65 Dollar im Juni 1974 und dann noch einmal von 14,54 Dollar im April 1979 auf 28 Dollar im April 1980 heraufsetzte. Die Ölversorgung der USA oder Europas war damals weder zusammengebrochen noch gefährdet.[1002] Übrigens sprechen genügend Hinweise dafür, daß die Erdölkrise von 1973 eine von den großen Erdölkartellen des Westens künstlich erzeugte Krise war und daß den arabischen Staaten die Schuld zugewiesen wurde. In seinem hervorragenden Buch *Mit der Ölwaffe zur Weltmacht* hat Engdahl eindeutig nachgewiesen, daß die damalige Erdölkrise ein Komplott der westlichen Erdölkartelle war.[1003] Es war auch nicht plausibel, wie George Bush warnte, daß der Irak Saudi-Arabien überfallen werde (um dann 40 Prozent der bekannten Ölreserven zu kontrollieren).[1004] Die Invasion Kuwaits war auch selbst keine Bedrohung lebenswichtiger amerikanischer Interessen, wie es die Bush-Administration immer wieder betonte, denn Saddam Hussein hatte am 6. August gegenüber dem amerikanischen Geschäftsträger Joseph Wilson seine Bereitschaft erklärt, amerikanische Interessen, die die Amerikaner erwähnen würden, sicherzustellen. »Was sind legitime US-Interessen, und wie können wir sie sicherstellen?«, fragte Saddam Hussein Joseph Wilson vier Tage nach der Invasion.[1005] Ferner legten Bushs eigene Geheimdienste (CIA, NSA, DIA usw.) dem US-Präsidenten Berichte vor, denen zufolge Saddam Hussein keine Invasion Saudi-Arabiens plante.[1006]

Es muß auch rein moralisch die Frage gestellt werden, seit wann monopolistische oder Kartellpreispolitik als berechtigter Grund für militärisches Eingreifen gilt. Der Westen hat, rein technisch gesehen, seit den letzten dreihundert Jahren ein Monopol gegenüber der Dritten Welt besessen, aber kaum jemand würde wohl behaupten, daß dies ein berechtigter Grund oder Anlaß für die Dritte Welt sei, ein militärisches Eingreifen gegen den Westen durchzuführen.

Viertens: Schließlich erschöpft sich die Erfahrung mit dem OPEC-Kartell nicht in der Tatsache vervielfachter Ölpreise. Sie besagt vielmehr auch, daß die Preissteigerungen trotz allem nicht in den Himmel wachsen, der Markt nicht jeden Preis hergibt und insofern auch die Monopolmacht des Kartells beschränkt ist. Man kann sogar sagen, daß der Ölpreis heute nominell niedriger ist als in der ersten Hälfte der achtziger Jahre, real sogar – zumindest für die Bundesrepublik – geringer als zu Beginn der siebziger Jahre.[1007]

Die Bush-Regierung behauptete, der Irak werde Saudi-Arabien angreifen

Nachdem Saddam Hussein am 2. August 1990 in Kuwait einmarschiert war, wußte die US-Regierung, daß sie bei einem Krieg gegen den Irak Saudi-Arabien zur Stationierung ihrer Truppen und Kriegsmaschinerie brauchte. Offenbar war Saudi-Arabien jedoch nicht besonders daran interessiert, daß amerikanische Truppen auf seinem Gebiet stationiert würden. Die Gründe dafür dürften klar sein: Als islamisches Land und darüber hinaus als Beschützer der Heiligtümer der islamischen Welt (der Kaaba und Medinas) wäre es für die Herrscher in Saudi-Arabien äußerst peinlich gewesen, die Stationierung von amerikanischen Truppen – also von Nichtmoslems und dazu auch noch Soldaten – auf saudi-arabischem Boden zu erlauben. Die Bush-Regierung setzte nun aber alles daran, den saudischen Herrschern Angst einzujagen, indem sie erklärte, eine irakische Invasion Saudi-Arabiens stehe unmittelbar bevor. Die größte Gefahr für die Bush-Regierung bestand darin, daß die arabischen Staaten ein regionales Abkommen abschlössen, das die Krise ohne Beteiligung der Amerikaner lösen würde.

Durch den Druck auf Ägypten und andere Staaten und die nachhaltige Unterstützung der kuwaitischen Königsfamilie konnten die USA diesen frühen Versuch einer friedlichen Lösung schon im Ansatz zum Scheitern bringen.

König FAHD schickte Prinz BANDAR nach Washington, da BUSH ihm erzählt habe, Satellitenfotos würden einen bevorstehenden Angriff Saddam HUSSEINS auf sein Land bestätigen. Prinz BANDAR sollte sich die Satellitenfotos in der amerikanischen Hauptstadt anschauen. Um dem saudischen Prinzen zu zeigen, daß die USA es ernst meinten, legten Verteidigungsminister Dick CHENEY und General Colin POWELL BANDAR ›geheime‹ Satellitenfotos vor, auf denen eine von drei irakischen Divisionen sich durch Kuwait in Richtung saudische Grenze bewegte. Daraufhin erklärte ihm POWELL den geheimen US-Operationsplan 90–1002, der 100 000 bis 200 000 Mann an Truppen und drei Flugzeugträger beinhaltete. Berichten ist zu entnehmen, daß BANDAR von dieser Erklärung stark beeindruckt war. BANDAR, der seit 1983 saudischer Botschafter in den USA und äußerst proamerikanisch eingestellt war, teilte seinen Gesprächspartnern in Washington mit, Saddam HUSSEIN habe mit König FAHD gesprochen und versichert, daß die Truppenbewegungen nahe der saudischen Grenze eine Übung seien. Als am 3. August 1990 die erste Grenzübertretung stattfand, benutzten die Saudis den heißen Telefondraht zwischen Riad und Bagdad. Der irakische Oberbefehlshaber beteuerte ihnen, daß er den Arm eines jeden irakischen Soldaten abschneiden würde, der seine Finger über die Grenze strecke. Trotzdem gab es einen zweiten Grenzübertritt sechs Stunden später, der einen weiteren Anruf nach Bagdad hervorrief. Dieses Mal sagte der irakische Offizier am anderen Ende, daß er von einem solchen Vorgang nichts wisse. Prinz BANDAR berichtete, daß es eine dritte Überschreitung sechs Stunden später gegeben habe und die Saudis dieses Mal keinen zuständigen irakischen Offizier erreicht hätten. Nachdem Prinz BANDAR sein Treffen mit POWELL, SCOWCROFT und CHENEY beendet hatte, rief er König FAHD an; der Monarch soll ihn gefragt haben, ob er die Satellitenfotos mit eigenen Augen gesehen habe, und gebeten haben, die Fotos nach Saudi-Arabien mitzubringen.

SCHWARZKOPF begann nun, den Operationsplan ›90–1002‹ vorzulegen, der aus zwei Teilen bestand: Abschreckung und Krieg. Da die US-Marine schon am Golf war, benötigte der Plan für die unmittelbare Abschreckung mehr Luftwaffenpotential, verbunden mit einer glaubhaften Stärke an Bodentruppen in Saudi-Arabien – etwas, was man innerhalb eines Monats erreichen könnte. Um aber in der Region die volle Abschreckungsmacht zu haben, die 200 000 bis 250 000 Soldaten erforderte, würde das Militär vier Monate benötigen. Um die Iraker aus Kuwait zu vertreiben, würde man mindestens zweimal so lange brauchen zur Aufstellung der nötigen Truppen und ihrer Kriegsmaschinerie, welche zweimal so groß wie die Abschreckungsmacht war.

Die BUSH-Gruppe, bestehend aus dem Präsidenten, POWELL, CHENEY, SCOWCROFT, BAKER, QUAYLE, SUNUNU und WEBSTER, kam nun zusammen, um die Lage am Golf zu besprechen. Präsident BUSH äußerte seine Sorgen darüber, daß »die Saudis in letzter Minute den Mut verlieren und ein Marionettenregime in Kuwait akzeptieren könnten«. POWELL, Stabschef der Streitkräfte, befürchtete seinerseits, daß, auch wenn sich die Iraker aus Kuwait zurückzögen, es dann einen »anderen Emir und eine andere Situation« geben werde und daß der Status quo in Kuwait und anderswo in der Region unweigerlich verändert sei.

Das Gremium widmete sich nun Geheimdienstberichten, denen zufolge König FAHD und seine hochrangigen Berater mit dem Gedanken spielten, die Krise durch finanzielle Angebote an Saddam HUSSEIN zu entschärfen. Die Gruppe entschied sich, einer solchen Entschärfung der Krise entgegenzuwirken. Aus dem Weißen Haus sickerte durch, daß ein teilweiser Rückzug Saddam HUSSEINs aus Kuwait (nur noch das umstrittene Rumailah-Ölfeld bleibt besetzt) als ›Alptraum-Szenario‹ empfunden werde, weshalb man sich darauf verständigt habe, alles zu veranlassen, daß sich Saddam HUSSEIN nicht aus Kuwait zurückzieht.[1008]

Die ganze Angelegenheit wurde noch dringender, als Präsident MUBARAK BUSH telefonisch mitteilte, König FAHD habe sich gegen die Entsendung von amerikanischen Truppen entschieden. Präsident BUSH telefonierte nun sofort mit dem saudi-arabischen König und teilte ihm mit, daß sich irakische Truppen massiv an der saudischen Grenze formierten und daß er darauf reagieren müsse.[1009] Am 7. August 1991 sagte der Pressesprecher des Weißen Hauses, Marlin FITZWATER: »Nach unserer Auffassung ergibt sich für Saudi-Arabien eine unmittelbare Bedrohung durch die Art und Weise, wie sie [irakische Truppen] in Kuwait stationiert sind.« In einer im Fernsehen landesweit ausgestrahlten Rede erklärte BUSH am 8. August: »Nach Gesprächen mit König FAHD habe ich Verteidigungsminister CHENEY beauftragt, Maßnahmen zu erörtern, die wir gemeinsam ergreifen können. Nach diesem Treffen hat die saudische Regierung um unsere Hilfe gebeten.« FAHD antwortete freundlich, daß er für seine Luftwaffe schon amerikanische Hilfe brauche, daß er aber die US-Armee nicht benötige. Am selben Nachmittag (6. August) kam Prinz BANDAR von Washington nach Jiddah, Saudi-Arabien, zurück. Nach seiner Landung wurde ihm mitgeteilt, daß das saudische Verteidigungsministerium nach BUSHs Warnung über einen bevorstehenden Angriff der Iraker Spähtrupps nach Kuwait geschickt habe, diese jedoch »keine Spur von irakischen Truppen« gesehen hätten, »die sich in Richtung [saudisches] Königreich bewegten«. BANDAR antwortete, er habe die US-Satellitenbilder gesehen, die das Gegenteil bezeugten. Nun mußte man in Riad zwischen Augenzeugen (der Spähtrupps) und Satellitenfotos entscheiden.

Es schien jetzt alles von den ›geheimen Fotos‹ abzuhängen.[1010] Sogenannte Satellitenfotos sind aber auch keine eindeutigen Beweise. In der Vergangenheit wurden Satellitenfotos aus politischen Gründen oft verfälscht. In einer Mitteilung vom 10. Februar 1986, die unter dem Namen ›Steps for Iran‹ bekannt wurde, wurde gezeigt, wie die USA aus politischen Gründen Satellitenfotos verfälschten. In diesem Mitteilungsschreiben stand unter anderem: »Letztendlich glauben wir, daß eine Mischung aus tatsächlicher und falscher Information bei unserem nächsten Treffen [mit den Iranern] sie von unserem ›guten Willen‹ überzeugt.« Bei diesem Treffen in Teheran übertrieben gefälschte Satellitenfotos die Größe der sowjetischen Militärstreitkräfte an der iranischen Grenze bis zu 36 Divisionen! Mit derselben Methode wurden geheimdienstliche Satellitenfotos verändert und dem Irak zugespielt, damit sie entweder irreführende oder unvollständige Aussagen zuließen. Außerdem können Satellitenfotos viel über materielle Gegenstände, wie zum Beispiel Panzer und Flugzeuge, aussagen, aber nichts über die Absichten der Panzermannschaft oder der Piloten![1011]

Das zufällige Verirren einer irakischen Patrouille in die schlecht markierte kuwaitisch-saudische neutrale Zone spielte BUSH in die Hände. Als BUSH warnte, daß Amerika auf einen Angriff auf Saudi-Arabien »entschieden reagieren« werde, bestätigte Bagdad, daß es einen solchen Angriff nicht beabsichtige. Außerdem hatte der Irak im März 1989 einen Nichtsangriffsvertrag mit Saudi-Arabien unterzeichnet. Gut einen Monat später, am 11. September 1990, sollte BUSH dem Kongreß eröffnen, daß 120 000 irakische Soldaten mit 850 Panzern »Kuwait überfallen [hätten] und [bis zum 5. August] nach Süden vorgedrungen [seien], um Saudi-Arabien zu bedrohen«.[1012] Der *U.S. News & World Report* vom 20. Januar 1992 schreibt allerdings: In derselben Woche, in der CHENEY die Saudis bearbeitete, um ihre Zustimmung zur Landung von US-Truppen zu erwirken, berichtete ein Mitarbeiter des US-Geheimdiensts aus Kuwait, daß sich Truppen der Republikanischen Garde in Wirklichkeit aus dem Süden Kuwaits Richtung Irak zurückzögen. In dem Buch *Triumph Without Victory* des *U.S. News & World Report* wird ein CENTCOM-Befehlshaber mit den Worten zitiert: »Wir haben immer noch keine schlüssigen Beweise dafür, daß [HUSSEIN] jemals beabsichtigt hat, Saudi-Arabien zu überfallen.«[1013]

Die in Florida erscheinende *St. Petersburg Times* berichtete am 6. Januar 1991 von Fotos eines sowjetischen Nachrichtensatelliten, denen zufolge bis zum 8. August, dem Tag, als BUSH den US-Einsatz ankündigte, sich keine irakischen Truppen an der saudischen Grenze befanden. Die *Times* beauftragte zwei Sachverständige des Militärischen Geheimdienstes mit der Prüfung der Satellitenaufnahmen, darunter auch Fotos von geschätzten 250 000 irakischen Soldaten und 1500 Panzern in Kuwait. Der eine Sachverständige war Prof. Peter ZIMMERMAN, Dozent an der renommierten George Washington-Universität, der unter REAGAN für das Amt für Rüstungskontrolle und Abrüstung gearbeitet hatte. Der andere war ein früher für den Militärischen Geheimdienst tätiger Spezialist für Satellitenfotos.

Die ausgewiesenen Fachleute erklärten, daß das Fotomaterial die US-Angaben nicht stütze. Die Fotos vom 8. August zeigten leichte Sandverwehungen auf den von Kuwait-City zur saudischen Grenze führenden Straßen. ZIMMERMAN sagte: »Das deutet mit Sicherheit darauf hin, daß sie von niemandem benutzt wurden und daß das [irakische] Militär sie für seine Fahrzeugbewegungen auch nicht freigemacht hat.« Die auf den Septemberfotos sichtbaren Sandverwehungen waren größer und höher. Sie hatten sich seit einem Monat ungestört aufbauen können. Während zu diesem Zeitpunkt die Anwesenheit von 100 000 US-Soldaten in Saudi-Arabien unumstritten war, schrieb ZIMMERMAN: »Es gibt keine Anzeichen für irakische Truppen in Kuwait in der von der Regierung behaupteten Stärke, nicht einmal von 20 Prozent dessen . . . Wir konnten keinerlei Hinweise darauf finden. Wir sehen keine Zeltlager, keine Panzerverbände, keine Truppenkonzentrationen, und der wichtigste kuwaitische Luftwaffenstützpunkt scheint verlassen. Seit Beginn der Invasion sind es fünf Wochen, und nach dem, was uns vorliegt, hat die irakische Luftwaffe noch kein einziges Kampfflugzeug zum strategisch wichtigsten Stützpunkt in Kuwait geflogen. Es ist keine Infrastruktur für die Versorgung der großen Zahl von Menschen zu sehen. Sie müssen doch Toiletten haben . . . , sie brauchen Lebensmittelvorräte . . . , aber wo soll das alles sein?«[1014]

»Für eine irakische Invasion Saudi-Arabiens sind sehr viel größere und tiefgreifendere militärische Operationen notwendig, als die Landstreitkräfte Bagdads bislang durchgeführt haben. Die Hauptangriffsziele einer solchen Invasion wären die von der kuwaitischen Grenze etwa 300 Kilometer entfernt liegenden Häfen und Flugplätze in der Nähe Dharans (einem der wichtigsten Erdölzentren) sowie anschließend Riad, die Hauptstadt Saudi-Arabiens. In dieser Region befinden sich alle lebenswichtigen wirtschaftlichen Zentren. Ihre Eroberung würde Saudi-Arabien vom Golf abschneiden und die Ankunft amerikanischer Verstärkungen stark behindern.«

In dieser Studie wurden dann verschiedene Varianten, wie ein Angriff der irakischen Republikanischen Garde auf Saudi-Arabien, durchgespielt. Das Ergebnis deutete auf eine verblüffende historische Parallele: »Der hervorragende Ruf der Truppen dieser Republikanischen Garde könnte zum wunden Punkt werden. Denn ihre Vernichtung oder auch nur eine schwere Niederlage dieser Eliteeinheiten würde dem Rest der irakischen Armee einen großen Schock bereiten und könnte zu ihrer Auflösung führen. Es ist durchaus vorstellbar, daß die irakischen Truppen dann auf ähnliche Art reagieren würden wie Frankreichs große Armee bei Waterloo, als sie vom Rückzug der alten Garde NAPOLEONS erfuhr. Der Schrei ›Die Garde zieht sich zurück‹ stürzte die französische Armee in Panik und führte zu ihrem sofortigen Zusammenbruch.«

Das war das Ergebnis einer Studie, die von der renommierten N.S.A. (National Security Agency) durchgeführt wurde; die Fotos der N.S.A. zeigten jeden Quadratkilometer der Krisenzone.[1015]

Die Satellitenfotos wären Stoff für große Aufmacher in den Zeitungen gewesen. Sie zeigten, daß die US-Regierung schlicht gelogen hatte, um die 540 000 Soldaten für einen Angriff auf den Irak in Saudi-Arabien bereitzustellen. Die wichtigsten Zeitungen weigerten sich jedoch fast ausschließlich, darüber zu berichten. Erwähnt wurden die Fotos lediglich in einer kleinen Meldung von *Newsweek* vom 3. Dezember 1990: ABC habe die Fotos ursprünglich denselben Experten vorgelegt, sie aber »so verwirrend gefunden, daß man sie nicht veröffentlichen wollte«. Die Redakteure der *St. Petersburg Times* boten das Material dem Scripps-Howard News Service und Associated Press zweimal an – beide lehnten ab.[1016]

Von den ganzen Satellitenfotos abgesehen, war das Argument der BUSH-Regierung, Saddam HUSSEIN wolle Saudi-Arabien überfallen, nicht sehr überzeugend. Der saudi-arabische Kommandeur der Vereinten Streitkräfte während des Golfkriegs, General Khaled Bin SULTAN, schreibt in seinem Buch *Desert Warrior* über einen möglichen Angriff der Iraker auf Saudi-Arabien kurz nach ihrer Besetzung von Kuwait: »Ich wußte ziemlich genau, daß Saddam HUSSEIN – sollte er angreifen, und er war bereit, schwere Verluste durch Luftangriffe hinzunehmen –, innerhalb von wenigen Tagen Jubail und die östlichen Ölfelder erreichen könnte. Ich kam zu dem düsteren Schluß, daß er, wolle er Kuwait behalten, nicht an diesem schmalen Kriegsschauplatz bleiben konnte, sonst würde er sich selbst einem Gegenangriff bloßstellen. Er müßte sich bald entlang der Küste herunter bewegen und seine Truppen verbreiten. Kein militärischer Experte würde erwarten, daß er an der saudischen Grenze stoppt.« Aber genau das tat er!

In jenen kritischen Tagen und Wochen sandten die Saudis Agenten nach Kuwait und Irak, um Saddam HUSSEINS tatsächliche Absichten zu erfahren. Einer dieser Agenten, ein Zwei-Sterne-General, fand heraus, daß Saddam HUSSEIN schon mehr als genug Truppen in Kuwait hatte. Von 200 000 Soldaten und 2000 Panzern war die Rede. Der Kommandeur der Vereinten Streitkräfte studierte nun seine Karten und versuchte, sich in SADDAMS Lage zu versetzen. »Ich dachte, er [Saddam HUSSEIN] würde versuchen, einen Frontalangriff auf unsere Ölfelder und Häfen einzuleiten, und vielleicht seine speziellen Streitkräfte benutzen, um uns in den Rücken zu fallen. Wir konnten unsere Luftwaffe gegen ihn einsetzen, würden aber bei dieser Aktion zweifellos verlieren. Von den USA konnten wir sofortige Hilfe erwarten, einige amerikanische Kampfflugzeuge waren schon stationiert, und zwei

US-Flugzeugträger-Gruppen waren in der Region zur Stelle. Hatte aber Saddam Hussein erst einmal die Kontrolle über mehr als 40% der Weltölreserven errungen, würde der Westen wahrscheinlich zweimal darüber nachdenken, ihn herauszufordern. Dann müßte der Westen mit ihm zurechtkommen – und das könnte seine wirkliche Absicht gewesen sein. Dies beunruhigte mich sehr. August war der beste Zeitpunkt für seinen Angriff, bevor unsere Freunde uns zur Hilfe kommen konnten, ich wußte, daß ich auf dem Boden wenig hatte, um ihn zu stoppen. . . Verglichen mit den enormen Streitkräften, die Saddam zusammengezogen hatte, schienen wir sehr schwach in Zahlen und Ausstattung zu sein. Es war der schlimmste Moment meines Lebens. . . Zu diesem Zeitpunkt hatte ich weniger als 8000 Mann in Kriegsbereitschaft, um die lange nördliche Grenze zu verteidigen. . . Das Land befand sich in größter Gefahr. . . Aber Anfang September wurde klar, daß, was Saddams Absichten auch immer gewesen waren, er einen Angriff auf Saudi-Arabien nicht mehr wirklich planen konnte. . . Mitte September verschwand die Bedrohung eines irakischen Angriffs rasch, wie man von der Stellung von Saddams Truppen feststellen konnte. Seine Position wurde defensiv, nicht offensiv. Selbstmörderisch gruben sich seine Truppen in Kuwait ein.«[1017]

Alles schien darauf hinzudeuten, daß Saddam Hussein keinen Angriff gegen Saudi-Arabien plante, statt dessen gab es jede Menge Anzeichen, daß er sich in Kuwait so defensiv wie möglich einrichtete, um einen möglichen Angriff der Israelis, Amerikaner und deren möglicher arabischer Koalition abwehren zu können. Die wichtigste ungeklärte Frage in diesem Zusammenhang bleibt nach wie vor: Warum hat er Saudi-Arabien nicht unmittelbar nach seinem Einmarsch in Kuwait angegriffen, da Saudi-Arabien zu diesem Zeitpunkt auf einen solchen Angriff völlig unvorbereitet und von daher ein verhältnismäßig schwacher Gegner war?

    Zwar räumten einige Krisenbeobachter ein, daß Saddam Hussein erst etwas Zeit verstreichen lassen wollte – damit sich die öffentliche Meinung beruhige –, bevor er Saudi-Arabien angreife. Aber auch diese Annahme ist unlogisch, da die Amerikaner ihre Anwesenheit am Golf, das heißt in Saudi-Arabien, nahezu täglich verstärkten. Einige Autoren behaupten, daß Saddam Hussein mit einem wirklichen Angriff der Amerikaner gar nicht gerechnet habe. Khaled Bin Sultan ist der Meinung, daß der irakische Führer einfach nicht glauben konnte, daß die Vereinigten Staaten ihn angreifen würden; bis zur letzten Minute schien er zu glauben, daß die gegen ihn aufgebaute Koalition nur ein Trick sei, um ihn davon abzubringen, in Kuwait zu bleiben.[1018] Die USA hatten auch alles Erdenkliche getan, um Saddam Hussein zu seinem Schachzug zu ermutigen. Andere Autoren (Dilip Hiro, Martin Yant, Douglas Kellner und Pierre Salinger) weisen darauf hin, daß Saddam HUSSEIN möglicherweise Kuwait ursprünglich nicht behalten wollte, daß er womöglich den Kuwaitis nur eine Lektion erteilen und sich wieder zurückziehen wollte, daß er aber durch die kompromißlose Haltung der Amerikaner davon abgehalten wurde.

Einer anderen plausiblen Begründung für die Invasion Kuwaits zufolge habe Saddam HUSSEIN Kuwait eigentlich nur besetzt, um das Land als eine Art Verhandlungspfand zu benutzen; denn die Kuwaitis gingen auf keine der irakischen Kompromißvorschläge ein, blamierten und enttäuschten die Iraker in ihren diplomatischen Verhandlungen, so oft sie nur konnten.[1019] Die Kuwaitis sagten Saddam HUSSEIN, daß sie die OPEC-Ölförderungsquoten auch weiterhin überschreiten würden (eine Maßnahme, die den Irak 14 Milliarden Dollar jährlich kostete), die Unterstützung an den Irak während des ersten Golfkriegs nun in verzinsten Geldern zurückhaben wollten, keinen Ausgleich für das gestohlene Öl aus dem irakischen Teil des Rumailah-Ölfeldes zurückzahlen, dem Irak keinen Kredit in Höhe von 10 Milliarden Dollar gewähren und wegen der umstrittenen Gebiete (Bubiyan und Warba) auf keine Diskussion eingehen würden.[1020] Man konnte also davon ausgehen, daß die Kuwaitis anscheinend mit Absicht auf eine Konfrontation mit dem Irak zusteuerten. All dies würde auch einen Sinn ergeben, wenn Kuwait dem Irak gegenüber ein starkes Land wäre. Aber genau das Gegenteil war der Fall: Kuwait war gegenüber dem Irak ein Zwerg, der sich hoffnungslos mit einem Giganten anlegte.

Der Krieg am Golf: Völkermord im Namen der UNO

Nachdem die US-Machtelite alles in die Wege geleitet hatte, lief am 15. Januar 1991 das Ultimatum für den geforderten Rückzug der irakischen Truppen aus Kuwait ab. Es gab genügend Anzeichen dafür, daß Saddam HUSSEIN nicht mit einem Angriff der Alliierten gerechnet hatte. Er hatte ja schon im Vorfeld (zum Beispiel in seiner Unterredung mit GLASPIE) des öfteren erwähnt, daß er die USA für eine Gesellschaft halte, die nicht 10 000 tote Soldaten verkraften könne. Falls dies stimmen sollte, zeigte sich erneut, wie sehr er den Plan der US-Machtelite verkannte und wie wenig er von moderner Kriegführung verstand. Denn Saddam HUSSEIN bereitete sich auf einen Krieg im Stil des ersten Golfkriegs vor, der mit seinem Grabenstellungskrieg dem Ersten Weltkrieg sehr ähnlich war. Aber die US-Machtelite hatte natürlich nie in einer solchen Kategorie gedacht. Statt dessen setzte sie den Plan ein, den sie ursprünglich für einen vermeintlichen sowjetischen Angriff auf Westeuropa entwickelt hatte. Dies war der F-105 Air-Land-Battle-Plan, der vor allem auf mobile Kriegführung setzte. Die Bombardierung des Iraks sollte alles, was zuvor jemals dagewesen war, in den Schatten stellen: Denn die Alliierten, angeführt von den USA, führten am Golf die intensivste Bombardierung aller Zeiten durch.[1021] In nur 42 Tagen fand das zeitmäßig stärkste Bombardement statt. Es sollte noch erwähnt werden, daß 90% der Kampfflugzeuge US-Kampfflugzeuge waren, wie überhaupt die USA zu ungefähr 90% aller Streitkräfte am Golf stellten. Daß die Bombardierung total war, bestätigte ein Augenzeuge, der amerikanische Journalist Paul William ROBERTS, der zur Zeit der Bombardierung mit Beduinenstämmen durch den Irak gezogen war. Er beschrieb, daß die Luftangriffe nicht einmal mit dem zu vergleichen waren, was er als Kriegsberichterstatter in Vietnam erlebt hatte. Er erinnerte sich:

»Die Bombenangriffe kamen nachts in drei Wellen. In Kambodscha habe ich schon manches erlebt, aber das war nichts gegen das hier. . . Nach 20 Minuten Bombenregen war es still, man hörte nur das Schreien von Kindern, Männern und Frauen. Dann wurden die Verletzten angeschleppt. Wir versuchten die Verletzten zu behandeln, alle standen unter Schock. Wie Zombies stolperten sie umher, ich auch, denn die Explosionen waren auch eine Art psychologischer Kriegführung. . . Und wenn man seit zehn Tagen wegen der Angriffe nicht mehr geschlafen hat, dann verliert man den Bezug zur Wirklichkeit.«[1022]

Was diese Bombardierung so verbrecherisch machte, war die Tatsache, daß die Amerikaner einfach drauflos bombardierten und offenbar keinen Unterschied zwischen Zivilisten und Soldaten machten. Stellvertretend für diese Tatsache ist der Bericht der Untersuchungskommission, die Nachforschungen über die Bombardierung des Iraks anstellte:

»In allen von uns besuchten Städten konnten wir schwere Schäden an Häusern und Wohnungen, Kraftwerken, Tanklagern, Fabriken, Krankenhäusern, Kirchen, Flughäfen, Fahrzeugen, öffentlichen Verkehrsmitteln, Lebensmittel-Vorratslagern und Labors für die Lebensmittelprüfung, an Getreidesilos, tiermedizinischen Einrichtungen, Schulen, Funktürmen, Regierungs- und Verwaltungsgebäuden sowie an Geschäften und Läden belegen. Nahezu alle Einrichtungen waren zwei- oder dreimal bombardiert worden, um sicherzustellen, daß sie nicht mehr repariert werden konnten. Die meisten zerstörten Brücken waren von beiden Seiten her bombardiert worden.«[1023]

Damit ist bewiesen, daß die Alliierten nach dem Spruch von US-Außenminister BAKER vorgingen, um den Irak zurück ins Steinzeitalter zu bombardieren. Es wird zugleich verständlich, daß die Behauptung der US-Regierung, man tue alles, um Zivilisten zu schonen, nichts, aber wirklich nichts als zynische Kriegspropaganda war. Ein ehemaliger amerikanischer Bomberpilot im Vietnamkrieg bezeugte, daß die sogenannten chirurgischen Angriffe, von denen das Pentagon so gern sprach, eine reine Erfindung derer seien, die von Bombardierungen nichts verstehen. Schon allein die Statistik der Bombardierung beweist, wie rücksichtslos und verbrecherisch diese war: Die US-Regierung berichtete, daß ihre Luftwaffe 110 000 Einsätze gegen den Irak geflogen und dabei 88 000 Tonnen Bomben abgeworfen habe. Diese unglaubliche Menge von 88 000 Tonnen Bomben kommt ungefähr der Explosionskraft von sieben Hiroshima-Bomben gleich. Die Luftangriffe zerstörten 10 bis 20 000 Wohnungen. Die Bombenangriffe zerstörten wichtige lebenserhaltende Einrichtungen und töteten mindestens 125 000 Menschen. Das Rote Kreuz von Jordanien ermittelte, daß ungefähr 113 000 Zivilisten getötet wurden, davon 60% Kinder, eine Woche vor Ende des Krieges.[1024] »Seit dem Kriegsausbruch wurde, vom 17. Januar (Anfang der Luftoffensive) statistisch gesehen, jede halbe Minute ein Luftangriff gegen den Irak geflogen. Allein in der ersten Bombennacht wurden Bomben mit insgesamt der anderthalbfachen Sprengkraft der Atombombe von Hiroshima über dem Irak abgeworfen.«[1025] Damit sich der Leser ein Bild von der Bombardierung des Iraks machen kann, sei gesagt: »Am 17. Januar warfen die angreifenden Flugzeuge in ungefähr 1300 Angriffen 18 000 Tonnen Sprengstoff über vorher bestimmten Zielen ab. Zum Vergleich: Bei der Bombardierung Dresdens am 13. Februar 1945 gingen 2659 Tonnen Sprengstoff auf die Stadt nieder; beim Höhepunkt der amerikanischen Luftangriffe auf Hanoi und Haiphong hagelten 3300 Tonnen Sprengstoff auf die beiden vietnamesischen Städte.«[1026]

Als ob diese mörderische Bombardierung noch nicht genug Leid verursacht hätte, schloß der amerikanische Vize-Präsident Dan QUAYLE zwei Wochen, nachdem der Irak pausenlos bombardiert worden war, den Einsatz von Atombomben nicht aus.[1027] Es handelte sich bei der Bombardierung des Iraks um einen vorsätzlichen Völkermord: Was die Bomben nicht erledigen konnten, wurde von den kriminellen Sanktionen in Angriff genommen. Dies wird vor allem in dem ausgezeichnet recherchierten Buch *Kriegsverbrechen der Amerikaner und ihrer Vasallen gegen den Irak und 6000 Jahre Menschheitsgeschichte* der Autoren MITTMAN und PRISKIL deutlich. Sie weisen unter anderem nach, daß die US-Regierung zielbewußt die gesamte Infrastruktur des Iraks so zerstörte, daß der Irak womöglich Jahrzehnte brauchen wird, um wieder seinen Vorkriegsstatus zu erreichen.[1028] Seit August 1990, als die sogenannten Sanktionen festgelegt wurden, sind ungefähr 400 000 Kinder im Irak an Unterernährung gestorben. Daß diese Sanktionen auch weiterhin bestehen, beweist, daß die US-Regierung an einem Völkermord im Irak interessiert ist, denn es wurde eindeutig bewiesen, daß die Sanktionen keinesfalls ihr Ziel erreichen könnten, Saddam HUSSEIN zu stürzen.[1029] Die *FAZ* berichtet diesbezüglich, daß jeden Tag 500 Kinder im Irak wegen der Sanktionen sterben.[1030] Ferner schreibt die *Ärzte-Zeitung*: »Nach offiziellen irakischen Angaben, die von internationalen Hilfsorganisationen bestätigt werden, starben im vergangenen Jahr Monat für Monat durchschnittlich 4904 Kinder unter fünf Jahren, weil ihnen Nahrung und Medikamente fehlten.« Auch die sogenannte ›Öl-für-Nahrung‹-Abmachung konnte die schlimme Lage der irakischen Bevölkerung kaum lindern, denn: »Nach diesem Programm darf der Irak alle sechs Monate Öl im Wert von zwei Milliarden US-Dollar verkaufen, um davon Lebensmittel und Medikamente zu bezahlen. 30 Prozent dieser Summe fließen allerdings in Kriegsreparationen, zehn Prozent in den Unterhalt der verschiedenen UN-Teams im Lande. Für 900 Millionen Dollar kaufe der Irak Lebensmittel, nur 200 Millionen Dollar stünden letztendlich für Medizin zur Verfügung, berichteten Angehörige von UN-Hilfsorganisationen. ›Das ist nicht genug‹, sagte KALANDER. . . Vor kurzem hatte der Sicherheitsrat der Vereinten Nationen eine neue Resolution erlassen, wonach Bagdad zweimal jährlich für 5,2 Milliarden Dollar Öl verkaufen darf. Aber die irakischen Behörden schließen aus, daß die halbjährlichen Ölexporte vier Milliarden Dollar übersteigen werden: Die Ölindustrie sei in schlechtem Zustand, viele Pumpanlagen verrottet.«[1031]

Anderen Quellen zufolge sind im Irak seit dem zweiten Golfkrieg 1 200 000 Menschen gestorben, die meisten davon Kinder. Alle fünf Minuten stirbt ein Kind im Irak auf Grund der Sanktionen, während ein Viertel der Kinder, rund 750 000, unterernährt sind. Die UNO-Organisation (FAO), die sich mit Ernährung befaßt, kam zu dem Urteil, daß eine »Hungersnot vier Millionen Menschen im sanktionsbetroffenen Irak bedroht – ein Fünftel der Bevölkerung«. Als US-Außenministerin Madeleine ALBRIGHT in einer Sendung des CBS die Frage gestellt wurde, ob der Tod von 567 000 irakischen Kindern zu rechtfertigen sei, antwortete sie: »Es ist eine sehr schwierige Entscheidung, aber der Preis, wir denken, der Preis ist es wert.«[1032]

Die Anzahl der toten Iraker wurde, wie schon erwähnt, nie richtig ermittelt, die Zahlen schwanken zwischen 100 000 und 500 000 Toten als Bombenopfer der US-Aggression. Wenn man aber berücksichtigt, daß die Explosionskraft sieben Hiroshima-Atombomben gleichkam, erscheint folgender Bericht eher zuzutreffen. »Mehr als eine halbe Million Iraker blieben tot oder verwundet. Weitere hunderttausend Kurden und Schiiten fielen in dem folgenden Bürgerkrieg [der ohne den Golfkrieg gar nicht stattgefunden hätte]. Fünf Millionen Menschen flohen nach dem Krieg, was zu einer Massenflucht führte, die unglaubliches Elend verbreitete.«[1033]

In der Geschichte ist es nicht nur einmalig, daß die schwerste Bombardierung aller Zeiten gegen einen Staat der Dritten Welt stattgefunden hat, sondern es ist ebenfalls einmalig, daß dieser Staat nach seiner schweren Niederlage auch noch derart sieben Jahre lang nach Kriegsende boykottiert wird, daß seine Bürger den Hungertod sterben müssen. Den Völkermord am irakischen Volk hat also die US-Regierung voll und ganz zu verantworten. Irak bleibt also nach wie vor ein trauriges Kapitel in der US-Kriegsgeschichte, das die Völker im Nahen Osten nicht so schnell vergessen werden.

Washingtons verdeckter nuklearer Krieg

Nicht nur die angeblichen Präzisionswaffen entpuppten sich als Farce, da ihre Effektivität übertrieben wurde, damit sich der Verkaufswert von US-Waffen in aller Welt steigert. Der Golfkrieg 1991 war ein verdeckter Atomkrieg gegen die Bevölkerung des Iraks, von dem die Welt erst nach den unleugbaren grauenhaften Schäden erfuhr. Diesbezüglich schrieb Dr. Helen CALDICOTT: »Die USA haben zwei atomare Kriege geführt. Den ersten gegen Japan 1945, den zweiten in Kuwait und Irak 1991.«

Im Krieg gegen Japan wurden eine Plutonium- und eine Uran-Bombe verwendet. Im Golfkrieg wurden abgereicherte Uran-Waffen eingesetzt. Diese Geschosse bestanden aus abgereichertem Uran (DU), einem hochtoxischen Schwermetall. »Es ist praktisch der schwerste Stoff, der natürlich vorkommt.« Ihr Einsatz wurde mit dem Argument gerechtfertigt, daß ihr ummantelter und gehärteter Urankern schwere Panzerungen leicht durchschlagen kann. »Beim Durchschlagen einer Panzerung entzündet es sich und setzt bei der Verbrennung hochtoxische und radioaktive Stoffe frei. Es bilden sich dabei Partikel von Uranoxid, die eingeatmet oder durch Wunden in den Körper gelangen können. . ., diese sitzen dann im Körper fest und können danach über lange Zeit. . . Radioaktivität entfalten.«

All dies war der US-Regierung seit 1979 bekannt; damals wurden DU-Testschüsse auf Aberdeen Proving Grounds akribisch analysiert. Für die US-Atomindustrie handelte es sich jedoch um ein lästiges und gefährliches, nicht sicher lagerbares Abfallprodukt, für das man einen nahezu idealen ›Entsorgungsplatz‹ fern von der Heimat gefunden hatte. Laut der US-Definition des Verteidigungsministeriums und der *Atomic Energy Commission* ist DU eine Atomwaffe, was bereits in den sechziger Jahren festgestellt wurde. Als die US-Army damals nach mehr Durchschlagskraft suchte, um die zahlenmäßig überlegene sowjetische Panzerarmada bezwingen zu können, setzte sie auf die Uranmantelgeschosse. Während der Desert Storm/Desert Shield-Phase 1990–1991 bestätigte die US-Armee den Abschuß von 940 000 30-mm-Geschossen von US-Kampfflugzeugen sowie 14 000 Stück großkalibriger Munition, die von Panzern abgefeuert wurden. Die US-Armee berichtete ferner über den Abschuß von 14 000 Geschossen während des Krieges, davon wurden 7000 schon vor dem Krieg zu Trainingszwecken in Saudi-Arabien abgefeuert; 4000 wurden im Kriegseinsatz verschossen, während 3000 im Feuer oder anderen Unfällen verlorengingen.

Am Ende des Golfkriegs lagen rund 300 Tonnen Uran auf den Schlachtfeldern im Irak und in Kuwait herum. Eine US-Forschergruppe untersuchte den Gebrauch von DU durch das US-Department of Defense während des Angriffs auf den Irak. Ihre Analyse ergab, daß abgereicherte Urangeschosse zum ersten Mal in der Geschichte der modernen Kriegführung im Golfkrieg eingesetzt und zahlreiche irakische Soldaten entweder direkt oder indirekt durch DU-Geschosse getötet wurden. Sie schätzten, daß etwa 50 000 irakische Kinder durch die Verwendung von DU in den ersten acht Monaten des Jahres 1991 gestorben sind. Diese Kinder starben an Krebs, Nierenversagen und bisher unbekannten inneren Krankheiten. Die Halbwertszeit von Uran 238 beträgt 4,5 Milliarden Jahre, was ungefähr dem Alter unseres Sonnensystems entspricht. Die NLS-Theorie besagt, daß jedwede noch so geringe Strahlung schädlich sei. Uran kann im menschlichen Körper viele Jahre bleiben, bevor seine Strahlung zu Krebs führt. Die Inkubationszeit für Leukämie nach den Atombomben-Explosionen in Hiroshima und Nagasaki betrug rund drei Jahre bis sechzig Jahre; nach therapeutischen Röntgenstrahlen trat Blutkrebs bereits nach Monaten auf. Das ganze Ausmaß der Misere wird daher in einigen Jahren, womöglich erst in Jahrzehnten, sichtbar werden.

Ein Artikel in *The Nation* vom 21. 10. 1996 wies darauf hin, daß im August 1995 der Irak der UNO eine Studie vorlegte, der zufolge Leukämie und Krebsfälle in der Basra-Region stark gestiegen seien. Darüber hinaus schätzt ein Geheimbericht der ›British Atomic Energy Authority‹, daß genug abgereichertes Uran in Form von leeren Hülsen in der Region Basra vorhanden sei, um für 500 000 potentielle Todesfälle zu sorgen. Diese Berechnungen waren aber unrealistisch, da sie von 50 Tonnen ausgingen, und nicht von den vermutlichen 300 Tonnen, die US-Militärs nach dem Krieg hinterließen. Schlimm für die irakische Bevölkerung ist, daß nur etwa 10 Prozent der hochtoxischen Geschosse gefunden wurden, da der Großteil im Sand verweht oder tief im Erdboden liegt und daher letztendlich ins Grundwasser sowie in die Nahrungskette gelangt ist. Dem US-Atomwissenschaftler Leonard DIETZ zufolge »sei die Waffentechnologie der Urangeschosse derartig revolutionierend wie im Ersten Weltkrieg das Maschinengewehr. Der Golfkrieg war nach seiner Ansicht aber auch der toxischste Krieg in der bisherigen Kriegsgeschichte«.

Über das Golfkriegssyndrom schrieb der ehemalige Botschafter Freimut SEIDEL, daß »dieser Krieg der ersten Erprobung neuer Vernichtungsmittel am ›lebenden Objekt‹ gedient« habe. Prof. Siegwart-Horst GÜNTHER untersuchte die Folgen der DU-Munition im Golfkrieg vor Ort im Irak. Er stellte fest, daß es unter anderem (1) zum Zusammenbruch des Immunsystems mit starken Infektionen, (2) zu Aids-ähnlichen Erscheinungen, (3) Leukämie, (4) genetischen Mißbildungen, und (5) Aborten führte. »Die genetischen Mißbildungen amerikanischer und irakischer Kinder gleichen sich... Im Irak werden 250 000 Männer, Frauen und Kinder mit derartigen Symptomen angegeben, deren Moralität hoch ist... Nach Angaben des Präsidenten der US-Golfkriegsveteranen sind vom ›Golfkriegssyndrom‹ etwas 50 000 bis 80 000 US-Armeeangehörige betroffen, bisher mußten etwa 39 000 von ihnen aus dem aktiven Militärdienst entlassen werden, 2400 bis 5000 sind verstorben.«

Ein US-Unteroffizier beklagte, daß »viele Golfkriegsveteranen jetzt befürchten, als ›Versuchskaninchen‹ in einem Strahlenexperiment benutzt worden zu sein«. Einer der Gründe, weshalb die US-Regierung dies auch weiterhin dementiert, ist, daß ein Eingeständnis heute eines Milliardenschadensersatzklage bedeuten würde. In einem Interview beschrieb der Physiker und frühere US-Armee-Experte Doug ROKKE den Einsatz von DU-Munition als ein Verbrechen. »Bei Kampfeinsätzen gegen Panzer feuerten US-Jets rund 3900 dieser Geschosse pro Minute. Das sind fast 20 Kilo strahlender Stoff in der Sekunde... Wir haben mutwillig und wissentlich ganze Landstriche verseucht: Das ist ein Verbrechen gegen Gott und die Menschheit.« Er beklagte den Tod eines seiner Kameraden, mit denen er in der Golfregion 1991 Entsorgungsarbeiten durchführt hatte. Er selbst leidet an den Folgen der Strahlung: »Trotz Atemgerät und Schutzkleidung sind unsere Leute binnen einer Woche krank geworden... acht, neun Monate danach gab es die erste Krebserkrankung. Nach zwei, drei Jahren starben die Ersten... Heute sind 20 von ihnen tot.« Ferner beklagte er, daß das Pentagon breite medizinische Untersuchungen unterdrückt und hinauszögert, obwohl die Indizien für die Strahlenschäden überwältigend sind.

Kapitel 15

Somalia: Ein bißchen humanitäre Intervention ›The American Way‹ (1993-94)

Nachdem man den Golfkrieg hinter sich gelassen und die Iraker ihrem grausamen Schicksal überlassen hatte, zeigte sich nun Washington besorgt, weil Medienberichten zufolge Hungersnot in Somalia herrschte. Es durfte wohl eine einzigartige, wenn auch bittere Ironie gewesen sein, die Washington dazu trieb, in Somalia aus ›humanitären‹ Gründen einzugreifen: Während Washington für das Verhungern von über 400 000 Kindern im Irak sorgte, war dasselbe Washington offenbar darüber besorgt, daß in Somalia Hungersnot herrschte. Daß die US-Außenpolitik in diesem Zusammenhang völlig schizophren reagierte, schienen die Medien keinesfalls gemerkt zu haben. Somalia wurde durch die Medien zum ›Medienereignis‹ gemacht.

Bemerkenswert ist, daß die Hungersnot in Somalia bei weitem nicht so schlimm war, wie dies die Medien darstellten. Jahre zuvor hatte es nämlich weitaus schlimmere Hungersnöte gegeben, die anscheinend keine ›humanitäre Intervention‹ erfordert hatten. Außerdem war die UNO-Resolution, die das Eingreifen in Somalia beschloß, alles andere als unumstritten. Sie war ebenso umstritten wie die kriminellen Sanktionen gegen die Menschen im Irak. Was die Somalia-Entschließung der UNO so fragwürdig machte, war, daß sie erstmals eine UNO-Intervention in einem nicht mehr existierenden Staat erlaubte. Im internationalen Recht ist das eigentlich illegal. So schreibt Professor Werner RUF in seinem Buch *Die Neue Welt-UN-Ordnung*: »Damit hat der Sicherheitsrat erstmals die Grundlage geschaffen, um Kapitel VII der Charta nicht mehr nur auf zwischenstaatliche Konflikte anzuwenden, wie dies dem Geist. . . und der bisherigen Praxis der UN seit ihrer Gründung entspricht, sondern er hat sich zuständig erklärt für innere Konflikte vom Typ des Bürgerkriegs.« Die Rechtfertigung für die Intervention hieß im Sicherheitsrat der UN »eine Bedrohung des Weltfriedens und der internationalen Sicherheit (Resolution 733)«.[1034] Wie ein unbedeutendes Land der Dritten Welt, in dem Hungersnot herrscht, den Weltfrieden bedrohen kann, wurde übrigens nicht der Öffentlichkeit erklärt, das wäre wohl auch nicht leicht gewesen. Wie so oft sah sich die US-Regierung als einzige imstande, die ›humanitäre Intervention‹ einzuleiten, höchstwahrscheinlich beruhte dies auch auf jener »moralischen Kraft« der US-Regierung, wie BUSH es schon im Golfkrieg ausdrückte.

Im Januar 1991 wurden die Medien urplötzlich auf die Hungersituation in Somalia aufmerksam, als der somalische Diktator Mohammed Siad BAR-

RE gestürzt wurde. In den darauffolgenden Kämpfen um die Regierungsmacht wurden Nahrungsmittel von sogenannten ›Warlords‹ (Kriegsherren) als Waffe eingesetzt. Im Dezember 1992 erreichte Somalia auch die US-Fernsehzuschauer. US-Präsident BUSH kündigte als Reaktion die ›Operation Restore Hope‹ – zu deutsch etwa: ›Operation Wiederherstellung der Hoffnung‹ – an. »Den Menschen in Somalia«, sagte BUSH, »verspreche ich dies: Wir haben nicht vor, politische Entscheidungen zu diktieren. Ich kann mit Zuversicht behaupten: Wir kommen in euer Land nur aus dem einen Grund: daß die Hungernden versorgt werden.« Der amerikanischen Öffentlichkeit gegenüber äußerte BUSH die Ansicht: »Unsere Mission hat begrenzte Ziele, Nachschubrouten öffnen, Nahrungsmittel in Bewegung setzen und den Weg für eine UN-Friedensmacht ebnen, damit diese aktiv bleiben kann.« Präsident BUSH schätzte, daß die USA ihre Nahrungshilfe bis Februar 1993 fortsetzen würden.

Nach der Wahl Bill CLINTONS zum US-Präsidenten dachten die Amerikaner, die Somalia-Krise sei nun vorbei. Statt aber die US-Truppen abzuziehen, unterstützte CLINTON UN-Sekretär BOUTROS-GHALIS Plan des ›nationbuilding‹ (Nationenaufbauprogramm). CLINTONS Botschafterin bei der UNO, Madeleine ALBRIGHT, lobte den Plan als »einmaliges Unternehmen, um eine ganze Nation zu restaurieren«. Dieser von den USA befürwortete Plan sah unter anderem die Entwaffnung der somalischen Clans vor.[1035] Schon hier hätte Washington merken müssen, daß ein solches Unterfangen äußerst unrealistisch ist, denn ein Land wie Somalia, das sich mitten in einem Bürgerkrieg und einer Hungersnot befand, ließ sich nicht einfach von außen entwaffnen. Waffen bildeten in Somalia nämlich die einzige noch bleibende Sicherheit für jeden einzigen Somalier. In dem Buch *Somalia Ein Volk stirbt* erklärt ein Somalier folgendes: »Ohne Waffe... kannst du dich in diesem Land nicht mehr bewegen, ohne Gewehr bist du verloren.«[1036]

Dieser US-Plan konnte bei der somalischen Bevölkerung daher nur auf Widerstand stoßen. Nicht überraschend weigerte sich der ›Warlord‹ Mohammed Farah AIDEED, Washington seine Waffen zu übergeben. Am 5. Juli kam es daher zum nicht mehr vermeidbaren Zusammenstoß zwischen UN-Truppen und AIDEEDS Rebellen. AIDEED griff die UN-Truppen an, dabei wurden 25 UN-Soldaten getötet und 60 verwundet. Als Antwort setzte US-Admiral Jonathan HOWE eine Belohnung in Höhe von 25 000 Dollar für AIDEEDS Gefangennahme an. Er behauptete außerdem, daß AIDEED ein Killer sei. Von nun an suchten die in Somalia stationierten 8000 US-Soldaten nach AIDEED. Den US-Streitkräften wurde mitgeteilt, daß er sich mit seinen somalischen Offizieren in Mogadischu in einem Gebäude treffen werde. Am 3. Oktober 1993 stürmten Kommandos der US-Delta-Force fünfzehn Minuten lang das Gebäude und nahmen 24 somalische Gefangene fest, doch AIDEED konnte entkommen.

Der 15minütige Überfall wurde aber für die US-Truppen zum Alptraum, der sechzehn Stunden dauern sollte. Die Somalier schossen einen US-Hubschrauber vom Typ Black Hawk ab, dessen Besatzung getötet und danach von den Medien gefilmt wurde. US-Soldaten wurden erschossen, als sie somalische Rebellen zu fangen versuchten. Nicht viel später wurde ein Hubschrauber vom selben Typ abgeschossen. Als Army Rangers die Besatzung retten wollten, wurden sechs von somalischen Rebellen erschossen. Mittlerweile waren 18 US-Soldaten gestorben und über 80 verwundet.

Als amerikanische Politiker erfahren wollten, warum US-Soldaten in so viele Hinterhalte ohne Unterstützung gelangen konnten, erfuhren sie einige interessante Einzelheiten. US-Kongreßabgeordnete wollten unter anderem wissen, warum General MONTGOMERY auf fremde Mannschaftstransporter angewiesen und warum die Luftunterstützung von Somalia abgezogen worden war; ferner, warum die US-Truppen ihre eigenen Soldaten nicht sofort hatten retten können, als diese in Hinterhalte gerieten. Es kam bald heraus, daß General MONTGOMERYS Versuche, bewaffnete Mannschaftstransporter zu bekommen, scheiterten, während General Colin POWELL zweimal den bewaffneten Transporter von US-Verteidigungsminister Lee ASPIN beantragte. Alle Anträge wurden abgelehnt.

Es stellte sich später heraus, daß die gesamte Mission der US-Truppen von einem Assistenzkomitee gemanagt wurde. Mit anderen Worten: Der US-Präsident, der Verteidigungsminister, der Außenminister und das nationale Sicherheitskomitee hatten US-Truppen in ein gefährliches Land geführt, ohne die militärische Lage zu kennen. Sie alle schien es nicht zu stören, daß die gesamte US-Militäraktion von Unterkabinettspersonal durchgeführt wurde. Da CLINTON nun zunehmend im Mittelpunkt der Kritik stand, US-Truppen in ein gefährliches Land geschickt zu haben, ohne ihnen den nötigen Schutz zu gewährleisten, verkündete er, weitere US-Truppen würden nach Somalia geschickt und unter einem US-Kommando stehen. Er versicherte ferner, daß die US-Truppen am 31. März 1994 wieder in den USA sein würden.[1037] Nicht viel später verließen die US-Truppen Somalia, nachdem sie ihre Aufgaben wohl kaum erfüllt hatten.

Aber warum kam es überhaupt zu der ganzen UN/US-Intervention? Bevor man es wagen kann, diese Frage zu beantworten, muß man sich einiger Tatsachen bewußt sein. Es war noch nie Ziel der US-Außenpolitik gewesen, Hungersnöte in anderen Staaten zu beseitigen. Die fast 26 000 Mann starken US-Truppen, die im Dezember 1992 mit den modernsten Waffen und einer Marineflotte mit Flugzeugträgern ausgestattet waren, können nicht nach Somalia gekommen sein, nur um die Bevölkerung mit Nahrungsmitteln zu versorgen. Wenn das wirklich der wahre Grund der US-Mission gewesen wäre, wäre es auch vollkommen ausreichend gewesen, die Nahrungsmittel von Zivilisten des Roten Kreuzes unter UN-Aufsicht zu verteilen. Die Somalier sind zu fast 100 % Moslems. In seinem Buch *The Global Game for a New World Order* äußert Tariq MAJEED die Auffassung, daß eine Hungersnot in Somalia, wenn sie überhaupt geherrscht hatte, dann ein begrenztes Gebiet und von daher nur einen sehr kleinen Teil der Bevölkerung betroffen habe. Die Hungersnot ist in der Tat nur das Erzeugnis einer systematischen und intensiven Propaganda gewesen. Wie bei so vielen anderen Kriegs- und Interventionszielen der USA fing der UN/US-Einsatz in Somalia mit äußerst begrenzten und harmlosen Zielen an, bevor diese im Laufe der Mission derart geändert wurden, daß sie letztendlich überhaupt nichts mehr mit den ursprünglichen Absichten zu tun hatten. Am Anfang war die Mission der UN/US- Streitkräfte rein ›humanitär‹, sie sollte beispielsweise die Bewachung der Lebensmittel und deren Verteilung gewährleisten. Dann kam die Entwaffnung der sogenannten Banditen hinzu, dann ihre Verfolgung.

Die sogenannte ›humanitäre Intervention‹ verfolgte in Wirklichkeit folgende Ziele:

1. Den Zerfall des Staates Somalia. Die somalische demokratische Republik soll in verschiedene Ministaaten oder Kantone aufgeteilt werden. Mit US- und britischer Unterstützung erklärte Nordsomalia seine Unabhängigkeit 1992. Restsomalia ist schon von den UN/US-Streitkräften in vier Gebiete aufgeteilt worden.

2. Die Übernahme der Kontrolle über Schiffsrouten im Roten Meer und im Indischen Ozean. Unter dem Schutz der USA und der UNO hat das israelische Regime, einer der Hauptverbündeten der US-Regierung, bereits die Kontrolle über die Marinestützpunkte und wichtige Küstenregionen Somalias übernommen. Die Häfen von Berbera, Mogadischu und Kismayu werden schon von US-Streitkräften kontrolliert. Von diesen Häfen lassen sich die Schiffsrouten im Golf von Aden, die durch das Rote Meer und den Indischen Ozean führen, kontrollieren. Pakistan, Iran und alle arabischen Staaten benutzen diese Routen für ihren Handel.

3. Die Übernahme der Kontrolle über Somalias Uran- und Eisenrohstoffe. Multinationale Konzerne übernehmen in Somalia das reiche Land. Die Weltbank und der IMF (Internationaler Währungsfonds), die hauptsächlich von den UN/US-Beauftragten unterstützt werden, bestehen darauf, daß die Somalier ihr Land zur Privatisierung hergeben. Zuverlässigen Quellen zufolge besitzt Somalia nachgewiesene Reserven von 250 000 Tonnen Uran und 480 Millionen Tonnen Eisenerz.

4. Somalia als Sprungbrett gegen den Sudan. Auch wenn die US-Intervention in Somalia beendet ist, so bereitet sich der Hauptalliierte der USA, Israel, für weitere geheime Interventionen in Somalia vor, die gegen den Sudan gerichtet sind. Sudan ist nämlich einer der größten Staaten Afrikas, und seine Massen sind überzeugte Anhänger des Islams und wollen einen

starken islamischen Staat aufbauen. Die Israelis kennen das Potential des Sudans. Um den Sudan zu schwächen, hat die US-Machtelite schon am 18. August 1992 erklärt, daß sie den Sudan als einen sogenannten terroristischen Staat betrachte. Damit hat die US-Führung einen Umsturz und geheime Operationen gegen diesen Staat öffentlich legitimiert.

5. Benutzung Somalias als UN-Präzedenzfall für künftige Interventionen. Durch das Eingreifen der USA/UNO hat die US-Machtelite das Prinzip der Souveränität, Unabhängigkeit und territorialen Integrität von Staaten untergraben. Die Intervention in Somalia wurde von keinem Angehörigen der somalischen Regierung beanstandet. Mit diesem hinterhältigen Schachzug, man wolle nur ›humanitäre‹ Hilfe leisten, rückte die US-Machtelite ihrem lang ersehnten Ziel der ›Eine-Welt-Regierung‹ wieder ein Stück näher.

6. Die Veränderung der islamischen Ideologie und des Charakters Somalias. Die von der US-Machtelite und ihren israelischen Verbündeten verfolgte Strategie sieht vor, dem somalischen Volk eine neue Verfassung aufzuzwingen. Diese neue Verfassung, die für die verschiedenen Teile Somalias zusammengestellt wird, schließt den Islam völlig aus. Eine weitere Strategie, die verfolgt wird, ist die Herstellung einer anti-islamischen Elite, die von den USA und der UNO auch weiterhin unterstützt wird. Über zwei Millionen Somalier sind durch den Bürgerkrieg und die Intervention der UN/US-Truppen aus ihrem Heimatland verdrängt worden. Je mehr Somalier aus ihrem Heimatland vertrieben werden, desto eher wird Somalia in verschiedene Bereiche aufgeteilt und seine Souveränität verlieren. Das ist auch das Ziel, das die US-Machtelite konsequent verfolgt, um ihre langersehnte ›Eine-Welt-Regierung‹ zu bekommen. Der Zerfall Somalias wie zuvor der Zerfall Jugoslawiens und der Sowjetunion wäre ein weiterer Schritt der US-Machtelite in Richtung Weltregierung.[1038]

7. Ein weiterer Grund für die Intervention der USA war die Tatsache, daß Somalia über reichlich Erdöl verfügt. In diesem Zusammenhang wundert es nicht, daß nur wenige Tage vor der Landung der US-Truppen an der Küste von Somalia im Dezember 1992 das Erdölunternehmen Conoco Inc. sein Firmenbüro in der Hauptstadt Mogadischu gewissermaßen zur US-amerikanischen Botschaft für den Sonderbauftragten Robert OAKLEY umfunktioniert hatte. Denn eine vom obersten Ölingenieur der Weltbank betreute und 1991 in London vorgestellte Studie bestätigte nach Probebohrungen, daß Somalia »innerhalb des Erdölfensters« liege und damit »für Öl und Gas höchst ergiebig« sei. Studienleiter Thomas O'CONNER versicherte daher: »Das Öl ist da – ohne Zweifel.« »Somalia galt damals als aussichtsreichstes Gebiet unter acht Staaten Afrikas.« »Bereits 1986 – noch vor der Weltbankstudie – hatten vier amerikanische Konzerne Lizenzen zur Erdölsuche erhalten. Das Land wurde unter den US-Unternehmen aufgeteilt,

gestützt auf eine erfolgreich verlaufende Prospektion der Hunt Oil Corp. im Jemen. Von dort aus sollte ›ein riesiges unterirdisches Tal‹, eine reichhaltige Erdöllagerstätte, bis zum Norden Somalias reichen. Doch der Bürgerkrieg machte den US-Ölkonzernen bis heute einen Strich durch die Rechnung: Drei der vier Multis mußten in Anbetracht der bedrohlichen Lage ihre Arbeiten bereits damals einstellen. Conoco soll nach dem Sturz des Diktators BARRE als einziges Unternehmen ein ›Stillhalteabkommen‹ (Conoco-Sprecher John GEYBAUER) mit der Interimsregierung geschlossen haben. Siad BARRE verschwand mitsamt den Verträgen, dafür marschierten bald darauf die UN-Truppen unter Führung der US-Einheiten ein.«[1039]

Der aber wohl bedenklichste Gesichtspunkt der gesamten UN/US-Intervention in Somalia war, daß die US-Machtelite militärische Interventionen in nicht mehr bestehenden Staaten vom UN-Sicherheitsrat legitimiert bekamen. Der ganze Somalia-Einsatz war ohnehin eine US-Angelegenheit, genauso wie der Golfkrieg in Wirklichkeit ein US- und kein UN-Krieg war. Der Oberbefehlshaber SCHWARZKOPF trug bekanntlich keinen UN-Blauhelm, sondern die Uniform der US-Armee. Außerdem wurde die UNO nach dem Angriff auf den Irak überhaupt nicht mehr befragt, sondern alles lief nach dem Plan der US-Machtelite ab. So gesehen, war das Eingreifen in Somalia nach dem Golfkrieg der zweite von der UN und den USA geführte Krieg nach Ende des Kalten Kriegs.

Besonders besorgniserregend ist die Tatsache, daß heute etwa drei Viertel aller Kriege Bürgerkriege sind.[1040] Vor der UN/US-Aktion in Somalia waren solche Kriege, zumindest juristisch gesehen, für andere Staaten tabu. Aber nach der Somalia-Mission können die USA (kraft der UN-Resolution 733 für Somalia als Präzedenzfall) nunmehr unter dem Deckmantel einer UN-Mission in alle Bürgerkriege eingreifen. Daß diese ›humanitären‹ Interventionen nichts Humanes an sich haben, bewies zuletzt die US-angeführte Intervention der UN in Somalia, wo die US-Streitkräfte sogar Krankenhäuser und andere offizielle Einrichtungen angriffen. Die UN wurde selbst zur Kriegspartei im Konflikt um Mogadischu. »Hunderte von Zivilisten sind den Angriffen der UN inzwischen zum Opfer gefallen. Die UN-Truppen, die doch zuallererst verpflichtet sind, die Genfer Konvention einzuhalten bzw. für ihre Einhaltung zu sorgen, scheinen mit diesem Auftrag allzu leichtfertig umzugehen.«[1041] »Zum ersten Mal entschied sich die UNO zu einer Intervention, die über die Erhaltung des Friedens hinaus dazu führen konnte, daß der Frieden mit Gewalt durchgesetzt wird. Erstmals auch stehen Truppen der Vereinigten Staaten unter UN-Kommando, doch behalten sich die USA durch die Ernennung des amerikanischen Admirals HOWE zum Chef des Militärapparats auch weiterhin die Kontrolle vor.«[1042]

Aus diesem Zitat geht deutlich hervor, wie erstmals die US-Machtelite die Kontrolle ihrer Truppen unter ein UN-Kommando gelegt hatte. Die

Tatsache, daß später die US-Truppen wieder einen US-Befehlshaber bekamen, erfolgte wegen der Proteste in den USA selbst. Dieses Unterstellen der US-Truppen unter ein UN- statt ein US-Kommando ist für die US-Machtelite ein sehr wichtiger Schritt zur ersehnten ›Weltregierung‹. Denn mit der amerikanischen Ausführung des UN-Mandats kann die US-Machtelite jederzeit die eigenen Institutionen, wie den US-Kongreß, umgehen, um zum Beispiel einen unpopulären Krieg zu führen. Dies geschah schon im Golfkrieg, bei dem es auch ein UN-Mandat gab. George BUSH hatte als US-Präsident, wie wir gesehen haben, behauptet, daß er nicht die Zustimmung des US-Kongresses brauche, um einen Krieg gegen den Irak zu führen. Er ging sogar so weit zu behaupten, daß er auch nicht die Zustimmung des amerikanischen Volks brauche, um diesen Krieg zu führen.

George BUSHs Botschaft war eindeutig: Es bedarf in der Zukunft nur noch eines UN-Mandats, um einen US-Krieg zu führen, gleich, wie der US-Kongreß und das amerikanische Volk dazu stehen. Dies ist ganz klar ein gefährlicher Präzedenzfall. Die US-Machtelite hat es nun geschafft und kann sämtliche amerikanischen politischen Institutionen umgehen, wenn sie einen Krieg führen will: Alles, was sie hierzu braucht, ist ein UN-Mandat.

Kapitel 16

Jugoslawien: Humanitäre Intervention Teil II oder: die verheimlichte Rolle der USA bei der Zerstückelung eines Staates

Über das Thema Zerfall Jugoslawiens und Balkankrieg, der in den Medien fälschlicherweise als ›Bürgerkrieg im ehemaligen Jugoslawien‹ behandelt wurde und wird, ist verständlicherweise viel geschrieben worden. Allerdings wurde dabei die berüchtigte Rolle der US-Regierung im Zusammenhang mit der Auslösung des Balkankriegs völlig übersehen. Daß dies keinesfalls auf einem Zufall oder auf mangelnder Berichterstattung über den Balkankrieg beruht, wird schon klar, zumal die Medien jahrelang fast ununterbrochen über diesen grausamen Krieg berichtet haben. Aber leider sind es nicht nur die Medien, die völlig dabei versagt haben, die Menschen über die berüchtigte Rolle der USA im Balkankrieg aufzuklären. Auch die Balkankriegsliteratur verschweigt fast gänzlich die wichtige Rolle der US-Regierung bei der Verursachung des Zerfalls Jugoslawiens. Ohne den Zerfall Jugoslawiens wäre der Balkankrieg nämlich kaum möglich gewesen.

Eine der wenigen Personen, die die kriegstreiberische Politik der US-Regierung offenbart haben, ist Sarah FLOUNDERS vom International Action Center, einer Organisation, die von entschiedenen Kriegsgegnern zur Zeit der Golfkrise mit der Absicht gegründet wurde, die amerikanische Öffentlichkeit über die kriegstreiberischen Ziele ihrer Regierung aufzuklären. Um die Menschen ebenfalls über die hinterhältige Kriegspolitik der USA im Zusammenhang mit dem Zerfall Jugoslawiens und dem darauf folgenden Balkankrieg aufzuklären, veröffentlichte FLOUNDERS die demaskierende Abhandlung: *Die bosnische Tragödie – Die unbekannte Rolle der USA*. So schreibt sie gegen die einseitige und dogmatische Medienberichterstattung: »Es ist keinesfalls so, daß sich hier tiefverwurzelter, ethnisch begründeter Haß kleiner Völkergruppen aufeinander einfach in einem barbarischen Gemetzel entladen hätte. Der Krieg in dieser Region ist vielmehr das Ergebnis der Einmischung fremder Mächte. Dabei waren die USA weder unschuldige Zuschauer noch neutrale Dritte. Untersucht man die tieferen Ursachen des unglaublich zerstörerischen Bürgerkrieges in dieser Region näher, so ergibt sich ein völlig anderes Bild.«

Noch anklagender, tiefgreifender und präziser wird sie im nächsten Absatz: »In Wahrheit hat die US-Regierung das Feuer auf dem Balkan gelegt. In jedem Stadium der Ereignisse hat sich Washington als Brandstifter betätigt, der Öl in die Flammen goß – und gießt. Den Zerfall Jugoslawiens und den daraus entstandenen Bürgerkrieg hat größtenteils die US-Regierung zu verantworten. Nichts geschah zufällig oder versehentlich; alles beruht auf strategischen Überlegungen und Entscheidungen. Jeder Schritt, den die USA unternommen haben, diente der Ausweitung des Krieges und begünstigte weitere Spaltungen in der Region.«[1043]

Der Zerfall Jugoslawiens wurde durch ein amerikanisches Gesetz angetrieben. Denn schon ein ganzes Jahr vor dem Auseinanderbrechen Jugoslawiens, »am 5. November 1990, verabschiedete der amerikanische Kongreß das ›Foreign Operations Appropriations Law 101-513‹ (Gesetz über die Bewilligung von Mitteln an das Ausland) für 1991. Dieses Gesetz war ein unterzeichnetes Todesurteil. Insbesondere eine der darin enthaltenen Vorschriften war so verheerend, daß selbst in einem drei Wochen später in der *New York Times* vom 27. November 1990 zitierten CIA-Bericht vorausgesagt wurde, daß diese Klausel einen blutigen Bürgerkrieg auslösen werde. In einem Artikel des Gesetzes 101-513 wurde völlig unvermittelt und ohne jede Vorwarnung festgelegt, daß die USA binnen sechs Monaten Jugoslawien jegliche Unterstützung entziehen, die Handelsbeziehungen abbrechen sowie alle Kredite und Darlehen streichen würden. Ferner enthielt dieser Abschnitt die Forderung, in jeder der sechs jugoslawischen Teilrepubliken müßten separate Wahlen durchgeführt werden, wobei die Wahlverfahren und -ergebnisse vom US-Außenministerium zu genehmigen seien; erst nach Erfüllung dieser Bedingung wolle man den einzelnen Republiken wieder Finanzhilfe gewähren. Des weiteren verpflichtete dieses Gesetz die amerikanischen Angestellten aller internationalen Finanzinstitutionen, wie zum Beispiel der Weltbank und des Internationalen Währungsfonds, diese Politik, also die Streichung sämtlicher Kredite und Darlehen, durchzusetzen. Das Gesetz enthielt eine abschließende Bestimmung, wonach ausschließlich solche Kräfte, die laut Definition des US-Außenministeriums als ›demokratisch‹ anzusehen waren, Finanzhilfen erhalten sollten. In der Praxis bedeutete dies den Zustrom von Geldern an kleine rechtsgerichtete, nationalistische Parteien in einem Lande, das wirtschaftlich erdrosselt wurde und sich durch den vollständigen Entzug der finanziellen Unterstützung plötzlich in einer tiefen Krise befand«.[1044]

Die Auswirkungen lieferten die beabsichtigten Ergebnisse, da sie eine verheerende Wirkung auf die jugoslawische Wirtschaft hatten. Das Gesetz trieb Jugoslawien an den Rand des Bankrotts, da das Land nun nicht mehr in der Lage war, die ungeheuer hohen Zinsen für seine Auslandsverschuldung zu zahlen oder auch nur den Kauf der für die Industrie benötigten Rohmaterialien zu bewerkstelligen. Es kam, was zweifellos kommen mußte: der finanzielle Zusammenbruch und mit ihm die ebenfalls unentrinnbaren gegenseitigen Schuldzuweisungen auf allen Seiten. Zu diesem Zeitpunkt herrschte noch kein ›Bürgerkrieg‹; keine der Republiken hatte sich bis zum damaligen Zeitpunkt abgespalten. Jugoslawien wurde nicht einmal in den Nachrichten erwähnt, da die Aufmerksamkeit der Welt damals völlig auf die Golfkrise gerichtet war. Was konnte also hinter dem vernichtenden US-Gesetz gegen Jugoslawien stecken, als die Entfachung eines Balkankriegs, wenn schon US-Strategen im voraus erwähnten, daß ein plötzliches Auseinanderbrechen des Landes in einen ›Bürgerkrieg‹ enden werde?[1045]

Für die Beobachter internationaler Beziehungen dürfte eine Sache klar geworden sein, die eine Parallele zum zweiten Golfkrieg nicht leugnen kann. Ähnlich wie der Golfkrieg erst stattfinden konnte, als die Sowjetunion (ehemaliger Verteidiger Iraks) sich im Stadium des wirtschaftlichen und politischen Zerfalls befand, konnte auch die Zerschlagung Jugoslawiens erst eingeleitet werden, als hier ebenfalls die Sowjetunion und der Warschauer Pakt ihre militärisch-politische Rolle ausgespielt hatten, also als die Sowjetunion und die Staaten des Warschauer Pakts jegliche militärische Macht aufgrund ihres Zerfalls verloren hatten. Dieses Ausschalten der ehemaligen Bipolarität im Ost-West-Konflikt bedeutete, machtpolitisch gesehen, daß das zuvor dem Westen eher freundlich gesinnte Jugoslawien nun seine Rolle als verhältnismäßig liberaler Staat (vor allem auch in wirtschaftlicher Sicht) zwischen Ost und West ausgespielt hatte und jetzt nicht mehr als Pufferstaat zwischen der NATO und dem Warschauer Pakt benötigt wurde. Folgerichtig konnte also nun unter dem Oberkommando der USA die Zerstückelung Jugoslawiens inszeniert werden. Eine solche Zerstückelung würde nicht nur einen Balkankrieg entfesseln, sondern ebenfalls einer Sache Einhalt gebieten, die der US-Machtelite schon seit der deutschen Wiedervereinigung Sorgen machte, nämlich ein erstarktes gefestigtes Europa unter der Führung Deutschlands.

Das zuvor beschriebene Gesetz 101-513 stellte die ungeheure Macht der US-Regierung unter Beweis. Dieses Gesetz war Teilbestand der jährlichen Gesetzgebung, die im einzelnen festlegte, welche Politik die USA in jedem Teil der Welt zu verfolgen habe. Der ›Foreign Operations Act‹ sicherte der US-Regierung daher eine umfassende wirtschaftliche Kontrolle zu, indem beträchtliche Mittel internationalen Finanzierungsinstitutionen zur Verfügung gestellt wurden – diese Institutionen sind unter anderen die Inter-American Development Bank (Inter-Amerikanische Entwicklungsbank), der Asian Development Fund (Entwicklungsfonds für Asien), der African Development Fund (Entwicklungsfonds für Afrika) – und indem einzelne Staaten direkt unterstützt wurden.

Das 1990 verabschiedete Gesetz über die Bewilligung von Geldern an das Ausland schrieb darüber hinaus verschiedene Maßnahmen zur wirtschaftlichen Strangulierung einer Reihe anderer Staaten fest, die von Washington als Gegner betrachtet wurden. Diese Staaten waren unter anderen Angola, Kambodscha, Kuba, Iran, Irak, Libyen, Syrien, Nordkorea und Vietnam.[1046] Dies waren Staaten, gegen die die US-Regierung Krieg (Nordkorea, Vietnam, Kambodscha, Irak) oder Stellvertreterkriege (Iran, Irak) geführt hatten, Staaten, die von den USA mehrmals überfallen worden waren (Kuba, Libyen), oder Staaten, gegen die die USA verdeckte (CIA) Operationen eingeleitet hatten (Angola, Kuba, Libyen und Syrien). Gegen diese Staaten wurde also auch ein vom US-Kongreß genehmigter Wirtschaftskrieg geführt.

»Freilich war Jugoslawien im Jahr 1990 nicht zum ersten Mal mit dem Problem finanzieller Abhängigkeit konfrontiert. Das Land war bereits völlig auf die Darlehen westlicher Banken angewiesen. Die zunehmend härteren Konditionen hatten die Wirtschaft zerrüttet. Ein Jahr zuvor schon hatte das Land einen hohen Preis zahlen müssen, um weiterhin Darlehen und Kredite von den USA zu erhalten: Ein brutales Sparprogramm wurde eingeführt, das drastische Folgen hatte: die Abwertung der Landeswährung, das Einfrieren der Löhne und Gehälter, die Kürzung von Subventionen, die Schließung vieler staatlicher Industriebetriebe, die als unrentabel für kapitalistische Investoren erachtet wurden, und schließlich der Anstieg der Arbeitslosenquote auf 20 Prozent. Es kam zu Streiks, Arbeitsniederlegungen und einer deutlichen Zunahme der politischen und wirtschaftlichen Spannungen, vor allem zur Eskalation von Feindseligkeiten unter den verschiedenen Volksgruppen. Nachdem die USA im Jahre 1990 die Zerschlagung Jugoslawiens vorbereitet hatten, waren die europäischen Mächte kaum bereit, bei der erzwungenen Aufspaltung eines Landes vor ihrer eigenen Haustür lediglich Zuschauer zu bleiben. Das amerikanische Gesetz zur Bewilligung von Geldern an das Ausland war ein deutliches Signal an die europäischen Mächte, daß Jugoslawien und die gesamte europäische Balkanregion wieder zur Plünderung freigegeben sei. Sie hätten vermutlich nicht gewagt, von sich aus etwas zu unternehmen. Nun fürchteten sie, das Unternehmen könne ohne sie stattfinden.«[1047]

Die Vereinten Nationen hatten jetzt eine Blockade in der Adria und entlang der Donau gegen das Land verhängt. Jugoslawien war aus den Vereinten Nationen hinausgeworfen worden. »Zu diesem Zeitpunkt wurde auch klar, daß Amerika alles daransetzte, Jugoslawien von innen und von außen umzukrempeln...« Nun war die Bühne für den Auftritt von Milan Panic vorbereitet: Panic schlug in Belgrad wie ein von Washington aus geschleuderter Meteorit ein. Er war ein naturalisierter amerikanischer Staatsbürger. »Er äußerte«, ganz im Interesse der US-Regierung, »herbe Kritik an Jugoslawiens Verhalten im bosnischen Konflikt... Es war eindeutig, daß Panic das Siegel amerikanischen Einverständnisses trug; sollte es weiterer Beweise bedürfen, so mag der Hinweis genügen, daß ihn ein Schwarm amerikanischer Berater und Helfer nach Belgrad begleitete.«

Damit ist erwiesen, daß sich die US-Regierung von Anfang an aktiv in die serbische Politik eingemischt hatte. »In erster Linie waren es die Vereinigten Staaten, die den Druck erhöhten und den Einsatz im Nervenpoker steigerten. Obwohl ein Großteil Amerikas oberster Militärberater, einschließlich der Befehlshaber der Vereinigten Stabschefs, zur Mäßigung und zu diplomatischen Alternativen riet, setzten sowohl Bush, der gerade in den Ruhestand ging, als auch der neu gewählte Präsident Clinton zumindest öffentlich auf militärisches Losschlagen... Amerika ließ [die Welt] während der vorweihnachtlichen Wahl nicht im Zweifel darüber, daß seine Geduld zu Ende ging und es keine Alternativen gab.«

Als es dann Wahlen in Serbien gab, entschied das Volk dort eindeutig: Der Faschist Milosevic zog mit 56 Prozent der Wählerstimmen auf und davon. Rechte Nationalisten brachten es auf immerhin 10 Prozent der Stimmen, während ein Drittel der Wählerstimmen an den von den USA unterstützten Panic gingen. »Ob nun Milosevic wirklich einen herausragenden Sieg errungen hatte oder nicht, ist fraglich. Einige Leute ... waren davon überzeugt, daß er einen geheimen Verbündeten hatte – die Vereinigten Staaten von Amerika.«[1048] Eins blieb jedoch völlig klar: Indem der faschistische Milosevic die Wahlen gewann, war der Kriegskurs Serbiens gewissermaßen vorherbestimmt, also Serbiens Krieg gegen Bosnien und Kroatien stand nun nichts mehr im Weg.

Daß die Politik Washingtons nichts als Heuchelei war und daß die Wirtschaftssanktionen Jugoslawien in den Abgrund treiben würden, bestätigte nicht zuletzt der damalige Mitarbeiter des amerikanischen Außenministeriums George Kenney: »Die Stellungnahmen der Bush-Administration zur Jugoslawien-Krise zwischen Februar und August 1992 waren schlimmste Heuchelei. Ich weiß das; ich habe sie geschrieben... Meine Aufgabe war, den Anschein zu erwecken, daß die USA von der Situation betroffen und aktiv seien... So gesehen war der Weg der Administration ein voller Erfolg. Es gelang, die Bedeutung der Krise herunterzuspielen und die wirklichen Ereignisse zu verschleiern – natürlich auf Kosten ziviler Verluste... Unfähig diese Politik zu ertragen, trat ich am 25. August zurück... Bevor ich ging, erhielt ich jedoch unmittelbaren Einblick, wie die Bürokratie des State Department – nach den Vorgaben von Bush und Baker – eine Politik entwickelte, die weder mit der Wirklichkeit in Einklang gebracht werden konnte, noch sich verteidigen läßt. Der Trick bestand in diesem Fall darin, alle Fakten – ob sie nun Greueltaten, erste Gerüchte über Konzentrationslager oder Hunger betrafen – zu ignorieren... Die amerikanische Politik zu akzeptieren wurde Ende Juli, Anfang August sehr schwierig. Zu der Zeit lieferten Roy Gutmans ›Newsday‹-Berichte die ersten detaillierten Hinweise auf Konzentrationslager... Da die Situation in Bosnien als zu gefährlich eingeschätzt wurde, war es US-Offiziellen nicht gestattet, in

Bosnien so zu reisen, wie GUTMAN es getan hatte... In der Tat glaubte fast jeder Offizielle im State Department, der mit Jugoslawien beschäftigt war, daß die US-Reaktionen während der vergangenen anderthalb Jahre ein einziges Debakel gewesen waren. Nach meiner eigenen Zählung unterstützten nur sechs Beschäftigte unterhalb der Ebene des ›Under Secretary‹ die Linie der Administration. Fast alle anderen Angestellten im Auswärtigen Dienst wußten, daß die Politik der Wirtschaftssanktionen und des diplomatischen Drucks auf Serbien nicht zu Ergebnissen führen würde.«[1049]

Die US-Machtelite hatte also ihr Ziel erreicht, indem sie zuerst nach Entfachen des Konflikts in Jugoslawien jegliche Information zum Thema Verletzung der Menschenrechte und Völkermord herunterspielte oder überging und eine unabhängige Untersuchung ihrer eigenen offiziellen Regierungsmitarbeiter in Bosnien untersagte, die sich ein eigenes, nicht regierungstreues Bild von der Lage vor Ort hätten machen können. Im Mai 1993 erhöhte nun Washington den Druck auf Jugoslawien, um die bedenkliche Lage jetzt endlich zum Ausbruch zu bringen, so der damalige amerikanische Außenminister Warren CHRISTOPHER in einer Rede vor dem Komitee für Auswärtige Angelegenheiten, als er feststellte: »Es gibt verschiedene Möglichkeiten, die Unabhängigkeit der früheren jugoslawischen Republik Mazedonien zu sichern. Wir unterziehen sie derzeit einer sorgfältigen Prüfung.«

Aber zu diesem Zeitpunkt hatte niemand eine Drohung gegen Mazedonien ausgesprochen. Die Regierung in Skopje hatte nicht einmal um irgendeine Art von Schutz gebeten, da es keinerlei Bedrohung gab. »›Trotzdem‹, so fuhr CHRISTOPHER fort, ›werden wir sicherstellen, daß sich Serbien über die schwerwiegenden Konsequenzen vollkommen im klaren ist, die jedwede feindliche Handlung gegenüber Mazedonien für die Vereinigten Staaten hat.‹ Da aber eine derartige serbische Absicht überhaupt nicht zu erkennen war, schloß der Außenminister mit den Worten: ›Wir sind auch sehr besorgt über die Entwicklung im Kosovo.‹ Diesbezüglich ein britischer Fachmann, Jonathan EYAL: ›Die Amerikaner sind geradezu von der Vorstellung besessen, daß die serbische Armee willkürlich Grenzen überschreitet und ein kleines Land mißhandelt, das um seine Unabhängigkeit kämpft.‹ Während der französische Außenminister Alain JUPPÉ eine militärische Intervention als ›Option der Verzweiflung‹ ablehnte, setzte sich Präsident CLINTON diametral nachdrücklich dafür ein, Bomben über Bosnien (und vielleicht über Belgrad) abzuwerfen. Und obwohl Belgrad davor warnte, daß eine verfrühte Anerkennung Bosnien-Herzegowinas zwangsläufig zu einem Bürgerkrieg führen würde, hatte die EG nichts Besseres zu tun, als gerade diese Anerkennung zu formalisieren; die USA folgten, obwohl nicht einmal Vorverhandlungen zwischen den drei beteiligten Parteien begonnen hatten.«[1050]

Wie schon erwähnt, hatte das US-Gesetz das nötige Signal an die europäischen Mächte vermittelt, daß die Balkanregion zur Plünderung freigegeben wurde. Februar 1991 schloß sich der Europäische Rat dann auch gleich dem Vorgehen der USA mit zusätzlichen politischen Forderungen und der offenen Einmischung in die internen Angelegenheiten der jugoslawischen Republik an und bestätigte somit, daß er das US-Signal nur allzugut verstanden habe. Die Forderungen, die nun erneut an Jugoslawien gestellt wurden, waren praktisch die gleichen, die zuvor von den USA gestellt worden waren: Jugoslawien sollte Mehrparteien-Wahlen durchsetzen, ansonsten werde eine Wirtschaftsblockade gegen das Land verhängt. Man ging also in bester bewährter US-Manier vor. »Rechtsgerichtete und faschistische Organisationen, die man in den letzten 45 Jahren – seit der Niederschlagung der Nazi-Besatzung durch die antifaschistische Partisanenbewegung – nicht mehr gesehen hatte, wurden plötzlich wieder zum Leben erweckt und bekamen nach und nach verdeckte Unterstützung. Diese faschistischen Organisationen hatten sich im Exil in den USA, in Kanada, Deutschland und Österreich gehalten. Jetzt wurden hauptsächlich über sie Gelder und Waffen nach Jugoslawien eingeschleust... Am 5. Mai 1991, dem Tag, an dem die im ›Foreign Operations Law 101-513‹ gesetzte sechsmonatige Frist ablief, hatten kroatische Separatisten gewalttätige Übergriffe inszeniert und eine Militärbasis der jugoslawischen Armee in Gospic belagert. Die jugoslawische Bundesregierung ordnete an, daß die Armee sich verteidigen solle. Der Bürgerkrieg hatte begonnen. Am 25. Juni erklärten Slowenien und Kroatien ihre Unabhängigkeit.«[1051]

Somit hatte die US-Machtelite alles in die Wege geleitet, damit sich die Lage in dem schon historisch in sich verfeindeten Vielvölkerstaat unumgänglich zuspitze, bis zweifelsohne eine oder mehrere ehemalige Provinzen abtrünnig würden und ihre Unabhängigkeit erklärten. Eine solche Abspaltung würde den Krieg zwischen den verschiedenen Parteien und ethnischen Völkern letztendlich zum Ausbruch bringen, dies hatten ja schon US-Strategen und der CIA im Vorfeld richtig vorausgesagt.

Aber es war nicht nur die finanzielle Erpressung Jugoslawiens, die den Vielvölkerstaat massiv bedrängte, sondern auch die US-Außenpolitik. So bestätigt Fred Warner NEAL von der Claremont Gradement School im *Review of International Affairs*: »Die ›nationale Unabhängigkeit (war) offensichtlich eine Vorbedingung für die Demokratie. Also hatten die Vereinigten Staaten keinerlei Bedenken, als Slowenien, von Deutschland ermutigt, seine Unabhängigkeit von Restjugoslawien erklärte, und sie waren entsprechend schnell zur Stelle, die Intervention Belgrads zu verurteilen. Das gleiche galt für die kroatische Unabhängigkeitserklärung‹.«[1052]

Nebenbei sollte noch erwähnt werden, daß auch die Bundesrepublik Deutschland an der Tragödie Jugoslawiens mitschuldig ist. Denn mit der weitaus verfrühten Anerkennung Sloweniens und Kroatiens am 23. Dezember 1991, nachdem Belgrad ausdrücklich vor einer solchen verfrühten

Anerkennung gewarnt hatte, da es »zu einem Blutbad führen könnte«, war der Balkankrieg nicht mehr aufzuhalten. Vor allem war der Zeitpunkt der deutschen Anerkennung alles andere als von diplomatischem Feingefühl geprägt, denn die Anerkennung erfolgte am 6. April, genau an dem Jahrestag des Überfalls NS-Deutschlands auf Jugoslawien 1941.[1053] Daß dies wohl kein Zufall war, muß kaum betont werden. Im Diplomatenjargon entsprach diese zeitlich perfekt arrangierte Anerkennung wahrlich nicht der feinen englischen Art.

Daß es sich bei der Anerkennung aber keineswegs um einen diplomatisch-politischen Fauxpas handelte, wird in dem Buch des Geheimdienstfachmanns Erich SCHMIDT-EENBOOM *Der Schattenkrieger – Klaus Kinkel und der BND* nachgewiesen. Der Autor weist auf die Tatsache hin, daß der BND schon seit Jahrzehnten an dem Zerfall Jugoslawiens gearbeitet hatte. Er beruft sich in dieser Hinsicht auf keinen geringeren als Anton DUHACEK, den langjährigen Leiter des Auslandsnachrichtendienstes im jugoslawischen Außenministerium, also einen Insider. Dieser bestätigte ihm, daß der BND den Zerfall Jugoslawiens in vier getrennten Phasen eingeleitet habe. In der dritten Phase ab 1971 habe der BND im Zuge des kroatischen Frühlings auf aktive Maßnahmen gesetzt, um den Staat zu destabilisieren. Schließlich sei von 1980/81 an, unter dem BND-Chef Klaus KINKEL, die Teilung Jugoslawiens mit allen nachrichtendienstlichen Mitteln vorangetrieben worden. Ein weiterer Insider, Bozidar SPASIC, der ab 1979 im UDBA für Sonderoperationen gegen die faschistische Ustascha-Organisation verantwortlich war, erinnerte sich 1994, daß er hinter vielen strategischen Zügen der extremistischen kroatischen Auslandsorganisation eine Steuerung durch den BND entdecken konnte.

Nach Ermittlungen der jugoslawischen Spionageabwehr hatte der BND in den siebziger und achtziger Jahren einen Bestand von etwa 100 Agenten in Jugoslawien. »Zu dieser Zeit nahm auch die Partnerschaft der kroatischen Sezessionisten mit dem BND handfestere Formen an. Von diesem Zeitpunkt an, unmittelbar vor dem Tod TITOS, wurden in Zagreb alle Entscheidungen in strategischen und personellen Fragen nur noch in Absprache des Zentrums von KARACIC mit BND-Instanzen und Ustascha-Repräsentanten getroffen.« Aber es wäre ziemlich überraschend gewesen, wenn der BND hier völlig unabhängig agiert hätte, also ohne CIA-Unterstützung. Und so flog der BND-Agent DÖRNER unter dem Decknamen ›Karl Schmidt‹ häufig nach Rom. Dort pflegte er seine Beziehung zum CIA. »In Rom gab es 1981 bereits ernsthafte Konsultationen zwischen Deutschland, Österreich und Italien über die Frage, wer welche Aufgaben beim Zerfall des TITO-Staates nach dem Tod des Marschalls am 5. Mai 1980 übernehmen sollte. Selbst auf der politischen Bühne Deutschlands waren bald darauf erste Versuche zu verzeichnen, einen kroatischen Nationalstaat zu fördern. Als Mate MESTROVIC, der Sohn des berühmten Bildhauers und CIA-Agenten Ivan

MESTROVIC, 1982 nach Bonn kam, empfing ihn der Bundespräsident persönlich. Richard VON WEIZSÄCKER versicherte ihm, daß er die Forderung nach einem unabhängigen Kroatien unterstützte... Die Hauptaufgabe von DÖRNER lag jedoch darin, für den BND – und für den CIA – Einschätzungen der politischen Lage vorzunehmen. Über den Wechsel in wichtigen politischen Ämtern und die Entwicklung der verschiedenen nationalistischen Strömungen berichtete er regelmäßig nach Pullach. In einer Analyse vermutete er, daß Unruhen und Sezessionskrieg nach dem Tode TITOS dazu führen würden, daß etwa 250 000 Flüchtlinge in die Bundesrepublik Deutschland drängen werden. Den BND-Bericht, der daraufhin nach Bonn geschickt wurde, unterschrieb Klaus KINKEL eigenhändig.«[1054]

Dies beweist eindeutig, daß der CIA mit dem BND aktiv an der Zerstörung Jugoslawiens seit mindestens Anfang der achtziger Jahre gearbeitet hatte. Aber die deutsche BND-Vorherrschaft in der Balkan-Region gefiel dem CIA anscheinend nicht, denn: »Die Vereinigten Staaten versuchten seit dem Sommer 1994 – nach der Aufgabe ihrer proserbischen Position – den dominierenden deutschen Einfluß auf nachrichtendienstlichem Gebiet durch ein Engagement zugunsten der kroatischen Streitkräfte auszugleichen. Vom amerikanischen Schwenk von einer proserbischen zu einer probosnischen Position wollen auch die Kroaten intensiver profitieren.« Womöglich versuchten sich die Kroaten nun von der BND-Dominanz zu befreien, indem sie den CIA als größeren Partner ins Spiel brachten.[1055] Die US-Machtelite spielte also wieder ihr bewährtes Doppelspiel, zuerst arbeitete sie aktiv mit Bonn an der Zerstörung Jugoslawiens; als der BND die Oberhand im Geheimdienst-Spiel zu gewinnen drohte, änderte sie ihre Haltung und machte mit den Kroaten gegen den BND gemeinsame Sache. Aufgrund deren militärischer Übermacht muß es den Kroaten nicht gerade schwer gefallen sein, sich für die amerikanische Seite im Krieg gegen Serbien zu entscheiden.

Die Washingtoner PR-Firma Ruder and Finn, eine der weltweit führenden PR-Agenturen, hatte schon lange Zeit vor der Abspaltung Jugoslawiens für Slowenien, Kroatien und später auch Bosnien-Herzegowina ganze Propagandaarbeit geleistet.[1056] In den Medien wurde dann, was die Kriegsursachen betraf, die Geschichte des Balkans umgeschrieben, also verfälscht. Die Medien fingen an, der Bevölkerung im Westen weiszumachen, daß der gegenseitige Haß zwischen den kleinen, barbarischen Volksgruppen des Balkans derart tiefgreifend sei, daß diese nicht in der Lage seien, auch nur das Geringste selbst zu entscheiden. Mit dieser Behauptung rechtfertigte der Westen erneut sein Eingreifen auf dem Balkan. In sämtlichen Diskussionen und Debatten, die sich letztendlich immer nur um die Aufteilung und Neuaufteilung Bosniens drehten, wurde es mit Selbstverständlichkeit angenommen, daß die westlichen Länder, als außenstehende ›neutrale‹

Mächte, die Region aufteilen und über ihr Schicksal entscheiden dürfen – alles im Namen des ›Friedens‹, versteht sich eigentlich schon von selbst.

Diese Geschichtsverfälschung hatte tiefe historische Hintergründe. Der Balkan hat tatsächlich eine blutige Geschichte, diese hat sich jedoch keineswegs so ereignet, wie die Medien es dargestellt haben. Die Geschichte des Balkans ist eigentlich sehr leicht zu schildern: Sie ist nämlich die Geschichte der Kriege, die die imperialistischen Großmächte führten, um die Kontrolle und Herrschaft über diese strategisch wichtige Region, die die Brücke zwischen Europa und dem Mittleren Osten darstellt, zu erlangen. In der jüngeren europäischen Geschichte ist es zu bestimmten Zeiten immer wieder darum gegangen, den Balkan neu aufzuteilen. Die Geschichte des Balkans war daher eine Angelegenheit von ständig neu gezogenen Grenzen und der Festlegung von Einflußgebieten, der Bewaffnung von Söldnerbanden und der internationalen Konferenzen, die in Paris, Berlin, London und Den Haag stattfanden, um zu verhandeln, wer nun die Herrschaft über welches Gebiet erhalten werde. Aber die vielen kleinen Völker, die auf dem Balkan lebten und über deren Schicksal entschieden wurde, waren nie an diesen Verhandlungen beteiligt: Es wurde einfach über ihre Köpfe hinweg entschieden, welcher Macht sie untergeordnet wurden.

Jugoslawien entstand nach dem Ersten Weltkrieg, als das Habsburger Reich infolge des Kriegs zerstört worden war. Es war eine künstliche und unnatürliche Bildung der Westalliierten aus mehreren Völkern und sollte ein den Westmächten verbündetes Gegengewicht gegen das noch bestehende Deutschland und Österreich bilden. Die Serben übten immer die Vorherrschaft aus, sehr zum Nachteil der anderen Völker. Im Zweiten Weltkrieg war der von Marschall TITO und dem Bund der Kommunisten Jugoslawiens angeführte Widerstand gegen die deutsche Besetzung so stark, daß sich eine Million Menschen in verstreuten Guerillatruppen formierten, die mit alliierter Unterstützung zur größten Partisanenbewegung Europas wurden. Selbst 34 deutsche Divisionen konnten diese Kraft nicht niederschlagen. Dieses Ereignis prägte die Geschichte Jugoslawiens, sie legte den Grundstein für die Sozialistische Föderation. 45 Jahre lang konnte der jugoslawische Staatenbund, bestehend aus sechs Teilrepubliken und zwei autonomen Provinzen, sich dem Einfluß der Westmächte entziehen, dabei gelang es ihm auch noch, die Unterwerfung unter Moskau zu verhindern, indem er seine eigene blockfreie Politik verfolgte. Nebenbei wurde in Jugoslawien auch noch die Industrialisierung vorangetrieben und der Lebensstandard erhöht, in einem verarmten, unterentwickelten Land war dies in der Tat eine imponierende Errungenschaft, wenn diese auch meist den Serben und nur weniger den anderen Völkern zugute kam.[1057]

FLOUNDERS schreibt über die Ziele der US-Machtelite in Bosnien/Jugoslawien: »Zweifellos ist das Verhalten der USA durch zahlreiche Manöver gekennzeichnet, die den Krieg verlängert und die Rivalitäten zwischen England, Frankreich und Deutschland verstärkt haben. Die Türkei, Griechenland und Italien haben sich schon in der Vergangenheit in der Region eingemischt und sind auch jetzt dort wieder aktiv.«

Am 18. März 1992 war durch die Vermittlung der Europäischen Union in Lissabon ein Abkommen zwischen bosnischen Moslems, Kroaten und Serben zugunsten eines vereinten Staates ausgehandelt worden. Diese Übereinkunft zwischen den drei Parteien hätte den verheerenden Bürgerkrieg, der im selben Jahr begann, verhindern können.

Hunderttausende von Flüchtlingen, deren Leben durch den Krieg zerstört wurde, hätten unbehelligt und in Frieden leben können. Washington sabotierte jedoch das Abkommen, indem es dem bosnischen Regime unter Alija IZETBEGOVIC zu verstehen gab, daß es mit der Unterstützung der USA weit mehr herausschlagen könne – möglicherweise sogar die Herrschaft über die gesamte Region. Die Rolle, die die USA bei der Sabotage dieses sorgfältig ausgearbeiteten Abkommens spielten, wird von allen Seiten bestätigt. Selbst die *New York Times* berichtete am 17. Juni 1993 über den Einfluß Washingtons in diesem Zusammenhang. Die US-Regierung ermutigte IZETBEGOVIC, den Vorsitzenden der rechtslastigen Demokratischen Aktionspartei, Bosnien einseitig zum unabhängigen Staat unter seiner Führung auszurufen.

»Moslemische Gruppen . . . haben IZETBEGOVIC wegen seiner rechtsorientierten, nationalistischen Politik verurteilt, vor allem deswegen, weil er sich auf Militärhilfe aus den USA stützt. Die gewählte bosnisch-moslemische Stadtverwaltung von Tuzla, eines der reichsten Industriezentren im ehemaligen Jugoslawien, behauptet, daß die unter Aufsicht der USA neugeschriebene Verfassung Bosniens die Macht ausschließlich den nationalistischen, rechtsextremen Kräften der Demokratischen Aktionspartei unter IZETBEGOVIC und der neofaschistischen Kroatischen Demokratischen Gemeinschaft (HDZ) unter Franjo TUDJMAN sichere. Alle anderen politischen Kräfte, auch aus den Reihen der Moslems, blieben ausgeschlossen. Eine zweite Gruppe bosnischer Moslems im Nordwesten Bosniens, rund um Bihac, die von Fikret ABDIC angeführt wird, erklärte ihre Unabhängigkeit von der US-gesteuerten Regierung in Sarajevo. IZETBEGOVIC rächte sich, indem er einen Militärangriff gegen die moslemische Gruppierung anordnete, die in Frieden mit ihren serbischen und kroatischen Nachbarn leben wollte. Diese Aggression gegen eine gewählte moslemische Körperschaft in Bosnien wurde von den USA organisiert.«

An der Planung der Offensive im Juni 1994 hatten sich sechs US-Generale beteiligt, dies geht aus Zeitungsberichten unter anderem in England – im *Guardian*, *Observer* und *Independent* – hervor. Der Angriff brach das Waffenstillstandsabkommen und wurde dazu noch auf einem Gebiet, das die UNO zur Sicherheitszone erklärt hatte, durchgeführt. Die US-Bomber, welche unter dem Kommando der NATO standen, wurden zur Verteidigung Izetbegovics eingesetzt. Der US-Luftwaffengeneral Charles G. Boyd, von 1992 bis 1995 war er Stellvertretender Oberbefehlshaber des US-Kommandos in Europa, schrieb in der Zeitschrift *Foreign Affairs* (September/Oktober 1995), daß die Verwaltung in Bihac unter Abdic »eines der wenigen Beispiele für eine erfolgreiche Zusammenarbeit der Völker auf dem Balkan« sei. Des weiteren heißt es: »Abdic, ein einflußreicher Geschäftsmann dieser Gegend, war Mitglied des bosnischen Präsidialgremiums. Bei den nationalen Wahlen erhielt er mehr Stimmen als Izetbegovic. Er wurde zu der Zeit, als Sarajevo [der Sitz der Regierung Izetbegovic] ein durch internationale Vermittlung zustande gekommenes Friedensabkommen ablehnte, aus der Regierung ausgeschlossen.« Der US-Angriff zu Gunsten Izetbegovics, der auf andere Moslems in Bosnien ausgeführt wurde, zeigt, wie sehr die US-Machtelite bemüht war, auf jede Partei der Moslems zu setzen, die den Krieg verlängern und ausbreiten könnte.[1058]

Aber wie schon angedeutet, ging es der US-Machtelite bei ihrer Jugoslawien-Bosnien-Politik nicht nur darum, einen Krieg zu entfesseln und danach so lang wie möglich in Gang zu halten. Ein wichtiges Ziel war auch, ein erstarktes Europa unter der wahrscheinlichen Führung des wiedervereinigten Deutschlands möglichst zu schwächen.

Wenn der Balkankrieg eine Tatsache ganz eindeutig bewiesen hatte, so war diese die Unfähigkeit Europas, also der EU, die Jugoslawien-Krise in den Griff zu bekommen. Schnell wurde allen Beteiligten klar, daß die zuvor viel gepriesene EU überhaupt keine Lösung zur Beilegung des Balkankriegs hatte. Aber nicht nur dies war zu bemängeln. Noch schwerwiegender war wohl die Tatsache, daß die Mitglieder der EU anscheinend eine völlig gegensätzliche Politik zur Lösung der Balkankrise verfolgten. Deutschland, England und Frankreich vertraten entgegengesetzte Ziele, nicht so sehr, um eine realistische Lösung für die Krise zu finden, sondern um ihre eigenen Interessen in der Region zu fördern. Für alle aufgeschlossenen Beobachter des Balkankriegs muß klar gewesen sein, daß der Balkan wiederum Opfer ausländischer Mächte geworden war, die hofften, geostrategisch sowie wirtschaftlich von dem Balkankrieg zu profitieren. Die deutsche Regierung machte kein Hehl daraus, öffentlich ihr Interesse an Kroatien und Slowenien zu bekunden, als sie am 23. Dezember 1991 die beiden ehemaligen jugoslawischen Republiken vorzeitig anerkannte.[1059]

Zu etwa der gleichen Zeit machten sich auch die Aktivitäten des CIA auf dem Balkan bemerkbar. Die englische Zeitung *The Observer* vom 20. 11. 1994 brachte einen Artikel unter der Überschrift: »Die geheimen Bosnien-Pläne Amerikas«, während *The Guardian* am 12. 11. 1994 den Artikel »Europa ist auf weitere Meinungsverschiedenheiten mit den USA gefaßt« veröffentlichte. Die Medien in Deutschland, Frankreich und Italien brachten ähnliche Enthüllungen über den CIA in dem sich ausweitenden Krieg in Bosnien und dem früheren Jugoslawien. In den Berichterstattungen fanden sich auch Meldungen über taktische Operationen, die gemeinsame Verwertung von Satelliten-Informationen und die Kontrolle des Luftverkehrs. Streitkräfte aus den USA hatten Start- und Landebahnen errichtet und den Transport umfangreicher Waffenlieferungen organisiert. Ebenfalls brachen die USA das neunmonatige Waffenstillstandsabkommen durch ihre militärische Offensive, die den Auftakt der Kämpfe in der Bihac-Region bildete, eine Region, die zuvor von der UNO zur ›Sicherheitszone‹ erklärt worden war.

In diesem Zusammenhang äußerten UNO-Vertreter monatelang und zunehmend scharfe Kritik an den USA, indem sie die USA zumindest indirekt beschuldigten, jedes Abkommen, jeden Friedensplan zu sabotieren und sogar Waffenstillstandsabkommen zu brechen. »Am 30. April 1994 zitierte die *Washington Post* zwei hohe UNO-Vertreter – einen General und eine Zivilperson –, die der US-Regierung vorwarfen, daran schuld zu sein, ›daß der Krieg in Bosnien andauert, da sie bei der moslemischen Regierung Bosniens den falschen Eindruck erweckt hatte, Washington würde in Kürze militärische Unterstützung gewähren‹. Diese Beamten, so hieß es, seien zwei der höchsten UNO-Vertreter in Bosnien gewesen. Dennoch fürchteten sie, namentlich genannt zu werden, da ihnen dann die Ausweisung aus Bosnien drohte. Beide sagten jedoch ausdrücklich, daß die moralische und finanzielle Unterstützung des IZETBEGOVIC-Regimes durch die USA den Krieg in die Länge ziehe. Die Beamten beschuldigten die USA, IZETBEGOVIC getäuscht zu haben, indem sie ihm Unterstützung durch eine massive Intervention der NATO auf allen militärischen Ebenen versprochen hätten. John SHALIKASHVILI, Vorsitzender der Stabschefs aller US-Streitkräfte, war zu einem Treffen mit den bosnischen Militärführern nach Sarajevo gereist. Das war natürlich ein Ansporn weiterzukämpfen.«

Dieser Eindruck wurde noch auf hinterhältige Art verstärkt, als die US-Botschafterin in der UNO, Madeleine ALBRIGHT, anläßlich der Feierlichkeiten zur Neueröffnung der amerikanischen Botschaft in Sarajevo eine leidenschaftliche Ansprache hielt, in der sie sagte: »Ihre Zukunft und die Zukunft Amerikas sind untrennbar miteinander verbunden.« Damit aber die Lage noch mehr eskalieren würde, mischte sich die US-Regierung erneut in das Geschehen am Balkan ein. Denn: »Jeder ›Friedensvorschlag‹, jede Karte, in der die von Moslems oder Serben kontrollierten Gebiete festgelegt werden, teilt die Region in abhängige Enklaven auf, die ihre Existenz nicht allein bestreiten können und auf ständigen Nachschub angewiesen sind: Dies macht die Präsenz des Militärs auf viele Jahre hinaus notwendig. Die Industriezentren und Hauptverkehrswege in dieser bergigen Region werden aufgeteilt und befinden sich somit unter der Kontrolle der in Sarajevo ansässigen bosnischen Regierung. Den bosnischen Serben wurden die gebirgigsten und ärmsten ländlichen Gebiete zugewiesen, zwischen denen es keine Verbindungsstraßen oder Korridore gibt. Unter dem Diktat solcher Teilungspläne können die bosnischen Serben nicht überleben. Ihre Lage ist unhaltbar. Sie werden geradezu dazu getrieben, Widerstand zu leisten.«[1060]

Die USA unterstützten den kroatischen Einfall in die Krajina. Am 3. August 1995 startete die kroatische Armee mit Unterstützung der USA eine Blitzkrieg-Attacke, die die größte und blutigste Offensive während dieses schon seit vier Jahren anhaltenden Bürgerkriegs darstellte. Bei der Unterstützung der kroatischen Aggressoren durch das Pentagon handelte es sich jedoch um weit mehr als nur beifällige Zustimmung. »Wie dem *London Independent* vom 6. August 1995 zu entnehmen war, ›sind die Wiederbewaffnung und Ausbildung der kroatischen Streitkräfte, die zur Vorbereitung der laufenden Offensive durchgeführt worden waren, Teil eines typischen CIA-Einsatzes: wahrscheinlich des weitreichendsten Einsatzes dieser Art seit dem Ende des Vietnamkriegs‹. Die *London Times* vom 5. August schrieb, daß ›die Wiederbewaffnung Kroatiens eines der bedeutendsten Ereignisse des Krieges in Jugoslawien bleiben wird, die der Öffentlichkeit nie bekannt werden‹.« Daraufhin dementierten amerikanische Regierungsvertreter vehement jegliche Beteiligung an dieser Operation; dennoch quoll die ganze Region regelrecht von ehemaligen US-Generalen über. Die sogenannten ›Sicherheitszonen‹ wurden von den Amerikanern dazu benutzt, den Krieg in Bosnien auszuweiten, denn diese ›Sicherheitszonen‹ sind in Wirklichkeit US-kontrollierte Stützpunkte, von denen Angriffe ausgeführt worden waren. Selbst der damalige UNO-Generalsekretär BOUTROS-GHALI bestätigte dies in einem Bericht an den UNO-Sicherheitsrat vom 30. Mai 1995 im UN-Dokument S/1995/44: »Viele dieser Sicherheitszonen, einschließlich Sarajevo, Tuzla und Bihac, sind in die verstärkte militärische Kampagne. . . einbezogen worden.«

Aber anscheinend reichte dies der US-Machtelite nicht aus, denn man begann in deren höchsten Etagen, nach einem Vorwand zu suchen, um eine massive US-Bombardierung der Region in und um Bosnien rechtfertigen zu können. Prompt kam der gewünschte Vorwand, also ein Zwischenfall, wie gerufen, als am 28. August 1995 37 Menschen auf einem kleinen, von Häusern umstandenen Marktplatz von einer Explosion getötet wurden. Die US-Regierung nahm dieses Ereignis zum Vorwand für die massivste Militäraktion in Europa seit dem Zweiten Weltkrieg, nachdem die Medien zeitgleich und andauernd über den Vorfall berichtet hatten. US- und NATO-Kampfflugzeuge flogen darauf hin 4000 Lufteinsätze. »Der Korrespondent der *New York Times* in Washington, David BINDER, berichtete im Magazin *The Nation* vom 2. Oktober 1995, daß die Explosion genau einen Tag nach dem Versprechen des stellvertretenden Staatssekretärs Richard HOLBROOKE, mehr aktive NATO-Lufteinsätze durchzuführen, stattfand. Man brauchte eben bloß noch einen Vorwand. BINDER zitiert vier voneinander unabhängige Aussagen von Militärs, die den unmittelbar nach der Explosion veröffentlichten UNO-Bericht anzweifelten, der die bosnischen Serben für das Bombenattentat verantwortlich machte. Der russische Artillerieoffizier Andreij DEMURENKO brandmarkte im Sarajevoer Fernsehen den UNO-Bericht über die Bombenexplosion als Fälschung. Er sagte, die Wahrscheinlichkeit, eine weniger als 30 Fuß breite Straße von den ein bis zwei Meilen entfernten serbischen Stellungen aus zu treffen, entspräche ›eins zu einer Million‹. Ein kanadischer Experte, der lange in Bosnien gedient hatte, erzählte BINDER, daß der Zünder der Mörsergranate, den man in dem Krater auf dem Marktplatz gefunden hatte, ›gar nicht aus einem Mörser abgeschossen worden war‹. Zwei Beamte der US-Verwaltung in Sarajevo, die ihren Namen nicht nannten, teilten BINDER folgendes mit: Wenn man die Flugbahn des Geschosses und die flache Vertiefung des Kraters bedenke und dazunehme, daß ein wie von weitem kommender, hoher Pfeifton nicht zu hören war, dann müsse die Granate entweder ganz aus der Nähe abgefeuert oder von einem Nachbardach in die Menge geworfen worden sein.«

BINDER, ein ständiger Korrespondent der *New York Times*, konnte diese Geschichte nur in dem alternativen und nicht medienkonformistischen Magazin *The Nation* veröffentlichen. In dem folgenden Luftangriff, der hauptsächlich von US-Bombern geflogen war, wurden 13 Tomahawk Cruise Missiles auf die Innenstadt von Banja Luka abgefeuert. Banja Luka lag hinter den Linien in bosnisch-serbischem Gebiet. Es ist die zweitgrößte Stadt in Bosnien und diejenige, in der sich – auf das gesamte frühere Jugoslawien bezogen! – die meisten Flüchtlinge aufhielten. Bei diesem Luftangriff von US- und NATO-Bombern wurden zahlreiche Zivilisten getötet und ein Krankenhaus bombardiert.

Mit der Beteiligung des CIA und des Pentagons am Balkankrieg hat die US-Regierung sich in militärischer Hinsicht in einer strategisch bedeutsamen Region einen Brückenkopf gesichert. Gleichzeitig konnte die US-Machtelite damit der sich gerade entwickelnden europäischen Einheit entgegenwirken. Europa stand wegen des Balkankriegs unter einer sich ständig vergrößernden Belastung durch Hunderttausende von notleidenden Flüchtlingen, und die Gegensätze zwischen den europäischen Staaten nahmen infolge ihrer unterschiedlichen Interessen am Balkan zu. »Die Evakuierung von UN-›Friedenstruppen‹ durch die US-kontrollierte NATO ist ein Zeichen für zunehmende Anstrengungen der USA, als einzige Macht über das Schicksal des Balkans zu bestimmen. Sowohl Frankreich als auch England sind fest entschlossen, nach dem Ende des Kalten Krieges einen größeren Machtfaktor in Europa darzustellen. Dies zeigt sich bei ihrem massiven Einsatz von Bodentruppen unter UN-Flagge in ganz Bosnien. Aber das Pentagon hat es geschafft, den Einsatz britischer und französischer Truppen völlig zu torpedieren, indem es die von den USA abhängige bosnische Regierung dazu zwang, jedes diesbezügliche Übereinkommen zu sabotieren. Die Entscheidung Washingtons vom November 1994, das vom UNO-Sicherheitsrat beschlossene Waffenembargo gegen das ehemalige Jugoslawien einseitig aufzukündigen, zeigt in bislang nicht dagewesener Offenheit die eindeutige Absicht, in Bosnien die eigenen Pläne auf Kosten der Europäer durchzusetzen.« Diese Entscheidung wird natürlich dazu beitragen, die Lage für Hunderttausende entwurzelter und vertriebener Menschen, die zwischen den Fronten festsitzen, zu verschlimmern.[1061]

Die USA beherrschen die Region durch Wirtschaftssanktionen

Am 30. Mai 1992 beschloß der UNO-Sicherheitsrat, ein Embargo gegen Restjugoslawien als Strafmaßnahme zu verhängen. Das Embargo wurde in aller Eile durchgesetzt, um einem Bericht der UNO zuvorzukommen, der zwei Tage später veröffentlicht wurde. Dieser Bericht bestätigte, daß die jugoslawische Bundesrepublik allen Forderungen der UNO entsprochen hatte. »Kroatien und Bosnien, also die USA-hörigen Staaten in der Region, waren von den UN-Sanktionen überhaupt nicht betroffen... Obwohl das erklärte Ziel der Sanktionen darin besteht, den Waffentransport von Serbien an die Serben in Bosnien auf dem Wasserwege zu unterbinden, nutzten die USA und ihre westlichen Alliierten die Gelegenheit, sich im Zuge der Sanktionen die Kontrolle über sämtliche Wasser- und Landwege in diesem strategisch bedeutsamen Teil Europas zu verschaffen, ebenso über alle Kommunikationsmittel und -kanäle. Sämtliche Zugänge zu Häfen und Flughäfen wurden abgeschottet. Das Pentagon kontrollierte die gesamte Schiffahrt auf der Donau – dem größten Fluß der Gegend und wichtigstem Handels- und Verkehrsweg durch den Balkan und Osteuropa. Sämtliche Transporte unterliegen Restriktionen. Die Donau ist für Europa von größerer Bedeutung als der Mississippi für den Handel in den USA. Die gesamten Anrainerstaaten des Donaubeckens – außer Serbien auch Rumänien, Bulgarien, Ungarn und die Slowakei – sind auf diese Weise praktisch von dem Embargo betroffen. Die westlichen kapitalistischen Mächte profitieren als einzige davon, daß dadurch die Wirtschaft etlicher ehemaliger sozialistischer Staaten aus den Fugen gerät, in denen derzeit die wichtigsten Industriebetriebe und Rohstoffquellen zwangsprivatisiert werden. Ganze Industriezweige, . . . können so im wahrsten Sinne des Wortes für einen Apfel und ein Ei von den multinationalen Konzernen aufgekauft werden.«

FLOUNDERS stellt dann die wichtige Frage, wer wird die Kontrolle über die Märkte, die reichen Rohstoffvorkommen, den Wiederaufbau und die Neuinvestitionen an sich reißen? Entscheidend wird sein, wer die militärische Macht innehat. Ohne Zweifel sind das die USA. »Die USA sind fest entschlossen, auf dem Balkan die Vorherrschaft zu erringen.«[1062] Wie wenig das Eingreifen der USA damit zu tun hat, ›dem armen Bosnien zu helfen‹, bewies in aller Deutlichkeit ein Artikel des ehemaligen Stabschefs der US-Luftwaffe, General Michael DUGAN, der bereits am 29. November 1992 in der *New York Times* erschien. DUGAN, der schon zum Golfkrieg sehr enthüllende Aussagen gemacht hatte, die, wie wir gesehen haben, sich bewahrheiteten, äußerte sich zum Thema ›Operation Balkan-Sturm‹ wie folgt: »Ein Sieg auf dem Balkan würde die Führungsrolle der USA in der Welt nach dem Kalten Krieg in einer Weise sicherstellen, wie es mit der ›Operation Wüstensturm‹ nie möglich gewesen wäre.« »Er entwarf ein Szenario, das, wenn möglich, die Bildung einer Koalition mit Großbritannien, Frankreich und Italien vorsah, und zwar auf der Grundlage eines Ad-hoc-Beschlusses, da der UNO-Sicherheitsrat bei den militärischen Aktionen der NATO keine Einigkeit erziehen könne. . . . ›Die Verluste der USA an Geld und Menschenleben wären bescheiden im Vergleich zu dem Schaden, der Bosnien zugefügt würde.‹«

Und die ganze Sache war sowieso schon in Washington geplant, denn: »Bereits während der Regierungszeit des US-Präsidenten George BUSH hatte sich ein militärisches Eingreifen der NATO im jugoslawischen Bürgerkrieg . . . klar abgezeichnet. BUSH beantwortete die Forderung des damaligen türkischen Regierungschefs Turgut ÖZAL, serbische Stellungen zu bombardieren, telephonisch folgendermaßen: ›Nennt uns die Ziele, und wir schicken unsere Flugzeuge dorthin.‹« Aber schon zuvor hatte sich der US-Luftwaffengeneral DUGAN über die amerikanischen Kriegspläne gegenüber dem ehemaligen Jugoslawien in folgender Weise geäußert: »Nicht nur müßten serbische Kampfverbände auf den Kriegsschauplätzen bombardiert werden, vielmehr auch serbische Nachschubwege und Versorgungsdepots, Elektrizitätswerke und Treibstofftanks, ja die politischen Entscheidungszentren (in Belgrad) selbst.«

Diese Erklärung wurde im folgenden nie dementiert, doch war die Zeit für eine solche Bombardierung noch nicht reif: Zum einen mußte die westliche Bevölkerung, die nachträglich und verspätet über amerikanische Kriegsverbrechen am Golf erfuhr, beruhigt werden, zum anderen mußte sie auf erneute Militär-Operationen der USA in Jugoslawien psychologisch vorbereitet werden. Der größte Teil dieser psychologischen Vorbereitung kam wie bestellt, als die erwähnte Explosion auf einem Marktplatz in Sarajevo stattfand.[1063] Sie gab den USA den nötigen Vorwand für ihr militärisches Eingreifen. Daher läßt sich rückblickend sagen: Ob es sich nun um das Gesetz vom November 1990 handelt oder um die heimliche Bewaffnung und Förderung faschistischer Organisationen in Kroatien, um die Anerkennung eines unabhängigen Bosniens unter einer rechtsgerichteten, von den USA unterstützten Regierung anstelle einer von allen Parteien im März 1992 akzeptierten Kompromißregierung oder ob es um die unter Druck der USA zustande gekommene kroatische-moslemische Föderation vom März 1994 geht, die USA haben sich zu jedem Zeitpunkt des Konflikts auf dem Balkan durch ihre Einmischung eindeutig als Kriegstreiber betätigt. Sei es nun der VANCE-OWEN-Plan von Anfang 1993, dem zufolge Bosnien in winzige Enklaven aufgeteilt werden sollte, sei es der VANCE-STOLTENBERG-Plan des Spätjahres 1993, der die Dreiteilung Bosniens vorsah – jeder dieser Vorschläge beweist nur die Entschlossenheit Amerikas, die Region zu beherrschen und seine imperialistischen Rivalen fernzuhalten. Im Einklang mit diesem Ziel fanden dann ab September 1995 massive Luftangriffe statt, um die amerikanische Vorherrschaft in dieser strategisch wichtigen Region voranzutreiben.[1064]

Auch Predrag SIMIC vom Institut für Internationale Politik und Ökonomie faßte zusammen: »Die Kräfte, Personen und Nationen im einzelnen zu benennen, welche die Auflösung Jugoslawiens verursacht haben, ist wegen der Vielzahl der historischen und politischen Faktoren ein sehr komplexes Unterfangen. *Aber wenn Sie mich statt dessen fragen, wen ich für den Untergang Bosnien-Herzegowinas als Nation für verantwortlich halte, dann kann ich nur ein Land anklagen – die Vereinigten Staaten.*«[1065] (Hervorhebung M. K.)

Kapitel 17

Irak Teil II oder: Wer besitzt Waffen der Massenvernichtung?

Dieses Buch bliebe unvollständig, wenn wir nicht auf die neuesten Ereignisse am Golf eingingen. Nachdem die US-Machtelite dem Irak oder besser gesagt Saddam HUSSEIN erneut eine Falle gestellt hatte (schon im ersten Golfkrieg wurde HUSSEIN – wie gesehen – dazu verleitet, den Iran anzugreifen), gab sie sich nicht damit zufrieden, daß die Zerstörung des Iraks ihn um mindestens ein Jahrzehnt in seiner Entwicklung zurückgeworfen hatte. Nein, er sollte durch die hinterhältigen sowie umstrittenen UNO-Sanktionen (für die sich vor allem die USA und Großbritannien im Sicherheitsrat stark gemacht hatten[1066]) noch Jahre lang dahinvegetieren, um somit als souveräne Nation völlig ausgeschaltet zu werden, ein Land, das dann um so mehr von westlicher, vor allem von amerikanischer Hilfe abhängig gehalten würde. Die erbarmungslosen Sanktionen wurden sofort damit begründet, daß der Irak nicht alle seine chemischen sowie biologischen Waffen nach dem Golfkrieg (1991) zerstörte.[1067]

In den gängigen Massenmedien wurde dann auch gleich ein akutes Schreckgespenst geboren, um zu zeigen, wie friedensgefährdend doch die irakischen ›Massenvernichtungswaffen‹ Saddam HUSSEINS seien. Es wurden alle erdenklichen schockierenden Szenerien an die Wand gemalt, daß die irakischen biologischen sowie chemischen Waffen jede Nation der Welt bedrohen könnten. Die gleichgeschalteten Massenmedien betrieben regelrechte Kriegshetzerei und legitimierten daher leichtfertig einen erneuten amerikanischen militärischen Angriff auf den Irak. Den meisten Menschen wurde bewußt, was die wichtigsten Informationen zu dem Thema Massenvernichtungswaffen verschweigen. Es ist eigentlich schon eine unglaubliche und äußerst zynische Doppelmoral, mit der die US-Regierung auf ihrem Standpunkt beharrt, daß der Irak mit seinen B- und C-Waffen die Welt bedrohe. Denn schon 1975 hatte die Firma Pfaulder in Rochester (New York) dem Irak die Baupläne für dessen erste chemische Kriegsproduktionsanlage zukommen lassen.[1068] Laut *FAZ* war es die US-Regierung, von welcher der »Irak in den Achtzigern die ersten Kulturen für [den] biologischen Kampfstoff [Anthrax] von einer Produktionsstätte der Vereinigten Staaten im Bundesstaat Maryland bekommen hatte – mit einer offiziellen Ausfuhrgenehmigung Washingtons.«[1069] Noch einheitlicher und vor allem brisanter wurde es, als »der US-Senator Donald W. RIEGLE jun. im Februar 1994 vor dem Kongreß der USA 61 biologische Kulturen auflistete, die zwischen 1985 und 1989 an den Irak geliefert worden waren. Drei enthielten Botulismus, Milzbrand (Anthrax) und andere Toxine. Zudem lieferte man genetisches Material, wozu angeblich auch vom Menschen geklonte DNS gehörte«.[1070] Anstatt eine Hetzkampagne gegen den Irak in den Medien einzuleiten, hätte man der Objektivität halber einmal darauf eingehen sollen, wie es denn um biologische und chemische Waffen in den USA selbst bestellt sei.

Angeblich beseitigten die USA ihre biologischen Waffen im Februar 1973. Nachdem sie ihre Überlegenheit in diesem Bereich bewiesen hatten, hatten sie zusammen mit Großbritannien die UNO 1969 aufgefordert, solche Waffen zu verbieten. Die angebliche Vernichtung der biologischen US-Waffen wurde aber nie von einer UNO-Kommission bestätigt.[1071] Die US-Regierung verkündete dies jedoch keinesfalls aus moralischen Gründen, denn sie mußte sich zur damaligen Zeit, als sie noch (Nord-)Vietnam bombardierte, heftige Kritik anhören, vor allem wegen des Giftgaseinsatzes, der nur im Ersten Weltkrieg stärker war: Insgesamt waren es 10 000 Tonnen Giftgas zwischen 1965 bis 1971.[1072] Dennoch bestätigte der amerikanische Waffenexperte Tom GERVASI noch im Jahr 1989, also über 15 Jahre später, nachdem die USA ihre B- und C-Waffen angeblich vernichtet hatten: »Das existierende chemische US-Waffenarsenal besteht aus 40 000 Tonnen tödlicher Agenzien, genug um jeden Menschen in der Welt mehr als 5000 Mal zu töten. . . . Das chemische US-Arsenal verwendet zwei Arten von Nervengas, GB und das beharrlichere VX, sowie Senfgas.«[1073]

Aber schon im Jahr 1975 kam es zu einem Giftskandal um den CIA. »Im Jahre 1975 gab der CIA vor einem Senatsausschuß bereitwillig zu, den von NIXON ausgesprochenen Verzicht mißachtet zu haben. . . Die zurückbehaltene Menge war erstaunlich groß – sie konnte Hunderttausende von Menschen töten –, vor allem, wenn man bedenkt, daß der CIA niemals dazu autorisiert worden ist, überhaupt irgendwelche Operationen mit CBW durchzuführen. Das Agens, das die meisten Sorgen bereitete, war ein Gift aus Schalentieren (shellfish-toxin), das zu Lähmung führt. Elf Gramm standen dem CIA zur Verfügung, und dies war ein Drittel der Menge, die jemals auf der ganzen Welt hergestellt worden ist.«[1074] In dieser Hinsicht schreiben wiederum die beiden Biowaffen-Experten Charles PILLER und Keith R. YAMAMOTO: »Die Sowjets sind Jahre hinter den USA zurück, was die biomedizinischen Wissenschaften angeht. . . der amerikanische Vorsprung (bleibt) immens, und er wächst zudem weiter.«[1075]

Als ob dies nicht schon bedenklich genug wäre, stellen beide Wissenschaftler fest, daß die US-Regierung in Ford Detrick biologische Waffen entwickeln ließ: »Die Laboratorien in Fort Detrick waren in der Lage, eine halbe Million Moskitos pro Monat zu erzeugen, und das Ingenieurkommando hat eine Anlage geplant, die es auf 130 Millionen Moskitos im Monat bringt.‹ Viele dieser Moskitos waren mit dem Gelbfiebervirus infiziert, das sie erfolgreich auf Labormäuse übertragen haben, Hunderttausende von nichtinfizierten *Aedes aegyptii* wurden von Flugzeugen aus über amerikanischen Städten abgeworfen, um zu sehen, wie sie sich verteilen und ausbreiten. Die Laboratorien in Fort Detrick haben auch Flöhe mit Pest, Fliegen mit Cholera, Anthrax und Ruhr sowie Zecken mit Tularämie (Hasenpest) gezüchtet.« »Zwischen 1951 und 1969 sind Hunderte – wenn nicht Tausende – von Versuchen im Freien durchgeführt worden, bei denen es um Organismen ging, die Krankheiten bei Menschen, Tieren und Pflanzen verursachen können. Die Armee benutzte das riesige Dugway-Testgelände in Utah und mehr als zwei Dutzend andere Gebiete, zu denen unglaublicherweise auch Land gehörte, das öffentlich zugänglich war. Bei den Versuchen kam alles zum Einsatz, was in den Arsenalen steckte, vom Rostpilz und Reisbrand (Mehltau) bis hin zu Milzbrand und Pest. Die Öffentlichkeit erfuhr von diesen Versuchen durch Daten, die im Rahmen einer Senatsanhörung im Jahre 1977 mitgeteilt wurden. . . In Dugway (Utah) hat die Armee offensichtlich viele Tierarten zuerst infiziert und dann freigelassen. Wissenschaftler von der Universität von Utah haben dann in periodischen Abständen mit Hilfe von Stichproben erkundet, wie sich diese Infektion durch die Populationen der Tiere ausgebreitet hat. Obwohl die Armee dies dementiert, weisen die Berichte der Universität darauf hin, daß in solchen Versuchen auch Insekten freigelassen worden sind. Daneben wurden oftmals biologische und chemische Bomben aus Flugzeugen abgeworfen.«[1076]

Wie scheinheilig und verlogen die Behauptungen der US-Regierung sind, sie hätte 1973 aufgehört, biologische Waffen herzustellen und zu lagern, zeigen erneut die beiden oben erwähnten Wissenschaftler, denn: »In den *späten siebziger Jahren* (Hervorhebung M.K.) erregte sich die Öffentlichkeit, als herauskam, daß die Armee heimlich solche simulierenden Agenzien aus präparierten Koffern in Busstationen und Flughäfen versprüht hatte, um herauszufinden, wie weit und schnell sie sich dabei ausbreiteten. Eine andere Episode erwähnt einen Armeeangehörigen, der in einer Station der New Yorker Untergrundbahn eine mit simulierenden Wirkstoffen gefüllte Glühbirne zerbrach. Anschließend wurden verschiedene Stellen im U-Bahn-Netz überprüft, ob sich die Organismen nachweisen ließen. Das Simulans *Serratia marcescens* wurde in größeren Mengen über der San Francisco Bay versprüht, und es wird vermutet, daß dies zu einer kleineren Epidemie führte, bei der zumindest ein älterer Mann ums Leben kam.«[1077]

In den fünfziger Jahren führte die US-Armee Feldversuche in Savannah, Georgia, und Avon Park, Florida, durch. Von Flugzeugen aus wurden riesige Mengen von Stechmücken über Wohngebieten freigelassen, eine Methode, die die US-Regierung von den Japanern und ihrer berüchtigten Einheit 731 nach dem Zweiten Weltkrieg übernommen hatte. Die Bewohner,

Zu S. 387: Bush beim ägyptischen Staatspräsidenten Mubarak in Kairo. Ziel des Besuchs: die Verurteilung der irakischen Invasion Kuweits durch die Arabische Liga.

US-Außenminister James Baker stimmt für die UN-Resolution 678, die die Intervention der ›internationalen Gemeinschaft‹ unter US-Führung billigte. In einem Interview mit dem Magazin *Focus* sagte er: »Amerika muß führen. Unsere Alliierten wollen auch, daß Amerika führt.«

US-Präsident Bush bei einer Ansprache kurz vor dem zweiten Golfkrieg.

Zu S. 432: Norman Schwarzkopf, Oberbefehlshaber der Vereinten Truppen, erarbeitete den Kriegsplan ›90-1002‹. Seit 1945 waren die USA aus keinem Militärkonflikt als Sieger hervorgegangen. Das Tandem Bush/Schwarzkopf zog die Lehre aus dem Vietnamkrieg: Die US-Öffentlichkeit ist nur noch bereit, einen Krieg zu akzeptieren, wenn er kurz ist und geringe Verluste auf amerikanischer Seite fordert, daher der massive Einsatz der Luftwaffe.
Unten rechts: Madeleine Albright, US-Botschafterin bei der UNO und Außenministerin unter Clinton, bezog stets einen kompromißlosen Standpunkt zur Irak-Frage.

Zu Seite 440: Das berühmt-berüchtigte F 14 Tomcat, das im zweiten Golfkrieg zum Einsatz kam. Allein in der ersten Bombennacht wurden Bomben mit insgesamt der anderthalbfachen Sprengkraft der Atombombe von Hiroshima über dem Irak abgeworfen.

Das Ergebnis der Bombenangriffe: ein Stadtteil von Bagdad. Irakische Städte wurden für bessere Ziele als herkömmliche militärische Anlagen gehalten.

US-Marines an der Schutzmauer der US-Botschaft in Kuwait-City

Zu Seite 413: Antidemonstration gegen den Golfkrieg in Chicago. Die Medien schenkten den Friedenskundgebungen so gut wie keine Beachtung.

die darauf unter den Insektenschwärmen leiden mußten, wurden krank, manche starben sogar. Angehörige des Militärs – als Mitarbeiter verschiedener Gesundheitsbehörden getarnt – untersuchten danach jedes Opfer mit verschiedenen medizinischen Tests. Obwohl die Einzelheiten nicht bekannt wurden, wird angenommen, daß die Stechmücken mit einer Form von Gelbfieber infiziert worden waren – einem Virus, das hohes Fieber, Erbrechen und bei jedem dritten Erkrankten den Tod verursachte.

Weitere biologische Waffentests wurden in den USA in den fünfziger und sechziger Jahren durchgeführt und gipfelten 1966 in einem Überfall auf New York City. »Ein streng geheimes Kommando aus der Spezialeinheit für chemische Kriegführung versprühte die Bakterie Bazillus in Stoßzeiten durch die Gitter der U-Bahn-Stationen. Der Fahrtwind der Züge war ideal, um die Keime unauffällig über die ganze Stadt zu verteilen.«[1078] »Die Armee enthüllte weiter, daß sie zwischen 1949 und 1969 239 Versuche unter freiem Himmel durchgeführt hatte, davon 80 mit Keimen. Das bedeutet vier Angriffe jährlich auf amerikanische Städte, und dies zwanzig Jahre lang... Die Versuche wurden angeblich nach 1969 eingestellt.«[1079]

Weitere Informationen zum Thema biologische Waffen der USA gab Michael RICONNOSCIUT, der an der Entwicklung solcher Waffen gearbeitet hat. Seinen Angaben zufolge ließ die US-Regierung Ende der achtziger Jahre auch fortgeschrittene Waffensysteme und biologische Waffen in dem Cabazon-Indianerreservat herstellen.[1080] Am 21. März 1991 schwor RICONNOSCIUT vor einem US-Gericht unter Eid, daß er als Leiter der Forschungsgruppe für die Wackenhut Corporation of Coral Gables, Florida, und die Cabazon Band of Indians of Indio, Kalifornien, an biologischen und chemischen Waffen gearbeitet habe.[1081]

Es ist schon bedenklich genug, wenn die US-Regierung gegen ihre eigene Bevölkerung mit B- und C-Waffentests vorgeht, um diese an derselben zu testen. Noch bedrohlicher und vor allem gefährlicher ist aber der Einsatz solcher unmenschlichen Waffen gegen andere Staaten. Wie wir bereits gesehen haben, setzte die US-Regierung im Koreakrieg sowie im Indochinakrieg (Vietnam usw.) solche Waffen ein. Dies geschah wohlgemerkt in Kriegszeiten.

Noch im Jahre 1977, nachdem die US-Regierung angeblich vier Jahre zuvor sämtliche Biowaffen abgeschafft hatte, ereignete sich ein schwerwiegender Zwischenfall mit Kuba. »Im Jahre 1977 konnte man in einem Beitrag der Zeitschrift *Newsday* (New York), der sich auf ein Interview mit Mitgliedern des CIA stützte, folgendes lesen: ›Wenigstens mit der schweigenden Unterstützung von CIA-Offiziellen... haben gegen CASTRO operierende Terroristen im Jahre 1971 das Virus für das afrikanische Schweinefieber nach Kuba gebracht. – Sechs Wochen später erzwang ein Ausbruch der Krankheit die Notschlachtung von 500 000 Schweinen, um den Ausbruch einer umfassenden Tierepidemie zu verhindern.‹ Die UN-Organisation für Ernährung und Landwirtschaft nannte diesen Ausbruch das ›alarmierendste Ereignis‹ seit 1971. Das hochinfektiöse und gewöhnlich tödlich wirkende Virus brachte die kubanische Schweineproduktion monatelang zum Stillstand. Der Bericht von *Newsday* bestätigte jahrelange Behauptungen Kubas, denen zufolge der Ausbruch mit einer andauernden und geheimen Destabilisierung mit Hilfe biologischer Waffen in Verbindung steht, die die USA bei ihrem kleinen Nachbarn anwenden. Die Bemühungen richteten sich vor allem gegen die Pflanzen, an denen das wirtschaftliche Überleben Kubas hängt, gegen Tabak (mit Hilfe eines Pilzes), gegen den Zucker (mit Hilfe von Getreidebrand) und auch gegen Menschen – bemerkenswert ist dabei vor allem ein Ausbruch von Denguefieber mit Blutungen, von dem 350 000 Menschen betroffen waren, von denen 156 gestorben sind. . . Das Interesse des CIA, die kubanische Wirtschaft mit chemischen und biologischen Methoden zu sabotieren, die sich gegen Getreide und Menschen richten, ist zudem aktenkundig. . . Die Krankheit ist zur gleichen Zeit an zwei verschiedenen Orten ausgebrochen.«[1082]

Die nicaraguanische Regierung hat den CIA beschuldigt, für die schreckliche Denguefieber-Epidemie verantwortlich gewesen zu sein, die in den Jahren 1985 und 1986 Hunderttausende von Bürgern der Stadt Managua getroffen hatte.[1083] Desweiteren hat die US-Regierung biologische Waffen gegen hilflose unbewaffnete Zivilisten eingesetzt, wie zum Beispiel gegen die Inuits in Nordkanada, was eine Seuche verursachte, sowie gegen kolumbianische und bolivianische Bauern. Um den Verdacht von sich zu weisen, unterstellte die USA den Sowjets, in Afghanistan chemische Waffen benutzt zu haben. Ein Beweis für diese Unterstellung wurde aber bis heute noch nicht geliefert.[1084] Interessanterweise wurde aber gerade das Gegenteil festgestellt, denn im April 1980 wurden bei einer Bande, die ihr Unwesen im Raum von Herat trieb, deren Gasgranaten mit der Kennzeichnung ›R.K.T. 83 M‹ sichergestellt. Im Juli desselben Jahres wurden bei einem Angriff auf die ostafghanische Stadt Ghasni Gasgranaten der Bushmanen in größerer Stückzahl eingesetzt. Nach dem Sieg über diese Banditen wurden bei ihnen US-Granaten mit der Aufschrift »Handle with care: Poison! Keep away from fire! Gives off toxic gas!« (›Sorgfältig behandeln: Gift! Von Feuer fernhalten! Entwickelt Giftgas!‹) gefunden. 1981, im August, begannen Konterrevolutionäre Nervengas anzuwenden. Darunter befanden sich Erzeugnisse mit dem Kennzeichen ›SS MP-7 made in USA‹. Ferner lieferte der CIA für diesen Gift- und Gaskrieg entsprechende Gewehr- und Handgranaten, Minen, Artilleriemunition, Raketen, Aerosolgeräte und Brandmittel mit chemischen Verzögerungszündern. Dies sind nur einige Hinweise für den Einsatz von US-Giftgas in Afghanistan durch die CIA-finanzierten Konterrevolutionäre der damaligen Zeit.[1085]

Nachdem die USA behauptet hatten, ihre offensiven biologischen Kriegsprogramme abgeschlossen zu haben, wurde das US Army medical research institute of infectious diseases (USAMRIID) gegründet. Es handelte sich also um ein medizinisches Forschungsinstitut der US-Armee für infektiöse Krankheiten, das angeblich ins Leben gerufen wurde, um die »medizinische Verteidigung des US-Militärs gegen potentielle biologische Angriffe« zu gewährleisten. Die militärische Bedeutung dieses Unternehmens wird dadurch offenkundig, daß der Leiter dieses Instituts ein Militäroffizier ist und als ›Kommandeur‹ bezeichnet wird. Es existieren viele dieser Forschungsinstitute in den USA. Sie sind alle bemüht, Krankheitserreger zu finden, die gegen Antibiotika immun sind. Um so bedrohlicher erscheint das ganze Szenario, wenn man weiß, daß sie ebenfalls damit beschäftigt sind, neuere Krankheitserreger durch genetische Manipulation sowie durch Sammlung von Viren und Keimen in aller Welt herzustellen. Wann immer es irgendwo in der Welt einen Virus-Ausbruch gibt, der in epidemischer Form tötet, sind es amerikanische Ärzte, die unter der Tarnung medizinischer Hilfe als erste den tödlichen Virus untersuchen, sie bringen ihn dann in die USA, um ihn dort offenbar noch tödlicher zu machen.[1086]

Ferner sind es die USA, die auch weiterhin Massenvernichtungswaffen horten. So bauten die USA zwischen 1945 und 1992 insgesamt 70 000 Atomwaffen, also mehr, als alle anderen Länder zusammen gefertigt haben.[1087] Außerdem häufen sich die Berichte, denen zufolge die US-Regierung nicht mehr die Verhinderung der Verbreitung von Atomwaffen vorrangig anstrebe, sondern die »Bekämpfung neuer Nuklearmächte«. Deshalb forderte Marc Dean MILLOT, Mitarbeiter der einflußreichen Rand Corporation: »Die Vereinigten Staaten müssen bereit sein, regionale Großeinsätze unter nuklearer Bedrohung zu führen.« Training und Taktik müssen daher darauf spezialisiert sein, Gegner zu besiegen, die mit ABC-Waffen ausgerüstet sind.[1088] Zur gleichen Zeit verweigern die USA den Russen (sowie allen anderen Staaten einschließlich der UNO) eine Inspektion der amerikanischen Atomwaffenlager und Stützpunkte unter dem Vorwand, die Russen könnten, wenn dies möglich wäre, herausfinden, »wie etwa die Plutoniumladungen der US-Waffen geformt und wieviel Kilogramm Plutonium oder Uran in jedem Sprengkopf enthalten sind«. Und deshalb »bleiben Amerikas Atomsprengköpfe erst einmal in den Bunkern«.[1089]

Dessenungeachtet »fordert die amerikanische Regierung, alle militärischen Anlagen kontrollieren zu dürfen, die zur Abrüstung genutzt werden, ohne den Moskauern das gleiche Recht in den USA einzuräumen«, bemerkte der *Spiegel*.[1090] In dieser Hinsicht läßt es sich leicht diagnostizieren: »In den USA wird beabsichtigt, eine Anzahl ›nicht aktiver‹ Sprengköpfe in Reserve zu halten, die bei Bedarf leicht wieder aktiviert werden können. Solange es jedoch technisch recht einfach ist, Sprengköpfe zu reaktivieren (sic!), kann der Abrüstungsprozeß nicht als vollständig bezeichnet werden.«[1091] Das bedeutet, daß die US-Regierung nicht beabsichtigt, wirklich abzurüsten. Sie betreibt lediglich ein PR-Schauspiel, um in den Medien gut auszusehen. Das ganze nukleare Abrüstungsgerede der US-Regierung ist also nichts weiter als eben das Gerede, um damit dann Druck auf andere Staaten, besonders in der Dritten Welt, ausüben zu können, damit diese nun auch abrüsten müssen, da die US-Regierung hier angeblich mit einem guten moralischen Beispiel vorangegangen sei. (Hierzu siehe auch den Anhang III: US-Atomwaffenpolitik)

Die USA besitzen immer noch weitaus mehr als genug Atomwaffensprengköpfe, um die Welt mehrmals zu zerstören, aber hierüber scheint sich niemand in den ach so kritischen Medien Sorgen zu machen.

Aber das US-Waffenarsenal hört keinesfalls bei Atomwaffen auf. So habe die USA zum Beispiel ein ausführliches sowie intensives Strahlen-/Mikrowaffenprogramm, das abgekürzt unter dem Namen HAARP läuft (High frequency Active Auroral Research Project). HAARP ist ein hohes Frequenzmodulations-Forschungsvorhaben in Alaska, mit dem unter anderem die Ionosphäre stark beeinflußt werden soll. Das 30 Millionen Dollar-Vorhaben hat zum Ziel, mehr als 1,7 Gigawatt (1,7 Milliarden Watt) starke Richtstrahlen in die Ionosphäre, die elektrisch geladene Schicht oberhalb der Erdatmosphäre, zu schicken. Diesbezüglich unterstreichen die Autoren des bemerkenswerten Buchs *Löcher im Himmel – Der geheime Ökokrieg mit dem Ionosphärenheizer HAARP* »die Gefahr, daß die HAARP-Technologie mißbraucht werden könnte, um weltweit das Denken der Menschen zu kontrollieren. . . Bestimmte elektromagnetische Signale können das Sehen und Hören beeinflussen, so daß das Feld, das den Kopf oder den Körper umgibt, die entsprechende Frequenz, Stärke und Modulation besitzt«.[1092]

Daß die US-Regierung schon seit Jahrzehnten an gedankenkontrollierenden Waffen arbeitet, wurde schon längst aktenkundig unter anderem im eben genannten Buch sowie in den folgenden Büchern: *Mind Control World Control* (Keith, Jim), *Journey into Madness – The True Story of Secret CIA Mind Control and Medical Abuse* (Thomas, Gordon), *The Search for the ›Manchurian Candidate‹ – The CIA and Mind Control – The Secret History of the Behavioral Sciences* (Marks, John), *Psychic Dictatorship in the U.S.A.* (Constantine, Alex), *Das Montauk Projekt – Experimente mit der Zeit* (Nichols, Preston B. / Moon, Peter), *Verdeckte Operationen – Militärische Verwicklungen in UFO-Entführungen – Mind Control/Bio-Chips/Untergrundbasen/Exotische Waffen* (Lammer, Helmut u. Marion).[1093]

Die Wirksamkeit dieser gedankenkontrollierenden Waffen wurde in der angegebenen Literatur schon längst erwiesen. So veränderte sich das Benehmen von Menschen sowie Tieren drastisch, als sie mit einer bestimmten Mikrowellenfrequenz bestrahlt wurden, daß man hierbei ohne jegliche Übertreibung von gedankenkontrollierenden Waffen sprechen kann.¹⁰⁹⁴ Es handelt sich hierbei um HPMs (High-Performance-Microwaves), Hochleistungsmikrowellen, die den Gegner auf psychologische Weise kampfunfähig machen. So können zum Beispiel Lautsprecher mit enormer Wattstärke nervenaufreibende niedrigfrequenzartige Schallwellen erzeugen, die Wände und gepanzerte Fahrzeuge durchdringen können. Der Gegner kann so auf unsichtbare Weise an den Rand des Wahnsinns getrieben werden. »Zunächst tritt Orientierungslosigkeit ein, dann kommt es zu Übelkeit und unkontrolliertem Stuhlgang und schließlich zu völliger Kampfunfähigkeit.«¹⁰⁹⁵ Über den erzwungenen Stuhlgang machten sich amerikanische Soldaten lustig, als sie sich vorstellten, dieses Schicksal würde die Serben in Bosnien treffen. Es gab daraufhin zahlreiche Witze der US-Soldaten, wie man auf Serben im Schlachtfeld treffen würde, die mit heruntergezogenen Hosen dastehen würden.¹⁰⁹⁶ Ähnliche Erscheinungen kann eine Bombardierung mit Ultraschallwellen auslösen. Bei hoher Intensität können diese zu bleibender Taubheit oder gar zum Tod führen. Mit HPMs lassen sich sogar feindliche Flugzeuge, Panzer und andere Kriegsausrüstungen ausschalten. Mikrowellen können auch Schaltkreise und Computerchips ruinieren.¹⁰⁹⁷

Daß diese Mikrowellenwaffen nicht nur graue Theorie sind, wurde im zweiten Golfkrieg bestätigt. Denn: »In einem Bericht sagte ein CNN-Reporter, daß er gerade eben von Kuwait zurückgekehrt sei, wo er mit einer amerikanischen Streife auf Patrouille gewesen wäre. Dabei hätten sie eine Einheit von etwa dreißig Irakern auf einer Sanddüne entdeckt. Während nun die Amerikaner überlegten, wie sie die Iraker zur Aufgabe bewegen konnten, flog plötzlich ein US-Hubschrauber über die Köpfe der Iraker hinweg. Der Hubschrauber hatte noch kaum die nächste Düne erreicht, da standen die Iraker schon mit hoch erhobenen Armen auf, um sich zu ergeben.« Das allein klingt schon merkwürdig genug, da es sich um die gleichen Iraker handelte, die einen ›Djihad‹, einen ›Heiligen Krieg‹, gegen den Iran acht lange Jahre gekämpft hatten.

Die nächste interessante Live-Aussage stammte von Brigadegeneral NEIL, der von einem britischen BBC-Reporter befragt wurde. Der Journalist interessierte sich dafür, wie denn die Iraker dazu bewogen werden sollten, die massiven Bunker zu verlassen, die dort vor vielen Jahren von deutschen Firmen gebaut worden waren. Diese Bunker sind für ihre extrem hohe Stabilität und Sicherheit bekannt, und die Frage war berechtigt. Daraufhin antwortete der General: ›We bring in the psychological...‹ (›Wir setzen die psychologischen...‹)! An dieser Stelle unterbrach er den Satz mit einem vorgetäuschten Hustenanfall. Es klang, als habe er sich dabei ertappt, etwas zu sagen, was nicht für die Öffentlichkeit bestimmt war. Nach dem Husten räusperte er sich und fuhr dann fort: ›I'm sorry, we bring in the helicopters with PA (public address) systems and we talk 'em out.‹ (›Entschuldigung, wir werden Hubschrauber mit Lautsprecheranlagen einsetzen und sie durch Reden dazu bewegen, herauszukommen.‹). Mir scheint, als hätte der General sich versprochen und wollte den Satz eher mit den folgenden Worten beenden: ›bring in the psychological broadcasting helicopters‹ (›Hubschrauber mit Psychowaffen-Sendern‹). Er hatte vermutlich aus der Lagebesprechung noch seine Hubschrauber im Kopf und schwenkte von denen, an die er eigentlich gedacht hatte um, auf die ›PA system helicopters‹.« Denn: »Ein Luftangriff konnte die in den Bunkern sitzenden Soldaten... kaum beeindrucken. Sie hatten Strom, Unterhaltung, genügend Essen und Wasser für die nächsten sechs Monate. Die Bunkermauern waren etwa einen Meter stark und hätten wahrscheinlich auch einen Atomschlag überstanden. Zusätzlich besaß man die nötige Ausrüstung, notfalls einen Fluchttunnel zu graben!«[1098]

Es gibt auch Berichte, daß die US-Regierung ahnungslose Bürger als Testpersonen für ihre Mikrowellenwaffen mißbraucht hat.[1099] Eine neue Waffe, mit der sich die US-Militärs anscheinend auch angefreundet haben dürften, sind Computer. *Time Magazin* brachte es in seiner Ausgabe vom 21. August 1995 auf den Punkt, und zwar in dem Artikel »Cyber War«. Der Leitartikel der US-Zeitschrift erörtert die Möglichkeiten eines von den Vereinigten Staaten eingeleiteten Computerkrieges. Mit der nötigen Soft- und Hardware, so *Time Magazin*, könnten alle elektronischen Versorgungselemente einer industriellen Gesellschaft über Computer (Viren) lahmgelegt werden. So würde der Feind innerhalb kürzester Zeit völlig orientierungslos im ›Dunkeln‹ sitzen, ohne sich auf jegliche moderne Technik mehr verlassen zu können, da diese durch den Computerkrieg ausgeschaltet oder unbrauchbar gemacht sein würde.[1100] Weshalb solche Computerwaffen noch nicht eingesetzt wurden, liege, so der Artikel, daran, daß die USA derzeit selbst wohl am anfälligsten für einen solchen Computersabotagekrieg seien.[1101]

Desweiteren dürften die USA eine Reihe von Strahlenwaffen im All stationiert haben, die sie aufgrund des umfangreichen SDI-Projekts entwickelt haben. Diese Waffen, wenn auch noch nicht voll einsatzbereit, sind, gepaart mit dem wirksamsten Spionage-Satellitensystem der Welt, einzigartige Waffen, wie sie keine andere Nation der Welt besitzt. Von wohl noch bedenklicherer Bedeutung ist die Tatsache, daß das SDI-Projekt eigentlich nie für die Abwehr von feindlichen (russischen) Interkontinentalraketen gedacht war. So schreibt der Physiker Paul BRODEUR in *The Zapping of America* über das SDI-Projekt: »Das ganze Gerede über Todesstrahlen und elektrisierte Teilchenstrahlen war nicht viel mehr als ein elaborates Täuschungsmanöver, entworfen, um die Tatsache zu verheimlichen, daß die Vereinigten Staaten eine direkte Energiewaffe entwickeln, welche Hochfrequenzmikrowellen-Impulse benutzt. Außerdem wurden die Gelder für das SDI-Projekt in geheime Forschungsinitiativen abgezweigt.« Anfang 1993 klagte Aldric Saucier, ein Wissenschaftler mit langjähriger Weltraumwaffenerfahrung, daß ungefähr die *Hälfte* des ganzen SDI-Budgets verschwunden und in geheime Projekte geflossen sei. SDI-Firmenliteratur während einer Senatsanhörung ergab, daß der orbitale Laser unter anderem dazu geeignet sei, elektromagnetische Strahlungs-Telemeterie (Electromagnetic radiation telemetering) sowie Todesstrahlung (death ray) anzuwenden und einzusetzen, eine Sache, die nie für antiballistische Zwecke gedacht war. Paul Brodeur untersuchte einen Entwurf für einen Elektronenstrahlbeschleuniger (Electron Beam Accelerator) des Typs, der in ein im Weltraum vorhandenes Abwehrsystem eingebaut werden soll, und entdeckte darauf hin, daß die Waffe in Wirklichkeit ein Gerät ist, das starke elektromagnetische Impulse erzeugen kann. Brodeurs *Zapping of America* enthält auch ein Kapitel über Gedankenkontrolltechnologie.[1102]

Das amerikanische Verteidigungsministerium brachte nach dem Kalten Krieg neue Richtlinien für die Militärpolitik der USA heraus. Ihnen zufolge soll – wohl bemerkt nach dem Untergang des ›Erzfeindes‹ Sowjetunion – das US-Militär jederzeit bereit sein, »zwei größere regionale Kriege wie den (zweiten) Golfkrieg gleichzeitig zu führen«. Das ist um so erstaunlicher, als die USA in ihrer gesamten Kriegsgeschichte nur während des Zweiten Weltkrieges zwei größere Kriege gleichzeitig führen mußten, wobei noch beachtet werden muß, daß die USA damals auch nur deshalb zwei größere Kriege zur selben Zeit führen konnten, weil ihnen die riesige Unterstützung der Sowjetunion zugute kam. Um diese zwei größeren Kriege im Stil des (zweiten) Golfkriegs führen zu können, übertrifft das US-Militärbudget die gesamten Rüstungsausgaben der Dritten Welt um die Hälfte.[1103] Anders ausgedrückt bedeutet dies, daß »die Vereinigten Staaten immer noch dreimal so viel für Aufrüstung ausgeben wie Rußland oder zweimal so viel wie Großbritannien, Frankreich, Deutschland und Japan zusammen«. Ferner wurden im letzten Jahrzehnt 15 Milliarden Dollar für Rüstung entrichtet, über die nicht einmal das Pentagon weiß, wofür sie ausgegeben worden sind.[1104] Dies ist das berüchtigte ›schwarze Budget‹ (black budget), das für streng geheime Rüstungsaufträge verwendet wird. Über dieses ›schwarze Budget‹ schrieb unter anderem der US-Journalist Tim Weiner das interessante Buch *Blank Check*, das sich ausführlich mit diesem Thema beschäftigt.

Um aber zu unserem Thema zurückzukehren: Wenn es eine Regierung gibt, die nicht nur reichlich Massenvernichtungswaffen, sondern auch eine erhebliche Anzahl von hochmodernen tödlichen Waffen besitzt, dann ist es die US-Regierung, und keinesfalls die Regierung eines Dritte Welt-Staats. Und wenn der Irak biologische sowie chemische Kampfstoffe besitzt, dann ist dies auf die Vereinigten Staaten zurückzuführen, wie die *FAZ* nicht ohne

Stolz verkündet: »Die *Frankfurter Allgemeine Zeitung* hatte Anfang Dezember des vergangenen Jahres [1997] als erste europäische Zeitung darüber berichtet, daß der Irak in den Achtzigern die ersten Kulturen für diesen biologischen Kampfstoff (Anthrax) von einer Produktionsstätte der Vereinigten Staaten im Bundesstaat Maryland bekommen hatte – mit einer offiziellen Ausfuhrgenehmigung Washingtons.«[1105]

Das ist nichts Neues, wir haben in Kapitel 9 gesehen, daß es hauptsächlich US-Firmen waren, die dem Irak beim Aufbau seiner chemischen Waffenherstellung halfen, im Grunde eine Bestätigung der US-Vorgehensweise gegenüber Deutschland während der Kaiser- und NS-Zeit: Erst den vermeintlich bösen Feind mit allen erdenklichen Waffen aufrüsten, damit der kommende Krieg auch profitmäßig lange anhält, um den Feind dann zu vernichten, wobei sich US-Firmen ein lukratives Wiederaufbauprogramm versprechen. Laut *FAZ* haben »westliche Staaten .. den irakischen Diktator Saddam Hussein auch noch nach dem Ende des Kuweit-Krieges 1991 mit Ausrüstungsgegenständen und Materialien beliefert, die zur Produktion von biologischen Waffen genutzt werden können«.[1106] Es bleibt desweiteren Spekulation, ob die US-Regierung auch in dieses illegale Geschäft verstrickt war, es wäre jedoch beileibe nicht das erste Mal, daß sie gegen ihre eigenen Waffengesetze verstoßen hätte, wie wir bereits gesehen haben.

Der neueste Konflikt mit dem Irak wurde von den Massenmedien der westlichen Welt geradezu heraufbeschworen und ist nur zu verstehen, wenn man die nötige Hintergrundgeschichte des zweiten Golfkriegs kennt. Ein Grund, warum die kriminellen Sanktionen gegen den Irak aufrechterhalten werden, dürfte die Tatsache sein, daß französische, chinesische, russische und eine große Anzahl Firmen von anderen Staaten Ölgeschäfte mit dem Irak abgeschlossen haben. Von diesen lukrativen Geschäften sind die USA ausgeschlossen.[1107] Da der Irak anglo-amerikanischen Schätzungen zufolge die zweitgrößten Ölreserven nachweist[1108], kann man die anhaltenden Sanktionen, die Saddam Hussein keinesfalls beseitigt, sondern seine Macht noch verstärkt haben, als einen Racheakt der US-Regierung ansehen, da diese nicht an den ergiebigen Geschäften teilhat. Äußerst bedenklich an der neuesten Entwicklung des Konflikts USA-Irak ist die Tatsache, daß die US-Regierung sich das Recht auf einen einseitigen Angriff, sprich Alleingang, vorbehalten hat.

Die US-Machtelite hat somit unmißverständlich klar gemacht, daß sie sich nicht an die UNO halten wird und, falls sie es für notwendig hält, auch ohne die UNO einen Militärangriff gegen den Irak starten kann. Mit anderen Worten: Sie kann jederzeit ohne die UNO einen Krieg mit dem Irak (oder jedem anderen Land) vom Zaun brechen. Das heißt, die US-Machtelite strebt eine globale Hegemonialherrschaft an und wird sich von niemandem aufhalten lassen, die Welt zu beherrschen. Die UNO hat also nur

Bedeutung, solange sie von den USA gelenkt wird, also deren Interessen vertritt. Ansonsten tut die US-Machtelite, was sie schon immer mit der UNO getan hat, wenn dies sich gegen die Interessen der USA richtet: Sie wird nicht beachtet.

Die von George BUSH vielgepriesene ›Neue Weltordnung‹ ist also in Wirklichkeit eine ›Neue amerikanische Weltordnung‹, die die militärische Überlegenheit der USA unter anderem damit erhalten will, daß sie anderen Staaten, vor allem den Staaten der Dritten Welt, verbieten, chemische und biologische Waffen herzustellen und zu lagern, weil diese die militärische Übermacht der USA ausgleichen, also vermindern könnten. In diesem Fall muß sich der Irak und alle anderen Länder, besonders in der Dritten Welt, mit möglichen Eingriffen in ihre Souveränität abfinden. Wenn die US-Regierung ihnen unterstellt, chemische oder biologische Waffen herzustellen, dann werden in diese Staaten UNO-Inspekteure geschickt, wobei anzumerken ist, daß die USA von UNO-Inspekteuren noch nie kontrolliert wurden. Da die US-Regierung eine solche Kontrolle strikt ablehnt, wird sich in Zukunft daran wohl auch nichts ändern. Damit hat die US-Regierung aber eine Doppelmoral aufgestellt, die mit Gerechtigkeit nichts zu tun hat, denn internationales Recht gilt entweder uneingeschränkt für alle oder für keinen. Es kann keine Ausnahmen geben, wenn es um Gerechtigkeit geht.

Nachwort

Ziel erreicht, globale Weltherrschaft der USA?

Spätestens nach dem Zerfall der UdSSR und dem zweiten Golfkrieg scheinen die USA, oder besser gesagt die US-Machtelite, ihr Ziel der globalen Weltherrschaft erreicht zu haben. Sie sind zweifellos die einzig verbleibende Supermacht der Welt, während die ehemalige, die Sowjetunion, nur noch um ihr Überleben kämpft und von einer Wirtschafts- sowie Regierungskrise nach der anderen heimgesucht wird. Die USA sind allgegenwärtig, wenn es darum geht, den ›Frieden‹ in der Welt wiederherzustellen, besonders im Mittleren Osten, wo man sich offenbar darein ergeben hat, daß ohne die USA kein Frieden in der Region mehr möglich scheint.

Die USA treten in den Medien als die neuen ›Friedenstifter‹ der Welt nach dem Ost-West-Konflikt auf, und die meisten Menschen im Westen scheinen ihnen leichtfertig diese Rolle abzukaufen. Über die Weltherrschaftsansprüche der USA wird so gut wie nie in den Medien diskutiert, obwohl dies weitaus hilfreicher wäre, als über die Rolle der USA als internationaler ›Friedenstifter‹ zu debattieren. Wie wir aber gesehen haben, verfolgt die US-Machtelite ganz andere Ziele als die der ›Wiederherstellung des Friedens‹. Dennoch hat die Machtelite noch nicht ihr endgültiges Ziel der totalen Weltherrschaft erreicht. Rußland wird nicht immer so schwach bleiben, wie es zur Zeit ist. Boris JELZIN hat auf einem Gipfeltreffen mit Helmut KOHL und dem französischen Premierminister öffentlich erklärt, daß er für eine multipolare Welt sei und nicht für eine unipolare, von den Amerika beherrschte (der neue Mann PUTIN denkt nicht anders). Kurz nach dieser Erklärung ließ die KOHL-Regierung verlauten, daß dies nicht als antiamerikanischer Kommentar zu verstehen sei. Allein dies zeigt schon, in welchem Verhältnis die angeblich souveräne Bundesrepublik Deutschland zu den USA steht. Es dürfte in dieser Hinsicht auch nicht überraschen, daß die Bundesrepublik zu 85% mit den USA im UNO-Sicherheitsrat gleichgeschaltet abstimmt.

Die US-Regierung strebt natürlich nach wie vor die globale Vorherrschaft in der Welt an. Aber diese wird nicht so leicht zu erreichen sein, da nicht alle Staaten der Welt sich so schnell dem Diktat der US-Machtelite beugen werden, wie dies die Bundesrepublik getan hat. Vor allem in der Dritten Welt wird man sich nicht für immer mit dem Diktat Washingtons zufriedengeben. Ob in der islamischen, der konfuzianischen, der lateinamerikanischen oder der afrikanischen Welt, die US-Regierung wird hier nicht als

›Friedenstifter‹ empfunden, im Gegenteil, sie wird in diesen Regionen der Welt, die immerhin über 75 Prozent der Weltbevölkerung ausmachen, als Unterdrücker und Ausbeuter angesehen. Obwohl diese Regionen nach dem Zerfall der Sowjetunion und dem ehemaligen Ostblock heute noch mehr von US-Krediten abhängen, werden sie auf lange Sicht versuchen, sich aus dem imperialistischen Würgegriff der USA zu befreien.

Das ist aber nicht der einzige Grund, weshalb ein Konflikt zwischen der US-Machtelite und einigen dieser Länder höchstwahrscheinlich eintreten wird. Ein weiterer wichtiger Grund ist das wirtschaftliche System der USA. Der sogenannte ›American Way of Life‹ gründet nämlich auf einem ausbeuterischen imperialistischen Wirtschaftssystem, das gleich einem Moloch immer mehr Rohstoffe für sich selbst fordert und immer weniger bereit ist, dafür angemessen den Ländern der Dritten Welt zu zahlen. Da die von den USA benötigten Rohstoffe größtenteils aus den Staaten der Dritten Welt kommen, ist ein Konflikt mit diesen Staaten gewissermaßen vorprogrammiert.

Ein paar Fakten untermauern diese Einschätzung. Die USA haben den größten Benzinverbrauch der Welt und weisen die höchste Ölimportsteigerung auf: Im Vergleich zu den zwei anderen größten Industrienationen Japan und Deutschland stiegen die US-Ölimporte um das Fünffache. Daher dürfte es auch nicht verwunderlich sein, daß die USA aufgrund der Gasemissionen der größte Verursacher des Treibhauseffekts sind. Ebenso beanspruchen die USA am meisten Frischwasserressourcen.[1109] Der ›American Way of Life‹, der in der westlichen Welt so umjubelt wird und anscheinend seinen ›Siegeszug‹ feiert, ist ohne Krisen und Konflikte nicht aufrechtzuerhalten, da er der verschwenderischste Lebensstil überhaupt ist. »Nicht nur verbrauchen sie ein Viertel allen Erdöls auf der Welt, sondern 30 Prozent aller natürlichen Ressourcen, die von der Erde hervorgebracht werden.« So ermittelte der ›Rat für die Verbesserung der Umwelt‹: Die USA sind das »verschwenderischste Land der Welt: Sie machen nur fünf Prozent der Weltbevölkerung aus, verbrauchen aber ein Viertel der gesamten Erdölförderung, bringen 22 Prozent aller Kohlendioxid-Emissionen hervor und verursachen 26 Prozent aller Stickoxide. Sie fällen mehr Bäume als irgendein anderes Land, nämlich zum Beispiel doppelt soviel wie Brasilien, und sie produzieren pro Bewohner mehr Giftmüll als irgendein anderes Land. . .«[1110]

Es geht aber nicht nur um billiges Benzin. Vielmehr benötigt die US-Machtelite gewisse strategische Rohstoffe, um Kriege auch weiterhin wirksam führen zu können. Es ist daher nicht überraschend, daß der Begriff ›strategische Rohstoffe‹ in den USA erstmals zwischen den beiden Weltkriegen Anwendung fand. »Mit Blick auf Europa wurde festgestellt, daß in einem modernen Zermürbungskrieg, wie dem Ersten Weltkrieg, Sieg und Niederlage entscheidend von der nationalen Fähigkeit abhängen, eine Industrie aufzubauen, die den notwendig beständigen Fluß lebenswichtiger industrieller Versorgungsgüter sichert... Für die Kriegführung von zentraler Bedeutung war nunmehr die Versorgung mit Eisenerz und Kohle. Ein US-Wissenschaftler kam zu der Feststellung, daß die Verfügungsgewalt über Eisen und Kohle ›wiederholt die Machtbalance in der Welt verändert‹ habe... 1944 ergänzte der ›US-Munitions Board‹: ›Strategische und kritische Rohstoffe sind jene Rohstoffe, die sich als lebenswichtig in einem Kriegszustand erweisen und deren Beschaffung in adäquaten Mengen in entsprechender Qualität und Zeit hinreichend ungewiß ist.‹«

Deshalb faßte die Zeitschrift *U.S. News & World Report* zusammen: »Ohne Metalle, die aus... unstabilen Ländern wie Zaire und Simbabwe importiert werden, wäre es völlig unmöglich, die raffinierten Waffensysteme, die man heutzutage für den Krieg benötigt, zu produzieren.«[1111]

Wenn also die US-Machtelite auch weiterhin die Weltmacht Nummer eins bleiben will, ist sie auf diese strategischen Rohstoffe angewiesen, die sich vorwiegend in der Dritten Welt befinden. Da ohne diese Rohstoffe kein moderner Krieg mehr zu gewinnen ist, muß die Machtelite auch weiterhin die Dritte Welt ausbeuten. Diese Ausbeutung wird aber letztendlich zu einer Reihe von Kriegen mit diesen Staaten führen, da deren wirtschaftliche Existenz immer mehr von einigen wenigen strategischen Rohstoffen dieser Staaten abhängt. Ausbeutung bedeutet aber immer, auf lange Sicht gesehen, Verarmung einer Bevölkerung. Diese Verarmung schürt Revolutionen und Aufstände in den Dritte-Welt-Staaten gegen die eigenen Machthaber. Da diese Aufstände aber nicht im Interesse der US-Machtelite sind, muß sie diese Aufstände immer unterdrücken. Falls diese sich aber nicht mehr von außen unterdrücken lassen, bleibt der US-Machtelite nur noch der Krieg gegen diese Länder, ein Weg, der in der US-Geschichte häufig beschritten wurde, um andere Staaten und Regionen zu beherrschen.

Wenn man eine geschichtliche Analogie zwischen dem britischen Reich (*British empire*) und der heutigen *Pax americana* herstellen will, so ergibt sich fast zwangsläufig folgende Festellung: Das britische Reich ging letztendlich unter, da Großbritannien nicht mehr die wirtschaftliche Stärke besaß, die 400 Millionen Menschen, über die es herrschte, ständig zu unterdrükken. Ähnlich ergeht es dem amerikanischen Imperium. Nachdem es durch den Ersten Weltkrieg die finanzielle Vorherrschaft über Europa gewonnen hatte, festigte es diese endgültig mit dem Ausgang des Zweiten Weltkrieges. Aber schon mit dem Vietnamkrieg, der 20 Jahre später ausufern sollte, zeichnete sich der Verfall der amerikanischen Wirtschaftsvorherrschaft gegenüber Japan und der Bundesrepublik ab. Anfang der siebziger Jahre (15. August 1971) mußte die USA von dem Goldstandard abweichen, der bis dahin als Weltwährungssystem im Interesse der USA bestanden hatte. Dies zeigte eindeutig, daß die US-Wirtschaftsvorherrschaft äußerst stark geschwächt wurde.[1112]

In den REAGAN-Jahren zeichnete sich dann der absolute Niedergang der US-Wirtschaft ab, als die REAGAN-Administration den unsinnigen Versuch wagte, Steuern vor allem für die Reichen drastisch zu senken und die Verteidigungskosten stark zu steigern. Jeder Volkswirtschaftler hätte hier eigentlich voraussagen müssen, daß eine solche Wirtschaftspolitik verheerende Folgen haben würde.[1113] Nach zwei REAGAN-Amtsperioden änderten die USA ab 1989 in weniger als einem Jahrzehnt ihren Status von einer Gläubigernation zu einer Schuldnernation. Sie wurden von der größten Kreditgebernation zur größten Schuldnernation der Welt. Die Hälfte der Bevölkerung stand nach den REAGAN-Jahren finanziell schlechter da, als sie es 1980 gewesen war.[1114]

Auch nach dem Zerfall der Sowjetunion zeigte sich, wie schwach die USA wirtschaftlich waren, als sie beim zweiten Golfkrieg von ihren Alliierten Beiträge in Höhe von über 50 Milliarden Dollar einforderten. Noch 25 Jahre zuvor hatten die USA einen zehnjährigen Krieg in Vietnam im Alleingang finanzieren können, im Jahre 1991 waren sie aber nicht mehr in Lage, allein gegen den Irak einen Krieg zu finanzieren.

Außerdem muß nochmals berücksichtigt werden, daß das zentrale Banksystem der USA (Federal Reserve System) um so mehr verdient, je höher die USA verschuldet sind, denn das F.R.S. ist der Treuhänder der amerikanischen Verschuldung, weil es der Zinseintreiber der amerikanischen Schulden ist. Eine Verschuldung des Staates ist daher von der US-Machtelite erwünscht.[1115] Die Vereinigten Staaten sind heute so hoch verschuldet, daß die US-Regierung nicht einmal die Zinsen für ihre Schulden aufbringen kann. Kaum jemand glaubt mehr, daß die Regierung jemals ihre Gesamtschulden wird bezahlen können.[1116]

Diese bedrohliche wirtschaftliche Lage läßt der US-Regierung nur einen Ausweg, den ›American Way of Life‹ aufrechtzuerhalten, nämlich die ständige Ausbeutung der Dritten Welt, von der die USA in erster Linie ihre Rohstoffe und Energie beziehen. Was die Zukunft der amerikanischen Kriege betrifft, so kann behauptet werden, daß diese höchstwahrscheinlich Kriege mit Staaten der Dritten Welt sein werden. Unter anderem hat Ramsey CLARK darauf hingewiesen, daß mögliche Kriege und Konflikte mit anderen Staaten der Dritten Welt einkalkuliert sind. Nach einem Artikel der *New York Times* vom 8. März 1992, der sich auf ein 46seitiges Dokument beruft, gehören zu diesen Staaten Rußland, Kuba, Irak, Indien, Pakistan, Nordkorea, Iran und andere. Mit der Ausnahme von Rußland sind dies alles Dritte Welt-Staaten. Das Pentagon-Dokument drückt sich folgendermaßen aus: »Wir werden uns das Vorrecht vorbehalten, darüber selektiv zu entscheiden, welche Verstöße nicht nur unsere Interessen bedrohen, sondern auch die unserer Alliierten und Freunde, oder jene, die die internationalen Beziehungen ernsthaft in Unordnung bringen könnten. Verschiedene Arten von Interessen könnten in solchen Fällen involviert sein: Zugang zu vitalem Rohmaterial, primär persisches Golf-Öl. . . .« Ferner: »Das Ziel, faßt die *Times* zusammen, ist letztendlich ›eine von einer einzigen Supermacht beherrschte Welt, die ihre Stellung sowohl durch Diplomatie als auch durch ausreichend militärische Stärke behaupten kann – ausreichend in dem Sinne, daß andere Staaten davon abgehalten werden, die amerikanische Vorherrschaft herauszufordern.‹ Dieses Ziel erfordert eine 1,6 Millionen Mann starke Streitmacht, die, so war geplant, in den Haushaltsjahren 1994 bis 1999 1200 Milliarden US-Dollar verschlingen sollte. Es ist eine Vision, die an die Weltreiche ALEXANDERS DES GROSSEN, CÄSARS oder DSCHINGIS-KHANS erinnert.« »Es ist nicht die Vision des Pentagons allein, sondern auch die der amerikanischen Plutokratie. Dank der überlegenen Militärtechnologie bewegen sich die Vereinigten Staaten auf einen modernen Barbarismus zu.«[1117]

Zwar hat die amerikanische Machtelite das Land noch stark unter ihrer Kontrolle, aber dies bedeutet nicht, daß es immer so bleiben wird. Jüngste Ereignisse verweisen auf neuartige, gegen die US-Regierung gerichtete Bewegungen, wie zum Beispiel heftige Demonstrationen amerikanischer Studenten gegen die eigenen Regierungsvertreter. So kam es anläßlich eines Vortrages von führenden US-Regierungsbeamten zu einer Demonstration gegen diese und deren verkündete Ziele. Am 18. Februar 1998 fand der besagte Vortrag an der Ohio State University statt. Während des Vortrags hatten die Regierungsvertreter den Auftrag zu erklären, warum ein militärisches Vorgehen gegen den Irak wahrscheinlich notwendig sein werde und warum die Sanktionen gegen dieses Land immer noch gelten. Außenministerin Madeleine ALBRIGHT, Verteidigungsminister William COHEN und der nationale Sicherheitsberater Sandy BERGER versuchten krampfhaft, die Studenten davon zu überzeugen, daß die US-Regierung in ihrer Irakpolitik moralisch richtig handle. Die Studenten verlangten aber die Aufhebung der grausamen Sanktionen und stellten die US-Außenpolitik in bezug auf Israel heftig in Frage, indem sie ihre Regierungsvertreter darauf aufmerksam machten, daß die USA Israel seit seiner Existenz unterstützt hätten, daß Israel aber alle UNO-Resolutionen, die sich gegen Israel wenden, seit über dreißig Jahren nicht einhalte, während Washington die Einhaltung solcher UNO-Resolutionen vom Irak verlange. »Es wurde auch erwähnt, daß die US-Bevölkerung gegen einen Militäreinsatz gegenüber dem Irak sei, dies wurde durch Umfragen nachgewiesen.«[1118] Als der UNO-Botschafter der USA, Bill RICHARDSON, an der Reihe war, die US-Regierungspolitik zu verteidigen, erklärten die Studenten der Universität von Minnesota in Minneapolis, »daß sie wüßten, welche Lügen er ihnen erzählen würde«. Als dann völlig wirklichkeitsfremde Kommentare abgegeben wurden, wie: »wir lieben die irakischen Menschen«, fingen die Studenten an, RICHARDSON zu verleumden.[1119]

Es sind aber nicht nur Studenten, die gegen die US-Regierung protestieren. Dasselbe tun auch die Militiagruppen, die eine bürgerwehrartige Schutzbewegung empörter sowie beängstigter amerikanischer Bürger darstellen.

Ein Ereignis war in dieser Hinsicht unübersehbar: die Bombardierung des neunstöckigen Alfred Murrah-Gebäudes in Oklahoma City am 19. April 1995, die die Massenmedien Timothy McVeigh (11. 6. 2001 hingerichtet) zuschrieben.[1120] Es gibt diesbezüglich aber andere Auslegungen, welche die Bombardierung in einem anderen – regierungsverschwörerischen – Licht erscheinen lassen.[1121]

Die Militiagruppen glauben, daß die US-Regierung früher oder später gegen sie und alle anderen amerikanischen Bürger vorgehen werde. Zuerst aber werde die Regierung versuchen, allen Amerikanern ihre Waffen abzunehmen, die ihnen aber laut US-Verfassung zustehen. Als wenn sie diesen Befürchtungen ihre Bestätigung liefern wollte, verabschiedete die Clinton-Administration im Kongreß 1993 und 1994 zwei weitreichende Waffenkontrollgesetze. Das Ergebnis ließ nicht lange auf sich warten: 1993 und 1994 wurden so viele Schußwaffen wie noch nie in den USA verkauft. Der 1994 im Kongreß verabschiedete Brady-Plan verursachte eine regelrechte Panik; Menschen in den ganzen Vereinigten Staaten kauften Feuerwaffen, als wäre es die allerletzte Chance, eine zu kaufen. Heute besitzen rund 65 Millionen US-Amerikaner über 200 Millionen Schußwaffen. Die Bürger der USA standen den neuen Anti-Schußwaffengesetzen der Clinton-Administration sehr kritisch gegenüber, da diese eigentlich gegen den zweiten Zusatz zur amerikanischen Verfassung unmittelbar verstoßen.[1122]

Sehr beunruhigt sind amerikanische Öffentlichkeit und Militiagruppen außerdem durch die Presidential Executive Orders (präsidiale Exekutivanordnungen). Diese sogenannten Federal Emergency Management Acts = FEMAs (Notfall-Management-Beschlüsse) geben dem US-Präsidenten gewissermaßen unbegrenzte Macht, falls es zu einer notstandsartigen Lage kommen sollte. Sie sehen sogar vor, daß unter bestimmten Umständen nicht mehr die Regierung und der Präsident selbst das Land kontrollieren, sondern eine besondere Gruppe auserwählter Institutionen, die dann gewissermaßen über diktatorische Machtmittel verfügen würden.

Die in einem solchen Fall wichtigste Organisation sitzt in Fort Meade, Maryland. Es ist die National Security Agency – die alles überwachende Geheimdienstorganisation der USA. Diese streng geheime, ein weltumspannendes Überwachungssystem besitzende Organisation war in der Vergangenheit unter anderem damit beschäftigt, Millionen von Amerikanern in ihr Computersystem aufzunehmen (die NSA besitzt die fortgeschrittensten Cray-Computer der Welt[1123]), um eine Datenbank herzustellen, mit der sie ein Krisenaktionsprogramm vorbereiten kann für den Tag X, an dem die normale Regierung aufhört zu bestehen. Auch wenn dies sich für manche wie eine wilde Science Fiction-Geschichte anhört, so ist alles bereits aktenkundig geworden. Nach dem amerikanischen Journalisten KEITH Jim hat FEMA für 10 000 Amerikaner, die sich in besagtem NSA-Computerprogramm befinden, einen Plan entworfen, um sie in vorbereitete Konzentrationslager zu schicken. Diese Personen würden dann zu ›Aktivisten, Unterstützern oder Sympathisanten des Terrorismus in den USA‹ erklärt.[1124] In seinem ernüchternden Buch *Black Helicopters Over America* nennt KEITH Jim 23 Konzentrationslager in den USA, die je zwischen 32 000 und 44 000 Menschen beherbergen könnten. Einige dieser Konzentrationslager sollen unterirdisch und hochmodern ausgerüstet sein.[1125]

In seinem Buch *The Right to Bear Arms – The new Rise of America's Militias* beschreibt Jonathan KARL, wie sich in nahezu jedem US-Staat amerikanische Bürger seit einigen Jahren auf einen kommenden Bürgerkrieg vorbereiten, den sie die nächste ›amerikanische Revolution‹ nennen. Zehntausende sind damit beschäftigt, Munition und Lebensmittelvorräte zu horten. Sie nehmen an selbst veranstalteten Trainings- und Schießkursen teil, entwerfen komplizierte Kommunikationsnetzwerke und Überwachungsgruppen, um die US-Regierung zu beobachten. Unter anderem war es auch der 1993 erfolgte Angriff der US-Regierung auf die Branch Davidian-Sekte in Waco, Texas, der auf diesen bevorstehenden Bürgerkrieg hinwies. Einer ihrer Angehörigen sagte: »Wir befinden uns mitten im Krieg, darüber kann es keine Zweifel geben«[1126]

Im Jahre 1998 ereignete sich in den USA eine ziemlich heikle Begebenheit: Einem vom FBI festgenommenen Mann, einem Chemiker, wurde vorgeworfen, Anthrax (Milzbrand) hergestellt zu haben. Interessanterweise sagte der Mann aus, er habe nicht Anthrax hergestellt, sondern lediglich ein Gegenmittel gegen diesen gefährlichen Stoff, in der Absicht, gegen einen solchen biologischen Angriff seitens der US-Regierung gewappnet zu sein, da er befürchtete, die Regierung werde bald gegen ihre Bürger mit solchen Kampfstoffen vorgehen.

Daß es sich hierbei nicht um eine kleine radikale Randschicht geistesgestörter US-Bürger handelt, ist eine längst erwiesene Tatsache. Nach einem Bericht im Magazin *Focus* erklärten »57 Prozent der Amerikaner... in einer *Washington Post*-Umfrage, daß ihr Land auf dem falschen Weg sei. Acht von zehn haben kein Vertrauen mehr in ihre Regierung«.[1127] Dies ist eine drastische Veränderung der Sachlage, denn noch in den sechziger Jahren bekundeten laut Umfragen nur etwa 25 Prozent der Amerikaner, daß sie ihrer eigenen Regierung nicht vertrauten. Wenn acht von zehn US-Bürgern ihrer eigenen Regierung nicht mehr vertrauen, kann man wohl ohne Übertreibung von einem Vertrauensmangel der US-Bürger an ihrer eigenen Regierung sprechen. Man könnte wohl, statistisch begründet, behaupten, daß die US-Regierung bei ihren eigenen Bürgern so unbeliebt ist wie noch nie zuvor. (Umfragen existieren erst seit den sechziger Jahren.) Nun könnte zwar rein historisch behauptet werden, daß dies keine Auswirkungen auf die zukünftige Politik des Landes haben wird, weil in der Vergangenheit die Meinung der US-Bevölkerung in Sachen Außenpolitik ohnehin nicht wirklich berücksichtigt wurde. Aber dies wäre wohl ein Trugschluß, denn die Milizen sind kein Hobby irgendwelcher geistesgestörten Bürger, sondern eine ernst zu nehmende Erscheinung. Ihre auf rund fünf Millionen geschätzten Mitglieder kommen größtenteils aus der Mittelschicht. Desweiteren weigern sich jedes Jahr in den USA sieben Millionen Bürger, ihre Steuern zu bezahlen, da sie davon überzeugt sind, daß diese für unmoralische Regierungszwecke verwendet werden. Die Anti-Steuerzahler-Bewegung hält die IRS (amerikanischer Fiskus) für eine geächtete (›outlaw‹) Organisation, viele Anti-Steuerzahler haben ihre social security numbers (etwa vergleichbar mit der deutschen Personalausweisnummer) der US-Regierung verweigert.[1128]

Es kann also keinesfalls behauptet werden, daß es sich hier nur um eine kleinere Randgruppe handelt. Die Zahl der enttäuschten US-Bürger wird in Zukunft vermutlich zunehmen, da ihr Land die Industrienation mit der höchsten Zahl an in Armut lebenden Kindern und alten Leuten ist, während ihre Regierung die Ausgaben für Aufrüstung unaufhaltsam in die Höhe treibt. »Eines von fünf amerikanischen Kindern und einer von zehn alten Menschen leben in Armut.« Und »43,2 Prozent der schwarzen und 35,5 Prozent der Kinder von ›Hispanics‹ leben in Amerika unterhalb der Armutsgrenze.« Ferner sind die USA die Nummer eins in der ungerechten Verteilung des Reichtums. Es gibt in »Amerika so viele Obdachlose wie in ganz Westeuropa zusammengenommen«.

Auch was die Wahlbeteiligung – historisch gesehen ein Zeichen für Stabilität – betrifft, rangieren die USA unter den neunzehn wichtigsten Industrienationen an letzter Stelle. Die Wahlbeteiligung der 18- bis 20jährigen, also der Menschengruppe, die für die Zukunft Amerikas verantwortlich sein wird, ist nirgendwo so niedrig wie in den USA. Ebenso nehmen die USA in Sachen Kriminalität eine Spitzenstellung ein: »Die USA haben den höchsten Prozentsatz an Verbrechensopfern.« Und: »Die USA haben die höchste Mordquote.«[1129] »Die USA sind die Nummer eins in der Anwendung der Todesstrafe. . . , weil sie als einzige westliche Industrienation noch eine gesetzmäßige Grundlage für die Todesstrafe haben.« Tatsache ist, daß »die USA . . . die Nummer eins in Strafgefangenen« sind. »Mit über einer Million Häftlingen haben die Vereinigten Staaten mehr Gefängnisinsassen und eine höhere Strafgefangenenquote als jedes andere Land, für das Zahlen vorliegen.«[1130] »Die Hälfte der amerikanischen Arbeiter wird ohne jede Rente oder Pension in einen stets bedrohlichen Ruhestand gehen.« In den USA ist die Kindersterblichkeit ungebrochen und bleibt prozentual höher als zum Beispiel in Costa Rica. Während 40 Prozent der Autobahnen sowie 240 000 Brücken dringend repariert werden müßten, ist Geld hierfür nicht vorhanden, da die US-Regierung offenbar lieber in der Lage sein möchte, zwei größere Kriege im Stil des zweiten Golfkriegs gleichzeitig zu führen.[1131]

Auch wirtschaftlich ist Amerika schon lange nicht mehr das ›Land der unbegrenzten Möglichkeiten‹, denn: »Seit 1971 ist das reale, also das auf die wirkliche Kaufkraft berechnete Einkommen der Menschen mit geringeren Einkünften ständig gesunken. Die in den Vereinigten Staaten verbreitete und tatsächlich bis Ende des Zweiten Weltkriegs gültige Vorstellung, daß es jeder Generation deutlich besser als der vorhergehenden Generation gehe, gilt längst nicht mehr und hat sich verkehrt.« Völlig richtig stellt Rolf WINTER fest: »Das Land ist finanziell wie sozial gleichermaßen zerrüttet. Würden morgen Asiaten, Europäer und Ölscheichs aufhören, amerikanische Schuldpapiere zu kaufen, der Riese würde augenblicklich verfallen, denn seine Größe ist gepumpt, und überdies: Seine Größe wird eigentlich nur mehr durch die vielfachen Variationen des ›big stick‹ dargestellt, die er sich zulegte, durch seinen unvergleichlichen militärischen Machtapparat.«[1132]

Es wurde von einigen amerikanischen Journalisten oft behauptet, daß in einer Demokratie wie in den USA es keine Rechtfertigung für solche Erscheinungen wie die Milizgruppen gebe, da man in einer Demokratie eine Regierung einfach abwählen könne, wenn diese sich als unfähig erweise. Nichts könnte in Wirklichkeit aber weiter von der Realität entfernt sein als ein solcher Kommentar. Die Wahlforscher James und Kenneth COLLIER haben in ihrem ergreifenden Buch *Votescam: The Stealing of America* nach zwanzigjähriger Forschung in den USA eindeutig nachgewiesen, daß nahezu alle US-Wahlen manipuliert worden sind.[1133] Ihr ermahnendes Resümee lautet daher nicht überraschend: »Wir verstehen jetzt, warum die Sachen in diesem Land so schrecklich falsch gelaufen sind. Es hat mit den korrumpierten Wahlen zu tun. Es ist die gestohlene Wahl, welche fortwährend die Städte, Staaten und die Bundesregierung korrumpiert. Auf einmal stellt sich heraus, daß Entscheidungen über Eigentumsfragen gegen die Natur gerichtet sind. . . Eine Handvoll Spekulanten werden reicher, während das Land im Rückgang befindlich ist und die Lebensqualität ständig sinkt.. . . Auf dieselbe Weise verschwinden Jobs, Geld wird inflationiert oder deflationiert, verursacht durch einige politische Stimmen. Sie versuchen dann das, was sie als Wahnsinn empfinden, zu stoppen, indem sie die ›Bastarde abwählen‹. Aber wenn diese wieder und wieder gewählt werden, sagt jenen die Presse, daß es ihre Schuld war . . . ›Sie haben für sie ja gewählt . . .‹ Sie wissen, daß sie dies nicht getan haben. Wer tat es dann?«[1134]

Da es also für den größten Teil der amerikanischen Bevölkerung innenpolitisch nicht gerade gut aussieht, ist anzunehmen, daß die Milizgruppen noch größeren Zulauf bekommen werden. Eines dürfte jedoch zweifellos feststehen: Sollte sich die Außenpolitik der Vereinigten Staaten grundlegend ändern, dann nur von innen her, da die USA am Ende dieses Jahrtausends die unangefochtene Supermacht der Welt sind.

Daß es eine Änderung der amerikanischen Kriegspolitik bedarf, läßt sich unweigerlich aus der Tatsache herleiten, daß seit den vierziger Jahren einige Millionen Menschen aufgrund der amerikanischen Kriegspolitik gestorben sind, während viele Millionen mehr wegen amerikanischer Eingreifmaßnahmen und Sanktionen dazu verdammt worden sind, qualvoll dahinzuvegetieren.[1135] Allein in den Jahren 1950 (Anfang des Koreakrieges) bis 1973 starben wegen der amerikanischen Kriegspolitik nach konservativen Schätzungen ungefähr 10 000 000 Chinesen, Koreaner, Vietnamesen, Laoten und Kambodschaner.[1136] Die Vereinigten Staaten waren auch direkte oder indirekte Komplizen an den Folterungen, Verstümmelungen und Tötungen in vielen anderen Ländern. In Indonesien waren sie für verschiedene Massaker mitverantwortlich,[1137] ebenso in den verdeckten Kriegen gegen die Völker Zentralamerikas (Nicaragua,[1138] El Salvador, Guatemala, Honduras), in denen Hunderttausende starben, sowie bei afrikanischen bürgerkriegsähnlichen Unruhen (die blutigen Kriege in Angola, Mozambique, Namibia usw.) und bei den Unterdrückungen der US-unterstützten Tyrannen der letzten Jahrzehnte (SOMOZA auf Nicaragua, PINOCHET in Chile, MARCOS auf den Philippinen, MOBUTU in Zaire, BATISTA auf Kuba, DIEM in Südvietnam, RHEE in Südkorea, DUVALIER auf Haiti, SUHARTO in Indonesien usw.).[1139]

Es ist eigentlich schon erstaunlich, daß die US-Regierung für keines ihrer Verbrechen gegen den Weltfrieden zur Verantwortung gezogen wurde. Weder für ihr Indianergenozid, den amerikanischen-mexikanischen Krieg, den amerikanisch-spanischen Krieg, das Eingreifen im Ersten Weltkrieg (das diesen Krieg nur unnötig verlängerte), noch für das Heraufbeschwören des Zweiten Weltkrieges, den Koreakrieg, den Vietnamkrieg oder den Golfkrieg wurden sie zur Verantwortung für die Inszenierung und Entfesselung dieser Gewaltakte zur Rechenschaft gezogen. Statt dessen ist der US-Regierung sogar das Glanzstück gelungen, andere für ihre Verbrechen verantwortlich zu machen. Das Indianergenozid hatte Washington über 200 Jahre lang als unvermeidliche Auseinandersetzung verharmlost, indem immer behauptet wurde, Amerika sei von Gott auserwählt worden, um die Indianerkultur zu vernichten, damit seine eigene US-Kultur von da an herrschen könne. Die Gefechte und der Krieg mit Mexiko wurden fälschlich als mexikanische Provokation ausgelegt, auf die die US-Regierung keine andere Wahl gehabt habe, als mit militärischer ›Gegenwehr‹ zu antworten. Der spanisch-amerikanische Krieg wurde als Krieg gegen den Imperialismus gerechtfertigt, obwohl die USA denselben Imperialismus mit dem Krieg fortführten, gegen den sie angeblich angetreten waren. Die Schuld für den

Ersten Weltkrieg wurde Deutschland in die Schuhe geschoben, obwohl es wohl angebrachter wäre, von einer anglo-amerikanischen Verschwörung zu sprechen, welche die Auslösung des Ersten Weltkriegs maßgeblich beeinflußte. Für den Zweiten Weltkrieg wurde HITLER verantwortlich gemacht, nachdem vorwiegend amerikanische Kapitalisten ihn heimlich finanziert hatten, ohne die er wohl kaum an die Macht gekommen wäre. Ferner hatten die Sieger den Versailler Vertrag so angelegt, daß Deutschland keinen anderen Ausweg sah, als sich mit Gewalt gegen die unmenschlichen Diktatbestimmungen zu wehren. Für den Koreakrieg wurde, ohne wirkliche Beweise zu besitzen, auf Geheiß der Amerikaner in der UNO Nordkorea zum Aggressor erklärt. Den Vietnamkrieg wollte Washington ursprünglich mit dem ›Tonkin-Zwischenfall‹ den Nordvietnamesen aufbürden, während die Schuld für den Golfkrieg Saddam HUSSEINS ›unprovozierter Aggression‹ (gegen Kuwait) angelastet wurde, nachdem man ihm ebenso wie HITLER zur Machtergreifung (durch den CIA) verholfen hatte.

Parallel hierzu verstieß die US-Regierung gegen eine Reihe von international anerkannten Gesetzen. In den ach so kritischen Medienberichten wird natürlich kaum darauf hingewiesen, daß die US-Regierung im Koreakrieg ohne Genehmigung der UNO schwerwiegend intervenierte (›intervenieren‹ ist noch gelinde gesagt), den UNO-Sicherheitsrats bezüglich einer angeblichen sowjetrussischen Einmischung anlog, um eine Entschließung zu erwirken, kraft derer sie in Verachtung der ›Genfer Konvention‹ von 1949 einen völkermordartigen Krieg durchführen konnte. Im Vietnamkrieg verstieß sie gegen die UNO-Charta, den SEATO-Vertrag und den US-Kongreß. Einen Verstoß gegen die UNO-Charta stellte ebenfalls die 1960 gegen Kuba durchgeführte Invasion dar, auch der anschließende Terrorismus gegen das souveräne UN-Mitglied Kuba. Heute noch setzt die US-Regierung gegen das UNO-Völkerrecht eine Wirtschaftsblockade gegen Kuba ein. Am 2. November 1995 verurteilte die UNO-Vollversammlung zum viertenmal die illegale Blockade Kubas mit 117 zu 3 Stimmen. Auch die US-Invasion Grenadas verstieß gegen das UNO-Völkerrecht. Am 27. Juni 1986 verurteilte der Internationale Gerichtshof die USA wegen ihrer illegalen terroristischen Kampagne gegen den souveränen Staat Nicaragua, eine Entschädigung zu zahlen. Die USA setzten sich daraufhin über die Entscheidung des Internationalen Gerichtshofs hinweg. Die US-Invasion von Panama im Jahre 1989 verstieß gegen das UNO-Völkerrecht, gegen die Organisation der amerikanischen Staaten, den Rio-Vertrag von 1947, die Deklaration von Montevideo 1993 und die Panama-Kanal-Verträge (1977–1978). Gegenüber Libyen brach die US-Regierung die Montreal-Konvention von 1971, als sie sich weigerte, deren Bestimmungen über terroristische Luftfahrtakte einzuhalten. Als die US-Regierung sich ebenfalls weigerte, ihren Atomreaktorstreit mit Nordkorea dem internationalen Gerichtshof zu überlassen, verstießen die USA gegen Artikel 17 der IAEA-Statute. In Bosnien verstieß die US-Regierung mit der Bewaffnung verschiedener Kriegsfraktionen im Balkankrieg gegen die Resolution des Sicherheitsrats der UNO.[1140] Da die US-Machtelite auch die Weltmedien fest in der Hand hat, konnte sie mit Leichtigkeit Geschichtsverfälschung betreiben und jegliche Schuld weit von sich weisen. Leider kaufte ihnen die Weltöffentlichkeit diese Geschichtsverfälschung nur im Vietnamkrieg nicht ab.

Besonders in letzter Zeit ist die US-Regierung wieder ins Rampenlicht der Medienbühnen gelangt, wenn es darum ging, den ›Frieden‹ in aller Welt zu sichern. Nach dem Golfkrieg drängten vor allem die USA auf die sogenannten Friedensverhandlungen, deren Ergebnisse 1994 in Oslo im geheimen ausgehandelt wurden.[1141] Heute macht sich die US-Regierung dafür stark, daß der Friedensprozeß in Irland oder im Kosovo vorangetrieben wird. In Wirklichkeit sind solche diplomatischen Vorstöße nur perfekt inszenierte Medien- und PR-Schauspiele, mit denen die USA die Welt von ihren ›friedlichen‹ Absichten überzeugen wollen. Wer die US-Kriegsgeschichte kennt, weiß, daß sie nichts als ein weiteres Täuschungsmanöver der US-Machtelite ist.

Nachtrag
Der Kosovo-Krieg als Komplott: Humanistische Hegemonie?

Washington verfolgte gezielt seine hegemoniale Politik am Balkan, vor allem auch in bezug auf das Kosovo. Es war daher alles andere als ein Zufall, daß Warren CHRISTOPHER, Außenminister in der CLINTON-Administration, in einer Rede vor dem elitären Komitee für Auswärtige Angelegenheiten (C.F.R.) Serbien drohte: »Wir werden sicherstellen, daß sich Serbien über die schwerwiegenden Konsequenzen vollkommen im klaren ist, die jedwede feindliche Handlung gegenüber Mazedonien für die Vereinigten Staaten hat.« Brisant war, daß er damals im Mai 1993 seine Rede mit den folgenschweren Worten abschloß: »Wir sind auch sehr besorgt über die Entwicklung im Kosovo.« Zum damaligen Zeitpunkt war das Kosovo nicht nur kein Medienereignis; die meisten Menschen wußten nicht einmal, wo es sich geographisch befand.

Wie verlogen die ganze Sache war, zeigte die Reise eines amerikanischen Pastors und ehemaligen Obersten im Vietnam-Krieg, Roger BIGLER, der 1998 aus eigener Initiative ins Kosovo reiste, um sich ein Bild von den serbischen Aktionen gegen die Albaner zu machen. In einem Anfang 1999 ausgestrahlten Radiointerview sagte BIGLER, »daß er keine Anzeichen von Morden oder Massenvertreibungen erkannt habe, vielmehr stellte er eine rege Bautätigkeit der Albaner fest: Die Felder standen in voller Blüte, und den von ihm befragten Einwohnern ginge es gut. Von dort seit Beginn der Balkankonflikte stationierten Journalisten erfuhr er, daß die Berichterstattung tendenziös sei, daß Schreckensbilder gestellt und echte Bilder vom Elend mit falschen Unterschriften versehen worden seien«.

Als verlogen entpuppte sich auch die von der NATO gesteuerte Massenmedienpropaganda über den serbischen Terror gegen Albaner nach dem Kosovo-Krieg. Um den Luftkrieg zu rechtfertigen, sprach man von 44 000 Toten und 100 000 Vermißten. Die UNO-Chefanklägerin berief sich auf ihr Expertentribunal, das 529 Massengräber entdeckte; aus 195 seien 2108 Tote exhumiert worden. »Westliche Mediziner vor Ort, . . im Auftrag des UNO-Tribunals. . ., stießen auf zahlreiche Ungereimtheiten in der NATO-Darstellung. So habe sich das schlimmste Massaker des Kosovo-Konflikts im Bergwerk Trepca ereignet, bei dem über 700 Albaner getötet worden seien. Ermittler fanden jedoch vor Ort keine Ermordeten und keinerlei Anzeichen für ein vertuschtes Blutbad.« »Nach meinen Berechnungen wird die Zahl der Toten im Kosovo am Ende bei höchstens 2500 liegen‹, sagte

Emilio Perez PUJOL, der Leiter eines spanischen Pathologen-Teams, das im Auftrag des Kriegsverbrechertribunals in Den Haag Orte inspizierte, an denen Massengräber von Zivilisten vermutet wurden.«

Schützenhilfe für antiserbische Propaganda leisteten die UCK-Partisanen, »die ursprünglich einen höchst einträglichen Drogenhandel betrieben und über eine ›Heroin-Pipeline‹ von Istanbul, Jugoslawien nach New York etwa 40 Prozent des amerikanischen Bedarfs deckten«.

Nachdem die US-Machtelite den Serben geholfen hatte, ihre Balkankriege durchzuführen, änderte sie ihren Konfrontationskurs um 180 Grad und begann nun, wie der ehemalige US-Außenminister Warren CHRISTOPHER schon drohte, sich für das Kosovo ›einzusetzen‹. Interessant ist, daß alle Hauptakteure der Balkankriege von derselben US-Werbefirma gesponsert wurden. Ob TUDJMAN, IZETBEGOVIC, THACI, Nationalmuslime, albanische Patrioten oder kroatische Chauvinisten, sie alle durften sich der Dienste einer einzigen PR-Firma aus Washington erfreuen: Ruder and Finn Global Public Affairs. Nur die Serben hatten keinen Zugang zu dieser äußerst effektiven PR-Firma. »Zwischen 1991 und 1999 wurde eben diese internationale PR-Firma von diesen Akteuren umworben. Diesbezüglich schreibt der Balkanexperte Hannes HOFBAUER: »Wo immer es im jugoslawischen Drama antiserbisches Geld zu machen galt, war die Firma aus Washington dabei. Ihre Aufgabe war einfach: pro-kroatische, pro-bosnisch-muslimische und pro-kosovo-albanische Meldungen zu lancieren, um die Weltöffentlichkeit im Sinne ihres Auftraggebers zu beeinflussen.«

Die geheimen Verbindungen zwischen den USA und der Bundesrepublik Deutschland wurden schon erwähnt. Brisant ist jedoch, was ein Insider aus dem Bonner Regierungsapparat zum Balkan- und Kosovo-Krieg offenbarte: »Ich bin als sogenannter Geheimnisträger in leitender Position im Bonner Regierungsapparat und kann aus Gewissensgründen nicht mehr schweigen. Alle von mir angegebenen Fakten sind für Besserinformierte recherchierbar und überprüfbar. Der gesamte NATO-Propagandastab. . . belügt dreist die Öffentlichkeit. . ., und eine willige Schar von Medienleuten trägt diese Lügen ungeprüft weiter. . .

Alle UCK-Kommandeure stehen in ständigem Funkkontakt zur NATO. . . Kanzler und Außenminister waren sich von Anbeginn darüber im klaren, daß keine jugoslawische Regierung das Besatzungsstatut unterschreiben kann, wie es im Artikel 6, 8, und 10 von Annex B des Vertrages von Rambouillet festgeschrieben war. Beide waren sich im klaren, daß dies der Aufgabe der Souveränität ganz Jugoslawiens gleichgekommen wäre. Der Krieg war somit unvermeidlich.

. . . Seit Beginn der ersten Amtszeit CLINTONS arbeiten die USA in enger außenpolitischer Flankierung durch die Bundesrepublik Deutschland unter dem Code-Namen ›Roots‹ als ›covert action‹ des CIA und des DIA, einer gemeinsamen Einrichtung des Pentagon und des CIA, mit Beteiligung deutscher Dienste an der militärischen und ethnischen Destabilisierung Jugoslawiens als letztem NATO-resistenten Balkanland.

Ziel von ›Roots‹ ist die Loslösung des Kosovo als Rohstoffbasis Jugoslawiens durch weitgehende Autonomie, Anschluß an Albanien oder Selbständigkeit, die Abtrennung Montenegros als letztem Zugang Jugoslawiens zur Adria und die Loslösung der Vojvodina als Kornkammer und Rohstoffquelle und damit der Zusammenbruch Jugoslawiens als souveräner überlebensfähiger Industriestaat... Enttäuschend verlief für die ›Roots‹-Planer, daß sich 1997 wieder eine friedliche Lösung abzeichnete, als der gemäßigte Sprecher der Kosovo-Albaner mit dem systematisch dämonisierten MILOSEVIC vertraglich übereinkam... Nun wurde die CIA-Gründung UCK, gegründet auf der Basis von Kräften der albanischen Mafia, die, noch immer wie ihr sizilianisches Pendant, die Bergdörfer im Grenzgebiet zwischen Kosovo, Mazedonien, Montenegro und Albanien kontrolliert, im Drogenhandel, im Schmuggel, in Schutzgelderpressung usw. aktiv ist und einen Codex mit Blutrache und dem Gesetz des Schweigens operiert, mit im albanischen Bürgerkrieg erbeuteten Waffen auf den Plan gerufen.«

Noch waren aber die Menschen in der westlichen Welt nicht wirklich bereit, einen Krieg gegen die Serben zu unterstützen. Dies dürfte eine Überraschung für die Machtelite gewesen sein, da diese seit 1991 ununterbrochen Propaganda gegen die Serben betrieben hatte. Was benötigt wurde, war ein dramatischer Zwischenfall, der die Weltmeinung empören würde und den man propagandistisch ausschlachten könnte.

Das Racak-Massaker – eine bewußte Eskalation zum richtigen Zeitpunkt

Der ehemalige Staatsminister im Auswärtigen Amt, Ludger VOLLMER, schrieb in einer am 26. 3. 1999 im Internet veröffentlichten Website: »Den ganzen Winter über hatte die UCK gegen den Waffenstillstand verstoßen und mit selektiven Morden die serbische Ordnungsmacht, die sich auch nicht vollständig an den Waffenstillstand hielt, systematisch provoziert... Die Serben reagierten mit einer unvorstellbaren Brutalität. Ziel der UCK war es, Fernsehbilder zu provozieren, die, vermittelt über die Empörung in der Bevölkerung der westlichen Welt, die NATO zum Eingreifen auf kosovarischer Seite verleiten sollten.« Was monatelanger Terror der UCK nicht schaffen sollte, erreichte nun, wie so oft, ein einziges Medienereignis. CLINTONS Außenministerin Madeleine ALBRIGHT konnte die aggressive intervenistische US-Militärpolitik nicht durchführen, denn: Just am 15. Januar [1999] war sie im Weißen Haus mit ihren Warnungen vor einem ›Entscheidungspunkt‹ im Kosovo und ihrer Forderung nach einer raschen Militärintervention gescheitert.

Am 16. Januar 1999, nur einen Tag danach, berichteten Agenturen von einer serbischen Polizeiaktion, die zeigen sollte, zu welchen Grausamkeiten die Serben fähig seien. Es war in dieser Hinsicht für die US-angeführte NATO ein ›Geschenk des Himmels‹. Nun war es das Dorf Racak, in dem angeblich die Serben an Zivilisten ein Massaker angerichtet hatten. Agenturen berichteten noch von einer Polizeiaktion der Serben gegen die UCK im Kosovo am 15. Januar 1999. Es war der berüchtigte William WALKER, der von Mitgliedern der UCK zu einem Graben am Rande des Dorfes Racak gebracht wurde, um dieses Massaker zu ›inspizieren‹. WALKER war Leiter der Kosovo-Beobachter der OSZE. In einer emotionalen Äußerung richtete sich WALKER an die Massenmedien und bezichtigte die serbischen Sicherheitskräfte, dieses Massaker angerichtet zu haben. Von serbischer Seite wurde der Vorwurf vehement zurückgewiesen und die Vermutung aufgestellt, die UCK habe die Leichen eigener Kämpfer, die bei einem Gefecht am Tag zuvor getötet worden waren, selber dorthin gebracht, um den Eindruck zu erwecken, es habe eine Massenhinrichtung gegeben. Die jugoslawische Regierung beantragte eine gemeinsame Untersuchungskommission, um die Ereignisse in Racak zu klären. Diese wurde jedoch von der UNO abgelehnt. Die Massenmedien ignorierten die serbische Version der Ereignisse völlig. Statt dessen griffen NATO-Führer die Darstellung eines Massakers begeistert auf und benutzten diese als wichtige moralische Rechtfertigung für den Krieg der NATO gegen Jugoslawien. »Interessanterweise kam es ›zu den Vorfällen in Racak ... genau zu dem Zeitpunkt, als WALKER von den Europäern in der OSZE-Mission heftig kritisiert wurde, seine Mission zum Vorteil der UCK zu nutzen‹.«

Es ist ferner wichtig zu wissen, daß WALKERs Gefühlsausbruch (bei Racak) zu einem Hinweis paßt, den US-Außenministerin Madeleine ALBRIGHT einen Tag zuvor im Weißen Haus und im Pentagon in Umlauf gebracht hatte: Der Friedensplan von HOLBROOKE und MILOSEVIC stehe kurz vor dem Scheitern, und es sei Zeit, MILOSEVIC mit NATO-Aktionen zu drohen. Voll im Zeitplan der Amerikaner hielt die NATO am nächsten Tag eine Dringlichkeitssitzung ab, in der erinnert wurde, »daß die Ereignisse in Racak ›eine eklatante Verletzung der internationalen Menschenrechte‹ darstellten«. In Washington bezeichnete CLINTON die Morde von Racak als »einen vorsätzlichen und willkürlichen mörderischen Akt«. So wurde Racak dank der Massenmedien zum »letzten Beweis für die Brutalität der Serben«. Was aber noch viel wichtiger war, ist die Tatsache, daß Racak als moralische Aufforderung diente, damit der Westen endlich militärisch im Kosovo eingreife. Die *Washington Post* brachte es auf den Punkt, als sie verkündete: »Die Morde von Racak... empörten die internationale Gemeinschaft und stellten einen Wendepunkt in einem jahrelangen Konflikt zwischen Sicherheitskräften und der Kosovo-Befreiungsarmee dar.« Was wahrscheinlich als noch wichtiger zu gelten hat, war, daß Racak so zum Wegbereiter der Rambouillet-Verhandlungen wurde.

Es gibt jedoch genügend Beweise, daß in Racak kein Massaker stattfand und daß die ganze Sache nur die richtige Stimmung in der westlichen Bevölkerung für einen Krieg gegen Jugoslawien erzeugen sollte. Mit anderen Worten, es sollte eine Rechtfertigung für einen Krieg gegen einen souveränen Staat sein.

Schon im Januar 1999 zweifelten zwei große französische Tageszeitungen die Darstellung WALKERS an. Am 20. Januar veröffentlichten daher *Le Figaro* und *Le Monde* die Berichte ihrer Korrespondenten im Kosovo. In diesen Reportagen wurden die Ereignisse so geschildert, wie die Journalisten sie gesehen hatten, als sie am 15. Januar, dem Tag des vermeintlichen Massakers, in Racak waren. Diese Berichte hatten also Primärquellencharakter und dürften daher von besonderer Bedeutung für die Beurteilung des Geschehens sein.

Laut WALKERS Version, die sich auf UCK-Quellen stützte, fielen ›maskierte‹ serbische Polizeikräfte am frühen Morgen in das Dorf ein, brachen in Häuser ein, schleppten die Männer heraus und brachten sie an den Rand des Dorfes, um sie dort hinzurichten. »Der Bericht der beiden Journalisten von Associated Press TV (AP TV), die diese Polizeiaktion filmten, steht im Widerspruch zu dieser Darstellung der Ereignisse«, berichtet Christophe CHATELET in *Le Monde*. Das Dorf war fast vollkommen verlassen, als die Kameraleute es um etwa 10 Uhr morgens im Gefolge eines gepanzerten Polizeifahrzeugs betraten. Die UCK schoß aus den darüberliegenden Wäldern. Ihre Kämpfer waren aus dem Dorf geflohen, als die Serben bei Tagesanbruch das Feuer eröffnet hatten. Der größte Teil des Kampfes fand in den Wäldern statt, wo sie von weiteren serbischen Polizisten in die Enge getrieben wurden. »Wie sollen die serbischen Polizisten in der Lage gewesen sein, eine Gruppe von Männern zusammenzutreiben und sie ruhig zu ihrer Hinrichtung zu führen, obwohl sie die gesamte Zeit von UCK-Kämpfern unter Beschuß waren?« fragte CHATELET. »Wie kann es sein, daß der Graben am Rande von Racak von Dorfbewohnern, die vor der Dämmerung noch im Ort waren, nicht bemerkt wurde? Und wieso haben ihn Beobachter, die für mehr als zwei Stunden in diesem kleinen Ort waren, nichts bemerkt? Warum lagen so wenig leere Patronenhülsen neben den Leichen, warum war so wenig Blut in dem Graben, in dem sie angeblich aus nächster Nähe hingerichtet wurden [...]? Ist es nicht wahrscheinlicher, daß die Leichen der Albaner, die im Kampf gegen die serbischen Polizisten ums Leben gekommen waren, in einem Graben nebeneinandergelegt wurden, um ein grauenvolles Szenario zu präsentieren, das die öffentliche Meinung mit Sicherheit mit Schrecken erfüllen würde?«

Inzwischen gibt es neue Einzelheiten, die enthüllen: Zwar weiß man nicht, wer den ersten Schuß abgegeben hat, fest steht aber: »Racak geriet unter Granatenbeschuß, Heckenschützen der UCK feuerten auf Soldaten«. Die meisten, die Auskunft geben könnten, was in Racak geschah, sind tot. Jedoch: »In dieser Gegend kam es im Januar 1999 immer wieder zu UCK-Angriffen auf serbische Polizisten.« Die Albaner haben diese Gefechte nie bestritten. Verdächtig dabei ist vor allem: »Der Informationsdienst der UCK veröffentlichte damals eine Meldung, nach der ›acht Kameraden‹ in Racak gefallen seien. Doch manche Nachrichtenagenturen . . . erklärten die Opfer allesamt zu Zivilisten.«

»Auch vermeintlich wichtige Zeugen«, die das UN-Kriegsverbrechertribunal fast zwanghaft benutzen wollte, »entpuppten sich. . . als üble Trickser«. Die UCK verfügte damals nicht über ein gesichertes Telefon- oder Funksystem. Zur Jahreswende 1998/99 hatten die Guerillas nur 32 Funktelefone im Einsatz. »Aus Kostengründen waren sie in Frankreich angemeldet.« Alle wichtigen UCK-Einsatzbefehle liefen über dieses System, das der französische Geheimdienst eifrig abhörte. Da die Franzosen Funksprüche der UCK an Den Haag übergaben, erwies sich ein wichtiger UNO-Zeuge als unglaubwürdig. So mußte dieser zugeben, daß »in den dramatischen Tagen. . . vor Racak. . . seine Bürgerwehr schließlich doch mit den UCK-Kämpfern eng zusammen [arbeitete]. . . Hinter vorgehaltener Hand gaben die UNO-Ermittler zu, etwa die Hälfte der Opfer seien UCK-Helfer oder Sympathisanten der sogenannten Befreiungsarmee gewesen. . .« Der ehemalige UCK-Führer Hashim THACI gibt heute freimütig zu: »Uns fiel damals ein Stein vom Herzen, als WALKER kam und, ohne zu zögern, sagte: Das ist ein Massaker an Zivilisten.« Jedoch leugnete er folgende brisante Fakten: »Bei den Massakern von Donje Prekaz und Quirez, wo im Februar und März vor drei Jahren 87 Leichen gefunden wurden, sorgte die UCK dafür, daß die Zahl der Toten höher erschien. Um die Verbrechen der Serben grausamer erscheinen zu lassen, legten UCK-Männer gefallene Kämpfer aus anderen Landesteilen neben ermordete Zivilisten. Solche Manipulationen sind genau dokumentiert.«

Racak war, was Leichen hinzufügen betraf, also kein Einzelfall, eher war es die Standard-Taktik der UCK, um die Serben zu diffamieren. *Der Spiegel* bemerkte über die Abhörprotokolle des UN-Tribunals: »Nur ein Bruchteil dieser Abhörprotokolle erreichte seither das UN-Tribunal in Den Haag. Doch was die Experten dort schon zu Gehör bekamen, soll die UCK kompromittieren – auch in bezug auf Racak.« Ferner: ». . . die Beteuerung vieler Dorfbewohner, die Toten hätten nie aktiv etwas mit der UCK zu tun gehabt, sind offenbar nicht wahr. Noch wenige Tage vor dem Massaker sollen einige der späteren Opfer gegen die anrückenden Serben gekämpft haben.«

Übereinstimmend berichtet der langjährige Korrespondent Renaud GIRARD in *Le Figaro*: »Es scheint, als habe die [serbische] Polizei nichts zu verheimlichen gehabt, da sie um 8 Uhr 30 morgens ein Fernsehteam (zwei Journalisten von AP TV) einlud, die Operation zu filmen. Außerdem wurde die OSZE benachrichtigt, und man schickte zwei Fahrzeuge mit Diplomatenstatus. Die Beobachter hielten sich den ganzen Tag auf einem Hügel auf, von dem aus sie das Dorf einsehen konnten.« Um 15 Uhr 30 verließen die Polizisten und das AP TV-Team das Dorf. Eine Stunde später fuhr ein französischer Journalist durch das Dorf und traf auf drei orangefarbene OSZE-Fahrzeuge. Die internationalen Beobachter sprachen mit drei Albanern mittleren Alters. Sie schauten nach verwundeten Zivilisten. »Als die Journalisten um 18 Uhr die Beobachter sahen, brachten sie gerade zwei sehr leicht verwundete Zivilisten weg. Die Beobachter schienen nicht sonderlich aufgebracht und hatten den Journalisten nichts Außergewöhnliches mitzuteilen«, schrieb GIRARD. Am nächsten Morgen wurde das Grab endeckt. »GIRARD hielt fest: ›Das Dorf war zu diesem Zeitpunkt übersät von UCK-Kämpfern, die die ausländischen Besucher zum angeblichen Ort des Massakers führten.‹ Dann kam WALKER am Mittag mit seinem medienartigen Auftritt. GIRARD wies auf die Ungereimtheiten zwischen den Berichten der Albaner und den AP TV-Bildaufnahmen hin. Die Aufnahmen zeigten ein leeres Dorf, das von UCK-Kämpfern, die sich in Gräben auf dem Hügel verborgen hielten, unter Beschuß stand. Der Kampf auf dem Hügel wurde heftiger, als die UCK-Kämpfer von der serbischen Polizei eingekreist wurden und verzweifelt versuchten auszubrechen.«

Falls diese Beweise nicht ausreichend erscheinen, sollte man sich noch mit den forensischen Untersuchungen befassen, die übrigens von den USA behindert wurden. Nachdem WALKERS Männer den serbischen Behörden den Zugang zum Ort des Ereignisses verweigert hatten, bestanden diese vehement darauf, Untersuchungen über das Geschehen in Racak vorzunehmen. Am 16. Februar erklärte Dr. Slavisa DOBRICANIN, die Leiterin des Forensischen Instituts am Medizinischen Zentrum von Pristina, daß die Pathologen aus Finnland, Weißrußland und Jugoslawien, die die Autopsie an den Leichen von Racak durchgeführt hatten, keinerlei Anzeichen eines Massakers oder Mißbrauchs vorgefunden hätten. Die finnischen Pathologen stimmten damit überein, unterzeichneten den Bericht jedoch nicht, weil sie zunächst noch eine DNA-Analyse durchführen wollten. Die Veröffentlichung des finnischen Berichts wurde aus unerfindlichen Gründen mehrmals verschoben. Indessen wurde in der OSZE Kritik an WALKER geäußert und seine Entlassung gefordert, da hochrangige europäische OSZE-Vertreter über Informationen verfügten, denen zufolge die 45 Albaner, die in Racak gefunden worden waren, nicht – wie von WALKER behauptet – Opfer eines serbischen Massakers an Zivilisten gewesen seien, wie die *Berliner Zeitung* vom 13. März berichtet. »OSZE-intern sei schon einige Zeit zuvor vermutet worden, daß das Massaker von Racak von ›albanischer Seite vorgetäuscht worden war‹, hieß es weiter.« Zu diesem Ergebnis sei man aufgrund von Informationen gelangt, die in der Zentrale der OSZE-Mission gesammelt worden waren – unabhängig vom finnischen Bericht, dessen Veröffentlichung weiter verschoben wurde. Diesen Informationen zufolge waren die meisten Leichen von umliegenden Gebieten nach Racak getragen worden, wo sie später WALKER und den westlichen Medien gezeigt wurden. In Wirklichkeit starben die meisten Albaner im Kampf mit der serbischen Artillerie, und viele waren nach ihrem Tod für die Medien und WALKER in zivile Kleidung gesteckt worden.

Die Ergebnisse der wissenschaftlichen Untersuchungen des finnischen forensischen Teams wurden, schlimm genug, nie veröffentlicht. »Auch in einem Kurzbericht – die noch immer streng geheime Langfassung umfaßt über 1000 Seiten – halten sich die Autoren sehr bedeckt.«

Branimir ALEKSANDRIC, forensischer Experte an der Universität Belgrad, erklärte, »daß die Dokumente, die über die Leichen aus Racak erstellt worden waren, inhaltlich vollständig mit den Ergebnissen der Experten aus Jugoslawien und Weißrußland übereinstimmten und daß sie eindeutig zeigten, daß die Einschüsse an den Leichen, wie bei solchen Kämpfen üblich, von aus größerer Entfernung abgefeuerten Schußwaffen stammten. ALEKSANDRIC erklärte auch, daß bei 37 der 40 Leichen Spuren von Schießpulver an den Händen festgestellt wurden, was darauf hindeute, daß sie selbst Schußwaffen trugen und keine Zivilisten, sondern UCK-Kämpfer waren.« Doch all dies sollte schnell vergessen werden.

In den letzten zwei Jahren hat Rußland mehrmals versucht, über »Racak vor hohen UNO-Gremien zu diskutieren und dabei die USA der Manipulation zu bezichtigen. Der Vorwurf...: Das angebliche Blutbad sei eine Erfindung, die Toten von Racak hätten der NATO letztlich als Rechtfertigung für das Eingreifen in der Krisenprovinz gedient«. Die Russen »stützen sich... auf partielle Untersuchungen aus dem Institut für forensische Medizin in Helsinki... Seither taucht... immer wieder der Verdacht auf, es gebe Beweise für einen Täuschungsversuch der Amerikaner«.

Laut Ludger VOLLMER gab es nach Racak zwei Optionen: »Die eine wurde von den Amerikanern vertreten, die in üblicher Manier sofort mit der Bombardierung Jugoslawiens beginnen wollten.« Die andere wurde von Außenminister FISCHER vertreten, der auf letzte Verhandlungen mit den Kriegsparteien drängte. FISCHER setzte schließlich durch, daß am 14. Februar 1999 die Konferenz von Rambouillet einberufen wurde.

Schon einen Tag, nachdem RANTA ihre ergebnislose Pressekonferenz in Pristina abgehalten hatte, unterzeichnete die albanische Delegation, auf massiven Druck von US-Außenministerin ALBRIGHT, den ›Friedensvertrag von Rambouillet‹. Dieser verhalf bereits sechs Tage später, am 24. März 1999, der NATO zu einem Vorwand für die Bombardierung Jugoslawiens.

Das Diktat von Rambouillet

Am 6. Februar 1999 begann die Konferenz von Rambouillet. Nach US-Beamten konnte sie von vornherein zu keiner diplomatischen Lösung führen, da der Bombenangriff der NATO bereits beschlossene Sache war.

EU-Unterhändler Wolfgang PETRISCH, der an der Konferenz von Rambouillet als leitendes Mitglied teilnahm, äußerte später: »Es war kein bedeutendes Treffen, natürlich hatte es symbolischen Charakter, aber es ging dabei mehr um die Fotos.«

Unter dem ergreifenden Titel: »Was die Reporter über die Kosovo-Gespräche wußten, aber nicht berichteten – War Rambouillet ein weiterer ›Tonkin-Zwischenfall‹« vom 2. Juni 1999 wurde folgende brisante Nachricht offenbart: »Neue Beweise bestätigen, daß die USA absichtlich handelten, auf ein Scheitern der Friedensgespräche im französischen Rambouillet hinarbeiteten, um einen Auslöser für die Bombardierung Jugoslawiens zu bekommen.« Ebenso brisant wie belastend für die Massenmedien war folgende Aussage: »Desweiteren wußten Korrespondenten großer US-Nachrichtenagenturen von diesem Plan, die Kosovo-Friedensgespräche zu blockieren, informierten jedoch nicht ihre Leser oder Zuschauer.«

Am 14. Mai wurde in der FAIR'S media advisory Teil (FAIR´s Medien Beratung) unter dem Titel »Vergessene Berichterstattung von Rambouillet-Verhandlungen« gefragt, ob die Medien die vollständige Geschichte über Rambouillet gebracht hätten, da sie das Scheitern der Verhandlungen nahezu ausnahmslos dem serbischen Starrsinn zugeschrieben hatten. Die Überschrift der *New York Times* vom 24. März – dem ersten Tag der Bombardierung – lautete bezeichnenderweise: »US-Verhändler reisen ab, durch MILOSEVICS harte Haltung frustriert.« »Doch die in dem Artikel ›Vergessene Berichterstattung‹ vorgelegten Beweise legen nahe, daß die US-Verhändler Vereinbarungen blockierten, und nicht die Serben.«

In der alternativen US-Zeitung *The Nation* vom 14. Juni 1999 berichtete George KENNEY, ein ehemaliger Mitarbeiter im US-Innenministerium, Abteilung Jugoslawien: »Eine unanfechtbare Pressequelle, die regelmäßig mit Außenministerin Madeleine ALBRIGHT reiste, sagte dem [Verfasser], daß, während Reporter beschworen wurden, über die Rambouillet-Gespräche strikte Diskretion zu bewahren, ein ranghoher Mitarbeiter im Innenministerium (State Department official) geprahlt habe, die Vereinigten Staaten hätten ›absichtlich die Bedingungen so hoch gesetzt (hatten), daß die Serben sie nicht akzeptieren konnten‹.« Diesem Mitarbeiter zufolge benötigten die Serben »ein bißchen Bombardierung, um vernünftig zu werden«.

Mit anderen Worten: Der vom Innenministerium entworfene Plan für die Autonomie des Kosovo zielte von vornherein auf eine Zurückweisung seitens der Serben hin. In seinem *Nation*-Artikel vergleicht KENNEY diesen

Plan mit dem ›Tonkin-Zwischenfall‹ (1964). Den Kenney-Bericht bestätigte Jim Jatras, ein außenpolitischer Mitarbeiter der Republikaner im Senat. In einer am 18. Mai 1999 im Washingtoner Cato Institute gehaltenen Rede berichtete er auf Grund der »Glaubwürdigkeit« eines »hochrangigen Verwaltungsbeamten«: »Wir hatten absichtlich die Bedingungen für die Zustimmung der Serben zu hoch geschraubt. Sie benötigten etwas Bombardierung, und dies werden sie auch kriegen.« In Interviews mit FAIR'S bestätigten beide, Kenney und Jatras, daß dies echte Zitate, übermittelt von Reportern, seien, die mit einem US-Beamten gesprochen hatten.

Dies wird auch durch die ›Verhandlungstaktik‹ der US-geführten Delegation in Rambouillet offenbar. Denn in sozusagen letzter Minute wurde mit einem geschickten Taschenspielertrick den Serben der Schwarze Peter im diplomatischen Pokerspiel zugeschoben.

»Doch Washington will jetzt den Krieg.« Zuvor war einer deutschen rot-grünen-Delegation im Oktober 1998 in den USA klar gemacht worden, daß sich die BRD als wichtige europäische Macht Washington fügen müsse. »Ein Mitglied der damaligen Delegation erinnerte sich, daß der gewiefte Bill Clinton ›mit fast schon unanständigem Druck‹ vom soeben gewählten... ›Chancellor-elect‹ die deutsche Zustimmung zu einem Kriege im Kosovo einforderte – und erhielt.« Außenminister Fischer hörte daher »von Schröder mit schöner Eindeutigkeit, daß er nur Außenminister werden könne, wenn er diesen Druck der Großmacht akzeptiere: ›Die Amis wollten den Krieg.‹ Die europäischen Skrupel... waren den Amerikanern egal.«

Der wirtschaftliche Hintergrund des Kosovo-Kriegs

Immer offensichtlicher wird dagegen die inzwischen unbestreitbare Tatsache, daß keineswegs humanitäre Gründe oder gar solche Bedenken irgend etwas mit der NATO-Bombardierung Jugoslawiens zu tun hatten. Unter der Überschrift »Kosovo – NATO – Trepca. Gold-, Silber-, Kohle-, Blei-, Zink- und Kadmium-Minen« deckte Phillip Michalopoulos auf, was sich hinter dem NATO-Angriff eigentlich verbirgt. Michalopoulos versorgte den Leser mit den nötigen Hintergrundinformationen, indem er unter anderem aufführt, was Serbiens Bundesstaat Kosovo beherbergt: »Die reichsten Minen von ganz Europa«. »Vom Kosovo würde dann eine ›Freie Marktwirtschaft‹ gefordert werden. Kosovo verfügt über riesige Rohstoffquellen, unter anderen über die größten Vorräte an Blei, Molybdän, Quecksilber und anderen Metallen in Europa. Die Gelder zur Ausbeutung dieser sich vor allem im Staatsbesitz befindlichen Bodenschätze würden zweifellos von den Vereinigten Staaten und westeuropäischen Imperialisten stammen.«

Drei Jahre nach dieser ›Vereinbarung‹ würde der ›endgültige Status‹ des Kosovo geklärt sein. In Wirklichkeit würde Jugoslawien die Souveränität über diese Region bereits am Tag der Unterzeichnung des Abkommens verlieren.« Das Rambouillet-Abkommen würde das Kosovo in jedem erdenklichen Sinne in eine Kolonie verwandeln – eine Kolonie der Vereinigten Staaten, der beherrschenden Macht in der NATO.« Diesbezüglich zitiert Sarah FLOUNDERS in ihrem Buch *Kosovo: The War is About the Mines* einen Reporter der *New York Times* wie folgt:» Der sich weit erstreckende vom Staat kontrollierte ›Trepca‹-Minenkomplex ist das wertvollste Stück Land auf dem Balkan und mindestens fünf Milliarden Dollar wert. Die Minen enthalten offenbar reiche Adern von Blei, Zink, Kadmium, Gold und Silber.«

CLINTON, ALBRIGHT und die übrigen Mitglieder des nationalen Sicherheitsapparats der USA wußten sehr wohl, daß die jugoslawische Regierung ein solches Abkommen nie hätte unterschreiben können. Richard BECKER bestätigte daher zu Recht: »Rambouillet sollte niemals Frieden bringen. Es war statt dessen eine Erklärung des Krieges.«

Ziele der US-Machtelite vor und nach dem Kosovo-Krieg

Der ehemalige US-Justizminister Ramsey CLARK schrieb in dem Buch *Die Wahrheit über den NATO-Krieg gegen Jugoslawien*: Es war beabsichtigt, »Jugoslawien so weit aufzuteilen, daß alle Teile Jugoslawiens jeweils weniger als 5 Millionen umfassen, von denen jeder Teil mehrheitlich aus einer einzigen ethnischen und religiösen Gruppe besteht und eine stark beeinträchtigte, weitgehend von ausländischen Interessen dominierte Wirtschaft haben soll.« Über die US-Destabilisierungspolitik, um Bemühungen zum Erhalten von Einheit, Frieden und Stabilität in Jugoslawien zum Scheitern zu bringen, schrieb CLARK: »Seit Beginn ihrer Anstrengungen zur Durchsetzung der Pläne für die Zerstückelung und Zerstörung Jugoslawiens haben die USA alles unternommen, um jede Einmischung, Verhandlung oder andere Bemühungen innerhalb Jugoslawiens oder durch andere Länder, Führer oder Einzelpersonen, die der Durchsetzung ihrer Absichten im Wege standen, zu verhindern.«

In meinem Buch *Das Kosovo-Komplott* wird die Rolle der USA bei der Zerstückelung Jugoslawiens sowie deren erheblicher Anteil bei der Inszenierung der Balkankriege der neunziger Jahre veranschaulicht. Über den Kosovo-Krieg schrieb *Der Spiegel*, »daß der NATO-Krieg nichts anderes als ein amerikanischer Krieg mit winzigen europäischen Einsprengseln ist... Die US-Air Force stellt 80 % aller Flugzeuge. Und von den 1800 Bomben-Targets gibt es – laut einer hochrangigen NATO-Quelle – ein einziges, ein britisches, das nicht aus den in den USA gefütterten, in den USA kontrollierten Hightech-Computern stammt... Alle... Operationen erfolgen nicht über die Befehlskette der NATO. Die US-Luftwaffe hält die Informationen gegenüber den Verbündeten geheim.« Bezüglich der Diplomatie zeigte sich ebenfalls, welche Statistenrolle den Europäern zukam. So erzählte ein hochrangiger europäischer Diplomat in Brüssel:»Es war für uns eine schmerzliche Erkenntnis: Wenn's ernst wird, bestimmen in der NATO nur noch die USA.« Das zeigt, wie klar die USA das Sagen hatten, obwohl außer Großbritannien kein europäischer Staat eine militärische Lösung für die Kosovo-Krise wollte.

Frank HILLS berichtete über ein Treffen des elitären Bilderberger ›Clubs‹, dem es darum ging, die UNO, die sich anscheinend nicht immer vasallenhaft nach Washingtons Direktiven richtete, wenn nötig durch die NATO in Sachen Kriegführung zu ersetzen.»Tatsächlich wurde aber bereits auf dem Geheimtreffen der internationalistischen Geheimorganisation der Bilderberger, das vom 12. bis 15. Juni 1997 in Atlanta, im US-Bundesstaat Georgia, stattfand, von den [wahren] Lenkern der Weltpolitik unter anderem folgendes beschlossen: ›Die NATO sollte in eine Militärmacht der UNO umgewandelt werden... Die Bilderberger schlußfolgerten, daß die amerikanische [und die europäische] Öffentlichkeit bereits dahingehend konditioniert wurden, die NATO zu lieben. Die US-Bürger mögen die UNO nicht und mißtrauen dieser sogar. Deswegen wird das amerikanische Volk, völlig ahnungslos, den ausländischen Befehlshabern die Macht über die US-Streitkräfte übertragen, solange die verlogene Bezeichnung NATO als Deckmantel verwendet wird.‹«

Dies wurde vom republikanischen Senator für NATO-Fragen William ROTH im US-Senat bestätigt, als er in einem Interview auf die Frage:»Also – keine Alleingänge der Europäer?« antwortete:»Die NATO muß das erste und wichtigste Mittel jeder kollektiven militärischen Antwort bleiben. Die EU sollte autonome Einsätze nur dann übernehmen, wenn die NATO diese Aufgaben zuvor delegiert hat.« Mit anderen Worten, die EU hat sich der US-dominierten NATO in Sicherheitsfragen zu unterwerfen. Hier zeigt sich, wie sehr die US-Machtelite bemüht ist, die UNO in sicherheitspolitischen Fällen zu ersetzen, wenn dies ihren hegemonistischen Interessen dient. Somit wurde mit dem Kosovo-Krieg auch zwanghaft versucht, einen Präzedenzfall zu schaffen: ›Humanistische Hegemonie‹-Bestrebungen gegen internationales Recht.»Der Kosovo-Krieg ist in mehrfacher Hinsicht ein Wendepunkt der internationalen Politik... Zum ersten Mal hat das zur Verteidigung geschlossene Bündnis einen souveränen Staat angegriffen... Der Krieg wurde an den Vereinten Nationen vorbei geführt und das Völkerrecht dabei außer Kraft gesetzt.«

Nachwirkungen des Kosovo-Kriegs

Mit dem vorerst letzten Krieg der USA auf dem Balkan, dem Kosovo-Krieg, hat sich die US-Machtelite den strategisch wichtigen Zugang zur besonders erdöl- und gasreichen Region des Kaukasus in der ehemaligen Sowjetunion gesichert. Der Balkan ist auch ein bedeutender Brückenkopf zwischen dem

Mittleren Osten und Europa. Die größte Zerstörung ging von den USA in dem NATO-Krieg aus. Noch bevor der Kosovo-Krieg beendet war, galt die Devise: Die Amerikaner bombardieren, und die Europäer zahlen die Wiederaufbaukosten, die sich auf rund 400 Milliarden Dollar belaufen. Die USA wollen die Filetstücke in Sachen Wiederaufbau an sich reißen und keinen Cent für den Wiederaufbau geben.

Noch hinterhältiger ist, daß US-Streitkräfte bereits im Bosnienkrieg 1994–1995 insgesamt 10 800 und im Kosovo-Krieg 31 000 DU-Projektile abfeuerten. Die grauenhaften Schäden dieser Waffen für lebendige Wesen und die Umwelt sind nicht abzusehen. »Intern hatten die NATO-Militärs bereits zugegeben, daß die Urangeschosse gesundheitliche Risiken bergen«, da bekannt ist, daß »Uranoxid-Staub... krebserregend ist und den Boden vergiftet«. Die radioaktiven Strahlen haben keine Schwellendosis, die NLS-Theorie besagt, »daß jedwede noch so geringe Strahlung schädlich sei.« Auch »die herumliegenden NATO-Streubomben werden noch jahrelang die Zivilbevölkerung gefährden«.

Zur Zeit provoziert die US-Machtelite Mazedonien durch verdeckte Unterstützung für die Extremisten der UCK-Nachfolgeorganisation UCPMB. Diese machte Ende Februar 2000 erstmals mit einem Anschlag auf einen serbischen Kontrollpunkt auf sich aufmerksam. *Der Spiegel* bemerkte treffend: »Sollte in den Randgebieten des Kosovo ein bewaffneter Konflikt ausbrechen – die Albaner werden kämpfen. Und sie werden auf Hilfe der internationalen Schutztruppen hoffen, zumal die Region Ost unter dem Protektorat der taffen [har-ten] US-Einheit steht.« Mazedonien beklagt demgegenüber: »Die KFOR habe auf ganzer Linie versagt, entrüstete sich die Regierung.« »Nun geht die Furcht um vor einem vierten Balkan-Krieg«. Am 7. März 2001 »beschossen US-Patrouillen erstmals albanische Extremisten«. »Sogar den Einsatz der jugoslawischen Armee will die NATO künftig an der mazedonisch-jugoslawischen Grenze erlauben.« In der 5 Kilometer breiten Pufferzone zwischen Kosovo und Südserbien haben die einstigen UCK-Kämpfer ein perfektes Aufmarschgebiet gefunden – praktisch unbehelligt von KFOR und nur leicht bewaffneten serbischen Sicherheitskräften.

Anstatt die Sicherheit der Region zu gewährleisten, kündigte NATO-Generalsekretär ROBERTSON an: Die UN-»Sicherheitszone werde allmählich ganz abgeschafft«, woraufhin Jugoslawiens Präsident KOSTUNICA, der MILOSEVIC ablöste, erklärte: »Die NATO ist durch die Ereignisse in Serbien, Kosovo und Mazedonien diskreditiert«. KOSTUNICA bezeichnete »den montenegrinischen Republikspräsidenten und westlichen Favoriten Milo DJUKANOVIC... als den verlängerten Arm »der unheilvollen Balkanpolitik Washingtons«. EU-›Außenminister‹ SOLANA teilte indes am 22. 3. 01 mit, daß die NATO vorhabe, Streitkräfte gegen die Extremisten in die Krisenregion zu senden. Die zögerliche Reaktion der NATO hat bei den Mazedoniern eine »bittere Enttäuschung« erzeugt. »Auch im mazedonischen Kabinett liegen die Nerven blank. Die US-Truppen im Kosovo, auf der anderen Seite der Grenze, steckten mit den Albanern unter einer Decke, behauptet ernsthaft ein hohes mazedonisches Kabinettsmitglied. Es ist sicher: Die Amerikaner schauen auch zur Seite, wenn Waffen über die Grenzen geschmuggelt werden.« »Die GIs könnten die Kommunikation der UCK abhören, denn deren Ausrüstung stammt von Amerikanern und war für den Kampf . . . gegen MILOSEVIC bestimmt.« »Warum also warnen die Kfor-Truppen nicht vor anrückenden UCK-Gruppen?« fragt *Der Spiegel*.

Die Antwort bleibt aus, liegt aber auf der Hand, wenn man die US-Politik der Provokationen berücksichtigt: Die Albaner werden nur erneut benutzt, um einen weiteren Konflikt oder Krieg zu inszenieren. Premier GEORGIEVSKI warf indes Berlin und Washington vor, wichtige Auskünfte über geplante terroristische Aktivitäten der über 300 Rebellen zu verschweigen. Mazedonien ist für Ex-Jugoslawien von strategischer Bedeutung; 35 bis 40 Prozent der Bürger sind Albaner. In Mazedonien existiert längst eine Abhöraffäre, die die derzeitige Regierung unter Druck setzt. Privatgespräche von Journalisten, Richtern, Geschäftsleuten, Politikern und sogar Präsident TRAJKOVSKI wurden vom CIA abgehört. Der CIA den Mazedoniern hatte »hochmoderne Abhörsysteme israelischer Herkunft« als ›Geschenk‹ zukommen lassen, die neben der Polizei und Armee auch die Opposition besitzt. »Ein Teil des Abhörmaterials wurde der Opposition zugespielt.« Diese übt Druck aus und beschuldigt nun Premier GEORGIEVSKI bei den Wahlen 1998 nur dank der Lauschangriffe gewonnen zu haben. Ex-Innenminister TRAJANVO bestätigte, daß englisch sprechende ausländische Instrukteure in Albanien Guerillas zum Einsatz in Mazedonien ausbilden. Ausbildungszentren stehen zur Zeit »unter Führung pensionierter US-Offiziere« im westmazedonischen Grenzgebiet. Der mazedonische Geheimdienst bestätigte, daß Ende 1999 eine illegale albanische Militär-Untergrundorganisation in der Schweiz und in der Bundesrepublik Deutschland gegründet wurde, finanziert durch Drogenschmuggel, albanische Emigranten und UCK-Fonds aus dem Kosovo-Krieg. Indes hat die BRD zugegeben, an Mazedonien 265 Panzer- und Geländewagen sowie 300 Infrarot-Ferngläser geliefert zu haben.

Der Außenminister Mazedoniens äußerte in einem Interview: »Wir Mazedonier. . . wollen diesen Konflikt friedlich lösen. Aber dann muß die Kfor robuste Maßnahmen gegen die Terroristen der benachbarten Kosovo-Dörfer ergreifen.« Auf die Frage: »Und wenn dies nicht geschieht?« erwiderte er: »Dann sind wir gezwungen, die Extremisten zu vernichten.« Dies ist aber ohne fremdes Eingreifen unrealistisch, da die mazedonische Truppe klein, schlecht ausgerüstet und zu 40% Prozent aus Albanern besteht.

»Das Hauptziel der Guerillas bleibt aber der Anschluß der südserbischen Albanergebiete an ein unabhängiges Kosovo.« »Wie schon die UCK im Kosovo-Krieg, treibt auch die Nachfolgeorganisation Gelder bei Exil-Albanern ein.« Das Eintreiben bezieht sich primär auf Drogengeschäfte. Die UCK finanziert sich primär aus Drogengeldern, die von der albanischen Mafia aus dem Ausland herbeigeschafft werden. Albanien ist einer der Hauptumschlagplätze für Heroin in Europa. Der CIA hatte die UCK schon Anfang der neunziger Jahre ausschlaggebend unterstützt.

Alle Balkankriege der neunziger Jahre, die Jugoslawien erschütterten und fast 300 000 Menschen töteten, sollten im Hinblick auf die US-Strategie gesehen werden. Letztere zielt darauf ab, Ex-Jugoslawien in kleine abhängige Kolonien/Ministaaten von jeweils rund 5 Millionen Einwohnern aufzuteilen. Diese enklavenartigen Gebiete wären dann anhand der ›Teile und herrsche‹-Strategie nicht mehr in der Lage, wirksamen Widerstand gegen die von den USA aufgezwungene Hegemonie zu leisten. Nachdem Washington in verschiedenen Kriegen mit Serbien, Kroatien und Kosovo größtenteils abgerechnet hat, beinhaltet der Plan offenbar die Abtrennung von Montenegro als letztem Zugang Jugoslawiens zur Adria sowie die Erschließung des Kosovo als Rohstoffbasis durch weitgehende Autonomie, Anschluß an Albanien oder Selbständigkeit, sowie die Loslösung der Vojvodina als Kornkammer und Rohstoffquelle, und damit den Zusammenbruch Jugoslawiens als souveränen überlebensfähigen Industriestaat heraufzubeschwören.

Eine weitere US-Strategie, Ex-Jugoslawien zu unterwerfen, besteht darin, dem abgesetzten Diktator MILOSEVIC und dessen Regime für die US-inszenierten ›Bürgerkriege‹ verantwortlich zu machen. In dieser Hinsicht bewegt sich die Kriegsschuldfrage, die durch Carla DEL PONTE vom UN-Kriegsverbrechertribunal verfolgt wird. Denn:»Würden MILOSEVIC und sein Kriegsregime vom Tribunal zum Hauptschuldigen für die blutigen Kriege in Kroatien, Bosnien und im Kosovo erklärt, könnten auf Jugoslawien Reparationsforderungen der Nachbarstaaten zukommen.« Der neue Vizepremier Jugoslawiens fürchtet daher ein Fortsetzen der »Konfrontationpolitik« Präsident KOSTUNICAS. Da diese »keine günstigen Rückzahlungsbedingungen für die 4,5 Milliarden Dollar Auslandsschulden geben«.

Nachdem DEL PONTE den Einsatz der Uran-Munition als »legitim« verteidigt hat, »sehen sich die meisten Serben erneut als Opfer westlicher Verschwörungen. Von der Überparteilichkeit des UN-Tribunals läßt sich kaum jemand überzeugen«. Es ist interessant, daß der Serben-Premier Zoran DJINDJIC, den der Westen bevorzugt, wenig gegen die Übernahme Jugoslawiens durch westliche Mächte hat. »Sollte der eines Tages vor dem Ultimatum stehen, MILOSEVIC und seine Kriegsmafia für die völlige Integration Serbiens in die Internationale Gemeinschaft ›opfern‹ zu müssen [schon passiert!, M.K.], würde er dies ohne Zögern tun«, ließ ein *Spiegel*-Artikel durchblicken, um Serbien verdeckt mit den Worten zu drohen: »Der Waffenstillstand mit dem eher nationalistischen Präsidenten KOSTUNICA wäre dann allerdings zu Ende.« Dies könnte schon allein deshalb passieren, weil KOSTUNICA »stramm antiamerikanisch geblieben ist«. Zynisch ist die Forderung der USA nach MILOSEVICS Auslieferung (die am 29. 6.01 erfolgte), nachdem sie seine Diktatur rund zehn Jahre lang verdeckt unterstützt haben. MILOSEVIC reagierte mit Gewalt, alle die etwas über seine kriminellen Kabale wußten, wollte er beseitigen. So mußte selbst sein ehemaliger Leibwächter ARKAN und berüchtigter Kriegsverbrecher (König der serbischen Unterwelt) bei einem Anschlag sterben. »ARKAN soll bereits 1999 über Mittelsmänner mit dem Haager Kriegstribunal Kontakt aufgenommen haben, um ein Gegengeschäft auszuhandeln: Beweismaterial gegen MILOSEVIC, dafür seine Streichung von der Interpol-Liste (Bankraub, Mordverdacht).« Laut Insider gab es einen Machtkampf zwischen ARKAN und MILOSEVICS Sohn Marko über die Gewinne bei Öleinfuhren. Jugoslawische Medien berichteten, der Intimus MILOSEVICS und frühere Verteidigungsminister Pavle BULATOVIC habe sich um die Geldwäsche des Regimes gekümmert. MILOSEVIC fror das Volkseigentum auf Devisenkonten der jugoslawischen Bürger Anfang der neunziger Jahre ein, es belief sich auf rund 10 Milliarden Dollar. Er transferierte einen Großteil ins Ausland, während mindestens 500 Import-/Exportfirmen für leichten Geldfluß zwischen Belgrad und seinen illegalen Finanzquellen im Ausland sorgten.

Schon November 1990 wurde vom Verteidigungsminister Veljko KADIJEVIC in einer Kommandeurskonferenz eine Schlußfolgerung ausgearbeitet, die westliche Massenmedien gern als unseriöse Verschwörungstheorie abtun. Heute müssen den jugoslawischen Generalen, die den historischen Fortbestand der Sozialistischen Föderation sichern wollten, für ihre Analyse »geradezu hellseherische Qualitäten bescheinigt werden«. Ihr Fazit wurde teilweise in der Zeitschrift *Europäische Sicherheit* veröffentlicht. Es lautete: »Dem russischen Präsidenten Michail GORBATSCHOW unterstellte General Marijan CAT, für die Interessen der USA zu arbeiten, Deutschland wurde als Beherrscherin Europas beschrieben, Ungarn als unzuverlässiger Nachbar, der sich bereits auf dem Sprung in Richtung NATO-Mitgliedschaft befände, Jugoslawien sei durch die NATO bedroht, und der kroatische Präsident TUDJMAN würde demnächst militärische Hilfe von außen erbitten.« Rückblickend ist fast alles eingetreten: NATO-Landübernahme des Kosovo, die Aneignung von militärischer Kontrolle in Albanien, Bosnien und Mazedonien sowie der allgegenwärtige Einfluß der BRD und USA in Kroatien.

Das Kosovo war schon nach Ende des Krieges am 11. Juni 1999 ein ›NATO-Protektorat‹. »Dem Großteil der Menschen auf dem Balkan geht es heute dramatisch schlechter als vor dem Beginn der NATO-Angriffe. Es drohen weitere Konflikte, in Montenegro, in Mazedonien.« 800 000 Menschen flohen wegen der Balkankriege nach Serbien. Die Arbeitslosenquote beläuft sich auf 50 Prozent, das monatliche Durchschnittseinkommen der über 8 Millionen Einwohner Serbiens liegt bei 45 Euro.

Anhang I

Amerikanische militärische Interventionen und Kriege seit Gründung der USA

Am 17. September 1962 legte Außenminister Dean RUSK einem gemischten Kongreßausschuß für diplomatische Beziehungen und militärische Fragen eine Liste der amerikanischen Interventionen im Ausland vor. Dies geschah zur Rechtfertigung seines Ersuchens um Annahme eines Beschlusses, der Präsident KENNEDY ermächtigte, gegen den kurz vor der ›Raketenkrise‹ von Oktober 1962 erfolgten Umsturz in Kuba die US-Streitkräfte einzusetzen. Das folgende Dokument ist diese vom Außenministerium zusammengestellte Liste, in der der unmittelbare Zusammenhang zwischen einheimischem Rassismus und Außenpolitik sehr deutlich zum Ausdruck kommt. Die Formulierung ist die des Außenministeriums und ist daher mit Vorsicht zu genießen!

1775–1783: Amerikanischer Revolutionskrieg gegen Großbritannien zur Erlangung der Unabhängigkeit der USA.

1798–1800: Seekrieg mit Frankreich ohne vorherige Kriegserklärung. Bei diesem Streit kam es auch zu Kampfhandlungen zu Lande, wie zum Beispiel bei Puerto Plata in der Dominikanischen Republik, wo die Marineinfanterie einen französischen Freibeuter im Feuerbereich der Hafengeschütze kaperte.

1801–1805: Tripolis. Der erste Berberkrieg mit den Gefechten der ›George Washington‹ und der ›Philadelphia‹ sowie der EATON-Expedition, in deren Verlauf einige Marineinfanteristen mit dem US-Agenten William EATON an Land gingen, um Streitkräfte gegen Tripolis zu sammeln; damit sollte die Besatzung der ›Philadelphia‹ befreit werden. Tripolis erklärte den Krieg, die Vereinigten Staaten jedoch nicht.

1806: Mexiko (Spanisches Gebiet). Planmäßig und auf Befehl von General James WILKINSON drang Hauptmann Z. M. PIKE mit einem Zug Soldaten im Quellgebiet des Rio Grande in spanisches Gebiet ein. Er wurde in einem Fort, das er im heutigen Colorado baute, ohne Widerstand gefangengenommen, nach Mexiko gebracht und später nach Beschlagnahme seiner Papiere freigelassen. Der dabei verfolgte politische Zweck ist bis heute unaufgeklärt.

1806–1810: Golf von Mexiko. Von New Orleans aus operierten amerikanische Kanonenboote, und zwar hauptsächlich unter Kapitän John SHAW und Master Commandant David PORTER, gegen spanische und französische Freibeuter, wie zum Beispiel Lafitte, vor dem Mississippi-Delta.

1810: West-Florida (Spanisches Gebiet). Gouverneur CLAIBORNE von Louisiana besetzte auf Befehl des Präsidenten umstrittene Gebiete östlich des Mississippis bis zum Pearl River, der späteren Ostgrenze von Louisiana, mit Militär. Es wurde ihm gestattet, östlich bis zum Perdido River vorzustoßen. Kein bewaffneter Zusammenstoß.

1812: Eine zeitweilige Besitznahme der Insel Melia und anderer Teile von Ost-Florida, die damals unter spanischer Herrschaft standen, wurde durch Präsident MADISON und den Kongreß gestattet, um eine etwaige Besetzung durch eine andere Macht zu verhindern, aber die Übernahme wurde durch General George MATTHEWS so regelwidrig durchgeführt, daß der Präsident die Maßnahme mißbilligte.

1812–1815: Großbritannien. Der Krieg von 1812. In aller Form erklärt.

1813: West-Florida (Spanisches Gebiet). Vom Kongreß dazu befugt, besetzte General WILKINSON im April mit 600 Soldaten Mobile Bay. Eine kleine spanische Garnison zog sich zurück. So drangen wir, wie es 1810 geplant war, in das umstrittene Gebiet bis zum Perdido River vor. Es kam zu keinen Kämpfen.

1813–1814: Marquesas-Inseln. Auf der Insel Nukuhiva wurde ein Fort eingerichtet, um drei Prisen, gekaperte britische Schiffe, zu schützen.

1814: Spanisch-Florida. General Andrew JACKSON besetzte Pensacola und verjagte die Engländer, mit denen die Vereinigten Staaten Krieg führten.

1814–1825: Kariben. Es fanden wiederholt Gefechte zwischen Seeräubern und amerikanischen Schiffen oder Geschwadern am Ufer oder vor den Küsten von Kuba, Puerto Rico, Santo Domingo und Yucatan statt. Zwischen 1815 und 1823 wurden dreitausend Überfälle von Seeräubern auf Handelsschiffe gemeldet. 1822 setzte Commodore James BIDDLE ein Geschwader von zwei Fregatten, vier Korvetten, zwei Briggs, vier Schonern und zwei Kanonenbooten in Westindien ein.

1815: Algier. Der zweite Berberkrieg, von unseren Feinden, nicht aber von den Vereinigten Staaten erklärt. Der Kongreß genehmigte eine Expedition. Eine starke Flotte unter DECATUR griff Algier an und erzielte Wiedergutmachungsleistungen.

1815: Tripolis. Nach Erreichung eines Abkommens in Algier veranstaltete DECATUR in Tunis und Tripolis eine Kundgebung und erreichte die Bezahlung von Entschädigungen für Unrecht, das uns während des Kriegs von 1812 zugefügt worden war.

1816: Spanisch-Florida. Erster Seminolenkrieg. Die Seminolen-Indianer, in deren Gebiet entflohene Sklaven und Grenzräuber Zuflucht suchten, wurden von Truppen unter den Generalen JACKSON und GAINES angegriffen und bis nah Nord-Florida verfolgt. Spanische Militärposten wurden angegriffen und besetzt, britische Staatsbürger hingerichtet. Es gab weder eine Kriegserklärung noch irgendeine Genehmigung vom Kongreß, aber die Exekutivmacht wurde unterstützt.

1817: Insel Amelia (Spanisches Gebiet vor Florida). Streitkräfte der Vereinigten Staaten landeten auf Befehl von Präsident MONROE und vertrieben eine Gruppe von Schmugglern, Abenteurern und Freibeutern.

1818: Oregon. Die USS ›Ontario‹ lief von Washington aus, landete am Columbia River und nahm im August das Gebiet in Besitz. Großbritannien hatte die Oberherrschaft darüber abgetreten, doch wurde von Rußland und Spanien Anspruch darauf erhoben.

1820–1823: Afrika. Gemäß dem Kongreßbeschluß von 1819 bekämpften Marineeinheiten den Sklavenhandel.

1822: Kuba. Seestreitkräfte der Vereinigten Staaten landeten an der Nordwestküste Kubas, um die Seeräuberei zu bekämpfen, und brannten einen Seeräuberstützpunkt nieder.

1823: Kuba. Bei der Verfolgung von Seeräubern kam es zu kurzen Landungen: am 8. April bei Escondido, am 16. April bei Cayo Blanco, am 11. Juli in der Siquapa-Bucht, am 21. Juli bei Kap Cruz und am 23. Oktober bei Camricoa.

1824: Kuba. Im Oktober setzte USS ›Porpoise‹ bei der Verfolgung von Seeräubern bei Matanaza Matrosen an Land. Das geschah anläßlich der 1822 genehmigten Kreuzfahrt.

1824: Puerto Rico (Spanisches Gebiet). Commodore David PROCTOR griff mit einem Landetrupp die Stadt Fajardo an, die Seeräubern Zuflucht gewährt und amerikanische Marineoffiziere beleidigt hatte. Im November landete er mit 200 Mann und erzwang eine Entschuldigung.

1825: Kuba. Im März landeten amerikanische und britische Streitkräfte zu einer gemeinsamen Aktion bei Segua La Grande, um Seeräuber gefangenzunehmen.

1827: Griechenland. Im Oktober und November machten Landungstruppen auf den Inseln Argentera, Mykonos und Andros Jagd auf Seeräuber.

1831–1832: Falkland-Inseln. Zur Untersuchung der Aufbringung von drei amerikanischen Segelschiffen und zum Schutz der amerikanischen Interessen.

1832: Sumatra, 6.–9. Februar. Zur Bestrafung von Einwohnern der Stadt Kuala Attu für die Plünderung amerikanischer Schiffe.

1833: Argentinien, 31. Oktober bis 15. November. Es wurde bei Buenos Aires ein Kampfverband an Land geschickt, um die Interessen der Vereinigten Staaten und anderer Länder während eines Aufstands zu schützen.

1835–1836: Peru, 10. Dezember 1835 bis 24. Januar 1836 und 31. August bis 2. Dezember 1836. Marineinfanterie schützte die amerikanischen Interessen während eines Aufstandsversuchs in Callao und Lima.

1836: Mexiko. General GAINES besetzte von Juli bis Dezember während des texanischen Unabhängigkeitskriegs Nacogdoches (Texas), ein umstrittenes Gebiet, mit dem Befehl, im Falle eines drohenden Indianeraufstands die ›imaginäre Grenze‹ zu überschreiten.

1838–1839: Sumatra, 24. Dezember 1838 bis 4. Januar 1839. Zwecks Bestrafung von Einwohnern der Städte Kuala Attu und Mukki für die Plünderung amerikanischer Schiffe.

1840: Fidschi-Inseln. Zur Bestrafung von Eingeborenen für Überfälle auf amerikanische Forschungs- und Vermessungsgruppen.

1841: Samoa, 24. Februar. Um den Mord an einem amerikanischen Seemann auf der Insel Upolu zu rächen.

1841: Drummond-Insel, Kingsmillgruppe. Um die Ermordung eines Matrosen durch Eingeborene zu rächen.

1842: Mexiko. Im Glauben, es habe ein Krieg begonnen, besetzte Commodore T. A. C. JONES am 19. Oktober, anläßlich einer Marschfahrt eines von ihm befehligten Geschwaders, die Stadt Monterey in Kalifornien. Er stellte fest, daß Frieden herrschte, zog wieder ab und feuerte Salutschüsse ab. Ein ähnlicher Zwischenfall ereignete sich eine Woche später in San Diego.

1843: Afrika, 29. November bis 16. Dezember. Vier Schiffe demonstrieren die Macht der Vereinigten Staaten: Truppen werden an Land gesetzt (deren eine aus 200 Mann Marineinfanterie und Matrosen bestand), um der Seeräuberei und dem Sklavenhandel im Gebiet der Elfenbeinküste ein Ende zu bereiten und die Angriffe von Eingeborenen auf amerikanische Schiffe und Seeleute zu bestrafen.

1844: Mexiko. Um Texas gegen Mexiko zu schützen, setzte Präsident TYLER unsere Streitkräfte ein, ohne erst die Genehmigung des Annexionsvertrags durch den Senat, die übrigens später abgelehnt wurde, abzuwarten. Er verteidigte seine Aktion gegen einen Untersuchungsbeschluß des Senats. Es handelte sich um eine Demonstration oder Vorbeugung.

1846–1848: Mexiko, der Krieg mit Mexiko. Präsident POLKS Besetzung des umstrittenen Gebiets beschleunigte dessen Ausbruch. Es gab eine regelrechte Kriegserklärung.

1849: Smyrna. Eine Marinestreitmacht erwirkte die Freilassung eines von österreichischen Beamten verhafteten Amerikaners.

1851: Türkei. Nach Abschlachtung von Ausländern (darunter auch Amerikanern) im Januar in Jaffa wurde eine Demonstration unseres Mittelmeergeschwaders vor der türkischen (Levante-)Küste angeordnet. Offenbar wurden keine Schüsse abgefeuert.

1851: Johanna-Insel (östlich von Afrika), August. Zwecks Erlangung einer Entschädigung für die gesetzwidrige Festnahme des Kapitäns eines amerikanischen Walfängers.

1852–1853: Argentinien, 3. bis 12. Februar 1852, 17. September 1852 bis (?) April 1853. Marineinfanterie wurde an Land gesetzt und in Buenos Aires stationiert, um während einer Revolution die amerikanischen Interessen zu schützen.

1853: Nicaragua, 11.–13. März. Zum Schutz von Leben und Interessen amerikanischer Staatsbürger während politischer Wirren.

1853–1854: Riukio- und Bonin-Inseln. Bei drei Besuchen, vor der Fahrt nach Japan und in Erwartung einer Antwort von dort, führte Commodore PERRY eine Flottendemonstration durch, bei der er zweimal Marineinfanterie an Land setzte und vom Herrscher Nahas auf Okinawa eine Konzession zum Bunkern erhielt. All dies geschah zwecks Förderung des Handels.

1854: China, 4. April bis 15. oder 17. Juni. Zum Schutz amerikanischer Interessen in und bei Schanghai während des chinesischen Bürgerkrieges.

1854: Nicaragua, 9.–15. Juli. Zerstörung von San Juan del Norte (Greytown) als Vergeltung einer Beleidigung des amerikanischen Botschafters in Nicaragua.

1855: China, 19.–21. (?) Mai. Zum Schutz amerikanischer Interessen in Schanghai. 3.–5. August zwecks Bekämpfung von Seeräubern im Gebiet von Hongkong.

1855: Fidschi-Inseln, 12. September bis 4. November. Zwecks Erreichung von Wiedergutmachung für Ausschreitungen gegen Amerikaner.

1855: Uruguay, 25.–29. oder 30. November. Amerikanische und europäische Seestreitkräfte landeten zum Schutz amerikanischer Interessen während eines Aufruhrs in Montevideo.

1856: Panama, Republik von Neu Granada, 19.–22. September. Zum Schutz amerikanischer Interessen während eines Aufstands.

1856: China, 22. Oktober bis 6. Dezember. Zum Schutz amerikanischer Interessen in Kanton während der Feindseligkeiten zwischen Engländern und Chinesen und zur Vergeltung eines nicht provozierten Überfalls auf ein unbewaffnetes Schiff unter der Flagge der Vereinigten Staaten.

1857: Nicaragua, April–Mai, November–Dezember. Zwecks Widerstand gegen einen Versuch William WALKERS, die Herrschaft über das Land zu erlangen. Commander C. H. DAVIS von der US-Marine nahm im Mai mit einer Abteilung Marineinfanterie WALKERS Kapitulation entgegen und schützte dessen Leute gegen Vergeltungsmaßnahmen eingeborener Verbündeter, die gegen WALKER gekämpft hatten. Im November und Dezember desselben Jahres widersetzten sich die Schiffe der US-Marine ›Saratoga‹, ›Wabash‹ und ›Fulton‹ einem ähnlichen Versuch WALKERS in Nicaragua. Das Vorgehen Commodore Hiram PAULDINGS, der Marineinfanterie an Land setzte und die Fortschaffung WALKERS in die Vereinigten Staaten erzwang, wurde von Außenminister Lewis CASS mißbilligt, und PAULDING mußte in den Ruhestand treten.

1858: Uruguay, 2.–27. Januar. Streitkräfte von zwei Kriegsschiffen der Vereinigten Staaten gingen an Land, um während einer Revolution in Montevideo amerikanischen Besitz zu schützen.

1858: Fidschi-Inseln, 6.–16. Oktober. Zwecks Bestrafung der Eingeborenen für die Ermordung zweier amerikanischer Staatsbürger.

1858–1859: Türkei. Zur Demonstration von Seestreitkräften der USA an der Levante-Küste auf Veranlassung des Außenministers nach der Ermordung von Amerikanern in Jaffa und Mißhandlungen an anderen Orten, »um der Regierung (der Türkei)... die Macht der Vereinigten Staaten vor Augen zu führen«.

1859: Paraguay. Der Kongreß genehmigte den Einsatz eines Marinegeschwaders, um eine Wiedergutmachung für den Angriff auf ein amerikanisches Schiff im Jahre 1855 auf dem Paranáfluß zu erreichen. Nach einer eindrucksvollen Zurschaustellung der Einsatzkräfte wurde die gewünschte Entschuldigung vorgebracht.

1859: Mexiko. Im Zuge der Verfolgung des mexikanischen Banditen CORTINA überschreiten zweihundert US-Soldaten den Rio Grande.

1859: China, 31. Juli bis 2. August. Zum Schutz amerikanischer Interessen in Schanghai.

1860: Angola, Portugiesisch-Westafrika, 1. März. Zum Schutz amerikanischer Menschenleben und Besitztümer in Kissembo, als die Eingeborenen Schwierigkeiten machten.

1860: Kolumbien, Golf von Panama, 27. September bis 8. Oktober. Zum Schutz amerikanischer Interessen während einer Revolution.

1863: Japan, 16. Juli. Zwecks Wiedergutmachung nach einer Beleidigung der amerikanischen Flagge – Beschießung eines amerikanischen Schiffs – bei Schimonoseki.

1864: Japan, 14. Juli bis etwa 3. August. Zum Schutz des Botschafters der Vereinigten Staaten in Japan bei seinem Besuch in Edo (dem späteren Tokio) zwecks Verhandlungen über einige amerikanische Forderungen gegenüber Japan und um seine Verhandlungen durch die eindrucksvolle Zurschaustellung der amerikanischen Macht zu unterstützen.

1864: Japan, Straße von Schimonoseki, 4. bis 14. September. Um Japan und insbesondere Fürst NAGATO zu zwingen, der ausländischen Schiffahrt, gemäß bereits unterzeichneten Verträgen, freie Durchfahrt durch die Straße zu gewähren.

1865: Panama, 9. und 10. März. Zum Schutz von Leben und Besitz amerikanischer Ortsansässiger während einer Revolution.

1866: Mexiko. Zum Schutz amerikanischer Einwohner erreichte General SEDGWICK im November mit 100 Mann die Kapitulation von Matamoros. Nach drei Tagen wurde ihm von der US-Regierung befohlen, sich zurückzuziehen. Die Aktion war vom Präsidenten mißbilligt worden.

1866: China, 20. Juni bis 7. Juli. Zur Bestrafung eines Überfalls auf den amerikanischen Konsul in Nutschuang; 14. Juli zwecks Besprechung mit den Behörden an Land; 9. August, in Schanghai, um bei der Bekämpfung eines Großbrands in der Stadt mitzuhelfen.

1867: Insel Formosa, 13. Juli. Zwecks Bestrafung einer Horde von Wilden, von denen angenommen wurde, daß sie die Besatzung eines gestrandeten amerikanischen Schiffs ermordet hatten.

1868: Japan (Osaka, Hiogo, Nagasaki, Yokohama und Negata), hauptsächlich 4.–8. Februar, 4. April bis 12. Mai und am 12. und 13. Juni. Zum Schutz amerikanischer Interessen während des Bürgerkriegs in Japan wegen Abschaffung des Shogunats und der Restauration des Mikados.

1868: Uruguay, 7. und 8., 19.–26. Februar. Zum Schutz ausländischer Einwohner und des Zollgebäudes während eines Aufstands in Montevideo.

1868: Kolumbien, 7. April in Aspinwall. Zum Schutz des Transports von Passagieren und Wertgegenständen während der Abwesenheit der Ortspolizei oder -truppen anläßlich des Todes des Präsidenten von Kolumbien.

1870: Mexiko, 17. und 18. Juni. Zwecks Vernichtung des Seeräuberschiffs ›Forward‹, das etwa 60 km stromaufwärts im Tecapanfluß gestrandet war.

1870: Hawaiische Inseln, 21. September. Zum Hissen der amerikanischen Fahne auf Halbmast anläßlich des Todes von Königin Kalama, als der amerikanische Konsul in Honolulu die Verantwortung dafür nicht übernehmen wollte.

1871: Korea, 10.–12. Juni. Zur Bestrafung von Eingeborenen für Ausschreitungen gegen Amerikaner, insbesondere die Ermordung der Besatzung der ›General Sherman‹ und das Verbrennen eines Schoners, sowie die spätere Beschießung kleiner amerikanischer Boote, die stromaufwärts im Sali-Fluß Lotungen vornahmen.

1873: Kolumbien, Golf von Panama, 7.–22. Mai, 23. September bis 9. Oktober. Zum Schutz amerikanischer Interessen gegen Feindseligkeiten, welche die Übernahme der Regierung im Staat Panama ausgelöst hatte.

1873: Mexiko. Bei der Verfolgung von Vieh- und anderen Dieben überschritten Truppen der Vereinigten Staaten wiederholt die mexikanische Grenze. Umgekehrt gab es auch Verfolgungen durch mexikanische Truppen in das Grenzgebiet der Vereinigten Staaten. In diesen Fällen handelte es sich jedoch, falls überhaupt, nur technisch gesehen um Invasionen, wenn auch Mexiko ständig protestierte. Notorische Zwischenfälle dieser Art ereigneten sich im Mai 1873 bei Remolina und 1875 bei Las Cuevas. Solche Überschreitungen wurden oft durch Befehle von Washington unterstützt. Am Ende wurden derartige Überfälle, zum ersten Mal im Jahre 1882, durch Abkommen zwischen Mexiko und den Vereinigten Staaten legitimiert; sie fanden, mit Unterbrechungen und kleineren Streitigkeiten, bis 1896 statt.

1874: Hawaiische Inseln, 12.–20. Februar. Zwecks Aufrechterhaltung der Ordnung und zum Schutz amerikanischer Menschenleben und Interessen während der Einsetzung eines neuen Königs.

1876: Mexiko, 18. Mai. Zwecks provisorischer polizeilicher Überwachung der Stadt Matamoros, solange es dort keine andere Regierung gab.

1882: Ägypten, 14.–18. Juli. Zum Schutz amerikanischer Interessen während der Kämpfe zwischen Engländern und Ägyptern und der Plünderung Alexandrias durch Araber.

1885: Panama (Colon), 18. und 19. Januar. Zur Bewachung der über die Panama-Eisenbahn transportierten Wertgegenstände sowie der Panzerschränke und Tresore der Gesellschaft während der revolutionären Vorfälle. Im März, April und Mai in den Städtchen Colon und Panama, um die freie Durchfahrt während der Revolution sicherzustellen.

1888: Korea, Juni. Zum Schutz amerikanischer Bewohner von Seoul während der unklaren politischen Umstände, als ein Aufstand der Massen zu erwarten stand.

1888–1889: Samoa, 14. November bis 20. März 1889. Zum Schutz amerikanischer Staatsbürger und des Konsulats während eines Bürgerkriegs der Eingeborenen.

1888: Haiti, 20. Dezember. Um die Regierung von Haiti zu veranlassen, einen amerikanischen Dampfer freizugeben, der unter Anklage stand, die Blockade gebrochen zu haben.

1889: Hawaiische Inseln, 30. und 31. Juli. Zum Schutz amerikanischer Interessen in Honolulu während einer Revolution.

1890: Argentinien. Marinetruppen gehen an Land, um unser Konsulat und die Botschaft in Buenos Aires zu beschützen.

1891: Haiti. Zum Schutz amerikanischer Menschenleben und Besitztümer auf der Insel Navassa, als Negerarbeiter sich nicht mehr im Zaum halten ließen.

1891: Beringmeer, 2. Juli bis 5. Oktober. Um unberechtigte Robbenjagd zu verhindern.

1891: Chile, 28.–30. August. Zum Schutz des amerikanischen Konsulats und der Frauen und Kinder, die darin während einer Revolution in Valparaiso Zuflucht gefunden hatten.

1893: Hawaii, 16. Januar bis 1. April. Scheinbar zum Schutz amerikanischer Menschenleben und Besitztümer, in Wirklichkeit jedoch zwecks Errichtung einer provisorischen Regierung unter Sanford B. DOLE. Diese Aktion wurde von den Vereinigten Staaten in Abrede gestellt.

1894: Brasilien, Januar. Zum Schutz von Handel und Schiffahrt der Vereinigten Staaten in Rio de Janeiro während eines brasilianischen Bürgerkriegs. Es wurde kein Landungsversuch gemacht, aber es kam zu einer Demonstration der Marinestreitkräfte.

1894: Nicaragua, 6. Juli bis 7. August. Zum Schutz amerikanischer Interessen in Bluefields im Gefolge einer Revolution.

1894–1896: Korea, 24. Juli 1894 bis 3. April 1896. Zum Schutz amerikanischer Menschenleben und Interessen in Seoul während und nach Beendigung des chinesisch-japanischen Kriegs. Die amerikanische Botschaft wurde bis April 1896 fast ständig von Marineinfanterie bewacht.

1894–1895: China. In Tientsin wurde Marineinfanterie stationiert, die auch zum Schutz während des chinesisch-japanischen Kriegs bis Peking vordrang.

1894–1895: China. Ein Kriegsschiff wurde bei Nutschuang an Land gezogen und zum Schutz amerikanischer Staatsbürger als Festung verwendet.

1895: Kolumbien, 8. und 9. März. Zum Schutz amerikanischer Interessen während des Angriffs eines Banditenführers gegen die Stadt Bocas del Toro.

1896: Nicaragua, 2.–4. Mai. Zum Schutz amerikanischer Menschenleben und Besitztümer in San Juan del Sur.

1898–1899: China, 5. November 1898 bis 15. März 1899. Zum Schutz der Botschaft in Peking und des Konsulats in Tientsin während des Streits zwischen der Kaiserinwitwe und ihrem Sohn.

1898: Nicaragua. Zum Schutz amerikanischer Interessen in San Juan del Norte vom 22. Februar bis 5. März und einige Wochen später in Bluefields, im Zusammenhang mit dem Aufstand des Generals Juan P. REYES.

Anmerkung: Aus nicht bekannten Gründen wurde der wichtige Amerikanisch-Spanische-Krieg von 1898 überhaupt nicht in dieser Auflistung erwähnt, wahrscheinlich, weil er eine bewußte Provokation der USA war.

1898: Amerikanisch-Spanischer Krieg. 20. April bis 12. August 1898. Wurde eingeleitet, nachdem das US-Schlachtschiff ›Maine‹ im Hafen von Havanna, im März durch eine bislang nicht vollkommen geklärte Explosion schwer beschädigt worden und 260 US-Seeleute gestorben waren. Die US-Presse beschuldigte daraufhin die Spanier direkt wegen der Explosion auf der ›Maine‹, während die US-Regierung zumindest indirekt die spanische Regierung wegen Attentats auf die ›Maine‹ beschuldigte. Es gibt jedoch Hinweise, daß die National City Bank eine Bombe an Bord der ›Maine‹ brachte, weil es im Interesse dieser einflußreichen Bank war, einen Krieg herbeizuführen. Die US-Regierung machte sich danach verdächtig, indem sie eine internationale Untersuchung der ›Maine‹ nicht zuließ und die ›Maine‹ dann auf hohe See schleppen ließ, um sie dort so tief zu versenken, daß die wirklichen Gründe der Explosion wohl nie mehr ganz aufgeklärt werden können. Und obwohl die spanische Regierung sich bereit erklärt hatte, ihre Kolonie Kuba vollkommen aufzugeben, um sie den USA zu übergeben, entschied US-Präsident McKinley nur einen Tag nach dieser entgegenkommenden Botschaft, Spanien den Krieg zu erklären.

1899: Samoa, 13. März bis 15. Mai. Zum Schutz amerikanischer Interessen und als Intervention anläßlich eines mit viel Blutvergießen verbundenen Konflikts über die Thronfolge.

1899–1901: Philippinen. Zum Schutz amerikanischer Interessen nach dem Krieg mit Spanien und um die Filipinos in ihrem Unabhängigkeitskrieg zu besiegen und so die Insel zu erobern.

1900: China, 24. Mai bis 28. September. Zur Beschützung der Ausländer während des Boxeraufstands, insbesondere in Peking. Nach dieser Erfahrung wurde viele Jahre hindurch eine ständige Botschaftswache in Peking unterhalten, die in Zeiten drohender Unruhen verstärkt wurde. Sie war noch im Jahre 1934 dort anwesend.

1901: Kolumbien (Staat Panama), 20. November bis 4. Dezember. Zum Schutz amerikanischen Eigentums auf dem Isthmus und um die Transportwege während ernster revolutionärer Unruhen offen zu halten.

1902: Kolumbien, 16.–23. April. Zum Schutz von amerikanischen Menschenleben und amerikanischem Eigentum in Bocas del Toro während eines Bürgerkriegs.

1902: Kolumbien (Staat Panama), 17. September bis 18. November. Zur Bereitstellung bewaffneter Wachen in allen Zügen, die den Isthmus durchfuhren, und zur Offenhaltung der Eisenbahnlinie.

1903: Honduras, 23.–30. oder 31. März. Zum Schutz des amerikanischen Konsulats und des Dampferkais in Puerto Cortez während einer Zeit revolutionärer Aktivitäten.

1903: Dominikanische Republik, 30. März bis 21. April. Zum Schutz amerikanischer Interessen in der Stadt Santo Domingo während eines Aufstands.

1903: Syrien, 7.–12. September. Zum Schutz des amerikanischen Konsulats in Beirut, als ein lokaler Moslemaufstand befürchtet wurde.

1903–1914: Panama. Zum Schutz von amerikanischen Interessen und Menschenleben während und nach Beendigung der Revolution um die Unabhängigkeit von

Kolumbien anläßlich des Kanalbaus durch den Isthmus. Mit kurzen Unterbrechungen war vom 4. November 1903 bis 21. Januar 1914 zum Schutz der amerikanischen Interessen Marineinfanterie der Vereinigten Staaten auf dem Isthmus stationiert.

1904: Dominikanische Republik, 2. Januar bis 11. Februar. Zum Schutz der amerikanischen Interessen in Puerto Plata, Sosua und Santo Domingo während der revolutionären Kämpfe.

1904–1905: Korea, 5. Januar 1904 bis 11. November 1905. Zum Schutz der amerikanischen Botschaft in Seoul.

1904: Tanger, Marokko. »Wir wollen entweder einen lebenden PERDICARIS oder einen toten RAISULI.« Demonstration eines Geschwaders, um die Freilassung eines gewaltsam entführten Amerikaners zu erzwingen. Zum Schutz des Generalkonsuls wurde Marineinfanterie gelandet.

1904: Panama, 17.–24. November. Zum Schutz amerikanischer Menschenleben und amerikanischen Eigentums in Ancon bei einem drohenden Aufstand.

1904–1905: Korea. Während des russisch-japanischen Kriegs wurde zum Schutz Marineinfanterie nach Seoul entsandt.

1906–1909: Kuba, September 1906 bis 23. Januar 1909. Intervention zur Wiederherstellung der Ordnung, zum Schutz der Ausländer und zur Errichtung einer stabilen Regierung nach ersten Unruhen.

1907: Honduras, 18. März bis 8. Juni. Zum Schutz amerikanischer Interessen während eines Kriegs zwischen Honduras und Nicaragua; einige Tage oder Wochen lang standen Truppen in Trujillo, Ceiba, Puerto Cortez, San Pedro, Laguna und Choloma.

1910: Nicaragua, 22. Februar. Zur Information über die Verhältnisse in Corinto während eines Bürgerkriegs; 19. Mai bis 4. September zum Schutz amerikanischer Interessen in Bluefields.

1911: Honduras: Einige Wochen lang nach dem 26. Januar. Zum Schutz amerikanischer Menschen und Interessen während eines Bürgerkriegs in Honduras.

1911: China: Die nationale Revolution rückte heran. Im Oktober versuchte ein Leutnant zur See mit zehn Mann in Wutschang einzudringen, zog sich jedoch aufgrund einer Warnung zurück. Zur gleichen Zeit bewachte eine kleine Landungstruppe den Privatbesitz und das Konsulat der Amerikaner in Hankau. Im November wurden Marineinfanteristen als Wache bei den Telegrafenstationen in Schanghai eingesetzt. Nach Nanking, Tschinkiang, Taku und anderen Orten wurden Landungsstreitkräfte zum Schutz entsandt.

1912: Honduras: Eine kleine Einheit landete, um die Besitzergreifung einer den Amerikanern gehörenden Eisenbahn in Puerto Cortez zu verhindern. Sie wurde, da die Vereinigten Staaten die Aktion mißbilligten, zurückgezogen.

1912: Panama. Die Wahlen außerhalb der Kanalzone wurden, auf Verlangen beider politischer Parteien, von US-Truppen überwacht.

1912: Kuba, 5. Juni bis 5. August. Zum Schutz amerikanischer Interessen in der Provinz Oriente und in Havanna.

1912: China, 24.–26. August auf der Insel Kentucky und 26. bis 30. August in Camp Nicholson. Zum Schutz von Amerikanern und amerikanischen Interessen während revolutionärer Umtriebe.

1912: Türkei, 18. November bis 3. Dezember. Zum Schutz der amerikanischen Botschaft in Konstantinopel während des Balkankriegs.

1912–1925: Nicaragua, August bis November 1912. Zum Schutz der amerikanischen Interessen während eines Aufstands. Eine kleine Truppe, die als Botschaftswache und zur Stützung des Friedens sowie der Stabilität der Regierung diente, blieb bis 5. August 1925 im Land.

1912–1941: China. Die Unruhen, die mit dem Kuomintang-Aufstand im Jahre 1912 begannen, durch den Einmarsch der Japaner in China eine neue Richtung erhielten und schließlich 1941 durch den Krieg zwischen Japan und den Vereinigten Staaten beendet wurden, führten von 1912 bis 1941 in China andauernd und an vielen Stellen zu Flottendemonstrationen und Einsätzen zu Lande zu Schutzzwecken. Die Wachmannschaft in Peking und auf der Straße zum Meer wurde bis 1941 aufrechterhalten. Die Vereinigten Staaten hatten 1927 5670 Mann auf dem chinesischen Festland und 44 Schiffe in chinesischen Gewässern. 1933 hatten wir 3027 Mann auf dem Festland. Diese gesamte Schutzaktion beruhte im großen und ganzen auf Verträgen mit China aus den Jahren 1858 bis 1901.

1913: Mexiko, 5.–7. September. Einige Marineinfanteristen landeten in Ciaris Estero, um bei der Evakuierung amerikanischer und anderer Staatsbürger aus dem Yaqui-Tal mitzuhelfen, wo durch den Bürgerkrieg die Lage für Ausländer gefährlich geworden war.

1914: Haiti, 29. Januar bis 9. Februar, 20.–21. Februar, 19. Oktober. Zum Schutz amerikanischer Staatsbürger bei gefährlichen Unruhen.

1914: Dominikanische Republik, Juni und Juli. Seestreitkräfte der Vereinigten Staaten konnten bei einer Revolution in Puerto Plata durch Geschützfeuer eingreifen und Santo Domingo durch die Drohung eines bewaffneten Einschreitens als neutrale Zone erhalten.

1914–1917: Mexiko. Die auf die ›Dolphin‹-Affäre und die Überfälle Villas – ohne Kriegserklärung – folgenden Feindseligkeiten zwischen Mexikanern und Amerikanern führten unter anderem zur Einnahme von Vera Cruz und später zu Pershings Expedition ins nördliche Mexiko.

1915–1934: Haiti, 28. Juli 1915 bis 15. August 1934. Zur Aufrechterhaltung der Ordnung während einer Periode, in der beständig ein Aufstand drohte.

1917–1918: Erster Weltkrieg. In aller Form erklärt.

1917–1922: Kuba. Zum Schutz amerikanischer Interessen während der unsicheren Verhältnisse, die auf einen Aufstand folgten. Der Großteil der Streitkräfte der Vereinigten Staaten verließ Kuba vor August 1919, nur zwei Kompanien blieben bis Februar 1922 in Camaguey.

1918–1919: Mexiko. Nach Abzug der Pershing-Expedition drangen unsere Truppen mindestens dreimal im Jahre 1918 und sechsmal 1919 während der Verfolgung von Banditen in Mexiko ein. Im August 1918 kam es bei Nogales zu einem Gefecht zwischen amerikanischen und mexikanischen Truppen.

1918–1920: Panama: Polizeidienst gemäß Vertragsvereinbarungen während der Unruhen bei den Wahlen und während des späteren Aufruhrs in Chiriqui.

1918–1920: Sowjetrußland. Im Juni und Juli wurde Marineinfanterie im Gebiet von Wladiwostok an Land gesetzt, um das amerikanische Konsulat und andere Stellen bei den Kämpfen zwischen den bolschewistischen Truppen und der tschechischen Armee, die Sibirien von der Westfront aus durchquert hatte, zu schützen. Im Juli wurde von den Kommandeuren der Amerikaner, Japaner, Engländer, Franzosen und Tschechen eine gemeinsame Proklamation erlassen, die eine Notregierung einsetzte und deren Neutralität erklärte; unsere Truppen blieben bis Ende August dort. Im August weitete sich das Projekt aus. Damals landeten 7000 Mann in Wladiwostok und blieben bis Januar 1920 als Teil einer alliierten Besatzungsmacht dort. Im September 1918 gesellten sich 5000 amerikanische Soldaten der alliierten Einsatzmacht in Archangelsk zu; sie verloren 500 Mann und blieben bis Juni 1919. Vorher hatten schon einige Marineinfanteristen an einer britischen Landung an der Murmansk-Küste (nahe von Norwegen) teilgenommen, doch das war bloßer Zufall. Alle diese Operationen waren als Ausgleich der Wirkungen der Bolschewiki-Revolution in Rußland gedacht und wurden teilweise durch zaristische Elemente oder Kerensky-Anhänger unterstützt. Es gab keine Kriegserklärung. Zwar nahmen bisweilen Bolschewikitruppen an den Aktionen teil, doch Sowjetrußland verlangt noch immer Schadensersatz.

1919: Honduras, 8.–12. September. Es wurde ein Landungstrupp abgesetzt, um während einer versuchten Revolution die Ordnung in einer neutralen Zone zu gewährleisten.

1920–1922: Rußland (Sibirien), 16. Februar 1920 bis 19. November 1922. Eine Marinewache zum Schutz des Eigentums und der Radiostation der Vereinigten Staaten auf der russischen Insel in der Bucht von Wladiwostok.

1920: China, 14. März. Ein Landungstrupp wurde für einige Stunden an Land geschickt, um während eines Aufruhrs in Kiukiang Menschenleben zu schützen.

1920: Guatemala, 9.–27. April. Zum Schutz der amerikanischen Botschaft und anderen amerikanischer Interessen, u.a. der Telegrafenstation, während einer Periode von Kämpfen zwischen Gewerkschaftlern und der Regierung von Guatemala.

1921: Panama-Costa Rica. Amerikanische Marinegeschwader führten im April auf beiden Seiten des Isthmus eine Demonstration durch, um einen Krieg zwischen den beiden Ländern wegen eines Grenzstreits zu verhindern.

1922: Türkei, September und Oktober. Es wurde mit Zustimmung der griechischen und auch der türkischen Behörden ein Landungstrupp an Land gesetzt, um Leben und Eigentum der Amerikaner zu schützen, als die türkischen Nationalisten in Smyrna einzogen.

1924: Honduras, 28. Februar bis 31. März, 10.-15. September. Zum Schutz amerikanischer Menschenleben und Interessen während Feindseligkeiten bei den Wahlen.

1924: China, September, Marineinfanterie wurde an Land gesetzt, um Amerikaner und andere Ausländer in Schanghai während Parteistreitigkeiten unter den Chinesen zu schützen.

1925: China, 15. Januar bis 29. August. Kämpfe zwischen chinesischen Parteien, begleitet von Plünderungen und Demonstrationen in Schanghai, machten die Landung amerikanischer Streitkräfte notwendig, um Menschenleben und Eigentum in der internationalen Niederlassung zu schützen.

1925: Honduras, 19.–21. April. Zum Schutz der Ausländer in La Ceiba während eines politischen Aufruhrs.

1925: Panama, 12.–23. Oktober. Streiks und Krawalle führten zur Landung von etwa 600 amerikanischen Soldaten zwecks Aufrechterhaltung der Ordnung und Schutz amerikanischer Interessen.

1926–1933: Nicaragua, 7. Mai bis 5. Juni, 27. August 1926 bis 3. Januar 1933. Der Staatsstreich von General CHAMORRO verursachte revolutionäre Aktivitäten, die zur Landung amerikanischer Marineinfanterie zum Schutz der Interessen der Vereinigten Staaten führte. Streitkräfte der Vereinigten Staaten kamen und gingen, scheinen jedoch bis zum 3. Januar 1933 das Land niemals völlig verlassen zu haben. Zu ihrer Tätigkeit gehörte die Verfolgung des geächteten Führers SANDION im Jahre 1928.

1926: China, August und September. Der Angriff der Nationalisten gegen Hankau machte die Landung amerikanischer Marinestreitkräfte zum Schutz amerikanischer Bürger notwendig. Es wurde auch nach dem 16. September eine kleine Wachmannschaft für das Generalkonsulat beibehalten, nachdem die übrigen Streitkräfte zurückgezogen worden waren. Ebenso wurden, als die nationalistischen Streitkräfte Kiukiang eroberten, am 4.–6. November Seestreitkräfte an Land gesetzt, um die Ausländer zu schützen.

1927: China, Februar. Kämpfe in Schanghai erforderten eine Verstärkung der dortigen amerikanischen See- und Marineinfanteriestreitkräfte. Im März wurde beim amerikanischen Konsulat in Nanking eine Marinewache postiert, nachdem nationalistische Streitkräfte die Stadt eingenommen hatten. Später verwendeten amerikanische und britische Zerstörer Granatfeuer zum Schutz der Amerikaner und anderer Ausländer. »Nach diesem Zwischenfall wurden zusätzliche Marineinfanterie und Kriegsschiffe nach China beordert und in der Nähe von Schanghai und Tientsin stationiert.«

1933: Kuba. Während einer Revolution gegen Präsident Gerardo MACHADO gab es eine Demonstration der Seestreitkräfte, ohne daß es jedoch zu einer Landung gekommen wäre.

1940: Neufundland, Bermuda, St. Lucia, Bahamas, Jamaika, Antigua, Trinidad und British Guayana. Es wurden Truppen entsandt, um die durch Verhandlungen mit Großbritannien erhaltenen Luft- und Marinestützpunkte zu bewachen; diese wurden bisweilen Leih- und Pachtstützpunkte genannt.

1941: Grönland. Im April unter den Schutz der Vereinigten Staaten gestellt.

1941: Niederlande (Niederländisch-Guayana). Im November befahl der Präsident die Besetzung von Niederländisch-Guayana durch amerikanische Truppen, dies geschah jedoch im Einverständnis mit der niederländischen Exilregierung. Brasilien beteiligte sich an der Absicherung der Lieferung von Aluminiumerz aus den Bauxitminen in Surinam.

1941: Island. Aus strategischen Gründen und mit der Zustimmung seiner Regierung unter den Schutz der Vereinigten Staaten gestellt.

1941: Deutschland. Im Frühjahr befahl der Präsident der Marine, Patrouillenfahrten auf den Schiffahrtsstraßen nach Europa durchzuführen. Im Juli eskortierten unsere Kriegsschiffe bereits Geleitzüge, und ab September griffen sie deutsche Unterseeboote an. Es gab dafür keine Genehmigung durch den Kongreß und auch keine Kriegserklärung. Im November wurde das Neutralitätsgesetz teilweise aufgehoben, um die militärische Hilfe für Großbritannien, Rußland u.a. zu sichern.

Anmerkung: Wiederum fehlt aus nicht bekannten Gründen der entscheidende Eintritt der USA in den Zweiten Weltkrieg nach dem Angriff der Japaner auf Pearl Harbor.

1941: 7. Dezember US-Eintritt in den Zweiten Weltkrieg. Japanische Streitkräfte greifen die Inselmilitärbasis der USA auf Pearl Harbor an. Obwohl die US-Entschlüsselungseinheiten den Geheimcode der Japaner schon am 25. September 1940 geknackt hatten, ließ die ROOSEVELT-Regierung die Kommandeure auf Pearl Harbor bewußt im dunkeln über die ›geheimen‹ japanischen Pläne, Pearl Harbor anzugreifen. Somit war die ROOSEVELT-Regierung bestens über den angeblich geheimen Überfall auf Pearl Harbor unterrichtet, warnte aber nicht Pearl Harbor, da ROOSEVELT wußte, daß er seinen Eintritt in den Zweiten Weltkrieg nur bekommen würde, wenn ein Angriff auf das Territorium der USA stattfände. Mit dem Angriff auf Pearl Harbor bekam ROOSEVELT seine Kriegserklärung, die er sonst keineswegs von dem isolationistisch gesonnenen Kongreß bekommen hätte. Noch isolationistischer als der Kongreß erwies sich das amerikanische Volk. Diese beiden Hürden konnten nur mit einem Angriff auf die USA umgangen werden, und dies wußte ROOSEVELT.

1941–1945: Deutschland, Italien, Japan usw. Zweiter Weltkrieg in aller Form erklärt.

1942: Labrador. Luftstützpunkte für Armee und Marine errichtet.

Amerikanische Kriege, militärische Interventionen und CIA-Operationen seit 1945

Die folgenden Daten sind dem Buch *Killing Hope* von William BLUM entnommen.

1945–1960er: China. Kurz nach dem Zweiten Weltkrieg unterstützten die USA die Nationalisten in China, die gegen die Kommunisten im chinesischen Bürgerkrieg kämpften. Um 1946 unterstützten 100 000 amerikanische Soldaten und Berater den Nationalistenführer in China, TSCHIANG KAI-CHEK. CIA-Operationen wurden bis in die sechziger Jahre durchgeführt.

1946–1947: Italien. Der CIA sabotierte Wahlen, damit die Sozialisten und Kommunisten keine Wahlsiege verbuchen.

1947–50er Jahre: Griechenland. Wurde zu einer Bastion des US-Militärs, dieses unterstützte eine Diktatur, die die Opposition gnadenlos verfolgte und Tausende verhaftete.

40er–50er: Die Philippinen. Wurden gleichermaßen zu einer US-Militärbasis im Pazifik. Die philippinische Regierung durfte nichts ohne die Erlaubnis der USA kaufen. Der CIA sabotierte die Wahlen, um eine Diktatur aufrechtzuerhalten.

1950–1953: Koreakrieg. Die US-Regierung ließ einen verdeckten Angriff durch ihre südkoreanischen Vasallen gegen Nordkorea starten, um dann in der UNO nach Plan die Nordkoreaner der Invasion Südkoreas zu beschuldigen, als diese auf den Angriff mit einem massiven Gegenangriff antworteten. Bei dieser US-Aggression starben rund vier Millionen Menschen.

1949–1953: Albanien. Die amerikanische und die britische Regierung versuchten von 1949 an, das Enver HODSCHA-Regime durch Guerilla-Aktivitäten zu stürzen. Trotz zahlreicher Fehlschläge und ohne wirklichen Grund, irgend etwas anderes in der Zukunft erwarten zu können, wurden die CIA-Operationen bis zum Frühling 1953 fortgesetzt, mit dem Ergebnis, daß Hunderte starben oder gefangengenommen wurden.

1950er: Deutschland. In den fünfziger Jahren führte der CIA von Westdeutschland aus geheime Operationen gegen die DDR. Es wurde so ziemlich alles angewendet, was der DDR schaden könnte, von Sabotageaktionen bis zu regelrechtem Terrorismus.

1953: Iran. Der CIA stürzte die MOSSADEGH-Regierung, die es gewagt hatte, ihre eigene Ölindustrie zu verstaatlichen. Mit Unterstützung des britischen Geheimdienstes brachte der CIA den SCHAH an die Macht im Iran und behielt natürlich die Kontrolle über das iranische Erdöl.

1953–1954: Guatemala. Die US-Firma United Fruit Company war praktisch ein Staat im Staat Guatemala. Sie kontrollierte die Telefonwerke wie den einzigen wichtigen Hafen und monopolisierte die wichtige Bananenexportindustrie. Als der gewählte Präsident Jacob Arbenz GUZMAN die Macht der United Fruit Company einschränken wollte, startete der CIA Operationen zu seinem Sturz, damit die United Fruit wieder ungehemmt über das Land herrschte.

1950er: Costa Rica. Der CIA hatte schon zweimal versucht, José FIGUERES zu ermorden, denn seine Regierung gewährte Flüchtlingen aus der Karibik und Lateinamerika politisches Asyl und half ihnen, die diktatorischen Regime in ihrer Heimat zu stürzen. Dies wollte der CIA jedoch auf keinen Fall zulassen und benutzte seinen alten Alliierten in Nicaragua, Diktator SOMOZA, zur Durchführung einer Invasion Costa Ricas, bei der FIGUERES gestürzt wurde.

1956–1957: Syrien. Syrien benahm sich nicht, wie sich ein Staat der Dritten Welt nach Washingtons Auffassung zu verhalten hatte. Syrien war der einzige Staat im Nahen und Mittleren Osten, der alle Wirtschafts- und Militärhilfe der USA ablehnte. Deswegen plante der CIA einen Coup, den die syrischen Offiziere, die ihn ausführen sollten, allerdings vor dessen Durchführung verrieten.

1957–1958: Der Mittlere Osten. Syrien beschuldigte die USA, Kriegsschiffe zu nahe an die syrische Küste verlegt zu haben, und betrachtete es als »offene Herausforderung«. Außerdem gab die syrische Regierung bekannt, die USA hätten die Türkei dazu »angestachelt«, 50 000 Soldaten an die syrische Grenze zu verlegen. Zuvor hatten die USA den Führern der Türkei, des Iraks und Jordaniens versichert, daß sie, falls sie es für nötig erachteten, Aktionen gegen die syrische Aggression unternehmen könnten. Die USA stünden mit der Verschiffung von Waffen bereit, um Verluste möglichst schnell auszugleichen. Im Jahre 1957 waren die USA offenbar in ein Komplott verstrickt, das den ägyptischen Führer NASSER stürzen sollte. Im Januar 1958 erklärten Syrien und Ägypten ihre Absicht, beide Staaten in die neue Nation, die Vereinte Arabische Republik, umzuwandeln, eine Absichtserklärung, die bei US-Präsident EISENHOWER Bestürzung auslöste. Um dem entgegenzuwirken, schickte EISENHOWER 14 000 US-Streitkräfte in den Libanon. Als der libanesische General Faud CHEHAB den Standpunkt vertrat, daß sein Volk keine US-Truppen wünsche, wurde ihm durch den US-Diplomaten Robert MURPHY klar gemacht, daß nur ein einziges, mit Atomwaffen bewaffnetes US-Kampfflugzeug vom Flugzeugträger ›Saratoga‹ Beirut vollständig auslöschen könnte. Im Oktober 1958 verließen die US-Truppen den Libanon, ohne irgend etwas erreicht zu haben.

1957–1958: Indonesien. Der CIA plante, den indonesischen Führer SUKARNO zu ermorden. Dieser entkam am 30. November 1957 einem Attentat, bei dem 10 Menschen starben und 48 Schulkinder verletzt wurden, nur knapp. Der CIA lastete den Kommunisten Indonesiens diese Schandtat an. Daraufhin startete der CIA seine bis heute größte militärische Marineoperation gegen Indonesien. Als im Frühjahr 1958 eine Rebellion auf einer indonesischen Inselkette ausbrach, griff der CIA in das Geschehen ein mit Bombenangriffen auf die Gegner dieser Rebellion. Am 15. Mai bombardierte eine CIA-Maschine den Marktplatz von Ambon und tötete dabei viele Menschen. Nur drei Tage später wurde der CIA-Pilot, Allen Lawrence POPE, abgeschossen und gefangengenommen. POPE führte bei seiner Gefangennahme belastende Dokumente mit sich, die ihn als Piloten im Dienst des CIA auswiesen. Am 27. Mai wurden der Pilot und seine Dokumente der Welt präsentiert, welche die Neutralitätserklärung von US-Präsident EISENHOWER als Lüge entlarvten. Angesichts dieser unerwarteten Kehrtwendung und der Erfolglosigkeit der Rebellen entschloß sich der CIA, seine Unterstützung einzustellen. Ende Juni hatte die indonesische Armee die Rebellion zerschlagen.

1950er–1960er: Westeuropa. Der CIA organisierte eine streng geheime Operation in Westeuropa, die 1990 zum erstenmal unter dem Namen ›Operation Gladio‹ bekannt wurde. Bei dieser geheimen Sache handelte es sich um einen geplanten Krieg gegen eine Invasion Westeuropas, die angeblich von der Sowjetunion kommen würde. In einem solchen Szenario würden Guerillagruppen von der ›Operation Gladio‹ hinter den feindlichen Linien Sabotageaktionen und Terror gegen die Invasoren durchführen. Im Herbst 1990 erfuhr die Öffentlichkeit von dieser geheimen Organisation, die durch eine juristische Untersuchung nach einer Autobombenexplosion im Jahre 1972 in Italien bekannt wurde. Die Untersuchung fand ferner heraus, daß die Autobombe aus einem der 139 geheimen Waffendepots Italiens stammte. Diese Waffendepots waren in ganz Westeuropa verstreut und sollten gegen die russischen Invasoren benutzt werden. Bei der Untersuchung kam ebenfalls heraus, daß die Gladio-Krieger enge Verbindungen mit Terroristen hatten. Ein früherer Gladio-Agent, Roberto CAVALLERO, richtete sich an die Öffentlichkeit und erklärte, daß es eine direkte Verbindung zwischen der Welle der Terroranschläge in den siebziger Jahren in Italien, die 300 Menschenleben forderten, und der ›Gladio-Operation‹ gebe. Er sagte ferner, man habe ihn trainiert, um mit anderen Gruppen – bei einem zunehmenden Erstarken der linken politischen Organisationen in Italien – eine so angespannte Situation zu schaffen, daß eine militärische Intervention erforderlich werde. Der schlimmste Terrorakt war der Bombenanschlag auf einen Bahnhof in Bologna im August 1980, bei dem 86 Menschen ums Leben kamen. Der Londoner *Observer* berichtete, »die Bombenanschläge auf die italienische Eisenbahn würden der extremen Linken in die Schuhe geschoben, als Teil einer Strategie, wonach das Land sich im Chaos befinde und die Wähler daher keine Alternative hätten, als die sichere Christliche Demokratische Partei zu wählen. Alle Hinweise deuteten darauf hin, daß die Aktion von Gladio ausgeheckt sei.« Um der belgischen Öffentlichkeit weiszumachen, daß die Sicherheit gefährdet sei, inszenierten Gladio und Polizeimitglieder in Supermärkten eine Reihe von scheinbar wahllosen Schießereien, die mit einigen Toten endeten. Ein Jahr später sprang eine Gruppe von US-Marinern mit Fallschirmen in Belgien ab, mit der Absicht eine Polizeistation anzugreifen. Bei dieser Operation, die den Eindruck vermitteln sollte, das Land stünde kurz vor einer roten Revolution, wurde ein belgischer Bürger getötet, und ein Mariner verlor ein Auge.

1940er –1960er: Sowjetunion. Schon in den vierziger Jahren organisierte der CIA Spionageflüge über der Sowjetunion. Jeweils 1950 und 1951 wurde ein Spionageflugzeug mit einer Zehn-Mann-Besatzung über der Sowjetunion abgeschossen, ohne Überlebende. Ein aufsehenerregender Abschuß einer US-Spionagemaschine über der Sowjetunion ereignete sich am 1. Mai 1960, als Francis Gary POWER abgeschossen wurde. In seinem Buch *The Secret Team* berichtet der frühere CIA-Mitarbeiter L. F. PROUTY, daß der CIA mit seinen Kollegen im Pentagon POWERS U-2 Spionageflugzeug sabotierte, um ebenfalls das geplante Gipfeltreffen zwischen EISENHOWER und CHRUSCHTSCHOW zu sabotieren. Wenn dies tatsächlich ihr Plan war, dann war er äußerst erfolgreich, denn das Gipfeltreffen, das der Welt Grund zur Hoffnung auf Frieden zwischen den Supermächten geben sollte, scheiterte wegen dieses Vorfalls.

1950er–1970er: Italien. In diesem Zeitraum sabotierte der CIA Wahlen in Italien, damit die Kommunisten und Sozialisten keine Mehrheit im italienischen Parlament bekamen.

1945–1975: 30 Jahre Krieg in Vietnam. Schon lange, bevor die US-Regierung in den Vietnamkrieg eingriff, führten die Franzosen mit großzügiger Unterstützung der USA von 1945 bis 1954 einen Krieg gegen die vietnamesische Unabhängigkeit. Ohne diese Unterstützung wären die Franzosen nicht in der Lage gewesen, diesen Krieg damals gegen Vietnam zu führen. Als 1954 ›das Ende der Franzosen‹ in Vietnam feststand, begann die US-Regierung einen geheimen CIA-Krieg gegen Nordvietnam. Da der Widerstand des Gegners aber zu hartnäckig war, inszenierte die US-Machtelite 1964 den Zwischenfall im Tonkin-Golf, zu dem Washington fälschlich behauptete, die Nordvietnamesen hätten US-Kriegsschiffe im Golf von Tonkin angegriffen. Mit diesem Täuschungsmanöver bekam Präsident Johnson seine gewünschte Genehmigung vom Kongreß, einen nichterklärten Krieg gegen Nordvietnam zu führen. Der Vietnamkrieg sollte noch bis 1975 andauern, bis dahin warfen die USA dreieinhalbmal so viele Bomben auf das kleine Vietnam ab wie die Alliierten auf Deutschland im Zweiten Weltkrieg. Ungefähr zwei Millionen Menschen, überwiegend Vietnamesen, starben während dieses Kriegs.

1955–1973: Kambodscha. Der CIA begann 1958 einen geheimen Krieg gegen Kambodscha, hatte aber bereits 1956 durch die verbündeten SEATO-Staaten militärischen Druck auf das Land ausgeübt. Präsident Nixon und sein Sicherheitsberater Kissinger entschlossen sich 1969, Kambodscha äußerst intensiv zu bombardieren. Am 30. April wurde die erste US-Invasion Kambodschas eingeleitet. Mehr als zwei Millionen Kambodschaner wurden infolge der US-Bombenangriffe heimatlos.

1957–1973: Laos. In den sechziger Jahren war Laos fast eine erweiterte Station des CIA. Da der US-Kongreß keinen Krieg gegen Laos legitimiert hatte, finanzierte sich das CIA-Unternehmen in Laos durch den Export von Opium. Zwischen 1965 und 1973 fielen über zwei Millionen Tonnen Bomben auf Laos, mehr als bei sämtlichen alliierten Bombenangriffen auf Deutschland und Japan während des Zweiten Weltkriegs. Diese Bombardierung blieb allerdings geheim, da nicht nur der Kongreß gegen sie gewesen wäre, sondern auch die Mehrzahl der Amerikaner, die sich über den Krieg in Vietnam zunehmend empörten.

1959–1963: Haiti. In der Nacht zum 13. August 1959 begann eine Invasion Haitis, größtenteils durch Haitianer und Kubaner. Das US-Militär unterstützte die Invasion militärisch. Nach der Invasion zeigte sich, daß die US-Regierung den haitischen Diktator ›Papa Doc‹ (Duvalier) aus dem Weg schaffen wollte. Nach der Invasion prägten die USA die haitianische Politik maßgeblich.

1960: Guatemala. Eine Rebellion gegen die Marionettenregierung General Miguel Ydigoras brach in Guatemala aus. Der CIA bombardierte daraufhin das Hauptquartier der Rebellen, die, völlig überrascht, sich der US-Übermacht ergaben.

1960–1963: Ecuador. Der demokratisch gewählte José Maria Velasco Ibarra wurde vom CIA bekämpft, weil er Beziehungen zu Kuba unterhielt und die kommunistische Partei im eigenen Land nicht verfolgte. Aller Wahrscheinlichkeit nach ließ ihn der CIA deshalb am 11. Juli 1963 durch eine Militärjunta stürzen.

1960–1964: Kongo. Der fair gewählte Patrice Lumumba wurde in Washington als Bedrohung für den Weltfrieden empfunden. Die Kongo-Region war wegen ihrer reichen Vorkommen an Mineralien als wertvoll von Washington eingestuft. Am 11. Juli 1960 kündigte die Provinz Katanga, welche die großen Reserven an Mineralien besaß, ihren Austritt aus dem Kongo an. Die Belgier, die nicht wirklich vorhatten, diese reiche Region zu verlieren, unterstützten diese Sezession, damit sie noch mehr Kontrolle ausüben könnten. Auch Washington unterstützte dies. Die Belgier intervenierten dann mit äußerster Brutalität. LUMUMBA wurde von dem Armeeanführer Joseph MOBUTU in einem Coup verdrängt. Der CIA plante nun LUMUMBAS Tod. Die USA waren in den Coup verstrickt, der LUMUMBA zu Fall brachte und MOBUTU zum Diktator vom Kongo machte. MOBUTU nahm daraufhin LUMUMBA gefangen und lieferte ihn an dessen erbitterten Feind Moise TSCHOMBE aus, der ihn töten ließ. Mitte 1964 breitete sich eine Rebellion aus, die mit LUMUMBA sympathisierte, und es hatte den Anschein, als könnte die zentrale Regierung im Kongo zusammenbrechen. Daraufhin schickten die USA umfangreiche Militärhilfe an das Regime im Kongo, während der CIA paramilitärische Operationen gegen die Rebellen im Osten des Landes einleitete. Der CIA führte Bombardierungen und Bodenkampagnen gegen die Rebellen durch. Letztendlich mußten die Rebellen gegen den gemeinsamen Angriff des CIA und der belgischen Militärs kapitulieren.

1961–1964: Brasilien. Präsident Joáo GOULARTS' soziale und ökonomische Reformen wertete Washington als Mittel zur Errichtung einer Diktatur. Die amerikanische Botschaft in Brasilien verband sich daher mit einigen Mitverschwörern, die das brasilianische Militär benutzten, um gegen die verfassungsrechtliche Regierung GOULARTS zu putschen. Das Militär richtete daraufhin eine der brutalsten Diktaturen in ganz Südamerika ein, die über zwei Jahrzehnte in Brasilien herrschen sollte.

1960–1965: Peru. Die Bewegung von Hugo BLANCO organisierte Gewerkschaften, Streiks und nahm Land ein, um es gerechter zu verteilen. Diese Aktionen entsprachen jedoch nicht den Wünschen Washingtons, und so begann der CIA eine der größten Interventionen seit dem Schweine-Bucht-Desaster. US-Eliteeinheiten kamen Mitte der sechziger Jahre der peruanischen Regierung zu Hilfe, eine Rebellion zu unterdrücken.

1960–1966: Dominikanische Republik. Der CIA versuchte, das politische Leben zu beeinflussen. Der Aufruf junger Offiziere zu einer Bewegung gegen das Regime 1965 führte bald zu einem Bürgerkrieg. Bis zu 23 000 US-Mariner griffen ein, weitere Tausende auf 35 Schiffen warteten auf einen möglichen Einsatz, um die Rebellion zu beenden. Die amerikanischen Truppen verließen die Republik erst im September 1966, nachdem sie sichergestellt hatten, daß der Urheber der Rebellion, Juan BOSCH, nicht wiedergewählt würde.

1959–1980: Kuba. Als Fidel CASTRO 1959 durch einen Staatsstreich gegen den US-Diktator BATISTA an die Macht kam, wollte Washington ihn beseitigen. In den USA stationierte Flugzeuge begannen im Oktober 1959 Kuba zu bombardieren. Im April 1960 kam es zu einer vom CIA organisierten Invasion Kubas, die aber in einem Fiasko endete: Hundert Invasoren starben, zwölfhundert wurden gefangengenommen. 1969 und 1970 benutzte der CIA Wettermodifikationsmethoden, um Kubas Zuckerernten zu zerstören. 19581 sowie 1956 und 1971 ließ derselbe CIA neue Verfahren biologischer und chemischer Kriegführung gegen Kuba testen. Mindestens ein Dutzend Attentatsversuche auf CASTRO gehen ebenfalls auf das Konto des CIA.

1965: Indonesien. Am 1. Oktober 1965 fing eine kleine Gruppe junger Offiziere einen Putsch an, der nach eigenen Aussagen vom CIA finanziell unterstützt wurde und Präsident SUKARNO verdrängen sollte. Der Putsch wurde jedoch von General SUHARTO am selben Abend zerschlagen. Der CIA hatte zuvor den politischen sowie militärischen Apparat Indonesiens unterwandert und konnte daher Desinformation verbreiten, um einen Putsch einzuleiten. Neille MAXWELL, der die Sache näher untersuchte, fand in der diplomatischen Korrespondenz des früheren pakistanischen Staatschefs Zulfikar BHUTTO den Brief eines pakistanischen Diplomaten, dem zufolge Indonesien »bereit war, in den Schoß des Westens wie ein fauler Apfel zu fallen«. Westliche Geheimdienste würden einen »verfrühten kommunistischen Coup... [welcher] zum Scheitern verurteilt wäre, inszenieren, dies würde eine legitime sowie willkommene Gelegenheit für die [indonesische] Armee schaffen, um die Kommunisten zu zerschlagen und SUKARNO zum Gefangenen der Armee zu machen«. Dieser Brief wurde auf den Dezember 1964 datiert. Bei der Aktion starben dann innerhalb einiger Jahre zwischen 500 000 bis zu einer Million Menschen.

1966: Ghana. Der CIA organisierte den Putsch, der den lästigen Präsidenten von Ghana zu Fall brachte.

1964–1970: Uruguay. Der CIA organisierte den Sturz der Regierung. Ende 1972 fiel das Land in ein Chaos, in den nächsten elf Jahren war Uruguay ein äußerst repressiver Staat, der Folterung gegen jegliche Zeichen des Widerstands einsetzte.

1964–1973: Chile. Als der Marxist Salvador ALLENDE demokratisch gewählt wurde, befand Washington, daß er nicht zum Regierungsoberhaupt werden sollte. Auch der US-Konzernriese ITT, der die Kontrolle über fast die gesamte Telekommunikation Chiles hatte, schloß sich dieser Entscheidung an. Der CIA organisierte Wahlsabotagen, verhinderte die Wiederwahl ALLENDES und bescherte Chile eine Diktatur.

1964–1974: Griechenland. Der CIA übernahm die Kontrolle über die griechische Politik durch einen 1967 vom CIA eingeleiteten Putsch.

1964–1975: Bolivien. Der CIA, der den charismatischen anti-imperialistischen Führer Che GUEVARA schon jahrelang suchte, erfuhr, daß dieser sich in Bolivien befinde. Daraufhin organisierte der CIA einen Suchtrupp, um Che GUEVARA festzunehmen. Die Festnahme erfolgte am 8. Oktober 1967. Aber schon am nächsten Tag ordnete die bolivianische Regierung seine Exekution an, um weltweiten Protesten aus dem Weg zu gehen. Der CIA wollte Che GUEVARA aber lebendig, zumindest vorerst, um ihm wichtige Fragen über anti-amerikanische Bewegungen zu stellen. Im August 1971 beteiligte sich der CIA an einem erfolgreichen Putsch, um Bolivien noch besser unter Kontrolle zu haben.

1962–1980er: Guatemala. Im März 1963 wurde General YDIGORAS, der auf demokratischem Weg gewählt worden war, durch einen Putsch von Enrique PERALTA AZURDIA gestürzt. Allem Anschein nach wurde der Staatsstreich von den USA unterstützt. Damit war der Weg für eine unterdrückende Diktatur geebnet, die bis in die achtziger Jahre Bestand hatte.

1970–1971: Costa Rica. Obwohl der costaricanische Präsident Jose FIGUERES anscheinend pro US-amerikanisch eingestellt war, versuchte der CIA, ihn in den fünfziger Jahren zu stürzen und zweimal zu ermorden.

1972–1975: Irak. Der SCHAH von Persien (PAHLEVI) und der Irak stritten sich um den Grenzverlauf zwischen beiden Nationen, woraufhin der SCHAH US-Präsident NIXON fragte, ob dieser nicht die Kurden im Irak bewaffnen könnte, um mehr Druck auf den Irak auszuüben. NIXON sagte zu und schickte, vom CIA organisiert, sowjetische und chinesische Waffen an die Kurden. Als der Druck dem SCHAH dann ausreichend stark erschien, fing er an, mit der irakischen Führung zu verhandeln, und erreichte einen günstigen Vertrag in Sachen Grenzverlauf mit dem Irak. Die Kurden wurden dann aber von Washington im März 1975 abrupt fallengelassen und hatten unter den irakischen Vergeltungsmaßnahmen zu leiden.

1973–1975: Australien. Nach seiner Wahl zum Premierminister Australiens im Dezember 1972 begann Edward Gough WHITLAM sich kritisch über die US-Außenpolitik in Vietnam zu äußern. WHITLAM erkannte die nordvietnamesische Regierung an und verurteilte die Bombardierung Hanois durch die Amerikaner. Zum damaligen Zeitpunkt arbeitete der australische Geheimdienst mit dem CIA gegen die ALLENDE-Regierung in Chile. WHITLAM befahl, diese Operation sofort einzustellen. Als Whitlam sich auch sehr kritisch zu den zahlreichen Spionagestationen der USA in Australien äußerte, vermuteten viele Mitglieder des CIA, diese seien in Gefahr, weil man in Australien sie wahrscheinlich abschaffen wollte. Deswegen sorgte der CIA mit verfassungswidrigen Mitteln dafür, daß WHITLAM seines Amtes enthoben wurde.

1975: Indonesien. 1975 setzte eine indonesische Invasion Osttimors ein, die der Anfang eines sich bis in die neunziger Jahre hinein fortsetzenden Massakers war. Am 3. Dezember 1975 kamen politische Führer Indonesiens zu dem Entschluß, Osttimor zu überfallen. Das größte Hindernis für eine erfolgreiche Invasion waren jedoch die USA, der wichtigste Waffenlieferant der indonesischen Armee. Nur wenn gesichert würde, daß die USA auch während der Invasion weiterhin Waffen liefere, könne man von einer erfolgreichen Invasion ausgehen. Zufälligerweise war US-Präsident FORD gerade auf einer Besuchsreise nach Indonesien. Einem Geheimdienstbericht zufolge wollte der indonesische Führer SUHARTO gegenüber FORD das Timor-Thema erwähnen, in der Hoffnung, auf Sympathie zu stoßen. Daß SUHARTO erfolgreich war, wurde von FORD selbst bestätigt. Die USA hatten eine schwere Niederlage in Vietnam erlitten und sahen nun in Indonesien den wichtigsten US-Alliierten in der Region. Die nationalen Interessen der USA, resümierte FORD, »mußten auf seiten Indonesiens sein«. Er gab seine stillschweigende Unterstützung am 6. Dezember 1975. Fünf Tage nach der Invasion stimmten die USA in der UN gegen die Invasion und stellten sie als einen fälschlichen Akt internationaler Aggression dar. In den siebziger und achtziger Jahren unterstützte das US-Außenministerium die indonesischen Ansprüche auf Osttimor und verharmloste das Massaker aufs äußerste. Währenddessen erhielt Indonesien alle erdenklichen militärischen Ausrüstungen, um seine Aggression gegen Osttimor auch weiterhin erfolgreich durchzuführen. 1989 gab Amnesty International bekannt, daß Schätzungen zufolge 200 000 Menschen in Osttimor während der Invasion getötet worden seien. Da die gesamte Bevölkerungszahl Osttimors schätzungsweise 600 000 bis 700 000 beträgt, hat die Invasion völkermörderische Ausmaße angenommen.

1975–1980er: Angola. Als die ehemalige portugiesische Kolonie 1975 ihre Unabhängigkeit erlangte, war die MPLA-Regierung nicht im Interesse der US-Außenpolitik. Zu ihrer Destabilisierung begann der CIA die gegnerische FNLA-Bewegung zu unterstützen. Diese startete daraufhin einen Angriff gegen die MPLA-Regierung, der in einen Bürgerkrieg mündete. Auch der US-Alliierte MOBUTU unterstützte die CIA-Intervention in Angola. Ein 1984 erschienenes Memorandum bestätigte, daß die USA und Südafrika im November 1983 den Sturz der angolanischen Regierung beschlossen hatten. Die US-Regierung unterstützte die FNLA in ihrem Krieg gegen die angolanische Regierung bis 1993, als die CLINTON-Administration endlich die angolanische Regierung anerkannte, nachdem sie immerhin über 17 Jahre lang ihre Gegner mit Waffen ausgerüstet hatte.

1975–1978: Zaire. Zaires diktatorischer Führer MOBUTU beschuldigte die USA, Attentatsversuche auf sein Leben unternommen zu haben. Für die US-Außenpolitik war Zaire ein sehr wichtiges Land in Afrika, erstens wegen seiner riesigen Bodenschätze und zweitens, weil es sich als unentbehrlicher militärischer Stützpunkt erwies, von dem man in den angolanischen Bürgerkrieg eingreifen konnte – was der CIA auch praktizierte. Die USA unterstützten deshalb das diktatorische Regime MOBUTUS bis zu seiner Verdrängung 1997 durch KABILA.

1976-1980: Jamaika. Die USA führten einen Wirtschaftskrieg gegen Jamaika in der Hoffnung, den unbequemen Premierminister Michael MANLEY zu stürzen. Letztendlich wurde die wirtschaftliche Lage auf den Inseln so schlimm, daß MANLEY bei den Wahlen von Oktober 1980 nicht wiedergewählt wurde.

1979–1981: Seychellen. 1977 übernahm der Sozialist France-Albert RENÉ mit einem Staatsstreich die Macht. Er wollte den USA die Benutzung ihrer militärischen Basen entziehen, was die USA nur mit allem möglichen wirtschaftlichen Druck verhindern konnten. Außerdem lief der Vertrag über die US-Basen 1990 aus, und Washington zeigte sich besorgt darüber, daß es sie danach womöglich nicht mehr benutzen könnte. Daraufhin gab es mindestens drei abenteuerliche Invasionen und Coupversuche von Washington auf den Inseln, einige mit der Unterstützung Südafrikas und Frankreichs.

1979–1984: Grenada. Die USA führten einen regelrechten Wirtschaftskrieg gegen die Insel. Am 25. Oktober 1983 begann eine wahrscheinlich schon zwei Jahre zuvor geplante Invasion der Insel, welche vielen Zivilisten das Leben kostete.

1983: Marokko. Ahmed RAMI, ein im schwedischen Exil lebender Politologe und früherer Untergrundkämpfer der Bewegung ›Mouvement des Officiers Libres‹, setzte sich für den Sturz der Monarchie in Marokko ein und verurteilte König HASSANS Korruption sowie seine »Verbrechen gegen die Menschenrechte«. Er plante den Sturz des korrupten Regimes mit einem gewissen Ahmed DLIMI, der die rechte Hand des Königs war. Der CIA kam aber DLIMI auf die Spur und alarmierte König HASSAN. DLIMI hatte angeblich vor, bevorzugt von Frankreich statt von den USA Unterstützung anzunehmen. Der CIA sah dies als eine Bedrohung seiner Interessen in Marokko an. Der König ließ daraufhin DLIMI foltern und dann ermorden.

1982–1984: Surinam. Die US-Regierung hatte zusammen mit dem CIA einige Pläne für eine Invasion des kleinen südamerikanischen Staats erarbeitet, beließ es aber letztlich dabei, das Land wirtschaftlich zu schwächen und zu unterwandern.

1981-1989: Libyen. Es existierten viele Mordpläne gegen GADDAFI. Am 19. August 1981, nachdem die US-Marine mit Unterstützung ihrer Kampfflugzeuge die Libyer provoziert hatte, ereignete sich ein Luftduell zwischen libyschen und amerikanischen Kampfflugzeugen, bei dem zwei libysche Maschinen abgeschossen wurden. Nicht viel später führten die USA mit ihrem Verbündeten Ägypten militärische Manöver an der Grenze zu Libyen durch, die unter dem Namen ›Operation Bright Star‹ liefen – eine weitere eindeutige Provokation seitens Washingtons, da Ägypten Libyen zur damaligen Zeit feindlich gesinnt war. Im März 1986 beschuldigte Washington GADDAFI, in einer Berliner Disko einen Sprengsatz gelegt zu haben. Obwohl die ›Beweise‹ alles andere als eindeutig waren, befahl Präsident REAGAN die Bombardierung Libyens mit dem Ziel, GADDAFI zu ermorden. Die Bombardierung tötete zwischen 40 und 100 Menschen. Zuvor hatten Jets der US-Marine die Libyer provoziert, indem sie gegen die libysche Lufthoheit verstießen. Während dieses provokativen Manövers zerstörten die US-Jets eine libysche Flugzeug-Abwehrstation und drei oder vier Schiffe der Libyer. Am 27. Juni 1980 schoß höchstwahrscheinlich ein NATO-Kampfflugzeug eine italienische Passagiermaschine ab. Dieser Abschuß war ein Fehler, denn man hatte allem Anschein nach versucht, eine ähnliche Passagiermaschine abzuschießen, die GADDAFI an Bord hatte. Dieser Luftterrorismus wurde nicht näher untersucht, während man in Washington GADDAFI damit beschuldigte, die PanAm-Maschine mit der Flugnummer 103 am 21. Dezember 1988 durch eine Bombe in die Luft gesprengt zu haben. Jedoch sind die sogenannten Beweise bestenfalls nebulöse sowie fragwürdige Hinweise.

1981–1990: Nicaragua. Die REAGAN-Administration führte gegen das Volk von Nicaragua einen geheimen Krieg, der in einem blutigen Bürgerkrieg ausuferte. Dieser Krieg wurde wie üblich damit begründet, daß die Kommunisten in Nikaragua die Macht übernehmen würden, wenn man nicht eingreife.

1969–1991: Panama. Der CIA hatte den früheren panamesischen Führer Omar TORRIJOS wahrscheinlich umgebracht, um Manuel NORIEGA, der jahrzehntelang Verbindungen zum CIA hatte, an die Macht zu bringen. Als aber NORIEGA für die US-Regierung unbequem wurde, versuchte sie, ihn zu stürzen. Als dies scheiterte und die bewährten Wirtschaftssanktionen auch nicht den gewünschten Umsturz herbeiführten, wurde die Zeit für Washington immer knapper: Der strategisch besonders wichtige Panamakanal sollte 1990 zum Teil an Panama zurückgehen und ab 1999 Panama ganz gehören. Da NORIEGA in dieser Frage den US-Standpunkt nicht zu berücksichtigen gewillt war, plante Washington eine Invasion Panamas. Sie fand im Dezember 1989 statt und war ein klarer Verstoß gegen das Völkerrecht. Sie forderte sieben- bis zwanzigtausend Tote in der panamesischen Bevölkerung.

1990: Bulgarien. Es besteht Grund zu der Annahme, daß die USA Wahlen in diesem Land sabotiert haben, um einen Sieg der sozialistischen Partei Bulgariens zu verhindern.

1990–1991: Irak. Zweiter Golfkrieg. Nachdem die US-Machtelite Kuwait und einige andere arabische Staaten benutzt hatte, um wirtschaftlichen Druck auf den schwer verschuldeten Irak auszuüben (Kuwait brach absichtlich den OPEC-Ölförderungsvertrag und produzierte über seine Quoten hinaus, was den Ölpreis stetig nach unten drückte und den Irak im Jahr 14 Milliarden Dollar kostete. Desweiteren hatte Kuwait mit US-Schrägbohrtechnologie von dem irakischen Teil des Rumailah-Ölfelds Öl im Wert von 2,4 Milliarden Dollar illegal abgepumpt), stellte die US-Machtelite Saddam HUSSEIN eine Falle. US-Diplomaten teilten ihm direkt sowie indirekt mehrmals mit, keine Meinung zu seinem Grenzkonflikt mit Kuwait zu haben. Zuvor hatte US-Präsident Bush einen Gesandten nach Bagdad geschickt, um die Iraker zu bewegen, von den anderen OPEC-Staaten höhere Ölpreise zu fordern. Dies mußte unweigerlich zu einer Verschlechterung der ohnehin bereits krisenhaften Beziehungen zu den anderen arabischen OPEC-Staaten, besonders Kuwait, führen. Der Irak begann nun, Kuwait zu drohen: Ginge Kuwait auf die irakischen Bedingungen, unter anderen eine Entschädigung in Höhe von 10 Milliarden Dollar, nicht ein, so sehe sich Bagdad gezwungen, zur Einforderung der Summe andere Mittel gegen Kuwait einzusetzen. Nachdem sich die Kuwaitis bei allen Verhandlungen als äußerst arrogant und hartnäckig gezeigt hatten, griff der Irak am 2. August 1990 den Kuwait an und besetzte das ganze Land. Die US-Regierung hatte keinerlei Warnung an den Irak geschickt. Obwohl verschiedene US-Geheimdienste nun in regelmäßigen Abständen vor einer bevorstehenden Invasion gewarnt hatten, signalisierte die US-Regierung vielfach, daß sie eine Invasion Kuwaits dulden würde. Nach erfolgter Invasion empörte sich die ganze Welt gegen Saddam Hussein. Dieser hatte die internationale Lage eindeutig falsch eingeschätzt und wollte sich nun aus Kuwait zurückziehen, unter der Bedingung allerdings, daß die arabische Liga ihn nicht verurteile. Die USA setzten nun alles daran, ihn von der arabischen Liga verurteilen zu lassen, und übten starken Druck auf den ägyptischen Präsidenten Mubarak aus, der sich schon mit Saddam Hussein verständigt hatte, ihm einen ehrenhaften Rückzug aus Kuwait zu gewähren. Nun aber ließ Mubarak aufgrund des starken US-Drucks die irakische Invasion von der arabischen Liga verurteilen. Damit hatte die US-Machtelite alle ihre Ziele erreicht: Saddam Hussein war in ihre Falle getappt, einen Rückzug aus Kuwait konnte er ohne schweren politischen Prestigeverlust nicht mehr vollziehen und war somit in Kuwait ›gefangen‹. Die USA, angeführt von Präsident Bush, ließen nun öffentlich verkünden, daß sie zu Verhandlungen zur Beilegung der Krise bereit wären, ließen aber alle Beteiligten wissen, daß die Krise nur mit einem »bedingungslosen Rückzug« des Iraks friedlich gelöst werden könnte. Die USA brachten nun jedes plausible Verhandlungsangebot schon im Ansatz zum Scheitern, da sie eine friedliche Beilegung der Krise befürchteten. Somit war alles von der US-Machtelite für einen äußerst zerstörerischen und sinnlosen Krieg im Mittleren Osten vorbereitet worden. Am 15. Januar 1991 begann die schwerste Bombardierung in der Geschichte der Menschheit, die von rund 2000 Kampfflugzeugen ausgeführt wurde. Knapp zwei Monate später, nach unzähligen Toten, war der Irak besiegt. Nach dem Krieg wurden die kriminellen Sanktionen, die ursprünglich zur Räumung Kuwaits gedacht waren, weiterhin aufrechterhalten, was höchstwahrscheinlich mehr Menschenleben als im ganzen Krieg gefordert hat.

1979–1992: Afghanistan. Noch vor der sowjetischen Invasion Afghanistans am 27. Dezember 1979 beschuldigten die afghanische und pakistanische Regierungen die USA, afghanische Rebellen unter anderem mit geheimen Waffenlieferungen unterstützt zu haben, was möglicherweise den afghanischen Bürgerkrieg nicht nur förderte, sondern ihn vielleicht auch auslöste. Nach dem Einmarsch der Sowjets in Afghanistan führte der CIA über afghanische Widerstandskämpfer Krieg gegen die Sowjets in Afghanistan. Dies war die größte CIA-Operation aller Zeiten. Sie endete 1988 mit dem sowjetischen Rückzug aus Afghanistan und forderte den Tod von einer Millionen Afghanen und fünf Millionen afghanische Flüchtlinge.

1980–1994: El Salvador. Die USA unterstützten Todesschwadronen, die jede nach gerechter Verteilung des Volkseigentums strebende Bewegung terrorisierten.

1986–1994: Haiti. Nachdem die US-Regierung das diktatorische Regime von François ›Papa Doc‹, 1957–1971, und Jean-Claude ›Baby Doc‹, 1971–1986 unterstützt hatte, unterstützte sie nach 1986 die militärische Junta, die das Land ausbeutete. 1987 wurde der äußerst gerechte Jean-Bertrand Aristide zum Präsidenten des Landes gewählt. Weil dieser sich aber kritisch zum Kapitalismus geäußert hatte, ließ Washington ihn durch einen vom CIA finanzierten Coup absetzen. Weil aber Präsident Clinton Bushs Umgang mit Diktatoren angeprangert hatte und sich die Menschenrechtslage auf Haiti ständig verschlimmerte, mußte Clinton außenpolitisch eine schnelle Lösung für das haitianische Problem finden. Zudem verschlechterte sich auch die Lage für die USA, da immer mehr haitianische Flüchtlinge versuchten, illegal in die USA einzureisen. Dies war für die Clinton-Administration eine zusätzliche Belastung, deshalb entschied sie sich, den demokratisch gewählten Aristide wieder einzusetzen. Clinton drohte zuerst der Junta: Da aber die Drohung offenbar keine Wirkung zeigte, versprach er der verhaßten Junta nicht nur Amnestie, sondern bot ihr auch noch Millionen von Dollars an, damit die Militärs ihre Pensionierung irgendwo auf der Welt genießen könnten. Aristide verurteilte zwar eine solche Belohnung, mußte aber nachgeben. Ferner mußte er versichern, daß er nunmehr auf den Kapitalismus setzen und seine klassenorientierten Forderungen fallenlassen würde. Somit war für die US-Machelite alles wieder im Lot, die Wirtschaft war nach wie vor fest im Griff von Washington, und Aristide durfte nur nach Konsultierung mit US-Beamten irgendwelche administrativen Funktionen ausführen, wie z.B. Besteuerung oder Entwaffnung des Militärs.

1992–1994: Somalia. Die UN-Sicherheitsrat entschied in einer äußerst fragwürdigen Sitzung, daß eine »humanitäre Intervention« in Somalia gerechtfertigt sei. Die US-Regierung startete deshalb schon am Tag nach der UN-Resolution, am 4. Dezember 1992, ihre ›Operation Restore Hope‹, und US-Präsident Clinton erteilte seinen Truppen den Befehl, die Ordnung wiederherzustellen. In Wirklichkeit ging es der US-Machtelite nicht um die Ordnung und die Zustände in Somalia, denn diese waren in der Vergangenheit weitaus schlechter gewesen. Der eigentliche Grund für die von den USA angeführte Intervention war, sich die geostrategische Lage des Landes zu sichern und die reichen Bodenschätze (Mineralien, Erdöl, Uranium) anzueignen. Die UN-Intervention fand nach einem bekannten Strickmuster des US-Imperialismus statt: Zuerst wurde nur als erklärtes Ziel angegeben, man wolle »humanitäre Hilfe« leisten, um die Lebensmittelversorgung zu gewährleisten. Dann wurde die sogenannte »Entwaffnung der Rebellen« mit in das Programm genommen. Nicht wenig später wurde das Aufspüren, Verfolgen und Angreifen von Rebellen und Banditen auch noch Teil der Mission. Von all diesen Zielen war mit Ausnahme der Beschützung von Lebensmitteln nie zuvor die Rede gewesen, aber genauso wurde auch in Korea und im zweiten Golfkrieg vorgegangen, die bezeichnenderweise gleichfalls UNO-Aktionen waren. Letztendlich scheiterte die UN/US-Intervention kläglich: Nachdem einige US-Soldaten aus einem Hinterhalt von somalischen Rebellen angegriffen worden waren, beschloß Washington, seine Truppen aus Somalia abzuziehen.

Anhang II
Attentatskomplotte der US-Regierung

Die folgende Liste enthält Attentate sowie Attentatsversuche der US-Regierung auf ausländische Staatsoberhäupter. Diese Auflistung ist jedoch nicht vollständig, da angenommen werden muß, daß viele Attentate sowie Attentatsversuche der US-Regierung nach wie vor unbekannt geblieben sind. Der amerikanische US-Kritiker Noam CHOMSKY behauptet, die US-Regierung halte den Weltrekord in Sachen Attentate!

1949 · Kim Koo, koreanischer Oppositionsführer

1950er CIA/Neo-Nazi-Attentatsliste mit zahlreichen politischen Persönlichkeiten in Westdeutschland

1950er · CHOU EN-LAI, Premierminister von China, einige Attentate auf sein Leben. Der CIA versuchte vergeblich, Gift in seine Reisschale zu schmuggeln. Einmal bestieg er ein Flugzeug nicht, das in die Luft gesprengt wurde.

1950er · SUKARNO, Präsident von Indonesien

1951 · KIM IL SUNG, Premier von Nordkorea

1950 (Mitte) · Claro M. RECTO, philippinischer Oppositionsführer

1955 · Jawaharal NEHRU, Premierminister von Indien

1955 · José Antonio REMON, Präsident von Panama

1957 · Gamal Abdul NASSER, Präsident von Ägypten

1959 u. 1963 · Norodom SIHANOUK, Führer von Kambodscha

1960 · Gen. Abdul Karim KASSEM, irakischer Führer

1950er und 70er · José FIGUERES, Präsident von Costa Rica

1961 · François ›PAPA DOC‹ DUVALIER, Führer von Haiti

1961 · Patrice LUMUMBA, Premierminister des Kongo (Zaire). Sollte schon im Jahre 1960 mit einer afrikanischen Seuche beseitigt werden.

1961 · General Rafael TRUJILLO, Führer der Dominikanischen Republik

1963 · Ngo Dinh DIEM, Präsident von Südvietnam

1960er · Fidel CASTRO, Präsident von Kuba, mehrere Attentate auf sein Leben

1960er · Raúl CASTRO, hohes Regierungsmitglied von Kuba

1965 · Francisco CAAMANO, dominikanischer Oppositionsführer

1965 · Pierre NGENDANDUMWE, Premierminister von Burundi

1965–1966 · Charles de GAULLE, Staatspräsident von Frankreich

1967 · Che Guevara, kubanischer Führer
1970 · Salvador Allende, Präsident von Chile
1970 · Gen. René Schneider, Kommandeur der chilenischen Armee
1970er, 1981 · General Omar Torrijos, Führer von Panama
1972 · Manuel Noriega, Chef des panamesischen Geheimdienstes
1975 · Sese Seko Mobutu, Präsident von Zaire
1976 · Michael Manley, Premierminister von Jamaika
1980–1986 · Muammar Gaddafi, libyscher Führer, einige Attentatsversuche auf sein Leben
1982 · Ayatollah Khomeini, iranischer Führer
1983 · General Ahmed Dlimi, Kommandeur der marokkanischen Armee
1983 · Miguel d'Escoto, Außenminister von Nicaragua
1984 · Die neun *comandantes* des Sandinistischen Nationalen Direktoriums
1985 · Scheich Mohammed Hussein Fadlallah, libanesischer Schiiten-Führer (80 Menschen kamen bei dem Anschlag um)
1988 · Mohammed Zia Ul haq, pakistanischer Präsident
1991 · Saddam Hussein, irakischer Führer
1993 · Mohammed Farah Aideed, somalischer Rebellenanführer

Zu S. 442–448: Der ›humanitäre‹ Somalia-Einsatz. Die unter amerikanischer Führung stehenden UN-Truppen zogen im März 1995 wieder ab. Der mangelhaft koordinierte Einsatz kostete 1,7 Milliarden Dollar und das Leben von 132 Blauhelmen. Bild im Bild: Die Leiche eines GIs wird nackt durch die Straßen von Mogadischu geschleift.

Bill Clinton: »Unsere Ideen und Ideale werden rund um den Globus gefeiert...«

Das Pentagon, die US-Machtzentrale. Dem US-Verteidigungsministerium unterstehen rund 1,5 Millionen Soldaten..

Zu S. 449–466: Die US-Marines landen in Bosnien – nicht wegen Erdöl, sondern um den Europäern zu zeigen, daß die USA Herr in Europa sind.

Europa hat auf dem eigenen Kontinent versagt und abgedankt. US-Präsident Clinton diktierte selber Milosevic, Izetbegovic und Tudjman das Abkommen von Dayton.

Der Flugzeugträger ›Washington‹, einer der wichtigsten Träger der modernen US-Kriegführung.

Die Einsatzzentrale des US-Zerstörers ›John S. McCain‹. Seine Raketen können in Sekunden den Irak oder andere werklärte Feindesstaaten erreichen.

Die US-Rüstungsindustrie zählt insgesamt rund 3 Millionen Mitarbeiter. Das Pentagon will 1999 48,7 Mrd. Dollar für die Beschaffung moderner Waffen ausgeben und 36 Mrd.Dollar in die Waffenforschung investieren. Carl Coretta (vom Projekt für Verteidigungsalternativen): »Die USA sind dabei, einen Rüstungswettlauf mit sich selbst zu führen.«

Zu S. 492: Die USA halten heute 2300 Atomsprengköpfe in Bunkern einsatzbereit... und lehnen nach wie vor jegliche Inspektion durch andere Staaten ab.

Anhang III
US-Atomwaffenpolitik

Folgende Liste beschreibt die US-Atomwaffenpolitik in bezug auf die US-Außenpolitik. Die USA warfen als einziges Land Atombomben auf einen anderen Staat ab, auf die japanischen Städte Nagasaki und Hiroshima im August 1945. Zusammen mit der Sowjetunion waren die USA weltweit das einzige Land, das im wahrsten Sinne des Wortes die ganze Welt auslöschen konnte. Schon allein deswegen sollte man meinen, daß die US-Führung äußerst vorsichtig mit ihrem Atomarsenal umgehen würde. Diese Liste beweist das Gegenteil: Wie kein zweiter Staat bedrohen die USA ihre Gegner mit atomarer Vergeltung. Folgende Informationen stammen aus den Büchern *Am Tor der Hölle* und *SIOP. Der geheime Atomkriegsplan der USA*.

Harry Truman (er ließ schon zwei Atombomben auf Japan abwerfen) zufolge planten die USA bereits sieben Monate nach Nagasaki einen nochmaligen Einsatz der ›Superbombe‹. Damals war die Sowjetunion im Nordiran aktiv, wo sie nationalen Befreiungsbewegungen der Aserbaidschaner und Kurden unterstützte. Harry TRUMAN bat den sowjetischen Botschafter GROMYKO ins Weiße Haus und forderte, daß die russischen Truppen innerhalb von 48 Stunden den Iran verlassen, sonst würden die USA die neue Superbombe einsetzen. Die sowjetrussischen Truppen verließen das Gebiet innerhalb von 24 Stunden. Um dieser Botschaft noch mehr Nachdruck zu verleihen, erklärte US-Verteidigungsminister Harold BROWN im November 1981 gegenüber einem Reporter, daß die USA die UdSSR aus dem nördlichen Iran und anderen Teilen des Mittleren Ostens 1980 herausgezwungen hätten, *selbst mit dem Risiko eines dritten Weltkriegs*, was der US-Präsident selber bestätigte.

Präsident TRUMANs erster Gedanke beim Atomwaffentest war es, die Waffe nicht gegen die Japaner einzusetzen, sondern gegen die Sowjetunion. »Wenn die Bombe explodiert«, meinte er kurz vor der Zündung, »habe ich einen schweren Hammer gegen die Boys in Rußland«.

Bis heute waren es die USA, die ihre Atomwaffe als politisches Erpressungsmittel einsetzten. Es folgt eine Übersicht, die aufgrund der Geheimhaltung durch die US-Regierung lange Zeit der Öffentlichkeit vorenthalten war:

1. Nach dem Abwurf der Atombomben auf Japan drohte TRUMAN zum erstenmal im November 1946, die Atombombe gegen Jugoslawien einzusetzen. Damals wurde ein US-Militärflugzeug über Jugoslawien abgeschossen.
2. Im Februar 1947 schickte TRUMAN sieben B-29 Bomber, die einen wesentlichen Teil der US-Atomstreitkräfte ausmachten, von Salinas in Kansas nach Montevideo, um die Bereitschaft der USA zu demonstrieren, Südamerika von »kommunistischer Subversion« zu befreien.
3. TRUMAN ließ den offiziell als »atomare Fähigkeit« beschriebenen Bomber B-29 entwickeln, der in Großbritannien und der Bundesrepublik Deutschland während der Berlin-Blockade im Juni 1948 stationiert war.

4. Im Juli 1950, nach Beginn des Koreakrieges, wurden US-Atombomber nach Europa geflogen, um von dort die UdSSR angreifen zu können.
5. Truman gab eine Pressekonferenz, auf der der Einsatz von Atomwaffen angedroht wurde, nachdem US-Truppen von chinesischen kommunistischen Truppen am 30. 11. 1950 in Korea eingekesselt worden waren. Diesbezüglich äußerte der Vorsitzende des Generalstabes und Oberkommandierender der US-Streitkräfte in Korea am 10. Februar 1953, »daß wir häufig den Einsatz der Atombombe diskutiert haben, taktisch. Sobald man ein mögliches Ziel in Korea gefunden hätte, hätten wir die Anwendung der Atombombe ins Auge gefaßt«. (*Washington Post*, 3. 7. 1977)
6. Truman soll während des Koreakriegs ein Ultimatum an die Kommunisten in China und Moskau gerichtet haben. Moskau sollte informiert werden, daß die US-Streitkräfte die chinesische Küste blockieren würden, daß sie bei weiteren Einmischungen »alle Häfen und Städte auslöschen werden, die notwendig sind, um unsere friedvollen Absichten zu beweisen«.
7. Eisenhowers geheime Drohung, Atomwaffen gegen China einzusetzen, um den Krieg in Korea im Jahre 1953 zu entscheiden. Diesbezüglich:»Eisenhower meinte, daß das Kaesong-Gebiet ein gutes Ziel für Atomwaffen sei.« (»Memorandum. Subject: Discussions at the 13 th Meeting of the National Security Council«, 11. 2. 1953, Eyes Only) Morton Halperin gibt in seinem Buch *Limited War in the Nuclear Age* drei Gründe, weshalb Atomwaffen schließlich doch nicht zum Einsatz kamen: »(1) Die Militärführung befürchtete, daß mit dem Einsatz von US-Atomwaffen ein globaler Krieg entstehen könnte, auf den man nicht reagieren könnte. (2) Die regionalen Kommandeure der Luftwaffe waren unfähig, angemessene Ziele für Atomwaffen zu finden. (3) Die Alliierten der Vereinigten Staaten waren gegen den Einsatz von Atomwaffen im Korea-Krieg.« Der Kriegstreiber General Douglas MacArthur bedauerte später zutiefst, daß es nicht zu einem Atomwaffeneinsatz in Korea kam.
8. Das geheime Angebot von Außenminister Dulles an den französischen Außenminister Bidault, drei taktische Nuklearwaffen im Jahr 1954 einzusetzen, um die französischen Truppen in Dien Bien Phu zu entlasten. (Einigen Berichten zufolge wurde der atomare Einsatz nur abgeblasen, weil man nicht ausschließen konnte, daß mögliche Winde die atomare Strahlung auf die französischen Soldaten treiben würden.)
9. Eisenhowers geheime Direktive an die Stabschefs während der Libanon-Krise 1958, Atomwaffen einzusetzen, um den Irak von einer Besetzung der kuwaitischen Ölfelder abzuhalten.
10. Als es erneut zu Auseinandersetzungen zwischen Taiwan und China wegen des Anspruchs auf die dem chinesischen Festland vorgelagerten Inseln kam, war Eisenhower »wild entschlossen«, nichts den kommunistischen Chinesen zu überlassen, stationierte Howitzer-Raketen mit atomaren Sprengköpfen auf Quemoy und ließ Pläne entwickeln, die Atomwaffen auch einzusetzen. (vgl. Jerome Kahan, *Security in the Nuclear Age*, Washington 1975, S. 22 ff.).
11. Seit den sechziger Jahren entwickelten die USA, angewiesen durch die präsidentiale Direktive PD-59, einen geheimen Atomkriegsplan (SIOP Single Integrated Operations Plan) gegen die Sowjetunion, der viele offensive Charakterzüge besaß.

12. Die Berlin-Krise von 1961.
13. Die Kuba-Krise von 1962. Luftwaffengeneral LeMay Curtis schoß eine Titan-Interkontinentalrakete (ICBM) ohne atomaren Sprengkopf in Richtung Sowjetunion während der Kuba-Krise, als die Welt schon ohne solche Provokationen am Rande eines Atomkrieges stand.
14. Zahlreiche öffentliche Diskussionen in Zeitungen und im Senat, daß das Weiße Haus den Einsatz von Atomwaffen angekündigt hatte, um eingeschlossene Mariner in Khe Shan in Vietnam 1968 zu befreien.
15. Nixons geheime Androhung einer massiven Eskalation, einschließlich des Einsatzes von Atomwaffen gegenüber Nordvietnam.
16. Der Einsatz von Atomwaffen zur Verteidigung der westlichen Interessen im Nahen Osten und Mittleren Osten durch die Reagan-Administration. (Reagan-Präsidentschaft 1980–1988)
17. Die Drohung, Nuklearwaffen während der Golfkrise 1990 einzusetzen.

Anmerkungen

⁰ Angaben über die Bevölkerungszahl der Indianer in Nordamerika vor der europäischen Besiedlung variieren von 250 000 bis 20 000 000 Einwohner. Es sollte jedoch darauf hingewiesen werden, daß Zahlen zwischen 250 000 und 300 000, die von manchen Historikern und Anthropologen genannt werden, eher unwahrscheinlich sind, da dieselben Autoren oft erwähnen, daß auf den weitaus kleineren Karibischen Inseln zur gleichen Zeit zwischen 8 bis 10 Millionen Menschen lebten. In seinem Buch *In die Neue Welt* neigt Raymond Cartier zu der Annahme, daß 2 bis 3 Millionen Indianer in Nordamerika lebten. Allen Nevins und Henry Steele Commager, beide US-Historiker, sprechen von 500 000 Indianern. Rolf Winter spricht von 8 Millionen Indianern in *Gottes Eigenes Land?*, erwähnt aber andere Schätzungen, die von 20 Millionen Indianern in Nordamerika vor der Besiedlung durch den Weißen Mann ausgehen (S. 48), während Karlheinz Deschner in *Der Moloch* (S. 44) ebenfalls von 8 Millionen Indianern spricht. Daher erscheint ein Mittelwert von rund 8 Millionen als wahrscheinlich.

¹ *Collier's Encyclopedia*, Bd. 12, Macmillan Educational Company, New York 1984, S. 643. Vgl. auch Deschner, Karlheinz: *Der Moloch – Eine kritische Geschichte der USA*, München 1992, S. 44.

² Hoggan, David L., *Das blinde Jahrhundert – Erster Teil: Amerika*, Grabert, Tübingen ²1992, S. 245. Vgl. auch Rolf Winter, *Gottes Eigenes Land? – Werte, Ziele und Realitäten der Vereinigten Staaten von Amerika*, Goldmann, München 1991, S. 48. Vgl. auch Cartier, Raymond, *In die neue Welt*, München 1978, S. 9 f.

³ Deschner, Karlheinz, *Der Moloch*, aaO. (Anm. 1), S. 106. Erst 1808 wurde der Sklavenhandel verboten. Deschner bezieht sich auf Toni Morrison, wobei die Zahl 60 Millionen noch die niedrigste ist, die Morrison von Historikern kennt. Jacobs Paul/Landau, Saul/Pell, Eve, *Brüder sollen wir uns unterwerfen? Die verleugnete Geschichte Amerikas*, Dtv, München 1975, S. 69, berichten, daß nicht weniger als 10 Millionen Schwarze während der Reise nach Amerika starben oder Selbstmord begingen.

⁴ *Die Wunden der Freiheit – Der Kampf der Indianer Nordamerikas gegen die weiße Eroberung und Unterdrückung*, Lamuv, Göttingen 1994, S. 251. Vgl. Deschner, Karlheinz, *Der Moloch*, aaO. (Anm. 1), S. 60, erwähnt, daß in etwas 100 Jahren fast jeder der 370 Verträge mit den Indianern gebrochen wurde.

⁵ Matthias, L. L., *Die Kehrseite der USA*, Rowohlt, Hamburg, 1985, S. 287.

⁶ Jacobs, Paul/Landau, Saul/Pell, Eve, *Brüder sollen wir uns unterwerfen?* aaO. (Anm. 3), S. 50 f.

⁷ Tindall, George Brown, *America – A Narrative History*, Bd. 2, New York 1988, S. 766.

⁸ Deschner, Karlheinz, *Der Moloch*, aaO. (Anm. 1), S. 60.

⁹ Bruhn, Jürgen, *Schlachtfeld Europa oder Amerikas Letztes Gefecht – Gewalt und Wirtschaftsimperialismus in der US-Außenpolitik seit 1840*, Bonn 1983, S. 13 f.

¹⁰ Deschner, Karlheinz, *Der Moloch*, aaO. (Anm. 1), S. 44.

¹¹ *Die Wunden der Freiheit*, aaO. (Anm. 4), S. 197, 18.

¹² Jacobs, Paul/Landau, Saul/Pell, Eve, *Brüder sollen wir uns unterwerfen?* aaO. (Anm. 3), S. 50 f.

¹³ Brown, Dee, *Begrabt mein Herz an der Biegung des Flusses*, Knaur, München 1974, S. 423–428. Vgl. Deschner, Karlheinz, *Der Moloch*, aaO. (Anm. 1), S. 69.

¹⁴ Jacobs, Paul/Landau, Saul/Pell, Eve, *Brüder sollen wir uns unterwerfen?* aaO. (Anm. 3), S. 51 f. Vgl. auch Chomsky, Noam (u.a.), *Wirtschaft und Gewalt – Vom Kolonialismus zur neuen Weltordnung*, zu Klampen, Lüneburg 1993, S. 51; Tindall, George Brown, *America – A Narrative History*, Bd. 2, New York ²1988, S. 765 f.

[15] Bruhn, Jürgen, *Schlachtfeld Europa* aaO. (Anm. 9), S. 16 ff.; Fernau, Joachim, *Halleluja – die Geschichte der USA,* Ullstein, Frankfurt/M. 1996, S. 188 f.
[16] Deschner, Karlheinz, *Der Moloch,* aaO. (Anm. 1), S. 43.
[17] Millis, Walter, *Amerikanische Militärgeschichte – in ihren politischen, wirtschaftlichen und sozialen Zusammenhängen,* Markus, Köln, 1958, S. 11.
[18] Zinn, Howard, *A People´s History of the United States 1492– Present,* HarperPerennial, New York 1995, S. 67.
[19] Garraty, John A., *The American Nation – A History of the United States,* New York [8]1995, S. 95.
[20] Zinn, Howard, *A People´s History of the United States,* aaO. (Anm. 18), S. 67.
[21] Harpprecht, Klaus, *Der fremde Freund – Amerika: Eine innere Geschichte,* DVA, Stuttgart 1982, S. 73.
[22] Howard, Michael, *The Occult Conspiracy Secret Societies – Their Influence and Power in World History,* Destiny Books, Rochester, Vermont 1989, S. 78.
[23] Harpprecht, Klaus, *Der fremde Freund,* aaO. (Anm. 21), S. 73.
[24] Zinn, Howard, *A People´s History of the United States,* aaO. (Anm. 18), S. 67 f.
[25] Ebenda, S. 59 u. 65.
[26] Garraty, John A., *The American Nation,* aaO. (Anm. 19), S. 106 u. 110; Nevins, Allen u. Commager, Steele Henry, *A Pocket History of the United States,* New York [8]1986, S. 61.
[27] Raeithel, Gert, *Geschichte der Nordamerikanischen Kultur,* Bd. 1: *Vom Puritanismus bis zum Bürgerkrieg 1600–1870,* Zweitausendeins, Frankfurt am Main,[3]1997, S. 226 ff.
[28] Garraty, John A., *The American Nation,* aaO. (Anm. 19), S. 110 f.
[29] Nevins, Allen/Commager, Steele Henry, *A Pocket History of the United States,* aaO. (Anm. 26), S. 61.
[30] Deschner, Karlheinz, *Der Moloch,* aaO. (Anm. 1), S. 79–84.
[31] Harpprecht, Klaus, *Der fremde Freund,* aaO. (Anm. 21), S. 105.
[32] Deschner, Karlheinz, *Der Moloch,* aaO. (Anm. 1), S. 80 u. 84.
[33] Millis, Walter, *Amerikanische Militärgeschichte,* aaO. (Anm. 17), S. 25.
[34] Harpprecht, Klaus, *Der fremde Freund,* aaO. (Anm. 21), S. 105.
[35] Millis, Walter, *Amerikanische Militärgeschichte,* aaO. (Anm. 17), S. 26.
[36] Deschner, Karlheinz, *Der Moloch,* aaO. (Anm. 1), S. 83.
[37] Millis, Walter, *Amerikanische Militärgeschichte,* aaO. (Anm. 17), S. 32.
[38] Majumdar, R. K./Srivatva, A. N., *History of the United States of America – From Colonisation to 1875 A.D.,* S.B.R. Publishers, Delhi 1992, S. 92 f.; Gordon, Helmut, *Zions Griff zur Weltherrschaft – Amerikas unbekannte Außenpolitik 1789–1975,* Druffel, Leoni am Starnberger See 1985, S. 34.
[39] Combs, Jerald A., *The History of American Foreign Policy,* New York 1986, S. 34.
[40] Garraty, John A., *The American Nation,* aaO. (Anm. 19), S. 158.
[41] Combs, Jerald A., *The History of American Foreign Policy,* aaO. (Anm. 39), S. 35.
[42] Gordon, Helmut, *Zions Griff zur Weltherrschaft,* aaO. (Anm. 38), S. 34.
[43] Garraty, John A., *The American Nation,* aaO. (Anm. 19), S. 158.
[44] Combs, Jerald A., *The History of American Foreign Policy,* aaO. (Anm. 39), S. 35.
[45] Garraty, John A., *The American Nation,* aaO. (Anm. 19), S. 158.
[46] Combs, Jerald A., *The History of American Foreign Policy,* aaO. (Anm. 39), S. 35.
[47] Garraty, John A., *The American Nation,* aaO. (Anm. 19), S. 158.
[48] Majumdar, R. K./Srivatva, A. N., *History of the United States of America,* aaO. (Anm. 38), S. 94.
[49] Garraty, John A., *The American Nation,* aaO. (Anm. 19), S. 168 f.
[50] Jacobs, Paul/Landau, Saul/Pell, Eve, *Brüder sollen wir uns unterwerfen?,* aaO. (Anm. 14), S. 333.
[51] Gordon, Helmut, *Zions Griff zur Weltherrschaft,* aaO. (Anm. 38), S. 41 f.
[52] Garraty, John A., *The American Nation,* aaO. (Anm. 19), S. 169 ff.
[53] Gordon, Helmut, *Zions Griff zur Weltherrschaft,* aaO. (Anm. 38), S. 42.

[54] Uthmann, Jörg von, *Volk ohne Eigenschaften – Amerika und seine Widersprüche*, DVA, Stuttgart ³1989, S. 35.
[55] Combs, Jerald A., *The History of American Foreign Policy*, aaO. (Anm. 39), S. 60–64.
[56] Ebenda, S. 64. Vgl. Deschner, K., *Der Moloch*, aaO. (Anm. 1), S. 96 f.
[57] Gordon, Helmut, *Zions Griff zur Weltherrschaft*, aaO. (Anm. 38), S. 49–52.
[58] Ebenda, S. 52.
[59] Zinn, Howard, *A People´s History of the United States*, New York 1995, S. 127 ff. Vgl. auch Chomsky/Benin u.a., *Die Neue Weltordnung und der Golfkrieg*, aaO. (Anm. 14): Essay von Zinn, Howard, *Macht, Geschichte u. Kriegsführung*, Vorlesung, University of Wisconsin, 21.3.1991, Grafena, Trotzdem Verl. 1992, S. 46.
[60] Raeithel, Gert, *Geschichte der Nordamerikanischen Kultur*, aaO. (Anm. 27), Bd. 1, S. 263.
[61] Garraty, John A., *The American Nation*, aaO. (Anm. 19), S. 204 ff.; Raeithel, Gert, ebenda, S. 263.
[62] Gordon, Helmut, *Zions Griff zur Weltherrschaft*, aaO. (Anm. 38), S. 36.
[63] Raeithel, Gert, *Geschichte der Nordamerikanischen Kultur*, aaO. (Anm. 27), Bd. 1, S. 264.
[64] Garraty, John A., *The American Nation*, aaO. (Anm. 19), S. 189 f.
[65] Barnes, Harry Elmer (Hg.), *Entlarvte Heuchelei (Ewig Krieg für Ewigen Frieden) Revision der amerikanischen Geschichtsschreibung*, Karl Priester, Wiesbaden 1961, S. 2 f.
[66] Raeithel, Gert, *Geschichte der Nordamerikanischen Kultur*, aaO. (Anm. 27), Bd.1, S. 265 f.
[67] Ebenda, S. 266.
[68] Millis, Walter, *Amerikanische Militärgeschichte*, aaO. (Anm. 17), S. 51 u. 54.
[69] Winders, Richard Bruce, *Mr. Polk's Army – The American Military Experience in the Mexican War*, Texas A & M University Press, Texas 1997, S. 6; Hertneck, Friedrich, *Kampf um Texas*, Wilhelm Goldmann, Leipzig 1941, S. 149.
[70] Degler, Carl N., *Out of Our Past – The Forces that shaped Modern America*, New York ³1984, S. 117; Winders, Richard Bruce, *Mr. Polk´s Army*, aaO. (Anm. 69), S. 6 f.
[71] Garraty, John A., *The American Nation*, aaO. (Anm. 19), S. 320 f.; Hertneck, Friedrich, *Kampf um Texas*, aaO. (Anm. 69), S. 181 f.
[72] Winders, Richard Bruce, *Mr. Polk´s Army*, aaO. (Anm. 69), S. 6 f.; Degler, Carl N., *Out of Our Past*, aaO. (Anm. 70), S. 117.
[73] Deschner, Karlheinz, *Der Moloch*, aaO. (Anm. 1), S. 101. Vgl. auch Garraty, John, *The American Nation*, aaO. (Anm. 19), S. 320 f.
[74] Combs, Jerald A., *The History of American Foreign Policy*, aaO. (Anm. 39), S. 78; Winders, Richard Bruce, *Mr. Polk´s Army*, aaO. (Anm. 69), S. 6 f.
[75] Hertneck, Friedrich, *Kampf um Texas*, aaO. (Anm. 69), S. 235.
[76] Reagan, Geoffroy, *Fight or Flight – An inspiring History of courage under fire-true battlefield stories of extraordinary acts at the moment of truth*, Avon, New York 1996, S. 106 u. 113.
[77] Hertneck, Friedrich, *Kampf um Texas*, aaO. (Anm. 69), S. 237.
[78] Degler, Carl N., *Out of Our Past*, aaO. (Anm. 70), S. 117 f.
[79] Deschner, Karlheinz, *Der Moloch*, aaO. (Anm. 1), S. 101.
[80] Degeler, Carl N., *Out of Our Past*, aaO. (Anm. 70), S. 117 f.
[81] Zinn, Howard, *A People´s History of the United States*, aaO. (Anm. 59), S. 148.
[82] Hertneck, Friedrich, *Kampf um Texas*, aaO. (Anm. 69), S. 233 f.
[83] Gordon, Helmut, *Zions Griff zur Weltherrschaft*, aaO. (Anm. 38), S. 55.
[84] Ebenda, S. 68.
[85] Zinn, Howard, *A People's History of the United States*, aaO. (Anm. 59), S. 147.
[86] Raeithel, Gert, *Geschichte der Nordamerikanischen Kultur*, aaO. (Anm. 27), Bd.1, S. 135.
[87] Ebenda; Deschner, Karlheinz, *Der Moloch*, aaO. (Anm. 1), S. 102.
[88] Hertneck, Friedrich, *Kampf um Texas*, aaO. (Anm. 69), S. 243.
[89] Ebenda, S. 243 ff.
[90] Deschner, Karlheinz, *Der Moloch*, aaO. (Anm. 1), S. 100 u. 102.
[91] Zinn, Howard, *A People's History of the United States*, aaO. (Anm. 59), S. 147 ff.
[92] Anderson, Jack/Clifford, George, *The Anderson Papers*, Ballantine Books, New York

1974, S. 256.
[93] Zinn, Howard, *A People's History of the United States,* aaO. (Anm. 59), S. 149 f.; Winders, John, *Mr. Polk´s Army,* aaO. (Anm. 69), S. 9.
[94] Deschner, Karlheinz, *Der Moloch,* aaO. (Anm. 1), S. 102.
[95] Jacobs, Paul/Landau, Saul/Pell, Eve, *Brüder sollen wir uns unterwerfen?* aaO. (Anm. 3), S. 113 ff.
[96] Zinn, Howard, *A People's History of the United States,* aaO. (Anm. 59), S. 163.
[97] Combs, Jerald A., *The History of American Foreign Policy,* aaO. (Anm. 39), S. 96; Zinn, Howard, ebenda, S. 166.
[98] Zinn, Howard, ebenda.
[99] Hertneck, Friedrich, *Kampf um Texas,* aaO. (Anm. 69), S. 246 f.
[100] Combs, Jerald A., *The History of American Foreign Policy,* aaO. (Anm. 39), S. 96 f. Vgl. auch Deschner, Karlheinz, *Der Moloch,* aaO. (Anm. 1), S. 104 f.
[101] Degler, Carl N., *Out of Our Past,* aaO. (Anm. 70), S. 119 f.
[102] Chomsky, Noam, *Wirtschaft und Gewalt,* aaO. (Anm. 14), S. 59.
[103] Chomsky u.a., *Die Neue Weltordnung und der Golfkrieg,* aaO. (Anm. 14), S. 47.
[104] Raeithel, Gert, *Geschichte der Nordamerikanischen Kultur,* aaO. (Anm. 27), Bd. 2, S. 20.
[105] Zinn, Howard, *A People's History of the United States,* aaO. (Anm. 59), S. 222 f., 227 f. u. 230 ff.
[106] McPherson, James M., *Battle Cry of Freedom – The Civil War Era,* Oxford University Press, Toronto 1988, S. 192 f.
[107] Hoggan, David L., *Das blinde Jahrhundert,* aaO. (Anm. 2), S. 76.
[108] Gordon, Helmut, *Zions Griff zur Weltherrschaft,* aaO. (Anm. 38), S. 71.
[109] Deschner, Karlheinz, *Der Moloch,* aaO. (Anm. 1), S. 118.
[110] McPherson, James M., *Battle Cry for Freedom,* aaO. (Anm. 106), S. 261 ff. u. 268.
[111] Ebenda, S. 264 ff.
[112] Ebenda, S. 266.
[113] Ebenda, S. 263 f.u. 266.
[114] Ebenda, S. 267 f.
[115] Ebenda, S. 268.
[116] Hoggan, David L., *Das blinde Jahrhundert,* aaO. (Anm. 2), S. 75 f.
[117] McPherson, James M., *Battle Cry for Freedom,* aaO. (Anm. 106), S. 269 ff.
[118] Ebenda, S. 273.
[119] Ebenda, S. 273 f.
[120] Harpprecht, Klaus, *Der fremde Freund,* aaO. (Anm. 21), S. 146.
[121] Farkas, Victor, *Wer beherrscht die Welt? Die vertuschte Wahrheit über geheime Komplotte – verborgene Drahtzieher. . .,* Orac, Wien 1997, S. 56.; McPherson, James M., *Battle Cry for Freedom,* aaO. (Anm. 106), S. 272 (s. Fußnote im obengenannten Buch)
[122] Farkas, Victor, ebenda.
[123] Millis, Walter, *Amerikanische Militärgeschichte,* aaO. (Anm. 17), S. 92.
[124] Deschner, Karlheinz, *Der Moloch,* aaO. (Anm. 1), S. 118.
[125] Raeithel, Gert, *Geschichte der Nordamerikanischen Kultur,* aaO. (Anm. 27), Bd. 2, S. 20.
[126] Ebenda, S. 21.
[127] Deschner, Karlheinz, *Der Moloch,* aaO. (Anm. 1), S. 118–123; Garraty, John, *The American Nation,* aaO. (Anm. 19), S. 400.
[128] Garraty, John, ebenda.
[129] Deschner, Karlheinz, *Der Moloch,* aaO. (Anm. 1), S. 130-133. Vgl. auch Garraty, John A., ebenda, S. 425.
[130] Raeithel, Gert, *Geschichte der Nordamerikanischen Kultur,* aaO. (Anm. 27), Bd. 2, S. 23.
[131] Garraty, John A., *The American Nation,* aaO. (Anm. 19), S. 404 f.
[132] Wilson, Derek, *Die Rothschilds – Eine Geschichte von Ruhm und Macht bis in die unmittelbare Gegenwart,* Heyne, München 1994, S. 226.
[133] Garraty, John A., *The American Nation,* aaO. (Anm. 19), S. 400–424.

[134] Carmin, E. E., *Das schwarze Reich – Geheimgesellschaften und Politik im 20. Jahrhundert*, Heyne, München 1977, S. 604 f.; Wilson, Derek, *Die Rothschilds*, aaO. (Anm. 132), S. 227.
[135] Allen, Gary, *Die Insider – Baumeister der ›Neuen Welt-Ordnung‹*, VAP, Wiesbaden [13]1995, S. 53.
[136] Harpprecht, Klaus, *Der fremde Freund*, aaO. (Anm. 21), S. 148.
[137] Peschke, Hans-Peter von, *Europa-Nordamerika – Geschichte einer Haßliebe*, IDEA, Puchheim, 1984, S. 114.
[138] Raeithel, Gert, *Geschichte der Nordamerikanischen Kultur*, aaO. (Anm. 27), Bd. 2, S. 26 f.
[139] Zinn, Howard, *A People's History of the United States*, aaO. (Anm. 59), S. 233 ff.
[140] Ebenda, S. 246.
[141] Tindall, George Brown, *America – A Narrative History*, Bd. 2, New York [2]1988, S. 702–724.
[142] Wilson, Derek, *Die Rothschilds*, aaO. (Anm. 132), S. 236.
[143] Garraty, John, *The American Nation*, aaO. (Anm. 19), S. 425.
[144] Deschner, Karlheinz, *Der Moloch*, aaO. (Anm. 1), S. 148; Winter, Rolf, *Gottes Eigenes Land?*, aaO. (Anm. 2), S. 78.
[145] Hoggan, David L., *Das blinde Jahrhundert*, aaO. (Anm. 2), S. 58.
[146] Winter, Rolf, *Gottes Eigenes Land?*, aaO. (Anm. 2), S. 101.
[147] Winter, Rolf, *Ami Go Home – Plädoyer für den Abschied von einem gewalttätigen Land*, Rasch und Röhring, Hamburg 1989, S. 112. Vgl. auch Deschner, Karlheinz, *Der Moloch*, aaO. (Anm. 1), S. 89.
[148] Winter, Rolf, ebenda, S. 188–191.
[149] Winter, Rolf, ebenda, S. 111–123; Garraty, John A., *The American Nation*, aaO. (Anm. 19), S. 141 f.
[150] Deschner, Karlheinz, *Der Moloch*, aaO. (Anm. 1), S. 87.
[151] Hoggan, David L., *Das blinde Jahrhundert*, aaO. (Anm. 2), S. 57.
[152] Holtort, Jürgen/Lock, Karl-Heinz, *Stichwort Freimaurer*, Heyne, München 1993, S. 17 f. u. 19. Dieses Buch enthält widersprüchliche Zahlen: Auf S. 18 sollen 20 der 29 Generale Washingtons Freimaurer gewesen sein. Auf S. 29 wird mitgeteilt, daß von den 22 Generalen Washingtons 20 Freimaurer waren. Ich benutze letztere Anzahl, da auf S. 29 auch die Generale namentlich genannt werden, die Freimaurer waren, daher ist anzunehmen, daß diese Statistik genauer ist.
[153] Hoggan, David L., *Das blinde Jahrhundert*, aaO. (Anm. 2), S. 69.
[154] Zinn, Howard, *A People's History of the United States*, aaO. (Anm. 59), S. 89 f.
[155] Winter, Rolf, *Ami Go Home*, aaO. (Anm. 146), S. 121 ff.
[156] Garraty, John A., *The American Nation*, aaO. (Anm. 19), S. 159 u. A3-A11.
[157] Nevins, Allen/Commager, Henry Steele, *A Pocket History of the United States*, aaO. (Anm. 26), S. 84 ff.; Garraty, John A., *The American Nation*, aaO. (Anm. 19), S. 107 f.
[158] Winter, Rolf, *Ami Go Home*, aaO. (Anm. 146), S. 74.
[159] Farkas, Victor, *Wer beherrscht die Welt?*, aaO. (Anm. 121), S. 52 f.
[160] Deschner, Karlheinz:, *Der Moloch*, aaO. (Anm. 1), S. 135 f.; vgl. auch Farkas, Victor, *Wer beherrscht die Welt?*, aaO. (Anm. 121), S. 59.
[161] Farkas, Victor, *Wer beherrscht die Welt?*, aaO. (Anm. 121), S. 59; Deschner, Karlheinz, *Der Moloch*, aaO. (Anm. 1), S. 137.
[162] Garrison, Jim, *Wer erschoß John F. Kennedy?*, Lübbe, Bergisch Gladbach 1992, S. 10; Groden, Robert, J./Livingstone, Harrison, Edward, *High Treason – The Assassination of President*, New York 1990.
[163] Farkas, Victor, *Wer beherrscht die Welt?*, aaO. (Anm. 121), S. 60.
[164] Deschner, Karlheinz, *Der Moloch*, aaO. (Anm. 1), S. 137.
[165] Mullins, Eustace/Bohlinger, Roland, *Die Bankiersverschwörung – Die Machtergreifung der Hochfinanz und ihre Folgen*, Verl. f. ganzheitliche Forschung & Kultur, Struckum [3]1987, S. 196.
[166] Farkas, Victor, *Wer beherrscht die Welt?*, aaO. (Anm. 121), S. 60.

[167] Garrison, Jim, *Wer erschoß John F. Kennedy?*, aaO. (Anm. 162), S. 27; Farkas, Victor, ebenda, S. 79.
[168] Farkas, Victor, ebenda, S. 66.
[169] Garrison, Jim, *Wer erschoß John F. Kennedy?*, aaO. (Anm. 162), S. 10; Groden, Robert/Livingstone, Harrison, *High Treason*, aaO. (Anm. 162), S. 264–270; vgl. auch Crenshaw, Charles A., *JFK Conspiracy of Silence*, Signet, New York 1992.
[170] Groden, Robert/Livingstone, Harrison:, *High Treason*, aaO. (Anm. 162), S. 67. Vgl. auch Popkin, Richard, *The Second Oswald*, Sphere Books Ltd. & Andre Deutsch, Ltd. London 1966, S. 21–24.
[171] Farkas, Victor, *Wer beherrscht die Welt?*, aaO. (Anm. 121), S. 65.
[172] Groden, Robert/Livingstone, Harrison, *High Treason*, aaO. (Anm. 162), S. 127–146. Viele Zeugen verloren auf äußerst mysteriöse Weise ihr Leben. Ein ›Senate Intelligence Committee‹-Ausschuß belegte diese unglaublich lange Liste. Folgende Namen standen auf der Liste: Albert Guy Bogard, Hale Boggs, Lee Bowers Jr., Bill Chester, Nichlas Chetta, David Goldstein, Thomas Hale Howard, William Hunter, Clyde Johnson, Dorothy Kilgallen, Thomas Henry Killam, Jim Koethe, FNU Levens, Nancy Jane Mooney, Teresa Norton, Earline Roberts, Harold Russell, Marliyn April Walle, Betty McDonald, William Whaley, James R. Worrell, Sam Giancana und John Roselli. Sehr verdächtig waren unter anderem die Ermordungen von Sam Giancana und John Roselli. Beide Mafiabosse sollten wichtige Aussagen vor dem besagten ›Committee‹ machen.
Auch die spätere Ermordung von Sheriff Buddy Walters war verdächtig. Er fand am Tatort des Attentats eine Kugel, die er jemandem gab, der sich als FBI-Agent zu erkennen gab. 1969 wurde er bei einer Schießerei getötet, wahrscheinlich durch einen Polizisten. Ersatzsheriff Roger Craig war ein wichtiger Augenzeuge, der angeschossen wurde und solchem Druck ausgesetzt war, daß er Selbstmord beging. Lee Bowers Jr., ein weiterer wichtiger Zeuge, kam bei einem Autounfall ums Leben. Die medizinische Untersuchung ergab den Verdacht, Lee habe kurz vor dem Autounfall einen »eigenartigen Schock« erlitten. Clyde Johnson, ein wertvoller Zeuge, wurde erschossen. Dr. Chetta wurde vergiftet. Dorothy Kilgallen, eine damals bekannte Kolumnistin und TV-Persönlichkeit, sagte einem Freund, daß sie den Kennedy-Fall lösen würde. Fünf Tage später war sie tot, die Erklärung lautete Selbstmord. Selbst Jack Ruby, einer der Hauptverdächtigen, sagte später aus, daß man ihn mit Krebsinjektionen umgebracht habe, Ruby starb 1967. Es gab noch viele weitere merkwürdige Fälle, aber alle aufzulisten würde den Rahmen dieser Arbeit sprengen. Ein gutes Buch, das sich ausführlich mit diesem Thema befaßt, ist: *High Treason* von Robert Groden und Harrison Livingstone (aaO., Anm. 162).
[173] Crenshaw, Charles A., *JFK Conspiracy of Silence*, aaO. (Anm. 169), S. 10 f. u. 26 f.
[174] Ebenda, S. 40–43, 55 ff., 63 u. 65–69.
[175] Ebenda, S. 109.
[176] Matthias, L. L., *Die Kehrseite der USA*, aaO. (Anm. 5), S. 412; Garrison, Jim, *Wer erschoß John F. Kennedy?*, aaO. (Anm. 162).
[177] Prouty, Leroy Fletcher, *JFK, der CIA, der Vietnamkrieg und der Mord an John F. Kennedy*, Zsolnay, Wien 1993, S. 394.
[178] Ebenda, S. 320 f.
[179] Ebenda, S. 318, 322 u. 334.
[180] Groden, Robert/Livingstone, Harrison, *High Treason*, aaO. (Anm. 162), S. 466 f. u. 471.
[181] Prouty, Leroy Fletcher, *JFK, der CIA*, aaO. (Anm. 177), S. 310.
[182] Ebenda, S. 180.
[183] Ebenda, S. 212 u. 214.
[184] Ebenda, S. 215 u. 342 f.
[185] Ebenda, S. 392, 194 f.
[186] Ebenda, S. 368 f.

[187] Farkas, Victor, *Wer beherrscht die Welt?*, aaO. (Anm. 121), S. 86 u. 85; vgl. Engdahl, William, *Mit der Ölwaffe zur Weltmacht*, Dr. Böttiger, Wiesbaden ³1997, S. 174–183. Ein weiterer, wenn auch etwas spekulativerer (weil nicht leicht nachweisbarer) Grund für das Attentat auf Kennedy war, daß dieser die Existenz von UFOs (Unidentizierte Flugobjekte), der Öffentlichkeit offenbaren wollte. Hierbei handelte es sich um den berühmten ›Roswell-Zwischenfall‹, bei dem ein UFO in Nähe des Dorfes Roswell im US-Bundesstaat Neu Mexiko abgestürzt sein soll. Der Zwischenfall fand am 2. Juli 1947 statt, es gab 92 Zeugen, davon 35 Berichte aus erster Hand. Kurz nach dem Absturz brachte die Army-Airforce eine Mitteilung heraus, die u.a. im *Daily Record* (eine Zeitung in Roswell) erschien, derzufolge tatsächlich ein UFO in der Nähe von Roswell abgestürzt und geborgen worden sei. Diese Meldung wurde dann aber schnell von höchster Stelle dementiert. Als der Sprecher der Radiostation KGFL diese sensationelle Mitteilung ausstrahlen wollte, erhielt er vom US-Militär die strikte Anweisung, dies zu unterlassen, ansonsten, so die Militärs, würde man ihm die Lizenz entziehen. Helsing, Jan van, *Geheimgesellschaften und ihre Macht im 20. Jahrhundert*, Ewert, Rhede 1995, S. 161 f. u. 167; Hesemann, Michael, *Jenseits von Roswell – UFOs: Der Schweigevorhang lüftet sich...*, Silberschnur, Düsseldorf 1996, S. 32 f. Siehe zu diesem Thema auch: Berlitz, Charles/Moore, William L., *Der Roswell-Zwischenfall – Die UFOs und die CIA*, Knaur, München 1995; Randles, Kevin D./Schmitt, Donald R., *The Truth About the UFO Crash at Roswell*, Avon Books, New York 1994; Randle, Kevin, *Roswell UFO Crash Update – Exposing the Military Cover-up of the Century*, Global Communications, N.J. 1995; Buttlar, Johannes V., *Die Außerirdischen von Roswell – Protokoll einer Verschwörung*, Gustav Lübbe, Bergisch Gladbach 1996; Friedman, Stanton T./Berliner, Don, *Der UFO-Absturz bei Corona – Die Bergung eines UFOs durch das U.S. Militär*, Kopp, Tübingen 1995; Randles, Jenny, *UFO Retrievals – The Recovery of Alien Spacecraft*, Blanford, London 1995; Randle, Kevin D., *A History of UFO Crashes – Documented Proof of UFO Visits to Earth*, Avon Books, New York 1995; Hesemann, Michael, *UFOs: Die Beweise – Eine Dokumentation*, Dokumentation 2010, Düsseldorf 1993; Hesemann, Michael, *UFOs: Die Kontakte*, Dokumentation 2010, Düsseldorf 1994.
[188] Matthias, L. L., *Die Kehrseite der USA*, aaO. (Anm. 5), S. 384; Helsing, Jan van, ebenda, S. 168.
[189] Ebenda, S. 393; Groden, Robert, J./Livingstone, Harrison, E., *High Treason*, aaO. (Anm. 162), S. 5.
[190] Ebenda, S. 7.
[191] Farkas, Victor, *Wer beherrscht die Welt?*, aaO. (Anm. 121), S. 72.
[192] Helsing, Jan van, *Geheimgesellschaften*, aaO. (Anm. 187), S. 168. Bezüglich der Drogen und anderer Gedankenkontrollforschungen und Experimente, siehe u.a. das Buch von dem früheren CIA-Mitarbeiter John Marks, *The Search for the Manchurian Candidate‹ – The CIA and Mind Control – The Secret History of the Behavioral Sciences*, W.W. Northon & Company, New York 1988, S. viii ff.; Thomas, Gordon, *Journey into Madness – The True Story of Secret CIA Mind Control and Medical Abuse*, Bantam Books, New York 1990; Constantine, Alex, *Psychic Dictatorship in the U.S.A*, Feral House, Portland 1995; Lammer, Helmut u. Marion, *Verdeckte Operationen – Militärische Verwicklungen in UFO-Entführungen – Mind Control/Bio-Chips/Untergrundbasen/Exotische Waffen*, Herbig, München 1997; Gruber, Elmar R., *Die PSI-Protokolle – Das geheime CIA-Forschungsprogramm und die revolutionären Erkenntnisse der neuen Parapsychologie*, Langen Müller, München 1998; Manning, Jeane/Begich, Nick, *Löcher im Himmel – Der geheime Ökokrieg mit dem Ionosphärenheizer HAARP*, Zweitausendeins Verl., Frankfurt/M.1996; Nichols, Preston B./Moon, Peter, *Das Montauk Projekt – Experimente mit der Zeit*, E.T. Publishing Unlimited, Fichtenau 1994.
[193] Helsing, Jan van, ebenda, S. 168.
[194] Ebenda, S. 169.
[195] Deschner, Karlheinz, *Der Moloch*, aaO. (Anm. 1), S. 152.

[196] Tindall, George Brown, *America – A Narrative History,* aaO. (Anm. 141), S. 909.
[197] Deschner, Karlheinz, *Der Moloch,* aaO. (Anm. 1), S. 153.
[198] Tindall, George Brown, *America – A Narrative History,* aaO. (Anm. 141), S. 909.
[199] Deschner, Karlheinz, *Der Moloch,* aaO. (Anm. 1), S. 153.
[200] Hoggan, David L., *Das blinde Jahrhundert,* aaO. (Anm. 2), S. 248.
[201] Williams, William Appleman, *Die Tragödie der amerikanischen Diplomatie,* Suhrkamp, Frankfurt/M. 1973, S. 30 f., 33 u. 47. Vgl. Harpprecht, Klaus, *Der fremde Freund,* aaO. (Anm. 21), S. 174 f.
[202] Zinn, Howard, *A People's History of the United States,* aaO. (Anm. 59), S. 292 ff. u. 297 f.; Deschner, Karlheinz, *Der Moloch,* aaO. (Anm. 1), S. 154.
[203] Deschner, ebenda, S. 153 f.
[204] Beham, Mira, *Kriegstrommeln – Medien, Krieg und Politik,* Dtv., München, 1996, S. 24.
[205] Hoggan, David L., *Das blinde Jahrhundert,* aaO. (Anm. 2), S. 291.
[206] Tindall, George Brown, *America – A Narrative History,* aaO. (Anm. 141), S. 911. Vgl. auch Deschner, Karlheinz, *Der Moloch,* aaO. (Anm. 1), S. 154 f.
[207] Mullins, Eustace/Bohlinger, Roland, *Die Bankiersverschwörung,* aaO. (Anm. 165), S. 38; Vgl. auch Farkas, V., *Wer beherrscht die Welt?,* aaO. (Anm. 121), S. 45.
[208] Warburg, Sidney, *So wurde Hitler finanziert,* Leonberg 1983, S. 12.
[209] Adams, James Thuslow, *The Epic of America,* Little, Brown & Company, Boston 1934, S. 335.
[210] Hoggan, David L., *Das blinde Jahrhundert,* aaO. (Anm. 2), S. 291.
[211] Kronzucker, Dieter/Emmerich, Klaus, *Das Amerikanische Jahrhundert – Der Siegeszug des American Way of Life,* Econ, Düsseldorf 1996, S. 143 f.
[212] Hoggan, David L., *Das blinde Jahrhundert,* aaO. (Anm. 2), S. 291.
[213] Millis, Walter, *Amerikanische Militärgeschichte,* aaO. (Anm. 17), S. 131.
[214] Deschner, Karlheinz, *Der Moloch,* aaO. (Anm. 1), S. 154 f.
[215] Ebenda, S. 155.
[216] Millis, Walter, *Amerikanische Militärgeschichte,* aaO. (Anm. 17), S. 129.
[217] Deschner, Karlheinz, *Der Moloch,* aaO. (Anm. 1), S. 155; Gordon, Helmut, *Zions Griff zur Weltherrschaft,* aaO. (Anm. 38), S. 110.
[218] Adams, James Thuslow, *The Epic of America,* aaO. (Anm. 208), S. 336 u. 338.
[219] Deschner, Karlheinz, *Der Moloch,* aaO. (Anm. 1), S. 155; Adams, James Thuslow, *The Epic of America,* aaO. (Anm. 208), S. 335 f.
[220] Adams, ebenda.
[221] Zinn, Howard, *A People's History of the United States,* aaO. (Anm. 59), S. 296–297.
[222] Tindall, George Brown, *America – A Narrative History,* aaO. (Anm. 141), S. 915 f. ; Bergmann, Hans, *Die Eingreifer – Hintergründe der USA-Interventionspolitik,* Leipzig, 1984, S. 27.
[223] Harpprecht, Klaus, *Der fremde Freund,* aaO. (Anm. 21), S. 180.
[224] Deschner, Karlheinz, *Der Moloch,* aaO. (Anm. 1), S. 155.
[225] Ebenda.
[226] Hoggan, David L., *Das blinde Jahrhundert,* aaO. (Anm. 2), S. 261.
[227] Deschner, Karlheinz, *Der Moloch,* aaO. (Anm. 1), S. 156.
[228] Uthmann, Jörg von, *Volk ohne Eigenschaften,* aaO. (Anm. 54), S. 157.
[229] Zapp, Manfred, *Zwischen Wallstreet und Kapitol – Politiker und Politik in den USA,* William Limpert, Berlin 1943, S. 202.
[230] Deschner, Karlheinz, *Der Moloch,* aaO. (Anm. 1), S. 156.
[231] Norden, Albert, *So werden Kriege gemacht!* Dietz , Berlin, 1968, S. 21 f.
[232] Harpprecht, Klaus, *Der fremde Freund,* aaO. (Anm. 21), S. 183 f.
[233] *Weltgendarm USA,* Militärverlag der Deutschen Demokratischen Republik, Berlin, 1983, S. 22.
[234] Hoggan, David L., *Das blinde Jahrhundert,* aaO. (Anm. 2), S. 291 f.

[235] Zapp, Manfred, *Zwischen Wallstreet und Kapitol,* aaO. (Anm. 229), S. 202.
[236] *Weltgendarm USA,* aaO. (Anm. 233), S. 22 u. 20.
[237] Millis, Walter, *Amerikanische Militärgeschichte,* aaO. (Anm. 17), S. 130.
[238] Zinn, Howard, *A People's History of the United States,* aaO. (Anm. 59), S. 299.
[239] Ebenda, S. 300–303.
[240] Ebenda, S. 305–309.
[241] Harpprecht, Klaus, beziffert in seinem Buch *Der fremde Freund* die Anzahl der Opfer auf den Philippinen auf »wenigstens eine halbe Million«, s. S. 184.
[242] Zinn, Howard, *A People's History of the United States,* aaO. (Anm. 59), S. 305–309.
[243] Bruhn, Jürgen, *Schlachtfeld Europa,* aaO. (Anm. 9), S. 26. Vgl. auch Reed, John, *Mexiko in Aufruhr,* Dietz, Berlin 1972, S. 68 ff.
[244] *Weltgendarm USA,* aaO. (Anm. 233), S. 31.
[245] Bruhn, Jürgen, *Schlachtfeld Europa,* aaO. (Anm. 9), S. 25 f.
[246] Ebenda, S. 19 u. 25 f.
[247] Hoggan, David L., *Das blinde Jahrhundert,* aaO. (Anm. 2), S. 118.
[248] Ebenda, S. 132.
[249] Bruhn, Jürgen, *Schlachtfeld Europa,* aaO. (Anm. 9), S. 27 ff.
[250] Millis, Walter, *Amerikanische Militärgeschichte,* aaO. (Anm. 17), S. 184.
[251] *Weltgendarm USA,* aaO. (Anm. 233), S. 31.
[252] Hoggan, David L., *Das blinde Jahrhundert,* aaO. (Anm. 2), S. 461 f. Vgl. auch Bruhn, Jürgen, *Schlachtfeld Europa,* aaO. (Anm. 9), S. 28.
[253] Tindal, George Brown, *America – A Narrative History,* aaO. (Anm. 141), S. 983.
[254] Hoggan, David L., *Das blinde Jahrhundert,* aaO. (Anm. 2), S. 465.
[255] Bruhn, Jürgen, *Schlachtfeld Europa,* aaO. (Anm. 9), S. 29 f.
[256] Ebenda, S. 31. Vgl. Millis, Walter, *Road to War – America 1914–1917,* Houghton Mifflin Co. The Riverside Press Cambridge, Boston–New York 1935, S. 283.
[257] Millis, Walter, ebenda, S. 283.
[258] Bergmann, Hans, *Die Eingreifer,* aaO. (Anm. 222), S. 44.
[259] Millis, Walter, *Road to War – America 1914–1917,* aaO. (Anm. 256), S. 284 f. u. 287.
[260] Bruhn, Jürgen, *Schlachtfeld Europa,* aaO. (Anm. 9), S. 25.
[261] Deschner, Karlheinz, *Der Moloch,* aaO. (Anm. 1), S. 164 ff.
[262] Ebenda, S. 166 ff.
[263] Bredthauer, Karl, D./Heinrich, A./Naumann, Klaus (Hg.), *Krieg für Frieden? – Startschüsse für eine neue Weltordnung,* Elefanten Press, Berlin 1991, S. 11 f.
[264] Garraty, John A., *The American Nation,* aaO. (Anm. 19), S. 189.
[265] Deschner, Karlheinz, *Der Moloch,* aaO. (Anm. 1), S. 101.
[266] Williams, William Appleman, *Die Tragödie der amerikanischen Diplomatie,* aaO. (Anm. 201), S. 30 f.
[267] Deschner, Karlheinz, *Der Moloch,* aaO. (Anm. 1), S. 170 f.
[268] Bredthauer, Karl D./Heinrich, A./Naumann, Klaus (Hg.), *Krieg für Frieden,* aaO. (Anm. 263), S. 11f.
[269] Deschner, Karlheinz, *Der Moloch,* aaO. (Anm. 1), S. 170.
[270] Ebenda.
[271] Zinn, Howard, *A People's History of the United States,* aaO. (Anm. 59), S. 350 u. 353. Vgl. Gordon, Helmut, aaO. (Anm. 38), S. 144.
[272] Deschner, Karlheinz, *Der Moloch,* aaO. (Anm. 1), S. 171 f.
[273] Hoggan, David L., *Das blinde Jahrhundert,* aaO. (Anm. 2), S. 502.
[274] Deschner, Karlheinz, *Der Moloch,* aaO. (Anm. 1), S. 172.
[275] Raeithel, Gert, *Geschichte der Nordamerikanischen Kultur,* aaO. (Anm. 27), Bd. 2, S. 304.
[276] Zinn, Howard, *A People's History of the United States,* aaO. (Anm. 59), S. 355 f.
[277] Wedemeyer, Albert, *Der verwaltete Krieg,* Sigbert Mohn, Gütersloh 1958, S. 25 f.
[278] Carmin, E. R., *Das Schwarze Reich – Geheimgesellschaften im 20. Jahrhundert,* aaO. (Anm. 134), S. 55, 177 u. 710.

[279] Heise, Karl, *Entente – Freimaurerei und Weltkrieg*, Verl. f. ganzheitliche Forschung und Kultur, Wobbenbüll-Husum 1982, S. 36 u. 76.
[280] Carmin, E. R., *Das Schwarze Reich*, aaO. (Anm. 134), S. 663.
[281] Ebenda, S. 203 f. u. 206.
[282] Hoggan, David L., *Das blinde Jahrhundert*, aaO. (Anm. 2), S. 447 f.
[283] Tansill, Charles Callen, *Amerika geht in den Krieg*, Franckh'sche Verlagsbuchhandlung, Stuttgart 1939, S. 56.
[284] Deschner, Karlheinz, *Der Moloch*, aaO. (Anm. 1), S. 175.
[285] Millis, Walter, *Road to War – America 1914–1917*, aaO. (Anm. 256), S. 77 f.
[286] Ebenda, S. 127 f.
[287] Gordon, Helmut, *Zions Griff zur Weltherrschaft*, aaO. (Anm. 38), S. 152; Deschner, *Der Moloch*, aaO. (Anm. 1), S. 176.
[288] Millis, Walter, *Road to War – America 1914–1917*, aaO. (Anm. 256), S. 340 ff. u. 358.
[289] Deschner, Karlheinz, *Der Moloch*, aaO. (Anm. 1), S. 176. Vgl. Millis, Walter, *Road to War – America 1914–1917*, aaO. (Anm. 256), S. 265 f.
[290] Millis, Walter, *Road to War – America 1914–1917*, aaO. (Anm. 256), S. 268.
[291] Allen, Gary, *Die Insider*, aaO. (Anm. 135), S. 65.
[292] Dall, Curtis B., *Amerikas Kriegspolitik – Roosevelt und seine Hintermänner*, Grabert, Tübingen, 1972, S. 160–164.
[293] Hoggan, David L., *Das blinde Jahrhundert*, aaO. (Anm. 2), S. 452. Vgl. Millis, Walter, *Road to War – America 1914–1917*, aaO. (Anm. 256), S. 127 f. u. 141 f.
[294] Millis, Walter, *Road to War – America 1914–1917*, aaO. (Anm. 256), S. 187.
[295] Ebenda, S. 196.
[296] Ebenda, S. 371.
[297] Ebenda, S. 403–407.
[298] Ebenda, S. 425 ff.
[299] Allen, Gary, *Die Insider*, aaO. (Anm. 135), S. 65 f.
[300] Hoggan, David L., *Das blinde Jahrhundert*, aaO. (Anm. 2), S. 456 u. 459.
[301] Ebenda. S. 473.
[302] Ebenda. S. 453.
[303] Farkas, Victor, *Wer beherrscht die Welt?*, aaO. (Anm. 121), S. 29–37.
[304] Ebenda, S. 30–36.
[305] Carmin, E. R., *Das Schwarze Reich*, aaO. (Anm. 134), S. 208.
[306] Griffin, Des, *Wer regiert die Welt?*, Lebenskunde Verl., Düsseldorf ²1996, S. 109 u.124 f.
[307] Allen, Gary, *Die Insider*, aaO. (Anm. 135), S. 91.
[308] Griffin, Des, *Wer regiert die Welt?*, aaO. (Anm. 306), S. 118.
[309] Zinn, Howard, *A People's History of the United States*, aaO. (Anm. 59), S. 352.
[310] Deschner, Karlheinz, *Der Moloch*, aaO. (Anm. 1), S. 199.
[311] Garraty, John A., *The American Nation*, aaO. (Anm. 19), S. 671.
[312] Bruhn, Jürgen, *Schlachtfeld Europa*, aaO. (Anm. 9), S. 45 ff.
[313] Farkas, Victor, *Wer beherrscht die Welt?*, aaO. (Anm. 121), S. 37.
[314] Warburg, Sidney, *So wurde Hitler finanziert*, aaO. (Anm. 208), S. 17 f. u. 14.
[315] Raeithel, Gert, *Geschichte der Nordamerikanischen Kultur*, aaO. (Anm. 27), Bd. 2, S. 302.
[316] Dall, Curtis B., *Amerikas Kriegspolitik*, aaO. (Anm. 292), S. 256 f.
[317] Warburg, Sidney, *So wurde Hitler finanziert*, aaO. (Anm. 208), S. 24.
[318] Griffin, Des, *Wer regiert die Welt?*, aaO. (Anm. 306), S. 127–136.
[319] Allen, Gary, *Die Insider*, aaO. (Anm. 135), S. 68 u. 72 ff.
[320] Farkas, Victor, *Wer beherrscht die Welt?*, aaO. (Anm. 121), S. 46.
[321] Allen, Gary, *Die Insider*, aaO. (Anm. 135), S. 68 u. 72 ff.
[322] Ebenda, S. 74 f.
[323] Farkas, Victor, *Wer beherrscht die Welt?*, aaO. (Anm. 121), S. 47.
[324] Allen, Gary, *Die Insider*, aaO. (Anm. 135), S. 59 f.
[325] Hoggan, David L., *Das blinde Jahrhundert*, aaO. (Anm. 2), S. 132 f.

[326] Allen, Gary, *Die Insider*, aaO. (Anm. 135), S. 59.
[327] Mullins, Eustace/Bohlinger, Roland, *Die Bankiersverschwörung*, aaO. (Anm. 165), S. 179.
[328] Figgie, Harry E./Swanson, Gerald J., *Bankruptcy 1995 – The Coming Collapse of America and how to Stop it*, Little and Brown Company, Boston, 1992, S. 77.
[329] Mullins, Eustace/Bohlinger, Roland, *Die Bankiersverschwörung*, aaO. (Anm. 165), S. 127, 129 f., 133, 142 u. 152.
[330] Griffin, Des, *Wer regiert die Welt?*, aaO. (Anm. 306), S. 138.
[331] Sutton, Anthony, *Roosevelt und die Internationale Hochfinanz – Die Weltverschwörung in der Wallstreet Nr. 120*, Grabert, Tübingen, 1990, S. 41–57.
[332] Engdahl, William F., *Mit der Ölwaffe zur Weltmacht – Der Weg zur neuen Weltordnung*, aaO. (Anm. 187), S. 104, 111 ff. u. 126 f.
[333] Farkas, Victor, *Wer beherrscht die Welt?*, aaO. (Anm. 121), S. 50–51.
[334] Engdahl, William F., *Mit der Ölwaffe zur Weltmacht*, aaO. (Anm. 187), S. 127.
[335] Warburg, Sidney, *So wurde Hitler finanziert*, aaO. (Anm. 208), S. 58 f. u. 62.
[336] Ebenda.
[337] Ebenda, S. 64 ff., 69 f., u. 72–78.
[338] Ebenda, S. 83, 85–90, 96 f. u. 103 ff.
[339] Ebenda, S. 112–115, 117 f., 135 u. 138 f.
[340] Ebenda, S. 111.
[341] Deschner, Karlheinz, *Der Moloch*, aaO. (Anm. 1), S. 222–225.
[342] Carmin, E. R., *Das Schwarze Reich*, aaO. (Anm. 134), S. 236 ff.
[343] Ebenda, S. 239 ff.
[344] Warburg, Sidney, *So wurde Hitler finanziert*, aaO. (Anm. 208), S. 44 f. u. 51. Vgl. auch Deborin, G. A., *Der Zweite Weltkrieg*, Verl. des Ministeriums für Nationale Verteidigung, Berlin 1960, S. 15 f.
[345] Deschner, Karlheinz, *Der Moloch*, aaO. (Anm. 1), S. 226 f.
[346] Warburg, Sidney, *So wurde Hitler finanziert*, aaO. (Anm. 208), S. 52.
[347] Koch, Peter, *Wahnsinn Rüstung*, Stern Buch, Hamburg, 1981, S. 282.
[348] Ebenda, S. 282 ff.
[349] Sampson, Anthony, *Weltmacht ITT – Die politischen Geschäfte eines multinationalen Konzerns*, Rowohlt, Hamburg, 1974, S. 24 f. Vgl. auch Koch, Peter, ebenda, S. 284 f.
[350] Fish, Hamilton, *Der zerbrochene Mythos – F. D. Roosevelts Kriegspolitik 1933–1945*, Grabert, Tübingen 1982, S. 11.
[351] Gordon, Helmut, *Zions Griff zur Weltherrschaft*, aaO. (Anm. 38), S. 219 ff.
[352] Carmin, E. R., *Das Schwarze Reich*, aaO. (Anm. 134), S. 178.
[353] Ebenda, S. 55.
[354] Deschner, Karlheinz, *Der Moloch*, aaO. (Anm. 1), S. 231 f.; Harpprecht, Klaus, *Der fremde Freund*, aaO. (Anm. 21), S. 188.
[355] Harpprecht, Klaus, ebenda, S. 188.
[356] Deborin, G. A., *Der Zweite Weltkrieg*, aaO. (Anm. 344), S. 40.
[357] Deschner, Karlheinz, *Der Moloch*, aaO. (Anm. 1), S. 231–234.
[358] Millis, Walter, *Amerikanische Militärgeschichte*, aaO. (Anm. 17), S. 226 f.
[359] *Wallstreets Krieg – Die Weltkriegsinszenierung von Pearl Harbor*, Das Tribunal, München 1986, S. 8 f.
[360] Crocker, George N., *Schrittmacher der Sowjets – Das Schicksal der Welt lag in Roosevelts Hand*, Stuttgart 1960, S. 68 f.
[361] *Wallstreets Krieg*, aaO. (Anm. 360), S. 16.
[362] Bavendamm, Dirk, *Roosevelts Krieg 1937–45 und das Rätsel von Pearl Harbor*, Herbig, München 1993, S. 152.
[363] *Wallstreets Krieg*, aaO. (Anm. 360), S. 16 ff.
[364] Chamberlin, William Henry, *Amerikas Zweiter Kreuzzug – Kriegspolitik und Fehlschlag Roosevelts*, Athenäum, Bonn, 1952, S. 113.
[365] Crocker, George N., *Schrittmacher der Sowjets*, aaO. (Anm. 360), S. 69 u. 241.

³⁶⁶ Bavendamm, Dirk, *Roosevelts Krieg,* aaO. (Anm. 362), S. 402 f.
³⁶⁷ Ebenda, S. 403. Vgl. auch Härtle, Heinrich, *Die Kriegsschuld der Sieger – Roosevelt, Churchills und Stalins Verbrechen gegen den Weltfrieden,* K. W. Schütz, Preußisch Oldendorf 1971, S. 326 f.
³⁶⁸ Bavendamm, Dirk, *Roosevelts Krieg,* aaO. (Anm. 362), S. 400 f.
³⁶⁹ *Wallstreets Krieg,* aaO. (Anm. 360), S. 10 f.
³⁷⁰ Gordon, Helmut, *Zions Griff zur Weltherrschaft,* aaO. (Anm. 38), S. 222 u. 224.
³⁷¹ Dahms, Hellmuth G., *Roosevelt und der Krieg – Die Vorgeschichte von Pearl Harbor,* Oldenbourg, München 1958, S. 20 f.
³⁷² Barnes, Harry Elmer (Hg.), *Entlarvte Heuchelei,* aaO. (Anm. 65), S. 17.
³⁷³ Dahms, Hellmuth G., *Roosevelt und der Krieg,* aaO. (Anm. 371), S. 30.
³⁷⁴ Chamberlin, William Henry, *Amerikas zweiter Kreuzzug,* aaO. (Anm. 364), S. 41 f.
³⁷⁵ Härtle, Heinrich, *Die Kriegsschuld der Sieger,* aaO. (Anm. 367), S. 130.
³⁷⁶ Ebenda, S. 131 f.
³⁷⁷ Gordon, Helmut, *Zions Griff zur Weltherrschaft,* aaO. (Anm. 38), S. 226 f.
³⁷⁸ Barnes, Harry Elmer (Hg.), *Entlarvte Heuchelei,* aaO. (Anm. 65), S. 112 ff.
³⁷⁹ Rassinier, Paul, *Die Jahrhundert-Provokation – Wie Deutschland in den Zweiten Weltkrieg getrieben wurde,* Grabert, Tübingen 1989, S. 229.
³⁸⁰ Kunert, Dirk, *Ein Weltkrieg wird programmiert – Hitler, Roosevelt, Stalin: Die Vorgeschichte des Zweiten Weltkrieges nach Primärquellen,* Arndt, Kiel 1984, S. 190 f. u 291 f.
³⁸¹ Deborin, G. A., *Der Zweite Weltkrieg,* aaO. (Anm. 344), S. 56 f.
³⁸² Rassinier, Paul, *Die Jahrhundert-Provokation,* aaO. (Anm. 379), S. 348 f.
³⁸³ Ebenda, S. 239 f.
³⁸⁴ Bavendamm, Dirk, *Roosevelts Krieg,* aaO. (Anm. 362), S. 223.
³⁸⁵ Härtle, Heinrich, *Die Kriegsschuld der Sieger,* aaO. (Anm. 367), S. 208 f.
³⁸⁶ Ebenda, S. 240 f.
³⁸⁷ Ebenda, S. 254 f.
³⁸⁸ Barnes, Harry Elmer (Hg.), *Entlarvte Heuchelei,* aaO. (Anm. 65), S. 115 u. 129.
³⁸⁹ Ebenda, S. 128.
³⁹⁰ Härtle, Heinrich, *Die Kriegsschuld der Sieger,* aaO. (Anm. 367), S. 283–287 u. 290.
³⁹¹ Barnes, Harry Elmer (Hg.), *Entlarvte Heuchelei,* aaO. (Anm. 65), S. 132.
³⁹² Härtle, Heinrich, *Die Kriegsschuld der Sieger,* aaO. (Anm. 367), S., S. 327 f.
³⁹³ Barnes, Harry Elmer (Hg.), *Entlarvte Heuchelei,* aaO. (Anm. 65), S. 135.
³⁹⁴ *Wallstreets Krieg,* aaO. (Anm. 360), S. 11 f.
³⁹⁵ Dahms, Hellmuth G., *Roosevelt und der Krieg,* aaO. (Anm. 371), S. 31. Vgl. auch Rassinier, Paul, *Die Jahrhundert-Provokation,* aaO. (Anm. 379), S. 272 f. u. 347.
³⁹⁶ Dahms, Hellmuth G., ebenda, S. 36–39.
³⁹⁷ Gordon, Helmut, *Zions Griff zur Weltherrschaft,* aaO. (Anm. 38), S. 229 f.
³⁹⁸ Bavendamm, Dirk, *Roosevelts Krieg,* aaO. (Anm. 362), S. 139.
³⁹⁹ Ebenda, S. 141.
⁴⁰⁰ Härtle, Heinrich, *Die Kriegsschuld der Sieger,* aaO. (Anm. 367), S. 300.
⁴⁰¹ Rassinier, Paul, *Die Jahrhundert-Provokation,* aaO. (Anm. 379), S. 256, 268 f. u. 289.
⁴⁰² Ebenda, S. 230.
⁴⁰³ Einigen Quellen zufolge war die Bevölkerung Danzigs sogar bis zu 98 % deutsch. Siehe hierzu u.a. Hoggan, David L., *Der erzwungene Krieg – Die Ursachen und Urheber des Zweiten Weltkrieges,* Grabert, Tübingen ¹⁵1997; Barnes, Henry Elmer (Hg.), *Entlarvte Heuchelei,* aaO. (Anm. 65).
⁴⁰⁴ Bavendamm, Dirk, *Roosevelts Krieg,* aaO. (Anm. 362), S. 141 f.
⁴⁰⁵ Ebenda, S. 142.
⁴⁰⁶ Ebenda, S. 143.
⁴⁰⁷ Härtle, Heinrich, *Die Kriegsschuld der Sieger,* aaO. (Anm. 367), S. 301 u. 314.
⁴⁰⁸ Ebenda, S. 317–318.
⁴⁰⁹ Ebenda, S. 318 u. 320.

[410] Klüver, Max, *Den Sieg verspielt. Mußte Deutschland den Zweiten Weltkrieg verlieren?*, Druffel, Berg 1985, S. 185 f.
[411] Härtle, Heinrich, *Die Kriegsschuld der Sieger,* aaO. (Anm. 367), S. 312 f.
[412] Ebenda, S. 325 u. 327.
[413] Bavendamm, Dirk, *Roosevelts Krieg,* aaO. (Anm. 362), S. 11.
[414] Bavendamm, Dirk, *Roosevelts Weg zum Krieg – Amerikanische Politik 1914–1939,* Ullstein, Frankfurt/M.1986, S. 122 f.
[415] Härtle, Heinrich, *Die Kriegsschuld der Sieger,* aaO. (Anm. 367), S. 304.
[416] Klüver, Max, *Den Sieg verspielt,* aaO. (Anm. 410), S. 11, 43 u. 13.
[417] Hoyt, Edwin P., *Ware in Europe – Blitzkrieg,* Bd. 1, Avons Books, New York 1991, S. 79.
[418] Hoyt, Edwin P., *Hitler's War,* A Da Capo, New York 1988, S. 93 f.
[419] Chamberlin, W.H., *Amerikas zweiter Kreuzzug,* aaO. (Anm. 364), S. 218 u. 237.
[420] Barnes, Harry Elmer (Hg.), *Entlarvte Heuchelei,* aaO. (Anm. 65), S. 141.
[421] *Wallstreets Krieg,* aaO. (Anm. 360), S. 20.
[422] Togo, Shigenori, *Japan im Zweiten Weltkrieg,* Bonn 1958, S. 57 f. u.143.
[423] Crocker, George N., *Schrittmacher der Sowjets,* aaO. (Anm. 360), S. 67.
[424] Ebenda, S. 67 f..
[425] Da-Njän, Lju, *Geschichte der amerikanischen Aggression in China,* Dietz, Berlin 1956, S. 215 f.
[426] Zapp, Manfred, *Zwischen Wallstreet und Kapitol,* aaO. (Anm. 229), S. 206.
[427] Barnes, Harry Elmer (Hg.), *Entlarvte Heuchelei,* aaO. (Anm. 65), S. 84 f.
[428] Da-Njän, Lju, *Die Geschichte der amerikanischen Aggression in China,* aaO. (Anm. 425), S. 216 f.
[429] Zapp, Manfred, *Zwischen Wallstreet und Kapitol,* aaO. (Anm. 229), S. 206 ff. Vgl. auch Togo, Shigenori, *Japan im Zweiten Weltkrieg,* aaO. (Anm. 422), S. 98 u. 142 f.
[430] Bruhn, Jürgen, *Schlachtfeld Europa,* aaO. (Anm. 9), S. 51 ff.; Crocker, George N., *Schrittmacher der Sowjets,* aaO. (Anm. 360), S. 74.
[431] Crocker, George N., ebenda, S. 70.
[432] Ebenda, S. 71.
[433] Bruhn, Jürgen, *Schlachtfeld Europa,* aaO. (Anm. 9), S. 53. Vgl. auch Wedemeyer, Albert, *Der verwaltete Krieg,* aaO. (Anm. 277), S. 480.
[434] Farago, Ladislas, *Codebrecher am Werk – Trotzdem kam es zu Pearl Harbor,* Ullstein, Frankfurt/M. 1967, S. 87 f.
[435] Ebenda u. S. 91. Vgl. auch Costello, John, *Days of Infamy – McArthur, Roosevelt, Churchill – The Schocking Truth Revealed,* Pocket Books, New York 1994, S. 55.
[436] Gordon, Helmut, *Zions Griff zur Weltherrschaft,* aaO. (Anm. 38), S. 235.
[437] Braun, Karl-Otto, *Pearl Harbor in neuer Sicht – Wie F.D. Roosevelt die USA in den Zweiten Weltkrieg führte,* Herbig–Ullstein, Frankfurt/M. 1986, S. 30. Vgl. auch Kimmel, Husband E., *Admiral Kimmel´s Story,* Chicago 1955.
[438] Fish, Hamilton, *Der zerbrochene Mythos,* aaO. (Anm. 350), S. 161. Vgl. Wedemeyer, Albert, *Der verwaltete Krieg,* aaO. (Anm. 277), S. 484.
[439] *Wallstreets Krieg,* aaO. (Anm. 360), S. 29 f.
[440] Toland, John, *Infamy – Pearl Harbor and its Aftermath,* Anchor, New York 1992, S. 74.
[441] *Wallstreets Krieg,* aaO. (Anm. 360), S. 27 ff.; Wedemeyer, Albert, *Der verwaltete Krieg,* aaO. (Anm. 277), S. 484.
[442] Fish, Hamilton, *Der zerbrochene Mythos,* aaO. (Anm. 350), S. 14 u. 47.
[443] Helsing, Jan van, *Geheimgesellschaften,* aaO. (Anm. 187), S. 151.
[444] Bavendamm, Dirk, *Roosevelts Krieg,* aaO. (Anm. 362), S. 409 f.
[445] Ebenda, S. 410.
[446] Ebenda, S. 411.
[447] Prange, Gordon, *At Dawn We Slept,* Penguin Books, New York 1991, S. 30 f.
[448] Braun, Karl-Otto, *Pearl Harbor in neuer Sicht,* aaO. (Anm. 437), S. 34.
[449] Bavendamm, Dirk, *Roosevelts Krieg,* aaO. (Anm. 362), S. 421.

⁴⁵⁰ Braun, Karl-Otto, *Pearl Harbor in neuer Sicht,* aaO. (Anm. 437), S. 34. Vgl. Theobald, Robert A., *The Final Secret of Pearl Harbor,* Devin-Adoir Co., New York 1954.
⁴⁵¹ Toland, John, *Infamy,* aaO. (Anm. 440), S. 317 f.
⁴⁵² Ebenda, S. 258–263.
⁴⁵³ Rodow, B., *Die USA und Japan bei der Vorbereitung und Entfesselung des Krieges im Stillen Ozean 1938–1941,* Rütten & Loening, Berlin, 1953, S. 139.
⁴⁵⁴ Ebenda, S. 74.
⁴⁵⁵ Costello, John, *Days of Infamy,* aaO. (Anm. 435), S. 56. Vgl. Rodow, B., ebenda, S. 13 u. 63–68. Rodow ist anderer Auffassung über das US-Embargo gegen Japan, der russische Historiker vertritt die unorthodoxe These, daß das US-Embargo nie Japan schwächte, im Gegenteil behauptet er, daß die USA in der Zeit des Embargos 1940–1941 Japan mit noch mehr Militärmaterial und Öl versorgten als zuvor. Ihm zufolge hielt diese Unterstützung auch noch an, als der Krieg zwischen den beiden Nationen schon lange im Gang war.
⁴⁵⁶ Bavendamm, Dirk, *Roosevelts Krieg,* aaO. (Anm. 362), S. 412.
⁴⁵⁷ Ebenda, S. 404.
⁴⁵⁸ Braun, Karl-Otto, *Pearl Harbor in neuer Sicht,* aaO. (Anm. 437), S. 25 f. Vgl. auch *Stimson Diary,* 25.11.1941, Microfilm Library of Congress, Washington D.C.
⁴⁵⁹ Braun, Karl-Otto, *Pearl Harbor in neuer Sicht,* aaO. (Anm. 437), S. 24; Wedemeyer, Albert, *Der verwaltete Krieg,* aaO. (Anm. 277), S. 31.
⁴⁶⁰ Wedemeyer, Albert, ebenda, S. 20; *Wallstreets Krieg,* aaO. (Anm. 360), S. 22, 14 u. 13.
⁴⁶¹ Toland, John, *Infamy,* aaO. (Anm. 440), S. 284.
⁴⁶² *Wallstreets Krieg,* aaO. (Anm. 360), S. 27–30.
⁴⁶³ Kimmel, Husband E., *Admiral Kimmel´s Story,* aaO. (Anm. 437), S. 3 u. 53.
⁴⁶⁴ Costello, John, *Days of Infamy,* aaO. (Anm. 435), S. 63 u. 300.
⁴⁶⁵ Dall, Curtis, B., *Amerikas Kriegspolitik,* aaO. (Anm. 292), S. 238 f.
⁴⁶⁶ Costello, John, *Days of Infamy,* aaO. (Anm. 435), S. 86.
⁴⁶⁷ Ebenda. S. 87.
⁴⁶⁸ Toland, John, *Infamy,* aaO. (Anm. 440), S. 282 f. u. 298 f.
⁴⁶⁹ Rodow, B., *Die USA und Japan bei der Vorbereitung und Entfesselung des Krieges im Stillen Ozean,* aaO. (Anm. 453), S. 141.
⁴⁷⁰ Ebenda. Vgl. auch Morgenstern George, *Pearl Harbor – Eine amerikanische Katastrophe,* Herbig, München 1998, S. 102 f.
⁴⁷¹ Fish, Hamilton, *Der zerbrochene Mythos,* aaO. (Anm. 350), S. 177.
⁴⁷² Dahms, Hellmuth G., *Roosevelt und der Krieg,* aaO. (Anm. 371), S. 83 ff. u. 87.
⁴⁷³ *Wallstreets Krieg,* aaO. (Anm. 360), S. 29 f.
⁴⁷⁴ Toland, John, *Infamy,* aaO. (Anm. 440), S. 94 f.; Wedemeyer, Albert, *Der verwaltete Krieg,* aaO. (Anm. 277), S. 483.
⁴⁷⁵ Toland, John, ebenda, S. 94 f.
⁴⁷⁶ Ebenda, S. 136 f.
⁴⁷⁷ Chamberlin, W. H., *Amerikas Zweiter Kreuzzug,* aaO. (Anm. 364), S. 139. Vgl. auch Toland, John, ebenda, S. 135 u. 201.
⁴⁷⁸ Braun, Karl-Otto, *Pearl Harbor in neuer Sicht,* aaO. (Anm. 437), S. 30.
⁴⁷⁹ Toland, John, *Infamy,* aaO. (Anm. 440), S. 322.
⁴⁸⁰ Rodow, B., *Die USA und Japan bei der Vorbereitung und Entfesselung des Krieges im Stillen Ozean,* aaO. (Anm. 453), S. 142 f.
⁴⁸¹ Chamberlin, W. H., *Amerikas zweiter Kreuzzug,* aaO. (Anm. 364), S. 141. Vgl. auch Bavendamm, Dirk, *Roosevelts Krieg,* aaO. (Anm. 362), S. 415 ff.
⁴⁸² Dall, Curtis B., *Amerikas Kriegspolitik,* aaO. (Anm. 292), S. 240 ff. Vgl. auch, Fish, Hamilton, *Der zerbrochene Mythos,* aaO. (Anm. 350), S. 175, sowie das Buch von Theobald, Robert A., *Das letzte Geheimnis von Pearl Harbor,* Berlin 1963.
⁴⁸³ Dahms, Hellmuth, G., *Roosevelt und der Krieg,* aaO. (Anm. 371), S. 84.
⁴⁸⁴ Chamberlin, W. H., *Amerikas zweiter Kreuzzug,* aaO. (Anm. 364), S. 141.

485 Bavendamm, Dirk, *Roosevelts Krieg,* aaO. (Anm. 362), S. 419.
486 Ebenda, S. 419 f.
487 Barnes, Harry Elmer, *Entlarvte Heuchelei,* aaO. (Anm. 65), S. 16 f.
488 Crocker, George N., *Schrittmacher der Sowjets,* aaO. (Anm. 360), S. 77.
489 Ebenda, S. 77 f.
490 Prange, Gordon W., *Dec. 7 1941 – The Day the Japanese Attacked Pearl Harbor* (zusammen mit Goldstein, Donald M. /Dillon, Katherine V.), Warner Com. Comp., New York 1989, S. 256.
491 Toland, John, *Infamy,* aaO. (Anm. 440), S. 310 f.; Braun, Karl-Otto, *Pearl Harbor in neuer Sicht,* aaO. (Anm. 437), S. 35.
492 Bavendamm, Dirk, *Roosevelts Krieg,* aaO. (Anm. 362), S. 409.
493 Wedemeyer, Albert, *Der verwaltete Krieg,* aaO. (Anm. 277), S. 17. Vgl. auch Bavendamm, Dirk, ebenda, S. 107.
494 Bavendamm, Dirk, ebenda, S. 414.
495 Ebenda, S. 421.
496 Prange, Gordon W., *At Dawn We Slept,* aaO. (Anm. 447), S. 539.
497 Kimmel, Husband E., *Admiral Kimmel´s Story,* aaO. (Anm. 437); Bruhn, Jürgen, *Schlachtfeld Europa,* aaO. (Anm. 9), S. 53; Toland, John, *Infamy,* aaO. (Anm. 440), S. 261 f.; Gordon, Helmut, *Zions Griff zur Weltherrschaft,* aaO. (Anm. 38), S. 235. Vgl. auch Marshalls Aussage vor dem Congressional Committee.
498 Gordon, Helmut, *Zions Griff zur Weltherrschaft,* aaO. (Anm. 38), S. 235.
499 Kimmel, Husband E., *Admiral Kimmel´s Story,* aaO. (Anm. 437), S. 115 f.
500 Toland, John, *Infamy,* aaO. (Anm. 440), S. 235.
501 Ebenda, S. 318.
502 Gordon, Helmut, *Zions Griff zur Weltherrschaft,* aaO. (Anm. 38), S. 235.
503 *Wallstreets Krieg,* aaO. (Anm. 360), S. 39.
504 Fish, Hamilton, *Der zerbrochene Mythos,* aaO. (Anm. 350), S. 178. Vgl. Toland, John, *Infamy,* aaO. (Anm. 440), S. 156.
505 Crocker, George N., *Schrittmacher der Sowjets,* aaO. (Anm. 360), S. 77 u. 241.
506 Creighton, Christopher, *Operation James Bond – das letzte große Geheimnis des Zweiten Weltkriegs,* Econ, Düsseldorf 1996, S. 108, 144 f. u. 299 f.
507 Kimmel, Husband E., *Admiral Kimmel´s Story,* aaO. (Anm. 437), S. 118. Vgl. auch Crocker, George N., *Schrittmacher der Sowjets,* aaO. (Anm. 360), S. 76 f.
508 Crocker, George N., ebenda, S. 77.
509 Braun, Karl-Otto, *Pearl Harbor in neuer Sicht,* aaO. (Anm. 437), S. 14 f.
510 Holtorf, Jürgen/Lock, Karl-Heinz, *Stichwort Freimaurer,* Heyne, München 1993, S. 17 f. Erwähnt 50 als Anzahl der Delegierten zum Kontinentalen Kongreß, der die US-Verfassung daher nach den Idealen der Geheimbünde der Freimaurer ausrichtete. Einige wenige kritische US-Geschichtsbücher erwähnen aber, daß 54 der 55 Delegierten Freimaurer waren.
511 Robinson, John J., *Born in Blood – The Lost Secrets of Freemansonry,* Arrow Books Ltd., London 1993, S. 176.
512 Chamberlin, W. H., *Amerikas zweiter Kreuzzug,* aaO. (Anm. 364), S. 143. Vgl. auch Crocker, George N., *Schrittmacher der Sowjets,* aaO. (Anm. 360), S. 77.
513 Bruhn, Jürgen, *Schlachtfeld Europa,* aaO. (Anm. 9), S. 54.
514 Wedemeyer, Albert, *Der verwaltete Krieg,* aaO. (Anm. 277), S. 27 f.; Vgl. auch Bruhn, Jürgen, *Schlachtfeld Europa,* aaO. (Anm. 9), S. 54.
515 Bruhn, Jürgen, ebenda, S. 54 f.
516 Toland, John, *Infamy,* aaO. (Anm. 440), S. 320. Vgl. auch Bruhn, Jürgen, ebenda, S. 55.
517 Bavendamm, Dirk, *Roosevelts Krieg,* aaO. (Anm. 362), S. 423.
518 Bruhn, Jürgen, *Schlachtfeld Europa,* aaO. (Anm. 9), S. 58. Vgl. Wedemeyer, Albert, *Der verwaltete Krieg,* aaO. (Anm. 277), S. 27 f.
519 Bruhn, Jürgen, ebenda, S. 57 f.

[520] Deschner, Karlheinz, *Der Moloch,* aaO. (Anm. 1), S. 231 f. u. 264 f.
[521] Ebenda, S. 243.
[522] Bruhn, Jürgen, *Schlachtfeld Europa,* aaO. (Anm. 9), S. 56.
[523] Wedemeyer, Albert, *Der verwaltete Krieg,* aaO. (Anm. 277), S. 482.
[524] Griffin, Des, *Wer regiert die Welt?,* aaO. (Anm. 306), S. 206 f.
[525] Carlton, David/Levine, Herbert M., *The Cold War Debated,* McGraw-Hill Book Com., New York 1988, S. 29 u. 30–33.
[526] Ebenda, siehe Kapitel 2: »Is it likely that the U.S. use of Atomic Bombs at Hiroshima and Nagasaki was designed to intimidate the Soviet Union? YES Gar Alperovitz, »More on Atomic Diplomacy«.
[527] Spector, Ronald H., *The Eagle Against the Sun – The American War with Japan,* Vintage Books, New York 1985, S. 554 f.
[528] Wedemeyer, Albert, *Der verwaltete Krieg,* aaO. (Anm. 277), S. 17. Graf Ciano schrieb in seinen nach dem Krieg veröffentlichten Tagebüchern, daß die Deutschen »fest entschlossen waren, nichts zu tun, was Amerikas Eintritt in den Krieg beschleunigen oder verursachen könnte«.
[529] Bruhn, Jürgen, *Schlachtfeld Europa,* aaO. (Anm. 9), S. 54.
[530] Rassinier, Paul, *Die Jahrhundert-Provokation,* aaO. (Anm. 379), S. 240.
[531] Griffin, Des, *Wer regiert die Welt?,* aaO. (Anm. 306), S. 183.
[532] Dall, Curtis, B., *Amerikas Kriegspolitik,* aaO. (Anm. 292), S. 220–227. Vgl. auch Wedemeyer, Albert, *Der verwaltete Krieg,* aaO. (Anm. 277), S. 470 f.
[533] Griffin, Des, *Wer regiert die Welt?,* aaO. (Anm. 306), S. 188 f.
[534] Dall, Curtis B., *Amerikas Kriegspolitik,* aaO. (Anm. 292), S. 227.
[535] Crocker, George N., *Schrittmacher der Sowjets,* aaO. (Anm. 360), S. 142 f. Vgl. Wedemeyer, Albert, *Der verwaltete Krieg,* aaO. (Anm. 277), S. 117.
[536] Siehe bezüglich der Bombardierung Dresdens: Irving, David, *Der Untergang Dresdens,* Mohn, Gütersloh 1964, ein Buch, das den genauen Untergang der Stadt dokumentiert.
[537] Griffin, Des, *Wer regiert die Welt?,* aaO. (Anm. 306), S. 192 f.
[538] Deborin, G. A., *Der Zweite Weltkrieg,* aaO. (Anm. 344), S. 58 f.
[539] Wassiljew, N., *Amerika durch die Hintertür – Skizzen und Aufzeichnungen,* Kultur und Fortschritt, Berlin 1953, S. 48.
[540] Deborin, G. A., *Der Zweite Weltkrieg,* aaO. (Anm. 344), S. 64.
[541] Deschner, Karlheinz, *Der Moloch,* aaO. (Anm. 1), S. 267.
[542] Chomsky, Noam, *Wirtschaft und Gewalt,* aaO. (Anm. 14), S. 20 f. u. 80 ff.
[543] Deschner, Karlheinz, *Der Moloch,* aaO. (Anm. 1), S. 268–272.
[544] Ebenda, S. 283 u. 266; Quigley, Carrol, *Tragedy and Hope – A History of the World in our Time,* GSG & Associates, California 1994, S. 827.
[545] Jakovlev, N. N., *CIA contra UdSSR,* VEB Deutscher Verl. der Wissenschaften, Berlin 1985, S. 22 ff.
[546] Ebenda, S. 32–35 u. 42 f. Vgl. auch Pringle, Peter/Arkin, William, *SIOP – Der geheime Atomkriegsplan der USA,* Dietz, Bonn 1985, S. 33–51.
[547] Raeithel, Gert, *Geschichte der Nordamerikanischen Kultur,* aaO. (Anm. 27), Bd. 3, S. 208.
[548] Amborse, Stephen E., *Rise to Globalism – American Foreign Policy Since 1938,* Pinguin, New York ⁵1988, S. 126 f. Der Militärhistoriker Walter Millis schreibt, daß die US-Militärausgaben Anfang 1951 60 Milliarden Dollar betrugen, dies würde eine mehr als vierfache Steigerung wegen des Koreakriegs, von 13 Milliarden Dollar auf eben 60 Milliarden Dollar, bedeuten. Den meisten Berichten zufolge wurden aufgrund des Koreakriegs die Aufrüstungskosten auf 50–54 Milliarden Dollar beziffert. Millis, Walter, *Amerikanische Militärgeschichte,* aaO. (Anm. 17), S. 279.
[549] Chomsky, Noam, *Deterring Democracy,* London 1992, S. 21 f.
[550] Norden, Albert, *So werden Kriege gemacht!,* aaO. (Anm. 231), S. 147 ff.
[551] Bruhn, Jürgen, *Schlachtfeld Europa,* aaO. (Anm. 9), S. 64 f. u. 69.
[552] *Die Wahrheit über Korea,* Dietz, Berlin 1952, S. 42 u. 54.

553 Bruhn, Jürgen, *Schlachtfeld Europa*, aaO. (Anm. 9), S. 65.
554 Goulden, Joseph, *Korea – The Untold Story of the War*, New York 1982, S. 30 f.; Ruloff, Dieter, *Wie Kriege beginnen*, C.H. Beck, München 1985, S. 84.
555 Gunther, John, *The Riddle of MacArthur*, Hamish, London 1951, S. 150.
556 *New York Times*, 20. Juni, 1950.
557 Bruhn, Jürgen, *Schlachtfeld Europa*, aaO. (Anm. 9), S. 66 f.
558 Ebenda, S. 67 f.
559 Ebenda, S. 68 f.
560 Bergmann, Hans, *Die Eingreifer*, aaO. (Anm. 222), S. 57.
561 Stone, Ian F., *The Hidden History of the Korean War*, New York 1952, S. 13 u. 52. Vgl. auch Blum, William, *Killing Hope – U.S. Military and CIA Interventions since World War II*, Common Courage Press, Maine 1995, S. 46.
562 Blum, William, ebenda, S. 46 f.
563 Groehler, Olaf, *Der Koreakrieg 1950–1953*, Militär-Verlag der Deutschen Demokratischen Republik, Berlin 1980, S. 13 f.
564 Blum, William, *Killing Hope*, aaO. (Anm. 561), S. 47.
565 Stone, Ian F., *The Hidden History of the Korean War*, aaO. (Anm. 561), S. 66.
566 Ebenda, S. 65 f.
567 Groehler, Olaf, *Der Koreakrieg 1950–1953*, aaO. (Anm. 561), S. 15.
568 *Die Wahrheit über Korea*, aaO. (Anm. 552), S. 131.
569 Ambrose, Stephen E., *Rise to Globalism – American Foreign Policy since 1938*, New York 1988, S. 121 f.
570 *Die Wahrheit über Korea*, aaO. (Anm. 552), S. 153 u. 156; Stone, Ian F., *The Hidden History of the Korean War*, aaO. (Anm. 561), S. 75 u. 132.
571 Bruhn, Jürgen, *Schlachtfeld Europa*, aaO. (Anm. 9), S. 71.
572 Stone, Ian F., *The Hidden History of the Korean War*, aaO. (Anm. 561), S. 14.
573 Bruhn, Jürgen, *Schlachtfeld Europa*, aaO. (Anm. 9), S. 64.
574 *Die Wahrheit über Korea*, aaO. (Anm. 552), S. 55.
575 Norden, Albert, *So werden Kriege gemacht!*, aaO. (Anm. 231), S. 155. Vgl. auch Groehler, Olaf, *Der Koreakrieg 1950–1953*, aaO. (Anm. 561), S. 9.
576 Da-Njän, Lju, *Die Geschichte der amerikanischen Aggression in China*, aaO. (Anm. 425), S. 338 f.
577 Ebenda, S. 339.
578 *Die Wahrheit über Korea*, aaO. (Anm. 552), S. 56 ff.
579 Ebenda, S. 57 f. u. 98.
580 Ebenda, S. 59.
581 Norden, Albert, *So werden Kriege gemacht!*, aaO. (Anm. 231), S. 152.
582 *Die Wahrheit über Korea*, aaO. (Anm. 552), S. 203 f. u. 66.
583 Goulden, Joseph C., *Korea – The Untold Story of the War*, aaO. (Anm. 554), S. 29 u. 51. Vgl. auch Hoyt, Edwin P., *On to the Yalu*, Jove Books, New York 1991, S. 3 f.
584 *Die Wahrheit über Korea*, aaO. (Anm. 552), S. 63; Norden, Albert, *So werden Kriege gemacht!*, aaO. (Anm. 231), S. 156.
585 *Die Wahrheit über Korea*, aaO. (Anm. 552), S. 64.
586 Ebenda, S. 67, 188 u. 68 f.
587 Ebenda, S. 154.
588 Norden, Albert, *So werden Kriege gemacht!*, aaO. (Anm. 231), S. 159 f.
589 Bruhn, Jürgen, *Schlachtfeld Europa*, aaO. (Anm. 9), S. 73 f.
590 Millis, Walter, *Amerikanische Militärgeschichte*, aaO. (Anm. 17), S. 277–281.
591 Hoyt, Edwin P., *On to the Yalu*, aaO. (Anm. 583), S. 14–41.
592 Bergmann, Hans, *Die Eingreifer*, aaO. (Anm. 222), S. 64. Vgl. auch Paschall, Rod, *Witness to War: Korea*, Perigee, New York 1995, S. 56 f.
593 Vankin, Jonathan/Whalen, John, *The 60 Greatest Conspiracies of all Time – History´s Biggest Mysteries, Coverups & Cabals*, Citadel Press, New Jersey 1996, S. 39 f.; *Faktor X*,

Nr. 6, August 1997, Enthüllung: »Kriminelle Waffentests«, S. 161.
[594] Bergmann, Hans, *Die Eingreifer,* aaO. (Anm. 222), S. 65 f.
[595] Piller, Charles/Yamamoto, Keith R., *Der Krieg der Gene – Das Militär und die Gentechnik,* Rasch & Röhring, Hamburg, 1989, S. 64 f.
[596] Vankin, Jonathan/Wahlen, John, *The 60 Greatest Conspiracies of all Time,* aaO. (Anm. 595), S. 35 f.
[597] Stone, Ian F., *The Hidden History of the Korean War,* aaO. (Anm. 561), S. 65.
[598] Bergmann, Hans, *Die Eingreifer,* aaO. (Anm. 222), S. 58 f.
[599] Stone, Ian F., *The Hidden History of the Korean War,* aaO. (Anm. 561), S. 1 f.
[600] *Die Wahrheit über Korea,* aaO. (Anm. 552), S. 210, 57 f. u. 204.
[601] Stone, Ian F., *The Hidden History of the Korean War,* aaO. (Anm. 561), S. 348.
[602] Winter, Rolf, *Gottes Eigenes Land?,* aaO. (Anm. 2), S. 280.
[603] Norden, Albert, *So werden Kriege gemacht!,* aaO. (Anm. 231), S. 160 f.
[604] Blum, William, *Killing Hope,* aaO. (Anm. 561), S. 64 f.
[605] Bergmann, Hans, *Die Eingreifer,* aaO. (Anm. 222), S. 69–81.
[606] Bruhn, Jürgen, *Schlachtfeld Europa,* aaO. (Anm. 9), S. 97.
[607] Prouty, Fletcher L., *JFK, der CIA,* aaO. (Anm. 177), S. 59 f. u. 82.
[608] Coppik, Manfred/Roth, Jürgen, *Am Tor der Hölle – Strategien der Verführung zum Atomkrieg,* KiWi, Köln 1982, S. 108 f.
[609] Prouty, Fletcher L., *JFK, der CIA,* aaO. (Anm. 177), S. 117.
[610] Ebenda, S. 256 f.
[611] Bergmann, Hans, *Die Eingreifer,* aaO. (Anm. 222), S. 126.
[612] Combs, Jerald A., *The History of American Foreign Policy,* aaO. (Anm. 39), S. 367. Tindall, George Brown, *America – A Narrative History,* aaO. (Anm. 141), S. 1326.
[613] Gelb, Leslie H./Betts, Richard K., *The Irony of Vietnam: The System Worked,* The Brookings Institution, Washington D.C. 1979, S. 46.
[614] Ruehl, Lothar, *Vietnam, Brandherd eines Weltkonflikts?,* Ullstein, Frankfurt/M. 1966, S. 139.
[615] Norden, Albert, *So werden Kriege gemacht!,* aaO. (Anm. 231), S. 214.
[616] Ebenda, S. 229 f.
[617] Bergmann, Hans, *Die Eingreifer,* aaO. (Anm. 222), S. 135.
[618] Norden, Albert, *So werden Kriege gemacht!,* aaO. (Anm. 231), S. 231 f.
[619] Wise, David/Ross, Thomas B., *The Invisible Government,* Bantam, New York 1965, S. 166–176.
[620] Prados, John, *The Hidden History of the Vietnam War,* Ivan R. Dee, Chicago, 1995, S. 34–47.
[621] Ruehl, Lothar, *Vietnam, Brandherd eines Weltkonflikts?,* aaO. (Anm. 614), S. 141.
[622] Hutter, Clemens M., *Der schmutzige Krieg – Alternative zum Atomkrieg,* SN, Salzburg 1968, S. 81.
[623] Wise, David/Ross, Thomas B., *The Invisible Government,* aaO. (Anm. 620), S. 170–173.
[624] Karnow, Stanley, *Vietnam – A History The First Complete Account of Vietnam at War,* Penguin, New York 1984, S. 601 f.
[625] Bruhn, Jürgen, *Schlachtfeld Europa,* aaO. (Anm. 9), S. 110.
[626] Degler, Carl N., *Out of Our Past,* aaO. (Anm. 70), S. 547.
[627] Bruhn, Jürgen, *Schlachtfeld Europa,* aaO. (Anm. 9), S. 111.
[628] Neil Sheehan (Hg.), *Die Pentagon Papiere – Die geheime Geschichte des Vietnamkrieges,* Droemer Knaur, München 1971, S. 254.
[629] Ebenda, 256 f. Vgl. Bruhn, Jürgen, *Schlachtfeld Europa,* aaO. (Anm. 9), S. 111.
[630] Norden, Albert, *So werden Kriege gemacht!,* aaO. (Anm. 231), S. 226 f.
[631] Marks, John D./Marchetti, Victor, *The CIA and the Cult of Intelligence,* Dell Pub., New York 1974, S. 133.
[632] Carmin, E. R., *Das Schwarze Reich,* aaO. (Anm. 134), S. 780.
[633] Karnow, Stanley, *Vietnam – A History,* aaO. (Anm. 624), S. 366 f.

[634] Ebenda, S. 365.
[635] Prouty, Leroy Fletcher, *The Secret Team,* New Jersey 1973, S. 20 f. u. 35.
[636] Norden, Albert, *So werden Kriege gemacht!,* aaO. (Anm. 231), S. 226 ff.
[637] Prados, John, *The Hidden History of the Vietnam War,* aaO. (Anm. 620), S. 51.
[638] Karnow, Stanley, *Vietnam – A History,* aaO. (Anm. 624), S. 369 f.
[639] Prados, John, *The Hidden History of the Vietnam War,* aaO. (Anm. 620), S. 52. Vgl. Karnow, Stanley, ebenda, S. 370 f.
[640] Prados, John, ebenda, S. 52.
[641] Karnow, Stanley, *Vietnam – A History,* aaO. (Anm. 624), S. 370.
[642] Ebenda, S. 370; Vgl. Prados, John, *The Hidden History of the Vietnam War,* aaO. (Anm. 620), S. 52 f.
[643] Karnow, Stanley, ebenda, S. 370 f.
[644] Prados, John, *The Hidden History of the Vietnam War,* aaO. (Anm. 620), S. 52.
[645] Karnow, Stanley, *Vietnam – A History,* aaO. (Anm. 624), S. 375.
[646] Ebenda, S. 370. Vgl. Prados, John, *The Hidden History of the Vietnam War,* aaO. (Anm. 620), S. 52 f.
[647] Ebenda, S. 53.
[648] Karnow, Stanley, *Vietnam – A History,* aaO. (Anm. 624), S. 370 f.
[649] Prados, John, *The Hidden History of the Vietnam War,* aaO. (Anm. 620), S. 52.
[650] Ebenda, S. 52 f.
[651] Karnow, Stanley, *Vietnam – A History,* aaO. (Anm. 624), S. 371.
[652] Prados, John, *The Hidden History of the Vietnam War,* aaO. (Anm. 620), S. 56.
[653] Ebenda, S. 53. Vgl. auch Karnow, Stanley, *Vietnam – A History,* aaO. (Anm. 624), S. 374.
[654] Fulbright, William J., *Wahn der Macht, US-Politik seit 1945,* Kindler Verl., München 1989, S. 148 f.
[655] Draper, Theodore, *Abuse of Power – U.S. Foreign Policy from Cuba to Vietnam,* Penguin, Middlesex, England, 1969, S. 69 f. Vgl. Karnow, *Vietnam – A History,* aaO. (Anm. 624), S. 367.
[656] Prados, John, *The Hidden History of the Vietnam War,* aaO. (Anm. 620), S. 57.
[657] Karnow, Stanley, *Vietnam – A History,* aaO. (Anm. 624), S. 373.
[658] Ebenda, S. 374.
[659] Prados, John, *The Hidden History of the Vietnam War,* aaO. (Anm. 620), S. 58 f.
[660] Karnow, Stanley, *Vietnam – A History,* aaO. (Anm. 624), S. 375.
[661] Blum, William, *Killing Hope,* aaO. (Anm. 561), S. 129 f. Vgl. auch Prados, John, *The Hidden History of the Vietnam War,* aaO. (Anm. 620), S. 46.
[662] Bruhn, Jürgen, *Schlachtfeld Europa,* aaO. (Anm. 9), S. 111. Vgl. auch: Neil Sheehan (Hg.), *Die Pentagon Papiere,* aaO. (Anm. 628), S. 249 f.
[663] Ruehl, Lothar, *Vietnam, Brandherd eines Weltkonflikts?,* aaO. (Anm. 614), S. 129 f. u.135 f.
[664] Draper, Theodore, *Abuse of Power,* aaO. (Anm. 657), S. 69–75.
[665] *Weltgendarm USA,* aaO. (Anm. 233), S. 130. Vgl. Draper, Theodore, ebenda.
[666] Prados, John, *The Hidden History of the Vietnam War,* aaO. (Anm. 620), S. 57 f.
[667] Norden, Albert, *So werden Kriege gemacht!,* aaO. (Anm. 231), S. 224.
[668] Ruehl, Lothar, *Vietnam, Brandherd eines Weltkonflikts?,* aaO. (Anm. 614), S. 137.
[669] Rust, William J., »Westmoreland vs. CBS – Story Behind the Battle«, in *U.S. New & World Report* vom 1. Oktober 1984, S. 44–47.
[670] Walker, Bryce, *Düsenjäger und -Bomber,* Time-Life Bücher, Bechtermünz, Eltville am Rhein, 1993, S. 118.
[671] Eschmann, Karl J., *Linebacker – The Untold Story of the Air Raids over North Vietnam,* Ivy Books, New York 1989, S. 1–53.
[672] Walker, Bryce, *Düsenjäger und -Bomber,* aaO. (Anm. 671), S. 119.
[673] Eschmann, Karl J., *Linebacker,* aaO. (Anm. 671), S. 23 u. 31.
[674] *Kampfflugzeuge von heute – Typen – Entwicklungen,* Kaiser, Klagenfurt o.J., S. 88.
[675] *Aero Magazin,* Heft 21, Marshall Cavendish Ltd., London 1983, S. 565.

[676] *Kampfflugzeuge von heute,* aaO. (Anm. 674), S. 88.
[677] *Aero Magazin,* aaO. (Anm. 675), S. 565.
[678] Walker, Bryce, *Düsenjäger und -Bomber,* aaO. (Anm. 670), S. 125.
[679] *Kampfflugzeuge von heute,* aaO. (Anm. 674), S. 89.
[680] *Aero Magazin,* aaO. (Anm. 675), S. 565.
[681] *Kampfflugzeuge von heute,* aaO. (Anm. 674), S. 89.
[682] Wilcox, Robert K., *Scream of Eagles – The Dramatic Acount of the U.S. Navy´s Top Gun Fighter Pilots,* Pocket Books, New York 1992, S. xi.
[683] Walker, Bryce, *Düsenjäger und -Bomber,* aaO. (Anm. 670), S. 118 u. 125.
[684] Blum, William, *Killing Hope,* aaO. (Anm. 561), S. 132 f.
[685] Deschner, Karlheinz, *Der Moloch,* aaO. (Anm. 1), S. 341 f.
[686] MacShane, Denis, *Friendly Fire Whitewash – How the Coventry Fusilier Lee Thompson was Killed in the Gulf War and Why the Government Covered up the Truth,* Epic Books, London 1992, S. 14.
[687] Deschner, Karlheinz, *Der Moloch,* aaO. (Anm. 1), S. 340 f. u. 349.
[688] *Weltgendarm USA,* aaO. (Anm. 233), S. 135.
[689] Bergmann, Hans, *Die Eingreifer,* aaO. (Anm. 222), S. 131.
[690] Bergmann, Hans, ebenda. Vgl. Deschner, Karlheinz, *Der Moloch,* aaO. (Anm. 1), S. 341.
[691] Blum, William, *Killing Hope,* aaO. (Anm. 561), S. 133 f.
[692] Ebenda. S. 135 f.
[693] Shawcross, William, *Side Show – Kissinger, Nixon and the Destruction of Cambodia,* Pocket Books, New York 1979, S. 54.
[694] Ebenda, S. 122 u.131.
[695] Blum, William, *Killing Hope,* aaO. (Anm. 561), S. 135 ff.
[696] Shawcross, William, *Side Show,* aaO. (Anm. 693), S. 19–24.
[697] Ebenda, S. 24, 29 u. 65.
[698] Ebenda, S. 28 u. 31.
[699] Tindall, George Brown, *America – A Narrative History,* aaO. (Anm. 141), S. 1415.
[700] Shawcross, William, *Side Show,* aaO. (Anm. 693), S. 33.
[701] Ebenda, S. 35.
[702] Blum, William, *Killing Hope,* aaO. (Anm. 561), S. 138 f.
[703] Ebenda, S. 139.
[704] Shawcross, William, *Side Show,* aaO. (Anm. 693), S. 383 f. u. 386.
[705] Palmer, R. R./Colton, Joel, *A History of the Modern World,* Alfred A. Knopf, New York ⁶1984, S. 922.
[706] Karnow, Stanley, *Vietnam – A History,* aaO. (Anm. 624), S. 44.
[707] Blum, William, *Killing Hope,* aaO. (Anm. 561), S. 139.
[708] Shawcross, William, *Side Show,* aaO. (Anm. 693), S. 391.
[709] Vientane (Laos) Korrespondent, »The Labyrinthine War«, in *Far Eastern Economic Review* (Hong Kong conservative Weekly), 16. April 1970, S. 73, zitiert aus Blum, William, *Killing Hope,* aaO. (Anm. 561), S. 141.
[710] Blum, William, ebenda, S. 141 f.
[711] Ebenda, S. 142 ff.
[712] Ebenda, S. 145.
[713] Deschner, Karlheinz, *Der Moloch,* aaO. (Anm. 1), S. 350 f.; Chomsky, Noam, *Wirtschaft und Gewalt,* aaO. (Anm. 14), S. 14.
[714] Blum, William, *Killing Hope,* aaO. (Anm. 561), S. 269; Heinrich, Eberhardt/Ullrich, Klaus, *Nacht über Grenada – Die Geschichte einer US-Aggression,* Dietz, Berlin 1983, S. 16.
[715] Blum, William, *Killing Hope,* aaO. (Anm. 561), S. 269 u. 271 f.
[716] Ebenda, S. 270–135.
[717] Ebenda, S. 270.
[718] Heinrich, Eberhardt/Ullrich, Klaus, *Nacht über Grenada,* aaO. (Anm. 714), S. 42–45.
[719] Ebenda, S. 9 ff., 8 u. 48 f.

[720] Ebenda, S. 51 f.
[721] Ebenda, S. 31–34.
[722] Ebenda, S. 54.
[723] Cooley, John, *Payback – America's Long War in the Middle East,* Brassey's, Washington 1991, S. 92.
[724] Grässling, Jürgen, *Lizenz zum Töten? – Wie die Bundeswehr zur internationalen Eingreiftruppe gemacht wird,* Knaur, München 1997, S. 76.
[725] Blum, William, *Killing Hope,* aaO. (Anm. 561), S. 270, 274 u. 277.
[726] Woodward, Robert, *Veil – The Secret Wars of the CIA 1981–1987,* Pocket Books, New York 1988, S. 337.
[727] Ebenda, S. 513 f.
[728] Blum, William, *Killing Hope,* aaO. (Anm. 561), S. 286.
[729] Ebenda, S. 281 f. Fernsehbericht des Abschusses der italienischen Maschine im Besitz des Autors.
[730] Ebenda, S. 281.
[731] Woodward, Robert, *Veil,* aaO. (Anm. 724), S. 471 ff.
[732] Blum, William, *Killing Hope,* aaO. (Anm. 561), S. 281 u. 284 f.
[733] Ebenda, S. 286.
[734] Woodward, Robert, *Veil,* aaO. (Anm. 726), S. 177.
[735] Ebenda.
[736] Ebenda, S. 508 f.
[737] Blum, William, *Killing Hope,* aaO. (Anm. 561), S. 285.
[738] Ebenda, S. 289.
[739] Bainerman, Joel, *The Crimes of a President – New Revelations on Conspiracy & Cover-Up in the Bush & Reagan Administrations,* Spi Books, New York 1992, S. 27–30.
[740] Blum, William, *Killing Hope,* aaO. (Anm. 561), S. 306–309.
[741] Ebenda, S. 305–311.
[742] Ebenda, S. 310 f.
[743] Vankin, Johnathan, *Conspiracies Cover-Ups and Crimes – From JFK to the CIA Terrorist Connection,* Dell Books, New York 1992, S. 237 ff.
[744] Kochan, Nick/Whittington, Bob, *Bankrupt – The BCCI Fraud,* Victor Gollancz Ltd. London 1991, S. 224.
[745] Woodward, Robert, *The Commanders,* Star Books, New York S. 172. Vgl. auch Blum, William, *Killing Hope,* aaO. (Anm. 561), S. 305.
[746] Ebenda, S. 310.
[747] Ebenda, S. 311 f.
[748] Ebenda, S. 308.
[749] Ebenda, S. 313.
[750] Ebenda.
[751] Majeed, Tariq, *The Global Game for a New World Order,* Nadeem Book House, Lahore 1995, S. 128.
[752] Blum, William, *Killing Hope,* aaO. (Anm. 561), S. 341–344.
[753] Carmin, E. R., *Das Schwarze Reich,* aaO. (Anm. 134), S. 494.
[754] Ebenda, S. 503 f.
[755] Majeed, Tariq, *The Global Game for a New World Order,* aaO. (Anm. 751), S. 130.
[756] Hussain, Syed Shabbir/Rizvi, Absar Husain, *Afghanistan Whose War?,* El-Mashriqi Foundation, Islamabad 1987, S. 73.
[757] Prados, John, *Presidents's Secret Wars – CIA and Pentagon Covert Operations from World War II through Iranscam,* Newly Revised and Updated, Quil William Morrow, New York 1986, S. 358; Hussain Syed Shabbir/ Rizvi, Absar Husain, ebenda, S. 73.
[758] Horowitz, David (Hg.), *Big Business und Kalter Krieg,* März, Frankfurt 1971. Siehe hierzu vor allem die ersten beiden Beiträge von Horowitz und Domhoff, dies ist eines der besten Bücher über den mächtigen CFR und seinen fast allgegenwärtigen Einfluß

[759] auf die US-Außenpolitik. Allen, Gary, *Die Insider,* aaO. (Anm. 135), S. 71; Helsing, Jan van, *Geheimgesellschaften,* aaO. (Anm. 187), S. 159 f. u. 177 f.
[759] Ebenda, S. 234.
[760] Allen, Gary, *Die Insider,* aaO. (Anm. 135), Bd. 2, S. 150.
[761] Griffin, Des, *Wer regiert die Welt?,* aaO. (Anm. 306), S. 240. Allen, Gary, *Die Insider,* aaO. (Anm. 135), Bd. 2, S. 150.
[762] Chomsky, Noam, *Deterring Democracy,* aaO. (Anm. 549), S. 21.
[763] Majeed, Tariq, *The Global Game for a New World Order,* aaO. (Anm. 751), S. 138.
[764] Ambrose, Stephen E., *Rise to Globalism,* aaO. (Anm. 569), S. 141 ff.
[765] Shawcross, William, *Side Show,* aaO. (Anm. 693), S. 384 f.; vgl. *Die chinesische Aggression gegen Vietnam,* Presseagentur Orbis, Prag 1980.
[766] *Der Spiegel,* 1/1994, S. 112.
[767] Siehe hierzu die ausgezeichnete Analyse des Kapitels »The Sky ist the Limit«. Der patriotische Komplex, in Winter, Rolf, *Ami Go Home,* aaO. (Anm. 146), S. 308–337.
[768] Blum, William *Killing Hope,* aaO. (Anm. 561), S. 345.
[769] Ebenda, S. 351.
[770] Hussain, Syed Shabbir/Rizvi, Absar Husain, *Afghanistan Whose War?,* aaO. (Anm. 758), S. 69.
[771] Gordon, Thomas, *Journey into Madness – The True Story of Secret CIA Mind Control and Medical Abuse,* Bantam Books, New York 1990, S. 18.
[772] Majeed, Tariq, *The Global Game for a New World Order,* aaO. (Anm. 751), S. 136.
[773] Bezüglich Reagans CIA- (Nicaragua-)Politik siehe u.a. Kempf, Wilhelm (Hg.), *Medienkrieg oder »Der Fall Nicaragua« – Politisch-psychologische Analysen über US-Propaganda und psychologische Kriegsführung,* Argument, Berlin–Hamburg 1990, Kapitel 1 (S. 1–85).
[774] Blum, William *Killing Hope,* aaO. (Anm. 561), S. 345.
[775] Hiro, Dilip, *The Longest War – The Iran-Iraq Military Conflict,* Routledge, New York 1991, S. 250 f.
[776] Ebenda, S. 35.
[777] Ebenda, S. 37 ff.
[778] Taheri, Amir, *Nest of Spies – America's Journey to Disaster in Iran,* Pantheon Books, New York 1988, S. 41.
[779] Engdahl, William F. *Mit der Ölwaffe zur Weltmacht,* aaO. (Anm. Anm. 187), S. 265 ff.
[780] Taheri, Amir, *Nest of Spies,* aaO. (Anm. 778), S. 90 f.
[781] Engdahl, William F., *Mit der Ölwaffe zur Weltmacht,* aaO. (Anm. Anm. 187), S. 268.
[782] Ebenda, S. 265 f.
[783] Taheri, Amir, *Nest of Spies,* aaO. (Anm. 778), S. 3 u. 275.
[784] Engdahl, William F., *Mit der Ölwaffe zur Weltmacht,* aaO. (Anm. Anm. 187), S. 135 f.
[785] Ebenda, S. 269 f.
[786] Ebenda, S. 270.
[787] Taheri, Amir, *Nest of Spies,* aaO. (Anm. 778), 107 f. u. 227.
[788] Ebenda, S. 108 f.
[789] Clark, Ramsey, *The Fire this Time – US War Crimes in the Gulf,* Thunder's Mouth Press, New York 1992, S. 6. Vgl. auch Ruf, Werner (Hg.), *Vom Kalten Krieg zur heißen Ordnung? – Der Golfkrieg – Hintergründe und Perspektiven,* Lit, Hamburg–Münster 1991, S. 36 f.
[790] Clark, Ramsey, ebenda, S. 6.
[791] Blackwood, Peter, *Die Netzwerke der Insider – Ein Nachschlagewerk über die Arbeit, die Pläne und die Ziele der Internationalisten,* Diagnosen, Leonberg 1986, S. 180.
[792] Warsi, Khursheed, *The Cobweb – World-Wide Designs of Satan,* Warsi Publications, Karachi 1992, S. 21.
[793] Clark, Ramsey u.a., *War Crimes – A Report on United States War Crimes Against Iraq – Reports to the Commission of Inquiry for the International War Crimes Tribunal and the Tribunal's Final Judgment,* Maisonneuve Press, Washington D.C. 1992, S. 64.

[794] Bulloch, John/Morris Harvey, *Saddams Krieg,* Rowohlt, Hamburg 1991, S. 127. Vgl. auch Clark, Ramsey u.a., *War Crimes.* aaO., ebenda, S. 63 f.
[795] Clark, Ramsey u.a., ebenda, S. 63.
[796] Smith, Jean Edward, *George Bush's War,* Henry Holt and Company Inc., New York 1992, S. 43.
[797] Dilip, Hiro, *The Longest War,* aaO. (Anm. 773), S. 69–75.
[798] Clark, Ramsey u.a., *War Crimes.* aaO. (Anm. 792), S. 63.
[799] Blackwood, Peter, *Die Netzwerke der Insider,* aaO. (Anm. 791), S. 181.
[800] Simpson, John, *From the House of War – John Simpson in the Gulf,* Arrow Books, London 1991, S. 40.
[801] Blackwood, Peter, *Die Netzwerke der Insider,* aaO. (Anm. 791), S. 181 ff.
[802] Cooley, John, *Payback,* aaO. (Anm. 724), S. 141 f.
[803] Blackwood, Peter, *Die Netzwerke der Insider,* aaO. (Anm. 791), S. 183.
[804] Clark, Ramsey u.a., *War Crimes.* aaO. (Anm. 793), S. 64.
[805] Ebenda, S. 54.
[806] Friedman, Alan, *Spider's Web – The Secret History of how the White House Illegally armed Iraq,* New York 1993, S. 27; Graubard, R. Stephen, *Mr. Bush's War – Adventures in the Politics of Illusion,* New York 1992, S. 15.
[807] Hiro, Dilip, *Desert Shild to Desert Storm – The Second Gulf War,* Paladin, London 1992, S. 121.
[808] *The Tower Commission Report – The Full Text of the President's Special Review Board,* Bantam Books/Times Books, New York 1987, S. 18–55.
[809] Clark, Ramsey u.a., *War Crimes.* aaO. (Anm. 793), S. 79.
[810] Clark, Ramsey, *The Fire this Time,* aaO. (Anm. 789), S. 19 f.
[811] Khalid, Bin, Sultan, *Desert Warrior – A Personal View of the Gulf War by the Joint Forces Commander,* Harper Collins, London 1995, S. 159.
[812] Bresheeth, Haim/Yuval-Davis, Nira (Hg.), *The Gulf War and the New World Order,* Zed Books Ltd., London–New Jersey 1991, S. 56 f.
[813] Carmin, E. R., *Das Schwarze Reich,* aaO. (Anm. 134), S. 506 f. u. 509.
[814] Clark, Ramsey, *The Fire this Time,* aaO. (Anm. 789), S. 21; Graubard, R. Stephen, *Mr. Bush's War,* aaO. (Anm. 806), S. 118.
[815] Clark, Ramsey u.a., *War Crimes.* aaO. (Anm. 793), S. 68 f.
[816] Yant, Martin, *Desert Mirage – The True Story of the Gulf War,* Prometheus Books, Buffalo–New York 1991, S. 70 f. Vgl. auch Bresheeth, Haim/Yuval-Davis, Nira (Hg.), *The Gulf War,* aaO. (Anm. 812), S. 64.
[817] Salinger, Pierre/Laurent, Eric, *Krieg am Golf – Das Geheimdossier,* Hanser, München 1991, S. 7. Genaue Zahlen über Iraks Verschuldung vor dem Golfkrieg sind in der Golfkriegsliteratur nicht enthalten, einige Quellen gehen von einer irakischen Verschuldung in Höhe von 80 Milliarden Dollar aus, andere sprechen von 100 bis 120 Milliarden Dollar. Der Autor hält Schulden in Höhe von 100 bis 120 Milliarden Dollar für realistisch.
[818] Ebenda; Clark, Ramsey, *The Fire this Time,* aaO. (Anm. 789), S. 13 f.; Salinger, Pierre/Laurent, Eric, *Krieg am Golf,* aaO. (Anm. 817), S. 8.
[819] Clark, Ramsey, ebenda; Salinger, Pierre/Laurent Eric, *Krieg am Golf,* aaO. (Anm. 817), S. 8.
[820] Clark, Ramsey u.a., *War Crimes,* aaO. (Anm. 793), S. 252 f.
[821] Ebenda, S. 65.
[822] Salinger, Pierre/Laurent, Eric, *Krieg am Golf,* aaO. (Anm. 817), S. 7.
[823] Clark, Ramsey u.a., *War Crimes.* aaO. (Anm. 793), S. 65.
[824] Aggarwal, J. C. Shri, *Gulf Crisis Pre-War & Post-War Scenario,* Chand & Company, New Delhi 1991, S. 2 u. 39 f.; Clark, Ramsey, *The Fire this Time,* aaO. (Anm. 789), S. 14; Simpson, John, *From the House of War,* aaO. (Anm. 800), S. 98. Simpson benennt Iraks Einnahmen für 1989 mit 13 Milliarden Dollar, der Autor geht von etwa 10 Milliarden

Dollar aus. Desweiteren gibt Simpson 80 Milliarden als irakische Auslandsverschuldung an.

[825] Salinger, Pierre/Laurent, Eric, *Krieg am Golf,* aaO. (Anm. 817), S. 37 u. 43; Aggarwal, J. C., *Gulf Crisis,* S. 2; Hübschen, Jürgen, *Der Irak-Kuwait-Krieg: Chronologie einer programmierten Katastrophe,* Darmstadt 1992, S. 61.
[826] Aggarwal, J. C, *Gulf Crisis,* aaO. (Anm. 825), S. 5.
[827] Hiro, Dilip, *Desert Shield to Desert Storm,* aaO. (Anm. 807), S. 112 f.
[828] Engdahl, William F., *Mit der Ölwaffe zur Weltmacht,* aaO. (Anm. Anm. 187), S. 332 f.
[829] Clark, Ramsey, *The Fire this Time,* aaO. (Anm. 789), S. 8 f.
[830] Ebenda.
[831] Bainerman, Joel, *The Crimes of a President,* aaO. (Anm. 739), S. 220 f., zitiert aus *Mother Jones,* November-Dezember 1991.
[832] Clark, Ramsey u.a., *War Crimes.* aaO. (Anm. 793), S. 67.
[833] Bresheeth, Haim/Yuval-Davis, Nira, *The Gulf War,* aaO. (Anm. 812), S. 52. Vgl. auch Schwarzkopf, Norman H./Petre, Peter, *It Dosen't Take a Hero – The Autobiography,* Bantam Books, New York 1992, S. 295.
[834] Clark, Ramsey, *The Fire this Time,* aaO. (Anm. 789), S. 10 f. Zitiert aus den Quellen: *U.S. New & World Report,* »Triumph Without Victory: The Unreported History of the Persian Gulf War«, S. 28 ff., und Kapitel 2, Mathews, Tom u.a., »The Road to War«, in *Newsweek,* 28. Januar 1991, S. 54, 57 f. u. 60 f.
[835] Clark, Ramsey u.a., *War Crimes.* aaO. (Anm. 793), S. 71.
[836] Clark, Ramsey, *The Fire this Time,* aaO. (Anm. 789), S. 11 f.
[837] Ebenda, S. 18. Vgl. Salinger, Pierre/Laurent, Eric, *Krieg am Golf,* aaO. (Anm. 817), S. 76.
[838] Clark, Ramsey, ebenda, S. 15 f.; Blum, William, *Killing Hope,* aaO. (Anm. 561), S. 323.
[839] Clark, Ramsey, ebenda. Für den vollständigen Wortlaut dieses wichtigen Dokuments siehe: Salinger, Pierre/Laurent, Eric, *Krieg am Golf,* aaO. (Anm. 817), Anhang, S. 222 ff.
[840] Chomsky, Noam u.a., *Die Neue Weltordnung und der Golfkrieg,* aaO. (Anm. 14), S. 90. Vgl. auch Clark, Ramsey u.a., *War Crimes.* aaO. (Anm. 793), S. 65.
[841] Engdahl, William F., *Mit der Ölwaffe zur Weltmacht,* aaO. (Anm. Anm. 187), S. 336.
[842] Cooley, John, *Payback,* aaO. (Anm. 724), S. 222.
[843] Bulloch, John/Morris, Harvey, *Saddams Krieg,* aaO. (Anm. 794), S. 34.
[844] Vankin, Johnathan, *Conspiracies,* aaO. (Anm. 743), S. 241.
[845] Hiro, Dilip, *Desert Shield to Desert Storm,* aaO. (Anm. 807), S. 292 f.
[846] Kellner, Douglas, *The Persian Gulf TV Warm,* Westview Press, San Francisco 1992, S. 424 f.; Hübschen, Jürgen, *Der Irak-Kuwait-Krieg,* aaO. (Anm. 825), S. 182.
[847] Winter, Rolf, *Gottes Eigenes Land?,* aaO. (Anm. 2), S. 259.
[848] Grässling, Jürgen, *Lizenz zum Töten?,* aaO. (Anm. 724), S. 76.
[849] Kempf, Wilhelm (Hg.), *Medienkrieg oder »Der Fall Nicaragua«,* aaO. (Anm. 773).
[850] Winter, Rolf, *Gottes Eigenes Land?,* aaO. (Anm. 2), S. 269 f.
[851] In Sachen wirtschaftlicher Niedergang der USA siehe u.a. Shapiro, Andrew L., *Die verlorene Weltmacht – Amerika im Vergleich zum Rest der Welt,* C. Bertelsmann, München 1993, S. 103–138; Winter, Rolf, *Gottes Eigenes Land?,* aaO. (Anm. 2), S. 141; Bresheeth, Haim/Yuval-Davis, Nira, *The Gulf War,* aaO. (Anm. 812), S. 156 f.; Thurow, Lester, *The Future of Capitalism – How Today's Economic Forces will Shape Tomorrow's World,* Nicholas Brealey Publishing, London 1996, S. 24 f.; Davidson, James Dale/Rees-Mogg, Lord William, *The Great Reckoning – Protect Yourself in the Coming Depression,* Simon & Schuster, New York 1993, S. 118 f.; Segal, Gerald, *The World Affairs Companion – The Essential one-Volume Guide to Global Issues,* Simon & Schuster, Sydney 1994, S. 201.
[852] Hübschen, Jürgen, *Der Irak-Kuwait-Krieg,* aaO. (Anm. 825), S. 270 u. 282.
[853] Bresheeth, Haim/Yuval-Davis, Nira, *The Gulf War,* aaO. (Anm. 812), S. 66.
[854] Graubard, R. Stephen, *Mr. Bush's War,* aaO. (Anm. 806), S. 165.
[855] Kellner, Douglas, *The Persian Gulf TV War,* aaO. (Anm. 846), S. 38 f.
[856] Ebenda. Vgl. Winter, Rolf, *Gottes Eigenes Land?,* aaO. (Anm. 2), S. 258.

[857] Bainerman, Joel, *The Crimes of a President*, aaO. (Anm. 739), S. 275; Nölling, Wilhelm, *Unser Geld – Der Kampf um die Stabilität der Währungen in Europa*, Ullstein, Berlin-Frankfurt/M. 1993, S. 84. Vgl. auch Pizzo, Stepen/Fricker, Mary/Muolo, Paul, *Inside Job – The Looting of America's Saving and Loans*, McGraw-Hill Publishing Company, New York 1989, S. 308.
[858] Blum, William, *Killing Hope*, aaO. (Anm. 561), S. 324.
[859] Bresheeth, Haim/Yuval-Davis, Nira, *The Gulf War*, aaO. (Anm. 812), S. 65.
[860] Clark, Ramsey u.a., *War Crimes*, aaO. (Anm. 793), S. 67.
[861] Bresheeth, Haim/Yuval-Davis, Nira, *The Gulf War*, aaO. (Anm. 812), S. 63.
[862] Blum, William, *Killing Hope*, aaO. (Anm. 561), S. 324; Bresheeth, Haim/Yuval-Davis, Nira, ebenda, S. 65. Vgl. auch Clark, Ramsey u.a., *War Crimes*, aaO. (Anm. 793), S. 67.
[863] Smith, Jean Edward, *George Bush's War*, aaO. (Anm. 796), S. 53.
[864] Ebenda, S. 58.
[865] Ebenda, S. 17.
[866] Bresheeth, Haim/Yuval-Davis, Nira, *The Gulf War*, aaO. (Anm. 812), S. 63 f.
[867] Ebenda.
[868] Chomsky, Noam u.a., *Die Neue Weltordnung und der Golfkrieg*, aaO. (Anm. 14), S. 67 f.
[869] Ravi, Dan/Melman, Yossi, *Die Geschichte des Mossad – Aufstieg und Fall des Israelischen Geheimdienstes*, Heyne, München 1992, S. 472.
[870] Simpson, John, *From the House of War*, aaO. (Anm. 800), S. 47.
[871] Graubard, Stephen, *Mr. Bush's War*, aaO. (Anm. 806), S. 111 u. 107; vgl. Hübschen, Jürgen, *Der Irak-Kowait-Krieg*, aaO. (Anm. 825), S. 96.
[872] Raviv, Dan/Melman, Yossi, *Die Geschichte des Mossad*, aaO. (Anm. 869), S. 473.
[873] Chomsky, Noam u.a., *Die Neue Weltordnung und der Golfkrieg*, aaO. (Anm. 14), S. 68; Ridgeway, James, *The March to War – From Day one to War's End and Beyond*, 4 Walls 8 Windows, New York 1991, S. 57 f. Vgl. auch Brittain, Victoria (Hg.), *The Gulf Between Us – The Gulf War and Beyond*, Virago Press, London 1991, S. 15. Zu viele Bücher über den Golfkrieg bestätigen diese Information, um alle aufzulisten.
[874] Chomsky, Noam, ebenda, S. 68 ff.
[875] Ebenda, S. 70; Hübschen, Jürgen, *Der Irak-Kuwait-Krieg*, aaO. (Anm. 825), S. 60.
[876] Friedman, Alan, *Spider's Web*, aaO. (Anm. 806), S. 166 f.; Clark, Ramsey, *The Fire this Time*, aaO. (Anm. 789), S. 21 f.
[877] Bowen, Russel S., *The Immaculate Deception – The Bush Crime Family Exposed*, America West Publishers, Carson City NY 1991, S. 145 f.
[878] Salinger, Pierre/Laurent, Eric, *Krieg am Golf*, aaO. (Anm. 817), S. 49–63; Bowen, Russell S., ebenda, S. 145 f.
[879] Bowen, Russell S., ebenda, S. 146.
[880] Clark, Ramsey, *The Fire this Time*, aaO. (Anm. 789), S. 23.
[881] Clark, Ramsey u.a., *War Crimes*, aaO. (Anm. 793), S. 251.
[882] Ebenda, S. 253.
[883] Ebenda, S. 256.
[884] Clark, Ramsey, *The Fire this Time*, aaO. (Anm. 789), S. 23 f. Vgl. auch *War Crimes*, aaO. (Anm. 793), S. 66 u. 250–256.
[885] Bowen, Russell S., *The Immaculate Deception*, aaO. (Anm. 877), S. 146 ff.
[886] Ebenda, S. 148 f.; Vankin, *Conspiracies, Cover-Ups and Crimes*, aaO. (Anm. 743), S. 241.
[887] Bresheeth, Haim/Yuval-Davis, Nira, *The Gulf War*, aaO. (Anm. 812), S. 58.
[888] Bowen, Russell S., *The Immaculate Deception*, aaO. (Anm. 877), S. 148 f.; Vankin, Johnathan, *Conspiracies, Cover-Ups and Crimes*, aaO. (Anm. 743), S. 241.
[889] Blum, William, *Killing Hope*, aaO. (Anm. 561), S. 324.
[890] Ziegler, W. David, *War, Peace and International Politics*, Little Brown and Company, Boston 1987, S. 52.
[891] Goulden, Joseph C., *Korea – The Untold Story of the War*, aaO. (Anm. 554), S. 30 f.
[892] Clark, Ramsey, *The Fire this Time*, aaO. (Anm. 789), S. 23 f.

[893] Carmin, E. R., *Das Schwarze Reich,* aaO. (Anm. 134), S. 510.
[894] Ebenda, S. 510.
[895] Haque, Haseeb A./Shah, M. Javed/Ahmad, Suhir A., *Target Islam,* Quranic Open University, Inc. U.S.A. & Pakistan Foundation for Strategic Studies Islamabad, Zavia Books, Lahore 1994, S. 33.
[896] Blum, William, *Killing Hope,* aaO. (Anm. 561), S. 323. Vgl. *Christian Science Monitor,* 5. Februar 1991.
[897] Clark, Ramsey u.a., *War Crimes.* aaO. (Anm. 793), S. 41.
[898] Bresheeth, Haim/Yuval-Davis, Nira, *The Gulf War,* aaO. (Anm. 812), S. 15.
[899] Clark, Ramsey u.a., *War Crimes,* aaO. (Anm. 793), S. 251 u. 41.
[900] *Triumph without Victory – The Unreported History of the Persian Gulf War,* Random House/Times Books, New York–Toronto 1992, S. 22 f.
[901] Bulloch, John/Morris, Harvey, *Saddams Krieg,* aaO. (Anm. 793), S. 19.
[902] Aburish, Said, *A Brutal Friendship – The West and the Arab Elite,* Victor Gollancz, London 1997, S. 141 f.
[903] Hofmann, Michael, *Siegen ist nicht gleich Frieden,* Ullstein, Frankfurt/M.–Berlin 1992, S. 36.
[904] Vankin, Johnathan, *The Crimes of a President,* aaO. (Anm. 739), S. 244.
[905] Hiro, Dilip, *Desert Shield to Desert Storm,* aaO. (Anm. 807), S. 106 f.
[906] Hofmann, Michael, *Siegen ist nicht gleich Frieden,* aaO. (Anm. 900), S. 36.
[907] Smith, Jean Edward, *George Bush's War,* aaO. (Anm. 796), S. 175 f.; vgl. Hiro, Dilip, *Desert Shield to Desert Storm,* aaO. (Anm. 807), S. 219 u. 110. Vgl. auch *University of Maryland Reader – The Persian Gulf Crisis,* 1991, S. 338; Woodward, Bob, *The Commanders,* aaO. (Anm. 745).
[908] Hiro, Dilip, *Desert Shield to Desert Storm,* aaO. (Anm. 807), S. 114.
[909] Ridgeway, James, *The March to War,* aaO. (Anm. 873), S. 60.
[910] Simpson, John, *From the House of War,* aaO. (Anm. 800), S. 137 f.
[911] Clark, Ramsey, *The Fire this Time,* aaO. (Anm. 789), S. 25 f.
[912] Blum, William, *Killing Hope,* aaO. (Anm. 561), S. 328. Vgl. »The Peace Feeler That Was«, in *The Nation,* 15. April 1991, S. 480 ff.; *Newsweek,* 10. September 1990, S. 17; *Los Angeles Times,* 20. Oktober 1990, S. 6.
[913] Smith, Jean Edward, *George Bush's War,* aaO. (Anm. 796), S. 126.
[914] Bresheeth, Haim, Yuval-Davis, Nira, *The Gulf War,* aaO. (Anm. 812), S. 16.
[915] Smith, Jean Edward, *George Bush's War,* aaO. (Anm. 796), S. 142 f.; Ridgeway, James, *The March to War,* aaO. (Anm. 873), S. 63.
[916] Smith, Jean Edward, ebenda, S. 193.
[917] Hiro, Dilip, *Desert Shield to Desert Storm,* aaO. (Anm. 807), S. 315.
[918] Brittain, Victoria (Hg.), *The Gulf Between Us,* aaO. (Anm. 873), S. 160.
[919] Clark, Ramsey u.a., *War Crimes.* aaO. (Anm. 793), S. 205. Vgl. Kellner, Douglas, *The Persian Gulf TV War,* aaO. (Anm. 846), S. 93.
[920] Hiro, Dilip, *Desert Shield to Desert Storm,* aaO. (Anm. 807), S. 170.
[921] Ebenda, S. 178 f.
[922] Smith, Jean Edward, *George Bush's War,* aaO. (Anm. 796), S. 222.
[923] Ebenda, S. 222 f.
[924] Ebenda, S. 231.
[925] Ebenda, S. 254.
[926] Winter, Rolf, *Gottes Eigenes Land?,* aaO. (Anm. 2), S. 263.
[927] Bulloch, John/Morris, Harey, *Saddams Krieg,* aaO. (Anm. 794), S. 127; Simpson, John, *From the House of War,* aaO. (Anm. 800), S. 89.
[928] Hübschen, Jürgen, *Der Irak-Kuwait-Krieg,* aaO. (Anm. 825), S. 87.
[929] Smith, Edward Jean, *George Bush's War,* aaO. (Anm. 796), S. 38. Vgl. Salinger, Pierre/Laurent, Eric, *Krieg am Golf,* aaO. (Anm. 817), S. 8. Vgl. auch Clark, Ramsey, *The Fire this Time,* aaO. (Anm. 789), S. 13 f.

[930] Blum, William, *Killing Hope,* aaO. (Anm. 561), S. 328.
[931] Siehe u.a. Timmerman, Kenneth R., *The Death Lobby – How the West Armed Iraq,* Bantam Books, London 1992, S. 525–536. Vgl. auch Friedman, Alan, *Spider's Web,* aaO. (Anm. 806).
[932] Clark, Ramsey u.a., *War Crimes,* aaO. (Anm. 793), S. 63–71.
[933] Encke, Ulrich, *Saddam Hussein – Das Portrait,* Heyne, München 1991, S. 7 f.
[934] Clark, Ramsey u.a., *War Crimes,* aaO. (Anm. 793), S. 71.
[935] Chomsky, Noam, *Was Onkel Sam wirklich will,* Zürich 1993, S. 74.
[936] Gervasi, Tom, *Soviet Military Power – The Pentagon's Propaganda Document, Annotated and Corrected,* New York 1988, S. 5.
[937] Chomsky, Noam, *Deterring Democracy,* aaO. (Anm. 549), S. 199.
[938] Bresheeth, Haim/Yuval-Davis, Nira, *The Gulf War,* aaO. (Anm. 812), S. 20.
[939] Ibrahim, Ferhad/Ferdowsi, Mir A., *Die Kuwait-Krise und das regionale Umfeld – Hintergründe, Interessen, Ziele,* Das Arabische Buch, Freie Universität Berlin 1992, S. 10 f.; Darwish, Adel/Alexander, Gregory, *Unholy Babylon – The Secret History of Saddam's War,* New York 1991, S. 52 f.; Hübschen, Jürgen, *Der Irak-Kuwait-Krieg,* aaO. (Anm. 825), S. 244.
[940] Stein, Georg (Hg.), *Nachgedanken zum Golfkrieg,* Palmyra, Heidelberg 1991, S. 41.
[941] Vgl. dazu S. 398 f.
[942] Siehe hierzu: Bresheeth, Haim/Yuval-Davis, Nira, *The Gulf War,* aaO. (Anm. 812), S. 25 u. 66.
[943] Siehe hierzu den viermaligen US-Kongreßabgeordneten Findley und sein Buch: Findley, Paul, *They Dare to Speak Out – People and Institutions Confront Israel's Lobby,* Lawrence Hill Books, Illinois 1989.
[944] Siehe bezüglich der Gedankenkontrollwaffen u.a. Nichols, Preston B./Moon, Peter, *Das Montauk Projekt,* aaO. (Anm. 192), Anhang C., S. 142 ff. Daß Gedankenkontroll-Waffen keine reine ›Science Fiction‹-Erfindungen sind, wird unter anderem in dem Buch von Lammer auf beängstigende Art nachgewiesen: Lammer, Helmut und Marion, *Verdeckte Operationen,* aaO. (Anm. 192). Vgl. auch Marks John, *The Search for the »Manchurian Candidate« – The CIA and Mind Control,* aaO. (Anm. 192). Vgl. auch Thomas, Gordon, *Journey into Madness,* aaO. (Anm. 192).
[945] Siehe hierzu u.a. Ruf, Werner (Hg.), *Vom Kalten Krieg zur heißen Ordnung?,* aaO. (Anm. 789), S. 40–47; Chomsky, Noam u.a., *Die Neue Weltordnung und der Golfkrieg,* aaO. (Anm. 14), S. 74–77.
[946] Siehe hierzu u.a. Blum, William, *Killing Hope,* aaO. (Anm. 561), S. 320 f.
[947] Hübschen, Jürgen, *Der Irak-Kuwait-Krieg,* aaO. (Anm. 825), S. 270 u. 282.
[948] Ebenda, S. 272.
[949] Ebenda, S. 233 u. 234.
[950] Siehe bezüglich des Niedergangs der Sowjetunion: Shelton, Judy, *The Coming Soviet Crash – Gorbachev's Desperate Pursuit of Credit in Western Financial Markets,* Duckworth, New York 1989. Ebenfalls die Bücher von Beckherrn, Eberhard, *Bankrott einer Weltmacht – Die armen Erben der Sowjetunion,* Knaur, München 1992, und *Pulverfaß Sowjetunion – der Nationalitätenkonflikt und seine Ursachen,* Knaur, München 1990.
[951] Siehe u.a. hierzu die Bücher von Clark, Ramsey, und Chomsky, Noam.
[952] Siehe zu dem äußerst wichtigen Thema ›Eine Welt-Regierung‹ unter anderen Blackwood, Peter, *Die Netzwerke der Insider,* aaO. (Anm. 791), Allen, Gary, *Die Insider,* aaO. (Anm. 135), Bd. 1, sowie Griffin, Des, *Wer regiert die Welt?,* aaO. (Anm. 306).
[953] Clark, Ramsey, *The Fire this Time,* aaO. (Anm. 789), S. 35 f. Es gab sogar für die höchst modernen Bomber der Welt, die F-117 Tarnkappen-Bomber (Stealth Bomber) spezifische Flugzeughallen, die außerhalb der USA nicht vorhanden sind. Interview des Verfassers mit einem Angehörigen der USAF.
[954] Unter anderen Hiro, Dilip, *Desert Shield to Desert Storm,* aaO. (Anm. 807), S. 124 f.; Woodward, Bob, *The Commanders,* aaO. (Anm. 745), S. 260; Amos, Deborah, *Lines in the*

Sand – *Desert Storm and the Remaking of the Arab World*, Simon & Schuster, New York 1992, S. 96.
955 Clark, Ramsey, *The Fire this Time*, aaO. (Anm. 789), S. 35 f.
956 Ebenda, S. 36.
957 Hiro, Dilip, *Desert Shield to Desert Storm*, aaO. (Anm. 807), S. 245.
958 Micheletti, Eric, *Air War over the Gulf*, Europe Militarian No 8. Window & Green. O. A., S. 12 f.
959 Ebenda, S. 14 f.; *Kampfflugzeuge von heute*, aaO. (Anm. 675), S. 88–92.
960 Mayer, S.L./Percival, Charles/Hogg, Ian/Preston, Anthony, *Weapons of the Gulf War*, Magna, Leichester 1991, S. 18; Dornan, James E., *The US War Machine – An illustrate Encyclopedia of American Military Equipment and Strategy*, Salamander, New York 1979, S. 220.
961 Smith, Jean Edward, *George Bush's War*, aaO. (Anm. 796), S. 161 f.
962 Hiro, Dilip, *Desert Shield to Desert Storm*, aaO. (Anm. 807), S. 229; Bredthauer, Karl D./Heinrich, A./Neumann, Klaus (Hg.), *Krieg für Frieden*, aaO. (Anm. 263), S. 18.
963 Kellner, Douglas, *The Persian Gulf TV War*, aaO. (Anm. 846), S. 57.
964 Ebenda, S. 59 f.
965 Ebenda, S. 60 f.
966 Ebenda, S. 65.
967 Ebenda, S. 79 f.
968 Ebenda, S. 63 f. Siehe LaMay u.a., *The Media at War*, New York 1991, S. 42.
969 Ebenda, S. 66, zitiert in Joel Bleifuss, »The First Stone«, in *These Times*, March, 20–26, 1991, S. 4.
970 Ebenda, S. 73.
971 Stein, Georg (Hg), *Nachgedanken zum Golfkrieg*, aaO. (Anm. 940), S. 236 ff.
972 In *These Times*, 13. Feb. 1991, S. 5.
973 Kellner, Douglas, *The Persian Gulf TV War*, aaO. (Anm. 846), S. 239–242.
974 Ebenda, S. 79.
975 Ebenda, S. 66.
976 Ebenda, S. 67 ff.
977 Yant, Martin, *Desert Mirage*, aaO. (Anm. 816), S. 54.
978 Kellner, Douglas, *The Persian Gulf TV War*, aaO. (Anm. 846), S. 69.
979 Ein Freund des Verfassers berichtete, gesehen zu haben, wie Demonstranten 20 Dollar von kuwaitischen Institutionen bekamen, um Schilder mit der Aufschrift »Freiheit für Kuwait« bei pro-kuwaitischen Demonstrationen hochzuhalten, wobei sie Sprüche wie »Freiheit für Kuwait« zum besten gaben. Als er einen der Demonstranten fragte, warum er an dieser Demonstration teilnahm, antwortete dieser schlicht »because they paid me $20«, weil sie mir 20 Dollar bezahlt haben.
980 Smith, Edward Jean, *George Bush's War*, aaO. (Anm. 796), S. 254.
981 Clark, Ramsey, *The Fire this Time*, aaO. (Anm. 789), S. 30.
982 Bowen, Russell S., *The Immaculate Deception*, aaO. (Anm. 877), S. 2–12; Helsing, Jan van, *Geheimgesellschaften*, aaO. (Anm. 187), S. 234 f.
983 Bowen, Russell S., ebenda. Es ist auch interessant festzuhalten, daß einige Mitglieder von Bushs Wahlkampagneteams im September 1988 zurücktreten mußten, als sich herausstellte, daß sie aus dem rechtsextremen und antisemitischen Milieu stammten.
984 Über die Bush-Saddam Hussein Verbindungen siehe u.a. Friedman, Alan, *Spider's Web*, aaO. (Anm. 806).
985 Bowen, Russell S., *The Immaculate Deception*, aaO. (Anm. 877), S. 162 f.
986 Ebenda, S. 163 f.
987 Aburisch, Said K., *A Brutal Friendship*, aaO. (Anm. 902), S. 137–141.
988 Clark, Ramsey, *The Fire this Time*, aaO. (Anm. 789), S. 30 f.; Hiro, Dilip, *Desert Shield to Desert Storm*, aaO. (Anm. 807), S. 250 ff.
989 Kubbig, Bernd W./Krell, Gert, *Krieg und Frieden am Golf*, Frankfurt/M. 1991, S. 73 ff.

[990] Stein, Georg, *Nachgedanken zum Golfkrieg*, aaO. (Anm. 940), S. 152.
[991] Hiro, Dilip, *Desert Shield to Desert Storm*, aaO. (Anm. 807), S. 252.
[992] Yant, Martin, *Desert Mirage*, aaO. (Anm. 816), S. 107.
[993] Clark, Ramsey, *The Fire this Time*, aaO. (Anm. 789), S. 30 f.
[994] Simpson, John, *From the House of War*, aaO. (Anm. 800), S. 68.
[995] Bainerman, Joel, *The Crimes of a President*, aaO. (Anm. 739), S. 128.
[996] Friedman, Alan, *Spider's Web*, aaO. (Anm. 806), S. 153 u. 155.
[997] Bredthauer, Karl/Heinrich A./Naumann, Klaus, *Krieg für Frieden?*, aaO. (Anm. 263), S. 46 ff.
[998] Adel, Darwish/Gregory, Alexander, *Unholy Babylon*, aaO. (Anm. 939), S. 52 f.
[999] Ibrahim, Ferhad/Ferdowsi, Mir A., *Die Kuwait-Krise und das regionale Umfeld*, aaO. (Anm. 939), S. 10 f.
[1000] Ebenda, S. 11.
[1001] Stein, Georg, *Nachgedanken zum Golfkrieg*, aaO. (Anm. 940), S. 40 f.
[1002] Bredthauer, Karl/Heinrich A./Naumann, Klaus, *Krieg für Frieden?*, aaO. (Anm. 263), S. 47.
[1003] Engdahl, William F., *Mit der Ölwaffe zur Weltmacht*, aaO. (Anm. Anm. 187), siehe Kapitel 9.
[1004] Adel, Darwish/Gregory, Alexander, *Unholy Babylon*, aaO. (Anm. 939), S. xv.
[1005] Ebenda, S. 52.
[1006] Yant, Martin, *Desert Mirage*, aaO. (Anm. 816), S. 90 ff.
[1007] Bredthauer, Karl/Heinrich, A./Naumann, Klaus, *Krieg für Frieden?*, aaO. (Anm. 263), S. 47 f.
[1008] Hiro, Dilip, *Desert Shield to Desert Storm*, aaO. (Anm. 807), S. 108–111; *University of Maryland Reader, The Persian Gulf Crisis*, aaO. (Anm. 907), S. 338.
[1009] Hiro, Dilip, ebenda.
[1010] Ebenda, S. 111.
[1011] Ebenda, S. 121.
[1012] Ebenda, S. 111 u. 120.
[1013] *Triumph Without Victory*, aaO. (Anm. 900) S. 98 f.
[1014] Clark, Ramsey, *The Fire this Time*, aaO. (Anm. 789), S. 28 f.
[1015] Salinger, Pierre/Laurent Eric, *Krieg am Golf*, aaO. (Anm. 817), S. 119 f.
[1016] Clark, Ramsey, *The Fire this Time*, aaO. (Anm. 789), S. 29.
[1017] Sultan, Bin Kahlid/Seal, Patrick, *Desert Warrior*, aaO. (Anm. 811), S. 10–16, 185 u. 195.
[1018] Record, Jeffrey, *Hollow Victory – A Contrary View of the Gulf War*, New York 1993, S. 36 f.; Sultan, Bin Khalid, *Desert Warrior*, aaO. (Anm. 811), S. 160 f.
[1019] Salinger, Pierre/Laurent Eric, *Krieg am Golf*, aaO. (Anm. 817), S. 74; Aggarwal, J. C., *Gulf Crisis*, aaO. (Anm. 825), S. 2; Clark, Ramsey, *The Fire this Time*, aaO. (Anm. 789), S. 32 f.
[1020] Clark, Ramsey, ebenda, S. 14–19.
[1021] Blum, William, *Killing Hope*, aaO. (Anm. 561), S. 320. Vgl. auch: Mittmann, Beate/Priskil, Peter, *Kriegsverbrechen der Amerikaner und ihrer Vasallen gegen den Irak und 6000 Jahre Menschheitsgeschichte*, Ahriman, Freiburg 1992, S. 78.
[1022] Clark, Ramsey, *The Fire this Time*, aaO. (Anm. 789), S. 75.
[1023] Clark, Ramsey u.a., *War Crimes*. aaO. (Anm. 793), S. 103. Vgl. Mittmann, Beate/Priskil, Peter, *Kriegsverbrechen der Amerikaner*, aaO. (Anm. 1023), S. 78.
[1024] Clark, Ramsey u.a., *War Crimes*. aaO. (Anm. 793), S. 14 f.
[1025] Mittmann, Beate/Priskil, Peter, *Kriegsverbrechen der Amerikaner*, aaO. (Anm. 1023), S. 64.
[1026] Ebenda, S. 63.
[1027] Ebenda, S. 58; Wimmer, Michaela/Braun, Stefan/Enzmann, Hannes, *Brennpunkt Golf – Hintergründe, Geschichte, Analysen*, Heyne, München 1991, S. 141.
[1028] Siehe hierzu vor allem die Kapitel III u. IV über die Vernichtung der irakischen Zivilbevölkerung und die Zerstörung der Infrastruktur des Landes.

1029 Blum, William, *Killing Hope,* aaO. (Anm. 561), S. 338.
1030 *Frankfurter Allgemeine Zeitung* vom 8. 11. 1996, S. 1.
1031 *Ärzte-Zeitung* vom 13./14. März 1998, Nr. 48, S. 24: »Die meisten kommen zum Sterben ins Krankenhaus«.
1032 *Cresent International,* März 1–15, 1998, Vol. 26, No. 24, S. 10: »Impact of seven years of sanctions on Iraq's population«.
1033 Smith, Jean Edward, *George Bush's War,* aaO. (Anm. 796), S. 253.
1034 Ruf, Werner, *Die Neue Welt-UN-Ordnung,* Agenda, Münster 1993, S. 135.
1035 Stone, Deborah J./Manion, Christopher, *»Slick Willie« II – Why America still cannot trust Bill Clinton,* Annapolis-Washington Book Publishers Inc., Maryland 1994, S. 96 f.
1036 Michler, Walter, *Somalia – Ein Volk stirbt – Der Bürgerkrieg und das Versagen des Auslands,* Dietz, Bonn 1993, S. 20.
1037 Stone, Deborah J./Manion, Christopher, *»Slick Willie« II,* aaO. (Anm. 1035), S. 97–101.
1038 Majeed, Tariq, *The Global Game for a New World Order,* aaO. (Anm. 751), S. 378–382.
1039 Grässling, Jürgen, *Lizenz zum Töten?,* aaO. (Anm. 724), S. 224 f.
1040 *Focus* 33/1994, S. 168: »Die Zahl der Kriege nimmt kaum ab«.
1041 *Helfer im Kreuzfeuer – Humanitäre Hilfe und militärische Intervention - Ein Report über Völker in Not,* Dietz, Bonn 1994, S. 145.
1042 Ebenda, S. 141.
1043 Flounders, Sarah, *Die bosnische Tragödie – Die unbekannte Rolle der USA,* Ahriman, Freiburg 1996, S. 14 f.
1044 Ebenda, S. 15 f.
1045 Ebenda, S. 16.
1046 Ebenda, S. 16 f.
1047 Ebenda, S. 17 f.
1048 Sherman, Arnold, *Die Zerschlagung Jugoslawiens – Bürgerkrieg und ausländische Intervention,* Ahirman, Freiburg ²1995, S. 52–55.
1049 Zülch, Tilman von, *»Etnische Säuberung« – Völkermord für »Großserbien« – Eine Dokumentation der Gesellschaft für bedrohte Völker,* Luchterhand, Hamburg–Zürich 1993, S. 37 f. u. 42.
1050 Sherman, Arnold, *Die Zerschlagung Jugoslawiens,* aaO. (Anm. 1048), S. 59 f. u. 62 f.
1051 Flounders, Sarah, *Die bosnische Tragödie,* aaO. (Anm. 1043), S. 18.
1052 Sherman, Arnold, *Die Zerschlagung Jugoslawiens,* aaO. (Anm. 1048), S. 85 f.
1053 Ebenda, S. 84.
1054 Schmidt-Eenboom, Erich, *Der Schattenkrieger – Klaus Kinkel und der BND,* Econ, Düsseldorf 1995, S. 212, 217, 226 u. 229 f.
1055 Ebenda, S. 235 f.
1056 Sherman, Arnold, *Die Zerschlagung Jugoslawiens,* aaO. (Anm. 1048), S. 82.
1057 Flounders, Sarah, *Die bosnische Tragödie,* aaO. (Anm. 1043), S. 20 f.
1058 Ebenda, S. 26 ff.
1059 Wigger, Raimar, *Verraten im Herzen Europas – Schicksale im Balkankrieg,* Eichborn, Frankfur/M. 1995.
1060 Flounders, Sarah, *Die bosnische Tragödie,* aaO. (Anm. 1043), S. 28 ff.
1061 Ebenda, S. 32–38.
1062 Ebenda, S. 38–40.
1063 Sherman, Arnold, *Die Zerschlagung Jugoslawiens,* aaO. (Anm. 1048), S. 225 f.
1064 Flounders, Sarah, *Die bosnische Tragödie,* aaO. (Anm. 1043), S. 42.
1065 Sherman, Arnold, *Die Zerschlagung Jugoslawiens,* aaO. (Anm. 1048), S. 88.
1066 Noorani, A. G., *The Gulf Wars – Documents and Analysis,* New Delhi 1991, S. 382 f.
1067 Ebenda, S. 382–392.
1068 *Cresent International,* aaO. (Anm. 1032), S. 1.
1069 *Frankfurter Allgemeine Zeitung,* Sonntag, 15. 11. 1998, Nr. 7, S. 2 : »Verbotenes für Saddam«.

[1070] *Faktor X,* Nr. 20, 1998, S. 543: »Golfkrieg-Syndrom«.
[1071] *Cresent International,* January 16–31, 1998, Vol. 26, No. 21, S. 8: »Crying wolf over others, the US has a massive biological weapons programme« – by Dr. Jamil Ahmed.
[1072] Piller, Charles/Yamamoto, Keith R., *Der Krieg der Gene,* aaO. (Anm. 595), S. 77 f. u. 94.
[1073] Gervasi, Tom, *Soviet Military Power,* aaO. (Anm. 935), S. 89 u. 91. Vgl. auch: Koch, Peter, *Wahnsinn Rüstung,* aaO. (Anm. 347), S. 241.
[1074] Piller, Charles/Yamamoto, Keith R., *Der Krieg der Gene,* aaO. (Anm. 595), S. 87.
[1075] Ebenda, S. 31.
[1076] Ebenda, S. 58 ff.
[1077] Ebenda, S. 60 f.
[1078] *Faktor X,* Nr. 6, S. 160 f.: »Kriminelle Waffentests«. Vgl. auch: Blum, William, *Killing Hope,* aaO. (Anm. 561), S. 188.
[1079] Helsing, Jan van, *Geheimgesellschaften,* aaO. (Anm. 187), S. 187.
[1080] Thomas, Kenn/Keith, Jim, *The Octopus – Secret Government and the Death of Danny Casolaro,* Fearl House, Portland OR 1996, S. 10.
[1081] Ebenda, S. 13.
[1082] Piller, Charles/Yamamoto, Keith R., *Der Krieg der Gene,* aaO. (Anm. 595), S. 98 f. Vgl. auch: Blum, William, *Killing Hope,* aaO. (Anm. 561), S. 188 f.; *Cresent International, January,* aaO. (Anm. 1071), S. 8.
[1083] Piller, Charles/Yamamoto, Keith R., *Der Krieg der Gene,* aaO. (Anm. 595), S. 105 f.
[1084] *Cresent International, January,* aaO. (Anm. 1071), S. 8.
[1085] Mader, Julius, *CIA-Operation Hindu Kush – Geheimdienstaktivitäten im unerklärten Krieg der USA gegen Afghanistan,* Militärverlag der Deutschen Demokratischen Republik 1988, S. 61 ff.
[1086] *Cresent International, January,* aaO. (Anm. 1069), S. 8.
[1087] Shukman, David, *The Sorcerer's Challenge – Fears and Hopes for the Weapons of the next Millennium,* Hodder & Stoughton, London 1995, S. 25. Vgl. auch *Spiegel* Nr. 47/1995, S. 243: »Teurer Irrtum«.
[1088] *Spiegel* Nr. 3/1995, S. 129: »Schritt zurück – Das Pentagon plant wieder für den Atomkrieg...«
[1089] *Spiegel* Nr. 21/1994, S. 223: »Abrüstung – Verhinderte Kontrolle«.
[1090] *Spiegel* Nr. 24/1994, S. 174: »Fahrt zur Hölle«.
[1091] *Jahrbuch Frieden 1995 – Konflikte, Abrüstung, Friedensarbeit,* Beck, München 1994, S. 149.– »Unter großer Geheimhaltung arbeiten Amerikas Waffenlabors an einer Modernisierung des strategischen Nukleararsenals.« Pläne für zielgenauere Sprengköpfe und völlig neue Atomwaffentypen bedrohen das seit den sechziger Jahren aufgebaute Rüstungskontrollsystem, warnte die renommierte Fachzeitschrift *Bulletin of the Atomic Scientist.* »Allein der Umfang... weckt Erstaunen: 6000 Nuklearsprengköpfe will die Regierung in den kommenden 15 Jahren erneuern«, das sind fast doppelt so viel, wie die USA laut Start-2-Vertrag von 1993 stationieren dürfen. Weitaus bedenklicher sind Pläne der US-Marine, die drei neue Atom-U-Boot-Sprengköpfe entworfen hat. Diese Waffen waren bislang auf Grund ihrer Präzisionsmängel nur in der Lage, Städte oder Industrieanlagen zu vernichten. Die neue Generation soll aber in der Lage sein, verbunkerte Raketensilos zu zerstören. »Schlagartig würde sich damit die Erstschlagkapazität Washingtons vervielfachen.« Die USA, die sich zum strengen Befürworter der atomaren Abrüstung stark machten, sind nun auch durch den Beschluß des US-Senats diskreditiert. Dieser hatte CLINTON 1999 eine herbe Niederlage durch Absage des von der UNO ausgehandelten Atomwaffensperr-Vertrags eingebracht. Der Beschluß »sei ein ›verheerendes Signal‹ an... ›alle Möchtegern-Atomwaffenstaaten‹, fürchten die Internationalen Ärzte für die Verhütung des Atomkriegs«. Aber damit noch nicht genug, hat die neue BUSH-Regierung verkündet, daß sie ein Raketenabwehrsystem (NMD) für rund 100 Milliarden Dollar aufbauen will. Scheinheilig ließ man wissen, es diene dem Schutz vor den sogenannten ›Schurkenstaaten‹, die nie-

mals eine ernst zu nehmende Gefahr für die USA darstellen. Wie stur die Elite an diesem System festhält, bewies folgende Tatsache: »Das Pentagon hat die Testergebnisse gefälscht.« Da: »Die überwiegende Mehrheit der 24 Rüstungsspezialisten... meint: ... Das System ist einfach nicht in der Lage, mit billigsten Täuschkörpern umzugehen.« Der frühere US-Verteidigungsminister MCNAMARA sagt im Interview, Russen und Chinesen würden nun gezwungen, ihre eigene nukleare Aufrüstung zu betreiben. Der Rüstungsexperte J. EYAL antwortete auf die Frage, wie realistisch die Annahme sei, ›Schurkenstaaten‹ könnten die USA mit Atomraketen bedrohen: »Völlig unsinnig.« Ferner: »Verwirklicht Washington NMD, ist Chinas minimale Abschreckung wertlos. Sie werden aufrüsten müssen.« Selbst deutsche Experten in Berlin fürchten, »wenn die... USA als einziges Land der Welt über einen derartigen Abwehrschirm verfügten, würden sie unaufhaltsam zum alles dominierenden Weltherrscher aufsteigen«. »Wenn Washington den Raketenschirm aufspannt, will China die Zahl seiner interkontinentalen Atomraketen von 20 auf 200 erhöhen.« Die USA besitzen 982 dieser vernichtenden Raketen. Wie heuchlerisch die Hetze gegen China ist, offenbart das offizielle Militärbudget Chinas, das nur 5% des Jahresbudgets der USA ausmacht. Aber der Hegemoniedrang der US-Elite scheint unersättlich. NMD ist eine Neuauflage von REAGANS SDI-Raketen-Weltraumabwehrsystem. Nicht ohne zynische Ironie warnt Washington, es drohe »ein kosmisches ›Pearl Harbor‹«. BUSHS Verteidigungsminister RUMSFELD verhinderte einen Versuch seitens der UNO, »Verhandlungen über ein weltweites Verbot von Weltraumwaffen einzuleiten.« Kurz zuvor hatte die »US-Air Force... eines der größten Weltraummanöver ihrer Geschichte abgehalten«, es handelte sich um ein Planspiel im Jahre 2017, bei dem Angriffe auf Satelliten simuliert wurden. Gegner war China, das ›tiefe Besorgnis‹ über diese Übung äußerte. Mindestens 20 Länder arbeiten derzeit an Anti-Satelliten-Systemen. Doch kein Land ist hierin so fortgeschritten wie die USA, denen 80 Prozent der rund 750 Satelliten gehören. Mit diesen betreiben sie Aufklärung, Navigation und Kommunikation ihrer Streitkräfte. Derzeit testen sie Miniraketen, die von Jets gegen Satelliten abgefeuert werden, Störsender gegen elektronische Kommunikation des Gegners sowie Laserstrahlen, die vom Weltraum oder vom Boden die sensitive Optik von Spionagesatelliten blenden können. Der Leiter dieser zukunftsorientierten Technologie meinte: »Wir brauchen praktische Erfahrung... und bestätigte damit die schlimmsten Befürchtungen nicht nur in Moskau und Peking, sondern auch in anderen Hauptstädten der Welt.«

[1092] Manning, Jeane/Begich, Nick, *Löcher im Himmel*, aaO. (Anm. 192), S. 21 ff.
[1093] Die aufgelisteten Bücher lassen keinen Zweifel aufkommen, daß die US-Regierung eine riesige Anzahl an geheimartigen Zukunftswaffen, insbesondere Gedankenkontrollwaffen, schon getestet hat.
[1094] Siehe hierzu auch *Faktor X*, Nr. 7, 1998, S. 192–196: »Projekt Gedankenkontrolle«.
[1095] *Faktor X*, Nr. 13, S. 359: »Sanft außer Gefecht gesetzt«.
[1096] Shukman, David, *The Sorcerer's Challenge*, aaO. (Anm. 1087).
[1097] *Faktor X*, aaO. (Anm. 1095).
[1098] Nichols, Preston B./Moon, Peter, *Das Montauk Projekt*, aaO. (Anm. 192), Anhang C: »Bewußtseinskontrolle und der Golfkrieg«.
[1099] *Faktor X*, Nr. 9, 1998, S. 248–252: »Unsichtbare Waffen«.
[1100] *Time Magazine*, August 21/1995: »Cyber War – The U.S. rushes to turn computer's into intercontinental weapons of destruction, S. 26–34.
[1101] Ebenda.
[1102] Constantine, Alex, *Psychic Dictatorship in the USA*, aaO. (Anm. 192), S. 35, 39 u. 41.
[1103] Launer, Ekkehard, *Datenhandbuch Süd-Nord*, Lamuv, Göttingen 1992, S. 154.
[1104] *Economist*, August 10/96, S. 38: »Defense spending 1 – The morning after High Noon«. Vgl. Smith, Dan, *Der Fischer Atlas – Kriege und Konflikte*, Fischer, Frankfurt/M. 1997, S. 66 f.
[1105] *Frankfurter Allgemeine Zeitung*, aaO. (Anm. 1069).

1106 Ebenda.
1107 *Frankfurter Allgemeine Zeitung,* 14. 1. 1998, Nr. 11, S. 3: »Verlockende Milliarden-Aufträge aus Bagdad«.
1108 Engdahl, William F., *Mit der Ölwaffe zur Weltmacht,* aaO. (Anm. Anm. 187), S. 333.
1109 Shapiro, Andrew L., *Die verlorene Weltmacht,* aaO. (Anm. 851), S. 203, 184 u. 193.
1110 Winter, Rolf, *Gottes Eigenes Land?,* aaO. (Anm. 2), S. 70 f. u. 68.
1111 Eich, Dieter/Hübener, Karl-L., *Die strategischen Rohstoffe – Ein politisches Handbuch,* Peter Hammer, Wuppertal 1988, S. 15 f. u. 18.
1112 Macridis, Roy C., *Foreign Policy in World Politics – States and Regions,* Prentic Hall, New Jersey 1989, S. 126.
1113 Figgie, Harry E./Swanson, Gerald J., *Bankruptcy 1995 – The coming Collapse of America and how to stop it,* Little Brown and Company, Boston–Toronto–London 1992, S. 34-37, 42, 56, 58 u. 65. Siehe diesbezüglich das Buch von Stockman, David, *Der Triumph der Politk – Die Krise der Reagan-Regierung und ihre Auswirkungen auf die Weltwirtschaft,* Bertelsmann, München 1986.
1114 Calvocoressi, Peter, *World Politics since 1945,* Longman, London–New York ⁶1991, S. 58.
1115 Siehe diesbezüglich das sehr gute Buch von Greider, William, *Secrets of the Temple – How the Federal Reserve Runs the Country,* A Touchstone Book, New York–London–Toronto–Sydney–Tokyo–Singapore 1989.
1116 Winter, Rolf, *Gottes Eigenes Land?,* aaO. (Anm. 2), S. 111.
1117 Clark, Ramsey, *The Fire this Time,* aaO. (Anm. 789), S. 222 f.
1118 *Cresent International,* aaO. (Anm. 1035), S. 3 u. 10 f.: »Clinton tries to defend the indefensible«, u S. 1: »US, Saddam and Iraq«.
1119 Ebenda, S. 10.
1120 Karl, Jonathan, *The Right to bear Arms – The Rise of America's New Militias,* HarperCollins Books, New York 1995, S. 127 f.
1121 Siehe für eine von den Massenmedien abweichende Auffassung des McVeigh-Falls das hervorragende Buch von Keith, Jim, *Okbomb! Conspiracy and Cover-up/The Truth behind the bombing in Oklahoma City,* IllumiNet Press, Lilburn, Georgia 1996.
1122 Karl, Jonathan, *The Right to bear Arms,* aaO. (Anm. 1120), S. 5 u. 64 f.
1123 Siehe diesbezüglich: Bamford, James, *The Puzzle Palace – A Report on America´s Most Secret Agency,* Houghton Mifflin Company, Boston 1982, S. 101 f.
1124 Keith, Jim, *Black Helicopters over America – Strikeforce for the New World Order,* IllumiNet Press, Lilburn Georgia 1994, S. 108 f.
1125 Ebenda, S. 80–96.
1126 Karl, Jonathan, *The Right to bear Arms,* aaO. (Anm. 1120), S. 3, 7 u. 27.
1127 *Focus Magazin,* Nr. 37/1997, S. 322: »USA – Ein Volk in Angst«.
1128 Karl, Jonathan, *The Right to bear Arms,* aaO. (Anm. 1120), S. 3 u. 5 f.
1129 Shapiro, Andrew L., *Die verlorene Weltmacht,* aaO. (Anm. 851), S. 104, 107, 110, 141 f., 156 u. 158.
1130 Ebenda, S. 162 f. u.180.
1131 Winter, Rolf, *Gottes Eigenes Land?,* aaO. (Anm. 2), S. 82, 94 u. 98.
1132 Ebenda, S. 95 u. 21.
1133 Ein ähnliches Buch über US-Wahlbetrug, wenn auch nicht ganz so brisant wie das der Collier-Brüder schrieb auch Greider, William: *Who will tell the People – The Betrayal of American Democracy,* Touchstone Books, New York 1992.
1134 Collier, James M./Collier, Kenneth F., *Votescam: The stealing of America,* Victoria House Press, New York 1996, S. 359 f.
1135 Blum, William, *Killing Hope,* aaO. (Anm. 561), S. 1.
1136 Simons, Geoff, *The Scourging of Iraq – Sanctions, Law and Natural Justice,* McMillan Press Ltd, London 1996, S. 208.
1137 Launer, Ekkehard, *Zum Beispiel Osttimor,* Lamuv, Göttingen 1996, S. 20-23 u. 97. Diese

Buch berichtet, daß der Überfall auf Osttimor nur durch die Zustimmung und Bewaffnung der USA effektiv durchführbar war. Die Invasion von 1975 fand merkwürdigerweise am Jahrestag von Pearl Harbor statt. Aber warum entschieden sich Suharto und seine höchsten Generale für diesen Kurs der Invasion? Die einleuchtendste Antwort war, weil sie dachten, der Sieg sei einfach zu erreichen. Denn: »Etwa sechs Wochen vor der Invasion besuchten zwei der wichtigsten militärischen Planer, die Generäle Alit Murtopo und ›Benny‹ Murdani, meine Universität und versicherten auf besorgte Nachfragen lachend, daß ›alles in drei Wochen vorbei ist‹. US-Außenminister Kissinger hatte Jakarta den persönlichen Rat gegeben, ›es schnell zu erledigen‹.« Auch die Aussicht auf große unterseeische Ölfelder vor der Küste Osttimors war ein Grund für die Invasion – besonders verlockend nach der Vervierfachung der Weltölpreise im Herbst 1973. Die USA spielten eine entscheidende Rolle, denn »90 Prozent der Waffen, die bei der Invasion eingesetzt wurden, stammten aus den USA. Ihre Verwendung außerhalb Indonesiens war durch eine amerikanisch-indonesische Vereinbarung von 1958 ausdrücklich untersagt, aber Washington – durch den Geheimdienst CIA über die Vorbereitung Jakartas für die Invasion gut unterrichtet – drückte ein Auge zu.« Zwischen 1977 und 1979 starb etwa ein Drittel der gesamten Bevölkerung Osttimors infolge von Hunger, Epidemien und der grausamen Kämpfe. »Doch hatte das indonesische Regime die Insel schon lange von der Außenwelt abgeschnitten, und der amerikanische Botschafter in Jakarta arbeitete mit dem Regime zusammen, wenn es darum ging, die Tragödie vor der Öffentlichkeit geheimzuhalten.« Durch die amerikanische Unterstützung und Vorbereitung der Invasion von Osttimor sind mehr als 201 000 Menschen getötet worden.

[1138] Über den geheimen Krieg der Schattenregierung der USA in Nicaragua siehe das Buch von Kempf, Wilhelm (Hg.), *Medienkrieg oder »Der Fall Nicaragua«*, aaO. (Anm. 773).

[1139] Simons, Geoff, *The Scourging of Iraq*, aaO. (Anm. 1136), S. 209.

[1140] Ebenda, S. 195 f.

[1141] Siehe hierzu das Buch von: Halter, Marek/Laurent, Eric, *Unterhändler ohne Auftrag – Die geheime Vorgeschichte des Friedensabkommens zwischen Israel und der PLO*, S. Fischer, Frankfurt/M. 1994.

Kommentiertes Literaturverzeichnis

BÜCHER

Abrahams, Eddie, *The New Warlords – From the Gulf War to the Recolonisation of the Middle East,* London 1994.– Eine gute Analyse des Golfkriegs aus neomarxistischer Sicht.

Aburisch, Said K., *A Brutal Friendship – The West and the Arab Elite,* Victor Gollanz, London 1997. – Wesentliche Analyse für alle, die das ausbeuterische Verhältnis des Westens zur arabischen Elite verstehen wollen. Erwähnt, daß die Machtergreifung Saddam Husseins erst durch den CIA ermöglicht wurde.

Adams, James Truslow, *The Epic of America,* Little, Brown and Company, Boston 1934. – Eine sachliche Analyse der amerikanischen Geschichte, erwähnt, daß die ›Maine‹ letztendlich von der US-Regierung versenkt wurde.

Adams, James, *Trading in Death – The Modern Arms Race,* Pan Books, London 1992. – Gute Umschreibung des internationalen Waffenmarkts.

Adler, Manfred, *Die Söhne der Finsternis,* 1. Teil: *Die Geplante Weltregierung,* Miriam, Jestetten ^{5}1994. Verweist auf die Verschwörung in Sachen ›Eine Welt-Regierung‹.

Aggarwal, J. C., *Gulf Crisis – Pre-War & Post-War Scenario,* S. Chand & Company, New Delhi 1991. – Sachliche Analyse des Zweiten Golfkriegs.

Allen, Gary, *Die Insider – Baumeister der ›Neuen Welt-Ordnung‹,* Band 1, VAP, Preußisch Oldendorf 1995. – Erstklassige Analyse, die darauf hinweist, daß Kommunismus und Kapitalismus sich sehr ähnlich sind und ersterer eine Waffe in der Hand einer reichen US-Machtelite der USA war, um das Ziel der ›Eine Welt‹-Regierung, eines Superkapitalismus, zu erreichen.

Ambrose, Stephen E., *Rise to Globalism – American Foreign Policy since 1938,* Penguin Books, New York ^{5}1988. – Beschreibt den Weg der US-Außenpolitik zur Supermacht.

Amos, Deborah, *Lines in the Sand – Desert Storm and the Remaking of the Arab World,* Simon & Schuster, New York 1992. – Ein Buch, das viele Hintergründe der Golfkrise nicht berücksichtigt.

Angermann, Erich, *Die Vereinigten Staaten von Amerika seit 1917. Weltgeschichte des 20. Jahrhunderts,* Dtv, München 1983. – Äußerst sorgfältig recherchierte Geschichte der USA.

Angermann, Erich, *Der Aufstieg der Vereinigten Staaten von Amerika – Innen- und Außenpolitische Entwicklung 1914–1957,* Teil II, Ernst Klett, Stuttgart 1961. – Kurze, ziemlich kritische Abhandlung wichtiger Aspekte der US-Außenpolitik.

Atkinson, Rick, *Crusade – The Untold Story of the Gulf War,* Harper Collins, London 1994. – Viele Ereignisse im Hintergrund, die zur Golfkrise führten, werden nicht zur Kenntnis genommen.

Bärwolf, Adalbert, *Die Geheimfabrik – Amerikas Sieg im Technologischen Krieg,* Herbig, München 1994. – Eine gute Analyse des Rüstungskriegs zwischen den USA und der Sowjetunion, auch wenn der Autor offenbar nicht begriffen hat, daß die sogenannte sowjetische Bedrohung nur ein Propagandamittel der US-Machthaber zur Rechtfertigung des Kalten Kriegs war.

Baig, Muhammad Khalid/Saleem, Muhammad/Hussain, Sajjad, *A Study of American History*, Aziz Pub., Lahore 1985. – Teilweise kritisches US-Geschichtsbuch.

Bainerman, Joel, *The Crimes of a President – New Revelations on Conspiracy & Cover-Up in the Bush & Reagan Administrations*, Spi Books, New York 1992. – Ein sehr gutes Buch über die kriminellen Machenschaften der US-Präsidenten Reagan und Bush.

Bainerman, Joel, *Inside the Covert Operations of the CIA & Israel's Mossad – Undercover with the Spymasters of America & Israel*, Spi Books, New York 1994. – Befaßt sich mit verschiedenen Waffengeschäften der USA und der israelischen Geheimdienste.

Bamford, James, *Puzzle Palace – A Report on America's Most Secret Agency*, Houghton Mifflin Comp., Boston 1982. – Mit Kahns Buch *Codebreakers* eines der wenigen Bücher über diesen äußerst einflußreichen US-Geheimdienst.

Bangash, Ghulam Taqi, *Iran-Iraq Relations*, Hamidia Press, Peshawar 1991. – Äußerst genau recherchiertes Werk über die Iran-Irak-Beziehungen.

Barnes, Jack, *Washington's Assault on Iraq Opening Guns of World War III*, New International No. 7, London 1991. – Kommunistische Kritik der US-Außenpolitik in bezug auf den zweiten Golfkrieg.

Barnes, Harry Elmer (Hg.), *Entlarvte Heuchelei (Ewig Krieg um ewigen Frieden) – Revision der amerikanischen Geschichtsschreibung*, Karl Heinz Priester, Wiesbaden 1961. – Eines der wichtigsten revisionistischen Werke über die US-Außenpolitik zur Zeit des Zweiten Weltkrieges, deckt unter anderem die kriegstreiberische Politik Roosevelts auf.

Bavendamm, Dirk, *Roosevelts Krieg 1937–45 und das Rätsel von Pearl Harbor*, Herbig, München 1993. – Offenbart die kriegstreiberische Politik Roosevelts.

Behman, Mira, *Kriegstrommeln – Medien, Krieg und Politik*, Dtv, München 1996. – Eine kritische Untersuchung der Medien zu Kriegszeiten.

Benedict, Hans-Jürgen, *Von Hiroshima bis Vietnam – Eindämmungsstrategie der USA und ökumenische Friedenspolitik*, Luchterhand, Darmstadt 1973. – Teilweise recht gute Analyse, obwohl sie deutliche Schwächen in Sachen Koreakrieg aufweist.

Bergmann, Hans, *Die Eingreifer – Hintergründe der USA-Interventionspolitik*, Urania, Berlin 1984. – Eine sehr gute kritische Analyse der US-Interventionspolitik.

Bishop, Jim, *The Day Lincoln was Shot – An Hour-by-Hour Account of what really happend on April 14, 1865*, Gramercy Books, New York 1983. – Sehr genaue Studie des Lincoln-Attentats.

Black, Ian/Morris, Benny, *Israel's Secret Wars – A History of Israel's Intelligence Services*, Grove Weidenfeld, New York 1991. – Gutes und vor allem sachliches Buch über Israels Geheimdienste in bezug auf Israels Kriege.

Blackwood, Peter, *Die Netzwerke der Insider – Ein Nachschlagwerk über die Arbeit, die Pläne und die Ziele der Internationalisten*, Diagnosen, Leonberg 1986. – Wichtiges und wegweisendes Werk über verschiedene Verschwörungen.

Blair, Jr. Clay, *MacArthur*, Pocket Books, New York 1977. – Zwiespältige Beschreibung des ehemaligen US-Oberkommandeurs im Koreakriegs.

Blum, William, *Killing Hope – U.S. Military And CIA Interventions Since World War II*. Common Courage Press, Monroe Maine, Zed Books, London 1995. – Eine erstklassige kritische Analyse des CIA und der US-militärischen Interventionen, unumgängliches Werk für dieses Thema.

Blumberg, Herbert H./French, Christopher C., *The Persian Gulf War – Views from the Social and Behavioral Sciences*, University Press of America, London 1994. – Der zweite Golfkrieg von Gesellschaftswissenschaftlern untersucht.

Bonhorst, Rainer, *George Bush – Der neue Mann im Weißen Haus*, Bastei-Lübbe, Gladbach 1988. – Sehr oberflächliche Analyse von George Bush, läßt praktisch alle seine kriminellen Machenschaften und Geheimverbindungen aus.

Bowen, Russel S., *The Immaculate Deception – The Bush Crime Family Exposed*, America West Publishers, NY 1991. – Eine geniale Untersuchung über G. Bush, offenbart seine zahlreichen kriminellen Machenschaften.

Braun, Karl Otto, *Pearl Harbor in neuer Sicht – Wie F. D. Roosevelt die USA in den Zweiten Weltkrieg führte*, Ullstein, Frankfurt/M. 1986. – Wichtige Analyse der Pearl Harbor-Verschwörung.

Bredthauer, Karl D. (Hg.), *Sage Niemand, er habe es nicht wissen können – Auf welche Weise und wozu die USA den nuklearen Erstschlag vorbereiten, welche Rolle die ›Nachrüstung‹ in Wirklichkeit spielt und warum die Deutschen die Hauptbetroffenen sind*, Pahl-Rugenstein, Köln 1983. – Der Titel beschreibt das Thema.

Bredthauer, Karl D./Heinrich, A./Naumann, Klaus (Hg.), *Krieg für Frieden? Startschüsse für eine neue Weltordnung*, Elefanten Press, Berlin 1991. – Eine sehr interessante Sammlung von verschiedenen Beiträgen zum Thema zweiter Golfkrieg.

Bresheeth, Haim/Yuval-Davis, Nira, *The Gulf War and the New World Order*, Zed Books, New Jersey 1991. – Sehr gute Untersuchung über die Ursachen des zweiten Golfkriegs.

Brinkley, David, *Washington Goes To War*, Ballantine Books, New York 1996.– Oberflächliche Untersuchung der USA im 2. Weltkrieg, die zum Bestseller wurde.

Brittain, Victoria, *The Gulf between Us – The Gulf War and beyond*, Virago, London 1991. – Sehr gute und interessante Beiträge zum Thema zweiter Golfkrieg.

Brochardt, Ulrike, *Der Zweite Golfkrieg – Hintergründe und Friedensperspektiven. Militärpolitik Dokumentation*, Haag und Herrschen, Frankfurt/M. 1991. – Militärische Analyse zum angegebenen Thema.

Brown, Dee, *Begrabt mein Herz an der Biegung des Flusses*, Knaur, München–Zürich 1974. – Eines der besten Bücher über den Indianergenozid der Amerikaner.

Brown, Ben/Shukman, David, *All Necessary Means – Inside the Gulf War*, BBC, London 1991. – Gute Analyse des Zweiten Golfkriegs, die jedoch viel wichtiges Hintergrundmaterial zu den Kriegsursachen vermissen läßt.

Bruhn, Jürgen, *Schlachtfeld Europa oder Amerikas Letztes Gefecht: Gewalt und Wirtschaftsimperialismus in der US-Außenpolitik seit 1840*, Dietz, Bonn 1983. – Ausgezeichnete Studie über die verleugnete US-Außenpolitik in bezug auf die Kriege der USA.

Bruhn, Jürgen, *Der Kalte Krieg oder: Die Totrüstung der Sowjetunion – Der US-militärindustrielle Komplex und seine Bedrohung durch Frieden*, Focus, Gießen 1995. – Räumt gründlich mit der Propagandalüge der großen sowjetischen Bedrohung auf.

Buchanan, Thomas G., *Das Rätsel von Dallas oder Auf den Spuren der Mörder*, Rowohlt, Hamburg 1964. – Gilt heute unter den Kennedy-Attentats Forschern als ein Klassiker, da es außer *Farewell America*, dessen Autor unbekannt ist, als erstes Buch eindeutig bestritt, daß Kennedy das Opfer von Oswald war und außerdem eine kleine, aber mächtige Elite als Hintermänner für die Ermordung des Präsidenten verantwortlich macht.

Bulloch, John/Morris, Harvey, *Saddams Krieg,* Rowohlt, Hamburg 1991. – Ein gutes Buch über den zweiten Golfkrieg, enthält auch sehr wichtige Informationen zur US-Schuld am ersten Golfkrieg.

Burrows, William E./Windrem, Robert, *Critical Mass – The Dangerous Race for Superweapons in a Fragmenting World,* Pocket Books, London 1994. – Eine Untersuchung, die ihre rassistischen Äußerungen kaum verleugnen kann.

Carlton, David/Levine, Herbert M., *The Cold War Debated,* McGraw-Hill Book Company, New York 1988. – Pro- und Contra-Beiträge über die US-Außenpolitik während des Kalten Krieges.

Carmin, E. R., *Das Schwarze Reich – Geheimgesellschaften und Politik im 20. Jahrhundert,* Heyne, München 1997. – Materialreiches Werk u.a. über das Dritte Reich und seine okkulten sowie finanziellen Drahtzieher, erschöpfend recherchiert über 1300 Endnoten.

Cartier, Raymond, *In die neue Welt – Wie die Europäer Nordamerika besiedelten,* Dtv Verl., München 1982. – Ein Klassiker.

Casey, William, *The Secret War Against Hitler,* Berkley Books, New York 1989. – Beschreibt den geheimen Krieg der USA gegen Hitler-Deutschland.

Chadwick, Frank/Caffrey, Matt, *Gulf War,* Fact Book, Illinois 1991. – Enthält wissenswerte Informationen über den zweiten Golfkrieg.

Chadwin, Mark Chadwin, *The Warhawks – American Interventionists before Pearl Harbor,* W.W. Northon & Company Inc., New York 1970. – Gute Studie über die Interventionisten Amerikas, die im Zweiten Weltkrieg von Anfang an einen Krieg gegen Deutschland befürworteten.

Chamberlin, W. H., *Amerikas Zweiter Kreuzzug – Kriegspolitik und Fehlschlag Roosevelts,* Athenäum, Bonn 1952. – Sehr gute und kritische Analyse der Rooseveltschen Kriegspolitik und ihrer Bemühungen, den Russen zu helfen.

Chand, Attar, *Islam and the New World Order,* Akashdeep Publishing House, New Delhi 1992. – Untersucht den Islam als politisches Phänomen nach dem zweiten Golfkrieg.

Charisius, Albrecht/Lambrecht, Rainer/Dorst, Klaus (Hg.), *Weltgendarm USA – Der militärische Interventionismus der USA seit der Jahrhundertwende,* Militärverlag der Deutschen Demokratischen Republik, Berlin 1983. – Wichtiger Beitrag zum Thema US-militärischer Interventionismus.

Chomsky, Noam, *Was Onkel Sam wirklich will,* Pendo, Zürich 1993. – Offenbart die ausbeuterischen Absichten der US-Außenpolitik.

Chomsky, Noam, *Deterring Democracy,* Vintage, London 1992. – Der Linksintellektuelle Chomsky weist nach, wie die USA alles tun, um eine weltweite Demokratisierung zu verhindern.

Chomsky, Noam/Beinin, Joel/Emery, Michael/Zinn, Howard/Hulet, Craig, *Die Neue Weltordnung und der Golfkrieg,* Trotzdem Verl., Grafenau 1992.– Erstklassige Aufdeckung der Ursachen des Golfkriegs, bestätigt, daß die US-Führung den Golfkrieg schon vor der Golfkrise plante und dann inszenierte.

Clancy, Tom, *Fighter Wing – Eine Reise in die Welt der modernen Kampfflugzeuge,* Heyne, München 1996. – Der bekannte Polit-Thriller Autor legt ein äußerst gut recherchiertes und geschriebenes Buch über die Kampfflugzeugtechnologie vor.

Clark, Ramsey, *The Fire this Time – U.S. War Crimes in the Gulf,* Thunder Mouth Press,

New York 1992. – Eines der besten und kritischsten Bücher, die jemals über den zweiten Golfkrieg geschrieben worden sind. (Deutsche Version erschien im Lamuv Verlag, unter dem Titel *Wüstensturm US-Kriegsverbrechen am Golf,* Göttingen 1995)

Clark, Ramsey, *War Crimes – A Report on United States War Crimes against Iraq,* Maisonneuve Press, New York 1992. – Ein weiteres Buch des ehemaligen US-Justizministers, das die Kriegsverbrechen der US-Regierung am Golfkrieg dokumentiert.

Clwyd, Ann, *Saddam's Iraq – Revolution or Reaction?,* Zed Books, London 1990. – Ein Buch, noch vor der Golfkrise geschrieben, das ansatzweise auf die innenpolitischen Probleme, mit denen Saddam Hussein konfrontiert wurde, hinweist.

Collier, James/Votescam, Kenneth F., *The Stealing of America,* Victoria House Press, New York 1996. – Ein ausgezeichnetes Buch über den US-Wahlbetrug, leidenschaftlich geschrieben, die Autoren brauchten 20 Jahre, bis ihr äußerst wichtiges Buch in den USA veröffentlicht werden konnte.

Combs, Jerald, A., *The History of American Foreign Policy,* Vol. I + II, Alfred A. Knopf, New York ⁹1986. – Eine faire, teilweise kritische Untersuchung der US-Außenpolitik.

Compton, James V., *Hitler und die USA – Die Amerikapolitik des Dritten Reiches und die Ursprünge des Zweiten Weltkrieges,* Stalling, Hamburg 1968. – Hitlers Beziehung zu den USA, teilweise eine äußerst zweifelhafte Interpretation des Hitlerbildes von den USA.

Constantine, Alex, *Psychic Dictatorship in the U.S.A.* Feral House, Portland OR. 1995. – Dieses sehr wichtige Buch weist nach, daß die US-Regierung spezielle Waffen hat entwickeln lassen, um eine Denkkontrolle über ihre Bürger auszuüben.

Cooley, John, *Payback – America's Long War in the Middle East,* Brassy's, New Jersey 1991.– Das teilweise informative Buch des ABC-TV-Reporters läßt aber viele wichtige Hintergrundinformationen in bezug auf den zweiten Golfkrieg vermissen.

Coppik, Manfred/Roth, Jürgen, *Am Tor der Hölle – Strategien der Verführung zum Atomkrieg,* KiWi, Köln 1982. – Ein gutes Buch über Atomkriegsstrategie, vor allem der USA.

Costello, John, *Days of Infamy: MacArthur, Roosevelt, Churchill – The Shocking Truth Revealed,* Pocket Books, New York 1994. – Obwohl der Titel ziemlich hochtrabend klingt, glaubt der Autor nicht an eine Verschwörung in Sachen Pearl Harbor.

Craig, John R./Rogers, Philip A., *The Man on the Grassy Knoll,* Avon Books, New York 1992. – Kritische Abhandlung der Kennedy-Ermordung.

Creighton, Christopher, *Operation James Bond – Das letzte große Geheimnis des Zweiten Weltkriegs,* Econ Verl., Düsseldorf 1996. – Beschreibt die äußerst geheime Operation des britischen Geheimdiensts, den Nationalsozialisten das Gold des Dritten Reichs abzunehmen, und gibt außerdem entblößende Informationen zur anglo-amerikanischen Verschwörung um Pearl Harbor.

Crenshaw, Charles A./Hansen, Jens/Shaw, Gary J., *JFK – Conspiracy of Silence,* Signet, New York 1992. – Der Chefpathologe, der Kennedy untersuchte, weist nach, daß es sich bei Mord an Kennedy um eine Verschwörung handelte.

Crocker, George N., *Schrittmacher der Sowjets – Das Schicksal der Welt lag in Roosevelts Hand,* Sonderausgabe, Europäischer Buchklub, Stuttgart 1960. – Weist nach, wie F. D. Roosevelt die US-Außenpolitik vor und während des Zweiten Weltkriegs stets im Interesse der Russen gestaltete.

Dahms, Hellmuth G., *Roosevelt und der Krieg – Die Vorgeschichte von Pearl Harbor*, Oldenbourg, München 1958. – Ein äußerst wichtiges Buch über die kriegstreiberische Politik Roosevelts.

Dahms, Hellmuth G., *Der Zweite Weltkrieg*, Ullstein, Frankfurt/M.–Berlin–Wien 1971. – Guter umfassender Überblick, leider nicht so kritisch geschrieben wie das Vorgängerwerk *Roosevelt und der Krieg*.

D'Argile, René, *Geheimnisse um die Ursachen des Zweiten Weltkrieges – Eine Sammlung von Studien*, Verlag f. ganzheitliche Forschung und Kultur, Wobbenbüll 1982. – Ein wichtiges revisionistisches Werk, das ursprünglich 1958 in Frankreich erschien und eine der ersten Entschleierungen der wahren Ursachen des Zweiten Weltkriegs darstellt.

Dall, Curtis B., *Amerikas Kriegspolitik – Roosevelt und seine Hintermänner*, Grabert, Tübingen 1972. – Ein äußerst wichtiges Buch des Schwiegersohns von Roosevelt, beschreibt die Verschwörung, die Roosevelt einleitete, um Pearl Harbor als Vorwand für den Eintritt der USA in den Zweiten Weltkrieg benutzen zu können; beschreibt ebenfalls die Ziele der Anhänger der ›Eine Weltregierung‹.

Da-Njän, Lju, *Geschichte der amerikanischen Aggression in China*, Dietz, Berlin 1956. – Enthält wichtige Informationen zum Thema Koreakrieg.

Däniker, Gustav, *Wende Golfkrieg – Vom Wesen und Gebrauch künftiger Streitkräfte*, Report Verlag, Frankfurt/M. 1992. – Langweilig und kriegshetzerisch geschrieben, mit einer mehr als fragwürdigen Anweisung für künftige Kriege.

Darius, Robert G./Amos, John W./Magnus, Ralph H., *Gulf Security into the 1980s – Perceptual and Strategic Dimensions*, Hoover Institution Press, Stanford California 1984. – Untersucht mögliche Krisenpotentiale im Mittleren Osten.

Darwish, Adel/Alexander Gregory, *Unholy Babylon – The Secret History of Saddam's War*, St. Martin's Press, New York 1991. – Gut geschriebenes Buch über Saddam Hussein und seine Kriegspolitik.

Deane, John R., *Ein seltsames Bündnis – Amerikas Bemühungen, während des Krieges mit Rußland zusammenzuarbeiten*, Neue Welt Verl., Wien 1946. – Beschreibt das eigenartige Verhältnis zwischen den USA und Rußland während des Zweiten Weltkriegs.

Deborin, G. A., *Der Zweite Weltkrieg – Militärpolitischer Abriß*, Verlag des Ministeriums für Nationale Verteidigung, Berlin 1960. – Wichtiges und wegweisendes Buch über die wirklichen Ursachen des Zweiten Weltkriegs. Beschreibt, wie die USA und die Westmächte alles taten, um Hitlers Weltkrieg zu ermöglichen.

Denny, Ludwell, *Amerika schlägt England – Geschichte eines Wirtschaftskrieges*, Deutsche Verlags-Anstalt, Stuttgart–Berlin–Leipzig 1930.

Degler, Carl N., *Out of Our Past – The Forces that Shaped Modern America*, Harper Torchbooks, New York ³1984. – Eigenartig geschriebenes US-Geschichtsbuch.

De Gramont, Sanche, *Der Geheime Krieg – Die Geschichte der Spionage seit dem Zweiten Weltkrieg*, Dtv, München 1964. – Behandelt das Thema Geheimdienstkrieg zwischen den USA und der Sowjetunion während des Kalten Kriegs.

Der Krieg am Golf – Im Spiegel des Deutschlandfunks, Deutschlandfunk, Köln Nov. 1991. – 08/15-Abhandlung über den Golfkrieg, äußerst unkritisch geschrieben.

Deschner, Karlheinz, *Der Moloch. Eine kritische Geschichte der USA*, Heyne, München 1992. – Eine ausgezeichnete Analyse der US-Geschichte, unentbehrliches Werk, um die US-Außenpolitik zu verstehen.

Deschner, Karlheinz, *Weltkrieg der Religionen – Der Ewige Kreuzzug auf dem Balkan*, Weitbrecht, Stuttgart–Wien 1995. – Tiefgreifende und weit zurückreichende historische Analyse des Balkankriegs, die vor allem Tito mit der Zerstückelung Jugoslawiens beschuldigt.

Die Wahrheit über Korea, Dietz Verlag, Berlin 1952. – Ein erstklassiges Werk, das mit der Verlogenheit über diesen wichtigen Krieg aufräumt und beweist, daß die US-Regierung den Koreakrieg mit ihren südkoreanischen Vasallen auslösten.

Die Wunden der Freiheit – Der Kampf der Indianer Nordamerikas gegen die weiße Eroberung und Unterdrückung. Selbstzeugnisse, Dokumente, Kommentare, Lamuv, Göttingen 1994. – Amerikanische Geschichte aus Sicht der Ureinwohner Amerikas.

Dietz H./Hartmann G./Wüst J., *Zeitbombe Nahost – Vom Golfkrieg zur Neuen Weltordnung?*, Schulte & Gerth, Asslar 1991. – Gute Beschreibung des Themas Krisenregion Nahost.

Draper, Theodore, *Abuse of Power: U.S. Foreign Policy from Cuba to Vietnam*, Pelican Books, Victoria/Australien 1967. – Weist nach, wie die US-Außenpolitik mißbraucht wird.

Dupuy, N. Trevor, *Future Wars – The World's Most Dangerous Flashpoints*, Warner Books, New York 1993. – Studie über mögliche Kriege der Zukunft. Der Autor glaubt, daß ein dritter Golfkrieg zwischen dem Iran und dem Irak stattfinden wird.

Dupuy, N. Trevor, *How to Defeat Saddam Hussein – Scenarios and Strategies for the Gulf War*, Warner Books, New York 1991. – Militärische Anweisungen, wie Saddam Hussein zu schlagen ist.

Eich, Dieter/Hübener, Karl-L., *Die strategischen Rohstoffe*, Peter Hammer, Wuppertal 1988. – Ein sehr wichtiges Buch, das die ausbeuterischen Beziehungen zwischen dem Westen und den USA in bezug auf die strategisch besonders wichtigen Rohstoffe der Dritten Welt aufzeigt.

Ellsberg, Daniel, *Ich erkläre den Krieg – Vietnam – Der Mechanismus einer militärischen Eskalation*, Hanser, München 1973. – Kritische Analyse des Vietnam-Kriegs von dem Autor, der die Pentagon Papiere der *New York Times* zuspielte.

Elshtain, Jean Bethke/Hauerwas, Stanley/Nusseibeh, Sari/Walzer, Michael/Wiegel, George, *But Was it Just? Reflections on the Morality of the Persian Gulf War*, Doubleday, New York 1991. – Setzt sich mit den moralischen Aspekten des zweiten Golfkriegs auseinander.

Encke, Ulrich, *Saddam Hussein*, Heyne, München 1990. – Beschreibt den irakischen Diktator und sein Regime.

Engdahl, William F., *Mit der Ölwaffe zur Weltmacht – Der Weg zur neuen Weltordnung*, Böttiger, Wiesbaden ³1997. – Eine ausgezeichnete Studie über die anglo-amerikanische-Verschwörung in Sachen Erdöl und Weltpolitik.

Eschmann, Karl, J., *Linebacker – The Untold Story of the Air Raids over North Vietnam*, IVY Books, New York 1989. – Sehr fragwürdige Interpretation des Vietnam-Kriegs, der Autor hält die Bombardierung Nordvietnams für sehr vorsichtig ausgeführt und nennt die USA eine »great nation«.

Farago, Ladislas, *Codebrecher am Werk – Trotzdem kam es zu Pearl Harbor*, Ullstein, Frankfurt/Main 1967. – Sehr gut recherchiertes Werk, das die Möglichkeit einer Verschwörung von Pearl Harbor untersucht.

Farkas, Viktor, *Wer beherrscht die Welt? Die vertuschte Wahrheit über geheime Komplotte, verborgene Drahtzieher, unheimliche UFO-Verschwörungen und die geplante Zukunft der Menschheit*, Orac, Wien 1997. – Guter Überblick über verschiedene Komplotte, unter anderem über den Ersten Weltkrieg und die Attentate auf Lincoln und Kennedy.

Fernau, Joachim, *Halleluja – Die Geschichte der USA,* Ullstein, Frankfurt/Main ⁴1996. – Kritische, wenn auch eigenwillige Beschreibung der US-Geschichte.

Figgie, Harry E., *Bankruptcy 1995,* Little Brown & Company, Boston 1992. – Behandelt das Thema Nationalbankrott der USA

Findley, Paul, *They Dare to Speak Out – People and Institutions Confront Israel's Lobby,* Lawrence Hill Books, Chicago 1989. – Dokumentiert den ungeheueren Einfluß der pro-israelischen Lobbies in den USA.

Fish, Hamilton, *Der zerbrochene Mythos – F.D. Roosevelts Kriegspolitik 1933–1945,* Grabert, Tübingen 1982. – Ein sehr wertvolles revisionistisches Werk eines bekannten US-Senators, der die hinterhältigen Ziele der Roosevelt-Administration im Zweiten Weltkrieg aufdeckt.

Flounders, Sarah, *Die bosnische Tragödie – Die unbekannte Rolle der USA,* Ahriman, Freiburg 1996. – Entlarvt die bis heute völlig unbekannte und berüchtigte Rolle der US-Regierung, mit der diese die Entfachung des Balkankriegs einfädelte.

François, Jean (Hg.), *Helfer im Kreuzfeuer – Humanitäre Hilfe und militärische Intervention: Ein Report über Völker in Not,* Dietz, Bonn 1994. – Guter Überblick über Kriegs- und Krisengebiete, leider ohne die notwendigen Hintergrundinformationen über die wirklichen Ursachen.

Franke-Gricksch, Ekkehard (Hg.), *So wurde Hitler finanziert: das verschollene Dokument von Sidney Warburg über die internationalen Geldgeber des Dritten Reiches,* Diagnosen, Leonberg 1983. – Ein überaus wichtiges Buch, weist eindeutig nach, daß hauptsächlich amerikanische Bankiers und Großkonzerne Hitlers Machtergreifung finanzierten.

Freedman, Lawrence/Karsh, Efraim, *The Gulf Conflict 1990–1991,* Faber and Faber, London 1993. – Fragwürdige Interpretation des zweiten Golfkrieg, läßt sehr wichtige Hintergrundinformation vermissen.

Friedman, Alan, *Spider's Web – The secret history of how the White House illegally armed Iraq,* Bantam, New York 1993. – Zeigt deutlich, wie das Weiße Haus den Irak zehn Jahre lang aufrüstete.

Friedman, Norman, *Desert Victory – The War for Kuwait,* Naval Institute Press, Maryland 1992. – Standardinterpretation des zweiten Golfkriegs, bringt keine neuen Erkenntnisse.

Friedrich, Otto, *Desert Storm – The War in the Persian Gulf,* Time Warner, Boston 1991. – Vertritt ebenfalls die Standardthese über die Ursachen des zweiten Golfkriegs.

Fritsch, Ludwig, A., *Amerikas Verantwortung für das Verbrechen am deutschen Volk,* Grabert, Tübingen ⁹1997. – Wird seinem Titel gerecht.

Fritzler, Marc, *Stichwort: Bosnien,* Heyne, München 1994. – Gute geschichtliche Studie über Bosnien.

Fuller, Buckminster Richard, *Grunch – Raubzug der Giganten,* VAP, Wiesbaden 1985. – Dieses wichtige Buch zeigt, wie ein paar Großkonzerne die Welt beherrschen.

Furkes, Josip/Schlarp, Karl-Heinz (Hg.), *Jugoslawien: Ein Staat zerfällt,* Rowohlt, Hamburg 1991. – Enthält interessante Beiträge zum angegebenen Thema, ignoriert aber leider die Rolle der USA.

Garraty, John A., *The American Nation – A History of the United States,* New York ⁸1995. – Ein grundlegendes Textbuch über die US-Geschichte, obwohl es auch deutliche kriegsgeschichtliche Schwächen aufweist.

Garrison, Jim, *Wer erschoß John F. Kennedy? Auf der Spur der Mörder von Dallas,* Bastei-Lübbe, Bergisch Gladbach 1988. – Dieses Buch, nach dem Hollywood-Regisseur Oliver Stone sein Drehbuch zum Film J.F.K. schrieb, weist nach, daß Kennedy das Opfer einer Verschwörung wurde.

Gelb, H. Leslie/Betts, K. Richard, *The Irony of Vietnam: The System Worked,* The Bookings Institute, Washington D.C. 1979. – Zeigt, wie das bürokratische System der USA den Vietnam-Krieg förderte und dabei seine Funktion erfüllte.

Gelhard, Susanne, *Ab heute ist Krieg – Der blutige Konflikt im ehemaligen Jugoslawien,* Fischer, Frankfurt/M. 1992. – Buch einer Journalistin, das leider die Rolle der USA bei der Zerstückelung Jugoslawiens nicht berücksichtigt.

George, Alexander L./George, Juliette L., *Woodrow Wilson and Colonel House – A Personality Study,* John Day, New York 1956. – Zeigt, wie sich Wilson immer in wichtigen Momenten dem Willen von House beugte.

Gervasi, Tom, *Soviet Military Power – The Pentagon's Propaganda Document, Annotated and Corrected,* Vintage Books, New York 1988. – Weist unter anderem nach, daß die US-Regierung entgegen ihren ständigen Behauptungen, keine chemischen Waffen seit 1972 zu besitzen, genug chemische Waffen im Besitz hat, um jeden Menschen in der Welt 5000mal zu töten.

Gizycki, Horst von, ›*Mother Jones*‹ *oder Ein anderes Amerika – Kritische Minderheiten in den USA,* Fischer, Frankfurt/M. 1990. – Enthält kritische Beiträge zum Thema: Ein anderes Amerika.

Glenny, Misha, *Jugoslawien – Der Krieg, der nach Europa kam,* Knaur, München 1993. – Detailliertes Buch, das die berüchtigte Rolle der US-Regierung bei der Entfesselung des Balkankriegs aber nicht erwähnt.

Goddard, Donald/Coleman, Lester K., *Trail of the Octopus – Behind the Lockerbie Disaster,* Signet, London 1994. – Handelt von dem Lockerbie-Absturz und vermutet, daß der CIA an dem Absturz maßgeblich beteiligt war, womit es die oft geäußerte These, die Libyer seien für das Unglück verantwortlich, kritisiert.

Gordon, Helmut, ›*Zions*‹ *Griff zur Weltherrschaft – Amerikas unbekannte Außenpolitik 1789–1975,* Druffel, Leoni am Starnberger See 1985. – Unumgängliches Buch über die unbekannte und verleugnete Außenpolitik der USA.

Gordon, Michael R./Trainor, Bernard E., *The General's War,* Little, Brown and Company, Boston 1995. – Genau recherchierte Analyse der vorwiegend militärischen Aspekte des zweiten Golfkriegs.

Gordon, Murray, *Conflict in the Persian Gulf,* Checkmark Books, New York 1981. – Enthält die damalige gängige Auffassung zum Thema Krisengebiet Persischer Golf.

Grotzky, Johannes, *Balkankrieg – Der Zerfall Jugoslawiens und die Folgen für Europa,* Piper, München 1993. – Gut geschriebene Analyse des Balkankriegs, übergeht aber leider die wichtige Rolle der USA.

Goulden, Joseph C., *Korea – The Untold Story of the War,* Mc Graw-Hill, New York 1983. – Wird seinem Titel keineswegs gerecht, sondern enthält lediglich die Standardversion der US-Propaganda zum Thema Koreakrieg.

Grässlin, Jürgen, *Lizenz zum Töten? Wie die Bundeswehr zur internationalen Eingreiftruppe gemacht wird,* Knaur, München 1997. – Der Titel spricht für sich selbst.

Grässlin, Jürgen, *Den Tod bringen Waffen aus Deutschland – Von einem, der auszog, die Rüstungsindustrie das Fürchten zu lehren*, Knaur, München 1994. – Kritische Analyse über die deutsche Rüstungsindustrie.

Graubard, Stephen R., *Mr. Bush's War: Adventures in the Politics of Illusion*, Hill and Wang, New York 1992. – Gute Abhandlung über den zweiten Golfkrieg als Ergebnis von Bushs Außenpolitik.

Greider, William, *Secrets of the Temple – How the Federal Reserve Runs the Country*, A Touchstone Book, New York 1989. Die bedeutende Alternativzeitung *The Nation* bezeichnete dieses Buch ohne Übertreibung »als das wahrscheinlich wichtigste Buch des Jahrzehnts«.

Greider, William, *Who will tell the People – The Betrayal of American Democracy*, A Touchstone Book, New York 1993. Zeigt wie die Reichen zusammen mit den Politikern die amerikanische Demokratie untergraben.

Grenfell, Russell, *Bedingungsloser Haß? Die deutsche Kriegsschuld und Europas Zukunft*, Fritz Schlichtenmayer, Tübingen 1955. – Revisionistisches Buch, das die deutsche Kriegsschuld in neuer Sicht erscheinen läßt.

Griffin, Des, *Die Absteiger – Planet der Sklaven*, VAP, Wiesbaden 1981. – Eine äußerst wichtige Abhandlung zum Thema internationale Finanzverschwörung und Kriege, wesentlich, um weltpolitische Ereignisse zu verstehen.

Griffin, Des, *Wer regiert die Welt?*, Lebenskunde Verl., Düsseldorf ²1996. – Gesonderte Ausgabe des Buches *Die Absteiger*.

Groehler, Olaf, *Der Koreakrieg 1950 bis 1953*, Militärverlag der Deutschen Demokratischen Republik, Berlin 1980. – Weist nach, wie der Koreakrieg von der US-Regierung inszeniert wurde.

Gross, Bertram, *Friendly Fascism – The new face of power in America*, M. Evans and Company Inc., New York 1980. – Eine akademische Studie über amerikanische Machteliten, die die US-Politik durch eine verdeckte Art von (Finanz-)Faschismus kontrollieren.

Gruber, Elmar R., *Die PSI-Protokolle – Das geheime CIA-Forschungsprogramm und die revolutionären Erkenntnisse der neuen Parapsychologie*, Langen Müller, München 1998. – Bestätigt, daß der CIA parapsychologische Techniken schon seit Anfang der fünfziger Jahre benutzte, um eine wirksamere Kriegführung betreiben zu können.

Habe, Hans, *Der Tod in Texas – Eine amerikanische Tragödie*, Kurt Desch, München 1967. – Untersuchung über das Kennedy-Attentat.

Härtle, Heinrich, *Die Kriegsschuld der Sieger – Roosevelts, Churchills und Stalins Verbrechen gegen den Weltfrieden*, K. W. Schütz, Preußisch Oldendorf 1971. – Wertvolles Buch, das sich vor allem auf die IMT (Nürnberger)-Protokolle stützt und die anglo-amerikanische Kriegsschuld belegt. Noch besser als der Vorgänger *Amerikas Krieg gegen Deutschland*, da detaillierter.

Halfed, Adolf, *USA greift in die Welt*, Broschek, Hamburg 1941. – Geht kritisch mit dem Thema US-Interventionismus um.

Händler des Todes – Bundesdeutsche Rüstungs- und Giftgasexporte im Golfkrieg und nach Libyen, Isp-Verlag, Frankfurt/M. 1989. – Der Titel umschreibt das behandelte Thema.

Harpprecht, Klaus, *Der fremde Freund – Amerika: Eine innere Geschichte*, DVA, Stuttgart 1982. – Relativ neutrale Auffassung der amerikanischen Geschichte.

Hasnat, Syed Farooq, *Security Problems in the Persian Gulf – Conflicts & their Resolutions*, Progressive Publishers, Lahore 1988. – Untersucht den ersten Golfkrieg und die Lösung der Konflikte, die zum Krieg führten.

Heikal, Mohamed, *Illusions of Triumph – An Arab view of the Gulf War*, Fontana, London 1993. – Eine arabische Interpretation des zweiten Golfkrieg, die aber erstaunlicherweise viel wichtige Hintergrundinformation nicht vermittelt.

Heinrich, Eberhard/Ullrich, Klaus, *Nacht über Grenada – Die Geschichte einer USA-Aggression*, Dietz, Berlin 1983. – Zeigt, wie die USA den Grenada-Überfall bereits zwei Jahre zuvor geplant hatten.

Heise, Karl, *Entente – Freimaurerei und Weltkrieg*, Verlag f. ganzheitliche Forschung und Kultur, Wobbenbüll/Husum 1982. – Ein äußerst umfassendes Buch über den wichtigen Einfluß der Freimaurerei, deren Geheimbünde und Einfluß auf die Entfesselung des Ersten Weltkrieges.

Helsing, Jan van, *Geheimgesellschaften und ihre Macht im 20. Jahrhundert oder wie man die Welt nicht regiert – Ein Wegweiser durch die Verstrickungen von Logentum mit Hochfinanz und Politik. Trilaterale Kommission, Bilderberger, CFR, UNO*, Ewertverlag, Rhede 1995. – Unumgängliches Buch über die Welt der Geheimgesellschaften und ihren ungeheuren Einfluß auf die Weltpolitik von heute und morgen. Das Buch wurde 1996, weil angeblich »volksverhetzend«, aus dem Verkehr gezogen, also verboten. In Wirklichkeit dürfte es aber für einige Mitglieder der heimlichen Herrscherelite zu ›heiß‹ geworden sein, da es Namen auflistet.

Herre, Franz, *Die Amerikanische Revolution – Geburt einer Weltmacht*, Bastei Lübbe, Bergisch Gladbach 1981. – Zeigt eindeutig, daß die Amerikanische Revolution im Interesse der reichen Aristokratie stattfand und keine Volksbewegung war.

Hersh, Seymour M., *The Samson Option – Israel's Nuclear Arsenal and American Foreign Policy*, Vintage, New York 1993. – Zeigt, daß Israel ungefähr 200 bis 300 Atombomben besitzt und sie im Notfall auch einsetzen würde!

Hertneck, Friedrich, *Kampf um Texas*, Wilhelm Goldmann, Leipzig 1941. – Detaillierte Beschreibung unter anderem der Besitzergreifung von Texas durch die US-Regierung und deren Siedler, teilweise etwas vorurteilsvoll geschrieben.

Hilsman, Roger, *George Bush vs. Saddam Hussein: Military Success Political Failure?*, Lyford Books, Novato California 1992. – Bezeichnet den zweiten Golfkrieg sowohl als militärischen Sieg als auch als politische Niederlage für die USA.

Hippler, Jochen, *Krieg im Frieden – Amerikanische Strategien für die Dritte Welt*, Pahl-Rugenstein, Köln 1986. – Zeigt, wie die US-Interventionspolitik zur Förderung des wirtschaftlichen Imperialismus benutzt wird.

Hippler, Jochen, *Die Neue Weltordnung*, Konkret Literatur Verlag, Hamburg 1991. – Gutes Buch zum Thema US-Hegemonie und Weltordnung.

Hiro, Dilip, *Desert Shield to Desert Storm – The Second Gulf War*, Paladin, London 1992. – Sehr gut recherchiertes Buch über den zweiten Golfkrieg, das aber zu keinem einheitlichen Resümee kommt.

Hiro, Dilip, *The Longest War – The Iran-Iraq Military Conflict*, Routledge, New York 1991. – Sorgfältig recherchiertes Buch über den ersten Golfkrieg.

Höhne, Heinz, *Der Krieg im Dunkeln – Macht und Einfluß der deutschen und russischen Geheimdienste*, Ullstein, Frankfurt/M. 1988. – Erschöpfend recherchiertes Werk über die Beziehungen der genannten Geheimdienste von etwa 1870 bis 1950.

Hofmann, Michael, *Siegen ist nicht gleich Frieden – Die bitteren Lehren aus dem Golfkonflikt*. Ullstein, Frankfurt/M. 1992. – Eine kritische Auseinandersetzung mit dem Thema zweiter Golfkrieg.

Hoggan, David L., *Das blinde Jahrhundert*, Bd. 1: *Amerika, das messianische Unheil*, Grabert, Tübingen ²1992. – Kritisches Buch über die US-Außenpolitik; zeigt, wie verschiedene US-Präsidenten nicht ihrer Nation dienten, sondern den Interessen der reichen Machtelite.

Hoggan, David L., *Der erzwungene Krieg – Die Ursachen und Urheber des Zweiten Weltkriegs*. Grabert, Tübingen ¹⁵1997. – Unglaublich sorgfältig recherchiertes Monumentalwerk von über 900 Seiten, das die These vertritt, daß vor allem die britische Außenpolitik den Zweiten Weltkrieg herbeiführte. Enthält über 1500 Fußnoten.

Holtorf, Jürgen/Lock, Karl-Heinz, *Stichwort Freimaurer*, Heyne, München 1993. – Oberflächliche Untersuchung des Themas.

Hornung, Klaus, *Krisenherd Naher Osten – Geschichte und Gegenwart einer konfliktreichen Region*, Heyne, München 1991. – Zeigt die lange Geschichte der krisenhaften Region.

Horowitz, David (Hg.), *Big Business und Kalter Krieg*, März, Frankfurt/M. 1971. – Enthält äußerst wichtige Informationen über den C.F.R., die eigentliche geheime Regierung der USA, und sein Verhältnis zur US-Außenpolitik. Wegweisend für alle, die die US-Außenpolitik und ihre Ursprünge verstehen wollen.

Howard, Michael, *The Occult Conspiracy – Secret Societies – Their Influence and Power in World History*, Destiny Books, Rochester (Vermont) 1989. – Tiefgreifende Zusammenfassung der Geheimbünde in der Weltgeschichte und ihr Einfluß auf die weltpolitischen und wirtschaftlichen Entwicklungen.

Hoyt, Edwin P., *On to the Yalu*, Jove Books, New York 1991. – Militärische Abhandlung über den Koreakrieg.

Hoyt, Edwin P., *Hitler's War*, A Da Capo, New York 1988. – Geht teilweise sehr dogmatisch mit Hitlers angeblichen Kriegsabsichten um.

Hoyt, Edwin P., *War in Europe – Blitzkrieg*, Bd. 1, Avon Books, New York 1991. – Gut in der militärischen Analyse, eher schlecht in der Ursachenforschung bezüglich des Angriffs auf Polen.

Hübschen, Jürgen, *Der Irak-Kuwait-Krieg – Chronologie einer programmierten Katastrophe*, Edition Ergon, Pfungstadt bei Darmstadt 1992. – Sehr gute Chronologie der Tragödie.

Hussain, Syed Shabbir/Rizvi, Absar Husain, *Afghanistan Whose War?*, El Mashriqi Foundation, Islamabad 1987. – Teilweise übertrieben anti-sowjetische und naive pro-amerikanische Analyse des Afghanistan-Kriegs.

Hutter, Clemens, M., *Der schmutzige Krieg*, SN, Salzburg 1968. – Behandelt das Thema Guerillakrieg.

Hybel, Alex Roberto, *Power over Rationality – The Bush Administration and the Gulf Crisis*, State University of New York Press 1993. – Gutes Buch, das der Frage nachgeht, warum es keine Warnung kurz vor der Golfkrise von seiten der Bush-Regierung gegenüber Saddam Hussein gab.

Ibrahim, Ferhad/Ferdowsi, A. Mir (Hg.) *Die Kuwait-Krise und das regionale Umfeld – Hintergründe, Interessen, Ziele*, Das Arabische Buch, Berlin 1992. – Bietet einige interessante Informationen.

Inacker, J. Michael, *Unter Ausschluß der Öffentlichkeit? – Die Deutschen in der Golfallianz*, Bouvier, Bonn 1991. – Fragwürdige Interpretation der deutschen Politik während des zweiten Golfkriegs, der Autor hält die Deutschen für Drückeberger und legitimiert daher leichtfertig eine militärische Beteiligung der deutschen Nation am Golfkrieg.

Jacobs, Paul/Landau, Saul/Pell, Eve, *Brüder sollen wir uns unterwerfen? Die verleugnete Geschichte Amerikas*, Dtv, München 1975. – Ein tiefgründiges Buch, das vor allem die rassistischen Tendenzen der US-Außen- sowie Innenpolitik offenbart.

Jahrbuch Frieden 1995 – Konflikte Abrüstung Friedensarbeit, C. H. Beck, München 1994.

Jakovlev, N. N., *CIA contra UdSSR*, VEB, Berlin 1985. – Beachtlicher Beitrag zum Thema Geheimkrieg des CIA gegen die Sowjetunion.

Jan, Tarik, *Gulf War – Causes, Consequences and Future Scenarios*, Institute of Policy Studies, Islamabad 1991. – Kurze Abhandlung über den 2. Golfkrieg, die bestätigt, daß die US-Führung Saddam Hussein in Kuwait bewußt eine Falle stellten.

Jungk, Robert, *Die Zukunft hat schon begonnen – Amerikas Allmacht und Ohnmacht*, Scherz, Stuttgart 1952. – Kritisches Buch über Amerikas Absichten und Errungenschaften.

Jungk, Robert, *Heller als Tausend Sonnen – Das Schicksal der Atomforscher*, Sonderausgabe Europäischer Buchklub, Stuttgart. – Kritisches Buch über die Entstehungsgeschichte der Atombombe.

Kampfflugzeuge von Heute: Typen – Entwicklung, Kaiser, Klagenfurt o.J. – Sehr gutes Buch über Kampfflugzeuge.

Kaplan, Fred, *The Wizards of Armageddon*, Touchstone Books, New York 1984. – Zeigt, wie eine kleine militärische US-Elite geheime Pläne zur Vernichtung der Sowjetunion ausarbeitete.

Karl, Jonathan, *The Right to bear Arms – The Rise of America's New Militias*, HarperCollins Publishers, New York 1995. – Interessante Berichte über die neuen Milizgruppen in den USA, die einen Angriff der US-Regierung auf das amerikanische Volk befürchten und von einem kommenden Bürgerkrieg sprechen.

Karnow, Stanley, *Vietnam – A History: The First Complete Account of Vietnam at War*, Penguin Books, New York 1984. – Gute historische Abhandlung über das Thema Vietnamkrieg.

Karsh, Efraim/Rautsi, Inari, *Saddam Hussein – A Political Biography*, Futura, London 1991. – Eine politische Biographie des irakischen Diktators.

Kaur, Kulwant, *Gulf Crisis – US and the Emerging World Order*, Ashish Publishing House, New Delhi 1994. – Besondern gut in der ökonomischen Analyse des Konflikts.

Keith, Jim, *Black Helicopters over America – Strikeforce for the New World Order*, Illumi-Net Press, Lilburn, Georgia, 1994. – Beschreibt die verdeckten Operationen der Mitglieder der ›Neuen Weltordnung‹ in den USA und deren Bestreben, eine Diktatur in Amerika zu errichten.

Keith, Jim, *Mind Control World Control – The Encyclopedia of Mind Control*, Adventures unlimited Press, Illinois 1997. – Unentbehrliches Werk über Gedankenkontrolle und deren historische Entwicklung.

Kellner, Douglas, *The Persian Gulf TV War*, Westview, San Francisco 1992. – Ausgezeichnete psychologische sowie soziologische Analyse der US-Medien während der Golfkrise und des Kriegs am Golf.

Kempf, Wilhelm (Hg.), *Medienkrieg oder ›Der Fall Nicaragua‹ – Politisch-psychologische Analysen über US-Propaganda und psychologische Kriegsführung während der Reagan-Ära,* Argument, Berlin–Hamburg 1990. – Beschreibt den geheimen Krieg der Reagan-Regierung gegen Nicaragua.

Ketzerbriefe 23. Sonderausgabe Golfkrieg Spezial, Ahriman-Verlag, Freiburg März 1991. – Kritische Analyse des Golfkriegs.

Khadduri, Majid/Ghareeb, Edmund, *War in the Gulf 1990–91 – The Iraq-Kuwait Conflict and its Implications,* Oxford University Press Inc., New York 1997. – Teilweise kritische Untersuchung des zweiten Golfkriegs.

Klüver, Max, *Den Sieg verspielt – Mußte Deutschland den 2. Weltkrieg verlieren?,* Druffel, Leoni am Starnberger See 1981. – Geht der wichtigen Frage nach, ob es zwangsläufig zu einer deutschen Niederlage kommen mußte, um zu zeigen, daß dies nicht der Fall gewesen wäre.

Koch, Egmont R./Sperber, Jochen, *Die Datenmafia – Computerspionage und neue Informationskartelle,* Rowohlt, Hamburg 1996. – Ein unentbehrliches Buch über das Promise Software-Programm, mit dem die US-Geheimdienste Computerspionage betreiben.

Koch, Peter, *Wahnsinn Rüstung,* Stern-Magazin, Hamburg 1981. – Beachtlicher Beitrag zum Thema Rüstung, zeigt unter anderem, wie die USA NS-Deutschland aufrüsteten.

Kochan, Nick/Whittington, Bob, *Bankrupt – The BCCI Fraud,* VG LTD, London 1991. – Weist die korrupten Machenschaften der Bank nach, die für die Mafia sowie Geheimdienste arbeitete.

Kolko, Gabriel & Joyce, *The Limits of Power – The World and United States Foreign Policy, 1945–1954,* Harper & Row, New York 1972. – Gute Analyse der angegebenen Jahre.

Kolko, Gabriel, *Century of War – Politics, Conflicts, and Society since 1914,* The New Press, New York 1994. – Intensive und vielschichtige Abhandlung der Kriege seit 1914.

Koppe, Holger/Koch, Egmont R., *Bomben-Geschäfte – Tödliche Waffen für die Dritte Welt,* Knaur, München 1991. – Wie der Westen die Dritte Welt aufrüstet.

Krieg und Frieden Kursbuch 105, Rowohlt, Berlin September 1991.

Kronzucker, Dieter/Emmerich, Klaus, *Das amerikanische Jahrhundert – Der Siegeszug des American Way of Life,* Econ, Düsseldorf 1996. – Besitzt einige Fehler; dennoch lesenswert.

Krosney, Herbert, *Deadly Business – Legal Deals and Outlaw Weapons. The Arming of Iran and Iraq, 1975 to the Present,* Four Walls Eight Windows, London 1993. – Zeigt unter anderem, wie der Westen den Irak aufrüstete.

Kubbig, Bernd W./Krell, Gert, *Krieg und Frieden am Golf – Ursachen und Perspektiven,* Fischer, Frankfurt/M. 1991. – Konfuses Buch, das zu keinem wirklichen einheitlichen Schluß kommt.

Kühnl, Reinhard/Hörster-Philipps, Ulrike (Hg.), *Hitlers Krieg? Zur Kontroverse um Ursachen und Charakter des Zweiten Weltkrieges,* Pahl-Rugenstein, Köln 1989. – Kritische Studie über die Kriegsschuld am Zweiten Weltkrieg.

Kunert, Dirk, *Hitlers kalter Krieg – Moskau, London, Washington, Berlin: Geheimdiplomatie, Krisen und Kriegshysterie 1938/39,* Arndt, Kiel 1992. – Geht äußerst kritisch mit der stalinistischen Vorkriegspolitik der Sowjetunion um. Der Autor glaubt, daß Stalin nicht nur auf einen Krieg zwischen den kapitalistischen und faschistischen Mächten hoffte, sondern daß er auch Deutschland angreifen wollte.

Lammer, Helmut u. Marion, *Verdeckte Operationen – Militärische Verwicklungen in UFO-Entführungen – Mind Control/Bio-Chips, Untergrundbasen/Exotische Waffen,* Herbig, München 1997. – Enthüllt die morbide Verbindung des US-Militärs und CIA zu vielen UFO-Entführungen und weist wissenschaftlich nach, daß viele dieser Entführungen mit Mikrowellen-Gedankenkontroll-Experimenten zu tun haben.

Langbein, Walter-Jörg, *Geheime Gesellschaften – Regeln, Riten und Bräuche,* Moewig, Berlin 1997. – Enthält unter anderem einen Beitrag über den überwältigenden Einfluß der Freimaurer auf die Entstehung der USA.

Lapham, Lewis H., *Money and Class in America – Notes and Observations on the Civil Religion,* Ballentine Books, New York 1989. – Kritischer Beitrag zum Thema Plutokratie in Amerika.

Launer, Ekkehard (Hg.), *Datenhandbuch Süd-Nord,* Lamuv, Göttingen 1992.

Launer, Ekkehard, *Zum Beispiel Osttimor,* Lamuv, Göttingen 1996. – Bestätigt, daß ohne die US-Unterstützung die Invasion Osttimors nicht stattgefunden hätte.

Lay, Rupert, *Die Macht der Unmoral oder: Die Implosion des Westens,* Econ, Düsseldorf 1993. – Enthält wichtige Informationen zum Thema zweiter Golfkrieg.

Leyendecker, Hans/Rickelmann, Richard, *Exporteure des Todes – Deutscher Rüstungsskandal in Nahost,* Steidl, Göttingen 1991. – Der Titel sagt alles.

Livingstone, Harrison Edward/Groden, Robert J., *High Treason: The Assassination of President Kennedy and the New Evidence of Conspiracy,* Berkley, New York 1990. – Weist nach, daß eine Verschwörung der US-Machtelite und besonders des CIA Kennedy ermordete.

Lowther, William, *Arms and the Man – Dr. Gerald Bull, Iraq and the Supergun,* Seal Books, Toronto 1991. – Behandelt das Thema irakische Superkanone und den Mord an deren Erfinder Dr. Bull.

Lukacs, John, *Die Geschichte geht weiter – Das Ende des 20. Jahrhunderts und die Wiederkehr des Nationalismus,* Heyne, München 1996. – Der Nationalismus wird wieder zur Bestimmungskraft der internationalen Beziehungen, während das Machtzentrum sich von der USA wiederum nach Europa und Deutschland verlagern wird. Eine These, die im Hinblick auf die um sich greifende Globalisierung als ziemlich umstritten erscheint.

Lundberg, Ferdinand, *Die Mächtigen und die Supermächtigen – Das Rockefeller-Syndrom,* Bertelsmann, München 1975. – Eine kritische Studie über das Rockefeller-Imperium, das die US-Politik auf bedrohliche Weise steuert.

Luttwak, Edward N., *Weltwirtschaftskrieg: Export als Waffe – aus Partnern werden Gegner,* Rowohlt, Hamburg 1994. – Sagt das Ende der militärischen Stärke als Führungskraft in der Welt voraus und schildert den Niedergang Amerikas als führender Wirtschaftsmacht der Welt.

MacArthur, John R., *Die Schlacht der Lügen – Wie die USA den Golfkrieg verkauften,* Dtv, München 1993. – Kritische Analyse der US-Medienpolitik während des zweiten Golfkriegs.

Mackey, Sandra, *Der Arabische Traum – Geschichte, Politik, Wirtschaft, Kultur und Religion der Araber,* Bastei Lübbe, Bergisch Gladbach 1995. – Umfassende Studie einer Arabien-Expertin, vertritt leider den offiziellen Standpunkt zum zweiten Golfkrieg.

MacShane, Denis, *Friendly Fire Whitewash,* Epic Books, London 1992. – Weist nach, daß US-Soldaten absichtlich britische Soldaten im zweiten Golfkrieg töteten.

Mader, Julius, *CIA-Operation Hindu Kush – Geheimdienstaktivitäten im unerklärten Krieg der USA gegen Afghanistan,* Militärverlag der Deutschen Demokratischen Republik, Berlin 1988. – Zeigt, daß der CIA maßgeblich am Ausbruch des Afghanistan-Krieges beteiligt war.

Magnus, Ralph H., *Afghan Alternatives – Issues, Options, and Policies,* Transaction Books, New Jersey 1985. – Diskussion über das Thema Afghanistan-Krieg.

Majeed, Tariq, *The Global Game for a New World Order,* Nadeem Book House, Lahore 1995. – Ausgezeichnete Analyse zum Thema Weltmacht Zionismus.

Malanowski, Anja/Stern, Marianne, *Iran-Irak: »Bis die Gottlosen vernichtet sind«,* Rowohlt, Hamburg 1987. – Enthält interessante Informationen zum Thema erster Golfkrieg.

Mass, Peter, *Die Sache mit dem Krieg – Bosnien von 1992 bis Dayton,* Knesebeck, München 1997.

Matthias, L. L., *Die Kehrseite der USA,* Rowohlt, Hamburg 1985. – Eine Kritik an Amerika, ein Klassiker.

Mayer, L. S./Percival, Charles/Hogg, V. Ian/Preston, Anthony, *Weapons of the Gulf War,* London 1991. – Waffenabhandlung zum Thema zweiter Golfkrieg.

Mayer, Jane/McManus, Doyle, *Landslide: The unmaking of President Reagan,* Fontana/Collins, Glasgow 1988. – Setzt sich mit Präsident Reagan kritisch auseinander.

McPherson, James M., *Battle Cry of Freedom – The Civil War Era,* Oxford Uni. Press, Toronto 1988. – Eingehende Beschreibung des amerikanischen Bürgerkriegs.

Melman, Yossi/Raviv, Dan, *Die Geschichte des Mossad – Aufstieg und Fall des israelischen Geheimdienstes,* Heyne, München 1994. – Gute Beschreibung des Mossads.

Mentzos, Stavros, *Der Krieg und seine psychosozialen Funktionen,* Fischer, Frankfurt/M. 1994. – Buch eines Psychologen über Kriegsursachen, für Nichtpsychologen nicht immer leichtverständlich.

Merseburger, Peter, *Die unberechenbare Vormacht – Wohin steuern die USA?,* Dtv, München 1985. – Gute Analyse der Carter-Reagan-Jahre in bezug auf die Außen- und Innenpolitik der USA.

Micheletti, Eric, *Air War over the Gulf,* Windrow & Greene, London 1991. – Behandelt das Thema Luftkrieg im zweiten Golfkrieg.

Michler, Walter, *Somalia: Ein Volk stirbt – Der Bürgerkrieg und das Versagen des Auslands,* Dietz, Bonn 1993. – Über den Bürgerkrieg, etwas unkritisch über die militärische Intervention in Somalia.

Miller, Judith/Mylroie, Laurie, *Saddam Hussein and the Crisis in the Gulf,* Times Books, New York 1990. – Zwiespältige Abhandlung über den zweiten Golfkrieg.

Miller, Nathan, *Spying for America – The Hidden History of U.S. Intelligence,* Dell, New York 1989. – Informativ, obwohl teilweise sehr oberflächlich und naiv.

Millis, Walter, *Amerikanische Militärgeschichte – in ihren politischen, wirtschaftlichen und sozialen Zusammenhängen,* Markus, Köln 1958. – Gute und vor allem gerechte Analyse der US-Militärgeschichte.

Millis, Walter, *Road to War – America 1914–1917,* Houghton Mifflin Comp., Boston–New York 1935. – Das bedeutende revisionistische Werk weist nach, daß die US-Machtelite jedes Angebot Deutschlands für einen gerechten Kompromißfrieden ablehnte, während Colonel House, der der Machtelite angehörte, alles in seiner Macht tat, damit die USA in den Ersten Weltkrieg gegen Deutschland eintraten.

Mittmann, Beate/Priskil, Peter, *Kriegsverbrechen der Amerikaner und ihrer Vasallen gegen den Irak und 6000 Jahre Menschheitsgeschichte,* Ahriman, Freiburg 1992. – Sehr wichtiges Buch über die Kriegsverbrechen der US-Regierung am Golf.

Morgenstern, George, *Pearl Harbor 1941 – Eine amerikanische Katastrophe,* Herbig, München 1998. – Erstmals 1947 veröffentlicht, beruht die Studie auf der Nachkriegsanhörung im US-Kongreß bezüglich Pearl Harbor. Morgenstern vertritt den Standpunkt, Roosevelt habe gewußt, daß die Japaner Pearl Harbor angreifen würden. Der US-Präsident habe außerdem Geheimvereinbarungen mit den Briten und Holländern getroffen, die die USA in einen Krieg führen sollten, sobald die Japaner Kolonien der eben genannten US-Verbündeten angreifen würden.

Morison, Samuel Eliot/Commager, Henry Steele, *The Growth of the American Republic. Volume One,* Oxford University Press, New York 1942. – Ein Standardgeschichtsbuch, der Konflikt und Krieg mit Mexiko wird ausführlich dargestellt.

Morton, Federic, *The Rothschilds – A Family Portrait,* Secker & Warburg, London 1962. – Buch über das mächtige Bankhaus, teilweise schmeichelhaft geschrieben.

Mullins, Eustace/Bohlinger, Roland, *Die Bankiersverschwörung – Die Machtergreifung der Hochfinanz und ihre Folgen,* Verl. f. ganzheitliche Forschung & Kultur, Struckum ³1987. – Das außerordentlich wichtige Buch beschreibt, daß die Große Depression von einer Finanzelite inszeniert wurde; erwähnt, daß die Explosion auf der ›Maine‹, die zum amerikanisch-spanischen Krieg führte, höchstwahrscheinlich von der New Yorker National City Bank verschuldet wurde.

Nassua, Martin, *»Gemeinsame Kriegführung. Gemeinsamer Friedensschluß«. Das Zimmermann-Telegramm vom 13. Januar 1917 und der Eintritt der USA in den 1. Weltkrieg,* Peter Lang, Frankfurt/M. 1992. – Äußerst genaue Analyse des Zimmermann-Telegramms, mit dem die USA ihren Eintritt in den Ersten Weltkrieg teilweise rechtfertigten.

Nathan, James A./Oliver, James K., *United States Foreign Policy and World Order,* Scott Foresman, Boston ⁴1989. – Kritische Analyse der US-Außenpolitik.

Naylor, Robin Thomas, *Hot Money and the Politics of Debt,* Simon and Schuster, New York 1987.

Nelson-Pallmeyer, Jack, *Brave New World Order – Must we pledge Allegiance?,* Orbis Books, New York 1993. – Weist nach, daß die ›Neue Welt-Ordnung‹ nur den Interessenten der Reichen dient und auf Kosten der Armen und der Mittelklasse in Amerika und vor allem in der Dritten Welt errichtet wird.

Nevins, Allen/Commager, Henry Steele/Morris, Jeffrey, *A Pocket History of the United States,* Pocket Books, New York ⁸1986. – Ein gängiges US-Geschichtsbuch.

Nirumand, Bahman (Hg.), *Sturm im Golf – Die Irak-Krise und das Pulverfaß Nahost,* Rowohlt, Hamburg 1991. – Enthält wichtige Informationen zum zweiten Golfkrieg.

Nichols, Preston B./Moon, Peter, *Das Montauk Projekt – Experimente mit der Zeit,* Fichtenau 1994. – Enthält Informationen, denen zufolge die USA im zweiten Golfkrieg Gedankenkontrolle-Waffen gegen die Iraker einsetzten, um diese von ihren sicheren Bunkern herauszubekommen.

Noel-Baker, Philip, *The Private Manufacture of Armaments,* Bd. 1, Victor Gollancz, London 1936. – Über die Gefahren der Rüstungsindustrie kurz vor dem Ausbruch des Zweiten Weltkrieges.

Norden, Albert, *So werden Kriege gemacht!*, Dietz, Berlin 1968. – Erstklassige Analyse zum Thema Imperialismus und Krieg.

Obermann, Karl, D*ie Beziehungen des amerikanischen Imperialismus zum deutschen Imperialismus in der Zeit der Weimarer Republik (1918–1925)*, Rütten & Loening, Berlin 1952. – Zeigt, wie die amerikanische und deutsche Machtelite vor und nach dem Ersten Weltkrieg gemeinsame Sache machten auf Kosten des deutschen Volkes.

Ostrovsky, Victor/Hoy, Claire, *By Way of Deception – The Making and unmaking of a Mossad Officer*, St. Martin's, New York 1991. – Die unterschwellige Botschaft dieses Buches eines angeblichen Agenten des Mossads lautet: Die USA sollten Israel den Mittleren Osten dominieren lassen, da es für diese Vormachtstellung vorbestimmt sei. Auf S. 322 behauptet Ostrovsky, der Mossad habe von dem Anschlag auf eine US-Militärbasis im Libanon gewußt, habe ihn aber nicht verhindern können, da dies die Informanten des Mossads gefährdet hätte. Es ist aber eher wahrscheinlich, daß der Mossad eine feindselige Atmosphäre zwischen den Arabern und den USA stiften wollte. Einige Quellen behaupten daher, daß der Mossad der Urheber jenes Anschlags war, der im Libanon den Tod von 241 US-Soldaten forderte.

Ostrovsky, Victor, *Geheimakte Mossad – Die schmutzigen Geschäfte des israelischen Geheimdienstes*, Goldmann, München 1996. – Enthält Informationen, denen zufolge Israel Aktivitäten unternahm, um einen zweiten Golfkrieg nach der Golfkrise von 1990 herbeizuführen.

Pagonis, William G., *Moving Mountains – Lessons in Leadership and Logistics from the Gulf War*, Harvard Business School Press, Boston 1992. – Anweisungen im Bereich Militärführung und logistische Organisation während des zweiten Golfkriegs.

Palmer, Michael, *Guardians of the Gulf*, New York 1991. – Nützliches Buch über den zweiten Golfkrieg.

Palmer, R. R./Colton, Joel, *A History of the Modern World*, Alfred A. Knopf, New York ⁶1984. – Die Weltgeschichte im Umriß.

Parrish, Robert D., *Schwarzkopf – An Insider's view of the Commander and his Victory*, Bantam, New York 1991. – Lobhudlerisch verfaßte Biographie, die oft kriegsverherrlichend wirkt.

Payne, Ronald, *Mossad – Israels geheimster Dienst*, Piper, München 1993. – Enthält einige interessante Information zum Sechs-Tage-Krieg.

Pearce, Nigel, *The Shield and the Sabre – The Desert Rats in the Gulf 1990–1991*, London. 1992. – Behandelt die Ursachen des Golfkriegs nur oberflächlich, befaßt sich in erster Linie mit dem Kriegsgeschehen.

Perlmutter, Amos/Handel, Michael/Bar-Joseph, Uri, *Two Minutes over Baghdad*, Corgi, London 1982. – Abhandlung über die Bombardierung des irakischen Atomreaktors Osirk durch Israel.

Peschke, Hans-Peter, *Europa–Nordamerika – Geschichte einer Haßliebe*, IDEA, Puchheim 1984. – Eines der wenigen Bücher zu diesem wichtigen Thema.

Piller, Charles/Keith, Yamamoto R., *Der Krieg der Gene – Das Militär und die Gentechnik*, Rasch und Röhring, Hamburg 1989. – Weist unter anderem nach, daß die US- Regierung höchstwahrscheinlich biologische Waffen im Koreakrieg einsetzte und jahrzehntelang solche Waffen auch gegen die eigene Bevölkerung, auch in Großstädten wie New York und Chicago, testete.

Pizzo, Stephen/Fricker, Mary/Muolo, Paul, *Inside Job – The Looting of America's Savings and Loans*, McGraw-Hill Publishing Company, New York 1989. – Behandelt jenen Bankskandal in den neunziger Jahren in den USA, bei dem bis zu 500 Milliarden Dollar auf dubiose Weise verschwanden.

Powers, Thomas, *The Man Who Kept the Secrets – Richard Helms and the CIA*, Pocket Books, New York 1981. – Über die Geschichte des CIAs.

Prados, John, *President's Secret Wars*, Quill Books, New York 1986. – Weist unter anderem nach, daß die US-Regierung schon sechs Monate vor der sowjetischen Invasion Afghanistans Bescheid wußte, aber nichts dagegen unternahm.

Prados, John, *The Hidden History of the Vietnam War*, Ivan R. Dee, Chicago 1995. – Wichtiges Buch über den Vietnamkrieg, vor allem über den Tonkin-Zwischenfall.

Prange, Gordon W., *At Dawn We Slept – The Untold Story of Pearl Harbor*, Penguin Books, London 1991. – Äußerst ausführlich recherchiertes Buch, vielleicht das umfangreichste Buch, das jemals über Pearl Harbor geschrieben wurde, das aber leider das ganze Ereignis verantwortungslos verharmlost.

Prange, Gordon W., *Dec. 7 1941 – The Day the Japanese Attacked Pearl Harbor*, Warner Books, 1989 New York. – Nachfolgewerk zu *At Dawn We Slept*, auch wenn Prange nicht an eine Verschwörung in Sachen Pearl Harbor glaubt, so lassen sich Hinweise auf diese in seinen Werken finden.

Prichard, Peter S., *Desert Warriors – The Men and Women who won the Gulf War. USA Today*, Pocket Books, New York 1991. – Enthält Briefe von Privatpersonen, die sich zum Golfkrieg äußern.

Pringle, Peter/Arkin, William, *SIOP – Der Geheime Atomkriegsplan der USA*, Dietz, Bonn 1985. – Der US-Plan für einen atomaren Angriff auf die Sowjetunion bereits im Jahre 1949.

Prouty, Leroy Fletcher, *The Secret Team – The CIA and Its Allies in Control of the United States and the World*, Prentice-Hall, Englewood Cliffs/N.J. 1973. – Beschreibt die Rolle des CIA, der im Auftrag der US-Machtelite Geheimkriege durchführt, in der Hoffnung, daß diese in größere Kriege eskalieren.

Prouty, Leroy Fletcher, *JFK – Der CIA, der Vietnamkrieg und der Mord an John F. Kennedy*, Zsolnay, Wien 1992. – Ein unentbehrliches Buch eines ehemaligen Top-CIA-Offiziers, der eindrucksvoll nachweist, daß Kennedy umgebracht wurde, weil er die US-Truppen schon Ende 1965 aus Vietnam abziehen wollte; weist auch nach, daß der Korea- und der Vietnamkrieg von der US-Machtelit inszeniert wurden.

Pyle, Richard, *Schwarzkopf – The Man, the Mission, the Triumph*, Mandarin, London 1991. – Enthält einige wissenswerte Einzelheiten über den US-Oberbefehlshaber im zweiten Golfkrieg.

Quigley, Caroll, *Tragedy and Hope – A History of the World in our Time*, GSG & Associates, California 1994 – Monumentales Werk eines Insiders, weist nach, daß eine internationale, vor allem anglo-amerikanische, Plutokratie die Welt mit einer eisernen Faust regiert.

Raeithel, Gert, *Geschichte der Nordamerikanischen Kultur*, Bd. 1: *Vom Puritanismus bis zum Bürgerkrieg 1600–1860*; Bd. 2: *Vom Bürgerkrieg bis zum New Deal 1860–1930*; Bd. 3: *Vom New Deal bis zur Gegenwart 1930–1995*, Frankfurt/M. ³1997. – Relativ kritische Abhandlung der US-Geschichte mit interessanten u. wichtigen Quellen.

Rassinier, Paul, *Die Jahrhundert-Provokation – Wie Deutschland in den Zweiten Weltkrieg getrieben wurde*, Grabert, Tübingen ³1998. – Dieses revisionistische Buch über die Ursachen des Zweiten Weltkriegs zeigt, daß vor allem die Roosevelt-Administration alles tat, um eine friedliche Lösung der Danzigkrise im Jahre 1939 zu sabotieren.

Rathfelder, Erich (Hg.), *Krieg auf dem Balkan – Die europäische Verantwortung*, Rowohlt, Hamburg 1992. – Enthält viele grundlegende Beiträge zum Verständnis des Balkankriegs.

Record, Jeffery, *Hollow Victory: A Contrary View of the Gulf War*, New York 1993. – Weist zu Recht darauf hin, daß der Sieg am Golf für die USA ein Pyrrhussieg war.

Reed, Terry/Cummings, John, *Compromised – Clinton, Bush and the CIA – From Mena, Arkansas, to the White House: How the Presidency was Co-opted by the CIA*, Clandestine Publishing, Penmarin Books, NY 1995. – Äußerst sorgfältig recherchiertes Buch über die einzelnen kriminellen Waffengeschäfte der Bush-Clinton-Clique und die Unterwanderung der amerikanischen Präsidentschaft durch den CIA.

Regan, Geoffrey, *Fight or Flight – An inspiring history of courage under fire – true battlefield stories of extraordinary acts at the moment of truth*, Avon Books, New York 1996. – Gute Schilderung von entscheidenden Phasen der Kriegsgeschichte.

Ribbentrop, Anneliese von, *Deutsch-englische Geheimverbindungen – Britische Dokumente der Jahre 1938 und 1939 im Lichte der Kriegsschuldfrage*, Verl. der Deutschen Hochschullehrer-Zeitung, Tübingen 1967. – Die deutsche Kriegsschuld in einem neuen Licht.

Richardson, Bruce, *Afghanistan, Ending the Reign of Soviet Terror*, Maverick Publications. Bend, Oregon 1996.– Dogmatische Kritik der sowjetischen Politik in Afghanistan und der Region; untersucht nicht die US-Politik in bezug auf die sowjetische Invasion Afghanistans.

Richter, Werner, *Washington – Vater einer Neuen Nation*, Eugen Rentsch, Erlenbach–Zürich 1946.

Ridgeway, James, *The March to War*, Four Walls Eight Windows, New York 1991. – Zusammenstellungen von Zeitungsberichten über den zweiten Golfkrieg.

Robertson, Pat, *The New World Order*, Word Books, Dallas 1991. – Wichtiges Buch über die ›Eine Welt-Verschwörung‹ der US-Machtelite.

Robinson, John J., *Born in Blood – The Lost World of Freemasonry*, Arrow Books, London 1989. – Weist unter anderem darauf hin, daß die meisten US-Präsidenten sowie die Urheber der amerikanischen Verfassung Freimaurer waren.

Rodow, B., *Die USA und Japan bei der Vorbereitung und Entfesselung des Krieges im Stillen Ozean 1938–1941*, Rütten & Loening, Berlin 1953. – Enthält einige wichtige Informationen über Pearl Harbor.

Roth, Jürgen, *Die Mitternachtsregierung – Wie westliche Geheimdienste internationale Politik manipulieren*, Goldmann, Hamburg 1992. – Wichtiges Buch über die kriminellen Machenschaften westlicher Geheimdienste, erwähnt unter anderem, daß die sogenannte Bonner Wende von US-Geheimdiensten eingeleitet wurde.

Ruehl, Lothar, *Vietnam – Brandherd eines Weltkonflikts?*, Ullstein, Frankfurt/M. 1966. – Enthält einige gute Informationen zum Thema Vietnam.

Ruf, Werner (Hg.), *Vom Kalten Krieg zur heißen Ordnung? Der Golfkrieg – Hintergründe und Perspektiven*, Lit, Hamburg 1992. – Gute und kritische Analyse des zweiten Golfkriegs.

Ruf, Werner, *Die Neue Welt-UN-Ordnung – Vom Umgang des Sicherheitsrates mit der Souveränität der Dritten Welt,* Agenda, Münster 1994. – Über den Souveränitätsmißbrauch der UNO gegenüber Dritte Welt-Staaten.

Ruloff, Dieter, *Wie Kriege beginnen,* Beck, München 1985. – Fragwürdige Analyse.

Said, Edward W., *The Politics of Dispossession – The Struggle for Palestinian Self-Determination 1969–1994,* Chatto & Windus Random House, London 1994. – Über den Freiheitskampf der Palästinenser.

Salinger, Pierre/Laurent, Eric, *Krieg am Golf – Das Geheimdossier – Die Katastrophe hätte verhindert werden können,* Hansen, München 1991. – Eines der ersten und wichtigsten Bücher zum Thema zweiter Golfkrieg, weist nach, daß die USA alles taten, damit Verhandlungen über den Abzug der Iraker aus Kuwait scheiterten.

Sampson, Anthony, *Weltmacht ITT – Die politischen Geschäfte eines multinationalen Konzerns,* Rowohlt, Glückstadt 1974. – ITT und Machtergreifung des Konzerns in der internationalen Weltpolitik. Der Konzern spielte eine berüchtigte Rolle in der Unterstützung der Nationalsozialisten.

Sampson, Anthony, *The Seven Sisters – The 100-year battle for the world's oil supply,* Bantam Books, London 1991. – Zeigt, wie die größten Ölfirmen reicher und mächtiger sind als die meisten Regierungen der Welt, sowie ihren ungeheuren Einfluß auf die Weltpolitik.

Schmähling, Elmar, *Kein Feind, Kein Ehr – Wozu brauchen wir noch die Bundeswehr?,* Kiepenheuer & Witsch, Köln 1994. – Gute Abhandlung zum Thema Bundeswehr.

Schmidt-Eenboom, Erich, *Der Schattenkrieger – Klaus Kinkel und der BND,* Econ, Düsseldorf 1995. – Der Geheimdienstexperte entlarvt unter anderem, daß Kinkel schon seit 1981 als Chef des BND aktiv an der Zerschlagung Jugoslawiens arbeitete.

Schönberger, Klaus/Koestler, Claus, *Der Freie Westen, der vernünftige Krieg, seine linken Liebhaber und ihr okzidentaler Rassismus,* Tübingen 1992. – Interessante Beiträge zum zweiten Golfkrieg.

Schwilk, Heimo, *Was man uns verschwieg – Der Golfkrieg in der Zensur,* Ullstein, Frankfurt/M. 1991. – Nicht so toll, wie der Titel klingt, aber dennoch brauchbar.

Scott, Ian, *World Famous Dictators,* Magpie, London 1992. – Enthält u.a. Beschreibungen von Hitler, Stalin und Saddam Hussein.

Sells, Michael A., *The Bridge Betrayed – Religion and Genocide in Bosnia,* University of California Press, Berkeley–Los Angeles–London 1996. – Zeigt, wie die Serben den Krieg gegen die Moslems mit ihrer faschistischen Ideologie schon lange vor dem Ausbruch des Balkankriegs 1991 vorbereiteten.

Shapiro, Andrew L., *Die verlorene Weltmacht – Amerika im Vergleich zum Rest der Welt,* Bertelsmann, München 1993. – Offenbart die bittere Realität des viel gepriesenen ›American way of life‹.

Sheehan, Daniel (Hg.), *Die Pentagon Papiere – Die geheime Geschichte des Vietnamkrieges,* Knaur, München 1971. – Prouty bestätigte, daß es sich nicht um wirkliche Militärdokumente handelt, wie dies oft behauptet wurde, dennoch eine wichtige Beschreibung der Vietnampolitik der USA.

Sherman, Arnold, *Die Zerschlagung Jugoslawiens – Bürgerkrieg und ausländische Intervention,* Ahriman, Freiburg ²1995. – Ein Buch, das von den gängigen Medien gänzlich verschwiegen wurde, es enthüllt nämlich, daß der sogenannte Bürgerkrieg in Jugoslawien durch die USA und vor allem die Bundesrepublik initiiert wurde.

Shukman, David, *The Sorcerer's Challenge – Fears and Hopes for the Weapons of the next Millennium*, Hodder & Stoughton, London 1995. – Brillant geschriebene Analyse über die neue revolutionäre Generation von Waffentechnik, ihre denkbare zukünftige Anwendung und wie sie eine völlig veränderte Kriegführung einleiten könnte.

Shawcross, William, *Sideshow – Kissinger, Nixon and the Destruction of Cambodia*, Pocket Books, New York 1979. – Bemerkenswertes Buch über den amerikanischen Geheimkrieg gegen Kambodscha.

Sifry, Micah L./Cerf, Christopher, *The Gulf War Reader – History, Documents, Opinions*, Random House, Toronto 1991. – Enthält das wichtige Gespräch zwischen US-Botschafterin Glaspie und Saddam Hussein.

Simons, Geoff, *The Scourging of Iraq – Sanctions, Law and Natural Justice*, MacMilliam Press LTD., London 1996. – Wichtiges Buch über die kriminellen Sanktionen gegen den Irak, die mehr Menschen getötet haben als der ganze zweite Golfkrieg.

Simpson, John, *From the House of War – John Simpson in the Gulf*, London 1991. – Sachlich geschrieben, enthält wichtige Informationen über den zweiten Golfkrieg.

Singer, Ladislaus, *Eine Welt bricht zusammen - Die letzten Tage vor dem Ersten Weltkrieg*, Styria, Köln 1961. – Abhandlung über den Ersten Weltkrieg.

Sklar, Holly (Hg.), *Trilateralism – The Trilateral Commission and Elite Planning for World Management*, South End Press, Boston 1980. – Deckt alle führenden Eliteorganisationen auf, die die US-Außenpolitik kontrollieren, u.a. die Trilaterale Kommission, CFR, Bilderberg Gruppe, Federal Reserve Board, IMF.

Sluglett, Peter/Farouk-Sluglett, Marion, *Iraq Since 1958 – From Revolution to Dictatorship*, I.B. Tauris, New York 1990. – Ein wesentliches Buch über den Irak.

Smith, Dan, *Der Fisher Atlas – Kriege und Konflikte*, Fischer Taschenbuch, Frankfurt/M. 1997.

Smith, Jean Edward, *George Bush's War*, Holt, New York 1992. – Ausgezeichnetes Buch über Bushs geplanten Krieg gegen den Irak.

Spanier, John, *American Foreign Policy since World War II*, Praeger University Series, New York ^{7}1977. – Standardbuch über die US-Außenpolitik, bietet allerdings nichts Neues.

Spector, Ronald H., *Eagle Against The Sun – The American War with Japan*, Vintage Books, New York 1985. – Sehr ausführliches Buch über Amerikas Krieg gegen Japan, von Pearl Harbor bis zur japanischen Kapitulation.

Stefano, Nenard/Werz, Michael, *Bosnien und Europa*, Fischer, Frankfurt/M.1994. – Enthält gute Beiträge, die aber nicht auf die kriegstreiberische US-Balkanpolitik eingehen.

Stein, Georg (Hg.), *Nachgedanken zum Golfkrieg*, Palmyra, Heidelberg 1991. – Enthält wesentliche Beiträge zum Thema zweiter Golfkrieg.

Stockman, David, *Der Triumph der Politik – Die Krise der Reagan-Regierung und ihre Auswirkung auf die Weltwirtschaft*, Bertelsmann, München 1986. – Zeigt, wie Reagans Wirtschaftspolitik und Aufrüstungspolitik die Weltwirtschaft in den Ruin trieb.

Stone, Ian F., *The Hidden History of the Korean War*, Monthly Review Press, New York 1952. – Ein echter Klassiker über die Ursachen des Koreakriegs.

Stone, Deborah J./Manion, Christopher, *»Slick Willie« II – Why America still cannot* *trust Bill Clinton,* Annapolis-Washington Book Publishers Inc., Annapolis, Maryland, 1994. – Scharfe Kritik an Bill Clinton, enthält wichtige Informationen über die militärische Intervention der USA in Somalia 1993–1994.

Streich, Jürgen, *Die neuen Atommächte – Wer sie sind und was sie wollen,* Rowohlt, Hamburg 1993.

Summers, Harry G., *On Strategy – A Critical Analysis of the Vietnam War,* Presidio Press, Novato CA. 1982. – Gute militärische Analyse des Vietnamkriegs.

Sutton, Anthony C., *Roosevelt und die Internationale Hochfinanz – Die Weltverschwörung in der Wallstreet Nr. 120,* Grabert, Tübingen 1990. – Offenbart die Verbindung Roosevelts zur Hochfinanz, gegen die er immer kandidiert hatte.

Sweeney, John, *Trading with the Enemy – Britain's Arming of Iraq,* Pan Books, London 1993. – Die britische Bewaffnung des Iraks.

Taheri, Amir, *Nest of Spies – America's Journey to Disaster in Iran,* Pantheon Books, New York 1988. – Äußerst naive Darstellung der US-Iran-Beziehungen, verharmlost den Sturz der Mossadegh-Regierung durch den CIA gänzlich; für den Autor ist alles, was die USA im Iran taten, lobenswert, während er andauernd versucht, alles Negative den Sowjets in die Schuhe zu schieben.

Tanks of the World – Taschenbuch der Panzer, Bernard & Gräfe, Koblenz ^{7}1990.

Tansill, Charles Callen, *Amerika geht in den Krieg,* Franckh'sche Verlagshandlung, Stuttgart 1939. – Äußerst sorgfältige Analyse der Ursachen, die die USA zur Intervention in den Ersten Weltkrieg bewegten.

Tansill, Charles Callan, *Die Hintertür zum Kriege – Das Drama der internationalen Diplomatie von Versailles bis Pearl Harbor,* Droste, Düsseldorf ^{3}1957. – Zeigt eindeutig, wie Roosevelt Pearl Harbor inszenierte, um es dann als Vorwand für den Eintritt der USA in den Zweiten Weltkrieg zu benutzen.

Taylor, A. J. P., *Illustrated History of the First World War,* G.P. Putnam's Sons, New York 1964. – Illustriertes Tatsachenbuch vom bekannten britischen Historiker über den Ersten Weltkrieg.

Taylor, A. J. P., *The Origins of the Second World War,* Atheneum, New York 1966. – Eines der ersten Bücher, die Hitler von der Hauptschuld am Zweiten Weltkrieg entlasteten, befaßt sich hauptsächlich mit der damaligen Diplomatie.

Thielen, Helmut (Hg.), *Der Krieg der Köpfe – Vom Golfkrieg zur Neuen Weltordnung,* Horlemann, Unkel–Bad Honnef 1991. – Kritische Beiträge zum Thema zweiter Golfkrieg und Neue Weltordnung.

Thomas, Gordon, *Journey into Madness – The True Story of Secret CIA Mind Control and Medical Abuse,* Bantam, New York 1990. – Ein Bericht über die Gedankenkontrolle-Experimente des CIA.

Thomas, Kenn/Keith, Jim, *The Octopus – Secret Government and the Death of Danny Casolaro,* Feral House, Portland, Oregon, 1996. – Das Buch stützt sich auf die Nachforschungen Casolaros, der konspirative Machenschaften der US-Regierung aufdeckte, u.a. Promis Computerspionage-Software, biochemische Waffenexperimente und UFO-Aktivitäten in der berüchtigten Aera 51, einem geheimen Militärstützpunkt in Nevada.

Timmerman, Kenneth R., *The Death Lobby – How the West armed Iraq,* Bantam, London 1992. – Wie der Westen Irak bewaffnete.

Tindall, George Brown, *America – A Narrative History,* Bd. 2, Norton, New York

²1988. – Gute, teilweise kritische Interpretation der US-Geschichte nach dem Bürgerkrieg.

Toffler, Alvin u. Heidi, *Überleben im 21. Jahrhundert,* DVA, Stuttgart 1944. – Über die Zukunft der Kriegführung, bespricht den wichtigen amerikanischen Air-Land-Battle Plan F-105, der für eine sowjetische Invasion Westeuropas vorgesehen war und den die Amerikaner teilweise gegen den Irak einsetzten.

Toland, John, *Infamy – Pearl Harbor and its Aftermath,* Anchor/Doubleday New York 1992. – Ausgezeichnete Analyse – offenbart die Pearl Harbor-Verschwörung mit schonungsloser Offenheit.

Triumph Without Victory, US New & World Report, New York 1992. – Relativ kritische Analyse des US-Nachrichtenmagazins vom zweiten Golfkrieg.

Uthmann von, Jörg, *Volk ohne Eigenschaften – Amerika und seine Widersprüche,* DVA, Stuttgart 1989. – Teilweise kritische Interpretation des Themas.

Vankin, Jonathan, *Conspiracies, Cover-Ups and Crimes – From JFK to the CIA Terrorist Connection,* Dell, New York 1992. – Enthält viele Verschwörungstheorien zur US-Politik, gut zusammengestellt und kritisch geschrieben.

Vankin, Jonathan/Whalen, John, *The 60 Greatest Conspiracies of All Time – History's Biggest Mysteries, Coverups & Cabals,* Citaldel Press, N.J. 1996. – Noch besser als sein Vorgänger, enthält einige der wichtigsten Verschwörungen der Vergangenheit sowie der Gegenwart, unter anderen den zweiten Golfkrieg und Pearl Harbor.

Volkman, Ernest/Baggett, Blair, *Secret Intelligence – The Inside Story of America's Espionage Empire,* Berkley Books, New York 1991. – Gewährt einen Einblick in die Welt der amerikanischen Geheimdienste.

Walker, Bryce, *Düsenjäger und Bomber,* Bechtermünz, Eltville 1993.

Wallstreets Krieg – Die Weltkriegsinszenierung von Pearl Harbor, Selbstverlag, München ⁴1956. – Sehr wichtiger Beitrag über die geheime Kriegspolitik der US-Machtelite.

Warden III, John A., *The Air Campaign – Planning for Combat,* Pergamon-Brassey's, New York 1989. – Der Plan, nach dem der US-Luftkrieg gegen den Irak ausgearbeitet wurde.

Warsi, Khursheed, *The Cobweb – World-Wide Designs of Satan,* Warsi Publications, Karachi 1992. – Handelt von den Geheimplänen der Zionisten, unter anderem von deren Interesse an den Golfkriegen.

Wassiljew, N., *Amerika durch die Hintertür,* Verlag Kultur und Fortschritt, Berlin 1953. – Kritik des ›American Way of Life‹.

Watson, Bruce W./George, Bruce/Tsouras, Peter/Cyr, B. L., *Military Lessons of the Gulf War,* Services Book Club, London 1992. – Militärische Analyse des zweiten Golfkriegs.

White, Theodore H., *Der Präsident wird gemacht,* Kiepenheuer & Witsch, Köln–Berlin 1963. – Handelt von amerikanischem Wahlbetrug und anderen korrupten Machenschaften bei präsidentialen US-Wahlen.

Wigger, Raimar, *Verraten im Herzen Europas – Schicksale im Balkankrieg,* Eichborn, Frankfurt/M. 1995.

William, Williamson Appleman, *Die Tragödie der amerikanischen Diplomatie,* Suhrkamp, Frankfurt/M. 1973. – Relativ kritische Abhandlung über US-Außenpolitik, verbindet auf überzeugende Weise Wirtschaftskrisen mit Krieg.

Wilson, Derek, *Die Rothschilds – Eine Geschichte von Ruhm und Macht bis in die unmittelbare Gegenwart,* Heyne, München 1994. – Verharmlosende Darstellung der unmoralischen Politik des Bankhauses.

Wimmer, Michaela/Braun, Stefan/Enzmann, Hannes, *Brennpunkt Golf – Hintergründe, Geschichte, Analysen,* Heyne, München 1991. – Gut geschriebenes Buch.

Winter, Rolf, *Gottes Eigenes Land? Werte, Ziele und Realitäten der Vereinigten Staaten von Amerika,* Goldmann, München 1991. – Gelungene kritische Analyse des ›American Way of Life‹.

Winter, Rolf, *Ami Go Home – Plädoyer für den Abschied von einem gewalttätigen Land,* Rasch und Röhring, Hamburg 1989. – So wie oben, besonders gut in der Analyse der Reagan-Jahre.

Wirsing, Giselher, *Der maßlose Kontinent – Roosevelts Kampf um die Weltherrschaft,* Eugen Diederichs, Jena 1942. – Wichtige Analyse der mächtigen Hintermänner Roosevelts, die vor allem die finanzpolitischen Ereignisse steuerten.

Wise, David/Ross, Thomas B., *The Invisible Government,* Bantam, New York 1965. – Behandelt das wichtige Thema Kriegsentstehung und US-Machtelite/Geheimdienste.

Wöhlert, Torsten/Türpe, André (Hg.), *Modellfall Golfkrieg? Zur Ambivalenz politischer Vernunft,* Frankfurt/M. 1991. – Konfuse Studie über den zweiten Golfkrieg.

Wohlstetter, Roberta, *Pearl Harbor – Signale und Entscheidungen,* Eugen Rentsch, Erlenbach–Zürich 1966. – Verharmlost den ganzen Pearl Harbor-Zwischenfall; behauptet schamlos, daß die genialen Köpfe, die schon 1940 den japanischen Geheimcode entschlüsselt hatten, nicht in der Lage gewesen wären, ihn richtig zu lesen.

Woodward, Bob, *The Commanders,* Star Books, New York 1991. – Der US-Starjournalist vertritt die Auffassung, daß Präsident Bush alles tat, um eine militärische Lösung der Golfkrise herbeizuführen.

Woodward, Bob, *Veil: The Secret Wars of the CIA 1981–1987,* Pocket Books, New York 1987. – Ein gut recherchiertes Buch, geht allerdings mit dem Thema zum Teil verharmlosend um.

Wulf, Herbert, *Waffenexport aus Deutschland,* Rowohlt, Hamburg 1991.

Yant, Martin, *Desert Mirage – The True Story of the Gulf War,* Prometheus Books, New York 1991. – Ein sehr wichtiges Buch, deckt auf , daß die Bush-Administration alles tat, um einen Krieg im Mittleren Osten anzuzetteln.

Zapp, Manfred, *Zwischen Wallstreet und Capitol – Politiker und Politik in den USA,* Wilhelm Limpert, Berlin 1943. – Abhandlung über den Einfluß der Wallstreet auf die Politik der USA.

Ziegler, David W., *War, Peace and International Politics,* Little, Brown and Company, Boston 1987.– Standardlektüre zum Thema internationale Beziehungen.

Zinn, Howard, *A People's History of the United States 1492–Present,* Ed. Harper Perennial, New York 1995. – Ein unentbehrliches US-Geschichtsbuch, das aus der Perspektive der politisch und wirtschaftlich ausgebeuteten und unterdrückten Masse der amerikanischen Geschichte geschrieben ist.

Zischka, Anton, *Ölkrieg – Wandlung der Weltmacht Öl,* Wilhelm Goldmann, Leipzig 1939. – Zeigt die Bedeutung des ›schwarzen Goldes‹.

Zülch, Tilman von (Hg.), *›Ethnische Säuberung‹ – Völkermord für ›Großserbien‹ – Eine

Dokumentation der Gesellschaft für bedrohte Völker, Luchterhand, Hamburg–Zürich 1993. – Zeigt unter anderem, wie Serbien einen Krieg mit Bosnien provozierte und wie das State Department den Krieg in Jugoslawien herunterspielte, bis er angesichts der Fernsehbilder nicht mehr zu verheimlichen war.

Unveröffentlichte Dokumente

United States Air Force Pamphlet 50–34 Vol. 1 Department of the Air Force. 1. Nov. 1992.

The Persian Gulf Crisis, Reader. University of Maryland 1991.

Primärquellen

Allen, Charles, *Thunder & Lightning – The RAF in the Gulf: Personal Experiences of War,* Warner Books, London 1991. – Berichte von Alliierten-Bomberpiloten im zweiten Golfkrieg.

Arnett, Peter, *Unter Einsatz des Lebens – Der CNN-Reporter live von den Kriegsschauplätzen der Welt,* Droemer Knaur, München 1994. – Von Vietnam bis nach Bagdad als Kriegsreporter.

Billiere, Peter De La, *Storm Command – A personal account of the Gulf War,* Harper Collins, London 1993. – Ein britischer General über den zweiten Golfkrieg.

Brinkmann, Peter, *Schlagzeilenjagd – Chefreporter Peter Brinkmann berichtet von den Brennpunkten des Weltgeschehens,* Bastei Lübbe, Bergisch Gladbach 1993. – Deutsche Version von *Unter Einsatz des Lebens.*

Die Chinesische Aggression gegen Vietnam, Presseagentur Orbis, Prag 1980. – Ein ungarischer Reporter war zufällig mitten im chinesisch-vietnamesischen Krieg von 1978.

Final Report to Congress: Auf CD-Rom/USA Wars – Desert Storm, Quanta Press, Compton's New Media, Inc. 1992.

Fulbright, William J., *Wahn der Macht – US-Politik seit 1945,* Kindler München 1989. – Enthält wichtige Informationen zum ›Tonkin-Zwischenfall‹, der den US-Vietnamkrieg ermöglichte.

Gunther, John, *The Riddle of MacArthur,* Hamish Hamilton, London 1951. – Erwähnt als Primärquelle, daß die Südkoreaner Nordkorea angegriffen haben.

Kassner, Elizabeth, *Desert Storm Journal – A Nurse's Story,* Cottage Press, MA. 1993. – Tagebuch einer Krankenschwester im zweiten Golfkrieg.

Kimmel, Husband E., *Admiral Kimmel's Story,* Henry Regnery Company, Chicago 1955. – Die Darstellung des Überfalls auf Pearl Harbor aus Sicht des damaligen Oberkommandeurs in Pearl Harbor. Erwähnt, daß die US-Regierung ihn überhaupt nicht über die Gefahr des japanischen Angriffs gewarnt hatte, obwohl sie die gesamten Geheimnachrichten über den geplanten Angriff auf Pearl Harbor kannte.

Kunert, Dirk, *Ein Weltkrieg wird programmiert – Hitler, Roosevelt, Stalin: Die Vorgeschichte des 2. Weltkrieges nach Primärquellen,* Arndt, Kiel 1984. – Erwähnt, daß US-Präsident Roosevelt auf einen Kleinkrieg mit Deutschland von kurzer Dauer, etwa im Stil des amerikanisch-spanischen Kriegs von 1898, hoffte und auf ihn hinarbeitete.

Loewenheim, L. Francis/Langley, D. Harold/Jones, Manfred, *Roosevelt and Churchill – Their Secret Wartime Correspondence,* Saturday Review Press, Dutton, New York 1975. – Nicht so toll, wie der Titel klingt.

Marchetti, Victor/Marks, John D., *The CIA and the Cult of Intelligence,* Dell Publishing Comp., New York 1975. – Ein wichtiges Buch über die Machenschaften des CIA, von zwei ehemaligen Mitarbeitern des berüchtigten Geheimdienstes, deren Veröffentlichung dieser verhindern wollte.

Noorani, A. G., *The Gulf Wars – Documents and Analysis,* Konark Publishers, New Delhi 1991. – Dokumente zum zweiten Golfkrieg.

Paschall, Rod, *Witness to War: Korea – A Collection of Original Source Documents and Narrative from the Conflict in Korea,* A Perigee Book, New York 1995. – Fragwürdige Darstellung des Koreakriegs.

Pekrul, Anette, *Alptraum Irak – Tagebuch meiner Geiselhaft,* Bastei-Lübbe, Bergisch Gladbach 1991.

Peters, John/Nichol, John/Pearson, William, *Tornado Down – The Horrifying True Story of their Gulf War Ordeal,* Signet, London 1993. – Zwei Tornado-Kampfflugzeugpiloten über ihren Absturz im Irak.

Reed, John, *Mexiko in Aufuhr,* Dietz, Berlin 1972. – Wichtiges Buch über die Mexikanische Revolution von 1911 durch einen Augenzeugen.

Schwarzkopf, Norman H./Petre, Peter, *It Dosen't Take a Hero – The Autobiography,* Bantam, New York 1992. – Oft selbst lobend, enthält aber brauchbare Information zum zweiten Golfkrieg.

Sturdza, Prince Michel, *The Suicide of Europe – Memoirs of Prince Michel Sturdza, Former Foreign Minister of Romania,* Western Islands Publishers, Boston 1968. – Behandelt die Rolle der ›Insider‹ vom Ersten Weltkrieg bis zum Zweiten Weltkrieg.

Sultan, Kahled Bin, *Desert Warrior – A personal view of the Gulf War by the Joint Forces Commander,* Harper Collins, London 1995. – Beschreibt, daß, wenn Saddam Hussein wirklich Kuwait annektieren wollte, er so ziemlich alles falsch machte, was wiederum eine solche Analyse unwahrscheinlich erscheinen läßt.

The Tower Commission Report: The Full Text of the President's Special Review Board, Bantam & Times Books Publication, New York 1987. – Über die Untersuchungen des Iran-Contra-Skandals von 1986.

Togo, Shigenori, *Japan im Zweiten Weltkrieg – Erinnerungen des japanischen Außenministers 1941/42 und 1945,* Athenäum-Verlag, Bonn 1958. – Der ehemalige pro-amerikanisch eingestellte Außenminister Japans kommt zu dem Entschluß, daß die USA um jeden Preis einen Krieg mit Japan haben wollten.

Wedemeyer, Albert C., *Der verwaltete Krieg,* Sibert Mohn, Gütersloh 1958. – Wichtiges revisionistisches Werk über die Kriegspolitik der USA im Zweiten Weltkrieg.

Yphia, Latif/Wendl, Karl, *Ich war Saddams Sohn – Als Doppelgänger im Dienst des irakischen Diktators Hussein,* Piper, München 1994. – Offenbart einen Einblick in den irakischen Geheimdienst und Saddam Husseins Elite.

Journale

Stratiegic Studies Vol. XIV Autum/Winter 1990–91 Numbers 1 & 2 *Special Issue The Persian Gulf from Crisis to War,* The Institute of Strategic Studies Islamabad.

United States Review (S. Text)
Foreign Affairs – »Iraq's Human Plight/Eric Rouleau«, S. 59–73. Vol. 74/Nr.1/ Jan.–Feb. 1995.
Deutsches Ärzteblatt – »Gibt es ein Golfkriegs-Syndrom?«, S. 45–94, Heft 31–32, 4. Aug. 97

Magazine

Aero – Das illustrierte Sammelwerk der Luftfahrt, Heft 18, London 1983.
Aero – Das illustrierte Sammelwerk der Luftfahrt, Heft 19, London 1983.
Aero – Das illustrierte Sammelwerk der Luftfahrt, Heft 20, London 1983.
Aero – Das illustrierte Sammelwerk der Luftfahrt, Heft 21, London 1983.
Aero – Das illustrierte Sammelwerk der Luftfahrt, Heft 22, London 1983.
Aero – Das illustrierte Sammelwerk der Luftfahrt, Heft 33, London 1984.
Aero – Das illustrierte Sammelwerk der Luftfahrt, Heft 34, London 1984.
Aero – Das illustrierte Sammelwerk der Luftfahrt, Heft 36, London 1984.
Aero – Das illustrierte Sammelwerk der Luftfahrt, Heft 37, London 1984.
Faktor X – Enthüllungen. Paranormale Phänomene. UFOs, Heft 5, Lindau 1997.
Faktor X – Enthüllungen. Paranormale Phänomene. UFOs, Heft 6, Lindau 1997.
Faktor X – Enthüllungen. Paranormale Phänomene. UFOs, Heft 7, Lindau 1997.
Faktor X – Enthüllungen. Paranormale Phänomene. UFOs, Heft 8, Lindau 1997.
Faktor X – Enthüllungen. Paranormale Phänomene. UFOs, Heft 9, Lindau 1997.
Faktor X – Enthüllungen. Paranormale Phänomene. UFOs, Heft 13, Lindau 1998.
Faktor X – Enthüllungen. Paranormale Phänomene. UFOs, Heft 20, Lindau 1998.
Newsweek – The international Newsmagazine - America's '88 Election, Oct. 19, 1987. New York
Newsweek – »In for the Long Haul?«, Artikel vom 24. Dezember 1990, S. 8–13.
Newsweek – Artikel vom 10. September 1990, S. 17.
Business Week (S. Text)
P.M. Magazin – »Das entscheidende Duell am Golf: Patriot gegen Scud«, 5/1991.
Der Spiegel – »Entscheidung am Golf«, Nr. 3/14. Januar 1991.
Der Spiegel – »Krieg um Frieden«, Nr. 4/21. Januar 1991.
Der Spiegel – »Die Deutschen und der Krieg«, Nr. 5./28. Januar 1991.
Der Spiegel – »Saddam mordet weiter«, Nr. 15./8. April 1991.
Der Spiegel – »Schlappe Monster«, Nr. 13/1991, S. 208–212.
Der Spiegel – »Starke Worte machen nicht satt«, Nr. 35/1992, S. 158–163.
Der Spiegel – »Gehirn der Operation«, Nr. 31/1993, S. 124–125.
Der Spiegel – »Brennende Gesichter«, Nr. 38/1993, S. 196–198.
Der Spiegel – »Gegen das Monster«, Nr. 42/1994, S. 172–175.
Der Spiegel – »Gehirn einer Ameise«, Nr. 43/1994, S. 178–181.
Der Spiegel – »Reif für den Wandel«, Nr. 34/1995, S. 120–123.
Der Spiegel – »Vater des Fortschritts«, Nr. 41/1995, S. 154–158.
Der Spiegel – »Die Schlange in der Falle«, Nr. 47/1994, S. 150–158.
Der Spiegel – »Gefährlicher Cocktail«, Nr. 48/1995, S. 178–179.
Der Spiegel – »Noble Familie«, Nr. 9/1996, S. 160–163.
Der Spiegel – »Schritt zurück – Das Pentagon plant wieder für den Atomkrieg...«, Nr. 3/1995, S. 129.
Der Spiegel – »Abrüstung - Verhinderte Kontrolle«, Nr. 21/1994, S. 223.
Der Spiegel – »Fahrt zur Hölle«, Nr. 24/1994, S. 174.
The Economist – »The ups and downs of being flexible«, 22. Dezember 1990, S. 65 ff.
The Economist – »Darkness at noon«, 11. Januar 1997, S. 81–84.

Zeitungen

Frankfurter Allgemeine Zeitung – »Im Irak sterben täglich mehr als 500 Kinder«, 8. 11. 1996.
Frankfurter Allgemeine Zeitung – »Washington half Saddam Hussein mit Satellitenaufnahmen«, 9. 9. 1997, S. 8. Andere *FAZ*-Beiträge im Text erwähnt.
New York Times (S. Endnoten)
Washington Post (S. Endnoten)
Los Angeles Times (S. Endnoten)
The New Yorker (S. Text)
New York Post (S. Text)
New York Herald Tribune (S. Text)
Miami Herald (S. Text)
The Nation (S. Endnoten)
In These Times (S. Endnoten)
Christian Science Monitor (S. Endnoten)
The New Republic (S. Text)
The Progressive (S. Text)
USA Today (S. Text)
Nashville Republican and State Gazette (S. Text)
Washingtoner Union (S. Text)
New Orleaner Delat (S. Text)
Whig Intelligencer (S. Text)
Commercial Advertiser (S. Text)
Atlantic Monthly (S. Text)
Observer [London] (S. Endnoten)
Daily Herald (S. Text)
Guardian [London]
Neue Zürcher Zeitung (S. Text)

Andere Quellen

CD-Rom: USA Wars: Desert Storm, Quanta Press, Compton's NewMedia, Inc. 1992
CD-Rom: Operation Desert Storm – American Action in the Gulf War, American MPC Research, Inc. 14500 S. Garfield Ave. Paramount, CA 90723 1994

TV Dokumentationen

Bagdad und die Bombe: Von Shelley Saywell, WDR 1997 (TV Ontario Kanada)
Der Krieg am Golf: Vox, Screenlife Incorporated 1993.
Ein tödliches Versehen – Der Abschuß der ITAVIA IH 870: NDR 1997.
Journals of War: Super Channel, Kurtis Productions, Ltd./Arts & Entertainment Network, Copyright 1991.
Operation Wüstensturm »Ein Sieg und ein Haufen Lügen«: von Maggie O'Kane, WDR 1997 (original Channel 4 G.B.)
Wüstensturm,Wüstenbrand, »Die Löschtrupps von Kuwait«: Vox, WGBH, Boston 1991.
Das Megatonnenspiel (1949–63), BBC Dokumentation 1997, WDR, 8. Feb. 1998.

Personenverzeichnis

A

Aaron, Henry, 365
Abdic, bosnischer Geschäftsmann 463
Abegg, Dr., US-Staatssekretär 156
Abrams, Creighton, US-General 290 ff.
Aburisch, Said, Nahost-Experte 387, 423
Acheson, Dean, US-Staatssekretär 243 f., 382
Adams, John, Premier von Barbados 302 f.
Adams, Henry 38
Adams, John Quincy, US-Präsident (1797–1801) 25, 28, 30 f., 35, 40, 73
Aguinaldo, Emilio 103
Aideed, Mohammed Farah, somalischer Rebellenanführer 446, 540
Aiken, James, US-Botschafter 346, 424
Al-Bedah, Ali, kuwait. Geschäftsmann 362
Al-Khalifa, Ali, kuwait. Ölminister 356
Al-Mubarak, Mussama, kuwait. Politikwissenschaftler 362
Albright, Madeleine, US-Politikerin (Außenministerin) 441, 446, 464, 490, 506
Allan, Frederick, Autor 141
Allen, Gary, Publizist 10, 14, 138 ff., 324
Allende, Salvador, chilen. Politiker 297, 533, 540
Alperovitz, Gar 225
Amin, afghan. Präsident 320 f.
Anderson, Robert, US-Major 55, 57, 60
Anderson, Jack, Autor 70
Arafat, Yassir, PLO-Führer 384, 397
Aref, Ismael, irak. Politiker 424
Arens, Moshe, israel. Verteidigungsminister 373
Aristide, Jean-Bertrand, haitianischer Präsident 538
Arkan, Leibwächter Milosevics 513
Armstrong, Scott, Journalist 360
Arnold, Henry, US-General 226
Aspin, Les, US-Verteidigungsminister 447
Astor, John Jacob, US-Industrieller 93
Atkinson, Edward, US-Industrieller 95
Aziz, Tarik, irak. Vizepräsident 334, 354, 376, 390

B

Baby Doc (= Jean-Claude Duvalier), haitian. Präsident 538
Bachtiar, Chapur, iran. Premierminister 393
Badelt, Joachim, Autor 426
Bainerman, Joel, US-Journalist 427
Baker, James, US-Außenminister 113, 373, 377 f., 384, 390, 397, 420, 432, 439, 456
Baker, Lafayette C., US-Brigadegeneral 77
Baldwin, Earl B. of Bewdley, brit. Politiker 157
Balfour, Arthur James, brit. Politiker 116
Ball, George, US-Politiker u. Bilderberger 335
Bandar, Prinz, saudi-arabischer Botschafter 390, 432 f.
Bani-Sadr, Abolhassan, iran. Präsident 347, 393
Barlett, Charles, US-Journalist 284
Barnaby, Frank, US-Autor 427
Barnes, Harry Elmer, US-Historiker 178
Barre, Mohammed Siad, somal. Diktator 445
Barsamian, David, US-Journalist 372
Baruch, Bernard, politischer Berater 132, 164, 181
Batatu, Hana, Nahost-Expertin 424
Batista, Fulgencio, kuban. Diktator 495, 532
Bavendamm, Dirk, dt. Historiker 171, 183, 187, 197
Bazargan, Mehdi, iran. Politiker 344
Bear, Louise Weasel 21
Beard, Charles A., US-Politologe 71 f.
Beauregard, US-General (Südstaatler) 60
Beck, Josef. poln. Außenminister 174–177, 184 f.
Beck, Ludwig, dt. General 230
Behn, Sosthenes, ITT-Gründer 162
Belmont, August, US-Agent 63
Benesch, Eduard, tschechoslow. Politiker 179 f.
Benjamin, Judah P., US-Agent 78
Benn, Tonny (brit. Abgeordneter 390

Berenberg Gossler, John von, Bankier 145
Berger, Sandy, nationaler Sicherheitsberater 490
Berman, Jules, Schriftsteller 148
Berman, Norman, US-Kongreßabgeordneter 354
Bernstorff, Johann von, dt. Politiker 118 ff.
Besançon, US-Korvettenkapitän 220
Bethmann-Hollweg, Theobald von, dt. Politiker 123
Beveridge, Albert, US-Senator 92, 105
Bhutto, Zulfikar Ali, pakist. Präsident 320, 533
Bidault, Georges, franz. Außenminister 546
Biddle, US-Botschafter 173, 186
Biddle, James, US-Commodore 515
Big Foot, Indianerhäuptling 19 ff.
Binder, David, US-Journalist 466
Bishop, Maurice 302, 306 f.
Black Coyote, Indianer 20
Black, Jeremiah, US-Staatssekretär 56
Blackwell, James, US-Major 361
Blanco, Hugo, peruan. Politiker 532
Bohlinger, Roland, Publizist 138
Bolivar, Simon, südamer. Nationalheld 34
Bone, Homer T., US-Senator 157
Booth, John Wilkes, Schauspieler 75–78
Bosch, Carl, dt. Industrieller 157
Bosch, Juan, dominikan. Präsident 532
Boskin, Michael, US-Wirtschaftsfachmann 113
Boutros-Ghali, Boutros, UN-Sekretär 446, 465
Bowen, Russell S., US-Publizist 421
Bowie, James, amer. Anführer 41 f.
Bowie, Richard, CIA-Mitglied 335
Boyd, Charles G., US-Luftwaffengeneral 463
Bradley, Omar, Generalstabschef 244 f.
Brandt, Willy, dt. Politiker 322
Brandeis, Louis, US-Oberrichter 121
Branfman, Fred, amer. Sozialarbeiter 297
Brant, Irving, Schriftsteller (Madisons Biograph) 38
Brauchitsch, Walter von, dt. Generaloberst 187
Braun, Karl-Otto, dt. Historiker 198, 221
Briggs, Ralph T., Mitarbeiter der US-Marine 212
Brodeur, Paul, US-Physiker 482 f.
Browing, Orville, Lincolns Berater 55

Brown, Harold, US-Verteidigungsminister 545
Bryan, William J., US-Senator 114, 119, 126, 139
Brzezinski, Zbigniew, nationaler Sicherheitsberater 322, 329 f., 335, 343, 347, 393, 398
Buchanan, James, US-Präsident (1857–61) 55 f., 91
Bulatovic, Pavle, serb. Politiker 513
Bullitt, William C., US-Botschafter 172–176, 178, 182, 186
Bulloch, John, Nahost-Experte 347
Bundy, William, US-Staatssekretär 284
Bush, George, US-Präsident (1989–93) 70, 249, 312 f., 315, 317 f., 355, 359, 365–369, 371–376, 380, 382, 384, 387–392, 397–400, 402, 404, 409–418, 420–423, 425, 427–431, 433 f., 446, 451, 456, 468, 537 f.
Bush, Prescott, Vater von George Bush 420 ff.
Butler, Anthony, US-Diplomat 40

C

Caamano, Francisco, dominikan. Oppositionsführer 539
Caldicott, Helen 442
Calhoun, John Caldwell, Politiker (Südstaatler) 38, 50
Campbell, Charles, US-Historiker 99
Canaris, Wilhelm, dt. Admiral 228
Carinowitsch 117
Carmin, E. R., österr. Historiker 156 f., 276, 320
Carranza, Venustiano, mexikan. Anführer 108, 132
Carter, James Earl (= Jimmy), US-Präsident (1977–81) 153, 155, 289, 322, 324 f., 326–329, 335 f., 341, 343 f., 347, 349, 360, 393, 398
Carter, US-Industrieller 151
Casey, William (CIA-Direktor) 298, 309 ff., 323
Cass, Levis, US-Außenminister 518
Castro, Fidel, kuban. Politiker 297, 311, 313, 345, 532, 539
Castro, Raúl, kuban. Politiker 539
Cavallero, Roberto, Guerillaagent bei der ›Operation Gladio‹ 530
Ceausescu, Nicolae, rumän. Politiker 317
Chamberlain, Neville, brit. Politiker

173., 175–182, 184
Chamorro, nicarag. General 526
Chatelet, Christophe, frz. Journalist 502
Chehab, Faud, liban. General 529
Cheney, Richard, US-Verteidigungsminister 315, 371, 432 ff.
Chevalier d'Econ, frz. Diplomat 326
Chomsky, Noam, US-Sprachwissenschaftler 297, 413, 539
Chou En-lai, Premierminister von China 539
Christopher, Warren, US-Außenminister 457
Chruschtschow, Nikita, sowjet. Politiker 530
Churchill, Winston, brit. Politiker 116, 129,
165, 179, 181,
186, 200, 206 f., 216, 219 f., 226 f.
Claiborne, Gouverneur von Louisiana 514
Clark 310
Clark, Ramsey, US-Autor 489
Clay, Lucius D., US-Staatssekretär 18, 38, 88
Clear, Warren J., US-Oberst 200
Clemenceau, Georges, franz. Politiker 137
Cleveland, Stephen Grover, US-Präsident 102
Cline, Ray, stellvertr. Direktor des CIA 282
Clinton, William (Bill), US-Präsident (1993–2001) 74, 446 f., 457, 498, 501, 507, 538
Coffin, Howard, US-Industrieller 122
Cohen, William, US-Verteidigungsminister 490
Collier, James, US-Autor 494
Collier, Kenneth, US-Autor 70, 494
Commager, Henry Steele, US-Autor 26, 548
Cooke, Charles M. jr. 168
Cooley, John, US-Fernsehjournalist 365
Cooper, Duff, brit. Politiker 183
Copeland, Miles, CIA-Offizier 369
Cortina, mexik. Bandit 518
Cos, de, mexik. General 41f.
Cranston, Alan, US-Senator 378
Creel, George, US-Journalist 115
Creighton, Christopher, brit. Agent 219 f.
Crenshaw, Charles, US-Chirurg 80, 83
Crittenden, John, US-Senator 52

Crocker, Edward S. 197
Crocker, George, Autor 193, 230
Cross (Colonel) 46
Crowe, William, US-Admiral 316
Cuellar, Perez de, UN-Generalsekretär 363
Cuno, Wilhelm, dt. Politiker 145
Curzon, George, brit. Politiker 137

D

Dahms, Hellmuth, dt. Historiker 181, 211
Daladier, Edouard, franz. Politiker 175 f., 179
Dall, Curtis, US-Oberst 208,
214, 221 f., 227, 229 f.
Davis, Jefferson, Präsident der Südstaaten 57, 60
Davis, C.H., Befehlshaber der US-Marine 518
Davis, Forrest, Publizist 187, 190
Davison, US-Industrieller 421
Dawes, Charles G., Brigadegeneral 146
Dawley, Alan, US-Historiker 53
Deborin, G.A., US-Historiker 232
Decatur, Stephen, amer. Abenteurer 32, 515
Deegan, Heather, Nahost-Experte 424
Del Ponte Carla 512
Demurenko, Andreij, russ. Artillerieoffizier 466
Dewey, George, US-Admiral 100, 104
Diaz, Porfirio, mexik. Diktator 105
Diem, Ngo Dinh, Präsident von Südvietnam 495, 539
Dies, US-Kongreßmitglied 197
Dillon, Clarence, US-Diplomat 181
Djindjic, Zoran, serb. POlitiker 512
Dlimi, Ahmed, marokkan. Oppositioneller 535, 540
Dobricanin, Slavisa 504
Dodd, US-Botschafter 159
Dodge, Cleveland H., US-Bankier 132
Dog Chief, Indianer 20
Dole, Robert, US-Politiker 374
Dole, Sanford B., Chef einer provisorischen Regierung 521
Donald, US-Stabschef 311
Dönitz, Karl, dt. Großadmiral 170
Donovan, US-General 220
Dörner, BND-Agent 459
Dowd, Maureen, US-Journalist 413
Du Bois, W.E.B., US-Anwalt 116

Dugan, Michael, Stabschef der US-Luftwaffe 409 f., 468
Duhacek, Anton, Mitarbeiter des jugoslaw. Außenministers 459
Dulles, John Foster, US-Politiker (Außenminister) 159, 245, 253, 255, 266, 284, 289, 546
Dulles, Allen (Leiter des CIA) 290
Duvalier, Jean-Claude, haitian. Präsident (= Baby Doc) 495

E

Earle, US-Kommandeur 228 ff.
Early, Franklin Roosevelts Sekretär 168
Eaton, William, US-Agent 32, 514
Eckart, US-Major 75
Eden, Anthony, brit. Politiker 148
Eisenhower, Dwight, US-General u. -Präsident (1953–61) 230, 264, 266 f., 291, 546
El-Fahd, Fahd Hakmad, Direktor der kuwait. Staatssicherheit 363
Emery, Dr. 388
Endara Guillermo, panames. Staatschef 319
Engdahl, William F., US-Autor 430
Escoto, Miguel d´, nicarag. Außenminister 540
Eyal, Jonathan, brit. Fachmann 457

F

Fadlallah (Scheich) 297
Fadlallah, Mohammed Hussein, libanes. Schiitenführer 540
Fahd, saudi-arab. König 378, 432 f.
Fahed, Fatima 419
Farago, Ladislas, Autor 194
Farish, Industrieller 421
Farthing, William, US-Oberst 197
Feruson, US-Senator 194
Figueres, José, costaric. Präsident 529, 533, 539
Fillmore, Millard, US-Präsident (1850–53) 91
Fischer, Joschka, dt. Politiker 505, 507
Fish, Hamilton, US-Senator 163, 196, 206, 219
Fisher, John, US-Admiral 127
Fitzgerald, Derek, irischer Premierminister 374
Fitzwater, Marlin, Pressesprecher des Weißen Hauses 433

Flohr, Linda, US-Journalistin 300
Flounders, Sarah, Mitarbeiterin vom International Action Center 452, 461
Foner, Philip, US-Historiker 97, 102
Ford, Edsel B., US-Industrieller 157
Ford, Gerald, US-Präsident (1974–77) 74, 534
Forrestal, James, US-Politiker (Marineminister) 174, 181, 230
Forsyth, James W., US-Colonel 20
Foster, William, kommunistischer Führer in den USA 232
Francis, Fred, Pentagon-Korrespondent 411
Franz Ferdinand, österr. Erzherzog 117
Friedman, Alan (US-Journalist) 396, 427
Friedman, Thomas, US-Journalist 385
Friedmann, William, US-Kryptologe 216
Fuller, Craig, G. Bushs Stabschef 418

G

Gaddafi, Moammar, libyscher Offizier u. Politiker 309 ff., 317, 345, 535, 540
Gaines, Edmund P., US-General 41, 515 f.
Galbraith, Evan, US-Botschafter 302
Gallagher, Hugh Gregory, Politologe 70
Gallagher, Philip E. 265
Garcia, Calixto, kuban. General 102
Garfield, James, US-Präsident 74
Garraty, John A., US-Historiker 37
Gaulle, Charles de, franz. Politiker 539
Genet, franz. Minister 29
Georgievski, alban. Politiker 511
Gerard, US-Botschafter 120
Geronimo, Indianer 19
Gerow, US-General 212
Gervasi, Tom, US-Waffenexperte 471
Geybauer, John, Conoco-Sprecher 450
Giap, Vo Nguyen, vietnam. Oberst 265
Girard, Renaud, frz, Journalist 503 f.
Glaspie, April, US-Botschafterin 96, 354, 370 f., 373, 375–379, 384, 395 f., 438
Glean, US-Geschäftsmann 151
Goebbels, Joseph, dt. Politiker 155, 188
Goerdeler, Carl Friedrich, dt. Jurist u. Politiker 230
Gonzales, Henry 422
Gorbatschow, Michail, sowjet. Politiker 323, 392, 513
Gordon, Helmut, kanad. Historiker 35, 164

Göring, Hermann, dt. Politiker u. Reichsmarschall 155, 163, 182
Gottlieb, John 417
Gougelmann, Tucker, CIA-Mitglied 276
Goularts, Joáo, brasilian. Präsident 532
Graham, Helga, brit. Journalistin 380, 390
Grant, Ulysses S., US-General u. Präsident (1869-77) 46
Green, Carolin 305
Grey, Edward, US-Botschafter 119, 121, 197
Grille, Marcel, franz. Arzt 148
Grober, Hans-Jürgen, FDJ-Leiter 304
Groehler, Olaf, Autor 246, 249
Gromyko, Andrei, sowjet. Politiker 545
Guevara, Che, kuban. Politiker 533, 540
Gunther, John, Autor 244
Gutmans, Roy, US-Journalist 456
Guzman, Jacob Arbenz, guatem. Präsident 528

H

Haan, Kilsoo 200
Haig, Alexander, US-General 310 f.
Hakim, Albert, Geheimdienstler 399
Halifax, Edward, Frederik, brit. Politiker 182, 186
Halperin, Morton, US-Autor 546
Hamdun, Nizar, irak. Botschafter 354
Hamilton, Lee, US-Abgeordneter 383
Hammadi, Sa´dun (irak. Außenminister) 353, 357
Han Su Wan, südkorea. Offizier 256
Harkness, D.V., Polizeisergeant 82
Harriman, US-Industrieller 421
Harrison, US-Major 216
Harrison, William H., US-Präsident (1841; im Amt verstorben) 70
Härtle, Heinrich, dt. Historiker 186
Hassan II, König von Marokko 535
Hay, John, US-Politiker (Außenminister) 90
Hayes, Rutherford , US-Präsident 18
Healey, John 418
Hearst, William Randolph, US-Journalist u. Verleger 93 ff., 99 f., 109
Heikal, Muhammad, Nahost-Experte 424
Heinrici, Gotthard, dt. General 231
Heise, Karl, dt. Historiker 117
Helfrich, E.L., Vizeadmiral 198
Herndon, William, US-Politiker, Lincolns Weggefährte 52

Herold, David, US-Abenteurer 76
Herrera, Robert Diaz, panames. Oberst 313
Herrick, US-Kapitän 276, 278-282
Hersh, Seymour, US-Reporter 309 f.
Hertneck, Friedrich, dt. Historiker 43, 45
Heß, Rudolf, dt. Politiker 421
Hewitt, H.K. (Admiral) 211
Heydt, dt. Vermittlungsmann 153, 155
Hil, Frank, dt. Publizist 509
Hillenkoetter, Roscoe H., Admiral 261
Hiro, Dilip, US-Autor 437
Hirohito, japan. Kaiser 215, 217, 220
Hitchcock, US-Colonel 46, 49
Hitler, Adolf, dt. Politiker 148 f., 151-156, 15 f., 161-165, 167 f., 170-173, 175-189, 198, 207, 217, 224, 226 f., 228 ff., 237, 414, 420-423, 496
Ho Chi-Minh, vietnames. Politiker 265 f.
Hodscha, Enver, alban. Politiker 528
Hoerder, Dirk, Historiker 24
Hofbauer, Hannes, dt. Balkanexperte 499
Hofstadter, Historiker 113 f.
Hoggan, David L., US-Historiker 17
Holbrooke, Richard, stellvertr. Staatssekretär 465
Holt, Joseph, US-Kriegsminister 56
Holtorf (Autor) 72
Hoover, Herbert, US-Präsident (1929-33) 143, 151, 153
Hoover, John Edgar, FBI-Direktor 88, 200
Hopkins, Harold 165, 179, 206, 213, 223
Horowitz, David, US-Historiker 245
Hosner (Leutnant) 210
House, Edward Mandell, US-Oberst 109, 118-123, 131 f., 143
Houston, Sam, texanischer Anführer 42, 50
Howard, Frank, Historiker 162
Howard, Michael, Historiker 23
Howe, US-Admiral 450
Hoyt, Edwin P., Autor 188
Huerta, Victoriano, mexik. General 107, 132
Hulet, Craig, US-Geheimdienstler 373 f., 392, 396
Hull, Cordell, brit. Politiker 176, 180, 191, 196, 205, 207, 215 f., 223
Hume, Brit, Fernsehjournalistin 412
Hunt, E. Howard 313
Hussein, Saddam, irak. Politiker u. Staatschef 96, 317, 333 f., 346-349, 351, 353-357, 359, 361 f., 365, 369-390, 392-

399, 409, 412, 414, 416, 420, 422–425, 427, 429, 431 f., 436 ff., 440, 470, 484, 496, 536, 540
Hussein, König von Jordanien 388, 404, 424

I

Ickes, Harold F., US-Politiker (Innenminister) 177, 218
Ilgner, Max, dt. Industrieller 157
Iyyad, Abu, PLO-Führer 390
Izetbegovic, Alija, bosn. Politiker 462 ff, 499

J

Jaber al-Sabah 386
Jackson, Andrew, General, später US-Präsident (1829–37) 34 ff., 40, 64, 70, 74, 515
Jackson, Henry, US-Senator 360
Jatras, Jim, US-Politiker 507
Jay, John, Diplomat 29
Jefferson, Thomas, US-Präsident (1801–09) 31–34, 37 f., 71
Jelzin, Boris, russ. Politiker 486
Jim, Keith, US-Journalist 492
Johnson, Andrew, US-Präsident (1865–69) 75
Johnson, Hiram, US-Senator 11
Johnson, Lyndon Baines, US-Präsident (1963–69) 76, 80, 86, 89, 267 f., 273, 275 ff., 279, 281 f., 284 f., 288, 531
Johnson, Robert, US-General 411
Johnston, Richard, US-Journalist 254
Jones, T.A.C., US-Kommodore 517
Juppé, Alain, franz. Politiker 457
Jusserand, franz. Botschafter 119

K

Kabila, kongoles. Anführer 516
Kadijevic, Veljko, serb. Politiker 513
Kahan, Jerome, Autor 524
Karacic, Radovan, serb. Politiker 459 456
Karl IV. 33
Karl, Jonathan, US-Autor 491
Karnow, Stanley, Publizist 276, 278, 294
Kassem, Abdul Karim, irak. Politiker 297, 387, 397, 423 f., 539
Keating, Charles, US-Bankier 368
Keith, Jim (Autor) 482
Kellner, Douglas, Publizist 366, 437

Kelly, John, Unterstaatssekretär 371, 373, 383.
Kennedy, John F., US-Präsident (1961–63) 74, 76–89, 323, 424, 514
Kennedy, Joseph P., US-Botschafter, Vater von John F. Kennedy 172 f., 175, 181, 183, 186
Kennedy, Robert F., US-Senator, Bruder von John F. Kennedy 89
Kenney, George, Mitarbeiter des US-Außenministeriums 456, 506
Khan, Dschingis 225
Khomeini 333 ff., 343 f., 346, 348 f., 540
Kilbi 377
Kim I Sek, südkorean. Innenminister 252, 254 ff.
Kim Il Sung, Premierminister von Nordkorea 245, 251, 539
Kimmel, Husband, US-Admiral 208–210, 214 f., 217
Kinkel, Klaus, dt. Politiker 459
Kissinger, Henry, US-Außenminister 286, 291, 293, 295, 320, 346
Kluge, Hans Günther von, dt. Generalfeldmarschall 230
Knox, Philander, US-Kriegsminister 205, 215, 223
Kohl, Helmut, dt. Politiker 486
Komer, Robert 424
Konoe, japan. Fürst 197
Koo, Kim, korean. Oppositionsführer 539
Kossygin, Alexei, sowjet. Politiker 330
Kostunica 510
Kramer, Alvin D., US-Kapitän 211, 213
Kreuger, Ivar, schwed. Industrieller 147 f.
Kreuger, Torsten, Bruder von Ivar Kreuger 147
Krulak (General) 84
Kunert, Dirk, dt. Historiker 176
Kurze, Ken 300

L

Labouchère, Henry, US-Politiker 117
Lafitte (franz. Freibeuter) 514
LaFollette, Robert, US-Politiker 141
Lamar, Gouverneur von Texas 42, 45
Lamm, Richard, Gouverneur von Colorado 70
Lammer, Helmut, Autor 482
Lane, Harry, US-Senator 109
Lansing, Robert, US-Politiker (Außenminister) 124, 126

Laurent, Eric, Publizist 357
Lee (Autor) 412
LeMay Curtis, US-Luftwaffengeneral 226, 547
Lersner, Kurt von 229
Lewis, Bernard, US-Politiker 320, 342–345
Liechty, Philipp, CIA-Offizier 283
Ligne, Prinz de 176
Lilluokanani 99
Lincoln, Abraham, US-Präsident 11, 61, 48, 63 f., 69, 71–75, 77, 84–88, 97, 106
Lincoln, Robert, Bruder von Abraham Lincoln 87
Lindley, Ernest, Publizist 190
Lindsay, Ronald 186
Livingston, Robert, US-Gesandter 33
Lloyd George, David, brit. Politiker 137
Lock (Autor) 72
Lodge, Henry Cabot, US-Senator 92 f., 100
Lodge, Henry Cabot, US-Botschafter 339
Long, US-Marinesekretär 100
Lopez, kuban. General 91
Lowell, James Russell, Journalist 52
Ludendorff, Erich, dt. Heerführer 421
Lukasiewicz, Jules, poln. Botschafter 173, 175
Lumumba, Patrice, kongoles. Ministerpräsident 531
Lyttleton, Oliver, brit. Kapitän 221

M

MacArthur, Douglas, US-General 198, 226, 230, 243 ff., 247, 249, 256 f., 546
Machado, Gerardo, kub. Präsident 526
Madero, Francisco, mexik. Staatschef 106
Madison, James, US-Präsident 27, 34 f., 37 f., 515
Magic 205
Maier, Pauline, Historikerin 24
Majeed, Tariq, Autor 447
Makashov, A., General 384
Malm, Carl, schwed. Beamter 148
Man, Li Syng (= Syngman Rhee)
Mandel, Georg, franz. Politiker 137
Mankiewitz, Bankier 145
Manley, John (Börsenexperte) 367
Manley, Michael, jamaikan. Premierminister 535, 540
Manstein, Erich Fritz von, dt. Generalfeldmarschall 230

Mao tse-Tung, chines. Politiker 245
Marchetti (Autor) 276
Marcos, F. E., philipp. Führer 495
Marks, John, Autor 276, 495
Marshall, George C., US- General u. Politiker 164, 198, 205, 211, 214 f., 217, 223 f., 227, 231
Martin (General) 209
Martin, James, US-Historiker 156
Martin, Ralph, Historiker 85
Matar, Said, kuwait. Oberst 370
Matthews, George, US-General 35, 515
Maxwell, Neille, Autor 533
McClosky, Pete, Kongreßabgeordneter 293
McCloy, John, US-Bankier 237
McCollough, US-Kapitän 210
McCone, John A., CIA-Mitglied 88
McConnell 291
McCormick, Anne, Zeitungskorrespondentin 232
McCumber, US-Senator 131
McDonald, David L., US-Admiral 282
McFadden, Louis, Kongreßmitglied 140
McGeorge, Regierungsberater 284
McGory, Mary, US-Reporterin 414
McKinley, William, US-Präsident (1897–1901) 74, 92 f., 97, 100, 103, 522
McNamara, Robert, US-Verteidigungsminister 275, 283 ff.
McNaugton, US-Staatssekretär 284
McVeigh, Timothy 491
Mellon, Andrew, US-Finanzminister 139
Mencken, Henry L., Historiker 181
Mercer, Julia Ann, Zeugin der Kennedy-Ermordung 81
Mestrovic, Ivan, jugoslaw. Bildhauer u. CIA-Agent 459
Mestrovic, Mate 459
Metcalf (US-Vizeadmiral) 304
Metz, H.A., dt. Geschäftsmann 157
Michalopoulos, Philipp 507
Milhollin, Gary, US-Politologe 426 f.
Millis, Walter, US-Militärhistoriker 22, 28, 39, 96, 100, 106, 120
Millot, Marc Dean, Mitarbeiter der Rand Corporation 472
Milosevic, Slobodan, serb. Politiker 456, 501, 506, 510, 512 f.
Milteer, Joseph A., rechtsradikaler amer. Politiker 81
Minor, Wallstreetagent 157
Mitchel, C.E., US-Bankier 157

Mitterrand, François, franz. Politiker (Staatschef) 411
Mittman (Autor) 440
Mobutu, Joseph, kongoles. Ministerpräsident, später Staatschef 317, 495, 532, 535, 540
Mofid, Kamrad, brit. Wirtschaftler 333
Monroe, James, US-Präsident (1817–25) 33 f., 36, 496
Montgomery, US-General 447
Moon, Peter, Autor 482
Morgan, John Piedmont, US-Bankier 106, 114, 140 f., 146, 159
Morris, Harvey, Nahost-Experte 347
Morrison, Toni, Historiker 17
Morse, Wayne, US-Senator 277, 283
Morton, Desmond, US-Major 220
Moscicki, Ignacy, poln. Staatschef 177
Mossadegh (iran. Politiker) 264, 341, 430
Moustin, Derina 305
Mubarak, Muhammed, ägypt. Politiker u. Präsident 353 f., 377, 385–388, 433, 537
Muccio, John L., US-Botschafter (in Korea) 252, 255
Mullins, Eustace 94, 138
Murphy, Robert, US-Diplomat 529
Mussolini, Benito, ital. Politiker 414

N

Nagato, japan. Fürst 519
Napoleon, franz. Kaiser 31, 33 f., 36 f., 435
Nasser, Gamal Abdul, ägypt. Politiker u. Präsident 321, 539
Neal, Fred Warner, US-Politologe 458
Nehru, Jawaharal, Premierminister von Indien 539
Neil, US-Brigadegeneral 481
Nelson, Donald 207
Nevins, Allan, US-Historiker 26, 116, 548
Newman, Della, Grundstücksmaklerin 70
Ngendandumwe, Pierre, Premierminister von Burundi 539
Nichols, Preston B., Autor 482
Nicholson, John, US-Leutnant 279
Niebur, Reinhold, US-Theologe 22
Nixon, Richard, US-Präsident (1969–74) 286 f., 291 f., 295, 471, 534, 547

Nol, Lon, kambodschan. Politiker 295
Noriega, panames. General 312 ff., 316 ff., 399, 536, 540
Norman, Montagu, Leiter der Bank von England 139, 154
North, Oliver, Geheimdienstler 355, 399
Nosavan, Phoumi, laot. Politiker 296
Nutting, Wallace, US-General 313
Nye, Gerald P., US-Senator 131

O

O'Donnell, John, US-Zeitungskorrespondent 168, 198
Oakley, Robert, US-Sonderbeauftragter 449
O'Conner, Thomas, Erdölexperte 449
Ogier, Missionskommandant 280
Oliver, Beverly, US-Sängerin 82
Oliver, Robert, US-Berater von S. Rhee 251
Ortega, Daniel 313
Oster, Hans, dt. General 230
Osusky, Stefan, tschech. Gesandter 178
Oswald, Lee Harvey 77, 79, 81 ff., 88
Özal, Turgut, türk. Regierungschef 468

P

Page, Walter Hines, US-Diplomat 119
Pahlawi (s. Schah)
Paine, Thomas, brit.-amer. Publizist 25
Panic, jugoslaw. Politiker 456
Papa Doc = Duvalier, François 538, 539
Papen, Franz von, dt. Politiker 228
Parker 75
Pascal, Thomas, US-Politiker 92
Patman, Wright, US-Bankier 139
Patton, George, US-General 230
Paulding, Hiram, Kommodore 518
Payne, amer. Geschäftsmann 421
Pearson, Drew, Autor 70
Pek Ku, En, Beater S. Rhees 250
Pell, Clairbone 378
Pepper, Claude, US-Senator 159
Peralta Azurdia, Enrique, guatem. Diktator 533
Perdicaris, marokk. Politiker 523
Perry, Matthew C., US-Kommodore 90, 517
Pershing, John, US-General 108 ff.
Pferdmenges, dt. Geschäftsmann 157
Pickering, Timothy, Föderalist 38
Pike, Z.M., US-Hauptmann 514
Piller, Charles, US-Biowaffenexperte 260, 471
Pillsbury, amer. Geschäftsmann 421

Pilsudski, Josef, poln. Politiker 174
Pinochet, Augusto, chilen. Politiker 297, 495
Pol Pot, kambodschan. Politiker 294
Polk, James K., US-Präsident (1845–49) 44–48, 110, 112, 517
Pope, Allen Lawrence, CIA-Pilot 529
Popov, Dusko, jugoslaw. Agent 199
Porter, David, US-Oberbefehlshaber 514
Potocki, Jerzy, poln. Botschafter 173 f., 178
Powell, Colin, US-General 361, 371, 432 f., 447
Power, Francis Gary, Mitarbeiter des CIA 530
Pratt, John, britischer Diplomat 256
Priskil (Autor) 440
Proctor, David, US- Commodore 516
Prouty, Leroy Fletcher, Geheimdienstler 84, 86, 265, 277
Pulitzer, Joseph, US-Journalist 93 ff.

Q

Quandt, William, Nahost-Experte 391
Quayle, Dan, US-Vizepräsident (1889–93) 418, 433, 440
Quigley, Carol, US-Historiker 137, 231
Quitman, US-General 91

R

Radin 21
Raeder, Erich, dt. Großadmiral 188
Raisuli, marokk. Politiker 523
Ramadan, irak. Vizepräsident 349
Rami, Ahmed, marrokan. Politologe 535
Ramsdell, Charles W., Historiker 60
Ranneft, Johan E. N., US-Kapitän 209 f.
Rath, W.H. von, dt. Geschäftsmann 157
Rathenau, Walther, dt. Politiker 145 f.
Reagan, Ronald, US-Präsident (1881–89) 73 f., 80, 112, 298–300, 302, 306–312, 317, 323, 327 f., 349, 352, 360, 366, 398 f., 427, 434, 488 f., 536
Recto, Claro M., philippinischer Oppositionsführer 539
Redman, Charles, Sprecher des US-Außenministeriums 353
Remington, Frederic, Zeichner 93
Remon, José Antonio, panames. Präsident 539
René, France-Albert, Präsident der Seychellen 535

Reyes, Juan P., nicarag. General 521
Rhee, Syngman, südkorean. Politiker u. Präsident 240, 242, 244–253, 255 f., 260, 263, 265, 495
Rhodes, Richard, US-Journalist 426
Ribbentrop, Joachim von, dt. Diplomat u. Politiker 177, 187 f.
Rice, Spring, brit. Diplomat 119
Richardson, J.O., US-Admiral 208, 219
Richardson, Bill, US-Botschafter bei der UNO 487
Richey, Charles, US-Richter 379
Rickover, Hyman G., US-Admiral 95
Riconnosciut, Michael, US-Forscher (Waffenentwicklung) 477
Riegle, Donald W., US-Senator 470
Riley, John, US-Feldwebel 49
Roberts, US-General 252, 254 f.
Roberts, Charles, US-Zeitungskorrespondent 284
Roberts, Paul William, US-Journalist 439
Rockefeller, amer. Industriellenfamilie 141, 161, 323 f., 342, 346, 348 f., 421
Rockefeller, David 330
Rockefeller, John Davison 93, 106
Rockefeller, William 93
Roosevelt, Franklin Delano, US-Präsident (1933–45) 74, 92, 96 ff., 100, 106, 111, 143, 145 f., 159, 162 ff., 166 f., 170–190, 192–198, 205,–208, 213–224, 226–230, 367, 527
Roosevelt, Elenor, Frau von Franklin D. Roosevelt 219, 222
Roosevelt, Elliot, Sohn von Franklin D. Roosevelt 188
Roosevelt, James, Sohn von Franklin D. Roosevelt 192
Roosevelt, Theodore, US-Präsident (1901–09) 74, 308, 312
Root, Elihu, US-Kriegssekretär 104
Rosenthal, A. M., US-Verleger 414
Rothschild, Bankierfamilie 63, 78
Rothschild, Amschel, Bankier 137
Rothschild, Jeroboham = Mandel, Georg
Rowen, Henry 375
Ruby, Jack, Mörder von Oswald 77, 79, 81, 83
Ruf, Werner, Politologe 445
Rumsfeld, Donald, US-Verteidigungminister 354
Runciman, Walter, brit. Politiker 178
Rusk, Dean, US-Außenminister 273, 284, 514

Ryan, Thomas Fortune, US-Geschäftsmann 93

S

Sabah (Scheich) 362
Sadat, Muhammad, Anwar, ägypt. Politiker u. Staatschef 321
Saddam (= Hussein, Saddam)
Safford, L.F., US-Kapitän zur See 211 f.
Said, Edward 413
Salinger, Pierre, Publizist 357, 388, 437
Salomonsohn, dt. Bankier 145
Samuelson, Paul A., Wirtschaftswissenschaftler 264
Sandion, nicarag. Führer 526
Santa Anna, mexik. General 42, 45, 48
Saucier, Aldric, US-Wissenschaftler 482
Sawyer, Forrest, Fernsehjournalist 411
Sch' Dshoädji, chines. Botschafter 191
Schacht, Hjalmar Horace, dt. Finanzpolitiker 146 f.
Schah (= Mohammad Resa Pahlewi) 334 ff., 341, 344, 346, 528, 534
Schenck, Charles, US-Politiker 115
Schewardnadse, Eduard, georg. Politiker 384
Schleicher, Kurt von, dt. General 156
Schlesinger 360
Schmidt, Helmut, dt. Politiker 322, 343
Schmidt, Paul, dt. Dolmetscher 187 f.
Schmidt-Eenboom, Erich, Publizist (Geheimdienst-Experte) 459
Schmitz, Hermann, dt. Geschäftsmann 157
Schneider, René, Kommandeur der chilen. Armee 540
Schröder, Kurt von, dt. Bankier 162
Schroeder, John, US-Autor 47
Schumpeter, Joseph, österreich. Wirtschaftswissenschaftler 367
Schwarzkopf, Norman, US-General 360 f., 363, 370, 384, 414, 418, 432, 450
Scoon, Paul, Generalgouverneur in Grenada 302 f.
Scott, US-Chefgeneral 56, 58.
Scowcroft, Brent, nationaler Sicherheitsberater 371, 387, 404, 425, 432
Seale, Patrick, Nahost-Experte 424
Secord, Richard, Geheimdienstler 399
Sedgwick, US-General 519
Seidel, Freimut (Botschafter) 443

Sevareid, Eric, Fernsehchef 200
Severing, Carl, dt. Politiker 156
Seward, William, Führer der Republikanischen Partei 55, 58 f., 75
Shafter, William, US-General 102
Shalikashvili, John, US-Militär 464
Shangreau, John, Halbblutindianer 19
Shaw, Gary 80
Shaw, John, US-Kapitän 514
Shawcross, William, US-Autor 290
Sheehan, Daniel 361, 399
Sherman, William T. 62
Sherry, Michael S. 239
Sherwood, Robert E., Berater F. D. Roosevelts 177
Short, US-General 208, 210, 214 f., 217
Shulz, George, US-Außenminister 306, 309, 353, 381
Siebert, Bryan, Mitarbeiter beim US-Energieministerium 428
Sihanouk, Norodom, Führer von Kambodscha 289 f., 294, 539
Sihn Sung Mo, korean. Kriegsminister 253
Simic, Pedrag, Politologe 469
Sin Sen Mo, südkorean. Politiker 255
Sirhan, Sirhan, Mörder von Robert Kennedy 89
Sitting Bull, Indianer-Führer 19
Skolnick, Sherman, US-Journalist 423
Sloan, Alfred P., US-Geschäftsmann 160
Sloane, US-Kaufmannsfamilie 421
Sluglett, Peter, Nahost-Experte 424
Smith, US-General 105
Smith, Bedell, US-Delegierter 273
Smith, J. Allen, US-Historiker u. -Politologe 72
Smith, Jean, US-Autorin 410
Snowden, Philip, brit. Abgeordneter 137
Solomon, Autor 412
Somoza, Anastasio, nicarag. Führer 495, 529
Sonnett, John, US-Kapitänleutnant 212
Sorge, Richard, dt. Geheimagent 198
Spait, J.M., brit. Historiker 232
Spasic, Bozidar 459
Spector, Ronald H., Historiker 226
Stadler, Eduard, dt. Politiker 145
Stadtler, US-Oberst 212
Stafford, Lawrence, Kryptologe 216
Stahl. Leslie, US-Fernsehjournalist 413
Stalin, Josef, sowjet. Politiker 163, 191, 198, 216
Stanton, Edwin M. 56, 75 ff.

Stark, Henry, US-Admiral 168, 193 f., 198, 205, 207 f., 211, 214–216, 223
Stauffenberg, Claus Schenck, Graf von, dt. Offizier 230
Stephenson, William, brit. Dioplomat 200
Stilwell (Professor) 166
Stimson, Henry, US-Politiker (Verteidigungsminister) 168, 172, 190, 205 f., 215–218, 222 f.
Stockdale, James B., Pilot 279
Stoga, Alan, US-Wirtschaftsberater 359
Stone, Carl, US-Schriftsteller 306
Stone, Ian F., US-Journalist 262
Storm, Carl, US-Botschafter in Kambodscha 290
Straggie, US-Militärberater 256
Strasser, Gregor, dt. Politiker 155
Straus, Oscar, dt. Bankier 118
Street, Arthur, brit. Politiker 178
Strong, Morgan, US-Reporter 419
Suharto, Kemusu, indones. General u. Politiker 495, 532, 534
Sukarno, Achmed, indon. Politiker 529, 532, 539
Sullivan, US-Zeitungskorrespondent 254
Sultan, Khaled Bin, saudi-arabischer General 436 f.
Sun Yup, Paik, Generalmajor 247
Sununu, John, Chef des Weißen Haus-Stabs 371, 390, 433
Surratt, John H., Verschwörer gegen A. Lincoln 76
Sutton, Anthony, US-Historiker u. -Politologe 156, 158 f.
Swope, Wallstreetagent 157

T

Taft, William Howard, US-Präsident (1909–13) 106
Talleyrand, Charles-Maurice de, franz. Staatsmann 30 f., 33
Tansill, Charles, US-Historiker 118, 173
Taraki, afghan. Präsident 319
Taylor, Maxwell, US-General 284
Taylor, Telford, US-Richter 288
Taylor, Zachary, US-General u. -Präsident (1849–50, im Amt verstorben) 44 ff., 49, 91
Teagle, Walter, US-Bankier 157
Termeer, F., dt. Geschäftsmann 157
Thaci, Hashim, kovov. Poitiker u. UCK-Führer 503

Thatcher, Margaret, brit. Politikerin 371, 389, 404
Theobald, US-Admiral 171, 196, 214
Thomas (Autor) 482
Thurman, Max, US-General 316
Thyssen, Fritz, dt. Industrieller 421
Tilley, J.S., US-Historiker 60
Tirpitz, Alfred, dt. Großadmiral 127
Tito, Josip, jugoslaw. Marschall u. Politiker 459, 461
Toani, Joseph, CIA-Sprecher 373
Toland, John, US-Autor 198, 216
Torrijo, Omar, panames. Staatschef 313, 536, 540
Totten, Harvey, Kanadier (Zeuge des US-Überfalls auf Grenada) 305
Trotzki, Leo, sowjet. Politiker 342
Trujillo, Rafael, dominikanischer Staatschef 539
Truman, Harry S., US-Präsident (1945–53) 74, 12, 230, 240 f., 248, 251 f., 421, 545
Tschiang Kai-schek, chines. Politiker u. Marschall 191 f., 198, 240, 261, 509
Tschiang Wego W.K. (General) 198
Tscho Bion Ok, S. Rhees Vertreter in den USA 252
Tshombe, Moise, kongoles. Führer 532
Tudjman, Franjo, kroat. Politiker 462
Turner, US-Admiral 205
Turner, Stansfield, CIA-Chef 328
Tutwiller, Margaret 373, 389
Tyler, John, US-Präsident (1841–45) 44 f., 51, 112

V

Van Fleet (General) 262
Vance, Cyrus, US-Politiker (Außenminister) 336, 343
Vansittart, Robert, brit. Diplomat 174
Velasco Ibarra, José Maria, ecuad. Präsident 531
Verkuhl, J.A., Oberst 199
Viereck, George 123, 125 f.
Villa, Francisco Pancho 107 f.
Viorst, Milton, Nahost-Experte 362
Vollmer, Ludger, dt. POlitiker 505

W

Wade, Henry, US-Staatsanwalt 79
Wadsworth, James, US-Senator 113
Wahhab, Samir Adul, irak. Innenminister 357

Walker, Tommy 151
Walker, William, Aufständischer in Nicaragua 501, 518
Wallace, David, Autor 258
Waller, Litteltown, US-Major 105
Walter, William 81
Warburg, Max, dt. Bankier 145, 157
Warburg, Paul, Bankier 121, 128, 131, 140, 145, 149, 157
Warburg, Sidney, Bankier 149-156
Warren, Earl, US-Politiker u. Bundesrichter 83
Washington, George, US-Präsident (1789-97) 11, 26, 28-31
Wasumaza, Indianer-Krieger 20
Webster, Daniel, amer. Staatsmann 48
Webster, William, CIA-Direktor 363, 371, 374 f., 384, 433
Wedel, Otto, schwed. Kommisssar 148
Wedemeyer, Albert C., US-General 198, 223, 231
Weinberger, US-Politiker 309
Weiner, Tim, US-Journalist 368, 483
Weintal, Edward, US-Journalist 284
Weiß, W.E., dt. Geschäftsmann 157
Weizsäcker, Richard von, dt. Politiker 460
Welles, Sumner 181, 184
Wellmann, Arend, Autor 426
Westmoreland, William C., US-General 285, 339
Weyerhaeuser, Kaufmannsfamilie 421
Wheeler, Burton, US-Senator 168, 222
Wheeler, Earl C., US-General 283, 291
White, Henry, US-Botschafter 116
White, John W., US-Leutnant 275
White Lance, Indianer 20
White, Theodore, US-Historiker 70
Whitlam, Edward Gough, austral. Premierminister 534

Whitside, US-Major 19 f.
Wicker, Tom, US-Journalist 284
Wilhelm I. dt. Kaiser 117, 124
Wilkinson, James, US-General 514 f.
Will, George, US-Journalist 414
Willert, Vertrauter F. D. Roosevelts 171
Williams, Peter, Autor 258
Wilson, Woodrow, US-Präsident (1913-21) 107, 109 f., 113 f., 118-126, 129-132, 143, 150, 165, 181
Wilson, Joseph, US-Geschäftsträger 431
Winders, Richard Bruce, US-Autor 47
Winter, Rolf, dt. Publizist 71, 75, 494
Woodford (General) 96
Woodring (Kriegsminister) 172

Y

Yamamoto, Keith R., Biowaffenexperte 260, 471
Yant, Martin (Autor) 437
Yazdi, Ibrahim, iran. Vizepräsident 344
Ydigoras, Miguel, guatem. General u. Präsident 531, 533
Young, Wallstreetagent 157
Young, Owen D. 145
Young, Stephen, US-Senator 284

Z

Zapata, Emiliano 106 ff.
Zapruder, Abraham 82
Zia Ul haq, Mohammed, pakistan. Präsident 320, 540
Zimmerman, Peter, Sachverständiger für Rüstungskontrolle u. Abrüstung 434 f.
Zimmermann, dt. Unterstaatssekretär 122
Zinn, Howard, US-Historiker 24, 35, 115

Veröffentlichungen des Instituts für Deutsche Nachkriegsgeschichte

Band 1	Hoggan	Der erzwungene Krieg · 15. Auflage, 936 S. DM 69.-
Band 2	Nicoll	Englands Krieg gegen Deutschland 3. Auflage, 576 S. DM 32.-
Band 3	Hoggan	Frankreichs Widerstand gegen den 2. Weltkrieg *vergriffen*
Band 4	Ribbentrop	Deutsch-Englische Geheimverbindungen · DM 28.-
Band 5	Brennecke	Die Nürnberger Geschichtsentstellung *vergriffen*
Band 6	Keppler	Tod über Deutschland · *vergriffen*
Band 7	Hoggan	Der unnötige Krieg. ›Germany must perish‹ 4. Auflage, 680 S. DM 58.-
Band 8	Yockey	Chaos oder Imperium? · *vergriffen*
Band 9	Stäglich	Der Auschwitz-Mythos · *nicht mehr lieferbar*
Band 10	Hoggan	Das blinde Jahrhundert 1. Teil: Amerika – das messianische Unheil 2. Auflage, 640 S. DM 58.-
Band 11	Hoggan	Das blinde Jahrhundert 2. Teil: Europa – die verlorene Weltmitte *z. Zt. vergriffen, Bestellungen werden vorgemerkt*
Band 12	Franz-Willing	Die Reichskanzlei · *vergriffen*
Band 13	Höffkes	Hitlers politische Generale 2. Auflage, 432 S. DM 39.80
Band 14	Pemsel	Hitler. Revolutionär – Staatsmann – Verbrecher? 650 S., Sonderpreis.DM 39.80
Band 15	Höffkes	Deutsch-sowjetische Geheimverbindungen 300 S., Sonderpreis DM 25.-
Band 16	Rassinier	Die Jahrhundert-Provokation 3. Auflage, 368 S. DM 38.-
Band 17	Hoggan	Anmerkungen zu Deutschland · 380 S. DM 42.-
Band 18	Degrelle	Hitler, geboren in Versailles · 544 S. DM 38.-
Band 19	Gauss	Vorlesungen über Zeitgeschichte *nicht mehr lieferbar*
Band 20	Peters	Volkslexikon Drittes Reich 3. Auflage, 960 S. DM 98.-
Band 21	Rose	Die Thule-Gesellschaft · 2. Auflage, 288 S. DM 32.-
Band 22	Gauss	Anmerkungen zur Zeitgeschichte *nicht mehr lieferbar*
Band 23	Irving	Nürnberg – die letzte Schlacht 2. Auflage, 480 S. DM 49.80
Band 24	Khan	Die geheime Geschichte der amerikanischen Kriege 2.Auflage 624 S. DM 49.80
Band 25	Bieg	Die Wurzeln des Übels 400 S. DM 32.-
Band 26	Baumfalk	Tatsachen zur Kriegsschuldfrage 752 S. DM 68.-
Band 27	Popp	Wehe den Besiegten! 544 S. DM 34.80
Band 28	Nordbruch	Der deutsche Aderlaß 512 S. DM 34.80

»Wehe den Besiegten!«
Endlich die noch ausstehende Bilanz des letzten Weltkrieges

Hier liegt nach früheren Einzelbeschreibungen zum ersten Male eine alle wesentlichen Bereiche der deutschen Verluste abdeckende Gesamtdarstellung und damit eine wirkliche und ungeschönte Bilanz des Zweiten Weltkrieges vor.

Seit mehr als einem halben Jahrhundert wird in Fortsetzung der alliierten Kriegspropaganda – vielfach übertrieben und unberechtigt – Deutschlands Schuld aus der Vorkriegs- und Kriegszeit dokumentiert, veröffentlicht und in den Medien breit ausgewälzt, und die Bundesregierung zahlt, neuerdings auch für die sog. Zwangsarbeiter. Demgegenüber sind die deutschen Verluste durch den Krieg und in der ersten Nachkriegszeit kaum dokumentiert, werden in der breiten Öffentlichkeit kaum vorgestellt und sind deswegen kaum bekannt. Das vorliegende Werk schließt diese Lücke und stellt sachlich eine Bilanz der deutschen Verluste an Menschen und Land, an materiellen und geistigen Werten, an Reparationen und Wiedergutmachungen als Folge des Zweiten Weltkrieges auf. Einleitend werden auch die Bedingungen des Versailler Diktats von 1919 vorgestellt.

Wolfgang Popp
Wehe den Besiegten!
Versuch einer Bilanz der Folgen des Zweiten Weltkrieges für das deutsche Volk

544 S., Klappbr., 53 Abb. **DM 34.80**
Best.-Nr. 3-87847-191-2

»Da die Geschichte von den Siegern geschrieben wird, gehört es zu den Aufgaben der Besiegten, die notwendigen Korrekturen anzubringen. Wer die Geschichte eines Volkes verbiegt, macht es krank.«
PAUL CAREL

GRABERT-VERLAG-TÜBINGEN